Le **Routard**

Paris

Directeur de collection et auteur **Philippe GLOAGUEN**	*Rédaction* **Isabelle AL SUBAIHI**
Cofondateurs **Philippe GLOAGUEN** **et Michel DUVAL**	**Mathilde de BOISGROLLIER** **Thierry BROUARD** **Marie BURIN des ROZIERS**
Rédacteur en chef **Pierre JOSSE**	**Véronique de CHARDON** **Gavin's CLEMENTE-RUÏZ** **Fiona DEBRABANDER**
Rédacteurs en chef adjoints **Amanda KERAVEL** **et Benoît LUCCHINI**	**Anne-Caroline DUMAS** **Géraldine LEMAUF-BEAUVOIS** **Olivier PAGE**
Directrice de la coordination **Florence CHARMETANT**	**Alain PALLIER** **Anne POINSOT** **André PONCELET**
Directrice administrative **Bénédicte GLOAGUEN**	*Administration*
Direction éditoriale **Catherine JULHE**	**Carole BORDES** **Éléonore FRIESS**

2015

hachette

Remarque importante aux hôteliers et restaurateurs

Les enquêteurs du *Routard* travaillent dans le plus strict anonymat. Aucune réduction, aucun avantage quelconque, aucune rétribution n'est jamais demandé en contrepartie. Face aux aigrefins, la loi autorise les hôteliers et restaurateurs à porter plainte.

Avis aux lecteurs

Le *Routard,* ce n'est pas comme le bon vin, il vieillit mal. On ne veut pas pousser à la consommation, mais évitez de partir avec une édition ancienne. Les modifications sont souvent importantes.
Les réductions accordées à nos lecteurs ne sont jamais demandées par nos rédacteurs afin de préserver leur indépendance. Les hôteliers et restaurateurs sont sollicités par une société de mailing, totalement indépendante de la rédaction, qui reste donc libre de ses choix. De même pour les autocollants et plaques émaillées.

Avec routard.com, choisissez, organisez, réservez et partagez vos voyages !

✓ Rejoignez la plus grande communauté francophone de voyageurs : plus de **2 millions** de visiteurs !

✓ Échangez avec les routarnautes : forums, photos, avis d'hôtels.

✓ Retrouvez aussi toutes les informations actualisées pour choisir et préparer vos voyages : plus de 200 fiches pays, une centaine de dossiers pratiques et un magazine en ligne pour découvrir tous les secrets de votre destination.

✓ Enfin, comparez les offres pour organiser et réserver votre voyage au meilleur prix.

Pictogrammes du *Routard*

Établissements
- 🛏 Hôtel, auberge, chambres d'hôtes
- ⛺ Camping
- 🍽 Restaurant
- 🍔 Spécial burger
- Boulangerie, sandwicherie
- 🍧 Glacier
- Pâtisserie
- Café, salon de thé
- Café, bar
- 🎵 Bar musical
- 🎵 Club, boîte de nuit
- Salle de spectacle
- ℹ Office de tourisme
- ✉ Poste
- Boutique, magasin, marché
- @ Accès internet
- ✚ Hôpital, urgences

Sites
- Plage
- Site de plongée
- 🚲 Piste cyclable, parcours à vélo

Transports
- ✈ Aéroport
- 🚆 Gare ferroviaire
- 🚌 Gare routière, arrêt de bus
- Ⓜ Station de métro
- 🇹 Station de tramway
- Ⓟ Parking
- 🚕 Taxi
- Taxi collectif
- ⛴ Bateau
- Bateau fluvial

Attraits et équipements
- 🏹 Présente un intérêt touristique
- Recommandé pour les enfants
- ♿ Adapté aux personnes handicapées
- 💻 Ordinateur à disposition
- 📶 Connexion wifi
- Ⓧ Inscrit au Patrimoine mondial de l'Unesco

Le *Routard* est imprimé sur un papier issu de forêts gérées.

© **HACHETTE LIVRE (Hachette Tourisme), 2015**
Tous droits de traduction, de reproduction et d'adaptation réservés pour tous pays.
© **Cartographie** Hachette Tourisme.
I.S.B.N. 978-2-01-245912-0

TABLE DES MATIÈRES

PARIS UTILE

HOMMES, CULTURE, ENVIRONNEMENT

1er ARRONDISSEMENT

LE LOUVRE, LE PALAIS-ROYAL, LA PLACE VENDÔME

2e ARRONDISSEMENT

LA BIBLIOTHÈQUE NATIONALE, LES PASSAGES, LE SENTIER, LE QUARTIER DE LA PRESSE, LA BOURSE

3e ARRONDISSEMENT

LE NORD DU MARAIS, LE QUARTIER DU TEMPLE

4e ARRONDISSEMENT

LE CENTRE POMPIDOU, LE QUARTIER SAINT-GERVAIS-SAINT-PAUL, NOTRE-DAME, L'ÎLE SAINT-LOUIS, LA PLACE DES VOSGES

5e ARRONDISSEMENT

LE QUARTIER LATIN, LA CONTRESCARPE, LA MOUFF', LE JARDIN DES PLANTES

6e ARRONDISSEMENT

ODÉON, SAINT-GERMAIN-DES-PRÉS

7e ARRONDISSEMENT

LA TOUR EIFFEL, LE MUSÉE DU QUAI BRANLY, LES INVALIDES, LE FAUBOURG SAINT-GERMAIN, LE MUSÉE D'ORSAY

8e ARRONDISSEMENT

L'ÉTOILE, LES CHAMPS-ÉLYSÉES, LE PARC MONCEAU, LA CONCORDE, LA MADELEINE

9e ARRONDISSEMENT

LES GRANDS BOULEVARDS, LA « NOUVELLE-ATHÈNES »

10e ARRONDISSEMENT

LA RÉPUBLIQUE, LA GARE DE L'EST, LE CANAL SAINT-MARTIN, LE « BAS DE BELLEVILLE »

11e ARRONDISSEMENT

LA BASTILLE, LE FAUBOURG SAINT-ANTOINE

12e ARRONDISSEMENT

L'OPÉRA-BASTILLE, LA NATION, LE QUARTIER DE BERCY, LE BOIS DE VINCENNES

13e ARRONDISSEMENT

LA BUTTE-AUX-CAILLES, LES GOBELINS, LE NOUVEAU 13e, CHINATOWN

14e ARRONDISSEMENT

MONTPARNASSE, PLAISANCE, PERNETY, DENFERT-ROCHEREAU, MONTSOURIS, ALÉSIA

15e ARRONDISSEMENT

LA TOUR ET LA GARE MONTPARNASSE, LE PARC GEORGES-BRASSENS, LE PARC ANDRÉ-CITROËN

16e ARRONDISSEMENT

AUTEUIL, PASSY, LE TROCADÉRO, LE BOIS DE BOULOGNE

17e ARRONDISSEMENT

LES BATIGNOLLES

18e ARRONDISSEMENT

MONTMARTRE, LA GOUTTE-D'OR

19e ARRONDISSEMENT

LES BUTTES-CHAUMONT, LE PRÉ-SAINT-GERVAIS, LE BASSIN DE LA VILLETTE, LE PARC DE LA VILLETTE

20e ARRONDISSEMENT

LE PÈRE-LACHAISE, CHARONNE, MÉNILMONTANT, BELLEVILLE

Recommandations à ceux qui souhaitent profiter des réductions et avantages proposés dans le *Routard* par les hôteliers et les restaurateurs : à l'hôtel, pensez à les demander au moment de la réservation ou, si vous n'avez pas réservé, **à l'arrivée.** Ils ne sont valables que pour les réservations en direct et non cumulables avec d'autres offres promotionnelles (notamment sur Internet). Au restaurant, parlez-en **au moment** de la commande et surtout **avant** que l'addition ne soit établie. Poser votre *Routard* sur la table ne suffit pas : le personnel de salle n'est pas toujours au courant, et une fois le ticket de caisse imprimé, il est difficile de modifier le total. En cas de doute, montrez la notice relative à l'établissement dans le *Routard* de l'année, bien sûr, et ne manquez pas de nous faire part de toute difficulté rencontrée.

IMPORTANT : DERNIÈRE MINUTE

Sauf rare exception, le *Routard* bénéficie d'une parution annuelle à date fixe. Entre deux dates, des événements fortuits (formalités, taux de change, catastrophes naturelles, conditions d'accès aux sites, fermetures inopinées, etc.) peuvent modifier vos projets en voyage. Pour éviter les déconvenues, nous vous recommandons de consulter la rubrique « Guide » par pays de notre site • *routard.com* •, et plus particulièrement les dernières **Actus voyageurs.**

Remerciements

Nous tenons à remercier tout particulièrement Loup-Maëlle Besançon, Thierry Bessou, Gérard Bouchu, François Chauvin, Grégory Dalex, Stéphanie Déro, Fabrice Doumergue, Cédric Fischer, Carole Fouque, Michelle Georget, David Giason, Claude Hervé-Bazin, Emmanuel Juste, Dimitri Lefèvre, Fabrice de Lestang, Romain Meynier, Éric Milet, Pierre Mitrano, Jean-Sébastien Petitdemange, Thomas Rivallain et Dominique Roland pour leur collaboration régulière.

Emmanuelle Bauquis
Mathilde Blanchard
Jean-Jacques Bordier-Chêne
Michèle Boucher
Mathilde Bouron
Sophie Cachard
Jeanne Cochin
Agnès Debiage
Jérôme Denoix
Joséphine Desfougères
Tovi et Ahmet Diler
Clélie Dudon
Sophie Duval
Alain Fisch
Bérénice Glanger
Adrien et Clément Gloaguen
Bernard Hilaire

Sébastien Jauffret
Blanche-Flore Laize
Virginie Leibel
Jacques Lemoine
Julien Léopold
Jacques Muller
Caroline Ollion
Martine Partrat
Odile Paugam et Didier Jehanno
Julia Pouyet
Émile Pujol
Anaïs Rougale
Prakit Saiporn
Jean-Luc et Antigone Schilling
Alicia Tawil
Caroline Vallano
Juliana Verdier

Direction : Nathalie Bloch-Pujo
Contrôle de gestion : Jérôme Boulingre et Virginie Laurent-Arnaud
Secrétariat : Catherine Maîtrepierre
Direction éditoriale : Catherine Julhe
Édition : Matthieu Devaux, Géraldine Péron, Olga Krokhina, Gia-Quy Tran, Julie Dupré, Pauline Fiot, Camille Loiseau, Béatrice Macé de Lépinay, Emmanuelle Michon, Martine Schmitt et Marion Sergent
Préparation-lecture : Magali Vidal
Cartographie : Frédéric Clémençon et Aurélie Huot
Fabrication : Nathalie Lautout et Audrey Detournay
Relations presse France : COM'PROD, Fred Papet. ☎ 01-70-69-04-69. ● info@comprod.fr ●
Direction marketing : Adrien de Bizemont, Lydie Firmin et Laure Illand
Contacts partenariats : André Magniez (EMD). ● andremagniez@gmail.com ●
Édition des partenariats : Élise Ernest
Informatique éditoriale : Lionel Barth
Couverture : Clément Gloaguen et Seenk
Maquette intérieure : le-bureau-des-affaires-graphiques.com, Thibault Reumaux et npeg.fr
Relations presse : Martine Levens (Belgique) et Maureen Browne (Suisse)
Régie publicitaire : Florence Brunel-Jars

ADRESSES, TÉLÉPHONES ET INFOS UTILES

Adresses et infos utiles

🅱 *Office de tourisme et des congrès de Paris :* 25, rue des Pyramides, 75001 (angle av. de l'Opéra). ● paris info.com ● Ⓜ Pyramides. Mai-oct (sf 1er mai), tlj 9h-19h ; nov-avr, tlj 10h-19h. Nombreuses infos sur leur site internet. Documentation variée et gratuite à consulter dans les bureaux.

🅱 Autres bureaux (même numéro de téléphone) :

– Gare de Lyon : 20, bd Diderot, 75012. Ⓜ Gare-de-Lyon. Tlj sf dim et j. fériés 8h-18h.

– Gare du Nord : 18, rue de Dunkerque, 75010. Ⓜ Gare-du-Nord. « Bulle accueil » sous la verrière de la gare Île-de-France. Tlj 8h-18h. Fermé 1er janv, 1er mai et 25 déc.

– Gare de l'Est : pl. du 11-Novembre-1918, 75010 (côté TGV internationaux – rue d'Alsace). Ⓜ Gare-de-l'Est. Tlj sf dim et j. fériés 8h-19h.

– Kiosque Anvers : face au 72, bd de Rochechouart, à la sortie du métro Anvers. Tlj 10h-18h. Fermé 1er janv, 1er mai et 25 déc.

– Parc des Expositions de la porte de Versailles, pdt les salons.

■ *Kiosque Théâtre :* face au 15, pl. de la Madeleine, 75008. Ⓜ Madeleine. Autres guichets : parvis de la gare Montparnasse, 75015, Ⓜ Montparnasse-Bienvenüe ; et terre-plein central de la pl. des Ternes, 75017, Ⓜ Ternes. ● kiosquetheatre.com ●

Tlj sf lun 12h30-20h (16h dim). Permet d'obtenir 50 % de réduction pour les spectacles (théâtre, cafés-théâtres et cabarets) du jour même. Arriver avant l'ouverture des guichets si l'on veut absolument voir un spectacle, surtout le week-end.

■ *France Tourisme :* 33, quai des Grands-Augustins, 75006. ☎ 01-53-10-35-36. ● francetourisme.fr ● Ⓜ et RER B : Saint-Michel. Tlj 7h-21h30. Pour répondre à toutes vos questions concernant vos loisirs, pour vous procurer les *passes* musées, métro, Disneyland Paris, pour réserver des places de spectacle ou préparer des excursions touristiques...

■ *Kiosques Jeunes :* 14, rue François-Miron, 75004 ; ☎ 01-42-71-38-76 ; Ⓜ Hôtel-de-Ville ou Saint-Paul ; lun-ven 11h-19h. 101, quai Branly, 75015 ; ☎ 01-43-06-15-38 ; Ⓜ Bir-Hakeim ; mar-ven 13h-18h. Et à la Goutte-d'Or, dans le hall du centre musical Fleury, 1, rue Fleury, 75018 ; ☎ 01-42-62-47-38 ; Ⓜ Barbès-Rochechouart ; mar-ven 11h-13h, 14h-19h. ● jeunes.paris.fr ● Trois Kiosques Jeunes qui proposent des places de spectacle (théâtre, concerts, manifestations sportives...) à tarif réduit. Donnent également beaucoup d'invitations. Billetterie et centre d'information. Seul impératif : avoir moins de 30 ans.

– Et de nombreux sites internet pour obtenir des places de spectacles, concerts, théâtre... à prix réduit : ● bil letreduc.com ● ticketac.fr ● ticketnet. fr ●...

✉ *Poste :* 52, rue du Louvre, 75001. ☎ 36-31. ● laposte.fr ● Ⓜ Louvre-Rivoli ou Les Halles. Tlj 24h/24 sf 6h-7h30 lun-sam et 6h-10h dim. En dehors des heures normales d'ouverture (7h30-19h) : retrait d'argent (limité à 200 €), dépôt de courrier, poste restante et envoi de fax. Il faut voir le nombre de personnes qui s'y pressent le soir de la date limite de versement du tiers provisionnel !

Santé, urgences

■ **SAMU :** ☎ 15.
■ **Pompiers :** ☎ 18.
■ **Police ou gendarmerie :** ☎ 17.
■ **SOS Médecins :** ☎ 01-53-94-94-94.
■ **SOS Dentaires :** ☎ 01-43-37-51-00.
■ **Pharmacies ouvertes tous les jours, 24h/24 :** 6, pl. de Clichy, 75009 ; ☎ 01-48-74-65-18 ; Ⓜ Place-de-Clichy. Et 84, av. des Champs-Élysées, 75008 (dans la galerie marchande Les Champs) ; ☎ 01-45-62-02-41 ; Ⓜ George-V.
– Le **112**, numéro d'urgence européen, peut être composé en cas d'accident, d'agression ou de détresse, à partir d'un téléphone fixe ou portable, sans crédit, avec n'importe quel opérateur européen. Il permet de se faire localiser et aider tout en améliorant les délais d'intervention des services de secours.

ARRIVER À PARIS – QUITTER PARIS

▶ Pour la carte des liaisons Paris-aéroports, voir le cahier couleur.

Renseignements aéroports

✈ **Roissy-Charles-de-Gaulle** (aérogares 1, 2 et 3) : ☎ 39-50 (0,34 €/mn). Informations touristiques aux points infos Paris – Île-de-France :
– terminal 2C porte 5 niveau « Arrivées/Départs » ; tlj 7h30-14h30 ;
– terminal 2D porte 7 niveau « Arrivées/Départs » ; tlj 8h-22h30 ;
– terminal 2E porte 7 niveau « Arrivées » ; tlj 7h15-22h ;
– terminal 2F porte 11 niveau « Arrivées » ; tlj 7h15-21h ;
– terminal 1 porte 4 niveau « Arrivées » ; tlj 7h15-22h.
✈ **Orly-Sud et Orly-Ouest :** ☎ 39-50 (0,34 €/mn). À Orly-Sud, informations touristiques 7h15-21h45 à la porte L niveau « Arrivées » ; à Orly-Ouest, à la porte A niveau « Arrivées ».
■ **Aéroports de Paris :** ☎ 39-50 (0,34 €/mn). ● aeroportsdeparis.fr ●
■ **Air France :** rens et résas au ☎ 36-54 (0,34 €/mn – tlj 6h30-22h), sur ● airfrance.fr ●, dans les agences Air France (fermées dim) et dans ttes les agences de voyages. Air France propose à tous des tarifs attractifs toute l'année. Vous avez la possibilité de consulter les meilleurs tarifs du moment sur Internet, directement sur la page « Meilleures offres et promotions ». Le programme de fidélisation Air France-KLM permet de cumuler des miles à son rythme et de profiter d'un large choix de primes. Avec votre carte Flying Blue, vous êtes immédiatement identifié comme client privilégié lorsque vous voyagez avec tous les partenaires. Air France propose également des réductions jeunes. La carte Flying Blue Jeune est réservée aux jeunes âgés de 2 à 24 ans résidant en France métropolitaine, dans les départements d'outre-mer, au Maroc, en Tunisie ou en Algérie. Avec plus de 1 000 destinations et plus de 100 partenaires, Flying Blue Jeune offre autant d'occasions de cumuler des miles partout dans le monde.
■ **Advantage :** aéroport de Roissy, terminal 2D. ☎ 01-48-16-12-22. ● advantage.com ● Tlj 8h-minuit. Autre agence à Orly-Ouest, au niveau 1 du parking PO. Tlj 7h-23h. La marque du groupe Hertz est le nouveau loueur de voitures low-cost pour les loisirs. Agences en France dans les aéroports de Roissy et Orly-Ouest, à Bordeaux, à Marseille et à Toulouse, ainsi qu'en Italie et en Espagne. Nombreux modèles de voiture avec kilométrage illimité et prix très intéressants.

Comment aller à Roissy et à Orly ?

Bon à savoir :
– le **pass Navigo** est valable pour Roissy-Rail (RER B, zones 1-5) et Orly-Rail (RER C, zones 1-4). Les week-ends et j. fériés, le pass Navigo est dézoné, ce qui permet à ceux qui n'ont que les zones 1 à 3 d'aller tout de même jusqu'aux aéroports sans frais supplémentaires ;
– le **billet Orly-Rail** permet d'accéder sans supplément aux réseaux métro et RER.

À ROISSY-CHARLES-DE-GAULLE 1, 2 ET 3

Attention : si vous partez de Roissy, pensez à vérifier de quelle aérogare votre avion décolle, car la durée du trajet peut considérablement varier en fonction de cette donnée.

En transports collectifs

☞ **Les cars Air France :** ☎ 0892-350-820 (0,34 €/mn). ● lescarsair france.com ● Paiement par CB possible à bord.
Le site internet diffuse les informations essentielles sur le réseau (lignes, horaires, tarifs...) permettant de connaître en temps réel le trafic afin de mieux planifier son départ. Il permet d'acheter et d'imprimer les billets électroniques pour accéder aux bus.
➢ Paris-Roissy : départ pl. de l'Étoile (1, av. Carnot), avec un arrêt pl. de la Porte-Maillot (bd Gouvion-Saint-Cyr). Départs ttes les 30 mn, 5h45-23h. Durée du trajet : env 1h. Tarifs : 17 € l'aller simple, 29 € l'A/R ; réduc enfants 2-11 ans.
Autres départs depuis la gare Montparnasse (arrêt rue du Commandant-Mouchotte, face à l'hôtel Pullman), ttes les 30 mn, 6h-22h, avec un arrêt gare de Lyon (20 bis, bd Diderot). Tarifs :

17 € l'aller simple, 28,50 € l'A/R ; réduc enfants 2-11 ans.
➢ Roissy-Paris : les cars Air France desservent la pl. de la Porte-Maillot, avec un arrêt bd Gouvion-Saint-Cyr, et se rendent ensuite au terminus de l'av. Carnot. Départs ttes les 20-30 mn, 5h45-23h, des terminaux 2A et 2C (porte C2), 2E et 2F (niveau « Arrivées », porte 3 de la galerie), 2B et 2D (porte B1), et du terminal 1 (porte 34, niveau « Arrivées »).
À destination de la gare de Lyon et de la gare Montparnasse, départs ttes les 30 mn, 6h-22h, des mêmes terminaux. Durée du trajet : env 1h15.

☞ **Roissybus :** ☎ 32-46 (0,34 €/mn). ● ratp.fr ● Départs de la pl. de l'Opéra (angle rues Scribe et Auber) ttes les 15 mn (20 mn à partir de 20h, 30 mn à partir de 22h), 5h15-00h30. Durée du trajet : 1h. De Roissy, départs 6h-00h30 des terminaux 1, 2A, 2B, 2C, 2D et 2F, et à la sortie du hall d'arrivée du terminal 3. Tarif : 10,50 €.

☞ **Bus RATP n° 351 :** de la pl. de la Nation, 5h35-20h20. Solution la moins chère mais la plus lente. Compter 3 tickets ou 5,70 € et 1h40 de trajet. Ou bus n° 350, de la gare de l'Est (1h15 de trajet). Arrivée Roissypôle-gare RER.

🚍 **RER ligne B + navette :** ☎ 32-46 (0,34 €/mn). Départs ttes les 15 mn, 4h53-0h20 depuis la gare du Nord et à partir de 5h26 depuis Châtelet. À Roissy-Charles-de-Gaulle, descendre à la station (il y en a 2) qui dessert le bon terminal. De là, prendre la navette adéquate. Compter 50 mn de la gare du Nord à l'aéroport (navette comprise), mais mieux vaut prendre de la marge. Tarif : 10,90 €. Pass Navigo valable sans frais supplémentaires pour les aéroports.

Si vous venez du Nord, de l'Ouest ou du Sud de la France en train, vous pouvez rejoindre les aéroports de Roissy sans passer par Paris, la gare SNCF Paris-Charles-de-Gaulle étant reliée aux réseaux TGV.

En taxi

Pensez aussi aux nouveaux services de transport qui se développent dans la capitale, et qui pourraient être adaptés à vos besoins :
– **WeCab** : ☎ *01-41-27-66-77.* • *wecab.com* • *Remise de 10 % pour nos lecteurs avec le code « routard2015 » au paiement.* Une formule de taxi partagé (avoir un peu de souplesse horaire donc, max 2 arrêts), uniquement entre les aéroports parisiens et Paris, ainsi qu'une quarantaine de villes en Île-de-France, tarifs forfaitaires (paiement à l'avance en ligne).
– **LeCab** : ☎ *01-76-49-76-49.* • *lecab.fr* • Tarifs forfaitaires (paiement à l'avance en ligne), pas de facturation des bagages, réservation gratuite sur Internet, payante par téléphone. Le chauffeur vient vous chercher dans l'aéroport...
Maintenant, à vous de voir !

En voiture

Chaque terminal a son propre parking. Compter 36 € par tranche de 24h. Également des parkings longue durée (PR et PX), plus éloignés des terminaux, qui proposent des tarifs plus avantageux (forfait 24h 26 €, forfait 7 j. 158 €). Possibilité de réserver sa place de parking via le site • *aeroportsdeparis.fr* • Stationnement au parking Vacances (longue durée) dans le P3 Résa (terminaux 1 et 3) situé à 2 mn du terminal 3 à pied, ou dans le PAB (terminal 2). Formules de stationnement 1-30 j. (115-230 €) pour le P3 Résa. Résa w-e 4 j. au PAB : 49 €. Réservation sur Internet uniquement. Les P1, PAB et PEF accueillent les deux-roues : 15 € pour 24h.

Comment se déplacer entre Roissy-Charles-de-Gaulle 1, 2 et 3 ?

Les rames du CDG-VAL font le lien entre les 3 terminaux en 8 mn. Fonctionne tlj, 24h/24. Gratuit. Accessible aux personnes à mobilité réduite. Départs ttes les 4 mn, et ttes les 20 mn minuit-4h. Desserte gratuite vers certains hôtels, parkings, gares RER et gares TGV. Infos au ☎ 39-50.

À ORLY-SUD ET ORLY-OUEST

En transports collectifs

🚌 **Les cars Air France :** ☎ *0892-350-820 (0,34 €/mn).* • *lescarsairfrance.com* • *Tarifs :* 12,50 € *l'aller simple,* 21 € *l'A/R ; réduc 2-11 ans. Paiement par CB possible dans le bus.*
➢ *Paris-Orly :* départs de l'Étoile, 1, av. Carnot, ttes les 30 mn, 5h-22h40. Arrêts au terminal des Invalides, rue Esnault-Pelterie (Ⓜ Invalides), gare Montparnasse (rue du Commandant-Mouchotte, face à l'hôtel *Pullman* ; Ⓜ Montparnasse-Bienvenüe, sortie « Gare SNCF ») et porte d'Orléans (arrêt facultatif uniquement dans le sens Orly-Paris). Compter env 1h.
➢ *Orly-Paris :* départs ttes les 20 mn, 6h30-23h40, d'Orly-Sud, porte L, et d'Orly-Ouest, porte H, niveau « Arrivées ».

🚆 **RER C + navette :** ☎ *01-60-11-46-20.* • *transdev-idf.com* • Prendre le RER C jusqu'à Pont-de-Rungis (un RER ttes les 15-30 mn). Compter 25 mn depuis la gare d'Austerlitz. Ensuite, navette ttes les 15-20 mn pour Orly-Sud et Orly-Ouest. Compter 6,65 €. Très recommandé les jours où l'on piétine sur l'autoroute du Sud (w-e et jours de grands départs) : on ne sera jamais en retard. Pour le retour, départs de la navette ttes les 15 mn depuis la porte G à Orly-Ouest (5h40-23h14) et la porte F à Orly-Sud (4h45-0h55).

🚌 **Orlybus :** • *ratp.fr* • Compter 20-30 mn pour rejoindre Orly (Ouest ou Sud) et 7,50 € l'aller simple.
➢ *Paris-Orly :* départs ttes les 15-20 mn de la pl. Denfert-Rochereau. Orlybus fonctionne tlj 5h35-23h, jusqu'à minuit ven, sam et veilles de fêtes.
➢ *Orly-Paris :* départ d'Orly-Sud, porte H, quai 4, ou d'Orly-Ouest, porte J, niveau « Arrivées ». Fonctionne tlj 6h-23h30, jusqu'à 0h20 ven, sam et veilles de fêtes. Compter 7,50 € l'aller simple.

🚆 **Orlyval :** ☎ *32-46 (0,34 €/mn).* • *ratp.fr* • Compter 11,65 € l'aller

Hertz offre 10%
de réduction aux Routards

**Bénéficiez de 10% de remise sur
vos locations week-end et semaine***

Réservation sur hertz.fr ou au 0 825 861 861**
en précisant le code CDP 967 130

* Offre valable sur les tarifs week-end et
semaine, pour une location dans le pays
présenté dans ce guide, jusqu'au 31/12/2014,
non cumulable avec toute
remise ou promotion.

** 0,15€ TTC/min.

Hertz®

simple entre Orly et Paris. La jonction se fait à Antony (ligne B du RER) sans aucune attente. Permet d'aller d'Orly à Châtelet et vice versa en 40 mn env, sans se soucier de la densité de la circulation automobile.

➢ *Paris-Orly :* départs pour Orly-Sud et Ouest ttes les 6-8 mn, 6h-23h.

➢ *Orly-Paris :* départs d'Orly-Sud, porte K, zone livraison des bagages, ou d'Orly-Ouest, porte A, niveau 1.

En taxi

Pensez aussi aux nouveaux services de transport de personnes qui se développent dans la capitale et pourraient être adaptés à vos besoins (voir plus haut les solutions en taxi proposées pour se rendre à Roissy).

En voiture

– *Parkings aéroports :* à proximité d'Orly-Ouest, parkings P0 et P2. À proximité d'Orly-Sud, P1, P2 et P3 (à 50 m du terminal, accessible par tapis roulant). Compter 28,50 € pour 24h de stationnement. Les parkings P0 et P2 (Orly-Ouest) et P6 (Orly-Sud), à proximité immédiate des terminaux, proposent des forfaits intéressants, dont le « Weekend ». Forfaits disponibles aussi pour les P4 et P5 (éloignés) : 24-27 € pour 24h. Il existe des forfaits Vacances intéressants à partir de 6 j. et jusqu'à 45 j. (100-300 €) au P2 et P6.

Les P4, P7 (en extérieur) et P5 (couvert) sont des parkings longue durée, plus excentrés, reliés en 10 mn par navettes gratuites aux terminaux. *Rens :* ☎ 01-49-75-56-50. Comme à Roissy, possibilité de réserver en ligne sa place de parking (P0 et P7) sur ● *aeroportsdeparis.fr* ● Les frais de résa (en sus du parking) sont de 8 € pour 1 j., de 12 € pour 2-3 j. et de 20 € pour 4-10 j. de stationnement pour le P0. Les parkings P0-P2 à Orly-Ouest et P1-P3 à Orly-Sud accueillent les deux-roues : 6,20 €

pour 24h.
– À proximité, *Econopark* : possibilité de laisser sa voiture à Chilly-Mazarin (*13, rue Denis-Papin, ZA La Vigne-aux-Loups, 91380 ; à env 10 mn d'Orly ; proche A6 et A10*). De 1 à 28 j., compter 30-166 €. Trajet A/R vers Orly en minibus (sans supplément). Option parking couvert possible. Réservation et paiement en ligne ● *econopark.fr* ● ou ☎ 01-60-14-85-62.

LIAISONS ENTRE ORLY ET ROISSY-CHARLES-DE-GAULLE

🚌 *Les cars Air France :* ☎ 0892-350-820 (0,34 €/mn). ● *lescarsairfrance.com* ● Départs de Roissy-Charles-de-Gaulle depuis les terminaux 1 (porte 32), 2A et 2C, 2B et 2D, 2E et 2F (galerie de liaison entre les terminaux 2E et 2F) vers Orly 5h55-22h30. Départs d'Orly-Sud (porte K) et d'Orly-Ouest (porte H) vers Roissy-Charles-de-Gaulle 6h30 (7h le w-e)-22h30. Ttes les 30-45 mn (dans les 2 sens). Durée du trajet : env 1h30. Tarif : 21 €, 35,50 € A/R ; réduc.

🚆 *RER B + Orlyval :* ☎ 32-46 (0,34 €/mn). Depuis Roissy, navette puis RER B jusqu'à Antony et enfin Orlyval entre Antony et Orly, 6h-22h15. Tarif : 19,50 €.

En bus

▲ **BUSBUD.COM**
● *busbud.com* ●
Busbud est un service en ligne et sur mobile qui permet de rechercher, comparer et réserver des billets de bus à travers le monde. Pour obtenir une réduction exclusive sur votre trajet, rendez-vous sur ● *busbud.com* ● ou sur l'application mobile Busbud et tapez le code promo « ROUTARD2015 » lors de votre commande (code à usage unique).

MADÈRE (mai 2015)

Madère réunit, au milieu de l'océan, un climat à la douceur légendaire et une flore exubérante – bougainvillées, mimosas, amaryllis, oiseaux de paradis (symboles de l'île), flamboyants, jacarandas – qui lui vaut son surnom bien mérité d'« île aux fleurs ». Et aussi des montagnes volcaniques déchirées par l'érosion et de vertigineux à-pics. Le paradis des randonneurs, le long de l'ingénieux système d'irrigation des *levadas,* ces canaux récupérant les eaux de pluie. L'île de Madère est une citadelle entaillée de toutes parts, avec ses parcelles de vigne indomptables accrochées aux pentes et travaillées à la main. À Funchal, capitale anglophile, on se rue dans les églises et les musées, entre deux arrivées de paquebots venus goûter aux tropiques et aux barriques. Au-delà des vagues s'ancre le reste de l'archipel : la petite Porto Santo, réputée pour sa longue plage de sable clair. L'avènement du tourisme, puis l'entrée du Portugal dans l'Union européenne ont toutefois modifié bien des choses et, surtout, inversé la tendance à l'émigration. On vient désormais de toute l'Europe à la recherche d'une vie aussi douce que l'air.

BUDGET

Recommandations à ceux qui souhaitent profiter des réductions et avantages proposés dans le *Routard* par les hôteliers et les restaurateurs : à l'hôtel, pensez à les demander au moment de la réservation ou, si vous n'avez pas réservé, **à l'arrivée.** Ils ne sont valables que pour les réservations en direct et non cumulables avec d'autres offres promotionnelles (notamment sur Internet). Au restaurant, parlez-en **au moment** de la commande et surtout **avant** que l'addition ne soit établie. Poser votre *Routard* sur la table ne suffit pas : le personnel de salle n'est pas toujours au courant, et une fois le ticket de caisse imprimé, il est difficile de modifier le total. En cas de doute, montrez la notice relative à l'établissement dans le *Routard* de l'année, bien sûr, et ne manquez pas de nous faire part de toute difficulté rencontrée.

Nous vous indiquons ci-dessous l'échelle des tarifs auxquels nous nous référons dans ce guide.

Hébergement

D'une manière générale, nous indiquons des fourchettes de prix allant de la chambre double la moins chère en basse saison à celle la plus chère en haute saison. Ce qui implique parfois d'importantes fourchettes de prix, pas toujours en adéquation avec la rubrique dans laquelle l'établissement est cité. Le classement retenu est donc celui du prix de la majorité des chambres et de leur rapport qualité-prix. À noter que lorsque les lieux d'hébergement sont équipés d'un accès Internet et/ou wifi, nous ne mentionnons que « Internet » ou « wifi », sans autre précision. Si le coût en est élevé, on indique « (cher) ».

Hôtels

– *Très bon marché :* moins de 50 €.
– *Bon marché :* de 50 à 70 €.
– *Prix moyens :* de 70 à 100 €.
– *Chic :* de 100 à 150 €.
– *Plus chic :* de 150 à 200 €.
– *Beaucoup plus chic :* au-delà de 200 €.

Promotions sur Internet

De plus en plus d'hôtels modulent les tarifs de leurs chambres sur Internet en fonction du taux d'occupation. Il y a donc les prix de base (ceux que nous indiquons) et les promos proposées sur le Net. On appelle ça le *« yield management »*. Cela permet d'optimiser le chiffre d'affaires (comme le font les compagnies aériennes) grâce à un logiciel qui fait évoluer les prix en permanence.
Ces promotions sont donc extrêmement variables d'une période à l'autre, voire d'un jour à l'autre. Elles sont souvent particulièrement intéressantes pour les hôtels de gamme supérieure (3 étoiles). Exemple, un hôtel qui annonce des prix officiels de 90 à 130 € proposera les mêmes chambres entre 60 et 80 € sur son site à certaines périodes. Cerise sur le gâteau, le petit déjeuner est souvent inclus (ce qui n'est jamais le cas lors d'une simple réservation téléphonique).
Bref, lorsque vous avez choisi votre hôtel dans votre guide préféré, allez donc faire un tour sur son site pour voir ce qu'il propose. De vraies bonnes affaires en perspective ! *Attention :* réservation et paiement se font parfois par le biais d'un intermédiaire (agence ou site spécialisé). Bien vérifier, car en cas de désistement, il faut savoir que le remboursement peut être problématique, voire parfois impossible.

Restaurants

Notre critère de classement est le prix du premier menu servi le soir (hors boissons). Les notions de « Prix moyens » ou « Plus chic » n'engagent donc que les prix. Autrement dit, certains restos chic proposant parfois d'intéressantes formules au déjeuner pourront malgré tout être classés dans la rubrique « Plus chic ».

Restos (sans le vin)

– *Sur le pouce :* sandwicheries et plats à emporter.
– *Très bon marché :* moins de 15 €.
– *Bon marché :* de 15 à 25 €.
– *Prix moyens :* de 25 à 35 €.
– *Chic :* de 35 à 50 €.
– *Plus chic :* plus de 50 €.

FÊTES ET MANIFESTATIONS RÉGULIÈRES

Février

– Pour célébrer le *Nouvel an chinois,* de nombreuses festivités se déroulent dans le 13e (le quartier chinois, eh oui !), notamment un grand défilé avec dragons, musique et costumes traditionnels.

Mars

– Les amoureux des mots se donnent rendez-vous, durant une quinzaine de jours, au *Printemps des poètes* (● printempsdespoetes.com ●).

Avril

– *Le Marathon de Paris :* le 2e dimanche. Ce sont 42,195 km à parcourir des Champs-Élysées à l'avenue Foch, de la Bastille aux Tuileries. Certes moins prestigieux que ceux de New York ou de Rome, ce marathon attire tout de même quelque 30 000 participants. ● parismarathon.com ●
– *La Foire du Trône :* l'une des plus anciennes foires, datant du Moyen Âge, se tient en avril-mai sur la pelouse de Reuilly (Ⓜ Porte-de-Charenton). Grand huit, train fantôme, barbe à papa, manèges diaboliques, loteries multiples, etc. C'est une grande fête populaire typiquement parisienne. ● foiredutrone.com ●
– *Musique dans les jardins* (jusqu'en septembre) *:* concerts gratuits dans les kiosques à musique des espaces verts. Programme sur ● paris.fr ●

Mai, juin, juillet et août

– *La Foire du Trône :* lire plus haut.
– *Danser au clair de lune :* une véritable institution sur les quais de Seine – quai Saint-Bernard précisément, dans le 5e –, en contrebas de l'université de Jussieu et de l'Institut du monde arabe. Quelques petits amphithéâtres au ras de l'eau qui se transforment le soir venu (et dès l'après-midi le week-end) en pistes de danse enfiévrées de juin à septembre : initiations, démonstrations, piste ouverte pour danseurs confirmés et débutants, tango argentin, rock, danses bretonnes, danses de salon, capoeira... Au milieu d'un doux mélange d'aficionados en tout genre et bon enfant. Renseignements sur ● tango-eric-quais.voila.net ●
– *Les Pestacles* (tous les mercredis, juin-septembre, au Parc floral) initient les enfants et ados à toutes formes de musiques. Programme en ligne sur ● lespes tacles.fr ●

– *Paris Jazz Festival :* concerts gratuits tous les week-ends de juin et juillet au Parc floral. Programme sur ● *paris.fr* ●

– *Paris Plage :* sous les pavés, la plage... De mi-juillet à mi-août, entre le pont des Arts et le pont de Sully (rive droite), ainsi qu'entre le pont de Bercy et le pont de Tolbiac (rive gauche), plus de 3 km de Croisette parisienne avec transats, palmiers, jeux d'eau, brumisateurs, animations gratuites et sports en tout genre. Un bassin de baignade pour les enfants et d'aquagym pour les grands mis en place. Côté sécurité, les voies sur berges sont surveillées par la police, et des postes de secours sont là pour les bobos éventuels. La plage a désormais gagné le bassin de la Villette, quai de la Seine. Accès gratuit, en plus ! Renseignements sur ● *paris.fr/parisplages* ●

– *Paris quartier d'été :* de mi-juillet à mi-août. Un festival qui investit presque exclusivement des lieux de plein air, le temps d'un concert, d'un spectacle de danse, d'une projection de film, voire de manifestations inclassables. Certains événements sont gratuits. ● *quartierdete.com* ●

– *La Nuit européenne des musées :* un samedi soir autour de la mi-mai, un rendez-vous nocturne (jusqu'à 1h) et gratuit pour découvrir ou redécouvrir notre patrimoine artistique, ainsi que les manifestations exceptionnelles qui sont programmées dans certains musées. ● *nuitdesmusees.culture.fr* ●

– *Le Festival de la Goutte-d'Or* met à l'honneur la diversité ethnique et culturelle de ce quartier du 18e au travers d'expos, de pièces de théâtre et de concerts. ● *gouttedorenfete.org* ●

– *La Gay Pride ou Marche des fiertés :* le défilé annuel des gays, lesbiennes, bi et trans, où l'on peut admirer les chars couleur arc-en-ciel et suivre le cortège de danseurs vibrant sur des rythmes endiablés.

– *Fête* (ou faites) *de la Musique* (le 21 juin), selon la formule consacrée. L'occasion pour les musiciens et chanteurs, professionnels ou amateurs, de faire partager leur passion. Et pour tous, le plaisir de vibrer sur des rythmes éclectiques. L'été commence bien ! ● *fetedelamusique.culture.fr* ●

– *Festival Soirs d'été :* en général la 1re quinzaine de juillet. Spectacles gratuits autour de la danse, de la musique et du cinéma, donnés du mardi soir au samedi soir dans la cour de la mairie du 3e arrondissement. Renseignements auprès de la mairie : *2, rue Eugène-Spuller.* ☎ *01-53-01-75-03.* ● *mairie3.paris.fr* ●

– *Festival de cinéma en plein air à la Villette :* une trentaine de films sont projetés tous les ans, du mercredi au dimanche de fin juillet à fin août, sur la prairie du Triangle, à la tombée de la nuit *(rens :* ☎ *01-40-03-75-75 ou* ● *villette.com* ● *;* Ⓜ *Porte-de-Pantin).* Gratuit si on ne loue pas de transat ; pensez alors à apporter le vôtre (ainsi qu'une couverture pour les plus frileux), sinon la forêt de transats devant vous vous gênera pour voir l'écran. La plupart des spectateurs arrivent tôt, le temps de partager saucisson, jaja et autres réjouissances avant la projection.

– *Festival Paris Cinéma :* l'occasion de découvrir des films contemporains mondiaux inédits, et même de revoir des classiques grâce aux nombreuses rétrospectives et artistes mis à l'honneur. Dix jours de cinéma, entre avant-premières, nuits du cinéma, brocante et master class. ● *pariscinema.org* ●

Septembre

– *Journées du patrimoine :* le temps d'un week-end, les portes (habituellement closes) des temples du patrimoine et de la culture vous sont ouvertes (hôtels particuliers, ministères, ambassades, France Télévisions, Maison de Radio France, etc.). Des concerts, animations et ateliers sont organisés sur certains sites. ● *journeesdupatrimoine.culture.fr* ●

– *Fête des Jardins :* en principe, le week-end suivant les Journées du patrimoine, les jardiniers, paysagistes, conférenciers et animateurs de la Ville de Paris répondent à toutes les questions du public sur les parcs et jardins de Paris, sur l'histoire du patrimoine végétal... Programme complet des animations (musicales, poétiques et théâtrales) disponible dans les mairies d'arrondissement début septembre.

– *Techno Parade :* pour les amateurs de musique électronique, défilé, chars et techno ! ● *technoparade.fr* ●

Octobre

– *Nuit blanche :* le 1er samedi. Nuit blanche permet d'accéder aux monuments, lieux insolites et créatifs de la capitale, revisités par des artistes contemporains. L'occasion pour tous d'être un papillon de nuit ! Moyens de transport mis en place toute la nuit (certaines lignes de métro sont ouvertes toute la nuit, d'autres le sont aux heures habituelles puis relais bus). Renseignements (toute la nuit) : *Paris Info Mairie,* ☎ *39-75 (0,12 €/mn).* ● *paris.fr* ●

– *Fête des Vendanges :* à Montmartre, le 2e week-end. Une occasion de plus pour trinquer, à l'arrivée des nouvelles cuvées. ● *fetedesvendangesdemontmartre. com* ●

Décembre

– *Patinoires de plein air :* place de l'Hôtel-de-Ville (jusqu'en mars), au 1er étage de la tour Eiffel (jusqu'en février) et sur l'esplanade du Trocadéro ; accès gratuit, mais location de patins payante *(5 €)* à l'Hôtel de Ville et au Trocadéro.

– Et pour ceux qui ont conservé leur âme d'enfant, ne pas manquer d'aller admirer les *illuminations et vitrines de Noël* des grands magasins (*Printemps* et *Galeries Lafayette*) boulevard Haussmann.

HÉBERGEMENT

::

ATTENTION : pendant les manifestations importantes (salons, événements sportifs, etc.), de nombreux hôtels affichent très tôt complet. Renseignez-vous longtemps à l'avance si vous comptez trouver un moyen d'hébergement à ces dates. Nous utilisons comme prix de référence celui d'une chambre double, mais de nombreux hôtels proposent des chambres familiales à un tarif souvent très intéressant. Posez-leur la question.

Un conseil : pensez à réserver ! Lorsque vous êtes sûr de vos dates, téléphonez ou, mieux, envoyez un e-mail ou une lettre de réservation avec un chèque d'acompte (environ 30 % du montant total). Les problèmes de réservations mal enregistrées ou carrément oubliées sont légion. Éventuellement, téléphonez avant votre arrivée pour vérifier que tout est OK, et assurez-vous par la même occasion que l'établissement que vous avez choisi accepte les chèques et/ou les cartes de paiement. Cela vous évitera certaines surprises. Attention, la plupart des hôtels n'incluent pas la taxe de séjour dans leurs tarifs. Elle varie entre 0,20 et 1,50 € par jour et par personne. Enfin, hors saison, n'hésitez pas à négocier.

Location d'appartements, de chambres de bonne et de chambres d'hôtes

■ *Agence Loc'Appart :* 75, rue de la Fontaine-au-Roi, 75011. ☎ 01-45-27-56-41 *(lun-jeu 10h30-13h, 14h-19h ; ven 9h30-13h, 14h-18h).* ● contact@ locappart.com ● locappart.com ●

Ⓜ *Goncourt ou République. Réception sur rdv slt. Loc à partir de 3 nuits min. Compter 90-107 €/nuit selon type d'appart et nombre de pers ; la formule comprend le ménage avt et après*

Loc'appart
La clé d'un séjour réussi

Location d'appartements
au cœur de Paris

Pour 3 nuits
ou plus
à partir du jour
d'arrivée de
votre choix

Découvrez aussi nos destinations italiennes

01 45 27 56 41 / www.locappart.com

votre passage, les frais de dossier et l'accueil par une correspondante. Cette agence de professionnels, qui fait ses preuves depuis plusieurs années, propose au cœur de Paris des studios et des appartements plus grands (de 1 à 5 personnes).

■ **BSP-HOTELS.com :** *résas gratuites au* ☎ 01-53-44-76-64 *ou sur leur site dédié à Paris* ● 0800paris-hotels.com ● *Réduc de 5 % pour les lecteurs de ce guide avec le code promo « ROUTARD ».* Quatre cent cinquante établissements minutieusement sélectionnés. Les plans détaillés, les photos et les commentaires des clients rassemblés sur le site.

■ **2BINPARIS-Bed&Breakfast :** ☎ 01-76-60-74-75 *(lun-ven 9h-18h30).* ● 2binparis.com ● *Résa à partir de 2 nuits min, par tél ou sur Internet (disponibilité et résa en ligne). Doubles 30-75 €/pers et par nuit, petit déj compris. Paiement par CB, Paypal ou virement.* Une agence qui propose 150 chambres d'hôtes sélectionnées avec soin dans les différents arrondissements parisiens. Trois catégories de B & B selon confort.

■ **Alcôve & Agapes :** ☎ 01-44-85-06-05 *(le mat slt, 10h-12h).* ● bed-and-breakfast-in-paris.com ● *Résa en ligne. Doubles 80-150 €, petit déj inclus. Sdb généralement privative.* Réseau de plus d'une centaine de chambres parisiennes soigneusement sélectionnées pour leur cachet, mais surtout pour l'accueil, toujours personnalisé : maisonnette avec jardin, atelier d'artiste, hôtel particulier, appartement à la vue imprenable... Petits plus possibles : visite de la ville, cours de cuisine, dîner aux chandelles, garde d'enfants...

■ **France Lodge Locations :** *2, rue Meissonnier, 75017.* ☎ 01-56-33-85-85 *(apparts)* ou 80 *(chambres).* ● francelodge.fr ● *Lun-ven 10h-18h. Chez l'habitant, compter 56-95 €. En chambre d'hôtes (avec ou sans sdb privée), compter 64-110 € (supplément de 10 € pour 1 seule nuit), petit déj inclus. Loc d'apparts à partir de 600 €/sem pour un studio et de 700 €/sem pour un 2-pièces... Frais d'inscription 10 € (au lieu de 16 €) sur présentation de ce guide.* Depuis plus de 20 ans, *France Lodge Locations* propose des locations d'appartements meublés et des chambres d'hôtes à Paris, pour un séjour convivial et économique.

■ **Good Morning Paris :** *43, rue Lacépède, 75005.* ☎ 01-47-07-28-29. ● goodmorningparis.fr ● *Chambres pour 2 pers 74-159 €, petit déj compris.* Mêmes prestations. L'agence propose aujourd'hui 130 chambres disséminées dans tous les quartiers de la capitale. Également des chambres ou suites « charme et caractère », plus chères évidemment. Formules découverte « culture » ou « gastronomie », et chambres écodurables.

Échange d'appartements

L'échange de maisons ou d'appartements est un système qui fait de plus en plus d'adeptes. Si ça vous tente, certains organismes (inscription gratuite ou payante) proposent de vous aider à organiser vos vacances. ● homelink.fr ● trocmaison.com ● echange-vacances.com ●

Carte d'adhésion internationale aux auberges de jeunesse (carte FUAJ)

Cette carte vous ouvre les portes des 4 000 auberges de jeunesse du réseau *HI-Hostelling International* en France et dans le monde. Vous pouvez ainsi parcourir 90 pays à des tarifs avantageux et bénéficier de tarifs préférentiels avec les partenaires des auberges de jeunesse *HI.* Enfin, vous intégrez une communauté mondiale de voyageurs partageant les mêmes valeurs : plaisir de la rencontre, respect des différences et échange dans un esprit convivial. Il n'y a pas de limite d'âge pour séjourner en auberge de jeunesse. Il faut simplement être adhérent.

Pour l'obtenir en France

– *En ligne,* avec un paiement sécurisé, sur le site ● *hifrance.org* ●
– *Dans toutes les auberges de jeunesse,* points d'informations et de réservations en France. Liste des AJ sur ● *hifrance.org* ●
– *Par correspondance* auprès de l'antenne nationale *(27, rue Pajol, 75018 Paris ; ☎ 01-44-89-87-27),* en envoyant une photocopie d'une pièce d'identité et un chèque à l'ordre de la FUAJ du montant correspondant à l'adhésion. Ajoutez 2 € pour les frais d'envoi. Vous recevrez votre carte sous 15 jours.

Tarifs de l'adhésion 2015
– *Carte internationale individuelle FUAJ tarif réduit :* 7 €. Pour les personnes de 16 à 25 ans (veille des 26 ans) – Français ou étrangers résidant en France depuis plus de 12 mois –, pour les étudiants français et pour les demandeurs d'emploi sur présentation d'un justificatif. Pour les mineurs, une autorisation parentale et la carte d'identité du parent tuteur sont nécessaires pour l'inscription.
– *Carte internationale individuelle FUAJ plus de 26 ans :* 11 €.
– *Carte internationale FUAJ Famille :* 20 €. Pour les familles ayant un ou plusieurs enfants de moins de 16 ans. Les enfants de plus de 16 ans devront acquérir une carte individuelle FUAJ.
– *Carte internationale FUAJ partenaire :* gratuite. Réservée aux personnes licenciées, aux adhérents d'une association ou fédération sportive partenaire de la FUAJ, sur présentation de leur licence. Liste complète des associations et fédérations sportives sur ● *hifrance.org* ●, rubrique « Partenaires ».

En Belgique

Réservé aux personnes résidant en Belgique. La carte d'adhésion est obligatoire. Son prix varie selon l'âge : entre 3 et 15 ans, 4 € ; entre 16 et 25 ans, 10 € ; après 25 ans, 15 €.
Votre carte de membre vous permet d'obtenir des réductions auprès de nombreux partenaires en Belgique.

Renseignements et inscriptions
■ *LAJ :* rue de la Sablonnière, 28, Bruxelles 1000. ☎ 02-219-56-76. ● *lesaubergesdejeunesse.be* ●

En Suisse (SJH)

Réservé aux personnes résidant en Suisse. Le prix de la carte dépend de l'âge : 22 Fs pour les moins de 18 ans, 33 Fs pour les adultes et 44 Fs pour une famille avec des enfants de moins de 18 ans.

Renseignements et inscriptions
■ *Schweizer Jugendherbergen (SJH) : service des membres,* Schaffhauserstr. 14, 8006 Zurich. ☎ 0-44-360-14-14. ● *youthhostel.ch* ●

Au Canada

Elle coûte 35 $Ca pour une durée de 16 à 28 mois et 175 $Ca pour une carte valable à vie (tarif hors taxes). Gratuit pour les enfants de moins de 18 ans.

■ *Auberges de jeunesse du Saint-Laurent / St Laurent Youth Hostels :* 3514, av. Lacombe, Montréal (Québec) H3T 1M1. ☎ (514) 731-10-15. N° gratuit (au Canada) : ☎ 1-800-663-5777.
■ *Canadian Hostelling Association :* 205 Catherine St, bureau 400, Ottawa (Ontario) K2P 1C3. ☎ (613) 237-78-84. ● *hihostels.ca* ●

Pour réserver votre séjour en auberge de jeunesse *HI*

– *En France :* ● *hifrance.org* ● Mer, montagne, ville, nature ou insolite, réservez vos séjours dans 120 auberges de jeunesse, et accédez aux offres spéciales et dernières minutes.
– *En France et dans le monde :* ● *hihostels.com* ● Si vous prévoyez un séjour itinérant, vous pouvez réserver plusieurs auberges en une seule fois !

MARCHÉS

Pour les curieux, un détour par les marchés, surtout ceux qui sont spécialisés, s'impose. Voici un échantillon de ces authentiques lieux de vie des quartiers, classés selon leurs particularités.

– **Bio :** bd Raspail (6e), dim 8h-14h (très cher) ; bd des Batignolles (8e), sam 8h-14h ; pl. Brancusi (14e), sam 8h-14h.

– **Création :** Bastille, bd Richard-Lenoir (11e), sam 9h-19h30 ; Edgar-Quinet, bd Edgar-Quinet (14e), dim 9h-19h30. Décevant.

– **Fleurs :** pl. Louis-Lépine et quais alentour (4e), tlj 8h-19h30 ; pl. de la Madeleine (8e), lun-sam 8h-19h30 ; pl. des Ternes (1er), tlj sf lun 8h-19h30.

– **Livres :** sq. Georges-Brassens (15e), sous les anciennes halles aux chevaux, rue Brancion, tte l'année, w-e 9h-18h. Un riche déballage.

– **Oiseaux :** pl. Louis-Lépine et quais alentour (4e), dim 8h-19h.

– **Puces de Clignancourt :** terre-plein situé à l'angle du stade Bertrand-Dauvin (18e), entre la rue Binet et le bd périphérique, sam-lun 7h-19h30 ; également rue Jean-Henri-Fabre (18e), sam-lun 8h-18h30.

– **Puces de Montreuil :** av. de la Porte-de-Montreuil (20e), sam-lun 7h-19h30. Brocante et vêtements.

– **Puces de Vanves :** av. de la Porte-de-Vanves et rue Marc-Sangnier (14e), w-e 7h-19h30. Puces, vieux papiers de collection, vêtements, square aux artistes...

– **Timbres :** au rond-point des Champs-Élysées (8e), jeu, w-e et j. fériés 9h-19h.

Détails et horaires de tous les marchés existants – y compris alimentaires – sur ● paris.fr ●

MUSÉES – VISITES GUIDÉES

– De nombreuses associations proposent des visites guidées de quelques monuments de Paris, non accessibles au public pour certains. Des guides privés et des conférenciers organisent également des itinéraires de découverte d'un Paris méconnu. Dates, horaires, points de rendez-vous et prix sont indiqués dans L'Officiel des spectacles, Pariscope, le supplément Sortir de Télérama, etc.

– **Les musées de la Ville de Paris :** le musée d'Art moderne, le Petit Palais – musée des Beaux-Arts, le musée Carnavalet, le musée Bourdelle, la maison de Balzac, le musée Cernuschi... Tous ces musées sont fermés le lundi. Plus d'infos sur le site ● musees.paris.fr ● **Bon à savoir :** la visite des collections permanentes des musées de la Ville de Paris est gratuite pour tous.

– **Les musées nationaux :** toujours gratuits pour les moins de 26 ans résidents de l'Union européenne, et pour tous le 1er dimanche de chaque mois. Jour de fermeture : le lundi ou le mardi selon les musées. Au choix : la Cité de l'Architecture, les Arts asiatiques Guimet, les musées Delacroix, Gustave-Moreau, Rodin, le Louvre (gratuit le 1er dimanche du mois d'octobre à avril), l'Orangerie, Orsay, le musée du quai Branly, le musée de la Légion d'honneur et des Ordres de chevalerie, le musée du Moyen Âge (thermes de Cluny)... Toute la liste des musées sur ● rmn.fr ●

– Les **monuments nationaux** sont également accessibles librement aux moins de 26 ans et à tous le 1er dimanche de chaque mois, mais seulement du 1er novembre au 31 mars. Sont concernés : l'Arc de Triomphe, la chapelle expiatoire, la Conciergerie, le musée des Plans-reliefs, le Panthéon, la Sainte-Chapelle et les tours de Notre-Dame.

■ **Centre des monuments nationaux :** hôtel de Sully, 62, rue Saint-Antoine, 75186 Paris Cedex 04. ☎ 01-44-61-20-00. Pour les visites-conférences : ☎ 01-44-54-19-30. ● monuments-nationaux.fr ● Ⓜ Saint-Paul ou Bastille. Détail des visites disponible sur Internet, rubrique en bas à droite « *Visites-conférences/ Découvrir Paris et sa région* ». *Visite-conférence monuments nationaux (1h30) : 13-22 € ; réduc : 11-18,50 € ; gratuit moins de 18 ans ; prix d'entrée du lieu visité inclus. Visite-conférence hors monuments nationaux : 9 € ; réduc ; gratuit moins de 18 ans ; droit d'entrée du site en sus. Ils organisent aussi, sur réservation, des excursions d'une journée ou d'une demi-journée en autocar, d'avril à octobre, en Île-de-France et dans les régions à partir de Paris.*

■ *Visites Spectacles :* ☎ *01-48-58-37-12.* ● *visites-spectacles.com* ● *Programme consultable sur le site. Durée : 1h30. Billet : 7-25 €. 20 % de réduc sur le prix du billet (sf visite de la tour Eiffel) sur présentation de ce guide.* Des visites-spectacles où l'on découvre l'origine de la vocation festive du village de Montmartre, l'énigme des passages couverts (2e arrondissement), la Romance de la tour Eiffel, ou encore l'Espion de Saint-Germain-des-Prés. Jeu de piste du Palais-Royal un peu décevant en revanche. Pour Montmartre par exemple, on découvre au fil des rues le nom d'un célèbre artiste qui y promenait son homard, l'existence d'une société des Hydropathes sur la Butte, ou l'hymne de la république de Montmartre, et les interventions d'un acrobate et d'un chansonnier... Spectacles vivants et familiaux.

Un tuyau : les musées, la nuit !

Pour visiter zen, prévoyez, en plus de l'éventuel achat d'un billet coupe-file – quand il existe – , une visite en nocturne. En hiver, la nuit ajoutera une délicieuse note d'exception à votre virée.

Voici, au fil des arrondissements, la liste des principaux musées et sites fermant au moins une fois par semaine (souvent le jeudi) entre 21h et 23h.

1er : le musée du **Louvre** jusqu'à 22h les mercredi et vendredi, et les expos temporaires du **musée des Arts décoratifs** jusqu'à 21h le jeudi.

3e : le **musée des Arts et Métiers** jusqu'à 21h30 le jeudi.

4e : le **musée national d'Art moderne (Centre Pompidou)** jusqu'à 21h du mercredi au lundi ; galeries 1 et 2 jusqu'à 23h le jeudi.

7e : la **tour Eiffel** jusqu'à 23h (minuit de mi-juin à fin août), le **musée du quai Branly** jusqu'à 21h du jeudi au samedi, le **musée de l'Armée** jusqu'à 21h le mardi d'avril à septembre, le **musée des Lettres et des Manuscrits** jusqu'à 21h30 le jeudi, et le **musée d'Orsay** jusqu'à 21h45 le jeudi.

8e : l'**Arc de Triomphe** jusqu'à 22h30 (23h d'avril à septembre), et le **musée Jacquemart-André** jusqu'à 20h30 les lundi et samedi en période d'expo temporaire.

16e : le **musée Marmottan-Monet** jusqu'à 20h le jeudi, la **Cité de l'Architecture** jusqu'à 21h le jeudi, et le **musée d'Art moderne de la Ville de Paris** jusqu'à 22h le jeudi pour les expos temporaires.

18e : le **musée de l'Érotisme** jusqu'à 2h.

Voir également les nocturnes dans les grands musées proposant d'importantes expositions temporaires : le **musée des Beaux-Arts** (Petit Palais), la **Pinacothèque**, la **Fondation Cartier** pour l'art contemporain, le **Jeu de paume**...

NOCTAMBULES

« Paris est une fête », s'intitulait le roman d'Ernest Hemingway. La capitale était alors réputée pour ses nuits extravagantes. Qu'en est-il aujourd'hui ? L'âge d'or de la nuit parisienne est-il derrière elle ?

Il est vrai que d'autres métropoles européennes – Berlin, Londres ou Barcelone – ont supplanté la Ville Lumière. Tarifs prohibitifs, sélection drastique à l'entrée, ambiance m'as-tu-vu : voici quelques défauts de la nuit parisienne. Pourtant, lorsqu'on se penche sur l'offre nocturne, la ville conserve de beaux restes. Pas d'inquiétude donc, vous ne vous ennuierez pas !

Carte du Paris nocturne

Tous les quartiers ne sont pas égaux passé 22h. L'animation se concentre dans quelques coins bien circonscrits, même si on trouve toujours des exceptions. Pigalle (9e et 18e) a renoué avec son passé festif : de nouveaux bars et clubs y ouvrent presque chaque semaine. Le faubourg Saint-Denis (10e) et les rues alentour se posent en outsider sérieux : on y trouve tous types d'établissements, du rade rugissant au club sélect. Le triangle Bastille-République-Oberkampf (11e) reste un bastion de la nuit parisienne, même s'il tend à perdre un peu de son attractivité. À noter également, la forte concentration de clubs et boîtes de nuit le long de la Seine : sur des barges, péniches ou simplement les pieds dans l'eau, la fête est toujours plus folle (7e, 8e, 12e, 13e).

Bars de nuit, clubs et boîtes

La différence se fait de plus en plus subtile entre les divers types d'établissements. On peut désormais prendre l'apéro, dîner et danser au même endroit. Tous les bars invitent des DJs pour fidéliser leur clientèle. La plupart des clubs proposent donc concepts originaux, programmations pointues et soirées réputées afin d'attirer du monde : le temps des boîtes à papa semble bien révolu.

Un noctambule bien informé en vaut deux

La nuit évolue rapidement. Aussi, mieux vaut-il être bien informé. Pour connaître l'actualité des nuits parisiennes, Facebook est évidemment une mine d'infos incontournable. Tous les spots ont désormais leur « fanpage », mise à jour chaque semaine. Outre la lecture des magazines branchés, vous pouvez également écouter Radio Nova (101.5) et consulter ses « bons plans » sur ● *novaplanet.com* ●, ou Radio Campus Paris (93.9) et profiter de son agenda sur ● *radiocampusparis.org* ● Signalons également le site ● *com2daddy.com* ●, qui recense toutes les soirées clubbing chaque semaine et offre de nombreuses invitations.

PARIS GRATUIT

– **Les musées nationaux :** Louvre, Orsay, Cité de l'Architecture, Arts asiatiques Guimet, musée du quai Branly... Toute la liste sur ● *rmn.fr* ● Gratuits pour les moins de 26 ans ressortissant de l'UE et pour tous le 1er dimanche de chaque mois (seulement d'octobre à avril pour le Louvre).

– **Les monuments nationaux :** Arc de Triomphe, Conciergerie, Panthéon, Sainte-Chapelle... Gratuits pour les moins de 26 ans ressortissant de l'UE et pour tous le 1er dimanche de chaque mois, mais seulement du 1er novembre au 31 mars.

– **Les collections permanentes des musées de la Ville de Paris :** musée d'Art moderne, Petit Palais – musée des Beaux-Arts, musée Carnavalet, musée Bourdelle, maison de Balzac, musée Cernuschi... Entrée gratuite pour tous, en permanence. ● *parismusees.paris.fr* ●

– En dehors des musées, sachez aussi que ***de nombreuses fêtes, manifestations et festivals sont gratuits*** : randonnée hebdomadaire à roller dans les rues de Paris (le vendredi soir, ● *pari-roller.com* ●, et le dimanche après-midi, ● *rollers-coquillages. org* ●), Danser au clair de lune (juin-septembre ; ● *tango-eric-quais.voila.net* ●), Festival de cinéma en plein air de la Villette et Paris Plage (juillet-août), Techno Parade (septembre), Nuit blanche (octobre), patinoires (décembre)... Soyez à l'affût des bons plans !

PARIS LE DIMANCHE

Il y a mille manières de profiter d'un dimanche à Paris : comme les autres jours, on peut bien sûr découvrir un musée, suivre une balade guidée (programme dans le *Pariscope* entre autres, ou sur Internet), faire un tour en bateau, pique-niquer ou lézarder sur une pelouse, faire des trouvailles chez les bouquinistes des quais de Seine, assister à un spectacle... ; mais le dimanche, on peut aussi participer à la rando-roller dominicale par exemple (lire plus bas la rubrique « Transports »), tomber sur un concert improvisé sous les arcades de la place des Vosges, flâner aux puces... Autre idée, d'un ordre complètement différent : le shopping. Eh oui, toutes les boutiques ne sont pas fermées le dimanche, les habitants de certains quartiers (butte Montmartre, Marais, canal Saint-Martin, Carrousel du Louvre, Bercy-Village, Champs-Élysées, puces de Saint-Ouen...) peuvent en témoigner. Les commerces de ces zones dites touristiques ont, en effet, obtenu des dérogations exceptionnelles au Code du travail, grâce à l'appellation de « zone d'affluence exceptionnelle ou d'animation culturelle permanente ».

Vous pouvez profiter aussi de l'opération *Paris respire,* qui se tient dans quelques rues parisiennes et sur les voies sur berges tous les dimanches et jours fériés, sauf ceux précédant les fêtes de Noël, course aux cadeaux oblige... Le week-end, la circulation automobile est suspendue dans certaines zones de la capitale, et piétons, poussettes, trottinettes, vélos et rollers sont invités à parcourir, rive droite, le quai des Tuileries jusqu'au pont Charles-de-Gaulle et, rive gauche, le quai Branly jusqu'au quai Anatole-France, mais aussi Montmartre, la rue Daguerre, le canal Saint-Martin (renseignements et horaires sur ● *paris.fr* ●, rubrique « Paris pratique. Déplacements »)...

Voilà de quoi satisfaire les quelque 29 millions de touristes, français et étrangers, qui arpentent la capitale chaque année !

PERSONNES HANDICAPÉES

Label Tourisme & Handicap : un gage de qualité de la prestation touristique à Paris et en Île-de-France. Créé pour apporter une information fiable sur l'accessibilité des sites et équipements touristiques aux personnes handicapées, le label Tourisme & Handicap prend en compte les handicaps moteur, visuel, auditif et mental. Un site touristique labellisé (de un à quatre types de handicap) garantit un accueil personnalisé et un accès en toute autonomie à une prestation adaptée.

Consultez la liste des sites labellisés Tourisme & Handicap (hébergement, restauration, sites culturels ou de loisirs, équipements sportifs...) sur ● *nouveau-paris-ile-de-france.fr* ●, le site officiel du tourisme de Paris-Île-de-France.

Par ailleurs, nous indiquons par le logo ♿ les établissements qui possèdent un accès ou des chambres pouvant accueillir des personnes handicapées. Certaines adresses sont parfaitement équipées selon les critères les plus modernes. D'autres, plus simples, plus anciennes aussi, sans répondre aux normes les plus récentes, favorisent leur accueil, facilitent l'accès aux chambres ou au restaurant. Évidemment, les handicaps étant très divers, des lieux accessibles à certaines personnes ne le seront pas pour d'autres. Appelez auparavant pour savoir si l'équipement de l'hôtel ou du restaurant est compatible avec votre niveau de mobilité.

Malgré les combats menés par les nombreuses associations, l'intégration des personnes handicapées à la vie de tous les jours est encore balbutiante en France. Il tient à chacun de nous de faire changer les choses. Une prise de conscience est nécessaire, nous sommes tous concernés.

Transport et handicap

– Pour faciliter le transport des personnes handicapées : *Infomobi* (☎ 09-70-81-83-85, *prix d'un appel local ;* ● *info mobi.com* ●). Service d'information destiné aux personnes handicapées, qui rend compte de l'accessibilité des transports collectifs.

■ *PAM :* ☎ 0810-0810-75 *(prix d'un appel local)* ou 01-70-23-27-32. ● *pam75.info* ● Ce service de transport, réservé aux Parisiens en situation de handicap, fonctionne tous les jours (sauf le 1er mai) 6h-minuit (2h les vendredi et samedi) et 7h-20h pour les réservations, sur toute l'Île-de-France. La personne transportée prend en charge environ 30 % du coût réel du service. Il faut compter, par exemple, 7,30 € pour une course de moins de 15 km, 11 € pour une course de 15-30 km. Réductions selon le jour et l'heure du déplacement.

■ *Taxis G7 Horizon :* ☎ 01-47-39-00-91. ● *taxisg7.fr* ● Les *Taxis G7* proposent le service « Horizon » aux personnes à mobilité réduite résidant à Paris et en Île-de-France. Une centaine de véhicules adaptés sont mis à disposition tous les jours, 24h/24. Le prix est sensiblement le même que pour une course ordinaire, à ceci près que le compteur d'approche est plus élevé.

SITES INTERNET

Avant toute chose, sachez que, si vous êtes équipé, vous pouvez surfer en toute gratuité dans nombre de lieux publics parisiens.

● *routard.com* ● Rejoignez la plus grande communauté francophone de voyageurs ! Échangez avec les routarnautes : forums, photos, avis d'hôtels. Retrouvez aussi toutes les informations actualisées pour choisir et préparer vos voyages : plus de 200 fiches pays, une centaine de dossiers pratiques et un magazine en ligne pour découvrir tous les secrets de votre destination. Enfin, comparez les offres pour organiser et réserver votre voyage au meilleur prix. Routard.com, le voyage à portée de clic !

● *parisinfo.com* ● Le site de l'office de tourisme offre une mine d'infos pratiques et culturelles sur la capitale. Voir aussi, plus haut, la rubrique « Adresses, téléphones et infos utiles ».

● *offi.fr* ● Site partenaire de *L'Officiel des spectacles,* célèbre guide des sorties culturelles à Paris.

● *paris.culture.fr* ● Cette excursion virtuelle vous plonge au cœur du Paris antique : topographie et vie quotidienne d'alors n'auront bientôt plus de secrets pour vous. Vous pourrez même partir sur les traces de ce Paris enfoui grâce à l'itinéraire de balade proposé en ligne.

● *exponaute.com* ● Comme son nom l'indique, toute l'actu des expos parisiennes, mais pas seulement. Très bien fait.

● *figaroscope.fr* ● Pour ne rien rater de la vie culturelle à Paris. Cinéma, arts, théâtre, musique... tout est là.

- *parismomes.fr* ● Toute l'actu culturelle pour les schtroumpfs.
- *lesberges.paris.fr* ● Le détail des aménagements et le programme de ce qui se passe sur ce tronçon (2,3 km) de la rive gauche réservé aux piétons depuis 2013 ; mais sachez qu'une partie des quais rive droite est également bien aménagée pour les promeneurs.
- *parisiendunjour.fr* ● Pour rencontrer un Parisien qui, comme tous les – désormais nombreux – greeters à travers le monde, propose de faire découvrir bénévolement son quartier ou le Paris qu'il aime.
- *parisbalades.com* ● Guides interactifs de promenades géographiques et architecturales dans Paris, illustrés de cartes et de photos. Propose un tas d'infos pour assouvir toutes les envies de balades dans la capitale.
- *passagesetgaleries.org* ● Le site de l'association Passages & Galeries est une mine d'infos pour qui veut en savoir plus sur l'histoire des passages couverts et se concocter un itinéraire de balade. Très intéressant.
- *paris-pittoresque.com* ● Photos, gravures et chroniques anciennes ressuscitant le Paris d'autrefois, ses métiers, ses us et coutumes, pour sentir et imaginer la vie de la capitale de la fin du XIXᵉ s. Design du site vieillot et pas engageant, dommage.
- *terresdecrivains.com* ● Entrer dans l'intimité de la littérature, aller à la rencontre d'écrivains célèbres en découvrant leurs résidences, leurs ateliers ainsi que les sites privilégiés de leurs errances.
- *lamuse.fr* ● Un site pour toute la famille, qui offre un large choix de sorties parisiennes (spectacles, concerts, expos...), mais aussi des activités sympas pour les plus jeunes.
- *timeout.fr/paris* ● L'actu culturelle et les coups de cœur de la rédaction, pour profiter d'un Paris qui bouge ! Théâtre, bars, balades, shopping...
- *dataparis.io* ● Une carte d'identité ingénieuse et interactive de la capitale, au fil des stations de métro ; ludique et intéressant.
- *creativeparis.info* ● Pourquoi ne pas articuler votre virée parisienne autour d'une activité (ré)créative ? Art floral, cuisine, artisanat, assemblage de vin, photo, ateliers d'écriture... Beaucoup de choix, pour adultes et pour enfants.
- *peuplade.fr* ● Un site de quartier pour rencontrer ses voisins, s'entraider si besoin ou tout simplement échanger sur tout et rien.
- *circul-livre.blogspirit.com* ● Donnez un second souffle à vos livres et renouvelez votre bibliothèque en prenant part à l'opération *Circul'Livre* dans votre arrondissement.
- *parisnightlife.fr* ● Un site pour décrypter la nuit parisienne. Agenda des sorties, sélection des lieux branchés du moment, et plan interactif pour situer rapidement bars, discothèques et salles de spectacle.
- *pariszigzag.fr* ● Un blog vivant, varié et récompensé « Meilleur blog sur Paris ». Coups de cœur et petites histoires parisiennes.
- *mercialfred.com* ● (pour les hommes) et ● *mylittleparis.com* ● (pour les femmes). Deux sites qui offrent un concentré des meilleurs bons plans branchés et adresses parfois originales de la capitale.
- *boutique.paris.fr* ● Pour prolonger la durée d'une virée parisienne, et (s')offrir un mug, un sac ou une coque de smartphone estampillés « Paris » ; vente via Internet exclusivement.

TRANSPORTS

Renseignements utiles

■ **Stations-service ouvertes 24h/24 :** **Esso,** 2-6, rue Louis-Blanc, 75010. ☎ 01-47-96-75-28. **Total,** rue de la Légion-Étrangère (au niveau du périph'), 75014. ☎ 01-58-14-06-01. **Total,** quai d'Issy-les-Moulineaux,

75015. ☎ 01-53-78-05-01. **Total,** 2, av. de la Porte-de-Saint-Cloud, 75016. ☎ 01-47-43-46-01. **Esso,** 85, rue de la Chapelle, 75018. ☎ 01-40-05-13-35.
■ **Renseignements et vente SNCF :** ☎ 36-35 (0,34 €/mn ; service Ligne directe). ● sncf.com ●
■ **Renseignements RATP :** ☎ 32-46 (0,34 €/mn ; en sem 7h-21h, w-e et j. fériés 9h-17h). ● ratp.fr ● Le métro fonctionne jusqu'à 2h15 les vendredi et samedi (1h les autres jours).

Se déplacer dans la capitale

Nombreuses possibilités de tickets à tarifs intéressants adaptés aux visiteurs de passage. On peut se les procurer dans les stations de métro et du RER, mais aussi dans certains bureaux de tabac.

Quelques précisions sur les formules les mieux adaptées aux visiteurs de passage :

– **Paris Visite :** ● ratp.fr ● (rubrique « Me déplacer », puis « Touristes. Découvrir Paris. Paris en toute liberté »). Pour visiter Paris et sa région, carte nominative et un coupon couvrant au choix les zones 1 à 3 ou 1 à 5 (permet d'utiliser l'Orlyval). Ce coupon, valable 1, 2, 3 ou 5 jours consécutifs, autorise un nombre de voyages illimité dans la limite des zones choisies, sur l'ensemble du réseau RATP et SNCF Île-de-France. Exemple de tarifs des zones 1 à 3 : 10,80 € pour 1 jour, 17,65 € pour 2 jours, 24,10 € pour 3 jours et 34,70 € pour 5 jours ; réduction enfants (de 4 à 11 ans). Paris Visite permet d'obtenir des réductions sur 13 grands sites touristiques.

– **Mobilis :** pratique et bon marché, Mobilis est un forfait valable 1 journée (de 5h30 du matin à 5h30 le lendemain) qui couvre au choix les zones 1-2, 1-3 et jusqu'à 1-6. Le coupon 1 et 2 zones coûte 6,80 € ; il est amorti au quatrième trajet. Ce forfait peut être acheté à l'avance. Il permet un nombre illimité de voyages dans la limite des zones choisies, utilisable sur les réseaux RATP et SNCF Île-de-France, sauf aéroports Charles-de-Gaulle et Orly. Contrairement à Paris Visite, Mobilis ne permet pas de réduction sur les sites touristiques.

– **Les tickets t+** s'achètent à l'unité ou par carnets de 10 (tarifs dégressifs) et permettent de voyager sur l'ensemble du métro, dans le RER (dans Paris), dans le bus (Paris et banlieue, sauf Orlybus et Roissybus), dans les tramways et dans le funiculaire de Montmartre, correspondances comprises (métro/métro, métro/RER, RER/RER dans Paris ou bus/bus, bus/tram et tram/tram) pendant 1h30. Tarif : 1,70 € l'unité (accès à bord 1,90 €) ou 13,70 € le carnet ; réduc.

– **Ticket Jeunes Week-end** est un forfait réservé aux jeunes de moins de 26 ans. Valable un samedi, un dimanche ou un jour férié, il permet d'effectuer un nombre illimité de voyages sur les zones 1-3, 1-5 ou 3-5 en métro, RER, bus, tramway et SNCF Île-de-France. Exemple de tarif des zones 1 à 3 : 3,65 €.

– **Le forfait Navigo mois ou semaine :** le pass Navigo Découverte est vendu 5 € et nécessite une photo d'identité. Il peut ensuite être chargé sur les distributeurs ou au guichet avec un forfait valable 1 semaine (du lundi au dimanche) ou 1 mois (du premier au dernier jour du mois) pour un nombre illimité de voyages à l'intérieur des zones achetées.

En car, en autobus... ou en métro

❱ Pour le plan du métro de Paris, voir le cahier couleur.

🚌 **Balabus de la RATP :** sous la Grande Arche de la Défense ; Ⓜ Grande-Arche. Et à la gare de Lyon, 75012 ; Ⓜ Gare-de-Lyon. Rens : ☎ 32-46 (0,34 €/mn) ; plaquettes gratuites disponibles dans les stations de métro et de RER. Ts les ap-m dim et j. fériés, du 1er dim d'avr au dernier dim *de sept. Départs ttes les 20 mn env de la gare de Lyon et de la Défense, 12h30-20h. Durée : une bonne heure. Tarifs : 1 à 3 tickets t+ pour un aller simple, ou le pass Navigo (min zones 1 à 3), Paris Visite et Mobilis ; réduc enfants. Pour tt public.* Des autobus partent de la Défense ou de la gare de Lyon et traversent tout Paris en passant par les sites et les monuments les plus intéressants. On peut demander à descendre quand on le souhaite (pour faire une visite, par exemple) et remonter ensuite dans le *Balabus* suivant. Seul inconvénient à cette pratique, à moins d'être titulaire d'un *pass Navigo Découverte* 3 zones (ou de la carte *Paris Visite* ou *Mobilis*), il faut utiliser un nouveau *ticket t+* à chaque fois qu'on remonte dans le bus. Mieux vaut donc employer ce transport pour ce qu'il est, une superbe balade sans arrêt à travers la capitale.

– Quarante-sept lignes de bus *Noctilien* circulent par ailleurs tous les jours de l'année de 0h30 à 5h30, pour les couche-tard ou les lève-tôt. Plus d'infos sur ● vianavigo.com ● ou au ☎ 32-46 (0,34 €/mn).

– Certaines *lignes de bus régulières* permettent de visiter Paris de long en large. Par exemple : les Champs-Élysées avec le 73, longer la Seine via la Concorde et le Louvre avec le 72, ou encore Paris du nord au sud en passant par l'Opéra, l'île de la Cité et le boulevard Saint-Michel avec le 21, etc. On peut également faire le tour de Paris avec le *métro aérien,* en allant de Nation à Charles-de-Gaulle-Étoile par Denfert-Rochereau avec la ligne 6 ou de Charles-de-Gaulle-Étoile à Nation en passant par Barbès-Rochechouart avec la ligne 2.

🚐 *Paris City Vision :* 2, rue des Pyramides, 75001. ☎ 01-44-55-60-00. ● pariscityvision.com ● Ⓜ *Pyramides, Palais-Royal-Musée-du-Louvre ou Tuileries. Départs tlj à 9h, 10h30, 12h, 14h45 et 16h (se présenter 30 mn avt le départ). À partir de 21 € plein tarif pour le tour d'1h45.* Autocars panoramiques avec audioguides en 11 langues.

🚐 *Paris-Vision :* ☎ 01-44-55-60-00. ● parisvision.com ● Ⓜ *Tuileries. Plusieurs départs/j. à l'adresse ci-dessus. À partir de 20 € ; réduc moins de 12 ans.* Autocars panoramiques avec guides. D'autres excursions existent, à Versailles par exemple.

À pied

– *Paris, dans les pas du Routard :* Programmation et tarifs au ☎ 01-43-20-85-65. Pierre Josse, vieil arpenteur de la capitale, propose des vagabondages tout à la fois insolites et poétiques, dans des quartiers parisiens souvent méconnus, au détour de lieux historiques, de ruelles quasi oubliées. Le plein de surprises, de rencontres et d'émotions garanti... Sans compter des anecdotes inédites, souvent surprenantes, sans quoi ces balades manqueraient de sel et de couleurs. L'occasion de retrouver en 2 ou 3h, un Paris qu'on croyait oublié.

– *Topoguides « Paris à pied »* (de la Fédération française de randonnée) : 64, rue du Dessous-des-Berges, 75013. Infos : ☎ 01-44-89-93-90/93. ● ffrandonnee.fr ● Ⓜ Bibliothèque-François-Mitterrand. Lun-ven 10h-18h. Pour les amateurs de randonnées, la capitale possède plusieurs sentiers de grande randonnée, parfaitement balisés de marques blanc et rouge (GR®) ou jaune et rouge (GRP®). *Paris à pied* (réf. VI75, 16 €) ; *Parcs, jardins et bois de Paris à pied* (réf. VI12, 15 €) ; un autre topoguide propose 12 randonnées à thème dans la capitale : *Quartiers et histoire de Paris à pied* (réf. VI14, 14,50 €). Ces topoguides, outre des cartes précises, apportent des commentaires historiques détaillés sur les quartiers traversés. Ils sont en vente dans toutes les grandes librairies parisiennes, par correspondance ou à la boutique de la Fédération.

À rollers

Voici deux parcours organisés, vraiment sympas.

➢ Pour les plus expérimentés, le vendredi (sauf en cas de pluie), le rendez-vous est donné à l'initiative de *Pari-roller* (● pari-roller.com ●), à 21h30 pour un départ à 22h, place Raoul-Dautry (l'esplanade entre la gare et la tour Montparnasse). On sillonne les rues de Paname selon un itinéraire qui varie chaque semaine. Un véritable plaisir pour jouir de Paris, sans les voitures, qui attendent plus ou moins patiemment la fin du – long – convoi ! Le périple demande tout de même une certaine endurance si l'on veut faire le tour complet (25 km en 3h) et s'adresse aux patineurs confirmés. Excellente ambiance.

➢ Pour ceux qui voudraient rouler un peu plus tranquillement, l'association Rollers & Coquillages (● rollers-coquillages.org ●) propose tous les dimanches, à 14h30, un parcours d'environ 3h, qui change chaque semaine. Rendez-vous devant le magasin de location de rollers Nomades (voir ci-dessous). Ambiance très sympa. On trouve de tout : des bandes de copains, de jeunes couples, des familles... Encadrée par des pros et sécurisée par la brigade de police à rollers, cette randonnée est vraiment ouverte à tous.

Pour se procurer le matériel

■ **Nomades :** 37, bd Bourdon, 75004. ☎ 01-44-54-07-44. ● nomadeshop. com ● Ⓜ Bastille. Mar-ven 11h-13h30, 14h30-19h30 ; sam 10h-19h ; dim 12h-18h. En sem, loc de rollers pour 8 €/j. ou 5 € la ½ journée ; le w-e, 9 €/j. ou 6 € la ½ journée. Dispense aussi des cours.

À vélo et à scooter

– **Vélib' :** quelque 20 600 vélos sont en libre-service dans environ 1 800 stations (une tous les 300 m grosso modo) de la capitale et de la proche banlieue. Elles sont plus rapprochées entre elles que les stations de métro ! Plusieurs formules d'abonnement sont proposées (journalier, 1,70 € ; hebdomadaire, 8 €), et la première demi-heure est gratuite pour ces vélos mixtes, confortables et bien équipés (panier, bandes réfléchissantes). Pour les grands usagers, différentes formules annuelles outre l'abonnement classique (30 premières minutes gratuites, 29 €/ an), parmi lesquelles la formule « Vélib' passion » (45 premières minutes gratuites, 39 €/an ; 29 €/an moins de 26 ans ; 19 €/an boursiers et moins de 25 ans en insertion). On peut aussi s'abonner en ligne, à l'aide de sa carte de paiement. Bon plan : pour pédaler gratuitement, déposer son vélo avant la fin des 30 mn et attendre quelques minutes avant d'en prendre un autre. Une saine « vélomania » qui sévit désormais en proche banlieue. Infos et abonnements sur ● velib.paris.fr ●
– Les accros de la petite reine peuvent participer à la **randonnée à vélo** organisée tous les vendredis soir et le 3e dimanche de chaque mois par l'association Paris Rando Vélo (● parisrandovelo.fr ●). Rendez-vous le vendredi à 21h30 (retour vers 0h30) et le dimanche à 10h30 devant l'Hôtel de Ville (4e arrondissement). Le parcours de la balade change toutes les semaines. Attention, elle peut être annulée en cas de pluie.

■ **Paris à vélo c'est sympa !** : 22, rue Alphonse-Baudin, 75011. ☎ 01-48-87-60-01. ● parisvelosympa.com ● Ⓜ Richard-Lenoir ou Saint-Sébastien-Froissart. Fermé mar l'hiver ; horaires d'ouverture restreints nov-mars. Des balades à vélo dans la capitale avec un guide.
■ **Location de vélos** : Gepetto & Vélos, 59, rue du Cardinal-Lemoine, 75005. ☎ 01-43-54-19-95. ● gepetto-velos.com ● Ⓜ Cardinal-Lemoine. Mar-sam 9h-19h30, dim 10h-19h. Fermé lun. Compter 9 € la ½ journée.

■ **Location de scooters et Vespas anciennes :**
– **Scoot Company,** 69, rue de la Glacière, 75013, ☎ 01-45-89-15-77, Ⓜ Gobelins ; 95, av. du Maine, 75014, ☎ 01-43-22-49-66, Ⓜ Gaîté ; 57, bd de Grenelle, 75015, ☎ 01-45-79-77-24, Ⓜ Dupleix ; 26, av. de la Grande-Armée, 75017, ☎ 01-45-72-07-07, Ⓜ Argentine. ● scoot-company.com ● Compter 29 €/j. pour un 50 cc, assurance incluse.
– **Free Scoot,** 63, quai de la Tournelle, 75005, ☎ 01-44-07-06-72,

Ⓜ️ *Maubert-Mutualité ; 144, bd Voltaire, 75011,* ☎ *01-44-93-04-03,*
Ⓜ️ *Voltaire.* ● *freescoot.com* ● *À partir de 45 €/j. pour un 50 cc, assurance et équipement compris.* Dès que les beaux jours reviennent, les deux-roues

sont plus demandés.
– *Ciao Paris* loue en été des Vespas anciennes et modernes, que l'on réserve sur Internet (bien à l'avance) et qui sont livrées, avec des casques, à domicile : ● *ciaoparis.fr* ●

En tram

Le TMS (Tramway des Maréchaux Sud) ou T3 relie le pont du Garigliano (15ᵉ) à la porte de la Chapelle (18ᵉ). La ligne T2 dessert le parc des expositions (porte de Versailles) et va jusqu'à Courbevoie via Issy-les-Moulineaux... *Pour plus d'infos :* ● *tramway.paris.fr* ● *ou* ☎ *32-46 (0,34 €/mn).*

En Autolib'

« Conduire dans Paris, c'est une question de vocabulaire. »

Michel Audiard.

Sur le même principe que le Vélib', 3 000 véhicules électriques, répartis sur plus de 1 000 stations (certaines sont souterraines, situées dans des parkings) et places, sont progressivement mis en service en Île-de-France, et disponibles tous les jours, 24h/24. Pour avoir accès à ce service, rendez-vous dans un espace Autolib' (localisation des stations sur Internet) ou à l'espace d'accueil Autolib' *(5, rue Édouard-VII, 75009).* Plusieurs formules, dont l'abonnement *Découverte* (24h) et *Hebdomadaire* pour les non-Parisiens. On peut réserver sa voiture, et même la place de stationnement à la station où on veut la rendre. Ensuite, c'est bien simple, vous payez uniquement ce que vous consommez et, surtout, plus besoin de chercher où stationner ! *Pour plus d'infos :* ● *autolib.eu* ● *ou* ☎ *0800-94-20-00.*

LE PÉRIPHÉRIQUE, UNE IDÉE ALLEMANDE

Le projet date de l'Occupation. Il s'agissait surtout d'isoler Paris des banlieues rouges et contestataires. Dès 1943, on commença les travaux vers la porte de Vanves. Ils furent vite abandonnés, car les Allemands avaient besoin de ciment pour ériger le mur de l'Atlantique.

En taxi

Le week-end, le soir et les jours de pluie, le matin entre 8h et 9h30, vous risquez de ne pas être seul à attendre un taxi à la station. Armez-vous alors de patience ou bien remontez la file pour essayer de vous joindre à une personne mieux placée, ça marche ! Quelques menues infos :
– montant de la prise en charge : 2,40 € (supplément à la gare ou à l'aéroport) ;
– tarif A : du lundi au samedi 10h-17h en zone parisienne ;
– tarif B : du lundi au samedi 17h-10h, et dimanche et jours fériés en zone parisienne 7h-minuit, ainsi que dans les départements des Hauts-de-Seine, de Seine-Saint-Denis et du Val-de-Marne ;
– tarif C : dans les autres cas de figure.
Voilà pour le principal ; maintenant, n'oubliez pas que le deuxième bagage, le quatrième passager, etc. génèrent des suppléments.

– Pour joindre un taxi à la borne la plus proche, un numéro unique : ☎ 01-45-30-30-30. Sinon, quelques numéros de sociétés de taxis : **Taxis G7** (☎ *36-07 ; 0,15 €/mn),* **Alpha Taxis** (☎ *01-45-85-85-85),* **Taxis Bleus** (☎ *36-09 ; 0,15 €/mn).*

En bateau

Avec ses 13 km de Seine, progressivement conquis et domestiqués en quelque 2 000 ans d'histoire, on peut dire que la plus belle avenue de la capitale, c'est son fleuve. Plusieurs compagnies de bateaux se partagent le gâteau des balades sur la Seine ; toutes suivent le même parcours.

Batobus : ☎ *0825-05-01-01 (0,15 €/mn).* ● *batobus.com* ● *Tlj 10h-21h30 (19h sept-mars) ; un bateau ttes les 20-25 mn env. Forfait journée illimité 16 € ; tarif réduit 10 € (détenteurs de pass Navigo, carte étudiant...) et 7 € moins de 16 ans.* Les navettes desservent 8 escales : tour Eiffel, musée d'Orsay (quai de Solférino), Saint-Germain-des-Prés (quai Malaquais), Notre-Dame (quai de Montebello), Jardin des Plantes (quai Saint-Bernard), Hôtel de Ville (quai de l'Hôtel-de-Ville), Louvre (quai du Louvre) et Champs-Élysées (port des Champs-Élysées).

Bateaux Parisiens : port de La Bourdonnais, 75007. ☎ 0825-01-01-01 (0,15 €/mn). ● bateauxparisiens. com ● Ⓜ Bir-Hakeim. Près de la tour Eiffel, sur la rive gauche. Embarquement tte l'année au pied de la tour Eiffel dès 10h ; tarifs : 14 € adulte, 6 € moins de 12 ans, gratuit moins de 3 ans. Avr-nov, embarquement également au pied de Notre-Dame, quai de Montebello, rive gauche, dès 11h (avr-août) ou 14h20 (sept-nov) ; respectivement 15 € adulte, 6,50 € moins de 12 ans. Pour une croisière traditionnelle commentée, complétée par un audioguide individuel en plusieurs langues (également une version adaptée aux enfants). Une excellente prestation. Balade de 1h. Avantage de cette compagnie : la proximité de la tour Eiffel, d'où l'on peut ensuite observer du 3e étage le parcours effectué (voir « La tour Eiffel »,

dans le 7e arrondissement).

Bateaux-mouches : port Conférence, 75008. ☎ 01-42-25-96-10. ● bateaux-mouches.fr ● Ⓜ Alma-Marceau.
– Voir aussi plus loin, dans le 1er arrondissement, « Bateaux-vedettes du Pont-Neuf ».

La Guêpe Buissonnière et Le Canotier : ☎ 01-42-40-96-97. ● paris canal.com ● Balades sur le bassin de la Villette et le canal Saint-Martin (voir textes sur le canal Saint-Martin dans le 10e arrondissement et sur le parc de la Villette dans le 19e arrondissement).

Canauxrama : 13, quai de la Loire, 75019. ☎ 01-42-39-15-00. ● canaux rama.com ● Départs à 9h45 (sur résa) et 14h30 tlj du port de l'Arsenal, face au 50, bd de la Bastille (12e arrondissement ; Ⓜ Bastille). Arrivée env 2h30 plus tard au bassin de la Villette, 13, quai de la Loire (19e arrondissement ; Ⓜ Jaurès). Également des départs du bassin de la Villette. Résa indispensable. Prix : 16 € ; réduc (sf l'ap-m des w-e et fêtes) ; gratuit moins de 4 ans. Propose des balades guidées sur le canal Saint-Martin à bord des bateaux *Arletty* et *Marcel Carné* (voir la description du parcours dans les 10e et 19e arrondissements). Balade sympa, instructive et pleine d'humour.
– Sachez aussi que vous pouvez faire une balade sur le canal Saint-Martin (voir le 10e arrondissement).

« Paris vaut bien une messe ! » : le roi Henri IV y a gagné sa couronne, avant d'y perdre la vie... « Paris outragé !... Mais Paris libéré ! » : le général de Gaulle l'a prononcé avec une émotion que l'on éprouve encore, chassant l'image odieuse d'un Führer au Trocadéro... Paris est histoire, d'abord. La grande, la petite aussi. « Paris, oui, c'est la tour Eiffel qui monte, qui monte, qui monte au ciel » (air connu), « J'ai deux amours... » (air reconnu). Paris connaît la chanson : ville amoureuse de l'amour, les statues dénudées y clignent aussi de l'œil dans les jardins publics. Paris, où l'on a pris la Bastille, où l'on préfère mourir debout, au mur des Fédérés, plutôt que de vivre à genoux. Paris, la ville du baron Haussmann, capitale du « progrès », Exposition universelle, tour Eiffel et métropolitain. Paris des années Charleston, où l'on s'étourdit, comme pour oublier la Grande Boucherie. Paris des ouvriers, dans les usines, dans la rue, un certain mois de juin 1936. Avant la prochaine tuerie... Et Paris la peur, la délation, les rafles. Paris la honte. Et puis, de nouveau, Paris est une fête. Paris swingue. Paris sur jazz. Juliette Gréco et Jean-Paul Sartre. Jolie môme et Saint-Germain-des-Prés. Et le joli mois de mai à Paris : Sorbonne occupée et barricades, grève générale et CRS. Paris étonne. Paris chante. « Il est 5 heures, Paris s'éveille... »

Toutes ces images, toutes ces icônes ont nourri le mythe. Mais celui-ci avait déjà revêtu de spectaculaires atours : Notre-Dame, le Louvre, la tour Eiffel, les Invalides, qui abritent les cendres de Napoléon, la place de la Concorde, l'Arc de Triomphe, l'Opéra, le Sacré-Cœur sur la butte Montmartre... Immédiatement reconnus, identifiés, ces « monuments » sont désirés, courus et... fort fréquentés. Ils sont Paris, mais Paris, bien sûr, ne se limite pas à eux. Accumulations de strates, depuis la ville gallo-romaine avec les thermes de Cluny et les arènes de Lutèce, médiévale avec la Sainte-Chapelle, classique avec les belles demeures du Marais, « Napoléon III » avec le musée d'Orsay et le pont Alexandre-III, moderne avec les grands magasins ou résolument contemporaine avec le Centre Pompidou, la Cité des Sciences et, plus récemment encore, la Fondation Louis-Vuitton, et tous ces quartiers qui sortent de terre ; cette ville a tant à offrir... La nuit, lorsqu'elle s'illumine, sur le pont des Arts, dans l'île Saint-Louis ou place des Vosges ; le matin, au Jardin des Plantes, au Père-Lachaise ; l'après-midi, aux Tuileries ou au parc Monceau : déambulation, haltes, rêveries... C'est aussi Paris. Celui de pas qui ne sont pas perdus pour les Parisiens, ni pour les 28 millions de touristes qui (re)découvrent la capitale chaque année.

Paris avance à grands pas. Prenez le temps de le découvrir, à votre rythme, tel qu'il est aujourd'hui. De bourgeoise, à l'ouest, et populaire, à l'est, la capitale reste « bourgeoise bohème » en son cœur. L'environnement, l'esthétique, la qualité de vie : autant de préoccupations pour les nouveaux Parisiens. La municipalité entend rééquilibrer, retisser, si cela est encore possible, le tissu urbain déchiré. Par exemple, s'agissant de la verrue qui a pris la place du huit fois centenaire « ventre de Paris ». Sorti de terre à proximité de la bibliothèque François-Mitterrand, le nouveau quartier de l'Est parisien, contrasté, présente néanmoins d'incontestables réussites. La Cité de la Musique, de Christian de Portzamparc, l'Institut du monde arabe ou la Fondation Cartier, de Jean Nouvel, le musée du quai Branly, la Cité de la Mode et du Design, déjà, ont apaisé ceux qui étaient fâchés avec l'architecture contemporaine. Quant aux récents projets de reconversion, on ne peut que saluer la coexistence des vieilles pierres et des matériaux modernes au couvent des Bernardins ou au Cenquatre, par exemple. Et ce n'est pas fini puisque de nombreux chantiers d'envergure – rénovation ou construction – sont en cours dans la capitale, occupant près de 10 % de la surface de la ville. Attention, ça bouge ! Mais Paris, c'est aussi – avant tout ? – la ville de ceux qui l'habitent (2 215 200 personnes), la traversent, y travaillent, y étudient, y sortent. L'animent, en un mot. Diverses, les populations qui la composent sont toutes dignes d'attention. Les lodens d'Auteuil et de Passy ne sont pas moins exotiques que les saris de la rue du Faubourg-Saint-Denis, les boubous de la rue des Poissonniers ou les tongs de l'avenue d'Ivry...

Et pour « partager », quoi de mieux qu'un bon vieux bistrot parisien ? On en trouve encore, entre deux tables ouvertes sur le reste du monde, ou plus dans l'air du temps. Après cette introduction apéritive, ouvrez le guide : Paris est à vous !

CINÉMA

La richesse culturelle et historique de Paris a accouché sur la toile certains des plus beaux films du cinéma français. Difficile de faire un choix parmi ces œuvres !

– *Hôtel du Nord* (Marcel Carné, 1938). Dans le petit *Hôtel du Nord,* au bord du canal Saint-Martin, un jeune couple (Jean-Pierre Aumont et Annabella) a l'intention de mettre fin à ses jours. Il croise la très pittoresque Arletty (« Atmosphère, atmosphère, est-ce que j'ai une gueule d'atmosphère ? ») et son protecteur (Louis Jouvet). Un film mythique.

– *La Traversée de Paris* (Claude Autant-Lara, 1956). En 1943, Martin (Bourvil), le chauffeur de taxi, et Grandgil (Jean Gabin, « Jambieeeer »), l'artiste peintre, traversent tout Paris, malgré les dangers, lestés de quatre lourdes valises. Ce film donne une certaine idée de la mentalité française sous l'Occupation.

– *Cléo de 5 à 7* (Agnès Varda, 1962). Une ode au Paris des années 1960 à travers le regard d'une jeune chanteuse, Cléo (Corinne Marchand), qui apprend qu'elle est atteinte d'un cancer. Un grand film de la Nouvelle Vague.

– *Paris brûle-t-il ?* (René Clément, 1966). Le récit de la libération de Paris du 8 au 25 août 1944. Jean-Paul Belmondo, Alain Delon, Kirk Douglas et Simone Signoret dans un Paris désert.

– *Le Dernier Métro* (François Truffaut, 1980). En septembre 1942, en pleine Occupation à Paris, Marion Steiner (Catherine Deneuve) assure la direction du théâtre Montmartre. Bernard Granger (Gérard Depardieu), un acteur, lui donne des rendez-vous curieux au café d'en face.

– *Le Fabuleux Destin d'Amélie Poulain* (Jean-Pierre Jeunet, 2001). Un étonnant conte moderne en plein Paris. La fée Amélie (Audrey Tautou) fait des ricochets sur le canal Saint-Martin et propage le bonheur autour d'elle. On se laisse emporter dans les rues pavées de Montmartre par l'accordéon poétique de Yann Tiersen...

– *Paris je t'aime* (collectif, 2006). Dix-huit courts-métrages composent ce film, qui sont comme autant de versions d'histoires d'amour en plein cœur de Paname. Devant les caméras d'Isabel Coixet, de Gus Van Sant, ou encore des frères Coen, une pléiade d'acteurs de toutes nationalités nous donne à voir des amours naissantes, rêvées, fragiles, en fuite...

– *Paris* (Cédric Klapisch, 2008). Pierre (Romain Duris), atteint d'une maladie cardiaque dont le pronostic est incertain, pose un nouveau regard sur la vie des Parisiens qui l'entourent et qu'il observe : des commerçants, un SDF, un prof de fac... Autant d'inconnus dont les destins se croisent... ou pas, et auxquels Pierre prête des aventures, des histoires. Klapisch confronte l'éphémère et l'essentiel, la fragilité et l'éternité (de la Ville Lumière).

– **Adèle Blanc-Sec** (Luc Besson, 2010). Adaptant des albums du dessinateur Tardi, Besson porte à l'écran les tribulations égypto-parisiennes de l'impétueuse journaliste de la Belle Époque. Du rythme dans l'aventure, et de bien beaux effets spéciaux qui nous replongent dans le Paris d'alors.

– **Minuit à Paris** (Woody Allen, 2011). Superbes flash-back dans les années 1920. À l'époque, Paris « était une fête » pour les Américains et un paradis littéraire et artistique... pour nombre d'étrangers y vivant ! Des reconstitutions cocasses et émouvantes, une atmosphère magique, nimbent ce Paris insolite...

– **Métronome** (Lorànt Deutsch, 2012). Un téléfilm documentaire en quatre épisodes de 52 mn, tiré du livre du même nom, de Lorànt Deutsch : reconstitutions 3D, vestiges méconnus... Mon tout est rythmé et instructif !

ENVIRONNEMENT

« À Paris, l'idéal, c'est de vagabonder le nez en l'air. » Malheureux ! le terrain est souvent miné de... crottes de chien ! Plusieurs centaines de clavicules cassées témoignent des nuisances des 300 000 meilleurs amis de l'homme parisiens ! Avec quelque 20 t d'excréments produites quotidiennement, les trottoirs font plutôt office de... « crottoirs » dans certains quartiers.

Cela dit, voyons plus loin que le bout de nos chaussures, et ne résumons pas pour autant la vision environnementale parisienne à une histoire de crottes...

Les initiatives publiques ou privées (non exhaustives !) en faveur de l'amélioration de l'environnement parisien sont de plus en plus nombreuses. En voici un aperçu.

La construction du *premier écoquartier* de la ville s'insère dans le plan d'urbanisme Clichy-Batignolles (voir le 17e arrondissement), qui prévoit collecte pneumatique des déchets, géothermie, panneaux solaires... ambitieux... mais à quel prix ? Dans l'optique de la réduction des déchets ménagers encouragée par la mairie, on peut observer le développement du *compostage ou lombricompostage* au pied de

> ## MAIS QUI ÉTAIT EUGÈNE POUBELLE ?
>
> *Né à Caen, il deviendra préfet de la Seine en 1883. Il rendit obligatoire des récipients à déchets fermés au format imposé. Il institua aussi le tri sélectif, qui sera généralisé en... 2000 ! À Paris, une rue porte son nom, qui a pour particularité de n'avoir qu'un numéro.*

certains immeubles ; encore marginal, mais à suivre. On voit aussi pousser des jardins partagés ou encore des « *ressourceries* » (redistribution de biens usagés) : vêtements, petit électroménager, vaisselle... sont réparés ou customisés puis revendus ; moins de déchets et un objectif de réinsertion socioprofessionnelle. Et bien sûr, les *réseaux Vélib' et Autolib'*, qui font aujourd'hui partie du paysage parisien et se développent encore, ainsi que l'*aménagement piéton d'une partie des quais de Seine* font aussi sans doute partie d'une politique « environnementale »... Des initiatives salutaires de ce point de vue, mais que de difficultés en découlent ! Stationnement impossible, embouteillages, difficultés de partage de la route entre vélos, bus et voitures... Une politique qui gagnerait à un peu plus de réflexion d'ensemble.

HISTOIRE

Nos ancêtres les Gaulois

Les premiers habitants de ce qui devait devenir notre bonne vieille capitale furent les *Parisii*. On ne sait trop quand ils s'y installèrent, mais on est sûr qu'au moins 100 ans av. J.-C., peut-être 250 ans, l'île de la Cité était habitée par cette modeste peuplade de la Gaule celtique : eh oui, c'était l'époque où « Parisien » rimait avec « modeste » !

Le chef-lieu des *Parisii* était donc cette cité de *Lucotetia,* nom dont on n'a jamais percé l'origine et qui, par contraction, deviendra *Lutetia,* la Lutèce des Romains. L'île n'est reliée alors que par deux vétustes ponts de bois. En trois siècles, les Romains y apportent leur savoir-faire. Ils construisent des marchés, des temples, des ponts plus solides et des rues bien droites, tracées selon un quadrillage conforme aux règles de l'urbanisme militaire en vigueur dans les camps romains. Avec, au centre, le *cardo,* un axe nord-sud, représenté par la route venant d'Orléans – actuelle rue Saint-Jacques –, et un axe ouest-est, le *decumanus,* vraisemblablement notre rue Cujas. La ville s'étend principalement sur la rive gauche, jusqu'à la montagne Sainte-Geneviève.

En 360, le préfet de Gaule, Julien, devient empereur.

Les barbares débarquent

C'est au Ve s que Geneviève s'illustre en galvanisant les habitants de Paris face aux Huns. Attila ne se fit pas curé mais partit exercer ses talents ailleurs. Tout de même ! Sanctifiée depuis, Geneviève, on l'oublie souvent, est la sainte patronne de Paris. Le nom de « Paris » remplace celui de « Lutèce » à la fin du IVe s.

Au VIe s, Clovis, après avoir démoli à Soissons le dernier représentant de l'autorité romaine et la tête du guerrier qui avait brisé son vase, décide d'établir sa capitale. En 508, il choisit Paris.

Les Carolingiens ayant lâchement laissé les pirates normands piller et brûler la ville, il faut attendre la fin du IXe s et voir Eudes se faire couronner à Paris (dont il était le comte) pour que celle-là soit enfin consacrée capitale de la France – une petite capitale, repliée dans la Cité.

Essor et expansion avec les grands rois

L'activité marchande des bateliers de la Seine va donner à la ville son essor. Leur puissante corporation serait à l'origine du blason de Paris avec son navire et sa devise : *Fluctuat nec mergitur* (« Il est battu par les flots mais ne sombre pas »). Le marché, alors situé sur l'île de la Cité, va déménager, faute de place, et s'installer pour huit siècles au lieu-dit Les Champeaux, plus connu aujourd'hui sous le nom de « Halles ».

À la fin du XIIe s, le nouveau roi, Philippe Auguste, décide de renforcer les défenses de la ville. Grande nouveauté, ce rempart de pierre flanqué de tours rondes va également englober la rive gauche. C'est là que, lassés de l'influence épiscopale sur l'enseignement, les étudiants décident de s'installer. C'est le premier signe d'indépendance des Parisiens. Consciente de son destin, en effet, la ville jouera toujours

ET LES ROIS CHANGÈRENT D'EMBLÈME

Au départ, Clovis, roi des Francs, choisit l'iris comme symbole. Au fil des âges, la « fleur de Clovis » devint la « fleur de Louis ». Peu à peu, on comprit la « fleur de lys ». D'ailleurs, Louis VII fut le premier roi de France à arborer le lys, en 1147.

ses propres cartes contre le pouvoir royal. Ce sera l'insurrection d'Étienne Marcel, l'adoption de la cause anglaise (ou bourguignonne) pendant la guerre de Cent Ans, puis la Fronde (qui amènera Louis XIV à résider prudemment à Saint-Germain-en-Laye), puis les émeutes de la Révolution, puis des deux suivantes (1830 et 1848), enfin la Commune.

En 1370, afin de s'adapter à la superficie toujours grandissante de la ville et afin de remplacer l'enceinte de Philippe Auguste, qui tombait en ruine, Charles V en fait construire une nouvelle dont le tracé correspond à celui de nos Grands Boulevards, qui relient aujourd'hui la Bastille à la Madeleine. Dès lors, et pendant les quatre siècles suivants, l'urbanisation de Paris se fera de façon planifiée.

Henri IV réunit le Louvre au palais des Tuileries, achève le Pont-Neuf, trace les plans de la place Royale (l'actuelle place des Vosges) et de la place Dauphine, et aménage le Marais.

À la fin du XVIIe s, malgré l'absence de Louis XIV, éloigné de Paris par crainte de la Fronde, les premières grandes places royales font leur apparition et deviennent sous Louis XV le centre de nouvelles perspectives : la place des Victoires, la place Vendôme et la place Louis-XV (noblesse oblige), devenue place de la Concorde, après s'être appelée aussi place de la Révolution en 1792 et encore place Louis-XVI en 1826, en souvenir de son exécution ici même, le 21 janvier 1793.

Les grands travaux

Loin d'être motivés par des soucis de stratégie militaire, les fermiers généraux décident la construction d'une nouvelle enceinte, imposant ainsi au trafic commercial un péage à l'entrée de la capitale (l'octroi). Les Parisiens ne sont pas longs à s'en moquer. « Le mur murant Paris rend Paris murmurant », dit-on à l'époque. Cette enceinte, datant de la fin du XVIIIe s, est la dernière construction importante avant la Révolution. Son tracé correspond à nos boulevards passant par Denfert, Nation, Belleville, Stalingrad, Barbès-Rochechouart, Anvers, Pigalle, place Blanche, place de Clichy...

Napoléon, quelque temps plus tard, apporte à la capitale les arcs de triomphe, la colonne de la place Vendôme, la Madeleine, la Bourse et quelques ponts supplémentaires sur la Seine. Il faut attendre la Restauration pour que l'éclairage au gaz, les trottoirs et la numérotation des rues fassent leur apparition.

S'il y a un personnage dont le nom devrait rester à jamais gravé dans la mémoire des Parisiens, c'est bien Haussmann (1809-1891). Ses projets d'assainissement sont de double nature. D'une part, la création de jardins, d'égouts et de réservoirs pour l'approvisionnement en eau de la capitale, ouvrages tout à fait louables, et, d'autre part, la démolition des vieux quartiers parisiens trop souvent foyers révolutionnaires. De vieilles rues étroites sont détruites et de grandes artères font leur apparition, facilitant l'action de la police et de l'artillerie contre les barricades. Entre autres, les boulevards Saint-Michel, Saint-Germain, Sébastopol, Voltaire, Diderot et Malesherbes, ainsi que ceux de Strasbourg, de Magenta, de l'Hôpital et le boulevard Haussmann – bougnat est maître chez lui –, qui, ouvert en 1857 entre le faubourg Saint-Honoré et la rue de Miromesnil, n'aboutira à Richelieu-Drouot qu'en 1927. Du fait d'opérations immobilières hasardeuses et de dettes gigantesques, le baron Haussmann fut brutalement démis de ses fonctions. De nombreux travaux ne furent jamais achevés (la rue de Rennes n'atteignit heureusement jamais la Seine). La moitié des rues resta en chantier... pendant 20 ans !

La ville des plaisirs et des Parigots

Paris devient la Ville Lumière. De la Révolution au Second Empire, en 60 ans, sa population triple, passant, en gros, de 500 000 à 1,5 million d'habitants. C'est dans les 50 années suivantes que Paris acquiert son image de « capitale de la fête et des plaisirs ». La plupart des music-halls, des théâtres, des salles de spectacle sont construits de 1860 à 1910 – aujourd'hui, même reconvertis en cinémas multisalles, beaucoup ont conservé leur florissante décoration intérieure. Sa vitalité fait en même temps de Paris la capitale des arts. On vient de Russie ou d'Argentine faire la fête à Paris... Rien d'étonnant si le mythe de la Belle Époque reste aussi vivace.

À l'initiative de Thiers, une nouvelle enceinte fortifiée, se fondant quasiment avec les limites actuelles de la ville, protège partiellement Paris pendant son siège

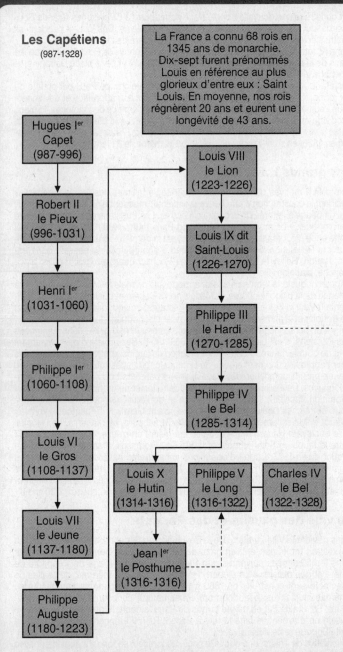

Les Capétiens
(987-1328)

La France a connu 68 rois en 1345 ans de monarchie. Dix-sept furent prénommés Louis en référence au plus glorieux d'entre eux : Saint Louis. En moyenne, nos rois régnèrent 20 ans et eurent une longévité de 43 ans.

Hugues Ier Capet (987-996)

Robert II le Pieux (996-1031)

Henri Ier (1031-1060)

Philippe Ier (1060-1108)

Louis VI le Gros (1108-1137)

Louis VII le Jeune (1137-1180)

Philippe Auguste (1180-1223)

Louis VIII le Lion (1223-1226)

Louis IX dit Saint-Louis (1226-1270)

Philippe III le Hardi (1270-1285)

Philippe IV le Bel (1285-1314)

Louis X le Hutin (1314-1316)

Philippe V le Long (1316-1322)

Charles IV le Bel (1322-1328)

Jean Ier le Posthume (1316-1316)

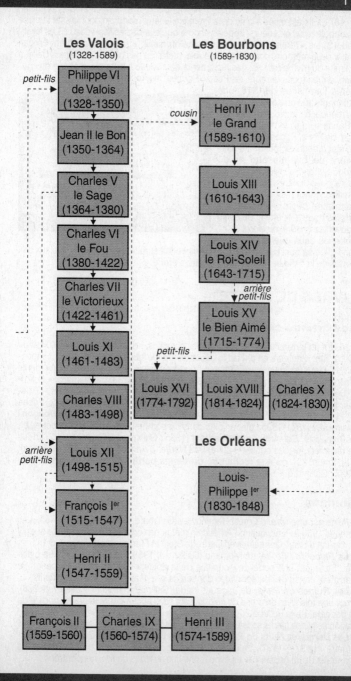

en 1871. Elle est rasée à la fin de la Première Guerre mondiale pour laisser la place aux boulevards extérieurs, appelés encore boulevards des Maréchaux. Les fortifications, les « fortifs », les « lafs » comme on disait en argot, constituent un pan entier de la mémoire collective du peuple, plutôt du bas peuple de Paris... Celle, à la limite du mythe parfois, des règlements de compte à la loyale, à coups de couteau, entre jeunes terreurs, les Peaux-Rouges, les Apaches...

Après l'armistice de 1918, une étonnante fusion sociale, unique au monde, caractérise la capitale. « Paname » est le nouveau petit nom de Paris. Paname, c'est tout un état d'esprit empreint d'accordéon, de bal musette et du monde interlope, filles et maquereaux qui gravitent autour. Bref, le « milieu », mot neuf qui remplace l'ancienne pègre. À l'écran, il a pris les traits d'Arletty et de Louis Jouvet dans *Hôtel du Nord*...

PANAME ?

Pourquoi Paris hérita-t-il de ce surnom si populaire au début du XXe s ? Les Parisiens avaient adopté le chapeau appelé « panama », mis à la mode par les ouvriers qui travaillaient sur le canal du même nom, et qui revinrent ensuite chez eux, à Paris. Ce couvre-chef n'a d'ailleurs jamais été fabriqué au Panama mais... en Équateur.

Entre les deux guerres, Paris se fond avec sa banlieue, et le Front populaire fait surgir des logements sociaux aux portes de la capitale. Le réseau du métro s'étoffe.

LIVRES DE ROUTE

Les grands classiques

Paris fut un terreau d'inspiration pour les écrivains, notamment ceux du XIXe et du XXe s. Tant d'auteurs en ont fait le décor central de leur ouvrage qu'il serait impossible de tous les énumérer. Citons-en pourtant quelques-uns, chronologiquement : *Notre-Dame de Paris,* du romantique Victor Hugo (1831 ; Gallimard, « Folio » n° 3645), *Les Mystères de Paris,* d'Eugène Sue (1844 ; Robert Laffont, « Bouquins »), *Le Spleen de Paris,* de Charles Baudelaire (1869 ; Le Livre de Poche n° 1179). Ou encore la colossale œuvre du naturaliste Émile Zola, *Les Rougon-Macquart* (1871-1893 ; disponibles dans de nombreuses éditions de poche), et, côté réaliste, *Bel-Ami,* de Maupassant (1885 ; Gallimard, « Folio » n° 3227). Plus tardivement, ne pas oublier le surréaliste *Nadja,* d'André Breton (1928 ; Gallimard, « Folio » n° 73), ou *À la recherche du temps perdu,* de Marcel Proust (1913-1927 ; Gallimard, « Folio »).

Romans

– *Paris est une fête,* d'Ernest Hemingway (Gallimard, 1964 ; « Folio » n° 465). Les années 1930 à Paris, quand l'Américain n'était pas encore un mastodonte et qu'il divaguait à Saint-Germain avec Gertrude Stein et Francis Scott Fitzgerald.
– *La Place de l'Étoile,* de Modiano (Gallimard, 1968 ; « Folio » n° 698). La place de l'Étoile est une sorte de « capitale de la douleur ». Pendant l'Occupation, le narrateur croise des personnages dont on ne sait plus s'ils sont réels ou fictifs.
– *Les Ruines de Paris,* de Jacques Réda (Gallimard, 1993 ; « Poésie » n° 268). Pour une fois, livre en prose de celui qui est sans aucun doute le premier poète de la capitale. De la Butte-aux-Cailles à Passy en passant par Belleville et Montmartre, on se laisse guider sans une halte à travers les secrets et les mystères de Paris.
– *Les Dernières Nuits de Paris,* de Philippe Soupault (1928 ; Gallimard, « L'Imaginaire » n° 374, 1997). Énigmatique témoignage d'un dada au travers de ses planques de titi parisien et les évocations des femmes qu'il y a rencontrées.

– **Bastille tango,** de Jean-François Vilar (1986 ; Actes Sud, « Babel Noir » n° 318, 1999). Comme aux pires heures de la dictature, des réfugiés argentins disparaissent dans le Bastille des années 1980. Du temps où la Bastoche n'était pas encore un quartier à la mode et où l'on dansait le tango rue de Lappe. La démolition du quartier commençait à peine. Avant l'Opéra-Bastille.

Essais, ouvrages collectifs

– **La Goutte-d'Or, quartier de France,** de M. Goldring (2006 ; Autrement, « Frontières »). Un habitant de longue date brosse le portrait, sans catastrophisme ni idéalisme, de ce quartier, le plus métissé de la capitale. Des destins qui se croisent sans toujours se rencontrer. Un portrait critique et plein d'humanité, fondé sur des faits et des témoignages ; autant de regards sur un quartier plein de vie et de contradictions.

– **Paris,** de J. Green (1995 ; Fayard ou Champ Vallon). Une vaste quête sans but précis en compagnie d'un amoureux de Paris. Il nous révèle l'âme de ses rues et « le silence du ciel ».

– **Le Paris de Gainsbourg,** de E. Leibowitch et D. Loriou (2011 ; Jacob-Duvernet). Ouvrage-balade qui retrace la vie de l'artiste à Paris. On le suit au fil des adresses qui ont jalonné son existence, sa vie amoureuse et musicale, du Lucien Ginsburg de Chaptal à celui de l'Hôtel Raphaël, en passant bien sûr par l'incontournable rue de Verneuil et la Cité internationale des arts.

Polars

– **Les Enquêtes du commissaire Maigret,** de Georges Simenon (1930-1979 ; Le Livre de Poche). Les décors de Paris sont de toutes les aventures du commissaire Maigret. Des polars noirs mais assez littéraires. Évocations inégalées du Paris glauque et infréquentable.

– **Les Enquêtes de Nicolas Le Floch, commissaire au Châtelet,** de Jean-François Parot (2000-2012 ; J.-C. Lattès et 10/18). Une série historico-policière comme on les aime. L'écrivain, diplomate à ses heures, est surtout spécialiste de l'histoire du Paris du XVIIIe s, qu'il nous fait aimer et connaître, au fil d'enquêtes menant des bas-fonds de la capitale aux salons de Versailles. Un régal.

– **Mystère rue des Saints-Pères,** de Claude Izner (2003 ; 10/18, « Grands Détectives » n° 3505). Une série très prometteuse qui nous entraîne cette fois dans le Paris de la fin du XIXe s, aux côtés d'un libraire « enquêteur » de la rue des Saints-Pères, Victor Legris. Tout un petit monde, né de l'imaginaire de deux sœurs signant sous un pseudonyme, qui croise la route de personnages ayant existé et rendus ici plus vivants que jamais.

– **Balades policières dans Paris,** de Marc Lemonier (2006 ; Nouveau Monde). Une balade en noir et blanc pour tous les fans de séries policières, les nostalgiques de Maigret, Bourrel, Fantômas et autres familiers du polar, qu'ils soient ou non du bon côté de la barrière.

Paris raconté par la bande (dessinée)

Difficile de répertorier toutes les bandes dessinées qui ont eu Paris pour toile de fond, des Pieds Nickelés à Bibi Fricotin en passant par Casque d'Or, Griffu ou Nestor Burma... Bon, va falloir choisir, en privilégiant celles qui nous ont offert nos premiers voyages dans le temps et l'espace parisien, d'Astérix à Masque rouge !

– **Adèle Blanc-Sec,** de Tardi (Casterman). Un célèbre feuilleton fantastico-policier en huit épisodes ayant pour cadre le Paris du début du siècle dernier. Adèle traverse Paris et la Première Guerre mondiale sans perdre son humour ni sa vertu... À lire et à relire, sans jamais se lasser. De Tardi toujours, mais plus récent,

Le Secret de l'étrangleur (Casterman), adaptation d'un classique du roman criminel, avec Paris en toile de fond.

– *Le Cri du peuple,* de Tardi et Vautrin (Casterman). Un grand roman populaire en trois tomes, somptueusement mis en images et qui fait revivre le Paris de la Commune, ses joies, ses exactions, ses excès, ses amours, ses énergies refoulées.

– *Griffu,* de Tardi et Manchette (Casterman). La fin des années 1970, dans un Montparnasse en pleine mutation. Un bon polar à lire sourire aux lèvres, en comptant les coups sur la gueule à Griffu.

– *Jérôme K. Jérôme Bloche,* de Dodier et Makyo (Dupuis). De l'excellente B.D. pour petits et grands, sur fond d'aventures policières menées par un détective à binocles entouré des locataires de son vieil immeuble du 18e. Tendrement vôtre... Relire surtout *Zelda* et *Le Cœur à droite,* ode affectueuse aux sans-logis.

– Et, une belle synthèse, *Paris BD, la capitale redessinée,* de T. Vandorselaer (2009 ; Éditions du Signe). À travers de nombreux extraits de B.D. judicieusement choisis, cet auteur belge nous emmène (re)découvrir Paris. Plusieurs itinéraires de balades sont ainsi proposés, avec pour guides l'Adèle Blanc-Sec de Tardi, le Michel Vaillant de Graton, l'Émilie de Magnin...

SITES INSCRITS AU PATRIMOINE MONDIAL DE L'UNESCO

Organisation
des Nations Unies
pour l'éducation,
la science et la culture

En coopération avec
le centre du patrimoine mondial de l'UNESCO

Pour figurer sur la liste du Patrimoine mondial, les sites doivent avoir une valeur universelle exceptionnelle et satisfaire à au moins un des 10 critères de sélection. La protection, la gestion, l'authenticité et l'intégrité des biens sont également des considérations importantes.

Le patrimoine est l'héritage du passé dont nous profitons aujourd'hui et que nous transmettons aux générations à venir. Nos patrimoines culturel et naturel sont deux sources irremplaçables de vie et d'inspiration. Ces sites appartiennent à tous les peuples du monde, sans tenir compte du territoire sur lequel ils sont situés. Pour plus d'informations : ● *whc.unesco.org* ●

– Les *rives de la Seine* sont partiellement classées au Patrimoine mondial de l'Unesco.

Billets musées et monuments

Préparez vos vacances, réservez vos visites en accès prioritaire pour les plus grands monuments !

Découvrez toute la richesse du patrimoine avec plus de 300 musées et monuments à visiter, et 350 expositions à découvrir !

Rendez-vous dans les magasins Fnac, sur votre mobile avec Tick&Live et sur ● *fnac.com* ●

1er ARRONDISSEMENT

LE LOUVRE • LE PALAIS-ROYAL • LA PLACE VENDÔME

▶ Pour le plan du 1er arrondissement, voir le cahier couleur.

Départ logique de toute balade parisienne, hier comme aujourd'hui, le 1er arrondissement est traversé par la rue de Rivoli, long trait d'union entre le quartier des Halles – dont le vaste chantier de réaménagement touche à sa fin –, le Louvre, le Palais-Royal et le jardin des Tuileries, et par l'avenue de l'Opéra, qui relie la Comédie-Française au palais Garnier. C'est l'un des plus riches de la capitale. Riche en histoire : il abrite la Conciergerie et la Sainte-Chapelle, le palais des rois susnommé, ci-devant plus grand musée du monde. Riche en contrastes : il draine la foule bruyante et colorée des Halles, mais aussi la clientèle élégante et... fortunée de la rue Saint-Honoré et de la place Vendôme. Il offre aussi des coins plus secrets, à découvrir en flânant, principalement autour du jardin du Palais-Royal, avec ses poétiques galeries et passages. On peut également y contempler un sacré paysage urbain qui laisse littéralement émerveillé : du pont des Arts, qui enjambe la Seine, le regard embrasse, entre autres, la pointe de l'île de la Cité et le Pont-Neuf, le quai de la Mégisserie, l'église Saint-Germain-l'Auxerrois et le Louvre, on y revient toujours.

Où dormir ?

Très bon marché

🛏 *Auberge BVJ Paris Louvre* (plan couleur C2, **1**) : 20, rue Jean-Jacques-Rousseau, 75001. ☎ 01-53-00-90-90. ● *bvj@wanadoo.fr* ● *bvjhotel.com* ● Ⓜ *Louvre-Rivoli ou Palais-Royal-Musée-du-Louvre. Ouv 24h/24. Lit en dortoir 30 €/pers, petit déj, draps et couvertures compris ; double 35 €/pers. Check out à 9h30, mais il y a de petites consignes (2 €). Aucune carte des AJ exigée. Chèques refusés. CB refusées.* 🖥 📶 Idéalement située au cœur de Paris, cette AJ simple et fonctionnelle compte 200 lits en chambres basiques de 2 à 10 personnes, avec sanitaires sur le palier (certains dortoirs disposent d'une douche sur le palier). Si vous souhaitez rester en groupe, précisez-le au moment de la réservation. L'ensemble est très bien tenu.

Agréables coins salons aménagés dans un grand patio sous une verrière. En revanche, pas de cuisine à dispo. Si c'est complet, le *BVJ* gère également un hôtel du même style dans le Quartier latin, autre quartier chic de Paris.

Prix moyens

🛏 *Hôtel Henri IV* (plan couleur C3, **5**) : 25, pl. Dauphine, 75001. ☎ 01-43-54-44-53. ● *henri4hotel.fr* ● Ⓜ *Cité ou Pont-Neuf. Doubles 83-95 € selon confort et saison.* C'est l'une des plus jolies places de Paris. On se sent ailleurs, en province, avec ces arbres et ces quelques terrasses paisibles... C'est dire la situation exceptionnelle de ce petit hôtel familial au charme désuet, tenu de père en fils depuis 1937 ! Alors, bien sûr, noblesse du bâtiment oblige, il n'y a pas d'ascenseur pour desservir les petites chambres. Mais la vue sur les tours de Notre-Dame depuis les balcons du 5e étage vaut largement la grimpette ! Le confort est simple, il faut l'avouer. Malgré quelques baisses de régime à l'occasion, l'hôtel est convenablement tenu. Un rapport qualité-prix-situation indiscutable, d'autant qu'un petit déj léger est même offert.

Chic

🛏 *Hôtel du Cygne (plan couleur D2, 10) :* 3, rue du Cygne, 75001. ☎ 01-42-60-14-16. ● contact@hotelducygne.fr ● hotelducygne.fr ● Ⓜ Étienne-Marcel ; RER A, B et D : Châtelet-Les Halles. Congés : dernière sem de juil et 3 sem en août. Doubles 90-132 € selon confort ; suites 147-167 € ; petit déj 8 €. 🖵 📶 TV. Un petit déj/pers offert sur présentation de ce guide. Au cœur d'un quartier en ébullition, on aime beaucoup le charme cosy de ce petit 2-étoiles convivial, aux escaliers biscornus et aux petites chambres coquettes et rénovées, avec coffre-fort, sèche-cheveux et poutres au plafond dans la plupart (l'immeuble date du XVIIe s). Toutes sont équipées de double vitrage ; préférer tout de même celles sur cour : goûter notamment le calme de la nº 41. Salon élégant pour une pause entre 2 balades. Accueil agréable.

🛏 *Hôtel Londres Saint-Honoré (plan couleur B1, 8) :* 13, rue Saint-Roch, 75001. ☎ 01-42-60-15-62. ● hotel londresthonore@orange.fr ● hotel londresthonore-paris.com ● Ⓜ Tuileries ou Pyramides. Plusieurs parkings autour de l'hôtel. Doubles 139-171 € selon taille ; petit déj 11 €. 📶 TV. Satellite. 10 % sur le prix de la chambre (à partir de 3 nuits) sur présentation de ce guide. Face à l'église Saint-Roch, dans une ancienne maison bourgeoise, un charmant hôtel, sympathique comme tout, familial, dans un quartier chic et hautement touristique. Réception à l'étage, où se situe également l'ascenseur. Chambres classiques et confortables (double vitrage, minibar, AC), toutes entièrement rénovées. À noter que les standard du dernier étage sont mansardées pour certaines.

Salon cosy.

🛏 *Hôtel Saint-Roch (plan couleur B1, 9) :* 25, rue Saint-Roch, 75001. ☎ 01-42-60-17-91. ● hotelsaintroch paris@orange.fr ● hotelsaintroch-paris. com ● Ⓜ Tuileries ou Pyramides. Doubles 129-148 € ; petit déj 11 €. 📶 TV. Satellite. 10 % sur le prix de la chambre (pour min 3 nuits) sur présentation de ce guide. Les chambres sont simples, sans fioritures, voire un peu datées pour celles qui n'ont pas encore été rénovées, et toutes équipées d'AC. Le tout se révèle très propre et de bon confort, et surtout bien situé au cœur de Paris. Quelques chambres mansardées au dernier étage (les nos 61 et 62), plus spacieuses et plus charmantes que les autres. Ascenseur.

🛏 *Timhotel Le Louvre (plan couleur C2, 3) :* 4, rue Croix-des-Petits-Champs, 75001. ☎ 01-42-60-34-86. ● louvre@timhotel.fr ● timhotel.fr ● Ⓜ Louvre-Rivoli ou Palais-Royal-Musée-du-Louvre. ♿ Doubles avec douche ou bains 139-200 € ; petit déj 13,50 €. 📶 TV. Promos fréquentes. 📶 Câble. Vraiment à deux pas – pour ne pas dire un – du Louvre, des Halles et du Palais-Royal. Stratégique, donc. Construit autour d'une petite cour intérieure, salle de petit déjeuner-buffet au rez-de-chaussée, sous verrière. Cinquante-six chambres fonctionnelles d'un bon confort, même si les salles de bains avec douche sont un peu petites. Par ailleurs, évitez celles du rez-de-chaussée, trop sombres. Clim et ascenseur. Accueil pro et souriant.

Plus chic

🛏 *Crayon Hôtel (plan couleur C2, 7) :* 25, rue du Bouloi, 75001. ☎ 01-42-36-54-19. ● contact@hotelcrayon. com ● hotelcrayon.com ● Ⓜ Louvre-Rivoli ou Palais-Royal-Musée-du-Louvre. Doubles 139-279 € selon période. 🖵 📶 TV. Câble. Idéalement placé entre le Louvre et la place des Victoires, cet hôtel intimiste s'est forgé sa personnalité à coups de crayon ! Pari gagné, c'est une vraie bonne humeur *arty* qui se dégage des murs colorés bardés de dessins. Côté confort et art de vivre, rien ne manque dans les

26 chambres toutes différentes, qui jouent la carte du cocooning avec des meubles astucieusement chinés, customisés et adaptés à la petite superficie des pièces. On aime l'ambiance bohème, chaleureuse et conviviale, et le service qui reste pro. Calme absolu, literie de qualité et, cerise sur le gâteau, un diffuseur de parfum (de votre choix) pour éveiller les sens.

🏠 *Hôtel O (plan couleur C1, 4)* : 19, rue Hérold, 75001. ☎ 01-42-36-04-02. ● contact@hotel-o-paris.com ● hotel-o-paris.com ● Ⓜ *Louvre-Rivoli ou Sentier. Doubles env 140-290 € selon catégorie et saison ; petit déj 16 €.* 📶 *TV.* C'est d'abord et surtout un concept, fruit de l'imagination du célèbre designer Ora-Ïto ! Les chambres futuristes aux allures de vaisseau spatial ne laissent pas indifférent, surtout dans les « cocons » à l'éclairage insolite, qui plairont aux amoureux avec leurs salles de bains ouvertes. Une originalité qui compense l'exiguïté des lieux et des tarifs élevés. Bar sophistiqué où l'on sert de bons cocktails. *NOUVEAUTÉ.*

🏠 *Hôtel Le Relais du Louvre (plan couleur C2, 11)* : 19, rue des Prêtres-Saint-Germain-l'Auxerrois, 75001. ☎ 01-40-41-96-42. ● contact@relaisdulouvre.com ● relaisdulouvre.com ● Ⓜ *Louvre-Rivoli ou Pont-Neuf. Doubles 223-253 € ; petit déj 13 €.* 🖥️ 📶 *TV. Canal +. Satellite. Parking payant.* Un petit hôtel intimiste et séduisant avec son enseigne de relais de poste, ses poutres du XVIIIᵉ s, son mobilier ancien et ses rideaux fleuris. Cette ancienne imprimerie n'a sacrifié ni charme ni caractère en se modernisant. Dix-neuf chambres (plus 3 suites) chaleureuses et pimpantes, entièrement refaites. Nous, on préfère celles avec vue directe sur les mystérieuses gargouilles de Saint-Germain-l'Auxerrois. La chambre avec patio privé est, dans un autre genre, également propice aux confidences.

Difficile de trouver plus romantique... Accueil très sympathique. *NOUVEAUTÉ.*

🏠 *Résidence Le Petit Châtelet (plan couleur D2, 6)* : 9, rue Saint-Denis, 75001. ☎ 01-42-33-32-31. 📱 06-76-11-81-58. ● lepetitchatelet@me.com ● le-petit-chatelet.com ● Ⓜ *Châtelet. Ouv tte l'année. Résa conseillée. Apparts pour 4-6 pers 140-230 €/nuit ou 700-1 330 €/sem selon saison et standing.* 📶 *TV. Satellite.* Une adresse stratégique, charmante (c'est un petit immeuble typique du vieux Paris) et très commode. Les propriétaires de cet ancien hôtel l'ont transformé en 6 appartements meublés, un par étage. Refaits à neuf, ils se révèlent modernes, tout confort (salles d'eau irréprochables, double vitrage...) et impeccables pour qui souhaite un peu d'autonomie (cuisines tout équipées). Les pièces à vivre donnent sur la rue animée, mais les chambres (sauf bien sûr pour le studio) sont sur l'arrière, au calme. Plusieurs ont même la clim, et celui du dernier étage dispose d'une petite terrasse. Idéal donc, d'autant que la déco est adorable, avec en prime poutres et pierres apparentes pour certains. En revanche, pas d'ascenseur. Excellent accueil.

🏠 *Hôtel Le Relais des Halles (plan couleur D2, 2)* : 26, rue Pierre-Lescot, 75001. ☎ 01-44-82-64-00. ● contact@relaisdeshalles.fr ● relaisdeshalles.com ● Ⓜ *Les Halles. Doubles env 150-340 € selon catégorie et saison ; petits déj 8-15 € selon formule.* 🖥️ 📶 *TV.* Très jolie adresse que cet hôtel quasi intimiste, stratégiquement situé, où l'accueil est tout sourire et personnalisé, et les chambres soignées, décorées avec goût dans un style parisien classique, et parfaitement équipées dès la 1ʳᵉ catégorie (douches à l'italienne, clim, minibar...). Un vrai cocon pour les amoureux. *NOUVEAUTÉ.*

1ᵉʳ

Où manger ?

Sur le pouce

🍴 *Le Stube (plan couleur C1, 20)* : 31, rue de Richelieu, 75001. ☎ 01-42-60-09-85. ● lestube@numericable.fr ● Ⓜ *Palais-Royal-Musée-du-Louvre ou Pyramides. Lun 10h-15h30, mar-sam 10h-22h. Formules 6-16,50 €.*

Envie d'un déjeuner sur le pouce ? Faites donc une escale dans cette enclave germanique à deux pas du Louvre : choucroute garnie avec une saucisse artisanale pur bœuf, strudel à la viande ou aux légumes, ou encore « dip » de hareng servis dans des assiettes en carton. Côté liquides, une Beck's, un verre de pinot gris de Baden ou une limonade bio gingembre-orange feront bien l'affaire. Pour conclure (ou pour le goûter), beau choix de pâtisseries : strudel, tartes façon crumble pavot-griotte ou rhubarbe-framboise, sablé noix-caramel... Accueil fort sympathique.

|●| Boco (plan couleur B1, **26**) : 3, rue Danielle-Casanova, 75001. ☎ 01-42-61-17-67. ● contact@boco. fr ● Ⓜ Pyramides. Tlj sf dim 11h-22h. Menu du jour 14,80 € ; plats 6,50-12 €. L'attrait de ce concept réside dans les accords obtenus avec quelques grands chefs et leurs recettes conditionnées en verrines. Le tout élaboré avec des produits frais, 100 % bio, des entrées jusqu'aux desserts. Quelques vins, eaux, thés et cafés choisis. Et comme l'affaire tourne bien, la « famille Boco » s'est agrandie (cours Saint-Émilion dans le 12e et rue du Rocher dans le 8e).

|●| Claus, l'Épicerie du Petit Déjeuner (plan couleur C2, **22**) : 14, rue Jean-Jacques-Rousseau, 75001. ☎ 01-42-33-55-10. ● contact@claus paris.com ● Ⓜ Louvre-Rivoli. Lun-ven 8h-17h, sam-dim et j. fériés 9h30-17h. Formules petit déj 16-35 € ; soupes, salades, plats du jour 7-16 € ; gâteaux 3-7 €. Une adorable épicerie fine-resto, avec de superbes produits à emporter ou à consommer sur place, à l'étage. Mais c'est également très agréable à l'heure du thé, du brunch, ou encore pour une petite restauration le midi. Le tout dans une déco vraiment sympa, avec, à l'étage, un petit salon très cosy. Les pâtisseries sont extra.

|●| Pop'tatoes (plan couleur D2, **23**) : 18, rue Montorgueil, 75001. ☎ 09-51-95-08-61. ● contact@poptatoes.com ● Ⓜ Les Halles. Lun-sam 10h-21h (22h ven-sam). Sur place ou à emporter : 4,90-12 €. Café offert sur présentation de ce guide. Un concept sympa et nourrissant, pour changer des paninis et autres sandwichs, autour d'une grosse pomme de terre cuite au four et dont la chaire est mélangée à du gruyère râpé et à un large choix de garnitures froides ou chaudes, de la plus classique (tartiflette, crème fraîche-ciboulette...) à la plus exotique (wok de légumes, bœuf façon chili...). Cinq menus déterminent le nombre de garnitures auquel vous avez droit, accompagnés d'une petite salade. Et en plus c'est bon et pas cher. Merci M. Parmentier ! NOUVEAUTÉ.

De très bon marché à bon marché

|●| Chez Gladines (plan couleur D2, **29**) : 11 bis, rue des Halles, 75001. ☎ 01-42-21-07-00. Ⓜ Châtelet ou Les Halles. ♿ Tlj sf dim 12h-23h30 (minuit sam). Entrée et dessert 4 €, plat 9,50 €, salades 7,20-10,60 €. CB acceptées à partir de 15 €. Gladines, notre bonne vieille adresse du 13e, a fait des petits ! Même ambiance joviale ici, avec ce décor des années 1950, le juke-box (qui marche !) et le bar en formica. Dans les assiettes, spécialités basques, salades copieuses, plats roboratifs (omelettes aux cèpes, magrets de canard, etc.). En dessert, on craque pour la croustade aux pommes. L'idéal en famille, entre amis et même pour les amoureux gourmands.

|●| Salon du Fromage Hisada (plan couleur C1, **27**) : 47, rue de Richelieu, 75001. ☎ 01-42-60-78-48. ● salondu fromage@hisada.fr ● Ⓜ Pyramides ou Palais-Royal-Musée-du-Louvre. Tlj sf dim-lun ; service continu 11h30-20h (dernière commande 18h30). Fermé 1er janv et 25 déc. Congés : 2 premières sem d'août. Formule déj 20 € (entrée + plat + plateau de 5 fromages et salade ou mont d'or grillé) ; plateau de 3 fromages + verre de vin 13 €. Mme Hisada affiche fièrement son diplôme de maître fromager. Au rez-de-chaussée, la fromagerie traditionnelle où sont également vendus des produits d'épicerie fine à emporter. À l'étage, le « salon » où sont servis, sur d'étonnantes tables à trous, beaux plateaux de fromages affinés chez Hisada, raclettes de 3 fromages et fromage fondu maison. À accompagner d'un petit vin en carafe. Une belle affaire.

|●| Au Petit Bar *(plan couleur B1, 24) :* 7, rue du Mont-Thabor, 75001. ☎ 01-42-60-62-09. Ⓜ *Tuileries. Tlj sf dim et j. fériés ; service 12h-15h, 19h-20h. Congés : août. Entrée env 4,50 €, plat 11,50 €, dessert maison 5 €.* Caché derrière le luxueux hôtel *Meurice,* un minuscule bistrot de quartier comme on n'en fait plus, un vrai résistant dans un secteur très huppé. Et la gentillesse est au rendez-vous. Papa est à la caisse, maman en cuisine et fiston au service. Clientèle de fidèles où se côtoient employés du quartier, prolos venus en amis et jeunes branchés égarés, le tout dans une ambiance de cantine. Tout ce petit monde s'entasse autour de tables qui en ont vu d'autres, pour goûter une omelette ou le plat du jour, pas très copieux mais simple et bon, et servis dans des assiettes vintage ! Venir tôt, car la salle est vite pleine.

|●| Bistrot Victoires *(plan couleur C1, 47) :* 6, rue La Vrillière, 75001. ☎ 01-42-61-43-78. Ⓜ *Bourse.* ♿ *Tlj 12h-15h, 19h-23h30. Plat 10 € ; repas complet à la carte 16 € ; brunch dim (12h-15h) 15,50 €. Vin au verre 2,75 €. Apéritif maison offert sur présentation de ce guide.* À deux pas de la place du même nom, ce bistrot Belle Époque est une aubaine, autant pour son atmosphère vivante que pour sa cuisine honorable, servie généreusement à prix démocratiques. Le cadre, lui, nous plonge dans un roman de Maupassant avec ses boiseries sombres, ses grands miroirs, son antique comptoir en étain et jusqu'à sa vaisselle, empruntée à un ancien bouillon des environs de la République. Carte courte mais efficace. Terrasse en été.

|●| La Fresque *(plan couleur D2, 41) :* 100, rue Rambuteau, 75001. ☎ 01-42-33-17-56. ● lafresque@wanadoo.fr ● Ⓜ *Étienne-Marcel ou Les Halles. Tlj sf dim ; service 12h-15h30, 19h-minuit. Congés : une quinzaine au 15 août. Formule déj 14 € ; carte (un peu différente au déj et au dîner) env 22 €. Apéritif maison offert sur présentation de ce guide.* Un resto de quartier sympa, avec terrasse, installé dans la boutique d'un ancien marchand d'escargots : antiques carreaux de faïence blancs et luminaires Art déco, fresques colorées, longues tables en bois, etc. Le midi, une formule rapide mais consistante. Tous les jours, des entrées sympathiques, 5 ou 6 plats, et toujours une assiette végétarienne (excellente tourte aux légumes en l'occurrence). Ambiance très animée. Salle plus calme au sous-sol.

Prix moyens

|●| La Régalade Saint-Honoré *(plan couleur C2, 21) :* 123, rue Saint-Honoré, 75001. ☎ 01-42-21-92-66. ● laregalade.sainthonore@yahoo.fr ● Ⓜ *Louvre-Rivoli. Lun-ven 12h-14h30, 19h-22h30. Congés : 3 premières sem d'août. Menu-carte 37 €. Café offert sur présentation de ce guide.* Pas évident d'y dégoter une table au débotté ! La salle joue la carte de la sobriété et de l'élégance, et le menu-carte équilibré ne s'encombre pas d'une litanie de plats, préférant donner l'avantage aux produits de saison. Belles assiettes, généreuses et inventives. On aime ces plats bien relevés, les entrées réjouissantes et les coups de cœur du moment (parfois un supplément à prévoir). Service féminin tout sourire.

|●| Ragueneau *(plan couleur C2, 44) :* 202, rue Saint-Honoré, 75001. ☎ 01-42-60-29-20. ● restaurant. ragueneau@gmail.com ● Ⓜ *Palais-Royal-Musée-du-Louvre. Presque sur la pl. du Palais-Royal, à deux pas du Louvre. Lun-ven 8h-22h30 (minuit ven), sam-dim 9h30-20h. Fermé 1er janv, 1er mai et 25 déc. Au snack en sem, menu 12,90 €, plat du jour 17,50 € ; au resto (à l'étage), menus déj 19-23,50 €.* Un petit théâtre gourmand qui a bien changé depuis l'époque de Molière et de Cyrano de Bergerac. Il y a d'abord le « snack chic » au rez-de-chaussée, où l'on se régale de quiches, salades et tartines. À l'étage, restauration plus raffinée, à la fois légère et inventive. Soirée jazz le vendredi 20h-minuit.

|●| Au Rendez-vous des Camionneurs *(plan couleur C3, 31) :* 72, quai des Orfèvres, 75001. ☎ 01-43-29-78-81. ● contact@aurdvdesca mionneurs.com ● Ⓜ *Pont-Neuf, Cité ou Saint-Michel. Tlj 10h-23h. Congés :*

3 sem en août. Formule (entrée + plat ou plat + dessert) 24 € ; menu complet 32 € (avec le plat du jour, différent chaque j. : sam risotto, lun agneau, mar cochon, etc.) ; carte env 30 €. Parking payant. Apéritif maison offert sur présentation de ce guide. À l'aise dans son écrin gris aux banquettes turquoise, Azure tient de main de maître ce petit lieu accueillant. On s'attend à une gentille petite cuisine, et voilà que l'on vous concocte de vrais plats travaillés, frôlant le semi-gastro : du soin dans la préparation, des saveurs réelles dans l'assiette, des cuissons impeccables, tout cela servi avec le sourire. Pas étonnant quand on sait que l'on retrouve ici la patte du chef de *La Truffe Noire*, à Neuilly-sur-Seine. Ceci explique sans doute cela.

|●| Au Vieux Comptoir *(plan couleur D2-3, 36)* : 17, rue des Lavandières-Sainte-Opportune, 75001. ☎ 01-45-08-53-08. Ⓜ Châtelet. *Tlj sf dim-lun ; service 12h-15h, 18h30-23h. Congés : 3 premières sem d'août. Plat du jour le midi 15 € ; le soir, carte env 35 €.* Dans ce joli petit bistrot, l'accueil est une qualité naturelle. On déjeune ou on dîne de plats simples délicieusement cuisinés dont tous les produits sont d'une grande fraîcheur. Avec un bon petit verre de mâcon, vous ne ferez guère monter l'addition.

|●| Le Duc des Lombards *(plan couleur D2, 97)* : 42, rue des Lombards, 75001. ☎ 01-42-33-22-88. ● *contact@ducdeslombards.com* ● Ⓜ Châtelet. *Ouv tte l'année, lun-sam, plus parfois mar-dim ; resto le soir jusqu'à 23h, accessible slt si l'on assiste à un concert payant (20h et 22h), ou entrée gratuite et conso obligatoire ven-sam à partir de minuit. Entrées et desserts 9-15 €, plats 9-18 €.* Le Duc, club de jazz qu'on ne présente plus, tire grand ses rideaux et s'ouvre sur la rue pour proposer une cuisine traditionnelle saine, séduisante et inventive, préparée par un chef qui s'appuie sur la fraîcheur et la qualité des produits. Des saveurs qui vous touchent au cœur et au corps, à la manière d'un savant bouquet de notes... de jazz, évidemment.

|●| Le Soufflé *(plan couleur A1, 25)* : 36, rue du Mont-Thabor, 75001. ☎ 01-42-60-27-19. ● *restaurant.* *lesouffle@gmail.com* ● Ⓜ Concorde. ♿ *Tlj sf dim et j. fériés ; service 12h-16h30, 19h-22h30. Congés : 3 sem en août. Formule déj 27 €, café inclus ; menus 37-44 €.* Un resto connu de longue date, niché dans une petite rue entre Concorde et Opéra. Il doit sa réputation à sa carte originale de spécialités de soufflés : une douzaine de salés se partagent la vedette, et à peine moins pour le dessert. Une adresse de tradition, au cadre classique gentiment désuet, très prisée par les touristes des grands hôtels alentour.

|●| Lescure *(plan couleur A1, 40)* : 7, rue de Mondovi, 75001. ☎ 01-42-60-18-91. Ⓜ Concorde. *Tlj sf w-e ; service 12h-14h15, 19h-22h15. Congés : août et 1 sem à Noël. Menu 26 €, quart de vin compris ; carte env 38 €.* À deux pas de la place de la Concorde, cette maison nourrit le quartier depuis 1919 ! Si le décor de cette petite salle semble rustique et provincial, les serveurs efficaces et attentionnés ont la gouaille résolument parigote. Résultat, on mange sans chichis une cuisine saine et franche, pas vraiment diététique, mais on n'est pas là pour picorer. Succulents desserts maison. Vins au verre. Beaucoup d'habitués et de touristes : mieux vaut arriver tôt le soir. En été, on s'arrache la terrasse.

Chic

|●| Les Fines Gueules *(plan couleur C1, 45)* : 43, rue Croix-des-Petits-Champs (angle rue La Vrillière), 75001. ☎ 01-42-61-35-41. ● *lesfinesgueules@free.fr* ● Ⓜ Palais-Royal-Musée-du-Louvre, Bourse ou Pyramides. *Tlj 12h-14h30 (15h w-e), 19h30-22h30 (23h ven-sam). Carte env 50 € pour un repas 3 plats.* Un resto-bar à vins de poche à la déco monacale. Ici, on va droit au but : la qualité, rien que la qualité, garantie par les meilleurs produits en provenance des meilleurs producteurs. Résultat, on se pâme d'aise devant des plats aussi basiques que le tartare au couteau de bœuf limousin. Aucun tape-à-l'œil, mais un sacré bon tour de main en cuisine. Vins bio de petits propriétaires, disponibles en fillette ou à déguster au verre, accoudé au bar en zinc.

I●I **Pinxo** (plan couleur B1, **28**) : 9, rue d'Alger, 75001. ☎ 01-40-20-72-00. ● pinxo.pinxo@orange.fr ● Ⓜ Tuileries. Tlj sf sam midi et dim ; service 12h15-14h15, 19h-22h30. Congés : août. Carte env 46 €. Resto de l'hôtel Paris Plaza Vendôme. « Pinxo », c'est un petit mot que les fous du Sud-Ouest et des soirées chaudes en Espagne prononcent avec délice. Des tapas version gastro (Alain Dutournier est le chef étoilé du Carré des Feuillants), dont on ne fait qu'une bouchée, dans un décor noir épuré. Les meilleures places sont au comptoir, face aux cuisines. Clientèle chic comme tout, service irréprochable. Et quelques grands classiques finement réinterprétés. Tapas... cent euros ? NOUVEAUTÉ.

I●I **Pirouette** (plan couleur D2, **43**) : 5, rue Mondétour, 75001. ☎ 01-40-26-47-81. ● contact@restaurantpirouette.fr ● Ⓜ Châtelet ou Étienne-Marcel. ♿ Tlj sf dim ; service 12h-14h, 19h30-22h30. Congés : août. Formule déj 18 € ; menu 40 €, menu dégustation 60 € ; carte env 45 €. Joli décor au design loft new-yorkais et mobilier scandinave, et clientèle bobo-branchée. La cuisine, dans l'air du temps elle aussi, propose plats de bistrot allégés (mais quantités justes), modernisés, parfaitement ciselés, présentés avec art, et quelques associations dignes d'un grand chef. Normal, celui qui œuvre aux fourneaux fut formé dans les cuisines des plus grands... Un joli tour de force compte tenu des prix et du service, très pro !

I●I **Racines 2** (plan couleur C2, **42**) : 39, rue de l'Arbre-Sec, 75001. ☎ 01-42-60-77-34. Ⓜ Louvre-Rivoli. Tlj sf sam midi et dim ; service 12h-14h30, 20h-22h30 (19h30-23h sam). Congés : 2 sem en août. Formules déj 28-32 € ; plats 20-30 € ; carte 40-60 €. Il y a des choses qui rassurent, comme cette courte ardoise de plats inspirés, fruits d'une sélection de produits pointue, qui suit le marché et les saisons. Et il y a celles qui réjouissent, comme cette carte de vins naturels, manuscrite sur un cahier d'école, elle aussi courte mais ciblée, et dont la philosophie n'empêche pas les incursions étrangères. Certains sont même proposés au verre. Le tout dans un cadre bistrot façon récup', mais qui sort de chez les meilleurs décorateurs... Un concept bien rodé, qui marche. Et ce n'est pas un hasard !

I●I **L'Absinthe** (plan couleur B1, **35**) : 24, pl. du Marché-Saint-Honoré, 75001. ☎ 01-49-26-90-04. ● reservation@restaurantabsinthe.com ● Ⓜ Tuileries ou Pyramides. Tlj sf sam midi et dim ; service 12h-14h15, 19h-22h30 (23h ven-sam). Congés : Noël-Jour de l'an. Résa conseillée. Formule carte (entrée 13 €, plat 22 €, dessert 11 €, café et pot de crème au chocolat 8 €) ; carte 45-50 €. Vins 22-41 € ; fillette 14 €. Ce bistrot de la famille Rostang est dirigé par Caroline, la fille. Décor sobrement design, où le bordeaux domine. Ardoise de suggestions bien balancée, ce qui donne dans l'assiette du bon, du neuf, du créatif. Tout est à base de produits frais et aux accents japonisants. En dessert, un incontournable : les petits pots de crème au chocolat en hommage au paternel. Service un peu long en cas d'affluence.

I●I **Macéo Restaurant** (plan couleur C1, **50**) : 15, rue des Petits-Champs, 75001. ☎ 01-42-97-53-85. ● info@maceorestaurant.com ● Ⓜ Bourse, Pyramides ou Palais-Royal-Musée-du-Louvre. Tlj sf sam midi et dim ; service 12h-14h15, 19h30-22h45. Congés : 2-25 août. Menus 27,50-29,50 € (le midi au salon-bar ou en salle), puis 45 € ; carte env 60 €. En parcourant le menu, chaque jour différent, on commence déjà à saliver : tous ces noms évoquent les saveurs de saison, les mariages sucrés-salés parfois surprenants, bref, des ingrédients aguicheurs. Espace curieusement surdimensionné. La déco a été modernisée tout en gardant un goût vieille époque. Les prix sont assez élevés, mais la clientèle du Macéo ne compte pas. Service irréprochable.

Bars à vins

I●I ▾ **Le Rubis** (plan couleur B1, **55**) : 10, rue du Marché-Saint-Honoré, 75001. ☎ 01-42-61-03-34. Ⓜ Pyramides ou Tuileries. Lun-ven 7h-23h, sam 9h-15h30. Fermé sam soir, dim et j. fériés. Congés : 3 sem en août. Plats du jour 12-15 €. Le voilà, le Paris canaille, avec ses joyeux sires, ses belles trognes, ses petits plats, ses vins qu'on s'arrache, ses serveurs incroyables... C'est la vie, la vraie, celle qu'on croyait disparue à jamais, avec casquettes et coups de gueule, sandwichs au comptoir et vin rouge « en direct de la propriété ». Dans la palette des bars à vins, une couleur qui rassure et des gens vraiment accueillants, ce qui se fait rare. Salle à l'étage. L'été, il y a tant de monde qu'on déguste dehors, accoudé aux tonneaux.

I●I ♟ Le Père Fouettard (plan couleur D2, **56**) : 9, rue Pierre-Lescot, 75001. ☎ 01-42-33-74-17. ● lepere fouettard@orange.fr ● Ⓜ Les Halles ou Étienne-Marcel. Tlj 8h-2h ; service continu 12h-minuit. Fermé 24 déc au soir et 25 déc. Formules déj en sem 15,20-20,20 € ; nombreux plats de type brasserie 14-25 € ; carte 35-40 € ; brunch dim et j. fériés 20 €. Café offert sur présentation de ce guide. Une superbe terrasse (chauffée en hiver) à l'écart de l'agitation des Halles et à l'abri des voitures. Salle sympa à l'étage. Une déco bien rétro, des petits vins de terroir, de sympathiques charcutailles pour les accompagner, de belles salades et de bonnes viandes... Service diligent et souriant.

I●I ♟ Le Garde-Robe (plan couleur C2, **57**) : 41, rue de l'Arbre-Sec, 75001. ☎ 01-49-26-90-60. Ⓜ Louvre-Rivoli. Tlj sf sam midi et dim ; service 12h30-14h30, 18h30-23h. Le midi, menus 12-15 € sans le vin, 15-20 € avec un verre ; droit de bouchon 7 € le soir. À deux pas du Louvre, un caviste bien affable et attentionné, qui anime une jolie cave tout en longueur. Soupe du jour, planches de charcuterie ou de fromages, bruschetta, bagels, salades, boudin-pommes, rillettes... que de l'archifrais bien servi et savoureux. Vins bio essentiellement.

I●I ♟ À la Cloche des Halles (plan couleur C2, **58**) : 28, rue Coquillière, 75001. ☎ 01-42-36-93-89. Ⓜ Louvre-Rivoli ou Les Halles. Lun-ven 7h30-minuit, sam 10h-16h. Congés : 3 premières sem d'août. Assiette de charcuterie ou de fromages et plat du jour env 12-15 € ; verres de vin env 2-7 €. Une cloche qui, du temps des Halles, annonçait le début et la fin des marchés surplombe la façade. Réputation méritée et qualité des produits. Il faut dire que le patron sélectionne d'excellents petits vins de propriété, et les produits qui les accompagnent sont d'une fraîcheur jamais prise en défaut. Solides assiettes de charcuterie, jambon à l'os, fromages fermiers, tout est simple, bon et copieux. Idéal pour se taper la cloche à petits prix.

I●I ♟ Willi's Wine Bar (plan couleur C1, **59**) : 13, rue des Petits-Champs, 75001. ☎ 01-42-61-05-09. ● info@ williswinebar.com ● Ⓜ Palais-Royal-Musée-du-Louvre ou Louvre-Rivoli. ♿ Tlj sf dim 12h-minuit ; service 12h-14h30, 19h-23h (service limité au bar tte la journée). Congés : 9-18 août. Résa conseillée. Formules déj en sem 14,90 € (au bar) ou 19,90 € (entrée + plat ou plat + dessert) ; menus 26,50 € le midi et 36 € le soir. Derrière les jardins du Palais-Royal, cette petite adresse est bien connue des amateurs de vin. Jolie déco d'affiches sur le thème du vin. Cuisine du marché, produits frais, plats joliment tournés dans la bonne tradition bistrotière. Plus de 250 vins en cave. Une adresse bien conviviale si on a pris la précaution de réserver.

Cuisine d'ailleurs

Très bon marché

I●I Kunitoraya (plan couleur C1, **76**) : 1, rue Villedo, 75001. ☎ 01-47-03-33-65. Ⓜ Bourse ou Palais-Royal-Musée-du-Louvre. Tlj sf mer ; service 12h-14h30 (17h30 w-e), 19h-22h30. Udon env 10-20 € (+ 7 € pour l'avantageuse formule déj). C'est très branché. Ce qui signifie que c'est toujours bondé, et cher. Cela dit, LE spécialiste des udon, ces fameuses nouilles japonaises épaisses à la farine de blé, fait bien les choses. Tout est préparé sur place et cuisiné à l'instant : bonne élasticité, bonne température du bouillon, bonnes saveurs. Quant aux tempuras, ils sont également intégralement réalisés à la commande. Une expérience intéressante, mais mieux vaut être préparé à manger au coude-à-coude sur des tables communes, dans une salle étroite à la déco brute de décoffrage façon New York. *NOUVEAUTÉ.*

|●| Higuma *(plan couleur B-C1, 70)* : 32 bis, rue Sainte-Anne, 75001. ☎ 01-47-03-38-59. Ⓜ Pyramides. Tlj 11h30-22h. Fermé 1er janv, 14 juil et 25 déc. Menus 10,50-12,50 € ; carte 10-12 €. Voici une authentique cantine, basique et sans charme, où les employés et vendeuses du quartier débarquent en masse pour se sustenter rapidement et copieusement. Au programme, bols de bouillon variés qui ne vous laissent pas sur votre faim, délicieux raviolis grillés ou encore généreuses nouilles sautées. À déguster au comptoir, face aux cuistots en action, ou dans les 2 salles embaumant le graillon. Parmi les moins chers de Paris !

Bon marché

|●| Olio Pane Vino *(plan couleur C1, 74)* : 44, rue Coquillière, 75001. ☎ 01-42-33-21-15. ● aromi.olio@gmail.com ● Ⓜ Louvre-Rivoli. Mar-sam 12h-14h, plus jeu-sam 20h-22h30. Résa conseillée. Compter 19,50 € le midi pour hors-d'œuvre + plat ou plat + dessert ; le soir, env 25 €. Vins au verre à partir de 5 €. Resto-épicerie transalpin au cadre à la fois sobre et chaleureux. Excellents produits importés d'Italie. Toujours 2 entrées et 2 plats du jour (produits du marché), et des pâtes cuites parfaitement al dente. Accueil sympa, teinté d'une discrète familiarité.

|●| Izakaya Issé *(plan couleur C1, 73)* : 45, rue de Richelieu, 75001. ☎ 01-42-96-26-60. Ⓜ Pyramides. Lun-sam 12h-14h, 19h-22h30. Le midi, menus 12-19 € ; le soir, carte 25-40 €. On pourrait se demander ce que vient faire un énième resto japonais dans ce quartier déjà bien pourvu en cuisine nipponne. Eh bien, il est différent ! Il propose en effet une cuisine authentique, qui n'a rien à voir avec les bars à sushis. Laissez-vous donc tenter par un *domburi*, une salade japonaise, un *gyu don*, ou encore une aubergine mijotée accompagnée d'un thé grillé. Il se définit comme un bistrot à sakés : alors piochez parmi les 50 proposés pour accommoder votre plat. Et l'accueil ? Comme la cuisine, simple et souriant.

|●| Foujita 1 *(plan couleur B1, 71)* : 41, rue Saint-Roch, 75001. ☎ 01-42-61-42-93. Ⓜ Pyramides ou Tuileries. Tlj sf dim ; service 12h-14h15, 19h-22h. Menus le midi 14-17 €. Un sushi-bar réputé, à des prix encore raisonnables. Menus très copieux au déjeuner. Malheureusement, la salle est toute petite, et c'est souvent complet. Le soir, le rapport qualité-prix des menus est bien moindre. Il existe aussi un *Foujita 2 (7, rue du 29-Juillet, 75001)*, beaucoup plus grand mais moins bien que le *Foujita 1*.

|●| Toro Paris Tablao *(plan couleur D2, 77)* : 74, rue Jean-Jacques-Rousseau, 75001. ☎ 01-44-76-00-03. ● contact@toroparis.com ● Ⓜ Les Halles. ♿ Tlj sf dim midi 10h-2h ; service 12h-15h, 19h-minuit. Tapas 7 €, salade 12 €, plats 17-21 € ; formules déj 15-18 € ; menu 36 €. Décor branché et impressionnante tête de taureau au museau noir qui tranche sur le jaune orangé rappellant le soleil andalou. L'éventail des tapas se décline en portions pas chichiteuses. On peut aussi se rassasier d'un classique ibérique très soigné (paella, *parillada*). Au sous-sol, le *Tablao*, un cabaret flamenco qui invite à la danse, au chant et à la fête. Un lieu à la fois dépaysant et convivial.

|●| La Mousson *(plan couleur B-C1, 72)* : 9, rue Thérèse, 75001. ☎ 01-42-60-59-46. Ⓜ Pyramides ou Palais-Royal-Musée-du-Louvre. Tlj sf dim 12h-14h30, 19h-22h30. Congés : 2 sem en août. Résa indispensable. Menus 11,90-13,90 € (déj), puis 17,90 € ; carte env 25 €. Dans une rue calme, à deux pas de la maison natale de Molière, un petit resto de spécialités cambodgiennes (khmères). Le cadre est simple et convivial, la musique rappelle les bords du Mékong, et vous dégusterez une cuisine joliment parfumée, accompagnée de vin de palme ou de gingembre. C'est copieux sans jamais être trop relevé. Une autre maison dans le 15e.

I●I *Le Comptoir de Tunisie (plan couleur C1, 75)* : 30, rue de Richelieu, 75001. ☎ 01-42-97-14-04. ● *contact@lecomptoirdetunisie.com* ● **Ⓜ** *Pyramides ou Palais-Royal-Musée-du-Louvre. Lun-ven 11h-15h ; jeu, service également le soir. Congés : de mi-juil à mi-août. Formules déj 16-18 € ; jeu soir, menu gastronomique 28 € ; thé à la menthe et pâtisserie maison 6,50 €. Couscous ts les mer, sur place ou à emporter, et couscous au mérou le 1er jeu de chaque mois. Thé à la menthe offert sur présentation de ce guide.* Un concept vraiment sympa et dépaysant, dans un secteur traditionnellement investi par les cantines japonaises. Ici, on savoure la *mloukhia*, de l'agneau cuit dans la jarre, ou de la daurade avec sa *tastira*, cuisinés uniquement avec des produits issus d'une ferme biologique tunisienne et servis dans de la vaisselle traditionnelle. Fait également épicerie fine. Décor authentique et chaleureux. Comme l'accueil. Une belle initiation avant le départ !

Prix moyens

I●I *Mavrommatis, Le Bistrot (plan couleur A1, 78)* : 18, rue Duphot, 75001. ☎ 01-42-97-53-04. ● *info@mavrommatis.fr* ● **Ⓜ** *Madeleine. Tlj sf sam-dim 12h-14h30. Congés : août. Formule déj 21,50 € ; « assiettes composition » (assortiment de mezze chauds et froids) 16-20,50 € ; carte env 30 €.* C'est véritablement la Méditerranée qui est à l'honneur dans ce resto tenu par le célèbre traiteur grec *Mavrommatis* (voir « Cuisine d'ailleurs » dans le 5e arrondissement). Au rez-de-chaussée, le comptoir avec ses tabourets attend les plus pressés. Rien que du bon et du frais.

I●I *Nodaïwa (plan couleur B2, 79)* : 272, rue Saint-Honoré, 75001. ☎ 01-42-86-03-42. ● *info@nodaiwa.com* ● **Ⓜ** *Pyramides. Tlj sf dim ; service 12h-14h30, 19h-22h. Congés : 2de quinzaine d'août. Menus 20-68 € ; carte env 30 €.* Ce minuscule resto monomaniaque, qui ne vibre que pour l'anguille grillée, est l'antenne parisienne d'un restaurant réputé de Tokyo qui, depuis le XVIIIe s, ne sert que ça. Déco sobre et raffinée, ikebana et petites estampes. Servie grillée avec une sauce sur un lit de riz avec consommé chaud et légumes salés (c'est le *kabayaki*), ou encore en sushi, l'anguille, d'une exquise délicatesse, fond littéralement dans la bouche. Plats à emporter.

I●I *Saudade (plan couleur D2, 80)* : 34, rue des Bourdonnais, 75001. ☎ 01-42-36-03-65. **Ⓜ** *Châtelet ou Pont-Neuf. Tlj sf dim ; service 12h-14h, 19h-22h. Congés : août. Menu déj 23 € ; carte env 35 €.* L'ambassadeur de la cuisine portugaise. Azulejos sur les murs clairs, voix de Madredeus ou de Cesaria Evora. *O saudade*, la mélancolie... Le 1er mardi de chaque mois, il y a du fado pour les amateurs. Et de la *bacalao*, l'incontournable morue, tous les jours, avec ses 8 préparations différentes. Pour les desserts, ne pas manquer l'*arroz doce*, fondant riz au lait à la cannelle. *Vinho verde* ou rouges plus charnus pour accompagner. Ne pas se refuser un (vieux) porto en digestif : il n'y a pas de meilleure conclusion. Service un peu lent en cas d'affluence.

Restaurants de nuit

I●I 𝄢 *Au Pied de Cochon (plan couleur C-D2, 65)* : 6, rue Coquillière, 75001. ☎ 01-40-13-77-00. ● *reservationpieddecochon@blanc.net* ● **Ⓜ** *Louvre-Rivoli ou Les Halles.* ♿ *Tte l'année, tlj 24h/24. Menu « Cochon express » 28,60 € ; carte env 50 € ; plateaux de fruits de mer 29,90-170 € ; petit déj, pour les noctambules, 6,10 €.* Cette vénérable institution, connue dans le monde entier, reste un solide pilier des Halles. On y vient pour déguster le fameux pied de cochon, une andouillette AAAAA, un « Fort des Halles » ou encore une « Tentation de saint Antoine », plat qui réunit museau, oreilles, pied et queue de porc grillés. Terrasse aux beaux jours. Un monument historique !

I●I 𝄢 *À la Tour de Montlhéry, Chez Denise (plan couleur C-D2, 66)* : 5, rue des Prouvaires, 75001. ☎ 01-42-36-21-82. Ⓜ Louvre-Rivoli, Châtelet ou Les Halles. Tlj sf w-e ; service 12h-15h, 19h30-5h30. Congés : de mi-juil à mi-août. Plats 22-28 € ; carte 40-50 € avec le vin. L'un des plus anciens restos de nuit de Paris, bondé à toute heure. Même si le train n'apporte plus les légumes depuis Montlhéry, l'endroit a conservé de cette époque son beau zinc à l'entrée et sa salle patinée. Habitués, touristes et noctambules s'y restaurent dans un joyeux brouhaha. Les plats sont servis en quantité, le tout accompagné d'un vin honnête, que l'on règle à la ficelle. L'accueil est du même tonneau, franc et direct. Aux murs, nombreux dessins et affiches de Raymond Moretti, dont on retrouve le trait jusque sur les sets de table.

Ⓘ◐❰ La Poule au Pot (plan couleur C2, 67) : 9, rue Vauvilliers, 75001. ☎ 01-42-36-32-96. Ⓜ Louvre-Rivoli ou Les Halles. Tlj sf lun 17h-5h (depuis 1935 !). Toujours beaucoup de monde : résa conseillée. Menu 35 € ; carte env 45 €. Une de nos institutions depuis belle lurette, qui fête tout juste ses 40 ans ! Longue salle décorée d'affiches, vieille TSF, cuivres, lumières rétro sachant ménager une certaine intimité, et agréable atmosphère de brasserie. D'innombrables plaques dorées incrustées dans les boiseries portent les noms de stars et quasi-stars venues manger ici. La carte aligne quelques valeurs sûres : les tripes à la mode de Caen, les œufs cocotte au foie gras, sans oublier la fameuse poule au pot qui justifie l'enseigne. Accueil impeccable !

Où boire un thé ? Où boire un chocolat ?

Ⓘ◐ ☕ Chocolate Bar Jean-Paul Hévin (plan couleur B1, 81) : 231, rue Saint-Honoré, 75001. ☎ 01-55-35-35-96. Ⓜ Tuileries. Au 1er étage de la boutique Jean-Paul Hévin. Tlj sf dim 12h-18h30. Congés : août. Chocolats chauds à partir de 6,80 €. ☐ 📶 Le pape du cacao s'est offert un écrin chic (comme le quartier et la clientèle), tout or et chocolat, pour la dégustation du divin nectar. Préparé à la minute, de façon traditionnelle, avec une pointe d'épices ou viennois pour les classiques, à l'huître ou à la carotte à l'heure du déjeuner pour les plus aventureux, il faut absolument l'accompagner d'une pâtisserie en vente à la boutique. Coup de cœur pour le cheese-cake allégé et le macaron tout... chocolat !

Ⓘ◐ ☕ Angelina (plan couleur B1, 82) : 226, rue de Rivoli, 75001. ☎ 01-42-60-82-00. ● angelina@groupe-bertrand. com ● Ⓜ Tuileries. Tlj 7h30 (8h30 w-e et j. fériés)-19h. Chocolat à l'ancienne servi en pot 8,20 € (quand même !) ; petits déj (tlj jusqu'à 11h45) 20-32 € ; brunch (tlj jusqu'à 14h) 39 €. Ce resto-salon de thé, créé au début du siècle dernier par un confiseur autrichien qui l'a baptisé ainsi en l'honneur de sa petite-fille, possède un décor avec fresques, moulures et petites tables rondes en marbre, à la fois chic et désuet. On y vient pour le plus onctueux des chocolats, le « chocolat africain », noyé sous une aérienne crème chantilly. Le breuvage est si réputé qu'on fait souvent la queue, en plein hiver, jusque sur le trottoir. Autre must immuable, le traditionnel mont-blanc (meringue, crème de marron et chantilly) ou les gourmandises concoctées par Christophe Appert.

Ⓘ◐ ☕ Muscade (plan couleur C1, 83) : 36, rue de Montpensier, 75001. ☎ 01-42-97-51-36. Ⓜ Pyramides, Bourse ou Palais-Royal-Musée-du-Louvre. ⚘ À l'un des angles du jardin du Palais-Royal. Tlj sf le soir dim-lun ; service resto 12h-15h, 19h-22h30 ; salon de thé 10h-11h30, 15h-19h. Congés : 19 déc-3 janv. Formules 24-32 € ; carte env 30 €. Excellentes pâtisseries. Fait également des salades et des plats du jour le midi. Idéal, en été, pour la longue terrasse donnant sur la galerie et les jardins.

Où prendre un bon goûter ?

⬩ ☕ Claus, l'Épicerie du Petit Déjeuner (plan couleur C2, 22) : 14, rue Jean-Jacques-Rousseau, 75001. ☎ 01-42-33-55-10. ● contact@

clausparis.com ● Ⓜ *Louvre-Rivoli.*
Lun-ven 8h-17h, sam-dim et j. fériés
9h30-17h. Gâteaux 3-7 €. Une adorable
épicerie fine-pâtisserie qui fait aussi
salon de thé (voir plus haut la rubrique
« Où manger ? »).
● ☕ *Le Stube (plan couleur C1, 20) :*
31, rue de Richelieu, 75001. ☎ *01-42-*
60-09-85. ● *lestube@numericable.fr* ●
Ⓜ *Palais-Royal-Musée-du-Louvre ou*

Pyramides. Lun 10h-15h30, mar-sam
10h-22h. Café viennois 3 € ; soda 3,40 € ;
pâtisserie 3,90 €. Envie d'une pause
sucrée ? Vous goûterez dans cette
enclave germanique de délicieuses
pâtisseries : strudel, tartes façon crumble pavot-griotte ou rhubarbe-framboise, sablé noix-caramel... à accompagner d'un bon chocolat chaud. Voir plus
haut la rubrique « Où manger ? ».

Où manger une glace ?

🍦 *Deliziefollie (plan couleur D2, 85) :*
7, rue Montorgueil, 75001. ☎ *09-52-*
36-06-00. Ⓜ *Châtelet ou Les Halles.*
Tlj 11h-minuit (20h oct-mars). Cornets
3,50-5,50 € selon taille. On se bouscule
devant ce glacier tenu par un Napo-
litain. À côté des classiques (aux fruits,
au chocolat noir...), on trouve des

spécialités du pays *(panna cotta, bacio,*
amaretto...). Vraies glaces italiennes,
généreuses, servies avec le sourire. On
peut aussi opter pour un granité, spécialité sicilienne à base de glace pilée.
Aux beaux jours, quelques tables et
chaises sur place.

Où boire un verre ?

🍸 *Le Café Marly (plan couleur C2,*
90) : 93, rue de Rivoli, 75001. ☎ *01-49-*
26-06-60. ● *lecafemarly@gmail.com* ●
Ⓜ *Palais-Royal-Musée-du-Louvre ou*
Louvre-Rivoli. Tlj 8h-2h. Pour déjeuner
ou dîner, résa préférable. Café 5 € ;
soda 6 € ; apéritifs 8-14 €. Décor somptueux (dorures et mobilier contemporain) et vue imprenable sur la cour
Napoléon du Louvre. Si vous avez la
chance d'être en terrasse (le placement
est aléatoire), profitez de ce lieu magique – aux premiers ou derniers rayons
du soleil surtout – pour boire un verre

(en dehors des heures de repas) face à
la pyramide !
🍸 *Le Fumoir (plan couleur C2, 88) :*
6, rue de l'Amiral-de-Coligny, 75001.
☎ *01-42-92-00-24.* Ⓜ *Louvre-Rivoli.*
Tlj 11h-2h. Fermé 2 j. à Noël et Jour de
l'an. Ambiance mode garantie dans ce
splendide café stratégiquement situé
sur la place du Louvre. Le coin salon-
bibliothèque et la vue sur la place encadrée par de longs rideaux rayés justifient
à eux seuls le détour. Une occasion de
goûter aux excellents cocktails, notamment les rhums arrangés.

Où sortir ?

🍸 🎵 *Le Ballroom du Beefclub (plan*
couleur C2, 91) : 58, rue Jean-Jacques-
Rousseau, 75001. ☎ *09-54-37-13-65.*
Ⓜ *Les Halles ou Louvre-Rivoli. Tlj 19h-*
5h. Cocktails 12-15 €. Un cocktail-bar en
forme de club de gentlemen, avec ses
fauteuils profonds, ses lourdes tentures
de velours et ses lumières de boudoir
coquin. Dissimulé sous 2 restos branchés (*Le Beefclub* et *Le Fishclub*), on

aime s'y poser la nuit venue pour siroter
lentement, très lentement. Les barmens
sont de véritables experts en mixologie
et ils sauront faire votre bonheur. La
carte, inventive et variée, change régulièrement. Le week-end, les DJs prennent
les commandes de ce petit théâtre
d'ombres, pour le plus grand plaisir des
buveurs. *NOUVEAUTÉ.*

Où écouter de la musique ?

🎵 *Sunset & Sunside Jazz Club (plan*
couleur D2, 95) : 60, rue des Lombards,

75001. ☎ *01-40-26-46-60.* ● *sunset@*
sunset-sunside.com ● *sunset-sunside.*

com • Ⓜ *Châtelet.* Tlj 17h-2h. Happy time 17h30-20h30. Entrée : 15-28 € (selon programmation) ; réduc étudiants. Cocktail env 10 € ; bière 5 €. Le *Sunset,* temple du jazz depuis plus de 20 ans, s'est offert une 2ᵈᵉ salle, le *Sunside,* au rez-de-chaussée. Dès 21h30, le *Sunside* vous invite à (re)découvrir les classiques du jazz, avec une programmation très liée à l'actualité. On écoute religieusement, sur des banquettes ou des chaises en bois, une musique bien léchée, serrés comme dans un cabaret digne des films de Cassavetes. Au sous-sol, généralement à partir de 22h, la cave carrelée (un peu comme une station de métro) du *Sunset* résonne au son du jazz tendance électro world. Ambiance très chaleureuse.

♪ **Le Duc des Lombards** *(plan couleur D2, 97) :* 42, rue des Lombards, 75001. ☎ 01-42-33-22-88. • contact@ducdeslombards.com • ducdeslombards.com • Ⓜ *Châtelet.* Ouvtte l'année, lun-sam, plus parfois dim. Concerts de jazz ts les soirs à 20h et 22h. Entrée : 22-35 € (entrée gratuite et conso obligatoire ven-sam à partir de minuit). Consos à partir de 5 €. Restauration légère pdt les concerts ven-sam à partir de minuit. Entrée libre pour les jam-sessions ven-sam à partir de minuit. Le top du jazz mondial se donne rendez-vous au *Duc,* comme on

va au *Blue Note* ou au *Village Vanguard* à New York. Il suffit de dire Phil Woods, Charlie Watts, Wynton Marsalis, et on opine du chef avec respect. Ce sont eux que vous viendrez écouter ici. La qualité acoustique du lieu n'autorise que la perfection, et son exiguïté ne permet aucune approximation. *Showcases,* découvertes de jeunes artistes, jam-sessions, concerts spéciaux, tirages au sort sur Internet pour une entrée gratuite complètent intelligemment cette programmation de qualité.

♪ **Baiser Salé** *(plan couleur D2, 98) :* 58, rue des Lombards, 75001. ☎ 01-42-33-37-71. • contact@lebaisersale.com • lebaisersale.com • Ⓜ *Châtelet.* Tlj 17h-6h. Concerts de jazz au 1ᵉʳ étage ven-sam à 22h et 0h30 (entrée selon artistes : 12-20 €), chanson à 20h ; jam-session organisée dim-lun (soirée gratuite). Au bar du rdc, consos 2,50-10 € ; elles sont obligatoires lors des soirées gratuites (7 € la 1ʳᵉ). Au même titre que ses voisins de la très swingante rue des Lombards, *Baiser Salé* fait partie des lieux mythiques des amateurs de jazz de la capitale... et d'ailleurs. Les murs et les cœurs vibrent à l'unisson sur les rythmes tantôt classiques, tantôt expérimentaux (soul, fusion et autre hard bop sont les bienvenus). Le lundi soir, une jam-session permet aux nouveaux talents de s'exprimer.

Où danser ?

♫ **1979** *(plan couleur C2, 100) :* 49, rue Berger, 75001. ☎ 01-40-41-08-78. • reservation@le1979.fr • Ⓜ *Louvre-Rivoli.* Resto tlj sf dim 12h-14h30, 20h-22h30 (23h ven-sam) ; club 23h-5h (happy hours 23h-0h30) ; brunch dim 11h-16h. Congés : 1ᵉʳ-19 août. Cocktail 9 €, bière 3,50 €. Au resto, formule déj 17,50 € ; plat du jour 11,90 € ; brunch 19 €. 📶 Les anciens forts des

Halles n'en reviendraient pas. Dans ce quartier en plein chambardement, un lieu convivial et frais où passer une belle soirée, du dîner à la session *clubbing.* On danse tous les soirs au sous-sol, dans un décor soigné, entre underground et classique urbain. Essayez donc la salle capitonnée façon club libertin... Un lieu complet et très central.

À voir

LE MUSÉE DU LOUVRE *(plan couleur B-C2)*

♟♟♟ Ⓜ *Palais-Royal-Musée-du-Louvre.*
En 1981, François Mitterrand, président de la République, décida que le Louvre serait entièrement consacré à la culture et à l'art. Le ministère des Finances, installé dans l'aile nord du palais, fut alors transféré à Bercy. En 1989, une pyramide de verre

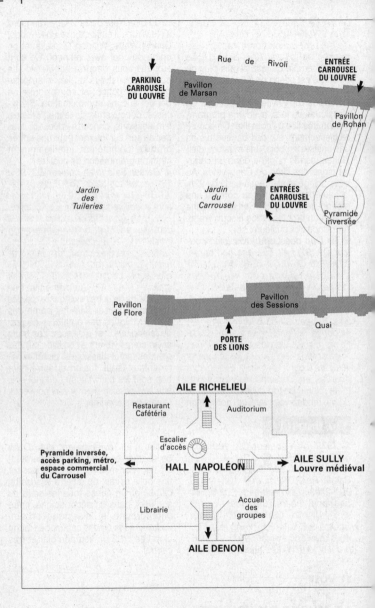

Rue de Rivoli

PARKING CARROUSEL DU LOUVRE

ENTRÉE CARROUSEL DU LOUVRE

Pavillon de Marsan

Pavillon de Rohan

Jardin des Tuileries

Jardin du Carrousel

ENTRÉES CARROUSEL DU LOUVRE

Pyramide inversée

Pavillon de Flore

Pavillon des Sessions

Quai

PORTE DES LIONS

AILE RICHELIEU

Restaurant Cafétéria

Auditorium

Escalier d'accès

Pyramide inversée, accès parking, métro, espace commercial du Carrousel

HALL NAPOLÉON

AILE SULLY Louvre médiéval

Librairie

Accueil des groupes

AILE DENON

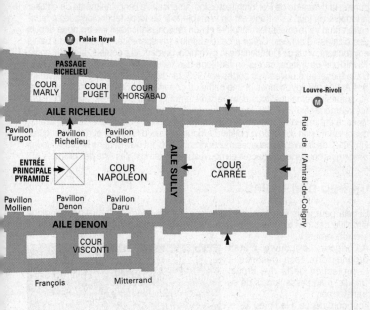

LE MUSÉE DU LOUVRE

jaillit de terre pour couvrir l'entrée et donner ainsi accès aux différentes parties du Grand Louvre. Très contestée à l'époque, et pourtant si belle dans sa transparente pureté, la pyramide de Pei, architecte sino-américain, a l'énorme mérite de diffuser la lumière du jour. Le vitrage est un véritable tour de force technologique, la fabrication d'un verre totalement incolore et non réfléchissant étant interrompue depuis des dizaines d'années. Grâce à cette absolue transparence, les pierres du palais environnant, vues de l'intérieur de la pyramide, gardent leur couleur miel. Elle coûta 75 millions de francs, ce qui en fait l'une des toitures les plus chères du monde. L'aile Richelieu a ouvert ses portes en 1993, tandis que la totalité du département des Antiquités égyptiennes et une partie du département des Antiquités grecques, étrusques et romaines, tous deux répartis entre la Cour carrée et l'aile Denon, ont été réaménagés. En 2000, le long du quai François-Mitterrand, ex-quai des Tuileries, a été ouvert le pavillon des Sessions, « antenne » du musée du quai Branly, qui présente une sélection d'objets d'Afrique, d'Asie, d'Océanie et des Amériques. Fin 2012, de nouveaux espaces muséographiques ont ouvert dans la cour Visconti désormais couverte, consacrés au nouveau département des Arts de l'Islam.

UN PEU D'HISTOIRE

Si cela peut vous être utile, n'hésitez pas à vous référer à l'arbre généalogique simplifié des rois de France de la rubrique « Histoire » dans « Hommes, culture, environnement ».

À l'origine, le Louvre n'était qu'une forteresse destinée à la protection de la rive droite. Depuis, il ne cessa jamais de se transformer.

Tout commença à la fin du XIIe s, lorsque Philippe Auguste, dans la plus pure tradition des conquérants, décida d'offrir Jérusalem aux dévots du Christ. Mais, prudence oblige, avant de partir, il fallait bien s'assurer de la défense des quartiers de Paris établis sur la rive droite. À cet effet, il fit construire des murailles et une véri-

NOURRITURE ROYALE

Autrefois, on mangeait très différemment selon sa naissance. Les paysans devaient se contenter de légumes, comme le chou, et de racines, enfouies dans la vulgaire terre. La chasse étant un monopole seigneurial jusqu'à la Révolution, le roi et les seigneurs s'empiffraient de gros gibiers et de volatiles. À trop manger de viande, l'aristocratie souffrait souvent de la goutte, sans savoir pourquoi...

table forteresse autour du donjon. Sous Charles V, au XIVe s, pendant les travaux de curage, la Cour devait régulièrement quitter ce qui était devenu une résidence luxueuse. L'odeur des eaux croupissantes dans les fossés du Louvre rendait l'atmosphère irrespirable. Puis vint François Ier, qui fit raser le donjon. Catherine de Médicis contribua à la construction du palais des Tuileries et à son raccordement au Louvre. À l'initiative de l'Assemblée constituante désirant s'assurer de sa personne, Louis XVI fut assigné à résidence au palais des Tuileries. C'est en 1793 que le Muséum central des arts fut créé. L'établissement s'enrichit considérablement par l'apport des guerres de conquête napoléoniennes, mais en 1815 toutes ces œuvres furent rendues à leurs propriétaires d'origine. La Commune de Paris offrit à l'histoire l'une des plus étonnantes perspectives architecturales : la Voie triomphale. Une vue sans obstacle de la statue de Louis XIV par le Bernin et l'arc du Carrousel jusqu'à l'actuelle Grande Arche de la Défense en passant par l'obélisque de la place de la Concorde et l'Arc de Triomphe. Comment les communards s'y prirent-ils ? Ils incendièrent, tout simplement, le palais des Tuileries... Ses pierres furent dispersées dans toute la France et jusqu'en Amérique. Enfin, André Malraux marqua le Louvre de son empreinte, en en faisant creuser les fossés, dégageant ainsi la colonnade face à l'église Saint-Germain-l'Auxerrois. Aujourd'hui, le Louvre est le musée le plus visité au monde, avec une moyenne de 9 millions de visiteurs par an !

LE LOUVRE, VILLE DANS LA VILLE

Cela n'aura pas échappé à nombre de visiteurs attentifs : au Louvre, il n'y a pas que des œuvres et des chefs-d'œuvre. Il y a des gardiens, des vigiles, des serveurs, des caissiers, des agents d'entretien, mais aussi des électriciens, des chauffagistes, des frigoristes, des doreurs à l'or fin, des restaurateurs (de tableaux), des menuisiers, des tailleurs de pierre, des rentoileurs, des encadreurs, des chercheurs, des peintres en bâtiment, des tapissiers, des jardiniers, des déménageurs, des copistes, des conférenciers, des attachés de presse, des conservateurs, des administrateurs, des photographes, des informaticiens, des pompiers, des projectionnistes, et on en oublie. C'est une véritable ruche, parfois invisible, souvent souterraine, nocturne aussi (ah ! la ronde des veilleurs de nuit, dans le musée désert, avec ses ombres mystérieuses et pourtant familières...), qui déborde d'activité.

L'ESPRIT DES COLLECTIONS

Le Louvre présente des œuvres de l'art de l'Occident, du Moyen Âge jusqu'à 1848 (peintures, sculptures, objets d'art et arts graphiques), et des civilisations qui l'ont précédé et influencé (antiquités orientales, égyptiennes, grecques, étrusques et romaines), ainsi qu'un tout nouveau département consacré aux arts de l'Islam, inauguré à l'automne 2012 cour Visconti. À ces collections s'ajoutent une section consacrée à l'histoire du Louvre, ainsi qu'un circuit archéologique, avec notamment les fossés médiévaux de Philippe Auguste, retrouvés à l'occasion des travaux de réaménagement du musée. Sont également présentés dans le pavillon des Sessions près de 110 chefs-d'œuvre des arts d'Afrique, d'Asie, d'Océanie et des Amériques.

RENSEIGNEMENTS PRATIQUES POUR LA VISITE DU LOUVRE

– **Accès :** entrée principale par la pyramide (cour Napoléon ; plan Musée du Louvre). Ⓜ Palais-Royal-Musée-du-Louvre. Du métro, accès direct à la galerie marchande Carrousel-du-Louvre. Bus n°s 21, 24, 27, 39, 48, 68, 69, 72, 81 et 95. Batobus : tte l'année sf en janv (☎ 0825-05-01-01 ; 0,15 €/mn). Parc de stationnement souterrain : Carrousel-Louvre, accès par l'av. du Général-Lemonnier (7h-23h). Autre solution (pour les piétons) : les 2 escaliers situés de part et d'autre de l'arc de triomphe du Carrousel. **Bon plan :** entrer par la galerie marchande (99, rue de Rivoli), moins de monde en principe.
– **Renseignements :** ☎ 01-40-20-53-17 (banque d'information). Visites-conférences et ateliers : ☎ 01-40-20-52-63. Informations auditorium : ☎ 01-40-20-55-00 ou 55. Visites en groupe : ☎ 01-40-20-57-60 (groupes autonomes) ou 51-77 (visite avec un conférencier du musée). ● louvre.fr ● ♿ Pour les visiteurs handicapés, accès spécifique et prioritaire à la pyramide, accès aux collections par l'ascenseur de l'aile Sully.
– **Horaires :** tlj sf mar et certains j. fériés 9h-18h ; nocturnes jusqu'à 22h mer et ven. Fermeture des caisses à 17h45 (21h45 mer et ven) ; évacuation des salles 30 mn avt la fermeture. Expos temporaires et Louvre médiéval accessibles aux mêmes horaires. Salles d'histoire du Louvre ouv mer et ven-dim 9h-17h45. Hall d'accueil, sous la pyramide, ouv jusqu'à 22h. IMPORTANT : pour ceux que la foule gêne, le Louvre est très calme les mercredi et vendredi après 17h et jusqu'à 21h45 (non seulement c'est bon à savoir quand on connaît la cohue de certaines matinées, mais il y a quelque chose en plus avant la fermeture : une atmosphère un peu magique, surtout quand la nuit est tombée...).
– **Ouverture des salles :** certaines salles sont fermées pour travaux ; il est possible de connaître les salles ouvertes en téléphonant au ☎ 01-40-20-53-17, sur le site ● louvre.fr/calendrier-d'ouverture-des-salles ●, ou enfin sur place en se procurant le tableau des ouvertures et fermetures des salles à la banque d'accueil (hall Napoléon).

– Tarifs : réservez vos billets en accès prioritaire en magasin et sur • fnac.com • Accès gratuit aux collections permanentes pour les moins de 26 ans, les personnes handicapées, les chômeurs... Sinon, tarif unique pour ts : 12 €. Gratuit pour ts le 1ᵉʳ dim de chaque mois oct-avr – sf pour les expos temporaires du hall Napoléon – et le 14 juil. Distributeurs automatiques de tickets (également en espèces ou par CB) disponibles sous la pyramide. Le billet d'entrée donne accès, dans la même journée, aux collections et expos temporaires du musée Eugène-Delacroix (voir texte dans le 6ᵉ arrondissement), rattaché à celui du Louvre. Des guides multimédias (parcours interactifs) en 7 langues (y compris en langue des signes française) sont en loc aux entrées Denon, Sully et Richelieu (8 € ; 3 € moins de 18 ans).

– Expos temporaires : le billet du musée donne accès aux collections permanentes et à toutes les expos temporaires situées dans les collections *(attention, les grandes expositions du hall Napoléon ont une tarification spéciale : 13 €)*. Billet valable toute la journée, même si l'on sort momentanément du musée !

– Personnes handicapées et poussettes : prêt de fauteuils roulants et de poussettes contre le dépôt d'une pièce d'identité ; remise d'un *Plan/Information* indiquant les moyens d'accès aux étages (à la banque d'accueil, sous la pyramide).

S'ORIENTER DANS LE MUSÉE

Le musée se divise en trois ailes : **Denon** (au sud), **Sully** (à l'est), **Richelieu** (au nord), ordonnées autour du *hall Napoléon* (sous la pyramide).

Il existe un système de huit couleurs, correspondant chacune à l'un des huit départements du musée (qui peuvent empiéter sur deux ailes) : les *Antiquités orientales* ; les *Arts de l'Islam* ; les *Antiquités égyptiennes* ; les *Antiquités grecques, étrusques et romaines* ; les *Peintures* ; les *Sculptures* ; les *Objets d'art* ; les *Arts graphiques*. La sélection d'objets des *Arts d'Afrique, d'Asie, d'Océanie et des Amériques* ainsi que le *Louvre médiéval* et les salles d'*histoire du Louvre* sont à part.

Les salles sont numérotées et souvent pourvues d'un nom. Celui-ci est mentionné sur un discret panneau gris, qui en rappelle aussi le contenu. Les panneaux d'orientation indiquent l'emplacement et les numéros des salles.

Un *Plan/Information* permet de se repérer grâce à sa signalétique plutôt claire, et indique l'emplacement des principaux chefs-d'œuvre.

Parcours de visite (dépliants gratuits) : plusieurs parcours de visite sont proposés (sans guide) selon des thèmes différents.

♿ Enfin, un *Plan/Information* pour les visiteurs handicapés est disponible, en anglais et en français.

OÙ MANGER ? OÙ BOIRE UN VERRE ?

Gardez en tête qu'il est bien sûr interdit de manger dans les salles du musée.

🍴🍷 Si vous avez un creux, vous pouvez toujours aller faire un tour au **Café Mollien** (aile Denon, 1ᵉʳ étage, terrasse l'été), au **Café Richelieu,** annexe de la maison *Angelina,* rue de Rivoli (aile Richelieu, 1ᵉʳ étage, terrasse l'été), aux **cafés de la pyramide** et au **Café Grand Louvre.** Également **Le Café Marly,** avec sa terrasse chic (voir plus haut notre rubrique « Où boire un verre ? Où sortir ? ») et de nombreux cafés-restaurants dans le jardin des Tuileries.

UNE VISITE « AU PAS DE COURSE » POUR NOS LECTEURS PRESSÉS

Qu'on se le dise, impossible de tout voir en un jour... Alors, à moins d'avoir 2 jours devant soi, mieux vaut s'organiser et prévoir une visite thématique, en fonction de ses centres d'intérêt (voir plus bas le paragraphe « Visite(s) approfondie(s) du musée du Louvre »). Le Louvre organise d'excellentes visites groupées, sous l'égide de conférenciers, et sur réservation préalable (obligatoire pour les cycles ; ● *louvre.fr* ●). Parmi les thèmes proposés : la peinture italienne à la Renaissance, la peinture française de David à Delacroix, l'art grec, les antiquités égyptiennes... Sinon, un itinéraire ultra-synthétique permet de découvrir 10 chefs-d'œuvre majeurs ; se renseigner à l'accueil et prévoir 1h30.

VISITE(S) APPROFONDIE(S) DU MUSÉE DU LOUVRE

Les principaux départements du musée ont été développés, et n'ont été retenues que les pièces marquantes. Impossible ici, bien sûr, d'établir un catalogue exhaustif. La subjectivité entre alors bien évidemment en ligne de compte... Il faut néanmoins savoir que le musée met à la disposition de ses visiteurs, dans de nombreuses salles, des feuillets sous forme de plaques plastifiées détaillant l'histoire du palais ainsi que les œuvres exposées.

Voici l'ordre de nos visites : antiquités grecques, étrusques et romaines, antiquités égyptiennes, peintures françaises, peintures des écoles du Nord, peintures italiennes et espagnoles, sculptures italiennes et nordiques, sculptures françaises, objets d'art, arts de l'Islam, antiquités orientales et, enfin, arts d'Afrique, d'Asie, d'Océanie et des Amériques.

Mais avant, pour les amateurs d'histoire et d'architecture, une visite, bien sûr facultative, qui retrace l'histoire du palais depuis la nuit des temps... jusqu'à aujourd'hui.

Le Louvre, ses escaliers, ses ors

Le circuit proposé ici prendra au moins 1h30-2h, sachant qu'il n'est pas tenu compte des œuvres exposées dans les salles que vous allez traverser ; sachez aussi que certaines salles étant fermées par roulement, il sera nécessaire de prendre des raccourcis (donc munissez-vous du *Plan/Information* ainsi que du calendrier *Ouverture/Fermeture des salles* distribués à la banque d'accueil, très utiles...).

– *Le Louvre médiéval.* Au commencement était la pyramide. Dans le hall Napoléon, direction Sully et le Louvre médiéval, précédé, de part et d'autre d'une rotonde, des salles d'histoire du palais. On aborde alors (avec, sur la gauche, la maquette du château) les spectaculaires fossés du Louvre médiéval, que l'on contourne par la droite pour accéder à ceux de la Grosse Tour et à la salle basse, dite « Saint-Louis », due à Philippe Auguste (vers 1230-1240). Sur les murs de la forteresse, on voit encore les différentes signatures apposées par les tailleurs de pierre : cœur, étoile... Amusant d'observer que ces vestiges se situent sous le niveau du sol de la ville actuelle : sédimentation et précautions anti-crues obligent. Plus loin, l'imposant donjon servit de prison avant de protéger le trésor royal, cœur financier du royaume. Du donjon, le visiteur accède à la salle Saint-Louis. On ignore encore la fonction de cette salle, mais son décor architectural permet de la dater du règne de Saint Louis (1226-1270). À l'origine, cette salle était voûtée, des ogives retombaient sur les deux piliers et les culots sculptés. Dans cette pièce, le *casque de Charles VI* (1380-1422), qui était fou (le casque y est peut-être pour quelque chose...), et différents objets (céramiques, verreries, pennons...) trouvés lors des fouilles de la Cour carrée.

En sortant de la salle Saint-Louis, tournez à gauche et accédez au rez-de-chaussée par l'escalier Henri-II (dû à Pierre Lescot) à la magnifique voûte à caissons (aussi dénommée Grand Degré).

– *La salle des Caryatides.* Entrez dans la superbe salle des Caryatides (due à Pierre Lescot – 1546-1550 –, les sculptures féminines qui soutiennent la tribune des musiciens étant l'œuvre de Jean Goujon). Salle de bal sous Henri II, les rois « de droit divin » y guérissaient les fameuses écrouelles – abcès d'origine tuberculeuse –, et Henri IV y siégea sur un « tribunal » avant d'être mis en bière et exposé au chagrin des foules (Ravaillac était passé pas loin...). Molière y interpréta devant le Roi-Soleil ses *Précieuses ridicules*... On y abrita des antiques, et elle accueillit, après la Révolution, les premières séances de l'Institut. Belle vue sur la Cour carrée depuis les fenêtres, à l'est.

– **Les appartements d'été de la reine.** À droite de la cheminée, sortez de la salle, puis tournez à droite vers la rotonde de Mars, qui précède, au rez-de-chaussée de la Petite Galerie, les modestes appartements d'été d'Anne d'Autriche, mère de Louis XIV, dus à l'architecte Louis Le Vau. Du nord au sud : le grand salon, l'antichambre (salle des Saisons), le vestibule (salon de la Paix), le grand cabinet, la chambre de parade et le petit cabinet... La décoration, somptueuse, n'a rien à envier à celle du palais qui allait surgir d'un marécage qui ne s'appelait pas encore Versailles. Bonaparte fit exposer dans les galeries aménagées les œuvres « empruntées » en Italie par les armées révolutionnaires (une bonne partie d'entre elles ont été rendues depuis !).

– **La cour du Sphinx.** Prenez à droite la suite de pièces donnant sur la Seine, afin d'atteindre, sur la droite toujours, la cour du Sphinx. Inaccessible en raison du plan de prévention du risque d'inondations, la cour est tout de même visible. Couverte d'une verrière en 1934, l'aile est ornée d'un élégant fronton dû à Le Vau.

– **L'escalier Daru.** Empruntez la galerie ouest qui longe la cour, afin de rejoindre le pied de l'escalier Daru, en haut duquel nous attend la *Victoire de Samothrace*. Construit par Lefuel, l'architecte de Napoléon III, et portant le nom d'un ministre de ce dernier, il a pris la place de l'escalier du musée Napoléon, dont subsiste, à droite, le vestibule (architectes : Percier et Fontaine). À gauche, quelques marches, et l'on accède, au 1er étage, à la rotonde et à la galerie d'Apollon.

– **La rotonde et la galerie d'Apollon.** La première était la salle d'audience de Louis XIV, avant d'abriter l'Académie de peinture et de sculpture, jusqu'à la Révolution. Quant à la galerie elle-même, elle est somptueuse. Commandé en 1663 par Louis XIV à Le Brun, ce superbe décor réalisé à sa propre gloire restera inachevé quand, en 1678, le roi s'installera à Versailles. La galerie tiendra alors lieu d'atelier aux élèves de l'École royale (trop dur !), puis de lieu d'exposition. On découvre ici le thème de la course du Soleil, dans le temps et dans l'espace (si vous en avez sous la main, prenez des jumelles). Le plafond est un chef-d'œuvre auquel nombre d'artistes renommés ont contribué, dont Le Brun et plus tard Delacroix. Voyez, sur les murs, les portraits en tapisserie des grandes personnalités de l'époque. L'architecture même de la galerie (plus cintrée du côté opposé aux fenêtres) a été conçue pour utiliser la lumière – qui n'entre que par l'est – de la manière la plus flatteuse possible. Histoire d'une rencontre au sommet de la mythologie grecque et de l'histoire de France...

La galerie abrite les bijoux de la Couronne, un prestigieux trésor constitué par les rois de France depuis François Ier. Le trésor était constitué de biens inaliénables, autrement dit dont les souverains ne pouvaient disposer en biens propres.

Après la galerie d'Apollon et à nouveau la rotonde, gagnez, à droite, le Grand Cabinet du roi (devinez lequel).

– **La salle Henri-II.** Dos aux fenêtres, entrez dans la salle Henri-II, formée de la réunion de l'antichambre et de la garde-robe du roi (dues à Pierre Lescot). Son plafond a été décoré, en 1953, d'une somptueuse composition de Georges Braque, *Les Oiseaux*. Accédez ensuite à la salle des Bronzes antiques.

– **La salle des Bronzes antiques.** Conçue elle aussi par Pierre Lescot (1551-1553), elle fut remaniée sous la Restauration pour accueillir les sessions des Chambres, avant de retrouver son volume originel et d'abriter les collections d'antiques de Napoléon III, puis les bronzes depuis 1938. Ne surtout pas manquer le plafond peint par Cy Twombly (1928-2011), artiste américain de renommée internationale. Une œuvre monumentale de 400 m² commandée par le Louvre dans le cadre de sa politique d'art contemporain. S'il faut y voir un sens, disons que le ciel bleu « Giotto » fait avantageusement écho aux oiseaux de la salle précédente, tandis que les ronds et noms des sculptures grecs répondent à la vocation de cette salle. Impressionnant.

– La galerie Campana. Œuvre de Fontaine, l'ensemble de neuf salles qui longe le fleuve abrita un temps les collections de peintures françaises : le décor évoque donc la France, son histoire (bien sûr) glorieuse, ses souverains (forcément) généreux, protecteurs des arts et des lettres... Réaménagée par Lefuel, l'architecte de Napoléon III, elle abrite depuis la fabuleuse collection de vases grecs rachetée par ce dernier au marquis ruiné, Gianpietro Campana. Depuis les fenêtres, splendide vue sur la Seine, l'île de la Cité, le pont des Arts et, sur la rive gauche, la façade de l'Institut, que l'on doit à Le Vau. Retraversez le salon des Sept-Cheminées, le Grand Cabinet du roi, la rotonde d'Apollon, passez devant la *Victoire de Samothrace* et, après quelques marches, atteignez le vestibule Percier.

– La Grande Galerie. Décidée au départ par le bon roi Henri comme partie de son « Grand Dessein » architectural, cette galerie dite « du Bord-de-l'Eau » permettait de relier le Louvre au palais des Tuileries de Catherine de Médicis (300 ans plus tard, celui-ci devait brûler, réponse tragique de la Commune de Paris à la féroce répression versaillaise...). Le roi (toujours de droit divin) y guérit aussi les écrouelles, avant qu'y soient entreposés les plans et reliefs des places fortes

LES ROIS GUÉRISSEURS

1er

Pendant 8 siècles, on a cru que les rois de France avaient le pouvoir surnaturel de guérir les écrouelles (ganglions tuberculeux au niveau du cou) en touchant les sujets malades au front. La cérémonie avait lieu quatre fois par an au Louvre. Ce don confirmait le caractère divin de la royauté et étayait son pouvoir absolu. Louis XVI toucha 2 400 malades au lendemain de son sacre. Ça ne lui porta pas chance...

du royaume (aujourd'hui aux Invalides). Choisie pour abriter le Muséum royal, elle fut ouverte au public le 10 août 1793, en pleine Révolution, par décision de la Convention, sous l'appellation de Muséum central des arts. Son aménagement, complété par Percier et Fontaine sous l'Empire, sera achevé par Lefuel sous Napoléon III. Il faut savoir, pour l'anecdote, que, de la fin du XVIIe s et jusqu'en 1806, son entresol était occupé par de nombreux ateliers et logements d'artistes, de même d'ailleurs qu'une partie du palais, la Cour carrée notamment. Au milieu de la Grande Galerie, tournez à droite pour entrer dans la salle de la Joconde.

– La salle de la Joconde et le salon Denon. Réalisée par Lefuel, cette salle était destinée à accueillir les séances législatives sous Napoléon III. Dépouillée de son décor, elle abrite *Les Noces de Cana* de Véronèse et le tableau le plus célèbre du monde (devinez lequel !). On s'y photographie donc beaucoup. À l'opposé de la Grande Galerie, le salon Denon, du nom du premier directeur du musée sous Napoléon, a conservé, lui, son décor d'origine, exaltant le mécénat d'État de la France... Tournez à gauche dans la salle Mollien.

– La salle Mollien. Décorée sous le Second Empire comme la salle Daru qui lui fait pendant, elle aboutit au palier supérieur de l'escalier Mollien. Le décor allégorique de ce dernier rend hommage aux arts. À droite, la terrasse du café du même nom, agrémentée de statues d'hommes célèbres, domine la cour Napoléon. Descendez l'escalier Mollien, jusqu'au rez-de-chaussée, et accédez à la galerie Michel-Ange.

– La galerie Michel-Ange et le vestibule Denon. Construite au XIXe s et servant d'accès à la salle des États, au 1er étage, son sol en marbre somptueux met en valeur les sculptures italiennes, notamment *Les Esclaves* de Michel-Ange. Le vestibule Denon, ancienne entrée principale du musée, dessert, à l'opposé, la galerie Daru, qui abrite des sculptures grecques et romaines. Tournez à droite dans le vestibule et, après avoir descendu quelques marches, accédez à la salle du Manège.

– La salle du Manège. Aménagée pour le prince impérial par Lefuel, cette salle aux belles proportions et à la décoration singulière communiquait avec les anciennes écuries et la cour par un escalier... en fer à cheval. Depuis une tribune, l'impératrice Eugénie, non sans fierté, pouvait assister aux évolutions équestres de son impérial rejeton... Empruntez les escaliers, vers la pyramide.

– *La cour Marly.* Cette cour, également conçue par Lefuel, qui prit la succession de l'architecte de Napoléon III, Visconti, fut couverte par l'architecte de la pyramide, Ieoh Ming Pei, et inaugurée en 1993. La sculpture française y est naturellement mise en valeur, tant par la disposition en paliers que par l'éclairage zénithal et naturel. Montez vers les *Chevaux de Marly* et, à gauche, prenez l'escalier du Ministre (rampe et lustre réalisés par Christofle), qui conduisait aux appartements privés.

– *Les appartements Napoléon-III.* Luxueusement meublés et décorés, aux plafonds richement peints, les appartements Napoléon-III, inaugurés en 1861, illustrent le luxe inouï d'une époque où petit et grand salons, « salon-théâtre », petite et grande salles à manger constituent l'ordinaire d'un ministre d'État, qu'un de ses lointains successeurs n'abandonnera qu'à contrecœur, en 1989, afin que puisse se réaliser le projet d'un Grand Louvre voulu par François Mitterrand dès 1981. Quittez la salle à manger par l'office, à droite, et, en traversant les collections d'objets d'art du Premier Empire, atteignez le remarquable escalier Lefuel, à double volée. Au rez-de-chaussée, repassez par la cour Marly afin de regagner le hall Napoléon, sous la pyramide.

– *La pyramide.* Celle-ci, qui marque depuis son inauguration, en 1989, année du bicentenaire de la Révolution française, la nouvelle entrée du musée, est à elle seule une prouesse technique de verre et d'acier, dont la conception audacieuse, due à Ieoh Ming Pei, par sa transparence même, constitue une véritable œuvre d'art. À remarquer, la statue équestre de Louis XIV, à côté de la pyramide. Elle est située dans l'axe exact des Champs-Élysées. Conclusion : le Louvre n'est pas du tout dans l'alignement Concorde – Champs-Élysées – Arc de Triomphe.

Antiquités grecques, étrusques et romaines

Entresol (Denon)

– *Salles d'Orient méditerranéen :* autour des arts de l'Islam et la cour Visconti (voir plus loin ce chapitre), neuf salles consacrées à l'Orient méditerranéen dans l'Empire romain (OMER), du Ier siècle av. J.-C. au IVe s ap. J.-C. À cette époque, cette zone, découpée en plusieurs régions clés (de l'Asie Mineure – actuelle Turquie – à l'Égypte), est unifiée par un système politique (l'Empire romain) et une langue commune, le grec. Le circuit présente les différents aspects – religieux, culturels, artistiques – de ces civilisations locales aux traditions anciennes et au passé prestigieux ayant assimilé les éléments de culture gréco-romaine.

Le circuit, un poil alambiqué, du fait de la disposition des salles sur deux niveaux, est organisé de façon thématique. Le mieux est de suivre la numérotation. Signalons enfin la présence de panneaux explicatifs clairs et synthétiques, et de supports numériques qui, malgré l'absence de cartes géographiques, complètent bien la visite.

Celle-ci commence par les salles d'art funéraire dans l'Égypte romaine et la somptueuse collection de *portraits du Fayoum* (salle 1) – peintures sur bois d'une finesse technique et d'une modernité saisissantes (remarquer l'expression et la profondeur des traits) – fixés à l'aide de bandelettes sur les sarcophages, à l'emplacement de la tête, et peints du vivant de la personne. Beaux *masques funéraires, linceuls peints* et *momies.* Également des *sarcophages sculptés* (salle 2), en pierre ou en plomb, témoins de pratiques funéraires, et des éléments du *sanctuaire d'Héliopolis* au Liban, sans doute l'un des plus grands du monde romain au IIe s av. J.-C. La salle 3 (a et b) est dévolue à la *statuaire* (ex-voto de terre cuite phéniciens, figurines égyptiennes d'Harpocrate et divinités) et au *mobilier de culte* (culte de la déesse Mithra et de Cybèle, première divinité d'Orient à être introduite à Rome au IIIe s avant notre ère).

La visite se poursuit au sous-sol avec les *tissus* (fragments de tentures) et *mosaïques* du IIIe au VIe s ap. J.-C. (salle 4). Avant de descendre dans la cour Visconti, .

observez du balcon la **mosaïque de l'église Saint-Christophe** découverte au XIXe s sur le site de Qabr Hiram au Liban. Remarquer l'incroyable bestiaire de la nef latérale nord. Autres pavements décoratifs qui ornaient les pièces de réception de riches demeures.

Retour à l'étage pour la présentation des **arts et monuments de la vie publique** (salle 5) avec de fines et élégantes statues d'hommes drapés d'époque avec de sublimes objets courant, témoins de techniques déjà très évoluées dans les arts du feu : **faïences** (vaisselle et objets d'un bleu vif magnifique), **céramiques,** lampes à huile en terre cuite ou en cuivre, et **verreries** dans un état de conservation épatant. Ne pas manquer la salle 7 consacrée aux tissus d'ameublement et une belle mise en lumière du **voile d'Antinoé,** longue tenture décorative évoquant la vie de Bacchus, exhumée de la nécropole du même nom en moyenne Égypte. Dans la salle 8, riches vitrines de **parures et bijoux,** et superbes portraits de femmes richement vêtues datant seulement du IIe s ap. J.-C. ! Le dernier espace de l'exposition (salle 9) est consacré à **l'Empire de Méroé** (Nubie préchrétienne), IVe-XIIe s ap. J.-C.

Rez-de-chaussée (Denon et Sully)

– **Salle d'Olympie (salle 4) :** on y trouve 3 des 12 sculptures qui représentaient les travaux d'Hercule dans le temple de Zeus à Olympie (le massacre des oiseaux du lac Stymphale, la lutte contre le taureau de Crète et le combat contre le berger Eurytion). Maquette explicative.

– **La rotonde de Mars (salle 5) :** noter le superbe plafond ouvragé (anciens appartements d'Anne d'Autriche).

– **Salles 7 à 16 :** les salles consacrées à l'art grec classique et hellénistique (deux galeries parallèles) ont été entièrement rénovées.

Dans l'une, les collections sont présentées selon un parcours géographique qui permet de mesurer l'étendue et le rayonnement du monde grec, alors unifié par la langue : vases, bijoux, éléments d'architecture... Des objets présentés dans leur contexte, et un voyage qui nous mène de l'Italie du Sud à l'Asie Mineure en passant par le Proche-Orient. Ne pas manquer l'*amphore panathénaïque* (salle 8) illustrant l'art de la Grèce classique ; ce type d'amphore contenait l'huile offerte aux vainqueurs des différentes compétitions athlétiques. Également un bien beau diadème provenant d'Italie du Sud, au décor végétal exubérant (salle 9).

Dans l'autre galerie, on trouve les répliques romaines de chefs-d'œuvre disparus de la sculpture grecque classique illustrant le thème des dieux et héros de la mythologie grecque. Autant de répliques qui « compensent » la disparition des sculptures originales, initialement réalisées dans des matériaux fragiles. Un peu plus loin, des indications sur les vêtements de l'époque, et sur les sculpteurs qui ont marqué leur temps, comme Praxitèle et Lysippe. On s'intéresse d'autant mieux à l'une ou à l'autre de ces sculptures qu'on peut désormais déambuler entre elles ou en faire le tour.

À l'intersection de ces deux galeries se découpe la silhouette restaurée de la *Vénus de Milo,* qui, avec *La Joconde* et une autre sculpture – la *Victoire de Samothrace* –, attirent à elles seules 80 % des 9 millions de visiteurs annuels du Louvre ! Il fallait donc lui trouver un emplacement adapté à la circulation et à la contemplation du flot de ses admirateurs. Découverte en 1820 sur l'île de Milo, la Vénus illustre la perfection sculpturale. Qui est-elle ? A-t-on retrouvé ses bras ? Quelle position pouvaient-ils avoir ? Quelques infos tout autour sur la sculpture et ses mystères, le parti pris des restaurateurs successifs ou la façon dont on a pu la dater, mais les siècles ont emporté la plus large part de son mystère...

– **Salle des Caryatides (salle 17) :** cette salle fut richement décorée par Jean Goujon et servit pour des mariages princiers et des fêtes royales. C'est l'une de nos salles préférées. Pour son superbe cadre Renaissance d'abord, pour la qualité des œuvres qui y sont exposées ensuite. Là aussi, copies romaines d'œuvres à jamais disparues. Parmi les pièces les plus significatives, on trouve le *Gaulois blessé, Artémis* (dite Diane de Versailles), *Les Trois Grâces, Silène portant Dionysos enfant,*

Hermès attachant sa sandale. Mais notre coup de cœur va au curieux et très troublant *Hermaphrodite endormi...,* dont le matelas, bien postérieur, est dû au Bernin...
– Retour aux appartements d'Anne d'Autriche, après la rotonde. *Salles 22 à 29,* période romaine. Sarcophages sculptés. Les *salles 18 à 20* sont consacrées à la période étrusque : urnes en albâtre de Volterra, sarcophages en terre cuite, monuments funéraires de Chiusi, miroirs en bronze gravés, vases à figures rouges, céramiques à figures noires, remarquables petits bronzes, orfèvrerie, etc. Au milieu, le célèbre *sarcophage dit des Époux,* où le couple sourit pour l'éternité.
– *Salle 21 :* dans les vitrines, jeune esclave en marbre noir, jolis vases en terre cuite, verrerie, bijoux en or, aiguières et vases en argent (dont l'un en forme de cheval).
– *Salle 30 :* sarcophages et bustes romains.
– *Cour du Sphinx (salle 31) :* on y découvre la sculpture de *La Melpomène* récemment restaurée, une œuvre découverte à Rome, des bas-reliefs de Thasos et des mosaïques.

1er étage (Sully)

Suite et fin des antiquités grecques et romaines avec, entre autres, le *trésor de Boscoreale.*
En haut du grand escalier trône la célèbre *Victoire,* statue du IIe s av. J.-C. découverte dans l'île de Samothrace. Elle symbolisait vraisemblablement une victoire navale (figurant la proue d'un navire).
– *Salle des Verres antiques (salle 34) :* dans l'ancien Grand Cabinet du roi, présentation de la collection de verres grecs et romains.
– *Salle Henri-II – Orfèvrerie romaine (salle 33) :* le *trésor de Boscoreale* occupe la majeure partie de la salle. C'est un ensemble très important d'argenterie et de mobilier d'une villa pompéienne, dissimulé dans une citerne probablement lors de l'éruption du Vésuve (en 79 apr. J.-C.). Immense richesse décorative, qui semble curieusement tenir davantage de la Renaissance que de l'influence hellénistique. Au plafond, *Les Oiseaux,* vaste composition de Georges Braque... de 1953.
– *Salle des Bronzes (salle 32) :* on aime beaucoup la présentation des objets (fond de granit, éclairage discret), qui les met remarquablement en valeur. Nombreux miroirs ornementés ou gravés. Ne pas manquer l'adorable petit groupe avec Bacchus, un satyre jouant de la flûte et des danseuses. *Apollon de Lillebonne,* belle statue en bronze doré découverte en Seine-Maritime.
Revenez sur vos pas et tournez à gauche, pour aborder l'ancien musée Charles-X et la galerie Campana.
– *Ancien musée Charles-X (salles 35 à 38) :* collection de figurines en terre cuite, de stuc et de bois, étendue dans quatre salles. Les figurines étaient le plus souvent trouvées dans des tombes, mais leur fonction religieuse a évolué au fil du temps vers une dimension plus esthétique.
– *Galerie Campana (salles 39 à 47) : fermée jeu.* Les salles 45 à 47 sont actuellement fermées. Présentation des vases de céramique grecs dans neuf salles, dont une salle thématique et trois salles d'étude. Cette collection est l'une des plus riches du monde, tant en quantité qu'en qualité. Œuvres d'art et en même temps documents, ces vases permettent de mieux comprendre la vie quotidienne en Grèce antique. Les thèmes les plus utilisés pour les illustrer sont le sport, les activités sociales, les dieux et les mythes. On en trouve avec des motifs géométriques ou orientalisants, à figures noires ou à figures rouges.

Antiquités égyptiennes

Le département des Antiquités égyptiennes, avec ses 4 200 m², constitue l'un des plus grands musées « égyptiens » au monde, avec ceux du Caire et de Berlin. Ce sont 30 salles en tout qui ont été réaménagées en s'inspirant des partis pris de Champollion depuis l'ouverture du département : au rez-de-chaussée, circuit thématique ; à l'étage, circuit chronologique. À commencer par le Nil, cette promenade de 4 000 ans s'efforce de retracer la vie quotidienne de l'Égypte ancienne. Nombreux textes explicatifs qui accompagnent le superbe travail de mise en scène des œuvres, ainsi que des panneaux historiques sur les salles elles-mêmes. La disposition, résolument moderne, offre deux niveaux de lecture pour capter l'attention du visiteur, qu'il soit élève de sixième ou archéologue.

Le parcours thématique (Sully, rez-de-chaussée)

À partir du hall Napoléon, sous la pyramide, prenez les escaliers mécaniques, direction Sully. Traversez le Louvre médiéval et arrivez devant le grand *Sphinx de Tanis,* un des plus beaux par ses qualités plastiques *(salle 1).*

– Prenez ensuite l'escalier sur la gauche. À l'entrée du département, *Nakhthorheb* vous attend *(salle 2).*

– **Salle 3 :** le Nil, le fleuve nourricier. Modèles réduits de bateaux du Moyen Empire, et figurines.

– **Salle 4 :** les travaux des champs ; le mastaba d'Akhethétep, restauré. Bas-reliefs polychromes de toute beauté. Le reste de la salle est consacré à l'agriculture.

– **Salle 5 :** élevage, chasse et pêche. Le repas des Égyptiens. Insolite « menu idéal du mort », composé des mets les plus délectables.

– **Salle 6 :** l'écriture et les scribes. Tout sur ces rouages essentiels de l'administration égyptienne, qui possédait un sens élevé de l'organisation, l'inventaire et les décomptes. Vitrine consacrée aux poids et mesures, et surtout étonnante vitrine de palettes de scribes.

– **Salle 7 :** matériaux et techniques. Artistes et artisans. Belle statue en bronze du dieu Horus qui vous tend les bras.

– **Salle 8 :** la maison et le mobilier. Des objets domestiques retrouvés dans certaines tombes nous permettent aujourd'hui d'admirer le décor quotidien des Égyptiens.

– **Salle 9 :** la parure. Bijoux, vêtements, soins du corps. Quelques pièces remarquables : le collier aux poissons, le collier de Pinedjem, la bague d'Horemheb. Collection exceptionnelle d'objets de toilette. Ravissantes cuillères à fard. Au fond, une vitrine de vêtements assez rares.

– **Salle 10 :** les loisirs, musique et jeux. Preuve que les Égyptiens ne manquaient pas vraiment de distractions. Vitrines de jeux et d'instruments de musique.

– **Salle 11 :** le parvis du temple, l'allée des Sphinx (on se croirait à Karnak !). On en trouve six en calcaire, provenant des fouilles du Serapeum. Quatre grands babouins en granit rose proviennent de Louxor.

Attention : le grand escalier mène au 1er étage directement à la salle 27 de la présentation chronologique. Déconseillé, donc, de l'emprunter si l'on désire voir l'ensemble du circuit.

– **Salle 12 :** le temple. Mise en place des plus grandes sculptures pour donner une idée de ce

DES SINGES EXHIBITIONNISTES

De part et d'autre du socle original de l'obélisque, quatre singes se dressaient sur leurs pattes arrières, le sexe bien apparent. Quand Louis-Philippe découvrit ces animaux fiers de leurs attributs, il fit remiser le piédestal au musée du Louvre (Égyptologie, salle 11) et il fit tailler un autre socle qui permit l'érection de l'obélisque sur la place de la Concorde.

qu'était un temple égyptien. Portiques, colonnes et statues de divinités comme Sekhmet. *Colosses de Séthi II et de Ramsès II,* mais aussi belle *tête d'Aménophis III.* Reliefs en grès qui évoquent le dieu Montou. Dans la **salle 12 bis,** les chapelles, la chambre des ancêtres, le zodiaque de Dendéra au plafond richement gravé et décoré.

– Retour à la galerie Henri-IV pour descendre à la crypte d'Osiris *(salle 13).* Ce dernier connut un sort tragique et devint roi du monde des morts. Magnifique sarcophage de Ramsès III en granit rose. Mythologie et rites entourant l'enterrement royal sont illustrés dans les vitrines attenantes.

– *Salle 14 :* les sarcophages, sortes de mondes en miniature, censés protéger le mort dans son voyage vers l'au-delà.

– *Salle 15 :* la momie. Embaumement et enterrement. Réalisée afin d'éviter la disparition matérielle du corps et assurer sa survie.

– *Salle 16 :* les tombes. Elles étaient garnies d'un certain nombre d'objets quotidiens.

– *Salle 17 :* le *Livre des Morts,* l'équipement funéraire. La longueur de la salle permet de montrer entièrement le *Livre des Morts* de Hornedjitef (plus de 20 m).

– *Salle 18 :* les dieux et la magie. Fort belle statue guérisseuse. Objets et textes reflétant l'importance de la magie dans la vie quotidienne. Statuettes présentant les différentes divinités et leurs attributions.

– *Salle 19 :* animaux et dieux, animaux sacrés, Serapeum de Memphis. À voir, l'étonnante vitrine de momies d'animaux. Du taureau de Montou au crocodile de Sobek, ils représentaient tous des dieux. Superbe statue du taureau Apis.

Maintenant, revenez quelques pas en arrière pour emprunter l'escalier du Nord et rejoindre le parcours chronologique.

Le parcours chronologique (Sully, 1er étage)

Une petite frise chronologique donne une idée de la longévité de la civilisation égyptienne. Près de 3 000 ans séparent Chéops de Cléopâtre et des derniers pharaons. Double principe de visite : d'abord présentation d'une sélection d'œuvres pour les plus pressés et, parallèlement, galeries plus denses pour les amateurs, les chercheurs ou tout simplement les curieux.

– *Salle 20 :* la fin de la préhistoire. L'époque de Nagada (vers 4000-3100 av. J.-C.) voit apparaître les premiers hiéroglyphes. L'un des chefs-d'œuvre de cette période est le *poignard du Gebel el-Arak.* Beaux vases peints et en pierre dure.

– *Salle 21 :* l'époque thinite (vers 3100-2700 av. J.-C.). Les deux premières dynasties. Intéressante *stèle du Roi-Serpent,* symbole de l'unification de l'Égypte et de la naissance de l'écriture. Objets de mobilier en ivoire ravissants ainsi que des vases colorés. Dans cette salle, ainsi que dans la salle 23, une table interactive a été installée, qui permet de comprendre les conventions de l'art égyptien, en apprenant à décoder une stèle funéraire.

– *Salle 22 :* l'Ancien Empire (vers 2700-2200 av. J.-C.). C'est la période faste des rois puissants, où l'on construit les premières pyramides. Fort belle tête du pharaon Didoufri coiffée du « némès ». Mais on y trouve surtout le célèbre *Scribe accroupi.* Attitude suggestive, superbe visage aux yeux expressifs en cristal de roche, polychromie. Le couple de Raherka et Merséankh frappe par sa grande finesse.

– *Salle 23 :* vers 2033-1710 av. J.-C., le Moyen Empire. Élégante porteuse d'offrande, ainsi que deux grandes statues en bois : le chancelier Nakhti et le gouverneur de province Hapydjefaï. Dans les vitrines, jolies faïences, comme cet hippopotame bleu. Plus loin, statuettes des rois et stèles. Une table interactive multimédia (voir salle 21) a été installée.

– *Salle 24 :* le Nouvel Empire (de la reconquête à Aménophis III, 1550-1353 av. J.-C.). Cette salle permet de constater l'évolution du style, de l'archaïsme un peu raide de la *statue du prince Iâhmès* aux sensuels *Portraits du roi Aménophis III.* Superbe coupe d'or du général Djéhouty et statuettes du scribe Nebméroutef, d'une grande finesse.

– *Salle 25 :* le Nouvel Empire, période d'Akhenaton et Néfertiti (1353-1337 av. J.-C.). Appelé aussi Aménophis IV, Akhenaton est notre pharaon préféré. Beau colosse contre le mur latéral. Surtout, on y trouve, parmi les musts du Louvre, un corps en quartzite rouge (probablement la reine Néfertiti), la tête (minuscule) d'une princesse et la statuette du couple royal se tenant par la main.

– *Salle 26 :* le Nouvel Empire, autour du règne de Toutankhamon (1337-1295 av. J.-C.). Celui-ci a favorisé un retour aux formes politiques et culturelles traditionnelles, après les bouleversements dus à Akhenaton. Délicate tête en verre, de deux bleus différents. Majestueuse statue du dieu Amon, ainsi qu'une extraordinaire tête d'homme en calcaire peint et une délicate statuette de femme nue en ivoire.

Ensuite, on pénètre dans celles qui furent les premières salles d'égyptologie, créées en 1827 par Champollion.

– **Salle 27 :** le Nouvel Empire au temps des Ramsès (1295-1069 av. J.-C.). Les pharaons. L'apogée des XIXe et XXe dynasties est marquée par une richesse architecturale inégalée. Splendide fragment de relief peint représentant Séthi Ier et la déesse Hathor, à la coiffure de disque solaire cerné de cornes de vache.

– **Salle 28 :** le Nouvel Empire au temps des Ramsès. Princes et courtisans. Très fine statuette en pierre d'Amon et de son épouse Mout. Bijoux provenant du Serapeum de Memphis. Pectoraux en or incrustés de faïence.

– **Salle 29 :** 1069-404 av. J.-C. C'est la période de la première domination perse. À droite, *statue de Karomama,* le plus beau bronze égyptien, tout incrusté d'or et d'argent. Ravissant bijou en or figurant la triade Osiris-Isis-Horus.

– **Salle 30 :** des derniers pharaons d'Égypte à Cléopâtre (404-30 av. J.-C.). Beau torse de Nectanebo Ier. L'art grec perce sur le corps de la déesse Isis (drapé mouillé). Pittoresque cercueil en « cartonnage » doré de Tachéretpaânkh.

Peintures françaises

Le parcours commence dans l'aile Richelieu, au 2e étage, pour se poursuivre (toujours au 2e étage) dans l'aile Sully, ainsi qu'au 1er étage dans l'aile Denon, où sont exposés les grands formats du XIXe s.

Près de 200 œuvres, des primitifs à Poussin, sont visibles dans les salles de l'**aile Richelieu** conçues par I. M. Pei.

– **Salle 1 :** le *Portrait de Jean le Bon,* peint vers 1350. Le premier portrait français conservé du XIVe s.

– **Salle 4 :** la célèbre *Pietà de Villeneuve-lès-Avignon,* sommet de l'art chrétien au pathétique poignant.

– **Salle 6 :** la peinture française paraît ressusciter vers le milieu du XVe s, au travers d'importantes écoles régionales. Premières influences de la Renaissance dans le *Charles VII* de Jean Fouquet.

– **Salles 7 et 8 :** les peintres de portrait du XVIe s représentés par les Clouet, peintres de cour de père en fils. Portrait de François Ier.

– **Salles 9 et 10 :** l'arrivée d'artistes italiens (Léonard de Vinci, Rosso, le Primatice) en France bouleverse le cours de la peinture française, qui passe de l'art médiéval au maniérisme. *Diane chasseresse* et *Gabrielle d'Estrées et une de ses sœurs* (au geste ambigu qui doit faire référence à la naissance d'un bâtard d'Henri IV) sont représentatives de cette école de Fontainebleau.

– **Salle 11 :** en réaction contre les excès du maniérisme, la génération des Vouet, Valentin, Regnier se tournera vers le mouvement naturaliste issu de l'art du Caravage.

– **Salles 13, 14 et 16 :** un quart de l'œuvre de Nicolas Poussin est présenté au Louvre, ce qui permet de suivre l'évolution de cet artiste-philosophe du XVIIe s – de ses premières années romaines *(Les Bacchanales)* aux tableaux de la maturité *(Autoportrait)* et aux œuvres de la fin de sa carrière *(Les Saisons, Apollon et Daphné).* Une splendide salle octogonale (salle 16) a été conçue spécialement pour *Les Saisons.*

– **Salle 15 :** un autre artisan génial de la lumière, Claude Gellée, dit « le Lorrain », avec *Port de mer au soleil couchant.* Pas la peine de chercher des références géographiques, tous ces ports sont imaginaires.

– **Salles 17 et 24 :** peintures françaises du XVIIe s.

– **Une salle de repos (salle 18)** vous attend avec ses informations sur le « tableau du mois ».

Le circuit des peintures françaises se poursuit dans l'**aile Sully.**

– **Salle Watteau (salle 36) :** avec le célèbre *Pierrot,* dit *Gilles,* personnage énigmatique entre candeur et gravité, *Pèlerinage à l'île de Cythère, Nymphe et Satyre...*

Puis Nicolas Lancret, Nicolas de Largillierre et son insolite *Étude de mains,* De Troy et les peintres de Louis XV, Van Loo, Boucher, Lemoyne.
– Dans le *Déjeuner de chasse* de De Troy *(salle 38),* notez l'insouciance de vivre de l'aristocratie. Peint en 1737 (au loin la Révolution se prépare !).
– De Chardin, *Le Buffet* et *La Raie* (où le chat est le seul élément vivant ; *salle 38*) ou *L'Enfant au toton (salle 39).* Puis Pierre Subleyras, réhabilité, et Oudry.
– Grande salle *(salle 43)* avec *Christ devant Pilate* de De Troy, mais surtout la *Madeleine au pied du Christ* de Subleyras. Puis Restout et Vien (ce dernier était plus célèbre que Fragonard à l'époque !).
– *Couloir des Poules (salle 42) :* portraits, pastels et miniatures du XVIIIe s.
– *Salle Boucher (salle 46) :* avec *L'Enlèvement d'Europe, Les Forges de Vulcain* (charme et fraîcheur réjouissants).
– *Salle 47 :* il y a déjà du Renoir dans le visage triste de *L'Oiseau mort.* Dans *L'Accordée du village,* Greuze met en scène le petit peuple (Diderot applaudira). Justement, voici le célèbre *Diderot* de Fragonard.
– *Salle Fragonard (salle 48) :* on ne le présente plus, mais vous serez étonné par son *Grand prêtre Corésus,* plein de lourde théâtralité avec sa lumière irréelle.
– *Salle 49 :* Fragonard encore, avec sa délicieuse *Leçon de musique,* ses *Baigneuses* pleines de sensualité, le célèbre *Verrou, L'Adoration des bergers* (avec une lumière et un mystère à la Rembrandt).
– *Salle 50 :* pas mal d'œuvres d'Hubert Robert, le grand peintre des ruines.
– *Salle Greuze (salle 51) :* d'autres Greuze au message moralisant, *La Malédiction paternelle,* et sa suite logique, *Le Fils puni.*
– *Salle 52 :* Élisabeth Vigée-Lebrun, qui réalisa un superbe portrait d'Hubert Robert.
– *Salle Vien (salle 53) :* avec François-André Vincent, Regnault... Beaucoup d'académisme, ainsi que chez Pajou,

Lagrenée... Ils annoncent la froide manière de David. Pourtant, dans *Madame Charles-Louis Trudaine,* tableau inachevé, son style tranche par sa modernité et sa touche vibrante. *Intérieur d'une cuisine* de Martin Drölling, artiste peu connu. Mais on aime beaucoup la profusion de détails, l'intimité de la scène (la poupée à terre, la coquille d'œuf cassé, l'enfant et le chat). Une douce lumière nimbe le tout.
– D'autres moins connus aussi, comme Pierre-Paul Prud'hon *(salle 56),* auteur de *Monsieur Vallet* (délicieux de naturel, coiffure pas peignée, pose nonchalante). Puis vient Boilly *(salle 58),* peintre de la vie provinciale.
– *Salle Ingres (salle 60) :* E. Bochet, *La Baigneuse,* le fameux *Louis-François Bertin,* symbole de la bourgeoisie assise et triomphante. Grand souci du détail. Noter le reflet de la fenêtre sur le dossier de la chaise ! Dans *Le Bain turc,* il reprend à près de 50 ans de distance le célèbre dos de *La Baigneuse...*
– *Salle Géricault (salle 61) :* Scène de déluge et son *Officier de chasseur à cheval,* plein de fougue lyrique, de flamboyance. D'Ary Scheffer, *La Mort de Géricault,* justement. Beaucoup de chevaux dans l'œuvre de Géricault (étonnez-vous qu'il soit mort d'une chute de cheval !). D'Horace Vernet, *La Barrière de Clichy,* toile affligée des trois péchés de la peinture de cette première moitié du XIXe s : académisme, conservatisme, patriotisme désuet... Vite, vite, les romantiques et les impressionnistes !
– *Salle Delacroix (salle 62) :* comme pour Géricault, ses grandes œuvres (*Femmes d'Alger...*) sont restées au 1er étage de Denon. Ici, vous trouverez néanmoins *L'Assassinat de l'évêque de Liège,* Léon Riesener, le fameux autoportrait (air

mystérieux, regard appuyé, expression même vaguement inquiétante), *Frédéric Chopin, Noce juive dans le Maroc* (sic)...

– Puis l'**école de Barbizon** : *Folles filles* de Narcisse Diaz de La Peña **(salle 65).**

– Et encore, près d'une centaine de **Corot (salles 69 et 70).** Dans *Velléda* (de 1868), notez au crépuscule de la vie de l'artiste le visage très mélancolique, sur fond de bruine et paysage hivernal. D'autres chefs-d'œuvre : *Zingara au tambour basque, Jeune fille grecque à la fontaine, Souvenir de Castelgandolfo* (lumière italienne douce et agréable), *Femme à la perle, Souvenir de Mortefontaine* (belle touche légère, tremblée, ambiance vaporeuse). Corot n'aurait-il pas été influencé par les premiers clichés photographiques, qui étaient très souvent flous ? Enfin, un de nos préférés, *La Dame en bleu,* dont on aime le naturel de la pose. Quelques éléments dans le coup de pinceau annoncent l'impressionnisme.

– **Salle 72 :** *Botteleurs de foins* de Millet. Incroyable : en 1850, cet aimable tableau fit peur ! Les bourgeois accusèrent Millet d'être un peintre socialiste !

– Les dernières salles sont un peu particulières, puisqu'elles présentent les **œuvres de donateurs** (Thomy-Thiéry, Moreau-Nélaton). Une des conditions de la donation était que les œuvres restent ensemble, d'où le caractère hétéroclite des présentations. Une chance : ces collections proposent beaucoup de Corot (il y en a aussi à Orsay), ce qui a permis de les rapprocher des salles consacrées au précurseur génial de l'impressionnisme.

– **La collection Beistegui** est située salle A. Tableaux de portraitistes des XVIIIe et XIXe s. Notamment *La Marquise de Solana,* chef-d'œuvre de Goya, ou le *Bona-parte* de David, inachevé.

– Ceux, celles qui souhaitent relier ce panorama de la peinture du XIXe s aux grandes œuvres de la même époque, rendez-vous maintenant aux salles rouges : **salle Daru 75, salle Denon 76** et **salle Mollien 77,** dans l'aile Denon, au 1er étage. Ces salles proposent, entre autres, les immenses peintures françaises de la seconde moitié du XVIIIe s et de la première moitié du XIXe s.

Murat, roi de Naples et *Les Pestiférés de Jaffa* d'Antoine-Jean, baron Gros. Célèbre *Radeau de la Méduse* de **Géricault** (1819), illustration macabre d'une tragédie historique : en 1816, une flotte, avec la *Méduse* à sa tête, quitte la France pour aller occuper le Sénégal, avec colons, savants et militaires à bord. Le navire sombre et les canots sont réquisitionnés par le capitaine pour les gros bonnets, laissant 150 personnes se réfugier sur un radeau. Une embarcation de fortune qui sera retrouvée 13 jours plus tard, les 15 rescapés ayant dévoré leurs semblables après avoir bu leur sang et leur urine. L'artiste passa 16 mois sur le tableau. Le public fut choqué par le réalisme des corps et les tons verdâtres. Extraordinaire tension dramatique rendue par les corps épuisés se soulevant progressivement de la gauche vers la droite, à la vue du bateau salvateur. Si les personnages portent des chaussettes, c'est que Géricault avait du mal à peindre les pieds !

Puis les plus fameux **Delacroix** : *La Liberté guidant le Peuple, Dante et Virgile, Les Massacres de Scio, Femmes d'Alger, La Prise de Constantinople* et, notre préféré, *La Mort de Sardanapale.* La fin de ce roi assyrien, qui fit égorger toutes ses femmes et ses chevaux avant de se suicider (quelle obligeance !), est évoquée ici avec violence et volupté tout à la fois, grâce aux tons rouges, or, bruns, noirs, et au maelström de courbes et de rondeurs qui emportent littéralement le tableau.

La *Jeanne d'Arc* d'**Ingres.** On a de la peine à croire que cette œuvre est de lui tant elle se révèle incroyablement académique. Un peu plus loin, découvrez plutôt *La Grande Odalisque.* Ingres cherche ici la perfection (obsédé par Raphaël). En y regardant de plus près, un expert a révélé la présence de trois vertèbres supplémentaires qui ajoutent de la lascivité à la pose. On est au-delà du réel ! Puis *Œdipe* et le portrait de *Mademoiselle Rivière.*

De **David,** *Madame Récamier,* le conformiste *Serment des Horaces* (on dirait du Vernet) et le très célèbre *Sacre de Napoléon. Paris Match* n'aurait pas fait mieux pour immortaliser l'événement... Au-delà des symboles politiques (par exemple, Napoléon se couronne lui-même avant de couronner Joséphine, un rôle habituellement réservé au pape), on sait que le peintre a pris quelques libertés vis-à-vis de la réalité : la mère de l'Empereur était absente, elle apparaît pourtant dans les tribunes, surplombée par David lui-même !

Peinture des écoles du Nord
(Pays-Bas, Flandres, Allemagne)

Une vue d'ensemble de ces collections est possible depuis leur présentation au 2e étage de l'aile Richelieu. Les *salles 1 à 3* sont communes au circuit des peintures françaises et des peintures flamandes. On y découvre le premier portrait connu peint depuis l'Antiquité, celui du roi de France Jean le Bon (XIVe s). Au-delà, le circuit des écoles du Nord continue à gauche. Le jeu de plafonds à pans inclinés, imaginé par l'architecte Pei, permet un éclairage zénithal particulièrement adapté aux tableaux nordiques.

– Salles 4 à 6 : au sortir du tronc commun avec l'école française, consacré au gothique international, on abordera d'abord les primitifs des Pays-Bas bourguignons, notamment le triptyque de *La Famille Braque* de Van der Weyden et l'admirable *Vierge au chancelier Rolin* de Jan Van Eyck. L'artiste fut l'un des premiers à utiliser la peinture à l'huile. Noter le lumineux et exquis paysage urbain au fond, censé représenter la ville idéale. Plus loin, la série des Memling, un peintre d'origine allemande, avec *Portrait d'une dame âgée,* portant le hennin, coiffe typique de cette époque. L'*Allégorie chrétienne* de Jan Provost est un curieux tableau d'érudition, où Dieu est figuré par un œil unique et une main contenant l'Univers.

– Salles 7 à 16 : les peintres flamands du XVIe s et du début du XVIIe, et une petite sélection de dessins présentés par roulement. De Hans Sebald Beham (salle 7), illustrateur natif de Nuremberg, un plateau de table peint, d'inspiration italienne, qui conte l'histoire du roi David avec une multitude de détails. Plusieurs chefs-d'œuvre : *Les Mendiants* de Brueghel l'Ancien, *La Tireuse de cartes* de Lucas Van Leyden, la très célèbre *Nef des fous* de Jérôme Bosch, satire anticléricale où sont mises en accusation l'ivrognerie et la gloutonnerie. Ne pas manquer non plus *Les Trois Grâces* de Lucas Cranach.

Salle 9, le *Saint Joseph dans le désert* de Joachim Patinir, un sujet religieux traditionnel, prétexte à nous montrer d'admirables paysages. De Quentin Metsys, le célèbre *Peseur d'or et sa femme,* une scène de genre destinée à démontrer la vanité des choses. D'un peintre resté anonyme, un *Loth et ses filles,* qui batifolent alors que la ville est détruite par le feu divin.

Également, ne négligeons pas l'école allemande, avec des œuvres de Dürer (son admirable *Autoportrait* où le chardon illustrerait la fidélité envers sa fiancée), Cranach, aux visages féminins très reconnaissables, avec un portrait de *Magdalena Luther...* Et la toute récente acquisition des *Trois Grâces,* véritable trésor pictural. Et les portraits de Holbein, dont ceux de l'humaniste *Érasme* et d'*Anne de Bretagne,* la quatrième épouse d'Henri VIII. On détaille avec gourmandise la foisonnante fresque du *Jugement de Pâris et destruction de Troie* de Mathias Gerung. Le banquet des dieux y est plutôt croquignolet.

Le maniérisme italianisant se déploie, **salle 11,** avec *David et Bethsabée* de Jan Massys, au personnage central à l'opulente beauté, qui n'a rien à envier aux Vénus du Titien.

Salle 12, *Les Mendiants* de Brueghel l'Ancien, avec de curieux culs-de-jatte affublés de queues de renard ; privilège des estropiés ou proverbe oublié ? Certains y voient une protestation contre la présence des Espagnols en Brabant.

La **salle 14** est occupée par les fils et les suiveurs de Brueghel. De son fils Jan, dit de Velours, la fougueuse *Bataille d'Issus,* qui vit Alexandre écraser Darius, roi des Perses. Les costumes sont du XVIe s et les Perses sont plutôt Turcs. Le même nous donne à admirer un *Paradis terrestre* où les fauves se prélassent dans un environnement bucolique.

Salle 16, on a un faible pour les deux fiers portraits d'Henri IV de Jan Pourbus le Jeune, l'un en costume noir, l'autre en armure. On arrive ensuite aux grands espaces transversaux.

– *Salles 17 et 19* (encadrant la *galerie Médicis*) : les grands formats flamands du XVIIe s. Les compositions tourbillonnantes de Rubens nous offrent le spectacle de personnages mythologiques aux chairs généreuses. Un épisode méconnu illustre bien le genre : *Ixion, roi des Lapithes,* sombre histoire de jalousie où Zeus et Héra n'ont pas le beau rôle.

Jacob Jordaens fait dans la truculence avec le célèbre *Le roi boit.* Ne pas rater ensuite la galerie Médicis *(salle 18)* avec les 24 toiles de Rubens racontant dans un style apologétique grandiloquent la vie de Marie de Médicis. L'épisode le plus connu, *Le Débarquement de Marie de Médicis au port de Marseille* (tableau IX), inspira de nombreux artistes français.

Le plan du tableau XIII, *Le Couronnement de Marie,* fut repris par David pour celui de Napoléon. Fille du grand-duc de Toscane, Marie de Médicis, assimilée par Rubens à la déesse Junon, est devenue reine de France en 1600 en épousant Henri IV, qui se retrouve, lui, sous les traits de Jupiter. Devenue veuve en 1610 par la faute de Ravaillac, elle assure la régence du royaume au nom du jeune roi Louis XIII jusqu'en 1617. En 1622, elle passe commande à Rubens de ces 24 toiles, destinées à orner son palais du Luxembourg. La série est incomplète, deux toiles étant à Florence. Ce chef-d'œuvre de l'art baroque n'a jamais été égalé, tant dans ses dimensions (près de 300 m² de toile) que dans sa manière de traiter un sujet historique mêlant réalisme et fantastique dans un décor tournoyant d'un dynamisme époustouflant. À noter que (ce n'est pas raconté dans ces épisodes) Marie sera forcée à l'exil par Richelieu en 1630, se réfugiera chez les ennemis de la France à Bruxelles, sera déchue de son titre de reine et finira tristement sa vie à Cologne en 1642, dans la maison de son artiste favori, Rubens...

– *Salles 21 et 22* (après l'escalier Lefuel) : d'autres chefs-d'œuvre de Rubens. *La Kermesse,* aux accents nettement bruegéliens, où la fête se transforme en bacchanale, mais aussi le délicieux portrait de sa deuxième femme, *Hélène Fourment,* et de nombreuses esquisses.

– Après Rubens, dans les *salles 24 et 25,* on découvre son élève Antoon Van Dyck, portraitiste élégant de la cour d'Angleterre (*Charles Ier, James Stuart,* et surtout la resplendissante génoise *Marquise Geromina Spinola-Doria*).

– On retrouve Van Dyck *salle 26,* avec le double portrait des jeunes et fringants *Duc de Bavière* et *Cumberland.* Mais n'oublions pas David Teniers, le spécialiste du genre rustique *(Intérieur de cabaret)* avec Adriaan Brouwers. Les amateurs de bonne chère se régaleront à la vue de l'extraordinaire *Dessert* de Jan Davidsz de Heem, qui nous donne à contempler un somptueux buffet de victuailles et une vaisselle d'apparat dont le réalisme met l'eau à la bouche. Pour ses contemporains, son interprétation impliquait aussi l'évocation de la fugacité du temps et de la mesure qu'il faut savoir garder face à l'abondance des plaisirs sensuels. Louis XIV acquit ce tableau, et Matisse en fit une version personnelle.

– À partir de la *salle 27,* on aborde le domaine de la peinture hollandaise uniquement, puisque les Pays-Bas sont divisés, au début du XVIIe s, entre les Pays-Bas espagnols au sud et les Provinces-Unies (Hollande) au nord. Un des genres en vogue à cette époque est constitué de pittoresques scènes hivernales, patineurs qui s'adonnent aux joies de la glisse sur les canaux gelés. Sur une composition de petite taille d'Adam Van Breen, on peut voir d'extravagants costumes portés par des personnages présentés de dos.

– *Salle 28,* en plus des paysages de Ruysdael (autre genre en vogue en Hollande avec les marines), on découvre la palette pleine de vivacité de Frans Hals, le peintre de Haarlem, portraitiste hors pair dont la technique influencera beaucoup plus tard Courbet et Manet. Voir sa truculente *Bohémienne.*

– *Salles 31 et 32 :* dévolues à Rembrandt. On apprécie particulièrement l'*Auto-portrait à la tête nue,* le *Philosophe en méditation,* avec un escalier en colimaçon supposé représenter les méandres de la pensée, les *Pèlerins d'Emmaüs,* et surtout l'inoubliable *Bethsabée au bain,* dont le modèle, sa propre femme, est peinte dans sa beauté et ses imperfections avec une tendresse égale. Dans un autre style, le *Bœuf écorché* sera repris bien plus tard par Chaïm Soutine.

– **Salle 35 :** on retient la délicatesse des petites compositions de Gérard Dou, qui reflètent les préoccupations de la vie quotidienne.

– **Salles 36 et 37 :** *Nature morte aux fruits* d'Abraham Mignon, où l'on décèle les signes de précarité et de destruction malgré l'apparente profusion vitale. Les grasses vaches de Paulus Potter ne laissent, elles, aucun doute sur leur vitalité.

– **Salle 38 :** au milieu de toiles de Pieter de Hooch et de Gérard Ter Borch, les spécialistes des intérieurs, le plus fameux et le plus rare d'entre eux, avec deux compositions majeures, Johannes Vermeer, peintre des espaces clos et intimes : *La Dentellière* (magnifique travail sur le coussin) et *L'Astronome,* qui reprend la thématique du savant sage ou savant fou.

L'ASTRONOME

Cette œuvre de Vermeer (aile Richelieu, 2e étage, salle 38) était la préférée de Hitler. Pour lui, elle symbolisait le génie scientifique allemand (même si Vermeer était hollandais !). Volée par les nazis en 1940, elle fut restituée à la fin de la guerre.

Peintures italiennes et espagnoles

Elles se répartissent dans et autour de la Grande Galerie (partie est), Denon, 1er étage, à droite de l'escalier où trône la *Victoire de Samothrace*.

En préambule, il faut se rappeler qu'à la Renaissance l'Italie est morcelée et que chaque prince, chaque duc, chaque famille régnant sur une ville tient à avoir à sa cour les meilleurs artistes pour faire étalage de sa puissance et de sa splendeur. Les œuvres sont donc présentées selon leur provenance géographique, et leurs thématiques sont assez diversifiées.

La production artistique de cette fin de Moyen Âge et du début de la Renaissance est considérable et influence durablement toute la peinture européenne des siècles suivants. Florence et la Toscane donnent le ton en privilégiant le dessin, Venise se spécialise dans la couleur, et Rome profite au XVIe s d'un généreux mécénat pontifical pour asseoir sa primauté sur les autres régions. À la suite des guerres italiennes de François Ier, Fontainebleau devient un centre de diffusion artistique majeur, attirant à la cour du roi de nombreux artistes qui, tel Léonard de Vinci, ne sont pas uniquement des peintres, mais aussi des architectes, des orfèvres, des sculpteurs, des poètes, et même des savants.

– On entame le parcours chronologique par les peintures des XIIIe, XIVe et XVe s. Les fresques de Botticelli, sur les parois des salles qui conduisent au Salon carré **(salles 1 et 2),** sont splendides. L'artiste y crée un type de beauté féminine au physique gracieux, aux longs cheveux blonds ondulés, aux robes fluides, le tout dans un registre de couleurs pastel des plus délicat.

– **Le Salon carré (salle 3)** présente les « primitifs » florentins : Giotto, Fra Angelico, Uccello. La *Vierge à l'Enfant* de Cimabue, tout en gardant une partie de la tradition hiératique byzantine, innove en humanisant les visages et en ébauchant un début de mouvement qu'on peut observer dans le genou en avancée de l'ange, au premier plan. Dans le retable de *Saint François d'Assise recevant les stigmates,* Giotto organise pour la première fois dans l'art occidental un décor naturel où figure une perspective. On entre avec lui dans la troisième dimension.

Dans la même salle, la *Bataille de San Romano* de Paolo Ucello est un des trois panneaux (les autres sont à Florence et Londres) commandés par Cosme de Médicis pour décorer son palais de Florence. Il figure le combat que se sont livré les Siennois et les Florentins en 1432. La profondeur est obtenue dans cette composition par le foisonnement et l'imbrication des pattes des chevaux, des lances et des armures. Cette œuvre aux formes géométrisées a beaucoup fasciné les peintres cubistes au début du XXe s.

De Botticelli, le *Portrait de jeune homme* à la moue dédaigneuse révèle un souci d'expression psychologique. Ne manquez pas de lever les yeux pour admirer le plafond de la salle.

– Dans la **salle des Sept-Mètres (salle 4),** à droite, à l'entrée de la Grande Galerie, les petits formats : Pisanello, dont la *Princesse d'Este* garde encore une facture « gothique » par sa présentation en profil de médaille, alors que le décor de fleurs et de papillons annonce déjà la Renaissance. En revanche, le portrait de *Sigismond Malatesta*, condottiere de Rimini, marque le nouvel individualisme puisque ce profil de médaille est accentué par une série de détails anatomiques précis : yeux globuleux, bouche mince, nez cassé, qui confèrent à l'ensemble la puissance et la violence contenue à la hauteur de la réputation du personnage.

– Autres portraits dans la **Grande Galerie.** Le *Vieillard et un jeune garçon* de Ghirlandaio : on est aussitôt attiré par le nez énorme, hideux, repoussant, que le peintre a placé, comme par malice, au centre de la toile afin que le regard soit comme aspiré par l'incongruité de la représentation. Pourtant, ce nez déformé et la verrue du front ne suggèrent en rien une âme laide : le regard du vieillard est bienveillant, presque ému, et se porte sur le jeune homme avec une tendresse évidente. Sans doute un grand-père et son petit-fils. Du Pérugin, un *Saint Martin* semble connaître l'extase mystique malgré les flèches qui lui percent le corps. Sur le mur opposé, de Mantegna, une série de cinq tableaux aux sujets mythologiques : dans *Minerve chassant les vices,* le personnage de l'Ignorance a l'air particulièrement stupide. Suit à gauche un autre quintette de Léonard de Vinci, parmi les plus intéressants de sa production : la *Belle ferronnière* à l'identité incertaine pourrait être, selon certaines sources, une favorite de François Ier. Le *Saint Jean-Baptiste* intrigue tout autant, on ne peut pas dire que cet androgyne passablement païen corresponde à la représentation traditionnelle du prophète. On pourrait imaginer que son geste étrange (annonçant l'avènement du Christ) signifie : « Vous allez voir ce que vous allez voir ! » Mais cela n'engage que nous ! Autre énigme chère à Leonardo, celui de la *Vierge aux rochers* : cette composition célèbre le mystère de l'Incarnation à travers les figures de Marie, du Christ et de saint Jean. Baignés d'une douce lumière, les personnages sont installés dans un paysage rocailleux, ce qui pour l'époque est complètement novateur, avec de plus une étonnante multiplication des sources lumineuses, des reflets et des brouillards lointains. Cette iconographie nouvelle a connu un succès immense, attesté par la foison de copies contemporaines du tableau. Placée en hauteur, la *Délégation vénitienne à Damas* de l'atelier de Bellini témoigne de la vitalité du commerce de la Sérénissime avec l'Orient.

– Dans la **salle de la Joconde (salle 6),** si vous constatez un attroupement où crépitent les flashs, c'est bien sûr la célébrissime *Joconde* qui attire tous les regards. Bonne chance pour vous en approcher !

Derrière une vitre blindée, ***La Joconde,*** portrait de Mona Lisa, épouse d'un noble florentin, Francesco Del Giocondo, considéré comme un chef-d'œuvre par Léonard de Vinci lui-même. Il ne voulut jamais le donner au mari qui l'avait commandé et l'emporta avec lui à Amboise quand François Ier lui demanda de venir en France. Le roi l'acheta d'ailleurs à la mort du peintre. Quant au fameux sourire de la belle, une neurologue de Harvard affirme qu'il ne serait que le résultat de

LA JOCONDE VOYAGEUSE

Pendant la dernière guerre, le célèbre tableau faisait partie des 50 œuvres prestigieuses qui quittèrent Paris pour fuir les bombardements. Elle fit trois allers-retours à Chambord. Au total, 5 446 caisses quittèrent les musées. Paris ne fut jamais bombardé. En revanche, en juin 1944, deux avions américains s'écrasèrent à proximité du château... Ouf !

notre système de vision. En substance, le phénomène (du sourire) disparaît si l'observateur fixe la bouche... Le tableau, peint sur un panneau de peuplier, est protégé dans un caisson climatisé, étanche, éclairé par une source lumineuse antireflet et suspendu en hauteur. Rien que ça !

La salle est aussi consacrée aux grands formats de l'école vénitienne, dont *Les Noces de Cana* de Véronèse sur le mur qui fait face à Mona Lisa. Avec ses 67 m² (!),

1er

c'est la plus grande peinture du Louvre. L'épisode des *Noces* que relate Véronèse en le plaçant dans un contexte de festin vénitien est paradoxalement une œuvre destinée au réfectoire du couvent bénédictin de San Giorgio Maggiore à Venise, où des moines austères prennent leurs repas sans avoir le droit de regarder ! Le thème est biblique : c'est le moment où le Christ change l'eau en vin. Curieusement, à part

UN DANGEREUX RÉCIDIVISTE

En 1573, Véronèse peindra Les Noces de Cana *et se fera convoquer devant le tribunal de l'Inquisition, qui n'avait pas apprécié l'œuvre. Résultat, le tableau est rebaptisé et porte alors le nom de* Repas chez Lévy, *pour ne pas avoir à associer une référence biblique à la présence de ripailleurs grossiers et serviles.*

l'homme qui scrute au premier plan sa coupe d'un regard étonné, nul ne prête attention au miracle. Mieux, l'indifférence est générale alors même que se déroule l'impensable. Par ce choix, le peintre a confiné le Christ dans un rôle presque mondain, dont la présence ne revêt qu'une importance anecdotique. Détail aggravant : le sablier qui se trouve sous le Christ symbolise la corruption temporelle, donc sa mort prochaine. En plus, au-dessus du Christ, sur l'axe médian, trois bouchers découpent l'agneau (mystique) mais sans suggérer sa résurrection, donc sa divinité ! Le scandale fut considérable à l'époque, et les tribunaux de l'Inquisition n'ont pas manqué d'épingler l'artiste. Il faut dire que les Vénitiens avaient la réputation de croire *énormément* en saint Marc, *assez* en Dieu et *peu* ou *pas du tout* au pape...

– Tout aussi riche est la collection des Raphaël dans la **Grande Galerie.** On retiendra ce magnifique portrait de la vice-reine de Naples, *Doña Isabel de Requesens,* qui renvoie l'image d'une beauté aristocratique pleine de fougue juvénile où la carnation des joues rappelle le pourpre de la robe d'apparat.

Autour de l'élégant *Portrait de Baldassare Castiglione,* un diplomate au regard plein d'humanisme, prototype de l'honnête homme de la Renaissance, on retrouve les œuvres des élèves du maître d'Urbino.

La *Diseuse de bonne aventure* du Caravage est un tableau de genre où l'on s'aperçoit à peine du larcin de la gitane qui subtilise sa bague au jeune gandin tout en lui lisant les lignes de la main. Toujours du Caravage, *La Mort de la Vierge* fut certainement le plus scandaleux de ses tableaux, puisqu'il prit comme modèle une prostituée, le ventre gonflé, retrouvée noyée dans le Tibre. Ce qui ne plut pas du tout à l'Église...

La suite de la galerie charrie son lot de sujets religieux et mythologiques qui, par leur facture maniériste et leurs thématiques, reflètent de plus en plus l'influence de l'Espagne et de Rubens sur la peinture italienne, avant de verser (à de rares exceptions) dans l'affadissement de l'hyperclassicisme. Véronèse, Tintoret et Titien portent au pinacle la suprématie de la peinture vénitienne. Pour le foyer romain, on remarquera la *Galerie de vues de la Rome moderne* de Panini, et les plus petits formats comme Gentileschi, d'inspiration caravagesque.

– Quant aux autres écoles régionales, elles sont représentées dans les **Petits Cabinets,** où l'on se réjouit d'assister aux *Joies du carnaval* grâce à Tiepolo.

– En fin de parcours, les peintres espagnols ferment la marche : on trouve là quelques Gréco, dont une *Descente de Croix* avec un christ complètement extatique, et un *Saint Louis* à qui on donnerait bien l'aumône. Côté portrait, la *Marie-Anne d'Autriche* de Vélasquez a l'air bien rébarbative, et une *Exposition du corps de saint Bonaventure* de Zurbarán par son austérité morbide achève de vous plomber le moral ! On finit par se réconcilier avec l'Espagne grâce au personnage facétieux du *Pied-bot* de Ribera et à celui de la *Marquise de Santa Cruz,* qui nous fait les yeux doux au-dessous de sa mantille, mais il est vrai qu'elle est d'origine autrichienne.

Sculptures italiennes et nordiques

Dans l'aile Denon, on trouve à l'entresol les sculptures nordiques du XIIe au XVIe s et italiennes du XIe au XVe s. Au rez-de-chaussée, la suite des sculptures italiennes jusqu'au XIXe s. Les célèbres *Esclaves* de Michel-Ange y trônent. Quelques pièces troublantes à ne pas manquer : *Psyché ranimée par le baiser de l'Amour* de Canova, la jolie *Nymphe au scorpion* de Bartolini.

Arts de l'Islam

Le récent pavillon des Arts de l'Islam de la cour Visconti tranche avec le néoclassicisme de la cour du XVIIe s par son architecture avant-gardiste, notamment son toit de verre transparent ondulant, véritable tapis volant conçu par Rudy Ricciotti. Et ce nouvel espace de 2 800 m² n'est pas de trop pour déployer l'une des plus riches collections d'art islamique au monde, trop longtemps marginalisée. Près de 15 000 œuvres, complétées par les 3 500 dépôts de l'Union centrale des arts décoratifs, sont ainsi présentées sur deux niveaux. Origine géographique (de l'Espagne à l'Inde, en passant par le Maghreb, l'Iran...) ou historique (du VIIe au début du XIXe s), matériaux ou techniques utilisés : la diversité et la richesse de la collection sont évidentes. Céramiques, miniatures, textiles, verres, éléments d'architecture... La variété des œuvres reflète la diversité du monde arabo-musulman.
Commencez par le rez-de-cour, espace ouvert et lumineux qui présente les œuvres datant du VIIe au XIe s, comme de magnifiques faïences irakiennes du IXe s ou de belles sculptures animalières. Ensuite, dirigez-vous vers le parterre (au sous-sol), pour admirer des pièces couvrant la période XIe-XVIIIe s, et notamment une superbe collection de tapis et de carreaux de céramique iraniens et ottomans. Un parcours chronologique et géographique permet aux visiteurs de découvrir l'évolution de cet art et de mieux contextualiser les œuvres. Ainsi, différents outils permettent une meilleure compréhension du monde islamique : textes, installations multimédias, textes lus en arabe, en persan ou en turc... Et maintenant, à vous d'en profiter !

Sculptures françaises

Les sculptures françaises se trouvent au rez-de-chaussée de l'aile Richelieu, dans et autour des deux grandes cours couvertes. À l'entresol, la **salle 20,** appelée crypte Girardon, on accède aux cours Puget et Marly à leur niveau le plus bas, ce qui permet d'avoir une vue en contre-plongée (à la Eisenstein !) sur les sculptures monumentales.
– À droite, la **cour Puget,** avec de nombreuses sculptures de plein air du XVIIe au XIXe s. Au niveau médian, le *Milon de Crotone* par Puget, où Milon, athlète présomptueux, demeure prisonnier du tronc qu'il voulait fendre...
– À gauche, la **cour Marly,** avec les *Chevaux* de Coustou, qui ont quitté Marly pour la Concorde, puis celle-ci pour le Louvre...
– Gagnez la terrasse supérieure de la cour Marly, puis allez à gauche. Le parcours chronologique débute dans le vestibule. Pour la partie médiévale **(salles 1 à 10),** chaque salle est organisée autour d'une œuvre ou d'une thématique (les Vierges à l'Enfant, les retables, les gisants...).
– Les salles des époques Renaissance et classique s'organisent autour d'un sculpteur et de son œuvre : Jean Goujon, Germain Pilon. À partir de la **salle 21,** le circuit continue autour de la cour Puget, et il faut repasser par la crypte Girardon. On peut y voir Pigalle *(Mercure attachant ses talonnières),* Houdon, Chaudet (*La Paix* et *L'Amour*)...
– La petite galerie de l'Académie **(salle 25)** regroupe les « morceaux de réception » des sculpteurs à cette dernière au cours du XVIIIe s. Parfois, le morceau de réception d'un sculpteur représentait l'œuvre majeure de toute une vie...

Objets d'art

Les collections du département des Objets d'art sont réparties au 1er étage entre les ailes Richelieu (Moyen Âge, Renaissance, XVIIe s), Sully (XVIIe et XVIIIe s) et à nouveau Richelieu (XIXe s, Restauration, monarchie de Juillet et appartements Napoléon-III).

Du Moyen Âge à la Renaissance

– *Richelieu, 1er étage :* arts mérovingien, carolingien, byzantin, roman et gothique.
– Dans les premières salles en enfilade, noter la *patène de Charles le Chauve,* qui provient du trésor de Saint-Denis, les *vases de Suger* et la *Vierge de Jeanne d'Évreux* en argent doré. On trouve même l'épée de Charlemagne, « Joyeuse » de son petit nom, qu'évoque *La Chanson de Roland.* Très richement décorée, elle a aussi une haute valeur symbolique, puisqu'elle fut utilisée lors du sacre de nombreux rois de France (entre autres Louis XIV).
– *Salles 9 et 10 :* les tapisseries appelées mille-fleurs (les plus rares sont à fond rose) constituent l'une des productions les plus séduisantes de la fin du Moyen Âge.
– *Salle 11 :* une admirable sélection d'émaux de Limoges du XVIe s. *La Résurrection* de Léonard Limousin se trouve dans la salle 22.
– *Galeries 19 et 20 :* deux séries de tentures très célèbres y sont mises en valeur, *Les Chasses de Maximilien* (12 pièces illustrant des épisodes de chasse dans les forêts du Brabant chaque mois de l'année), réalisées à Bruxelles vers 1530 d'après les cartons de Bernard Van Orley, et *L'Histoire de Scipion* (huit tapisseries tissées aux Gobelins de 1688 à 1690). Remarquable armure d'Henri II.
– *Salles 27 et 28 :* trésor, tentures et manteaux de l'ordre du Saint-Esprit.
– *Salle 30 :* terres vernissées de Bernard Palissy, qui, contrairement à ce que la légende prétend, n'aurait pas brûlé tous ses meubles pour les faire cuire...
– *Salle Mazarin* (à la jonction de l'aile Sully) *:* évocation des collections royales sous Louis XIII et Anne d'Autriche.

Le XVIIIe s

Après plusieurs années – 9 ans ! – de fermeture au public, un gros chantier de rénovation vient de s'achever dans la trentaine de salles abritant les objets d'art du siècle des Lumières : meubles, décors peints, orfèvrerie, porcelaines, tapis... autant de chefs-d'œuvre de l'artisanat, de la production manufacturière et de la décoration intérieure provenant principalement des collections royales et princières, qui font revivre les talents de l'époque : Riesener, Carlin, Cressent, Boulle, Oudry, les faïenceries de Meissen ou de Sèvres... ces grands noms qui ont permis le rayonnement des arts décoratifs dans toute la bonne société européenne. On redécouvre aujourd'hui cet ensemble déployé au fil d'une nouvelle muséographie très marquée par l'empreinte du décorateur Jacques Garcia, principalement chronologique ; quelques « period-rooms » permettent de resituer les œuvres dans le contexte de l'époque, tandis que des vitrines thématiques offrent une autre approche. Lambris et étoffes ont été redisposés, ou, plus souvent, reconstitués (dommage d'ailleurs que pour l'instant, aucune information ne permette de distinguer le vrai du faux). Une poignée d'écrans multimédias proposent de courts films – sans son – bien faits.

Le XIXe s et les appartements Napoléon-III

– Voir, dans les *salles 67 à 73* consacrées au XIXe s, la *chambre de Mme Récamier.* Également, salle 73, le *serre-bijoux* de l'impératrice Joséphine et, salle 71, une belle collection de *porcelaines.*
– *Les salles 75 à 81* sont consacrées à la Restauration et à la monarchie de Juillet.
– *Les appartements Napoléon-III* (le clou de la visite) furent aménagés par l'architecte Lefuel pour loger le ministre Fould, qui ne les habita jamais... Règne de l'or et de l'illusion pour ce palais de style Louis XIV, caractéristique du Second Empire. La galerie d'introduction dessert le salon de famille et le salon-théâtre, qui pouvait accueillir jusqu'à 265 spectateurs. Le salon de famille *(salle 88)* sert de transition entre les grands et les petits appartements. La pièce la plus vaste et la plus somptueuse reste le Grand Salon. Noter le splendide lustre en cristal de Baccarat, la peinture du plafond réalisée par Maréchal et les meubles capitonnés aux noms évocateurs de « confidents » ou d'« indiscrets ». Dans la petite salle à manger *(salle 84),* une charmante peinture en trompe l'œil. La grande salle à manger *(salle 83)* est d'un style nettement plus sévère.

– Pour en terminer avec le département des Objets d'art, passez, à l'occasion d'une visite aux peintures italiennes, dans la **galerie d'Apollon** (Denon, 1er étage, **salle 66**). Là se trouve la collection de pierres dures et de joyaux de Louis XIV, ainsi que le trésor des rois de France. Magnifiques pierres taillées et objets en cristal de roche.

Antiquités orientales

– Au rez-de-chaussée, dans l'aile Richelieu autour de la cour Khorsabad **(salles 1 à 6),** sont situées les œuvres mésopotamiennes et, plus loin, celles d'Iran **(salles 7 à 10).**

– **L'aile Sackler** (Sully, rez-de-chaussée) abrite les antiquités orientales à la suite du circuit de l'Iran. On y trouve, superbement mises en valeur, plus de 2 000 œuvres en provenance d'empires déchus comme celui de Babylone. Ne pas manquer l'un des musts des antiquités orientales : la statue découverte à Aïn Ghazal (Jordanie), datant du VIIe millénaire av. J.-C. et prêtée au Louvre par le royaume hachémite. Haute de 1,05 m, elle est caractéristique de la culture néolithique précéramique. Curieux : elle présente une attitude moderne, décontractée, une légère ironie dans l'expression.

La première salle est consacrée à l'Iran de l'âge du fer : terres cuites, mors de chevaux ornés de motifs gravés. Ensuite, extraordinaire décor du palais de Darius Ier, à Suse, avec des frises magnifiques représentant des chasseurs et des animaux, et le fameux chapiteau de l'Apadana (7 m de haut). De l'Iran achéménide, on passe à l'époque parthe et à ses statuettes d'albâtre.

– Autour de la cour Khorsabad, des objets qui datent du IIe millénaire av. J.-C. : la **stèle des Vautours,** les innombrables statuettes de Goudéa, la statue d'Ebih II aux yeux incrustés de lapis-lazuli, une stèle en basalte où sont gravées les premières lois de l'humanité (le fameux Code d'Hammourabi dans la **salle 3**), etc.

Les arts d'Afrique, d'Asie, d'Océanie et des Amériques

– **Le pavillon des Sessions :** *fermé ven (et peut-être aussi mer en 2015), sinon mêmes horaires que le reste du musée ; entrée avec le même billet. Accès par la porte des Lions ou visite à la suite du reste des collections du Louvre, après les peintures espagnoles et italiennes.*

Le lieu doit son nom (au départ « pavillon des États ») à l'usage pour lequel il avait été initialement prévu : accueillir les sessions parlementaires. Il ne le fera jamais et abrite aujourd'hui une sélection d'œuvres du musée du quai Branly, sorte de vitrine de ce musée au sein du Louvre. Ici sont présentées 120 œuvres magistrales, par aire géographique, de l'ouest vers l'est.

D'abord l'Afrique, avec des œuvres de la période Nagada II (Égypte, Ve-IVe millénaire av. J.-C.), une sculpture nok du Nigeria ou encore le dieu Gou du Bénin. Puis l'Asie, mais plutôt l'Asie des peuples sans écriture que celle des grands empires. Vient ensuite l'Océanie, avec des objets provenant aussi bien de Mélanésie et de Polynésie que des îles Carolines ou de la célèbre île de Pâques. Les Amériques enfin, fort bien représentées, aussi bien pour le Nord que pour le Sud, dont une céramique de Chupicuaro, symbole de fertilité, devenue l'emblème du musée du quai Branly. Pour conclure la visite, un espace multimédia permet d'accéder à de plus amples informations sur les objets et sculptures présentés.

LE QUARTIER DU PALAIS-ROYAL

Les Arts décoratifs (plan couleur B2)

Les Arts décoratifs chapeautent le **musée des Arts décoratifs** (collections d'arts décoratifs, design, mode et textile, publicité, art graphique) et le **musée**

Nissim-de-Camondo (8e arrondissement), la *bibliothèque des Arts décoratifs,* les *Ateliers du Carrousel* et l'*école Camondo* (14e arrondissement). Cette association fut créée à la fin du XIXe s par des industriels, des collectionneurs et des professionnels qui voulaient marier l'art et l'industrie.

Entrée au 107, rue de Rivoli, 75001. ☎ 01-44-55-57-50. ● lesartsdecoratifs.fr ● Ⓜ Palais-Royal-Musée-du-Louvre ou Tuileries. ♿ (par le n° 105). Tlj sf lun 11h-18h (21h jeu pour les expositions temporaires slt). Un billet unique permet l'accès aux collections permanentes du musée des Arts décoratifs, aux expos temporaires dans les espaces de la mode, de la publicité, dans la galerie des Jouets et dans la galerie d'Actualités. Réservez vos billets en accès prioritaire en magasin et sur ● fnac.com ● Entrée : 11 € ; tarif réduit : 8,50 €. Expos temporaires régulières dans la nef, liées aux arts décoratifs : 11 € ; tarif réduit : 8 €. Pass 13,50 € ; tarif réduit : 11 €. Noter encore le pass Arts décoratifs : 19 € ; tarif réduit : 14,50 €. Celui-ci inclut, en plus, les expos temporaires et l'entrée au musée Nissim-de-Camondo. Gratuité des collections permanentes pour les moins de 26 ans. Riche calendrier de manifestations : visites guidées, ateliers pour enfants, conférences... consulter le site. On trouve également une jolie boutique présentant des copies des objets du musée, des créations contemporaines et une librairie complète sur le monde des arts.

Le musée des Arts décoratifs

♣♣♣ *Billet valable tte la journée ; audioguide gratuit ; début de la visite au niveau 3.*

On vous le dit tout de go : c'est magnifique ! L'aile du pavillon de Marsan, dont la nef a un superbe volume, constitue un écrin à la mesure du patrimoine qu'elle abrite. Mobilier, tapisseries, sculptures, bijoux, arts de la table, jouets... créés avec des matériaux aussi variés que le bois, le papier, l'or et l'argent, la porcelaine, le verre ou le plastique, témoignent de la richesse des arts décoratifs du Moyen Âge à nos jours. Mais alors, quel est le point commun des quelque 770 000 objets qui constituent les collections ? Tous sont le fruit à la fois du désir et de la nécessité, de l'imagination au service du beau et de l'utile tels qu'on les concevait à différentes époques suivant le contexte politique, les progrès techniques et l'évolution des goûts. Chacun des objets présentés a donc été soigneusement sélectionné. Le musée occupant près de 9 000 m², il vous faudra faire des choix, à moins d'y consacrer une journée de visite. Et surtout, munissez-vous du plan du musée, ce n'est pas superflu.

L'agencement des collections est chronologique, mais si vous préférez une visite thématique, c'est possible aussi : vous découvrirez alors la *galerie des Jouets,* la *galerie des Bijoux* (superbe !), la *collection Dubuffet* et les *expos temporaires de la galerie d'Étude.* On rencontre aussi ponctuellement, au fil des salles, quelques sujets traités sous un angle thématique comme celui de l'évolution du fauteuil au XVIIIe s *(salle 26).*

Une dizaine de « *period-rooms* » jalonnent le parcours qui va du Moyen Âge jusqu'à la période Art déco. On y découvre la reconstitution d'un salon, d'une chambre, voire d'un appartement entier, avec son mobilier et ses bibelots ; autant de pièces représentatives d'un habitat à une période donnée : chambre à coucher du XVe s (le lit est court et généreusement fourni en oreillers, parce qu'alors on évite à tout prix la position allongée, réservée aux défunts), cabinet doré de l'hôtel de Rochegude à Avignon (1725), appartement privé de Jeanne Lanvin... Une initiative qui rythme intelligemment le parcours, tout en synthétisant de façon pédagogique ce qui a défilé sous nos yeux.

Arrêtez-vous donc devant la tapisserie *Le Festin du seigneur* (Bruxelles, début XVIe s, *salle 8),* qui à elle seule en dit long sur les usages alors liés aux repas. Observez comment, à l'époque, on s'installait à la table dressée (au sens propre) : les convives sont tous assis du même côté, pour mieux profiter du spectacle des troubadours et faciliter le service ; une tranche de pain rassis (ou « tranchoir ») fait office d'assiette et, si les plats sont nombreux, l'usage veut qu'on ne se serve que de ceux qui sont face à soi. Fi donc, le chevreuil qui nous fait de l'œil... ce sera pour le voisin ! Un peu plus loin, on découvre d'étonnants tableaux marquetés (portraits, natures mortes), réalisés selon la technique italienne de l'*intarsia,* ancêtre de la marqueterie. Si leur fabrication est contemporaine de la création de la tapisserie du *Festin,* on ne trouve de notion de perspective que sur les tableaux italiens. La Renaissance sonnait à nos portes.

Voyez aussi, au fil des salles, la mutation de certains meubles au rythme de l'évolution des modes de vie : le coffre-banc par exemple, qui gagnera un dossier pour devenir la cathèdre, avant de donner naissance, bien plus tard, au vertugadin, dont l'assise est adaptée aux robes à paniers du XVIIIe s. De la même manière, la sédentarisation progressive de la bourgeoisie et de l'aristocratie permettra peu à peu de dissocier les fonctions d'assise et de rangement. Les meubles se sont d'ailleurs taillé la part du lion dans les collections exposées : l'occasion d'observer, en fonction de la mode, les meubles les plus représentatifs d'une époque comme le gracieux bonheur du jour (petit meuble féminin d'écriture, dont le nom fait référence à l'occupation favorite des dames du monde au XVIIIe s) ou la commode (voyez justement la superbe et imposante commode double à armoires d'encoignure de la salle des frisages). En chemin, ne ratez pas le charmant fauteuil cabriolet dit à coiffer, d'époque Louis XV.

Le contexte économique et politique se reflète aussi dans les arts décoratifs : ainsi Louis XV voulait-il que les manufactures françaises percent le secret de la perfection de la porcelaine de Meissen (Saxe) ; la culture du Levant a aussi suscité l'engouement de la bonne société dès les premiers échanges de la France avec l'Extrême-Orient : porcelaines chinoises importées, mais aussi influences chinoises dans les arts décoratifs français, comme dans ces *Scènes de la vie chinoise* de Boucher dans le cabinet des laques (pêche au pélican, petites pagodes qui se glissent dans le paysage...) ou dans le bestiaire oriental apprivoisé par les artisans européens.

Ne manquez pas le ravissant *cabinet des Fables* (1750) provenant de l'hôtel de Mme Dangé, place Vendôme. Une récente restauration ayant permis de redécouvrir les scènes rocaille du XVIIIe s partiellement masquées par les interventions postérieures de l'administration militaire, il a été décidé de conserver certains des panneaux remaniés au XIXe s. Un parti pris (en soi éloquent) qui nous offre un bon exemple de l'évolution du (bon) goût.

À cet égard, la place dévolue aux arts décoratifs du XIXe s, longtemps mal aimés, est aujourd'hui bien plus étoffée qu'avant la rénovation du musée... Et pourtant, les dragons de la dernière salle XIXe s (entre autres) n'ont vraiment pas un physique facile !

On poursuit du côté de l'Art nouveau : un courant toujours aussi surprenant plus d'un siècle après... Mais quel regard nouveau ce mouvement apporte-t-il alors ? Le fait de considérer que la forme (du meuble, de l'objet) est décor en soi ; un décor qui puise largement dans les volutes et les rondeurs de Dame Nature. Et puis, bien sûr, l'utilisation de matériaux industriels tels que le métal. Dommage que les deux salles consacrées à cette période ne soient pas au même étage.

Dans les années 1940 au contraire, le décor disparaît au profit de la fonctionnalité. L'ère industrielle étant passée par là depuis belle lurette, les pièces uniques des artisans se raréfient au profit des séries. Mais c'est aussi l'apparition de nouveaux matériaux comme le plastique qui libérera la créativité des designers, ne serait-ce qu'en permettant de concevoir des formes que les matériaux traditionnels tels que le bois ne permettaient pas d'envisager : par exemple, la forme des chaises et des fauteuils. Pourrait-on d'ailleurs voir dans ces évolutions de la création/technique une évolution du rapport au corps (on n'est plus contraint à la rigidité, à l'inconfort, à l'étiquette sociale...) ? Bon, là on se prend un peu la tête... et la vôtre au passage !

Découvrez l'imagination dont les designers ont fait preuve et l'évolution de ces sièges sur une période de 70 ans ; très amusant, d'autant que, de cette salle *(salle 56),* la vue sur Paris est superbe. Dans la salle suivante, on peut même s'installer dans des fauteuils de designers et découvrir le petit film *Surtout le [de-zign],* où l'on découvre la place du design dans le septième art. Un peu plus loin, on fait irruption dans des micro-univers de designers, mis en scène par eux-mêmes : marrante – et économique à défaut d'être écolo ! – la peau de bête en lino de Pucci de Rossi ou le salon de Jean Royère !

Gardez encore un peu d'énergie pour découvrir, si vous ne l'avez pas encore fait, la richesse de la galerie des Bijoux, qui offre un panorama de l'histoire du bijou et de la joaillerie du Moyen Âge à nos jours. Des pièces rares sont exposées, parfaitement mises en valeur dans des écrins de velours noir, et on peut lire d'intéressantes explications relatives aux techniques et matériaux utilisés (qu'est-ce qu'un camée, d'où vient le nom du strass...). Admirer les créations d'inspiration végétale de René Lalique, joyaux de l'Art nouveau, ainsi que celles d'autres grands noms de la création : Georges Braque, Jean Lurçat, ou même Calder. À voir aussi, la donation Dubuffet (niveau 2) et, pour ceux qui ont une âme d'enfant, la galerie des Jouets (niveau 2 toujours).

Les Arts décoratifs conservent des **collections exceptionnelles de mode et de textiles** parmi les plus riches au monde, ainsi qu'un **formidable fonds d'affiches, de films et d'objets publicitaires,** de Toulouse-Lautrec à Jean-Paul Goude.

Les jardins des Tuileries (plan couleur A-B2)

🎭🎭🎭 Ⓜ Tuileries.

Pourquoi « Tuileries » ? Parce que la terre argileuse du sol servait à fabriquer des tuiles. On y a même longtemps trouvé une manufacture. Cette ancienne décharge publique fut rachetée par Catherine de Médicis pour y aménager un parc de plaisance. Embelli par Le Nôtre un siècle plus tard, le jardin à la française devint vite très populaire.

Au fil du temps, les jardins des Tuileries ont toujours suscité le désir, la passion, l'amour, autrement dit l'érotisme dans son aspect le plus large. Peut-être sont-ce les arbres, les faunes, les statues ? À la veille de la Révolution, le dimanche, les familles bourgeoises au grand complet venaient y prendre l'air. On y

DU RIFIFI AUX TUILERIES

C'est dans les ruelles de ce quartier que Marie-Antoinette se perdit, en juin 1791, alors qu'elle devait fuir Paris. Son retard lui fit manquer l'escorte du duc de Fersen et provoqua son arrestation à Varennes.

louait des chaises pour les dames fatiguées. Entre familles, on se saluait gravement, lentement... Mais à travers ces cérémoniaux pompeux, les filles et les garçons, eux, échangeaient des regards aussi furtifs que brûlants... Sous le Directoire s'y pavanaient les incroyables et les merveilleuses.

Quelques infos pratiques

Jardin ouv dernier dim de mars-dernier sam de sept, tlj 7h-21h (23h juin-août) ; le reste de l'année, tlj 7h30-19h30. Avr-oct, visite guidée gratuite w-e et j. fériés à 15h30 ; rdv au pied de l'arc de triomphe du Carrousel du Louvre ; durée : 1h-1h15. Toilettes publiques à droite de l'entrée du jardin (au niveau du métro Tuileries). Rens au ☎ 01-40-20-67-73.

Les Tuileries, vieilles de plus de 400 ans, se sont offert un beau lifting pour le XXIe s. Vous entrez par la grille d'Honneur, place de la Concorde. Aux deux angles, les pavillons du Jeu de paume et de l'Orangerie. De part et d'autre, des groupes sculptés qui évoquent les fleuves et les saisons. La *Renommée* et *Mercure* ont été apportés de Marly en 1719. En face, le fameux axe de Paris continue, en partant de la Défense, droit vers la pyramide, avec un léger écart de perspective de 2 m autour de l'arc de triomphe du Carrousel, mais peu le remarquent... Le Louvre tourne avec la Seine !

Entre les quinconces de marronniers sont aménagés cafés et buvettes dans un style discret. Le bassin rond s'anime à partir de 15h grâce aux évolutions des petits voiliers aux couleurs vives, affrétés par un groupe de passionnés de navigation. Le sol stabilisé presque blanc est un merveilleux réflecteur de la lumière solaire, de quoi faire croire que vous avez passé vos vacances aux Seychelles.
Les nombreuses statues (une centaine !) des XVIIIe et XIXe s ont été rénovées en 1990. En signature, on y trouve souvent le nom de Coustou. Un projet du Fonds national d'art contemporain a financé, en 1998, l'installation d'une quarantaine de sculptures de grands artistes contemporains, d'Alberto Giacometti à Jean Dubuffet en passant par Louise Bourgeois et Roy Lichtenstein, ou encore Henry Moore. Les originaux les plus précieux sont maintenant à l'abri au musée du Louvre. Ces œuvres, disséminées à travers le parc, invitent à le parcourir au gré d'une promenade thématique liée à l'art plastique.
Les opulentes femmes en plomb de Maillol ont trouvé une disposition homogène dans le jardin du Carrousel parmi les 12 rangées d'ifs taillés qui s forment un labyrinthe de 6 ha. Pour y parvenir, dépassez les petits fossés creusés au XIXe s pour éloigner la foule de l'ancien château, et montez les 12 marches de la terrasse des Tuileries, toujours en direction de la pyramide du Louvre.

Au milieu de cette perspective, l'arc de triomphe du Carrousel, de style assez prétentieux, construit en 1808 en l'honneur des victoires (Austerlitz surtout) du non moins prétentieux Napoléon. On lui pardonne, car il était à la hauteur... Inspiré par l'arc de Septime Sévère à Rome, ses belles colonnes de marbre rose racontent la campagne de 1805. Les chevaux, sculptés par Bosio, sont les copies des originaux dérobés aux Vénitiens par Napoléon. Les Vénitiens les avaient volés à Constantinople. Mais leur voyage ne s'arrêta pas là puisque Louis XVIII les restitua finalement à Venise, où une copie trône désormais au-dessus du

LE PLUS GRAND BANQUET DU MONDE

En 1900, pour l'Expo universelle, on invita les 20 277 maires de France à un déjeuner organisé par Potel et Chabot dans les jardins des Tuileries. Des tables furent dressées sur 7 km. Le repas comportait 6 plats (donc 125 000 assiettes !), 2 400 faisans, 2 t de saumon et 3,5 t de bœuf. À l'époque, on buvait sacrément : 50 000 bouteilles, donc 2,5 l par personne (et aucun point retiré !). Les ordres étaient transmis aux maîtres d'hôtel par des cyclistes. Le repas se déroula, sans aucun heurt, en 1h25.

porche de la basilique Saint-Marc ; les originaux se trouvent au musée Marciano, à l'intérieur de la basilique. Ce nom de Carrousel est resté en souvenir du carrousel donné à Paris en 1662 par Louis XIV à l'occasion de la naissance du Dauphin.
Entre les deux pavillons de Marsan et de Flore s'étendait le fameux château des Tuileries, construit sous Catherine de Médicis à partir de 1563 et incendié sous la Commune en 1871. De Napoléon Ier à Napoléon III, ce fut la résidence des souverains français.
🏃 Quant aux enfants, ils s'amusent sur les aires de jeux, ou font une promenade à poney. Ils peuvent également s'initier aux arts plastiques et au jardinage à l'atelier des Tuileries (*L'Enfance de l'art*, ☎ 01-42-96-19-33).
⊕ *La Librairie des Jardins* (pl. de la Concorde, près de la grille d'Honneur ; tlj 10h-19h) présente de nombreux ouvrages spécialisés sur l'art et les jardins (c'est la seule en France !).

🎭🎭🎭 *Le musée de l'Orangerie* (plan couleur A2) : à l'angle du quai des Tuileries et de la pl. de la Concorde, dans le jardin des Tuileries. ☎ 01-44-77-80-07.
● musee-orangerie.fr ● Ⓜ Concorde. Bus n°s 24, 42, 52, 72, 73, 84 et 94. Tlj sf mar 9h-18h. Fermé 1er mai, mat du 14 juil et 25 déc. Réservez vos billets en accès prioritaire en magasin et sur ● fnac.com ● Entrée : 9 € ; réduc ; gratuit

moins de 26 ans et pour ts le 1er dim de chaque mois. Majoration pour certaines expos temporaires. Audioguide : 5 €.

La clarté de l'espace d'exposition rend un bel hommage au maître de l'impressionnisme, qui n'avait pas manqué de patriotisme en offrant à l'État les *Nymphéas*, peints pour l'Orangerie au moment de la déclaration de guerre (1914). À cette période, Monet veut rompre avec les codes académiques et transmettre la notion d'espace, l'impression d'infini. L'Orangerie, exposée est-ouest, séduit Monet.

On pénètre d'abord dans un petit vestibule, « le pronaos », souhaité par Claude Monet, aujourd'hui ouvert d'un côté sur le jardin des Tuileries et de l'autre sur la Seine. La nature, la lumière et l'eau, les trois thèmes récurrents des *Nymphéas*. Puis on entre véritablement dans le sanctuaire. Dans ces deux vastes salles elliptiques (elles forment le huit de l'infini), sur 2 m de hauteur et près de

MAUVAIS ŒIL

Monet avait subi une opération de la cataracte, qui entraîna une perception modifiée des couleurs. On s'en rend bien compte sur le grand tableau des Nymphéas (1re salle côté Seine) ; là, au niveau de la jointure, les couleurs sont différentes avant et après l'opération.

100 m linéaire, se déploie un paysage d'eau jalonné de nymphéas, de branches de saules, de reflets d'arbres et de nuages. Manifestation tardive et longtemps jugée déroutante d'un impressionnisme auquel la monumentalité et l'absence de toute figure humaine confèrent un caractère abstrait, cet immense ensemble mural est la somme de toute une vie d'artiste. Poursuivi pendant 12 ans, de 1914 à 1926, il puise dans l'univers familier de Monet : le « jardin d'eau » de sa propriété de Giverny, entouré d'arbres et orné de plantes aquatiques, devant lequel, 30 ans durant, le peintre posa son chevalet pour en sonder les rythmes changeants.

La visite se poursuit au niveau -2 vers les chefs-d'œuvre de l'extraordinaire collection Walter-Guillaume. Paul Guillaume était un marchand d'art visionnaire et autodidacte. Sa collection personnelle, complétée après sa mort par sa veuve Domenica (remariée à l'industriel Jean Walter, d'où les deux noms), réunit 145 tableaux de la fin du XIXe au début du XXe s. Deux portraits nous présentent le collectionneur : un de Modigliani, un de Derain et un autre de Van Dongen, peint 10 ans après. Guillaume partageait avec son client, le docteur Barnes, son goût pour les peintures de Renoir. Vous en verrez plusieurs, dont *Jeunes filles au piano,* une version d'étude beaucoup moins conventionnelle que celle exposée au musée d'Orsay ; remarquez la densité des chevelures, propres à Renoir. Très beau *Paysage de neige,* très rare dans la production de ce peintre de la joie de vivre. À côté du *Bouquet,* une *Nature morte* de Cézanne, dont la recherche des couleurs et des volumes est très novatrice. En prenant du recul devant *Le Rocher rouge,* belle perspective du chemin. Et puis quelques superbes Picasso, notamment une *Grande baigneuse* qui signe son retour au classicisme après le cubisme, une *Grande nature morte* et *La Femme au tambourin,* les seuls tableaux du mouvement cubiste ici présentés, une foule de Derain, le peintre fétiche de Paul Guillaume (délicieux paysages de Provence), et encore des œuvres de Matisse, Utrillo et Soutine. Concernant Soutine, l'Orangerie abrite la plus grande collection européenne du peintre lituanien avec 22 toiles. Les aménagements de l'Orangerie ont permis de dégager l'identité historique et l'originalité esthétique de la collection, qui la rendent sans équivalent dans les autres musées de Paris.

🎨🏛 **Le Jeu de paume** (plan couleur A1) : 1, pl. de la Concorde, 75008. ☎ 01-47-03-12-50. ● jeudepaume.org ● Ⓜ Concorde. ♿ Au coin de la rue de Rivoli. Mar 11h-21h, mer-dim 11h-19h. Fermé lun et certains j. fériés. Réservez vos billets en accès prioritaire en magasin et sur ● fnac.com ● Entrée : 8,50 € ; tarif réduit : 5,50 € ; gratuit étudiants et moins de 26 ans le dernier mar du mois après 17h. Visites de groupe et cours de formation sur résa (☎ 01-47-03-12-41). Un centre d'art consacré à l'art moderne et contemporain qui abrite exclusivement des expositions temporaires dans le domaine de la photographie, de l'image, de la vidéo, du cinéma et des nouveaux médias. Librairie au rez-de-chaussée et auditorium au sous-sol proposant des conférences, des colloques, des films de cinéastes indépendants ainsi que des programmations thématiques.

Le Palais-Royal *(plan couleur C2)*

🎬🎬🎬 ☎ 01-47-03-92-16. ● palais-royal.monuments-nationaux.fr ● Ⓜ *Palais-Royal-Musée-du-Louvre. Jardin ouv tlj 7h30-20h30.*

Ce lieu, dont l'occupation remonte à l'époque romaine, fut probablement la première station thermale de Paris. En effet, on a retrouvé dans le sous-sol une villa et de vastes bassins. Le bâtiment actuel fut l'ancien palais du cardinal de Richelieu. Il s'appelait d'ailleurs Palais-Cardinal. Il n'en reste que la galerie des Proues en façade sur la cour d'honneur. Louis XIV y vécut pendant ses premières années. Il jouait au roi et à la reine dans les communs du palais avec la fille d'une servante qu'il appelait « la reine Marie ». Puis Henriette de France (veuve de Charles Ier d'Angleterre) y logea. Durant la régence de Philippe II d'Orléans (dit « le Gros »), il abrita de célèbres soupers libertins. Son fils, Louis-Philippe-Joseph, futur Philippe Égalité, à court d'argent, réduisit le jardin et fit construire, sur trois côtés, des boutiques et des appartements de rapport. Trois nouvelles rues prirent le nom des cadets d'Orléans : Valois, Montpensier et Beaujolais, et les jardins du Palais-Royal furent ouverts à la foule parisienne.

En 1786, construction du Théâtre-Français (actuelle **Comédie-Française**), à la splendide salle avec ses soirées dédiées aux grands classiques. À l'intérieur, célèbre buste de Voltaire par Houdon et le fauteuil dans lequel Molière eut un malaise fatal en jouant *Le Malade imaginaire*. Un tuyau : si vous n'avez pas de place pour un spectacle, 65 places à visibilité réduite sont mises en vente 1h avant le lever du rideau, à un prix défiant toute concurrence *(compter 5 €)*, rue de Montpensier, à l'angle de la rue de Richelieu.

À la fin de l'Ancien Régime, le Palais-Royal était très vivant et généreusement mal famé. Les tripots y abondaient. C'était alors le lieu où tout le monde se rendait pour ripailler, jouer et batifoler. Sous les galeries, cafés et salles de jeux attiraient la foule. Le plus fameux, le *Café de Foy*, offrait même de l'eau-de-vie des îles (du rhum). Sur ordre du duc d'Orléans, la police avait l'interdiction d'entrer dans l'enceinte du palais. Chamfort habita là. Diderot y flânait... Jan Potocki y croisait Mme de Staël. Fragonard y mourut... en mangeant une

DRÔLE DE FAÇON D'AMUSER LA GALERIE !

Autrefois, les prostituées occupaient carrément les galeries de ce royal palais. La police y était interdite d'accès. Quantité de guides décrivaient en détail les belles et leurs tarifs. « Marie, grande blonde, teint livide, dents gâtées... 3 livres. En marchandant, 1 livre 4 sols ». Une demoiselle du bas pavé sûrement. Celle-ci est déjà un ton au-dessus : « Julie, brune assez jolie, gros tétons, faisant de tout... 6 livres. »

glace. Dans cette ruche aux 31 tripots, les esprits fermentaient. C'est ici que Camille Desmoulins, le 12 juillet 1789, perché sur une chaise au *Café de Foy*, appela le peuple de Paris à prendre les armes après le renvoi du ministre libéral Necker. Charlotte Corday acheta le couteau qui frappa Marat chez *Badin*, l'une des boutiques du palais. Sous un chapiteau, on présentait des pièces licencieuses, plus loin un prêtre commentait Rousseau. Bref, on rigolait sec.

En 1815, les Russes et les Prussiens, vainqueurs de Napoléon, y auraient joué... et perdu au « trente-et-quarante » la totalité des dommages de guerre payés par la France ! Dans les années 1830, les suicides de joueurs ruinés étaient si nombreux qu'ils obligèrent Louis-Philippe à chasser filles et tripots.

Aujourd'hui, le Palais-Royal s'est bien assagi. L'enclos de verdure n'accueille plus que les retraités, les nourrices, les enfants et les salariés du coin, et est assailli les dimanches ensoleillés. Il reste un rare privilège pour ceux qui résident au-dessus d'un calme jardin en plein cœur de la ville. Colette y mourut en 1954, et Jean Cocteau y vécut longtemps. C'est dire si l'adresse est prisée ! Sous les arcades qui l'entourent, des boutiques chic, bien sûr.

Le Palais-Royal abrite aussi le Conseil d'État (visite sous certaines conditions) et son grand escalier d'honneur, ainsi que le Conseil constitutionnel, garant, entre autres, du résultat des élections.

Et dans la cour, les colonnes de l'artiste Buren ; on aime... ou pas.

LA VEUVE « QUI CLÔT »

Surnom de Marthe Richard, née à Blamont (Lorraine). Résistante, espionne, conseillère municipale, Marthe Richard se dépensa sans compter pour fermer les 1 500 bordels qui prospéraient en France. Faut dire que bon nombre d'établissements gagnèrent très bien leur vie avec l'armée allemande. La loi fut votée en avril 1946. Elle exigea aussi la destruction des fiches de prostitution... notamment la sienne, rédigée en 1905 pour racolage notoire.

La place Vendôme
(plan couleur B1)

Très bel ensemble architectural de la fin du règne de Louis XIV. Cette place octogonale, type même de la place royale, est entourée de façades d'ordre corinthien élevées par Jules Hardouin-Mansart.

LE CANON DES BEAUX JOURS

Au milieu de la pelouse du Palais-Royal se tient un minicanon offert en 1786 par un certain Rousseau, horloger dans la galerie avoisinante. Placé sur le méridien de Paris, il tonnait à midi pile grâce au soleil et à une loupe qui ne fonctionnait que... lorsqu'il faisait beau. La détonation permettait de régler les horloges. Volé en 1998, il a été remplacé par une réplique, remise en fonction en 2011.

Son histoire est un vrai feuilleton, qui rend compte de façon parfois bouffonne des changements politiques au cours de l'histoire. Sur le modèle de la colonne Trajane à Rome, Napoléon fait ériger la colonne Vendôme, haute de 43,50 m, dont le fût, constitué de 98 tambours de pierre, est entouré d'une chape coulée à partir des canons russes et autrichiens pris à la bataille d'Austerlitz. On peut y voir, s'enroulant sur 280 m en spirale jusqu'au sommet, la représentation de quelques scènes de batailles. Chaudet fond une statue en bronze de l'Empereur en *Caesar Imperator,* et la place au sommet. Chute de l'Empire et... chute programmée de la colonne. Mais ses fondations en porphyre étant enfouies à 9 m sous terre, rien ne l'abat. Pour finir, le peintre Courbet organisa sur la place l'une des plus spectaculaires manifestations de la Commune. Le 16 mai 1871, devant plus de 100 000 Parisiens, la colonne et la statue de l'Empereur s'écroulèrent sur le lit de fumier qu'on leur avait préparé tout exprès... Les Versaillais, qui approchaient déjà, firent payer chèrement la chute de ce symbole du despotisme : Mac Mahon décida en 1873 de faire reconstruire la colonne Vendôme aux frais du peintre (plus de 323 000 francs). Jeté en prison, Courbet voit toutes les toiles de son atelier saisies, mais obtient de payer près de 10 000 francs par an pendant 33 ans. Exilé en Suisse, il meurt avant d'avoir réglé la première traite. Napoléon, lui, avait déjà retrouvé son piédestal !

Après ces nombreux rebondissements, la place a finalement repris son appellation d'origine, du nom du duc de Vendôme, fils naturel d'Henri IV et de Gabrielle d'Estrées, qui y avait son hôtel.

Sur la place, vous croiserez les élégantes de la jet-set en tournée shopping chez les grands joailliers français et étrangers, comme *Boucheron, Cartier, Mauboussin,* ou encore *Chaumet,* installé au n° 12, dans l'appartement où Chopin est mort en 1849. Jouxtant le ministère de la Justice, se trouve le mythique hôtel *Ritz*, où le célèbre écrivain américain Fitzgerald séjourna souvent et rédigea *Un diamant gros comme le Ritz*. C'est aussi au *Ritz* que séjournait Lady Di avant l'accident fatal du tunnel du pont de l'Alma.

🏃 Donnant sur la place Vendôme, la **rue de la Paix** *(plan couleur B1)*, qui mène à la place de l'Opéra, se situe à l'emplacement du couvent des Capucines, détruit à la Révolution. Y étaient enterrés Louvois, ministre de Louis XIV, et la marquise de Pompadour.

L'EXIL DE COCO CHANEL

Pendant la guerre, elle dénonça les origines juives des Wertheimer, propriétaires de la maison Chanel. D'ailleurs, elle vivait officiellement avec un officier nazi. Pas étonnant qu'elle ait préféré s'exiler dès 1944 à Lausanne, pendant 10 ans. Elle y est enterrée mais sans pierre tombale, en toute discrétion.

🏃 Et puisque vous êtes dans le secteur, passez donc par la **place du Marché-Saint-Honoré** *(plan couleur B1)*, où se trouvent quelques-unes de nos bonnes adresses de resto. Le bel immeuble tout de vitres vêtu est une création de l'architecte Ricardo Bofill pour la banque *BNP-Paribas*. La grande halle vitrée au fronton triangulaire rappelle l'architecture des passages couverts du XIXe s, nombreux dans le quartier. Très réussi, non ?

– Au n° 45 de la rue Saint-Roch, l'immeuble de 1917 de la Société des cuisiniers de Paris est flanqué de deux atlantes bien replets.

🏃 **L'église Saint-Roch** *(plan couleur B1)* : à l'angle des rues Saint-Roch et Saint-Honoré *(n° 284)*. Avec sa façade de style baroque, c'est une des plus jolies – et vastes – églises parisiennes, qui est aussi traditionnellement la paroisse des artistes. Le futur Louis XIV posa la première pierre en 1653, à l'emplacement d'une chapelle Sainte-Suzanne, patronne des maraîchers. Faute de fonds, on organisa une loterie pour poursuivre la construction. En 1719, le financier Law fit également un don pour payer la toiture. Comme quoi on peut passer pour un escroc et tremper dans une affaire d'eau bénite. Les grenouilles de bénitier de l'époque purent, du perron de l'église, observer le funeste cortège des charrettes qui se rendaient de la Conciergerie à la place de la Révolution : Charlotte Corday, Marie-Antoinette, Robespierre... C'est au pied de l'église Saint-Roch que Napoléon Bonaparte, le 5 octobre 1795, fit canonner les royalistes qui avaient voulu marcher sur la salle de la Convention, aux Tuileries ; après trois quarts d'heure de mitraille, 300 insurgés gisaient sur les marches de l'église. Bonaparte y gagna le surnom de « général vendémiaire ». Quelques inhumés célèbres : André Le Nôtre, Pierre Corneille, l'amiral Duguay-Trouin, Denis Diderot, l'abbé de L'Épée, Vauban...

– Le n° 270 de la rue Saint-Honoré a hébergé une célèbre figure de la Révolution : **Olympe de Gouges,** veuve à 18 ans, qui de Montauban est « montée » à Paris pour fréquenter les meilleurs salons littéraires. Elle fonda son propre théâtre et, dans une de ses pièces, défendit la cause de l'abolition de l'esclavage noir aux colonies. Embastillée à la fin de l'Ancien Régime, puis adhérente au club des Girondins, elle obtint l'instauration d'une loi sur le divorce. Elle publia également une *Déclaration des Droits de la femme et de la citoyenne* affirmant la nécessité de l'égalité des droits civils et politiques des deux sexes : « Si la femme a le droit de monter à l'échafaud, elle doit avoir également celui de monter à la Tribune ». Fouquier-Tinville la prit au mot lorsqu'elle s'opposa à Robespierre et Marat, et l'envoya à la guillotine en 1793.

🏃 **La fontaine Molière** *(plan couleur C1)* : à l'angle des rues de Richelieu et Molière. Construite dans le genre monumental par Visconti, tout près de l'emplacement de la maison où, en 1673, mourut le grand comédien et auteur (Molière, pas Visconti !), alors qu'il venait de jouer *Le Malade imaginaire*.

✗✗ Le quartier qui borde le Palais-Royal abrite aussi son lot d'anciens *passages,* comme ceux qui zigzaguent entre la rue de Montpensier et la rue de Richelieu.

En cours de route, on saisit quelques belles images : rue de Montpensier, le superbe agencement du *théâtre du Palais-Royal,* à la façade étrange, baroque, avec son escalier de secours très SoHo et, à l'intérieur, le riche décor dans les tonalités rouge carmin, vieux rose, tamisées par les lumières.

À côté, rue de Beaujolais, donnant sur le Palais-Royal, le restaurant du **Grand Véfour,** né en 1784 sous le nom de *Café de Chartres.* Au 1er étage, les salons recevaient Marat, Desmoulins... Il devint par la suite le rendez-vous du Tout-Paris artistique et politique : Victor Hugo, Lamartine, George Sand, Mac Mahon y avaient leur rond de serviette. Plus tard, Cocteau, Guitry, Giraudoux, Colette, Aragon, Malraux, Sartre, Beauvoir feront partie des habitués. La décoration est tout bonnement somptueuse : les rideaux de dentelle et les tringles de cuivre, les plafonds en glace peints d'arabesques, les céramiques, moulures dorées, etc. Une richesse incroyable ! La maison est actuellement dirigée par Guy Martin.

On se glisse ensuite derrière le resto pour rejoindre le passage du Perron, sur la gauche. Festival de lumières et de couleurs entre les marchands de boîtes à musique et de jouets, et l'antiquaire.

Sortir rue de Beaujolais par un élégant petit escalier, tourner à droite ; 30 m plus loin, sur la gauche, on rattrape le passage des Pavillons, très court, biscornu, qui nous projette rapidement dans le trafic de la rue des Petits-Champs, presque en face de l'entrée de la galerie Vivienne (voir le 2e arrondissement).

DRÔLES DE BINETTES

On doit à un artisan de la rue des Petits-Champs l'expression « avoir une drôle de binette ». Y habitait un certain Binet, perruquier de son état, qui devait avoir beaucoup d'imagination puisqu'on disait de ses clients portant ses postiches : « Voici encore une drôle de perruque Binet ! » L'usage a fait le reste.

✗✗ **La galerie Vero-Dodat** *(plan couleur C2) :* 2, rue du Bouloi, ou 19, rue Jean-Jacques-Rousseau, 75001. Ⓜ *Louvre-Rivoli. Tlj sf dim et j. fériés 7h-22h.* Incontestablement l'une des plus belles galeries de Paris ! De style néoclassique avec des ornements en cuivre, de la fonte, des miroirs, du marbre, des globes de lumière... Également des trompe-l'œil colorés aux plafonds (représentant Hermès et Apollon), un dallage à damiers, et de délicates devantures boisées encore préservées. Son histoire vaut également le détour : ancien hôtel particulier où serait né le cardinal de Richelieu (1585), l'endroit devint célèbre à la mort d'Antoine de Dreux d'Ambray, empoisonné par sa fille, la marquise de Brinvilliers. Le lieu servit ensuite de terminus pour toutes les diligences de France, avant d'être l'un des tout premiers endroits éclairés au gaz dans la capitale. L'année 1826 marque la transformation en passage « Vero et Dodat », les noms d'un charcutier (Vero) et d'un financier (Dodat) du quartier. En son temps, la tragédienne Rachel, courtisée par Alfred de Musset, y vécut ; et on raconte par ailleurs que ce serait le dernier endroit où Gérard de Nerval vint prendre un café avant de se donner la mort. Aujourd'hui, il est peuplé de beaux magasins (tissus, galeries d'art, librairies, luthier, antiquaires, cafés...), et d'une gardienne dans sa loge ancienne... Mais c'est surtout déserte, le soir, qu'on aime la découvrir.

✗✗ **La place des Victoires** *(plan couleur C1) :* construite en 1686 par le maréchal de La Feuillade, en l'honneur des victoires de Louis XIV. Une première statue du Roi-Soleil y trôna jusqu'à ce qu'elle soit fondue par les révolutionnaires en 1792. La statue équestre actuelle date de 1822. La belle place a conservé son harmonieuse ordonnance, malgré le percement de la rue Étienne-Marcel.

LE QUARTIER DES HALLES *(plan couleur C-D2)*

LA NAISSANCE DES HALLES

Le « ventre de Paris », cher à Émile Zola, remonte à 800 ans maintenant, lorsque Philippe Auguste fit édifier les premières Halles. De siècle en siècle, elles prirent de l'importance. Tout autour se construisirent de splendides hôtels particuliers, des artisans et commerçants s'installèrent, et les pauvres s'intégrèrent au processus avec la célèbre cour des Miracles (lire les infos mentionnées sur la rue du Caire, dans le 2ᵉ arrondissement) qui se créa à la lisière du quartier. Sur la cour des Miracles se dressait un pilori où l'on exposait les commerçants malhonnêtes, les blasphémateurs, les proxénètes...

LES INNOCENTS

Les Halles cohabitèrent longtemps avec le fameux cimetière des Innocents (à peu près à l'emplacement de l'actuelle fontaine des Innocents). Enserré entre de hauts murs, exigu, il fallut rapidement avoir recours aux fosses communes : un trou d'une dizaine de mètres de profondeur, dans lequel on empilait les cadavres avec une mince couche de terre dessus, laissé à ciel ouvert. Chiens et porcs n'avaient aucun mal à dénicher leur pitance. Pendant cinq siècles, les habitants du quartier et les négociants des Halles vécurent dans une odeur de mort parfois insupportable. Le cimetière recevait les corps de 22 paroisses, et une intense activité y régnait en permanence : camelots, écrivains publics, badauds, nécrophiles, voleurs, prostituées... La terre était réputée faire fondre les chairs en moins de 9 jours. Périodiquement, ossements et crânes étaient déterrés et empilés sous les toits des quatre galeries qui ceinturaient le cimetière. Une danse macabre était peinte sous la galerie, représentant toutes les classes de la société entraînées vers la mort. Vers 1780, les deux millions de corps enterrés depuis sept siècles avaient surélevé le cimetière de 2 m par rapport au niveau de la rue, et l'odeur pestilentielle empoisonnait tout le monde. L'effondrement d'une fosse commune dans les caves d'une maison voisine (ses habitants faillirent mourir asphyxiés) provoqua la fermeture définitive du cimetière.

Un édit de Louis XVI attribua le terrain au marché aux herbes et aux légumes (sic) qui se tenait juste à côté. Les ossements furent chargés dans des tombereaux et versés dans les carrières de la Tombe-Issoire (les catacombes actuelles, place Denfert-Rochereau).

LE VENTRE DE PARIS

C'est au XIXᵉ s que les Halles prirent un grand essor et acquirent une place considérable. La halle aux vins déménagea à Jussieu. En 1851, Napoléon III chargea l'architecte Victor Baltard de construire des pavillons en dur pour abriter les marchandises.

C'est peu dire que l'on n'en finit plus de regretter les pavillons de Baltard. Ce dernier avait pris soin de cacher la structure de fer qu'il avait prévue pour supporter les « parapluies » voulus par Napoléon III, l'empereur ayant imposé « du fer, rien que du fer ! ». Il faut dire qu'à l'époque le fer avait mauvaise réputation : ça faisait trop « usine » ! Ces pavillons très aérés, offrant un maximum de lumière et d'une conception pratique et rationnelle, servirent pourtant de modèles dans maints pays.

Pour retrouver l'esprit de l'époque, il suffit de relire Émile Zola et Francis Carco, qui firent des descriptions des Halles parmi les plus pittoresques qui soient.

Il convient aussi de rappeler que, de tout temps, le quartier présenta une galerie de truculents personnages hauts en couleur, représentatifs de l'extraordinaire animation qui y régnait. Les marchands des diverses catégories possédaient leurs propres rites, coutumes, langages, etc. Les mille petits métiers liés à l'activité des Halles complétaient le tableau, sans oublier les tenanciers de cafés, d'hôtels borgnes, les ribaudes, prostituées, clochards, voleurs, marginaux de toutes sortes, indispensables à

CLOCHARD

Autrefois, une cloche annonçait la fin du marché des Halles. À ce moment précis, les victuailles qui traînaient encore sur les étals pouvaient être récupérées par les mendiants. Le clochard était celui qui attendait le son de la cloche.

la vie sociale et au folklore d'un quartier. Et puis on y entendait un langage haut en couleur. S'y mêlait l'argot introduit par les types louches, certains fraîchement décarrés de taule, qui, la nuit, venaient se refaire une santé financière en déchargeant les cageots. Cette langue reflétait la vie, la réalité du carreau : *une salade* pour une embrouille, *occupe-toi de tes oignons, c'est pas tes oignons, je t'ai vendu des haricots qui voulaient pas cuire, que tu me fasses la tronche.* Et tant d'autres... Les bouchers possédaient l'un des argots les plus savoureux qui soient : le loucherbem. Les syllabes étaient inversées, puis transformées par l'usage. Ainsi, une cliente « emmerdeuse » devenait-elle une *lanchetrême.*

Puis vint le moment où les Halles ne permirent plus de nourrir une ville en expansion continue, où le volume des affaires et le stockage des marchandises s'amplifiaient d'année en année, au point limite de l'asphyxie. Paris délibérément sacrifié à l'automobile, la paralysie du centre-ville et ses répercussions sur le trafic global ne pouvaient que condamner les Halles. Leur arrêt de mort fut

AIL CALORIFIQUE !

En hiver, les maraîchers bretons qui vendaient leur ail aux Halles portaient de gros pulls amoureusement tricotés par leur épouse. Tout le monde connaissait ces vêtements si populaires chez les « marchands d'ail ». Très tôt, on les appela... chandails.

signé en 1962 et définitivement exécuté en 1969, lorsque le marché de Rungis prit le relais. « En rasant les Halles, on a craché dans le cercueil de Paris », écrivit René Fallet...

LE QUARTIER DES HALLES AUJOURD'HUI ET DEMAIN

Beaucoup de choses à découvrir : le Centre Pompidou, réussite culturelle indéniable, justifie à lui seul le déplacement (voir le 4e arrondissement) ; après, le bâtiment, c'est une affaire de goût ! Un conseil, passez outre le centre commercial et ses environs immédiats pour filer au nord ou à l'est. Malgré des destructions, il subsiste encore de nombreuses maisons anciennes, hôtels particuliers, ruelles étroites, fontaines et parcours architecturaux.

Animé, vivant pratiquement jour et nuit, le quartier fait aujourd'hui l'objet d'un gigantesque chantier. Il était largement temps de revoir l'articulation entre un « monstre » mal pensé par ses initiateurs et le quartier historique qu'il a saigné. Un vaste chantier a commencé en 2010 et prendra fin en 2016. Le projet relie le Forum et la Bourse du commerce par un cours de 22 m de large, lequel va même au-delà du Forum, jusqu'à la rue Lescot. Et c'est justement pour prolonger le cours jusque-là que le Forum est désormais surmonté d'un toit qui fait l'effet d'un nuage de verre et d'acier – la « canopée » – s'élevant jusqu'à 14 m de haut ; bon, sa couleur vaguement jaune et une transparence moins franche que prévue ne font pas que des heureux... Néanmoins, il faut saluer la prouesse technique. Reste aussi à réorganiser une salle d'interconnexion métro-RER indigente, alors qu'elle est quotidiennement traversée par quelque 540 000 voyageurs. Un vent de modernité

– mais pas de folie – a soufflé sur l'ancien ventre de Paris. Pas facile de rénover une telle fourmilière : 41 millions de visiteurs par an (dans le centre commercial), 23 salles de cinéma, 8 000 locaux commerciaux... Le chantier, qui bat toujours son plein aujourd'hui (jusqu'à 1 000 ouvriers), y compris la nuit, est impressionnant. Les travaux de réaménagement des jardins sont tout juste achevés, avec un « terrain d'aventures » (réservé, par tranches de 1h, aux enfants de 7-11 ans, encadrés par des animateurs, sans les parents !), une aire de jeux de 12 univers différents, avec agrès, reliefs à escalader, rampe de lancement de fusée, toboggans géants, jeux électroniques, badminton, et le jardin Nelson-Mandela. Des transformations à suivre de près !
– *Plus d'infos à l'espace Information (maquette, film...), pl. Joachim-Du-Bellay, juste à côté de la fontaine des Innocents ; tlj 12h30-19h30. Ou sur le site ● parisles halles.fr ●*

Petite balade dans le quartier

Surtout, levez les yeux pour ne pas manquer sculptures d'angle, beaux balcons en fer forgé, frises, cariatides, mascarons, etc.

🏃🏃 *La rue Saint-Honoré (plan couleur C-D2) :* du Palais-Royal à la rue des Halles, elle présente de nombreuses maisons anciennes et boutiques pittoresques. Elle fut l'une des plus commerçantes de Paris. Pour les négociants, il s'agissait d'être le plus près possible de l'animation des Halles. Sous la Terreur, la charrette des condamnés l'empruntait quotidiennement.

Au n° 182, le bâtiment du *ministère de la Culture et de la Communication* s'est entouré d'une étonnante résille métallique conçue par les architectes Soler et Druot. Quant à Cyrano de Bergerac, né rue des Prouvaires, et Molière, né rue Sauval, au coin de la rue Saint-Honoré (et non rue du Pont-Neuf, plus loin, comme aurait voulu le faire croire un fripier au XIXe s afin de valoriser sa maison), ils venaient, enfants, chatouiller les pieds des pendus. Pour les historiens, c'est à ce carrefour que démarra la Fronde en 1648 (une émeute y éclata à la suite d'une augmentation des impôts).

Au n° 31 de la rue du Pont-Neuf, on aperçoit le buste de Molière sur l'emplacement de la maison qui l'aurait vu naître (voir plus haut). Au n° 47 habita Lavoisier (il dut prendre la charrette au passage). Il découvrit l'oxygène et proposa l'édification du mur des fermiers généraux. C'est l'une des raisons qui le firent condamner à mort.

🏃 *La rue de la Ferronnerie (plan couleur D2) :* au XVIIe s, elle prolongeait la rue Saint-Honoré et était fort étroite. C'est là que, le 14 mai 1610, Henri IV fut assassiné, au n° 8, tout près d'une auberge qui portait le nom prédestiné *Au Cœur Couronné Percé d'une Flèche.* Aujourd'hui, c'est une rue piétonne bordée de boutiques, où personne ne remarque jamais la dalle au-dessus des colonnades qui indique le lieu du régicide. L'immeuble actuel, longtemps l'un des plus longs de Paris, date de 1669. Une certaine Jeanne Bécu, plus connue sous

IL S'APPELAIT RAVAILLAC

Ce pauvre Henri IV n'eut pas de chance : cela faisait 50 ans qu'un roi précédent avait commandé l'élargissement de la rue de la Ferronnerie, mais les travaux ne furent jamais réalisés. Résultat : le carrosse royal bloqué par les embouteillages, Ravaillac passe à l'acte. Curieux personnage que ce Ravaillac : ultracatholique, il considère que la politique d'Henri IV n'est qu'une attaque contre le pape. Il quitte alors Angoulême pour Paris, où il assassinera le roi.

le nom de Mme du Barry (future maîtresse de Louis XV), travailla dans l'une des boutiques de mode qui l'abritait comme trottin, c'est-à-dire bonne à tout faire. C'est alors que sa vie galante commença.

🎥🎥 *La fontaine des Innocents* (plan couleur D2) : la seule d'époque Renaissance subsistant à Paris, œuvre de Jean Goujon, sur un dessin de Pierre Lescot. Au début, elle n'avait que trois faces, car elle était adossée à l'église attenante au cimetière des Innocents. Fin XVIIIe s, quand le cimetière fut supprimé, l'église démolie et le terrain livré aux Halles, on la déplaça et une quatrième face fut habilement sculptée dans le style des trois autres. Lorsque les fruits et légumes intégrèrent l'un des pavillons Baltard, la fontaine voyagea une dernière fois vers son emplacement actuel. Touristes et marginaux l'occupent aujourd'hui durant les longues soirées d'été. Mélange (d)étonnant de populations si différentes, Quant à l'environnement de la place, il est hélas occupé par des commerces de (né)fast(e)-food et des boutiques franchisées d'une banalité affligeante.

🎥🎥 *La rue Saint-Denis* (jusqu'à Étienne-Marcel ; plan couleur D2) : l'une des plus anciennes de Paris. Les charrettes menant les condamnés au gibet de Montfaucon y passaient obligatoirement. C'était aussi la « voie royale » par laquelle les souverains faisaient leur entrée triomphale à Paris après leur couronnement (et aussi celle qu'ils empruntaient pour être inhumés à la basilique Saint-Denis). Prétexte à de grandes réjouissances où le vin et le lait coulaient des fontaines. Les fenêtres se louaient fort cher pour assister aux défilés. Un dicton disait : « Qui descend gaiement remonte tristement. »

La rue Saint-Denis fut aussi, de tout temps, une rue commerçante très animée. Une foule énorme et colorée s'y pressait. Montreurs d'ours et trouvères émerveillaient les badauds. Les rues perpendiculaires et alentour témoignent toutes de l'activité des professions et corporations qui y officiaient.

Aujourd'hui subsistent encore les rues des Lombards (prêteurs sur gages originaires de Lombardie), de la Verrerie, de la Cossonnerie (les « cossons », revendeurs ou intermédiaires), de la Grande-Truanderie, des Orfèvres, de la Coutellerie, des Lavandières-Sainte-Opportune, des Déchargeurs (manutentionnaires des Halles), des Juges-Consuls (l'ancien tribunal de commerce), etc.

> ## FAIRE LA PIROUETTE
>
> *Au Moyen Âge, un pilori était installé rue Pirouette – aujourd'hui disparue –, à l'angle de la rue Rambuteau. Attachés, les condamnés étaient retournés toutes les demi-heures, sous les crachats du public. La torture n'existe heureusement plus, mais l'expression est restée.*

Puis, quand les Halles émigrèrent à Rungis, les petits commerces reconquirent les anciennes mûrisseries à bananes et autres remises à diables.

🎥 *La rue du Jour* (plan couleur D2) : c'est l'ancien chemin de ronde, situé dans l'enceinte de Philippe Auguste. Charles V s'y était fait construire un logis, appelé le Séjour du Roi. Le nom « rue du Séjour », puis « du Jour », fut gardé.

🎥🎥🎥 *L'église Saint-Eustache* (plan couleur D2) : l'une des plus belles églises parisiennes avec des dimensions imposantes : 100 m de long pour 43 m de large et 33 m de hauteur à la croisée du transept.

Saint-Eustache reprend le plan et les proportions de Notre-Dame. Comme pour cette dernière, il faudra plus d'un siècle pour l'achever. Sa façade, faute d'argent, ne sera terminée qu'au milieu du XVIIIe s, dans le style classique. Les flancs, toute la structure et l'intérieur sont en style gothique. Le décor est Renaissance.

C'était par excellence la paroisse de la noblesse de robe. Quelques paroissiens célèbres fréquentèrent les lieux. Pour leur baptême : Richelieu (en 1586) et Jeanne Poisson, future marquise de Pompadour (en 1721). Louis XIV y fit sa première communion en 1649, et Lully s'y maria en 1662. Une messe à la vavite y fut célébrée le 21 février 1673 pour un certain Jean-Baptiste Poquelin, officiellement tapissier de métier (Molière, alors comédien, ne pouvait bénéficier d'un service religieux).

Saint-Eustache possède, en outre, une remarquable acoustique. Il n'est d'ailleurs point besoin d'être croyant pour apprécier les concerts d'orgue qui s'y tiennent ou les chœurs de la grand-messe du dimanche (le dimanche à 11h, grand-messe avec grand orgue et chœur de Saint-Eustache ; 17h30-18h, grand orgue, suivi d'une messe).

À l'intérieur, remarquables vitraux et nombreuses œuvres de très grande qualité. En partant vers la gauche (de l'entrée rue du Jour), on découvre au-dessus de la porte le *Martyre de saint Eustache* par Simon Vouet et une belle *Adoration des mages* de l'école de Rubens. Ne pas manquer aussi la touchante sculpture moderne et naïve *Le Départ des fruits et légumes du cœur de Paris* (1969) de Raymond Mason. Témoignage poignant de ce que dut être l'exode des commerçants vers Rungis. Dans les chapelles du chœur, on trouve successivement l'*Extase de Madeleine* de Manetti et *Les Disciples d'Emmaüs* (école de Rubens). On y décèle encore l'influence du Caravage. Également le tombeau de Colbert par Coysevox, etc. Au-dessus de l'autel, très belle Vierge due à Pigalle. Vitraux du chœur du XVIIe s. Certains avancent que les cartons étaient de Philippe de Champaigne. Vitrail curieux près de la porte de sortie du chœur, offert par la corporation de la charcuterie, avec leurs saints patrons André et Antoine (il ne manque qu'Albert pour nous faire un triple A). Les grandes orgues n'alignent pas moins de 7 000 tuyaux. Étonnante croisée d'ogives de 33,50 m de hauteur. L'ensemble possède une unité de style rare. Piliers richement ciselés. Lourdes et majestueuses clés de voûte pendantes du chœur et du déambulatoire.

🏃 *La Bourse du commerce* (plan couleur C2) : elle présente, avec les rues environnantes, un ensemble architectural intéressant. En son emplacement s'élevait l'hôtel de la Reine, construit pour Catherine de Médicis. Rasé, il fut remplacé au XVIIIe s par une halle au blé à laquelle succéda la rotonde actuelle en 1889, dans le style néoclassique. La rue de Viarmes, de forme semi-circulaire, aligne des immeubles précédés de colonnes doriques.

🏃 Autour de Saint-Eustache, ça s'active un peu la nuit avec les grandes usines à bouffe tournant en 3 x 8. Ne pas hésiter à se lever à 6h pour goûter l'animation des **rues Montmartre** et **Montorgueil,** derniers vestiges de l'activité des Halles avec les boucheries en gros. Certains cafés ouvrent à 4h30 et les petits blancs coulent à flots, tandis que les noctambules viennent y prendre un petit noir.

FUNESTE PRÉSAGE

La mystérieuse colonne cannelée qui s'élève sur le côté de la Bourse est le dernier vestige de l'hôtel de la Reine (démoli en 1748). Construite pour assouvir la passion astrologique de Catherine de Médicis, c'était l'observatoire de Ruggieri, son astrologue. Aux deux tiers de la colonne, on peut même distinguer les lettres C et H (d'Henri II) entrelacées. Après la Saint-Barthélemy, paniquée par la sorcellerie et les funestes prédictions de Ruggieri (« Vous mourrez près de Saint-Germain »), la reine s'installa à Saint-Eustache. Or, le 8 janvier 1589, enrhumée, elle fit venir son confesseur, lui demanda son nom avant de rendre son dernier soupir. Il s'appelait Julien... de Saint-Germain !

Le Forum des Halles *(plan couleur D2)*

De grandes galeries couvertes de verrières entourent un patio en profondeur, ce qui permet à la lumière naturelle de pénétrer les deux premiers niveaux. Elles abritent d'innombrables boutiques sans grand intérêt (vêtements, bijoux, parfums, déco, articles de sport), des fast-foods, des cinémas et la *Fnac*. Aujourd'hui, cet environnement est en train de bien changer, dans le cadre d'un vaste chantier, et de la construction de la « canopée » (lire plus haut le paragraphe « Le quartier des Halles aujourd'hui et demain » pour plus d'infos).

🎭🚶 **Le Forum des images** *(plan couleur D2)* **:** 2, rue du Cinéma, Forum des Halles, porte Saint-Eustache *(entre la piscine et la pl. Carrée)*, 75001. ☎ 01-44-76-63-00. ● *forumdesimages.fr* ● Ⓜ *Les Halles ; RER A, B et D :* Châtelet-Les Halles. ♿ *Tlj sf lun 12h30 (14h w-e)-21h. Cours de cinéma gratuits ven 18h30.*

Un lieu incontournable pour les fondus de septième art ! À l'arrière, la *bibliothèque du cinéma François-Truffaut* propose en consultation 19 000 livres, 6 200 revues et 10 000 DVD (avec postes de visionnage). Il faut s'acquitter de 60 € par an pour les emprunter.

Un chemin lumineux au plafond conduit à l'étage, où se trouvent un café en mezzanine, le *7ᵉ Bar (en sem 12h30-21h, le w-e 14h-21h ; petite restauration en provenance des artisans du quartier)*, et *cinq salles de cinéma* de 30 à 500 places utilisées selon les besoins, autant pour les enfants dans la grande salle pour les après-midi du mercredi et du samedi *(6 € + débat + goûter)*, que pour les festivals, cycles thématiques mensuels mêlant fictions et documentaires français et étrangers, débats et cours de cinéma gratuits... La *salle des collections (accès gratuit après 19h30)* propose un incroyable choix de quelque 7 000 films numérisés qui ont un lien avec Paris, la ville la plus filmée au monde. À vous, donc, en solo (alcôves et écran individuel) ou en petit groupe (salons privés pour sept personnes bien insonorisés), de profiter d'une projection des *400 Coups* de Truffaut, des *Enfants du paradis* de Carné ou de *Peur sur la ville* de Verneuil... Et tout cela pour 5 € à peine, ce qui donne droit à une séance de cinéma (voir programmation) et à 2h en salle des collections.

VERS LE CHÂTELET

🎭🚶🚶 **Saint-Germain-l'Auxerrois** *(plan couleur C2)* **:** pl. du Louvre, 75001. Ⓜ *Louvre-Rivoli.* On a d'abord l'impression de voir double (tiens, se dit-on, deux églises pour le prix d'une) avant de saisir que celle de gauche est en fait la mairie du 1ᵉʳ arrondissement. Une curieuse idée de l'architecte ! Bref, l'église véritable date du XIIᵉ s et fut la paroisse des rois. Chef-d'œuvre du gothique. Admirer le superbe porche flamboyant du XVᵉ s. Sa nef est d'une grande richesse sculpturale. Les œuvres du portail ne manquent pas d'humour. Noter le diablotin qui tente de souffler le cierge que tient sainte Geneviève – patronne de Paris – dans la main (le cierge a disparu). Intéressante diversité architecturale : portail Renaissance, clocher roman et porche gothique flamboyant. Les rois de France fréquentent l'église au XIVᵉ s. La cloche de la tour eut le triste privilège de donner le signal du massacre de la Saint-Barthélemy. Molière s'y maria, et de nombreux artistes et architectes y furent enterrés. La Révolution la transformera en grenier à fourrage avant que Baltard et Lassus lui donnent son aspect actuel. Sur les contreforts, terminés par des clochetons, l'un des plus riches bestiaires que l'on connaisse : bêtes de toutes sortes, loups, ours, chiens, oiseaux monstrueux, griffons... Aux gargouilles, d'autres scènes mystérieuses impliquant des animaux. À l'intérieur, quelques œuvres dignes d'intérêt. À gauche, en entrant, un retable flamand du XVIᵉ s, extraordinaire, taillé dans la masse. La chapelle de droite, dite paroissiale, propose autel et retables gothiques, fresques et statues intéressantes du XIIIᵉ au XVᵉ s. Noter également le banc d'œuvre royal et la chaire, superbement sculptés, et le beau buffet d'orgue du XVIIᵉ s. Et si vous êtes dans le coin au bon moment, ne manquez pas le carillon des 40 cloches de l'église, tous les mercredis 13h30-14h.

🚶🚶 **Le quai de la Mégisserie** *(plan couleur C-D3)* **:** Ⓜ *Châtelet ou Pont-Neuf.* Paradis des fleurs, des plantes grasses et des animaux. Spectacle gratuit : concert des perruches, veuves à collier d'or, saxons chanteurs, canaris et autres rossignols. Nombreux autres animaux : chiens, chats, lapins, écureuils, singes... Pour info, un mégissier est un tanneur de petites peaux. Les amateurs de verdure peuvent traverser le pont au Change ou le pont Notre-Dame, pour rejoindre, sur l'île de la Cité, la place Louis-Lépine, où se tient tous les jours sauf le dimanche (jour du marché aux oiseaux) un marché aux fleurs.

> 🐾 *La place du Châtelet* (plan couleur D3) : l'endroit de Paris le plus bouleversé. Rien ne rappelle la sinistre prison du Châtelet avec ses tours et ses cachots (à l'emplacement du théâtre du même nom ; plan sur la façade de l'immeuble de la Chambre des notaires), rasée au début du XIXᵉ s, ni la Grande Boucherie et son animation : les étals des bouchers, les échoppes – c'était le plus ancien marché de la rive droite. En 1860, lors des grands travaux haussmanniens, furent construits les deux grands théâtres qui bordent la place.

L'ÎLE DE LA CITÉ
(partie 1ᵉʳ arrondissement ; plan couleur C-D3)

Il fait bon flâner dans l'île de la Cité. Malgré l'afflux régulier de milliers de touristes qui, tous les jours, s'empressent de visiter ses monuments, on ne peut s'empêcher de penser à cette petite tribu, celle des *Parisii*, qui, voilà plus de 2 000 ans, vivait paisiblement sur cet espace restreint auquel les bras de la Seine offraient une protection naturelle. L'île se partageait entre deux arrondissements, Notre-Dame est traitée dans le 4ᵉ arrondissement.

Les trois monuments suivants constituent un ensemble unique

DES INGÉNIEURS QUI N'AVAIENT PAS FROID AUX YEUX !

En 1908, on décida de faire passer le métro sous la Seine, entre Saint-Michel et Cité (ligne 4). Le sol, trop boueux, était impossible à creuser. On décida alors de le geler à - 24 °C. Il fallut donc installer une usine à glaçons sur les quais. Dix mois furent nécessaires pour avancer de 14 m. Cette incroyable prouesse technique fut couronnée de succès.

en Europe, symbolisant les trois fonctions royales : judiciaire, temporelle et religieuse.

> 🐾🐾🐾 *La Sainte-Chapelle* (plan couleur D3) : 8, bd du Palais, 75001. ☎ 01-53-40-60-80. ● sainte-chapelle.monuments-nationaux.fr ● Ⓜ Cité, Saint-Michel ou Châtelet. Bus nᵒˢ 21, 27, 38, 85 et 96. Entrée juste à gauche des grilles du Palais de Justice. Début mars-fin oct, tlj 9h30-18h ; début nov-fin fév, tlj 9h-17h ; fermeture des caisses 30 mn avt. Fermé certains j. fériés. Réservez vos billets en accès prioritaire en magasin et sur ● fnac.com ● Entrée : 8,50 € ; réduc (dont 18-25 ans hors communauté européenne) ; gratuit moins de 26 ans. Possibilité de billet jumelé avec la Conciergerie (visite dans la même journée) : 12,50 €. Visite autonome (avec document papier) ou guidée (sans supplément) pour individuels à 11h et 15h. Visites-conférences organisées par le Centre des monuments nationaux (rens : ☎ 01-44-54-19-30). Beaucoup de monde ! Concerts programmés tous les soirs (une bonne option).

Un joyau de l'architecture gothique rayonnante, malheureusement coincé entre les murs austères du Palais de Justice. Que cela ne vous empêche pas d'apprécier ce témoignage inestimable et unique de l'art médiéval, édifié par Saint Louis pour y placer la Couronne d'épines et un fragment de la Vraie Croix. Ce gigantesque reliquaire, sans doute l'œuvre la plus parfaite du Moyen Âge, fut achevé en 1248. Louis IX, futur Saint Louis, dut marchander avec son cousin, l'empereur de Byzance, pendant 2 ans pour obtenir ces reliques, aujourd'hui à Notre-Dame. À visiter de préférence un jour de grand beau temps (... et alors souvent de grande foule), quand le soleil illumine les vitraux. Une campagne de restauration progressive des vitraux est d'ailleurs en cours, dont l'achèvement est prévu en 2015.

À l'extérieur, aucun arc-boutant ne vient consolider les murs, et tous les architectes vous confirmeront que c'est une véritable prouesse technique. La chapelle tient debout grâce à un ingénieux système de chaînes

SAINT LOUIS LE MAL NOMMÉ

Louis IX eut une attitude ignoble vis-à-vis des juifs. Il fit brûler des Talmuds sur la place de Grève (aujourd'hui place de l'Hôtel-de-Ville) et obligea les juifs à porter visiblement un signe distinctif, une rouelle (pièce d'étoffe ronde) jaune, sur leurs vêtements. La couleur, symbole de l'or, sera copiée par les nazis.

et de barres de fer qui ceinture l'édifice au travers des contreforts extérieurs et des vitraux, comme un corset. C'est le principe du béton armé ! Le bâtiment comprend deux chapelles superposées, dont le niveau supérieur communiquait autrefois directement avec les appartements royaux. La Sainte-Chapelle est aussi chapelle palatine. On ne pouvait y pénétrer que sur invitation du roi. Chaque Vendredi saint, celui-ci y présentait les reliques à ses hôtes, en habit de sacre.

Lors de la Révolution, la Sainte-Chapelle servit de grenier à grains et de lieu de stockage des archives, mais fort heureusement on ne toucha pas aux vitraux.

La chapelle basse

Son plafond est bas, car la hauteur sous voûtes correspondait au rez-de-chaussée du palais, réservé aux serviteurs. Elle servait de paroisse aux soldats et au personnel du palais. Le contraste est d'autant plus frappant quand on grimpe ensuite dans la partie haute. Au XIXe s, lors de la grande campagne de restauration, on lui restitua son décor peint du Moyen Âge, les inondations régulières ayant largement détérioré les fresques. Dans l'abside à gauche, la plus ancienne peinture murale de Paris, une fresque du XIIIe s figurant l'Annonciation. Sur les colonnes, alternance de fleur de lys et de tours, armes de Blanche de Castille, la mère de Saint Louis. Un scandale : qui a osé installer cette horrible boutique de souvenirs dans un endroit si splendide ? Espérons qu'elle déménage bientôt.

En grimpant l'escalier à vis, on monte vers la lumière...

La chapelle haute

Lieu de culte de la famille royale et reliquaire monumental censé évoquer la Jérusalem céleste, elle est éclairée par une extraordinaire série de vitraux hauts de 15 m et larges de 4,5 m, que rythment des faisceaux de fines colonnettes. En tout, plus de 600 m² de verrières ! Les proportions, admirables de justesse, lui donnent toute son harmonie. Tous les supports structurels ont été reportés à l'extérieur pour accentuer l'impression de légèreté. Ces grandes verrières, que sublime la moindre irruption de lumière, représentent plus de 1 000 scènes de l'Ancien et du Nouveau Testament. C'est le triomphe symbolique de la lumière sur les ténèbres. La tonalité des couleurs et la finesse du trait en font la plus ancienne et la plus belle bande dessinée qu'on connaisse : la Genèse, l'Exode, les rois d'Israël, la Passion du Christ au-dessus de l'autel où étaient présentées les reliques, et lui faisant face à l'autre bout, dans la grande rose, plus tardive (XVe s et de style flamboyant), l'Apocalypse. Quant au roi Saint Louis, il apparaît sur la façade sud comme l'égal des rois d'Israël. Une dimension christique pas si étonnante quand on sait qu'en 1248, date d'achèvement de la chapelle, le monarque s'apprêtait à partir en croisade. Noter les dominantes de bleu et de rouge, sur les verrières du XIIIe s, et observer l'organisation de la décoration : sur les soubassements, un décor végétal et terrien (chaque chapiteau de colonnette est ornée de motifs végétaux différents), au-dessus, l'humain avec la vie des saints et des martyrs, puis, au plafond, la voûte céleste étoilée. Adossées aux retombées des voûtes, les statues des 12 apôtres, piliers de l'église.

🎭🎭 **Le Palais de Justice** (*plan couleur C-D3*) : *bd du Palais, 75001.* ☎ *01-44-32-50-00.* Ⓜ *Cité. Pour assister à un procès, s'y rendre à 9h ou à 13h30. Sam, comparutions immédiates à partir de 13h30. Fermé dim. Éviter mar ap-m, mer mat et jeu ap-m, le Palais est alors envahi par les groupes scolaires. GRATUIT.*

Aujourd'hui, le Palais regroupe à lui seul un quart de l'activité judiciaire française. Il vous suffira de pousser la porte d'une des nombreuses chambres correctionnelles pour pouvoir assister à l'un des milliers de procès où s'agitent, avec parfois beaucoup de talent, avocats, magistrats et greffiers (vacances judiciaires pendant une bonne partie de l'été).

Plus calmement, on pourra déambuler dans la salle des pas perdus et admirer la première chambre (dorée, avec plafonds à caissons), qui fut sans doute la chambre de Saint Louis. Dans la salle des pas perdus, sur la sculpture de l'avocat Berryer, à droite du personnage représentant le Droit, on aperçoit une petite tortue, signe de la célérité de la Justice ! Sous la Révolution, le Tribunal révolutionnaire siégea dans la chambre Dorée (première chambre du tribunal civil). C'est ici que le fameux Fouquier-Tinville envoya Marie-Antoinette et bien d'autres à l'échafaud. Si les défenseurs avaient leur mot à dire au début de l'institution du Tribunal, très rapidement celui-ci se cantonna à un rôle de guichet d'inscription pour la guillotine. Quand on entrait à la Conciergerie, on avait peu de chances d'en ressortir d'un seul tenant (entre 1793, date de création du Tribunal révolutionnaire, et 1795, 2 700 personnes ont été condamnées à mort). C'est de la cour de Mai (cour centrale du Palais) que partaient les charrettes pour l'échafaud. Pour l'anecdote, sachez que cette véritable ville dans la ville de 4 ha abrite aussi resto, bureau de poste et cabinet médical, ainsi qu'une petite communauté de sœurs de la Miséricorde, qui s'occupe des prévenues du dépôt de la préfecture de police. Tous ces lieux ne sont, bien entendu, pas visitables.

Mais bientôt, ce n'est plus en ces murs historiques qu'on découvrira toute l'activité judiciaire, puisqu'une nouvelle « Cité judiciaire » devrait bientôt sortir de terre (en 2017), porte de Clichy, dans le 17e arrondissement ; un bâtiment-tour conçu par Renzo Piano pour abriter, entre autres, le TGI (tribunal de grande instance). Le projet prévoit que seule la cour d'appel reste sur l'île de la Cité.

🎭🎭🎭 **La Conciergerie** (*plan couleur D3*) : *2, bd du Palais, 75001.* ☎ *01-53-40-60-80.* ● *conciergerie.monuments-nationaux.fr* ● Ⓜ *Cité ou Châtelet. Tte l'année, tlj 9h30-18h ; fermeture des caisses 30 mn avt. Réservez vos billets en accès prioritaire en magasin et sur* ● *fnac.com* ● *Entrée : 8,50 € ; gratuit moins de 26 ans. Possibilité de billet jumelé avec la Sainte-Chapelle (visite dans la même journée) : 12,50 €. Visite autonome, guidée (sans supplément à 11h et 15h) ou visite-conférence (mêmes conditions que la Sainte-Chapelle, voir plus haut). Prendre le petit plan à l'entrée.*

C'est à l'origine le premier palais des Capétiens, siège du pouvoir royal avant que les rois ne s'installent à la fin du XIVe s au Louvre, sur la rive droite, plus à l'abri des débordements du peuple parisien. C'est dès cette époque que le bâtiment va être affecté aux fonctions judiciaires.

À côté des salles gothiques du XIVe s (édifiées sous Philippe le Bel), des locaux furent transformés en prison et reçurent nombre de personnages illustres. Presque tous les héros ou les victimes de la Révolution (les derniers ayant été auparavant les premiers) passèrent par ici avant

CONCIERGE, UNE CHARGE PRESTIGIEUSE

La Conciergerie tient son nom de son « concierge », ou gouverneur du Palais, nommé par le roi avec pouvoirs de basse et moyenne justices, qui percevait les loyers des boutiques installées au rez-de-chaussée du Palais. Une fonction qu'on peut décliner au féminin puisque Isabeau de Bavière (femme de Charles VI) l'a occupée en son temps ! Plus tard, lorsque l'édifice fut partiellement transformé en prison, le gouverneur perçut également le loyer des cachots et du mobilier qu'ils renfermaient !

de perdre la tête : la plus célèbre pensionnaire fut Marie-Antoinette, mais Ravaillac et Montgomery (qui tua Henri II accidentellement) y séjournèrent également. Au XIXe s, la Conciergerie continue d'accueillir des prisonniers célèbres, comme Cadoudal et le futur Napoléon III à la suite du coup d'État manqué d'août 1840.

L'extérieur

La vue la plus intéressante se situe sur le fleuve, côté Châtelet. De ce château, ce qui frappe, ce sont les jolies tours. Leur simplicité donne de la majesté à cette partie des bords de Seine. Autrefois, les quatre tours avaient les pieds dans l'eau. De gauche à droite : au coin du quai, la tour de l'Horloge, élevée au XIVe s, abrite la toute première horloge publique de France récemment restaurée – son cadran est d'origine et le mécanisme fonctionne désormais ; la tour de César, élevée sur des fondations romaines ; la tour d'Argent, qui conservait le trésor royal ; et, enfin, la tour Bonbec, appelée ainsi car on y soumettait les accusés à la question (la torture) pour les faire parler...

L'intérieur
Entrée par le bd du Palais.

La visite comprend deux parties : les salles gothiques (celles des Gens-d'Armes et des Gardes), puis les salles révolutionnaires.

– *Les salles gothiques :* on y accède par la vaste *salle des Gens-d'Armes,* la plus grande salle gothique civile actuellement conservée en Europe. Ces espaces gothiques possèdent de très belles voûtes sur croisées d'ogives. L'ensemble était autrefois recouvert de peintures murales et éclairé, côté sud, par des baies qui ont été occultées depuis. Sur deux piliers de la salle des Gens-d'Armes, on peut voir le niveau atteint par la Seine en 1910. Des renforts furent ajoutés au XIXe s sous certaines voûtes suite à la construction d'un escalier juste au-dessus, dans la salle des pas perdus. Cette salle servait de réfectoire au personnel de Philippe le Bel. Par l'escalier en colimaçon (ajouté au XIXe s), on gagne les cuisines et leurs vastes cheminées *(ne se visitent pas actuellement).* En redescendant, au fond à droite, la *salle des Gardes* et ses beaux piliers sculptés au XVe s avec un accès direct à la tour de César où résidait le directeur de la prison. Elle se prolonge par la rue de Paris (couverte). Cette rue, tout comme la salle des Gardes, était utilisée comme dortoir par les « pailleux », les prisonniers pauvres qui dormaient sur la paille. Les plus riches, les « pistoliers », qui pouvaient se le payer, louaient une cellule avec un lit. La justice de classe a d'ailleurs persisté jusqu'à la Révolution. La rue fut surélevée au XVe s, ce qui explique son niveau par rapport à la salle des Gens-d'Armes. Le bourreau préparait les condamnés dans le greffe, c'est-à-dire dans la pièce d'entrée de la prison alors située sur la cour de Mai ou cour d'honneur du Palais. L'entrée révolutionnaire de la prison est actuellement la buvette des avocats !

– *Les salles révolutionnaires : au bout de la rue de Paris.* Édifiées au XVIIIe s, après l'incendie qui ravagea plus de la moitié de la partie médiévale. Reconstitution de quelques cachots animés par des personnages de cire (pailleux, pistoliers), petite expo sur les prisonniers célèbres de la Conciergerie... Mais le clou de la visite, c'est la reconstitution du cachot où Marie-Antoinette passa plus de 2 mois avant son exécution, en 1793. On poussa la parodie de procès à forcer son fils Louis XVII à témoigner contre sa mère pour... inceste. Comble du hasard ou intention malveillante, moins de 1 an plus tard, Robespierre, l'un de ses plus ardents accusateurs, devait occuper le cachot d'à côté.

🚣 **Bateaux-vedettes du Pont-Neuf** *(plan couleur C3) :* embarcadère au sq. du Vert-Galant, 75001. ☎ 01-46-33-98-38. ● vedettesdupontneuf.com ● Ⓜ Pont-Neuf. Tlj, ttes les 30-45 mn env, 10h30-22h (22h30 en été). Tarifs : 14 € ; 7 € moins de 12 ans. Achetez plutôt vos billets sur Internet, car c'est bien moins cher ! Connaissez-vous l'origine du mot « bateau-mouche » ? Les moteurs de ces embarcations imaginées par un constructeur naval lyonnais en 1860 étaient tout simplement fabriqués à la Mouche, un quartier au sud de Lyon.

✷✷ Le square du Vert-Galant (plan couleur C3) : à l'extrémité de l'île de la Cité, telle la proue d'un navire. « Vert-Galant », du surnom donné à Henri IV, qui passait pour un homme vigoureux auprès des femmes... Un lieu de rendez-vous très apprécié des pêcheurs, des amoureux et des gens de la cloche. Derrière le square, un escalier débouche sur le Pont-Neuf. Deux élégantes maisons Louis XIII, de pierre et de brique, donnent accès à la **place Dauphine,** appréciée des joueurs

LE LANGAGE DES STATUES ÉQUESTRES

Si une seule patte est levée, le cavalier est mort suite à ses blessures de guerre. Si le cheval a les deux membres avant levés, son maître est mort au combat. Mais si les quatre membres touchent terre, c'est une mort naturelle. Une jolie règle qui permet de décrypter bien des statues parisiennes ! Elle souffre toutefois quelques exceptions, sinon ce ne serait pas drôle...

de pétanque. Seules les maisons des nos 14 et 26 conservent l'aspect primitif des demeures de l'époque. Une petite place charmante et agréable, mais sachez que si vous rêvez d'y acheter un appartement, il faut compter 14 000 € du mètre carré !

✷✷ Le Pont-Neuf (plan couleur C3) **:** comme son nom ne l'indique pas, c'est le plus vieux pont de Paris. Lorsque la première pierre fut posée, le 31 mai 1578, Henri III, vêtu de noir, tenait un chapelet aux grains en forme de têtes de mort en ivoire et pleurait. Il venait d'assister à l'enterrement de ses mignons favoris, décédés à la suite d'un duel. D'où son nom initial : le pont des Pleurs. Il ne fut achevé qu'en 1607. Bâti à l'origine pour améliorer le transit entre le Louvre et l'abbaye de Saint-Germain, c'est le premier pont sans maison, et le premier à inaugurer des trottoirs. Lieu de grand passage, il devint un endroit très à la mode, très gai, et on y vit très marchands, des cracheurs de feu, des dompteurs d'ours ; également de nombreux arracheurs de dents – lesquels faisaient de leur art un véritable spectacle (improbables accoutrements, mise en circulation de la dent arrachée...) –, des chansonniers : on était « toujours sûr d'y rencontrer, à n'importe quelle heure, un moine, un cheval blanc et une putain », des marchands d'encre... On y exécutait les prisonniers par pendaison ou décapitation, et il était du plus grand chic de venir s'y battre en duel. C'est là qu'est né l'art des chansonniers parisiens, ces critiques féroces de la vie politique. En 1818, le Napoléon de la place Vendôme est déboulonné, et son bronze est utilisé pour la refonte de la statue d'Henri IV (balayée par la Révolution), sur le terre-plein central. Le fondeur Mesnel, farouche bonapartiste, placera une petite statue de l'Empereur dans les bras du roi !
Aujourd'hui, c'est le plus long pont de Paris. Il eut l'honneur d'être « empaqueté » 15 jours par l'artiste américain Christo en 1985 et fleuri par le couturier Kenzo en 1994. Avant eux, Pissarro, Derain ou encore Victor Hugo avaient, au travers de leur art, rendu hommage à ce surprenant monument et à ses « échancrures en demi-lune ».

✷ Les bouquinistes : dès les premières années après l'achèvement du Pont-Neuf apparaissent les bouquinistes, qui y élisent domicile. À l'époque, les livres étaient tellement chers que le marché de l'occasion se développa dès 1539 (date à laquelle François Ier dissout la corporation des imprimeurs). Pour contrôler les colporteurs d'écrits, parfois illicites, on décide, au XVIIe s, de les fixer dans les environs du Pont-Neuf. D'aménagements en réglementations, leurs « boîtes » de rangement apparaissent. Au tournant du XVIIIe s, il est acquis qu'elles ne seront plus remises en cause. Pourtant, aujourd'hui, on n'en trouve plus directement sur les ponts. Très demandés, les emplacements constitués de quatre boîtes de 2 m peintes en vert bouteille s'étendent sur plus de 3 km, rive gauche comme rive droite. On peut ainsi encore dénombrer 217 bouquinistes (représentant près de 300 000 ouvrages : livres, gravures, affiches, estampes...), qui sont tenus d'ouvrir boutique 4 jours par semaine quel que soit le temps ! C'est la plus grande librairie à ciel ouvert. En même temps, c'est la seule.

▶ Pour le plan du 2e arrondissement, voir le cahier couleur.

Autrefois, l'arrondissement était le siège d'une importante activité économique, centrée sur la Bourse, le textile et la presse. En témoignent encore les imposants immeubles de la rue Réaumur. Aujourd'hui, cet arrondissement vit principalement autour de la mode et des activités qui s'y rattachent. D'un côté, la fébrilité des étroites et sombres rues du quartier du Sentier. De l'autre, la froide élégance des maisons de couture de la place des Victoires. De la presse, dont les rédactions et les imprimeries parsemaient les rues du quartier du Croissant, il ne reste que quelques immeubles ayant

CE QUE FEMME VEUT...

Lorsque les deux dirigeants lyonnais du Crédit agricole, Henri Germain et Arlès Dufour, décident en 1876 de s'installer à Paris, leurs femmes posent deux conditions : leur installation dans le quartier des grands magasins d'une part, et la construction d'un immeuble qui pourra être reconverti en grand magasin en cas de faillite de la banque d'autre part. C'est ainsi qu'un splendide édifice est construit au 16, rue du Quatre-Septembre (actuel siège du journal Les Échos), surmonté d'une verrière de 21 m de haut, réalisé par les ateliers de Gustave Eiffel, et toujours visible aujourd'hui.

changé d'affectation, comme celui du *Figaro,* et l'AFP, place de la Bourse. Cette dernière, qui survécut à Mai 68, a dû céder devant l'informatique, et elle n'est plus désormais qu'un système de cotations et d'échanges virtuels. Fini le brouhaha du palais Brongniart et sa fameuse corbeille... Ne restent aux alentours que de désuètes boutiques d'agents de change. On y achète de l'or, on y vend des pièces et des médailles.

Mais les vraies richesses sont dans les précieux manuscrits de la Bibliothèque nationale et... dans les passages. Atmosphère insolite, mystère, poésie. Difficile, aussi, de ne pas mentionner la rue Saint-Denis et autres rues des amours tarifées. Les « filles » sont toujours là : la rénovation immobilière et la « piétonnisation » d'une partie du périmètre n'ont pas réussi à les chasser.

Où dormir ?

Bon marché

🏠 *Hôtel des Boulevards (plan couleur D1, 3) :* 10, rue de la Ville-Neuve, 75002. ☎ 01-42-36-02-29. • hotel. des-boulevards@wanadoo.fr • hoteldesboulevards.com • Ⓜ Bonne-Nouvelle ou Sentier. Parking à 200 m de l'hôtel. Doubles avec lavabo 60-75 €, avec douche et w-c 68-85 €, avec bains 73-90 €, petit déj inclus. 🖥 📶 TV. Satellite. Petit hôtel modeste d'une vingtaine de chambres sans prétention ni coup de massue (à noter que le café du matin est offert). Sans charme mais propre, calme et plutôt fonctionnel. Accueil affable.

🛏 **Appihotel** *(plan couleur D2, 4)* : 158, rue Saint-Denis, 75002. ☎ 01-42-33-35-16. • info@appihotel.com • appihotel.com • Ⓜ Réaumur-Sébastopol. Réception fermée 13h-16h, 23h-9h. Doubles avec lavabo (w-c et douche sur le palier) 55 € , avec douche et w-c 70 € ; triple 85 € ; pas de petit déj. 🔲 🖥 En plein centre de Paris, un hôtel *low-cost* qui se présente comme tel. Pas d'ascenseur, pas de TV... la seule fantaisie de ce cadre spartiate est la collection de réveils et d'horloges en métal travaillé, fabriqués par le patron, qui orne la réception. Les chambres ont toutefois également droit à un meuble maison ! Pour le reste, elles sont basiques mais propres et pas chères. Elles donnent sur la cour ou sur la rue semipiétonne, parsemée de quelques boutiques olé olé, interdites aux mineurs !

Prix moyens

🛏 **Hôtel Vivienne** *(plan couleur C1, 5)* : 40, rue Vivienne, 75002. ☎ 01-42-33-13-26. • paris@hotel-vivienne.com • hotel-vivienne.com • Ⓜ Grands-Boulevards, Richelieu-Drouot ou Bourse. Ouv tte l'année. Doubles 88-124 € ; familiale 208 € ; petit déj 11 € . 📶 TV. Satellite. Dans une rue où les numismates se font concurrence, cet hôtel est tout près du musée Grévin, du théâtre des Variétés et d'une myriade de passages et de galeries. Les chambres, propres et lumineuses, au décor contemporain ou plus classique, offrent un bon niveau de confort (sèche-cheveux, double vitrage). Les moins chères ont les w-c sur le palier. La n° 14 est appréciée parce qu'elle communique avec la n° 15, ce qui permet de constituer une jolie suite pour une famille (idem pour les n°s 3 et 4). Aux 5e et 6e étages, jolie vue sur Paris. Quelques chambres avec petite terrasse (les plus chères). Un bon rapport qualité-prix. Accueil sympathique et dynamique.

🛏 **Hôtel Bonne Nouvelle** *(plan couleur D1, 1)* : 17, rue Beauregard, 75002. ☎ 01-45-08-42-42. • info@hotel-bonne-nouvelle.com • hotel-bonne-nouvelle.com • Ⓜ Bonne-Nouvelle ou Sentier. Doubles 89-99 € . 📶 TV. Un petit déj/pers ou 10 % sur le prix de la chambre offert(s) sur présentation de ce guide. Tenu par des gens charmants, ce petit hôtel de quartier est un point de chute simple mais convenable : atmosphère tranquille (la rue est peu passante), déco vintage (comprendre franchement « datée » !) et chambres propres (même si les salles de bains sont parfois vétustes). On évitera peut-être celles du 1er étage côté cour (sombres). Sans chichis donc, mais l'ensemble mériterait tout de même une bonne rénovation !

Plus chic

🛏 **États-Unis Opéra Hôtel** *(plan couleur A1, 7)* : 16, rue d'Antin, 75002. ☎ 01-42-65-05-05. • us-opera@wanadoo.fr • hoteletatsunisopera.com • Ⓜ Quatre-Septembre, Opéra ou Pyramides ; RER A : Auber. Doubles 145-230 € selon confort et saison ; petit déj 13 € . Promos fréquentes. 📶 TV. Câble. Ce bel établissement est impeccablement tenu et très confortable (salon élégant à l'accueil, chambres tout confort, classiques). Le personnel est aux petits soins, très professionnel. Superbe bar au rez-de-chaussée, style manoir anglais, tout en boiseries... et orné d'étonnants portraits qu'on vous laisse découvrir.

🛏 **Hôtel Edgar** *(plan couleur D1, 2)* : 31, rue d'Alexandrie, 75002. ☎ 01-40-41-05-19. • contact@edgarhotel.com • edgarhotel.com • Ⓜ Réaumur-Sébastopol ou Sentier. Doubles 155-295 € ; petit déj express 8,50 €, buffet 16 € . 📶 TV. Satellite. Un étonnant boutique-hôtel ouvert dans un ancien atelier de confection, comme il y en a tant dans le quartier. Seulement 13 chambres, chacune personnalisée dans un style terriblement *arty* par des stylistes, artistes, photographes, tous amis proches ou membres de la famille. Beaucoup de cachet, plus proche de la chambre d'hôtes que de l'hôtellerie classique. L'ambiance est par conséquent très cool et l'accueil sympathique. Pour ne rien gâcher, très bonne table sur place, spécialisée dans le poisson.

≜ *Timhotel Palais-Royal-Louvre* (plan couleur B2, **8**) : 3, rue de la Banque, 75002. ☎ 01-42-61-53-90. ● *palais-royal@timhotel.fr* ● *timhotel.fr* ● Ⓜ Bourse ou Palais-Royal. Doubles 109-240 €. ⌨ ⌂ TV. Câble. Un petit déj/pers offert sur présentation de ce guide. Dans un quartier on ne peut plus romantique, et quasiment au-dessus de la galerie Vivienne et du célèbre caviste *Legrand*. Les chambres, classiques et sans fantaisie, sont d'un bon niveau de confort (salles de bains parfois datées). Celles sur rue du dernier étage disposent d'un mini-balcon et offrent une belle vue sur les toits de Paris (réserver à l'avance). La façade et les mosaïques Art déco du sol de l'entrée donnent un charme désuet à l'hôtel.

≜ *Hôtel France d'Antin* (plan couleur A1, **6**) : 22, rue d'Antin, 75002. ☎ 01-47-42-19-12. ● *hotel@francedantin.com* ● *paris-hotel-france-opera.com* ● Ⓜ Opéra, Quatre-Septembre ou Pyramides. Résa conseillée. Doubles avec baignoire et w-c 250-275 €. ⌂ TV. Un 3-étoiles alliant classe et convivialité : tapisseries, tons beiges et vert sombre pour les beaux marbres et les fauteuils du hall d'accueil, salles voûtées en sous-sol, avec pierres apparentes. Les chambres, élégantes mais classiques, possèdent le confort habituel : clim, minibar, coffre-fort, sèche-cheveux, etc. Mention spéciale pour celles des 2e et 5e étages qui disposent d'un petit balcon, pour les mansardées du dernier étage et pour celles situées à l'angle, car elles gagnent en luminosité.

Où manger ?

Sur le pouce

|●| *Balt* (plan couleur B1, **22**) : 15, rue Monsigny, 75002. ☎ 01-44-71-02-58. Ⓜ Quatre-Septembre. Lun-ven 12h-15h. Formules 8,50-13 € ; salade ou sandwich env 7,50 €. C'est le snack des copains, où l'accueil chaleureux et bon enfant de la fine équipe est à l'image de la cuisine, sincère et généreuse. Car *Balt*, du nom du patron (Balthazar), fait dans le haut de gamme : tous les ingrédients sont cuisinés avec des produits frais et permettent d'élaborer à la commande le sandwich ou la salade de vos rêves. Pour une plus grosse faim, le plat du jour est idéal, toujours savoureux et souvent original, avant d'achever le festin avec l'excellent riz au lait ou le sabayon au citron vert. Génial, d'autant qu'il y a chaque jour un bon petit vin de propriété au verre pour améliorer le menu ! À emporter ou sur place, dans une petite salle pimpante et lumineuse. *NOUVEAUTÉ.*

|●| *Nano* (plan couleur C2, **27**) : 14, rue Bachaumont, 75002. ☎ 01-40-26-35-10. Ⓜ Sentier. Lun-ven 10h-17h. Formule complète 15,90 € ; verrines 2,90-3,90 €. Un snack chic et épuré imaginé par le designer Ora-Ïto et conçu quasiment comme une séquence mathématique. D'abord, ce mur coloré aux carrés en relief déclinés à l'infini. Ensuite, ces verrines de forme cubique et déclinées en vitrine en formules modulables à volonté. Tout est frais, préparé sur place et renouvelé au fil de la journée. Certaines verrines sont particulièrement élaborées et s'avèrent même copieuses (crumble de cabillaud, lasagnes saumon-épinard, parmentier, tartare, salades, tarte citron déstructurée...). Une formule ludique et bluffante. Vente à emporter. *NOUVEAUTÉ.*

Bon marché

|●| *Noglu* (plan couleur C1, **16**) : 16, passage des Panoramas, 75002. ☎ 01-40-26-41-24. ● *contact@noglu.fr* ● Ⓜ Grands-Boulevards ou Richelieu-Drouot. Lun-ven 12h-14h30, plus mar-sam 19h30-22h30 ; sam brunch 11h-15h. Formule 25 € ; repas 17-30 €. *Noglu*, comprendre « no gluten », est un tout petit resto

avec une grande table d'hôtes au rez-de-chaussée qui sert de comptoir, une petite salle à l'étage et une poignée de tables à l'extérieur. Frédérique Jules, intolérante au gluten et au lactose, connaît bien les contraintes d'un régime sans et souhaite que tous les allergiques comme elle puissent manger sans contrainte ni risque. Le chef japonais, tout de même passé au *Bristol* et chez *L'Ami Jean*, suit donc le mouvement et propose une cuisine délicieuse sans aucun aliment allergène ! L'ensemble du personnel a d'ailleurs été formé à la philosophie « Noglu ».

|●| *Le Dénicheur (plan couleur D2, 15)* : 4, rue Tiquetonne, 75002. ☎ 01-42-21-31-01. Ⓜ *Étienne-Marcel. Tlj sf dim soir et lun 18h30-0h30, plus le midi sam-dim pour le brunch 12h-15h. Formules 12 (déj)-20,90 € ; brunch 20 €. CB refusées.* Petit troquet rigolo, à la déco de bric et de broc, très seventies (ça fait aussi brocante). Petite bouffe sympa et pas compliquée autour de copieuses salades, d'assiettes de pâtes ou du plat du jour. Idéal pour les petites bourses ou pour se retrouver entre copains. Vins servis à la ficelle : autrement dit, vous ne payez que ce que vous consommez. Très bon accueil.

|●| *Le Mesturet (plan couleur B1, 23)* : 77, rue de Richelieu, 75002. ☎ 01-42-97-40-68. ● lemesturet@wanadoo.fr ● Ⓜ *Bourse ou Quatre-Septembre. ✗ Tlj 12h-23h non-stop. Menus-carte 24-29,50 €. Apéritif maison offert sur présentation de ce guide.* Ce bistrot au coude-à-coude a calé ses horaires d'ouverture sur ceux du palais Brongniart ! Dès le matin, il mouline avec des formules petit déj, frôle la surchauffe le midi, continue de servir jusqu'au soir les estomacs décalés et ferme ses portes vers minuit pour refaire sereinement les stocks. Le patron a une passion pour les bons produits du terroir et renouvelle sa carte à chaque saison. Belle carte des vins, et desserts irrésistibles ! Plus cosy le soir. Super accueil.

|●| *Mémère Paulette (plan couleur C2, 17)* : 5, rue Paul-Lelong, 75002. ☎ 01-42-36-26-08. Ⓜ *Sentier ou Bourse. ✗ Tlj sf sam midi,* dim et lun soir ; service 12h-14h, 19h30-22h15. Congés : 2 sem en août. Menus 18-20 € le midi, 25 € le soir. Avec ses poutres au plafond et ses tables habillées de toile cirée, cette mini-auberge oubliée du temps détonne dans le quartier. On est à deux pas de la Bourse, de la très fashion place des Victoires, et la *Mémère*, elle, reste arc-boutée sur ses plats de terroir, ses viandes tranchées épais et ses tarifs sans dérives. Les malins du coin y vont aussi – certains diront « surtout » – pour la carte des vins, incroyablement dense (plus de 150 références) et pleine de pépites à prix doux.

Prix moyens

|●| *L'Assiette à Carreaux (plan couleur C2, 25)* : 45, rue des Petits-Carreaux, 75002. ☎ 09-53-27-33-83. Ⓜ *Sentier. Tlj sf sam midi et dim soir 12h-14h30, 20h-22h30. Formules déj 19-21 € ; entrées 8-14 €, plats 17-27 € ; brunch dim 22 €.* L'endroit ne désemplit pas, ce qui est bon signe. Assez peu de plats, mais parfaitement maîtrisés. L'offre change régulièrement selon le marché et l'humeur du chef. On peut toujours compter sur le foie gras maison et l'os à moelle en entrée. Les poissons comme les viandes excellent aussi bien en cuisson qu'en préparation. Pour les pressés, assiettes de charcuterie italienne ou de fromages. Terrasse ensoleillée donnant... sur une rue piétonne.

|●| *Pascade (plan couleur A1, 21)* : 14, rue Daunou, 75002. ☎ 01-42-60-11-00. ● pascade@alexandre-bourdas.com ● Ⓜ *Opéra. ✗ Tlj sf dim-lun 12h-23h en continu. Repas 25-30 €. Apéritif maison offert sur présentation de ce guide.* La *pascade* est une galette creuse traditionnellement fourrée de légumes et servie autrefois à Pâques en Aveyron. En plein cœur de Paris, ce plat unique est devenu le fer de lance de la maison, qui joue sur les déclinaisons de garnitures, toujours fraîches et de saison : viandes, poissons, légumes finement cuisinés, c'est gourmand et bien vu ! Le côté sucré-salé surprend (la pâte a parfois tendance à caraméliser), la formule

simple et originale séduit, comme la grande table haut perchée. Succulentes versions sucrées, à apprécier aussi lors de la pause goûter !

|●| *La Grille Montorgueil (plan couleur C2, 18)* : 50, rue Montorgueil, 75002. ☎ 01-42-33-21-21. Ⓜ *Les Halles* ou *Étienne-Marcel. Lun-jeu 12h-15h, 19h-minuit ; ven-dim, service continu jusqu'à 0h30. Formule déj en sem 15 € ; repas complet env 30 € à l'ardoise. Kir offert sur présentation de ce guide.* Ce bougnat plus que centenaire, joliment rénové à l'identique dans cette sympathique rue piétonne, propose une honnête cuisine de bistrot. Le comptoir en zinc, qui ondule gentiment depuis 1904, fut le décor des scènes de *Gueule d'amour,* avec Jean Gabin. Aux beaux jours, agréable terrasse ensoleillée.

|●| *L'Apibo (plan couleur C2, 26)* : 31, rue Tiquetonne, 75002. ☎ 01-55-34-94-50. ● *restaurant.lapibo@gmail. com* ● Ⓜ *Étienne-Marcel ; RER : Châtelet-Les Halles. Tlj sf dim et lun midi 12h-14h, 19h30-23h. Formules déj 14-26 € ; carte 25-30 €.* Anthony Boucher, jeune chef talentueux, concocte dans son bistrot gastro une cuisine créative, fruit de son expérience et de ses voyages. Au déjeuner, il suffit de piocher parmi la carte restreinte : 4 entrées, 4 plats, 4 desserts et basta ! Cette petite adresse a de sacrés atouts : une salle rustico-chic aux pierres apparentes, un accueil d'une très grande gentillesse et une belle cuisine inventive à prix abordable. Une jolie trouvaille, ma foi...

|●| *Pollop (plan couleur C2, 33)* : 15, rue d'Aboukir, 75002. ☎ 01-40-41-00-94. ● *pollop.fr* ● Ⓜ *Sentier. Déj lun-ven, dîner mar-sam. Fermé dim. Formules déj 16-19 €, 26-31 € le soir.* L'étroite salle-couloir et la pièce-bibliothèque du fond sont habillés d'un costume de bistrot contemporain, au design nordique délicat. C'est également sur le registre de la douceur que le *Pollop* prend ses marques dans le quartier, sans tambour ni trompette. Le piano est occupé par un chef qui joue une cuisine légère et goûteuse, raffinée et asiatisante, au rapport qualité-prix épatant le midi. À noter, le savant travail sur les émulsions. Une carte courte, un

repas frais et un service gentil comme tout. *NOUVEAUTÉ.*

|●| *Restaurant Circonstances (plan couleur C1, 34)* : 174, rue Montmartre, 75002. Ⓜ *Grands-Boulevards.* ☎ 01-42-36-17-05. ● *circonstances. fr* ● *Fermé sam-dim et le soir lun-mar. Le midi : formule 20 € avec 1 plat au choix, 1 verre de vin et 1 café. Menu dîner 34 € (pas imposé avant 20h et après 22h30). Service jusqu'à 23h15.* Près des grands boulevards, des circonstances exténuantes vous font chercher refuge dans ce coin caché. On passe devant le comptoir, derrière lequel le chef cuisine pour rejoindre sa table. Chaises en bois, bonne humeur en salle, simplicité dans l'énoncé de la carte, mais rigueur dans l'assiette, car là on ne rigole pas. Cet ancien de chez Guy Savoy et Alain Dutournier a quitté, avec sa compagne, qui assure côté salle, le monde des gastros pour créer ce lieu où une vraie terrine à l'ancienne fait patienter avant les ravioles de crevettes, menthe et coriandre, ou l'osso bucco mijoté. Pas mal de costumes-cravates le midi, ça s'arrange en soirée. *NOUVEAUTÉ.*

|●| *Le Gavroche (plan couleur B1, 19)* : 19, rue Saint-Marc, 75002. ☎ 01-42-96-89-70. Ⓜ *Richelieu-Drouot* ou *Bourse. Tlj ; service 12h-15h, 19h-1h. Plat du jour 16 € ; repas complet 22-35 €.* Un bistrot à la gloire du beaujolais (10 crus), fréquenté au déjeuner par les commissaires-priseurs de Drouot, le soir, avant et après les spectacles, par de jeunes branchés et provinciaux, qui se retrouvent autour de nappes en vichy rouge et blanc. Plats aussi simples que l'escalope à la crème ou le pavé de rumsteck et pommes frites. L'arrière-salle, intime et chaleureuse, est décorée d'une toile, clin d'œil à Rousseau, Voltaire, Richelieu, au brouilly et au fleurie !

|●| *Restaurant Moderne (plan couleur C1, 29)* : 40, rue Notre-Dame-des-Victoires, 75002. ☎ 01-53-40-84-10. Ⓜ *Bourse.* ♿ *Tlj sf w-e ; service 12h-14h, 19h30-22h30. Congés : 3 premières sem d'août. Formules déj 34-38 € ; menu dégustation 49 €.* Moderne, ce café l'est d'abord par son décor : belle salle design et éclairage

savamment dosé pour mettre en valeur les bouteilles disposées avec art, les tableaux et les photographies. La cuisine est tout aussi inventive. Le chef propose le soir « L'Instinct moderne », un menu composé de 6 bouchées préparées selon le marché du jour et l'inspiration du moment. Belle carte des vins.

De chic à plus chic

|●| *Frenchie* (plan couleur C-D2, **20**) : 5, rue du Nil, 75002. ☎ 01-40-39-96-19. ● marchandgregory@hotmail.com ● Ⓜ *Sentier. Lun-ven 19h-23h slt. Congés : 2 sem en août et 2 sem aux fêtes de fin d'année. Résa indispensable (longtemps à l'avance) ! Formule 48 €.* Les pépites sont toujours planquées... comme ce resto à la façade patinée, tapi dans une toute petite rue du Sentier. C'est là que Grégory Marchand a posé ses casseroles après avoir tourné au *Fifteen* avec Jamie Oliver, puis à New York, en Espagne et à Hong Kong. Il en a conservé le surnom, Frenchie, et rapporté une cuisine colorée, savoureuse, qui évolue au rythme des saisons et de l'inspiration. On se sent à l'aise dans cette petite salle aux murs de brique et de pierre. Un succès qui ne se dément pas, y compris dans la sandwicherie (*Frebcgue To Go*) voisine et le bar à vins en face !

|●| *Les Jalles* (plan couleur A1, **31**) : 14, rue des Capucines, 75002. ☎ 01-42-61-66-71. Ⓜ *Opéra ou Madeleine. Fermé sam-dim. Menu 24 € le midi ; menu-carte 42 €.* Dans un cadre Art déco élégant – grand retour aux brasseries chic des années 1930, avec un long bar en bois, des miroirs, boiseries, banquettes –, Magali Marian a ouvert *Les Jalles*, du nom des petits cours d'eau du Médoc, dont elle est originaire. Œnologue de formation, elle sait guider ses hôtes dans leurs choix sur la belle carte des vins qu'elle propose, assistée en salle par Katarina. Les 2 femmes ont le sens de l'accueil. Dans l'assiette, une cuisine bordelaise à tendance néobistrot bourgeoise, délicieuse. Du frais, du saisonnier, et du bon ! *NOUVEAUTÉ.*

|●| *Terroir Parisien Palais Brongniart* (plan couleur B1, **32**) : 28, pl. de la Bourse, 75002. ☎ 01-83-92-20-30. Ⓜ *Bourse. Tlj midi et soir sf dim. Résa conseillée. Compter 35-50 €.* Yannick Alléno, ancien chef du *Meurice*, tente une fois de plus l'aventure du bistrot gastronomique. Dans l'entresol de la Bourse, des tables à touche-touche sous un toit bas de plafond, dans une salle à la déco industrielle rehaussée de touches contemporaines. Grande cuisine ouverte, comptoir pour picorer des radis ou croquer dans un jambon-beurre, et le fameux bar à rillettes à partir de 18h avec le Meilleur Ouvrier de France pour vous servir. Ici, on remet le produit en valeur. En salle, des plats bien exécutés, de saison, mais surtout avec des produits exclusivement franciliens. Ambiance joyeuse, un peu bruyante. Terrasse aux beaux jours. *NOUVEAUTÉ.*

|●| *Une Poule sur un Mur* (plan couleur C2, **24**) : 5, rue Marie-Stuart, 75002. ☎ 01-42-33-05-89. Ⓜ *Étienne-Marcel. Tlj sf sam midi et dim-lun 12h-14h30, 19h30-22h30. Congés : 3 sem en août. Formules déj 17-20 € ; le soir, carte slt, 35-45 €. Vin au verre à prix doux.* La poule peut redescendre de son mur et s'asseoir à cette table sans crainte. On y concocte une cuisine équilibrée, originale, diablement goûteuse, délicate et parfumée. Les 2 coqs qui tiennent cette *Poule* le font avec beaucoup d'humilité, s'attachant à partager leur plaisir avec leurs convives. Présentation particulièrement soignée. Le midi, voici une bien belle affaire. Service tout en douceur.

|●| *Edgar* (plan couleur D1, **2**) : 31, rue d'Alexandrie, 75002. ☎ 01-40-41-05-69. Ⓜ *Sentier ou Strasbourg-Saint-Denis. Tlj sf dim soir. Carte env 25 € le midi, 50 € le soir ; brunch 27 €. Cocktail 9 €.* Un bar à cocktails avec une paisible terrasse, un intérieur stylé années 1950/scandinave, cosy le soir, et une formule maligne, tendance et percutante : des entrées et plats à partager, accompagnés de frites et tombée d'épinards au beurre (pour les assiettes chaudes). C'est bon et frais. Facile de se laisser embarquer par cette jolie carte tournée vers la mer, à des prix qui eux aussi prennent très vite le large si on ne se limite pas. *NOUVEAUTÉ.*

IOI *Brasserie Gallopin (plan couleur C1, 30) :* 40, rue Notre-Dame-des-Victoires, 75002. ☎ 01-42-36-45-38. ● gallopin@brasseriegallopin.com ● Ⓜ Bourse ou Grands-Boulevards. ♿ Tlj 7h-4h ; service non-stop 12h-1h. Résa impérative. Menus 19,90 € (midi en sem)-24,90 € ; « Menu des Victoires » 35 € ; carte env 50 €. Un des piliers de la Bourse, depuis 1876. Quatre familles se sont succédé pour développer et préserver ce magnifique patrimoine de la vie parisienne, avec son bar en acajou, ses lambris et lustres fin XIXe s, ses cuivres bien astiqués et sa grande verrière fleurie. Les serveurs virevoltent sanglés dans leur tablier façon Belle Époque, les soupières en argent sont rutilantes. Cuisine classique de brasserie, donc, d'une qualité irréprochable. Seul bémol : le niveau sonore. Une curiosité : le Gallopin, chope de bière en argent contenant 20 cl, qui est toujours en service.

IOI *Aux Lyonnais (plan couleur B1, 28) :* 32, rue Saint-Marc, 75002. ☎ 01-42-96-65-04. ● auxlyonnais@free.fr ● Ⓜ Bourse, Quatre-Septembre ou Richelieu-Drouot. Tlj sf sam midi et dim-lun ; service 12h-14h, 19h30-22h. Congés : de mi-juil à mi-août et 1 sem à Noël. Résa indispensable. Formule déj 32 € ; menu le soir 35 € ; carte 45-50 € le midi et 60-70 € le soir. Un bouchon historique traditionnel (cadre rétro superbe), tenu par un proche d'Alain Ducasse. La carte reprend les grands classiques lyonnais tels que ravioles, rognons, quenelles. Les produits sont frais et les prix accessibles. Dommage que les vins alourdissent tant l'addition ! Ducasse... mais pas encore les prix !

Bar à vins

IOI ♟ *Racines (plan couleur C1, 35) :* 8, passage des Panoramas, 75002. ☎ 01-40-13-06-41. Ⓜ Grands-Boulevards. Lun-ven 12h-14h30, 20h-22h30. Carte 45-50 €. « Marchand de vin », annonce l'enseigne ! Les murs de cet étroit bistrot en attestent : ils sont couverts de vins bio venant de petits propriétaires, non filtrés, souvent méconnus, qui descendent tout seuls et viennent accompagner une carte très courte. D'impeccables produits, choisis chez les meilleurs, permettent à ce jeune chef de proposer une cuisine simple et épurée, bio, française sur le fond, avec un soupçon d'accent italien (charcuterie, pâtes...). Allez, tout le monde à table ! *Également une annexe dans le 1er arrondissement (voir plus haut, à la rubrique « Où manger ? »).*

Cuisine d'ailleurs

Sur le pouce

🥢 *BollyNan (plan couleur C2, 41) :* 12, rue des Petits-Carreaux, 75002. ☎ 01-45-08-40-51. ● bollynan@gmail.com ● Ⓜ Sentier ou Les Halles. Tlj sf dim 11h-23h30. Formules à emporter plat + dessert ou boisson 8,50-10,50 € ; naans 2-4 €, sur place ou à emporter. Quoi de meilleur qu'un naan préparé et cuit sur commande dans un vrai *tandoor* (four en terre), comme en Inde, sous vos papilles alléchées ? À base de farine bio, nature, au fromage, à l'ail, ou version sucrée au Nutella ; ou sous forme de *BollyNan*, naan-chausson fourré au poulet et aux légumes, nourrissant et bien pratique à emporter. Mais le comptoir propose aussi des plats à composer soi-même, le tout délicatement épicé. Excellent lassi et bière indienne. Petite terrasse sur la rue piétonne, salle voûtée au sous-sol. Accueil gentil tout plein.

🥢 *Grillé (plan couleur B1, 35) :* 15, rue Saint-Augustin, 75002. ☎ 01-42-96-10-64. Ⓜ Richelieu-Drouot ou Bourse. Lun-ven 12h-15h. Kebab 8,80 €, frites 3 €. Agneau, veau ou bœuf du boucher star Hugo Desnoyer, dans un *take-away* sans fioriture (néons au plafond, azulejos bleu et blanc aux murs). Le tout est roulé dans une galette de farine blanche et d'épeautre bio cuite sous vos yeux, relevé de coriandre et de 2 sauces au choix (raifort ou piment vert). La version chic du kebab. À déguster sur le pouce ou sur un bout de chaise sur la terrasse de poche. Prévoir un peu d'attente aux heures de pointe. *NOUVEAUTÉ.*

|●| Gyoza Bar *(plan couleur C1, 44)* : *56, passage des Panoramas, 75002.* ☎ 01-44-82-00-62. ● *contact@gyozabar.com* ● Ⓜ *Richelieu-Drouot ou Grands-Boulevards. Tlj sf dim 12h-14h30, 18h30-23h.* Compter 7 € les 8 gyosa et 9 € les 12. Douze places assises seulement, qu'on s'arrache, tant le petit ravioli japonais a le vent en poupe ; par conséquent, plus personne ne prend la peine de décrocher le téléphone pour prendre une réservation... Grillé d'un seul côté, garni de porc ou de chou, le chausson fait un petit plongeon dans la sauce soja-agrumes, et hop, on le croque ! À vous de voir si vous voulez faire la queue – à moins de décaler l'horaire de votre repas – pour goûter ces p'tites merveilles, car s'offrir l'air du temps est à ce prix !

|●| D'jawa *(plan couleur C1, 37)* : *148, rue Montmartre, 75002.* ● *contact@djawa.fr* ● Ⓜ *Bourse ou Grands-Boulevards. Lun-ven 12h-15h, 19h-22h. Fermé j. fériés. Congés : sem du 15 août. Plat 9 € ; formules 10-13 €.* Un restaurant de « street-food » indonésien : du bœuf *rendang* (bœuf au lait de coco) ou poulet satay (à la cacahuète) au *nasi goreng* (riz frit, poulet, légume, œuf), en passant par le *dadar gulung,* une petite crêpe à la noix de coco. Miam ! On commande au comptoir, et on s'installe avec son plateau sous l'œil rieur de la mascotte de la maison, un petit singe jovial. Ou on emporte, au choix. C'est simple, rapide, et un dépaysement plein d'épices d'un excellent rapport qualité-prix.

≡ Mamie Burger *(plan couleur C1, 47)* : *18, rue Saint-Fiacre, 75002.* ☎ 01-42-33-97-74. ● *mamieburger. paris@gmail.com* ● Ⓜ *Grands-Boulevards. Tlj sf dim 12h-14h30, 19h-22h30. Menus 12-16 € ; burgers seuls 9-11 €.* Un mini-resto-comptoir à burgers qui la joue franchouillard avec sa viande d'Aubrac sélectionnée par le boucher Desnoyer et ses noms bien de chez nous. Le « Papi Dédé » (bacon, cheddar, oignons et sauce BBQ maison) tient ses promesses, goûteux,

juteux et bien copieux ; les frites nous ont moins convaincus. Pour se poser, une unique rangée de tables calées contre le mur, d'où le succès de la formule à emporter. *NOUVEAUTÉ.*

De très bon marché à bon marché

≡ Blend *(plan couleur C2, 48)* : *44, rue d'Argout, 75002.* ☎ 01-40-26-84-57. ● *welcome@blendhamburger.com* ● Ⓜ *Étienne-Marcel, Sentier ou Les Halles. Tlj 12h-23h. Formule déj en sem 15 € ; sinon compter 13-20 €.* Le secret d'un burger gourmet, c'est la qualité des ingrédients et le *blend* (mélange de différents morceaux de bœuf : persillé, maigre, tendre, etc.), la fusion des saveurs. Cette petite cantine branchée prend ça très au sérieux. La viande de bœuf est fournie par l'artisan-boucher Yves-Marie Le Bourdonnec. Et, du pain brioché au ketchup en passant par les frites, tradi ou de patates douces (hmm la sauce à l'ail qui va avec), tout est maison. Souvent plein, mais le service est rapide, et les clients jouent le jeu, laissant promptement la place aux suivants. *Autre adresse au 1, bd des Filles-du-Calvaire, dans le 3e arrondissement (même concept).*

|●| Rice & Fish *(plan couleur D2, 38)* : *16, rue Greneta, 75002.* ☎ 01-42-36-63-72. ● *andrejgal@hotmail. com* ● Ⓜ *Réaumur-Sébastopol. Lun-sam 12h-15h, plus mer-sam 19h30-23h. Congés : août. Formules déj 10-15 €. Thé vert offert sur présentation de ce guide.* Un petit bar à sushis pas comme les autres. Le chef, Andy, californien, manie le sushi et le maki avec dextérité. Impossible de réserver, il faut donc arriver tôt si l'on veut avoir la chance de goûter les bonnes petites formules dans cette salle d'une dizaine de couverts. Les produits sont d'une grande fraîcheur, ce qui ne gâte rien. Bonnes bières japonaises et... addition toute douce. Juste à côté, au n° 22, la maison vient d'ouvrir un bar à grillades. Concept tout aussi bon et sympa.

|●| Old Jawad *(plan couleur B1, 42)* : *1, rue Monsigny, 75002.* ☎ 01-42-96-16-61. Ⓜ *Quatre-Septembre. Tlj 12h-14h30, 19h-23h30. Menus 12 € le* midi et 20-25 € le soir ; carte env 30 €. Pile en face du théâtre des Bouffes-Parisiens, auquel il a emprunté quelques éléments décoratifs : capitonnage rouge sang, dorures clinquantes, rampes lumineuses de loge de théâtre. Côté cuisine, une carte indienne classique de bonne tenue. Un bon rapport qualité-prix dans un décor original.

|●| Miki (plan couleur B1, **39**) : 5, rue de Louvois, 75002. ☎ 01-42-96-04-88. Ⓜ Bourse ou Quatre-Septembre. Tlj sf dim midi et lun ; service 12h-14h30, 19h-22h30. Menus 15 € (le midi)-23 € ; carte env 35 €. On y mange au coude-à-coude, mais Miki propose de la vraie cuisine japonaise. Le midi, la formule bento est composée de 2 entrées (sardines marinées, omelette japonaise...), d'un plat (sashimi, daurade panée, fondant de porc...) et d'un dessert (excellente mousse au thé vert), le tout accompagné de la soupe miso et du bol de riz. À arroser comme de juste d'un bon thé vert ! Excellent rapport qualité-prix. Un peu d'attente. Le soir, c'est plus chic (dans tous les sens du terme).

|●| Tyr (plan couleur A-B1, **40**) : 3, rue de La Michodière, 75002. ☎ 01-49-24-09-45. Ⓜ Quatre-Septembre. Tlj sf dim 12h-14h30, 19h-23h. Le midi, menu 14 € et assiettes de mezze 14-18 € ; formules mezze pour 2-6 pers 21-126 € ; le soir, menu « Tyr » 22 € ou menu découverte 29 € avec mezze, grillade mixte ou plat du jour, dessert, apéritif, thé ou café. Ambiance cantine sans façons au rez-de-chaussée et salle plus cosy mais un peu tape-à-l'œil au sous-sol. Cuisine libanaise traditionnelle sans trop de surprises mais réalisée avec de bons produits et beaucoup de savoir-faire.

Formules mezze copieuses et savoureuses. Accueil chaleureux et service conciliant.

Prix moyens

|●| Silk & Spice (plan couleur C2, **43**) : 6, rue Mandar, 75002. ☎ 01-44-88-21-91. ● paris@silkandspice.fr ● Ⓜ Étienne-Marcel. ♿ Tlj sf sam midi et dim 12h-14h, 19h30-22h30. Fermé 1er janv et 24-25 déc. Menus 20-24,50 € (midi), puis 29-50 € ; carte env 38 €. L'endroit idéal pour une escapade exotique. Quand l'élégance de la soie se marie au charme discret des épices, on obtient ce lieu de pierre, baigné d'une douce lumière tamisée. Cuisine thaïe raffinée, un peu relevée. Des currys, bien évidemment, mais aussi des plats sautés au wok, spécialités du chef. Belle sélection de vins, servis au verre. Service délicat.

|●| Rossi & Co (plan couleur C2, **45**) : 10, rue Mandar, 75002. ☎ 09-54-96-00-38. ● rossiandco@gmail.com ● Ⓜ Sentier ou Étienne-Marcel. Tlj sf dim-lun 12h30-14h30, 19h30-22h30. Congés : août et vac de Noël. Formule déj 24 € ; menu dégustation 45 € ; carte env 50 €. Marco, napolitain de cœur, a eu la très bonne idée de s'installer avec Aurélie, sa femme française, dans cette petite rue à deux pas des Halles. Fidèle à ses origines et à la cuisine de sa maman, il a sélectionné avec soin les produits bio et les petits producteurs de sa région natale. Un vrai bonheur pour les papilles ! D'autant que Marco n'est pas avare d'explications sur ses trouvailles culinaires. Notre coup de cœur : le gâteau de chocolat aux aubergines. Une table italienne à fréquenter sans modération...

Où boire un thé ? Où prendre un bon goûter ?

▨ ◈ À Priori Thé (plan couleur B2, **46**) : 35-37, galerie Vivienne, 75002. ☎ 01-42-97-48-75. Ⓜ Palais-Royal-Musée-du-Louvre ou Bourse. Lun-ven 10h-18h, sam 10h-18h30, dim 12h-18h30. Fermé lun-mar en mars pour travaux. Plats 15-20 € ; brunch dim 30 €. Avec ses tables en terrasse sous la verrière de la galerie Vivienne, passage

couvert du début du XIXe s, ce salon de thé possède un charme fou. Nappes de couleurs, fleurs, bois et rotin. Les salades sont délicieuses et les plats alléchants. Il en va de même pour le brunch, qui fait régulièrement le plein. Un peu cher mais reposant.

|●| ▨ Tea Corner (plan couleur C2, **49**) : 6, rue Mandar, 75002.

☎ 01-42-33-95-45. • contact@tea corner.fr • Ⓜ *Sentier, Étienne-Marcel ou Châtelet-Les Halles. Tlj sf lun 12h-19h (18h printemps-été). Congés : 1 sem sur déc-janv et 3 sem en août. Thés 3,50-7,50 € ; formules déj à partir de 13 € ; formule goûter 8,50 € ; brunch dim 20 €.* Niché dans une rue calme au cœur de Montorgueil, ce charmant petit salon a conçu une carte de plus de 30 thés du *Palais des Thés*, à déguster sur place ou à emporter, et accompagnés d'une gourmandise maison salée ou sucrée. On aime le cadre féminin et détendu de ce salon sur fond de musique soul et jazzy.

|●| 🍴 ***Pascade*** *(plan couleur A1, 21) :* 14, rue Daunou, 75002. ☎ 01-42-60-11-00. • *pascade@alexandre-bourdas.com* • Ⓜ *Opéra.* ⚱ *Tlj sf dim-lun 12h-23h en continu. Compter 9-10 € la pascade sucrée.* Recette traditionnelle de l'Aveyron, la *pascade* est une grosse crêpe soufflée légèrement caramélisée, garnie de compositions issues de l'inspiration gourmande d'Alexandre Bourdas. Succulentes et audacieuses, elles se déclinent en 4 versions sucrées qui changent au fil des semaines, des saisons et des produits. Voir aussi la rubrique « Où manger ? » plus haut.

Où boire un verre ?

🍷 ***La Jaja*** *(plan couleur C2, 56) :* 56, rue d'Argout, 75002. ☎ 09-52-12-41-01. • *contact@lajaja.fr* • Ⓜ *Sentier. Tlj sf dim 17h-2h. Bières 3-4 € ; bouteille 6,50 € ; verres de vin 4,50-5 € ; cocktail 8,50 €. Barquette charcuterie/fromage 4,50 €.* Ce microbar éclairé de néons roses ressemble à un joyau dans son écrin. Entre moulures dorées rococo, fresque baroque au plafond et imposants miroirs, l'esprit de Serge Gainsbourg rôde, sous des notes électro-rock ! Les trentenaires décontract' branchés se pressent au comptoir circulaire à l'heure de l'apéro et débordent joyeusement sur la terrasse et la rue piétonne. DJ tous les vendredis, idéal pour une « préchauffe » entre amis !

🍷 ***Kitty O'Shea's*** *(plan couleur A1, 51) :* 10, rue des Capucines, 75002. ☎ 01-40-15-00-30. • *kittyosheas. com* • Ⓜ *Madeleine ou Opéra. Tlj 12h-2h. Congés : autour de Noël. Demi 4,80 € ; pinte 7,50 €.* Morceau d'Irlande installé dans le quartier de l'Opéra, avec parquet patiné et boiseries. La clientèle, bon enfant et souvent cravatée en sortant du bureau, s'exprime dans la langue de Shakespeare. Le week-end, il faut parfois 15 mn pour atteindre le comptoir ! À l'étage, un 2e bar est plus tranquille. L'adresse est idéale pour assister à un match de rugby.

🍷 ***Le Café Noir*** *(plan couleur C2, 54) :* 65, rue Montmartre, 75002.

☎ 01-40-39-07-36. Ⓜ *Sentier ou Les Halles. Tlj sf dim 8h (16h sam)-2h ; juil-oct, ouv également dim 16h-2h. Bière 4 € ; alcool 7,50 €.* Un des bars à ne pas rater dans le quartier. Clientèle hétéroclite qui se réunit allègrement autour du vieux comptoir carrelé un peu pourri. Pas de prise de tête, juste de la bière fraîche qui descend des grappes de copains qui parlent un peu fort. Petite terrasse pour prendre le soleil aux beaux jours à l'angle d'une mignonne rue pavée.

🍷 ***L'Étienne Marcel*** *(plan couleur C2, 55) :* 34, rue Étienne-Marcel, 75002. ☎ 01-45-08-01-03. Ⓜ *Étienne-Marcel.* ⚱ *Tlj 9h (10h dim)-2h. Verres de vin 6-9 € ; cocktail 10 €. Brunch dim 23 €.* Bienvenue dans la galaxie Costes. Le design sixties psychédélique des meubles s'allie étonnamment bien au réseau électro-organique des luminaires et aux réminiscences minimalistes de l'architecture intérieure. Le service irréprochable aura du mal à vous faire oublier le prix des consommations.

🍷 ***Dédé la Frite*** *(plan couleur C1, 57) :* 135, rue Montmartre, 75002. ☎ 01-40-41-99-90. Ⓜ *Grands-Boulevards ou Bourse. Lun-sam 7h30-2h, dim 9h-minuit (2h si affluence). Snacks 6-15 €.* Un repaire sûr du quartier des Grands Boulevards qui a ses adeptes et ses convertis. Bières, vins et snacks sont servis généreusement (très bonnes frites, Dédé !), en terrasse (sur

2 rues différentes) ou dans la grande salle façon bistrot parigot. Idéal avant de sortir dans les clubs du quartier.

🍸 Le Belmont (plan couleur D2, **61**) : 86, rue Réaumur, 75002. ☎ 01-40-41-90-90. Ⓜ Sentier ou Réaumur-Sébastopol. Lun-sam 9h-2h, dim 11h-18h. Happy hours 18h-21h. Cocktails 8-12 €. Formule déj 17 € ; plat env 15 €. Dans ce coin qu'on appelait autrefois quartier de la presse, un gigantesque bar à l'américaine, avec mezzanine et double escalier d'apparat. La déco oscille entre classique US et tropicalisme, avec ses meubles chinés, ses imprimés exotiques et ses lustres clinquants. Il est agréable de venir se poser ici, surtout en fin d'après-midi, pour déguster les cocktails maison bien balancés. On peut même prolonger le plaisir avec quelques spécialités culinaires anglo-saxonnes savoureuses : la « Caesar salad » est une valeur sûre. Lors de l'*happy hour,* ça devient une aubaine, à deux pas du quartier onéreux de Montorgueil. Un bon plan.

🍸 Les Cariatides (plan couleur D2, **62**) : 3, rue de Palestro, 75002. ☎ 01-42-36-19-72. Ⓜ Étienne-Marcel. Lun-sam 18h-4h, dim 16h-2h. Café 2,50 € ; demi 3,50 € ; cocktail 9 €. 📶 Un petit bar atypique. On se sent vite à l'étroit, mais l'équipe y assure une convivialité bon enfant. Bons cocktails et rhums arrangés. Priorité ici aux concerts de jeunes talents, aux one-man-show et aux spectacles en tout genre, dans la salle voûtée au sous-sol.

Apéro-magie tous les mardis à 18h.

🍸 La Conserverie (plan couleur C1, **59**) : 37 bis, rue du Sentier, 75002. ☎ 01-40-26-14-94. ● contact@ laconserveriebar.com ● Ⓜ Bonne-Nouvelle. Lun-ven 12h30-14h30, 18h-minuit (2h mer-ven) ; sam 20h-2h. Congés : Noël-Jour de l'an. Cocktails 11-13 € ; verres de vin 7-9 €. Dans un superbe décor mi-industriel, mi-hôtel particulier, aux murs bleu pétrole garnis de portraits, on déguste des cocktails maison raffinés : le « Tin Can Julep » (cognac, basilic frais, coriandre), servi dans une boîte de conserve glacée, est renversant. Outre ces créations originales, on peut demander au barman de composer le cocktail de ses rêves. Quelques verres de vins bien choisis (mais pas donnés) complètent le tableau. Pas la peine de commander un simple verre de soda bien connu, ils n'en servent pas ! Pour se restaurer, carte de bentos le midi et cuisine japonaise familiale le soir.

🍸 🎵 Le Truskel (plan couleur C1, **58**) : 12, rue Feydeau, 75002. ☎ 01-40-26-59-97. ● truskel@truskel.com ● Ⓜ Bourse ou Grands-Boulevards. Tlj sf dim-lun 18h (17h sam)-5h. Consos env 2,50-8 €. C'est une adresse hybride entre le pub, la petite salle de concerts à tendance folle et le mini-*dancefloor* au pied levé. Les enfants du rock et de la pop-rock de tous âges, en majorité des 20-35 ans, se retrouvent pour y écouter live et DJs de qualité en buvant des pressions à prix honnêtes.

Où boire un excellent cocktail ?

🍸 Harry's Bar (plan couleur A1, **60**) : 5, rue Daunou, 75002. ☎ 01-42-61-71-14. ● info@harrysbar.fr ● Ⓜ Opéra. Tlj 12h-2h (3h ven-sam). Cocktails à partir de 13,50 €. C'est le QG des Américains à Paris, et Hemingway y avait ses habitudes. Dans un décor de moleskine rouge et de boiseries, la clientèle, plutôt sage en début de soirée, tombe la veste au fil des heures et des verres... grâce à un choix de boissons vertigineux : plus de 270 cocktails (le bloody mary est la spécialité maison) et plus de 160 whiskies. Idéal aussi pour finir la nuit.

🍸 Le Lockwood (plan couleur C1, **66**) : 73, rue d'Aboukir, 75002. ☎ 01-77-32-97-21. Ⓜ Sentier. Tlj sf dim 8h-2h. Cocktails 10-15 €. Le Lockwood, c'est l'exemple parfait de la reconversion progressive du quartier du Sentier, voué autrefois à la confection. On apprécie cette belle adresse à toute heure du jour et de la nuit : excellent *coffee shop* dès les premières lueurs du jour (crus d'exception), on y fête aussi l'*aperitivo* comme à Turin à la sortie des bureaux (buffet offert vers 18h30). Mais le clou du spectacle intervient à partir de 19h30, au sous-sol :

dans un réseau de magnifiques caves voûtées, on déguste des cocktails inventifs et suaves, sur fond de jazz lascif ou de folk illuminé. *NOUVEAUTÉ*.

🍸 *Experimental Cocktail Club (plan couleur D2, 65)* : 37, rue Saint-Sauveur, 75002. ☎ 01-45-08-88-09. Ⓜ *Sentier* ou *Réaumur-Sébastopol. Tlj 19h-2h*

(4h w-e). Cocktails à partir de 12-14 €. Derrière un lourd rideau de velours, on pénètre dans ce « laboratoire » soyeux et raffiné. On y distille d'excellents cocktails à la manière de scientifiques. La carte suit les saisons et change donc très souvent. Une raison de plus pour revenir.

Où danser ?

🎵 *Social Club (plan couleur C1, 70)* : 142, rue Montmartre, 75002. ☎ 01-40-28-05-55. Ⓜ *Bourse.* 🍴 *Mar-sam 23h-6h. Entrée : de gratuite jusqu'à 15 € selon programmation. Consos 6-12 €.* Le *Social Club* fait vibrer les Grands Boulevards avec ses soirées placées sous le signe de l'électro. La fine fleur des scènes française et internationale s'y donne rendez-vous pour faire danser de jeunes clubbers passionnés de musiques nouvelles. Les mardi et mercredi, configuration « petit social » plus intime, et plus âgé au niveau de la clientèle. Situé dans les anciennes imprimeries de *L'Aurore,* ce club offre un bel et grand espace. Quant au *Silencio,* le club attenant designé par David Lynch, il semble réservé aux seuls membres et *happy few...* Rien ne vous empêche d'essayer !

🎵 *Le Rex Club (plan couleur C-D1, 71)* : 5, bd Poissonnière, 75002. ☎ 01-42-36-10-96. ● infos@rexclub. com ● Ⓜ *Bonne-Nouvelle.* 🍴 *Mer-sam 23h30-7h. Entrée : de gratuite jusqu'à 20 € selon programmation. Consos 6-15 €.* Situé à côté du cinéma *Le Grand Rex,* inauguré en 1932 par Louis Lumière, l'endroit fut d'abord un dancing appelé *Le Rêve.* Aujourd'hui, *Le Rex,* qui a déjà plus de 20 ans d'existence, peut s'enorgueillir d'être le paradis des musiques électroniques, toutes tendances confondues : techno, house, drum'n'bass, hip-hop, minimal, etc. Les clubbers de 18 à 35 ans, voire plus selon la programmation, partagent la même passion de l'électro et la même admiration pour les DJs renommés : Laurent Garnier, qui a débuté ici, les DJettes Chloé et Jennifer Cardini, Ricardo Villalobos... Tous apprécient la qualité du *sound system,* le meilleur de Paris !

À voir

🎋 *Le musée du Parfum (plan couleur A1)* : à l'étage de la boutique Fragonard, 39, bd des Capucines, 75002. ☎ 01-42-60-37-14. *Lun-sam 9h-17h30. GRATUIT.* La boutique *Fragonard* et le musée du Parfum sont installés dans l'ancien théâtre des Capucines, qui accueillit en son temps Arletty et Mistinguett.

Le mot « parfum » vient du latin *per fumum* (« par la fumée »). Les premiers parfums – dès le IVe millénaire av. J.-C. – étaient obtenus en brûlant bois ou résines, et, dans les grandes civilisations (Égypte, Mésopotamie...), ils étaient avant tout associés aux rites funéraires et religieux. Derrière une poignée de vitrines, on découvre de bien beaux objets, comme des *pomander*. La crainte des maladies, la hantise des épidémies, voire le simple désir de se préserver des mauvaises odeurs, permirent le développement de ces boules à parfum remplies de matières odorantes (musc, ambre, aromates...), dont l'apogée fut atteinte à la Renaissance, avant de s'effacer progressivement au cours du XVIIIe s, avec l'avènement des parfums liquides.

Bien sûr, on y trouve également des nécessaires de voyage, qui se développèrent en même temps que les déplacements des membres de la Cour et de la haute bourgeoisie, des petites « vinaigrettes », qui abritaient de petites éponges imbibées de vinaigres aromatiques, utilisées comme des « sels », des boîtes à mouches et, surtout, de très beaux flacons. Or, écaille, cristal, émaux, galuchat... autant de matériaux nobles ou surprenants (comme l'écorce de bergamote – un agrume), travaillés avec excellence, voire faste (incroyable flaconnier en forme de carrosse !). Autres temps, autres mœurs !

Un beau petit voyage dans le temps, au pays du raffinement...

– Et à deux pas de là, l'autre espace de découverte du parfum de *Fragonard, 9, rue Scribe.*

🦶 *La Bibliothèque nationale de France, site Richelieu (plan couleur B1-2) :* 58, rue de Richelieu, 75002. ☎ 01-53-79-59-59. ● bnf.fr ● Ⓜ *Bourse ou Palais-Royal-Musée-du-Louvre. Excellentes expos temporaires (payantes) accessibles mar-dim 10h (12h dim)-19h ; fermé lun et j. fériés. Départements spécialisés du site Richelieu ouv slt aux chercheurs et étudiants accrédités ; il y a néanmoins des visites guidées (sur inscription) mer à 14h30 et sam à 15h (3 €) ; rens au* ☎ 01-53-79-49-49.

Avant le transfert des imprimés sur le nouveau site François-Mitterrand (13ᵉ), Richelieu renfermait plusieurs millions de livres et de journaux accumulés depuis plusieurs siècles. Après le départ des imprimés pour la Bibliothèque nationale de France à Tolbiac, seules les collections spécialisées subsistent à Richelieu : 530 000 manuscrits occidentaux et orientaux, les estampes et photographies (12 millions d'images), les monnaies et médailles (530 000 pièces), les cartes et plans (890 000), plus de 2 millions de pièces, recueils et partitions de musique. Un vaste chantier de rénovation est en cours, qui ne vous empêche pas de jeter un coup d'œil à travers la vitre sur la salle de lecture Labrouste (à droite dans la cour d'honneur). Prodigieuse superstructure de verre, soutenue par de minces colonnes de fer, plus les fresques, les ors, et cette fascinante pénombre de travail... mais l'accès à la salle est aussi bien gardé qu'une ambassade.

Le « quadrilatère Richelieu » est le berceau historique de la Bibliothèque nationale de France, installée là depuis le début du XVIIIᵉ s.

Le musée des Monnaies, Médailles et Antiques

🦶🦶 *Lun-sam 13h-17h45 (16h45 sam), dim 12h-18h. GRATUIT.* Ce petit musée (appelé aussi cabinet des Médailles), trop méconnu, abrite quelques merveilles. Le nom même du musée est trop réducteur... et peut être rebutant pour un néophyte. Car bien sûr, vous pourrez découvrir monnaies (la Bibliothèque fait office de dépôt légal pour les monnaies) et médailles de toutes origines et époques (parmi les centaines de milliers qu'elle possède). Mais vous serez aussi attiré par les fort belles pièces provenant le plus souvent des cabinets de curiosités des rois et princes, annexes en quelque sorte de leurs bibliothèques : trône de Dagobert, splendides pièces d'échecs de Charlemagne, vases antiques, collection d'ivoires, très beaux bijoux anciens (nombreux camées et intailles)... Le département conserve également 70 000 ouvrages ayant trait à la numismatique. En résumé, un musée intéressant et dont les pièces sont bien mises en valeur, dans une poignée de salles lumineuses.

BALADE SOUS LES VERRIÈRES

Le duc d'Orléans, père du futur souverain Louis-Philippe, fut le premier, en 1786, à lotir le jardin de son palais royal pour toucher le loyer de ses boutiques ; il allait donner des idées aux spéculateurs de l'époque... Dans un Paris sans trottoirs ni électricité, le passage dallé posé entre les échoppes est un véritable confort. Protégés de la boue et de la pluie par les verrières qui le surplombent dès 1792, boutiques et cafés connaissent un véritable succès.

La Restauration et la monarchie de Juillet verront éclore 24 de ces villes en miniature, invention du luxe industriel naissant, qui pousseront toujours plus haut leur ciel de verre vers la lumière. Toujours plus beaux et modernes, les passages évoluent (le bois fait place à la fonte, le gaz fait ses premières apparitions), on s'y bouscule, on s'y amuse et on y consomme pas mal. Les premiers véritables restaurants s'y distinguent, on joue aux dames ou aux dominos dans les cafés, on se rend au théâtre, au bal ou dans les estaminets pour boire de l'absinthe. Dans la foule se mêlent pickpockets et bourgeois, poètes et théâtreux, fausses ouvrières et vraies laborieuses. Ce nouveau lieu de vie s'exporte et, très vite, toute l'Europe voit fleurir des passages.

La généralisation des trottoirs, la refonte des vieux quartiers, l'ouverture des grands magasins ont sonné le glas de cet univers clos où manquaient l'espace et la verdure. Paris oubliera ses vieux passages, trop sombres et trop étroits. Aujourd'hui, fort heureusement, les embouteillages ont ramené les piétons sur les trottoirs, et certains passages connaissent une seconde jeunesse. Tous ne sont d'ailleurs pas commerciaux, certains n'étant que d'insolites voies de communication entre deux rues.

– **Attention,** certains sont fermés le dimanche.

🎭🎭 *La galerie Vivienne (plan couleur B2) : on y entre par la rue Vivienne (au nº 6), par la rue des Petits-Champs (au nº 4) ou par la rue de la Banque (au nº 5), 75002.* Ⓜ *Bourse. Tlj 7h30-minuit.* Un joyau du genre. On la découvre s'élançant avec un parterre coloré en mosaïque où se succèdent d'élégantes boutiques parisiennes : salon de thé, magasins d'antiquité, boutiques d'art, fleuriste chic, caviste-bar à vins, librairie ancienne côtoient les commerces haut de gamme des créateurs de mode comme Jean-Paul Gaultier ou Yuki Torii.

Passage préféré des Parisiens jusqu'au Second Empire, aux décorations ocre et aux références mythologiques (caducée de Mercure, corne d'abondance... cherchez les autres !), c'est un lieu plein de cachet et très lumineux, qui ravira les promeneurs. On y croisera facilement quelques personnalités et, pourquoi pas, le fantôme de Vidocq, ancien bagnard qui deviendra chef de la Sûreté de la capitale (!) et qui vécut au nº 13 pour assurer la surveillance du passage (élégant escalier avec rampe en fer forgé). En sortant par la rue de la Banque (au nº 5), on trouve l'immeuble où mourut le navigateur Antoine de Bougainville – premier Français à faire le tour du monde –, dont une célèbre fleur rapportée du Brésil porte le nom.

➢ Vous croiserez également la *galerie Colbert (plan couleur B2 ; entrée par la rue Vivienne ou la rue des Petits-Champs),* qui offre une très belle perspective avec une petite statue d'Eurydice posée sous la rotonde. Elle abrite des salles de cours d'universités parisiennes et la salle Roberto-Longhi, où se tiennent des expos temporaires gratuites.

➢ Par la rue de la Banque, rejoindre la mignonne *place des Petits-Pères (plan couleur B2),* où se trouvait, pendant la Seconde Guerre mondiale, le commissariat aux questions juives, triste administration de la politique de Vichy (voir la plaque historique). De l'autre côté, admirez l'*église Notre-Dame-des-Victoires,* ornée de quelque 36 000 ex-voto et qui a la particularité d'abriter un cénotaphe de J.-B. Lully et le tombeau de Jean Vassal, dernier secrétaire de Louis XIV.

🎭 *Le passage Choiseul (plan couleur B1-2) : il débute par une élégante façade au 23, rue Saint-Augustin et se termine au 40, rue des Petits-Champs, protégé par une structure de fer.* Ⓜ *Quatre-Septembre. Tlj 7h (8h dim)-21h.* Terriblement décrit par Céline (il y grandit au nº 64 et au nº 67) dans *Mort à crédit* sous le pseudo de « passage des Berezinas ». Ouvert en 1824, ce passage bien vivant avec verrière et marquise abrite petites boutiques sans grand charme, galeries d'art et restos. On y trouve le théâtre des Bouffes-Parisiens, dont Offenbach fut le célèbre directeur. Deux sorties latérales, une côté impair sur la discrète rue Dalayrac et, presque en face, une autre, plus dérobée, au niveau du nº 52, où l'on accède par un petit couloir sur la rue Sainte-Anne, avec, à l'angle, l'*hôtel Baudelaire,* où le poète séjourna en 1854. On se souviendra aussi que c'est au nº 23, chez l'éditeur Alphonse Lemerre, que Verlaine publia ses premiers vers.

🎥 **Le passage des Panoramas** *(plan couleur C1)* **:** *11, bd Montmartre, 75002.* Ⓜ *Grands-Boulevards. Tlj 6h-minuit.* Les panoramas circulaires, qui faisaient « voyager » nos aïeux – une des peintures d'origine représentait le retrait des troupes anglaises de Toulon ! –, ont donné leur nom à ce passage, construit en 1800, qui mêlait à la fois l'ambiance bourgeoise des galeries de bois du Palais-Royal et celle, plus populaire, des boulevards. La Nana de Zola en fit son passage de prédilection. En 1817, c'est le premier lieu public de la capitale équipé de l'éclairage au gaz. Multiples sorties possibles *(11, bd Montmartre ; 151, rue Montmartre ; 6-8, rue Saint-Marc ; 50, rue Vivienne).*

🎥 **Le passage des Princes** *(plan couleur B1)* **:** *entrée par les nᵒˢ 97, 99 ou 101 de la rue de Richelieu ou par le 5, bd des Italiens, 75002.* Ⓜ *Richelieu-Drouot. Lun-sam 8h-20h.* Dernier-né des passages de Paris (1860), on y admire le joli dallage quadrillé, la longue verrière aux armatures Art déco, les teintes ocre et la belle série de lampadaires. Dommage qu'une grande enseigne de jouets l'ait entièrement envahi, distillant sa musique commerciale. La cour, ravalée de haut en bas, avec sa fontaine rectangulaire et moderne, est calme, propre et discrète, bien agréable pour une petite halte dans ce quartier dynamique. Le passage est aussi le point de départ d'une visite des galeries couvertes du quartier, riche en anecdotes et en rebondissements orchestrée par l'équipe de *Visites Spectacles* (voir « Musées – Visites guidées » dans le chapitre « Paris utile »).

🎥🎥 **La tour Jean-sans-Peur** *(plan couleur D2)* **:** *20, rue Étienne-Marcel, 75002.* ☎ *01-40-26-20-28.* ● *tourjeansanspeur.com* ● Ⓜ *Étienne-Marcel. Visite libre (5 € ; 3 € sur présentation de ce guide) : avr-oct, mer-dim 13h30-18h ; nov-mars, mer et w-e 13h30-18h. Visite guidée (8 €) le w-e à 15h ou sur rdv.* Un peu à l'écart des passages, une tour du XVᵉ s qui constitue l'un des rares vestiges du Paris féodal civil. Édifiée en 1411, elle est le dernier témoignage de l'hôtel de Bourgogne, construit de part et d'autre de la muraille de Philippe Auguste. On peut y découvrir un bel escalier à vis, terminé par une voûte sculptée végétale unique en France, les chambres hautes, dont une restituée dans son état originel et dans laquelle on trouve les plus vieilles latrines parisiennes (adossées à une cheminée, donc chauffées !) ; parcours muséographique sur l'histoire, l'architecture et la vie quotidienne au début du XVᵉ s. Galerie sur le Paris médiéval.

➤ Par la rue Française, rejoindre la **rue Tiquetonne** et l'agréable quartier semi-piéton de Montorgueil, où l'on découvre, au nᵒ 10, une curieuse enseigne : *L'Arbre à Liège.*

🎥🎥 **Le passage du Grand-Cerf** *(plan couleur D2)* **:** Ⓜ *Étienne-Marcel. Lun-sam 8h30-20h.* Entre la rue Dussoubs et la rue Saint-Denis, un très beau passage, élevé en 1825 sur l'emplacement de l'hôtellerie du même nom, qui servait de relais de poste jusqu'à la Révolution.

🎥🎥 **La rue du Caire** *(plan couleur D1-2)* **:** Ⓜ *Réaumur-Sébastopol.* Le Caire, Aboukir, Alexandrie... bienvenue dans la Petite Égypte ! C'est après l'expédition de Bonaparte, en 1798, que tout le quartier fut rebaptisé de noms égyptiens. C'est à cet endroit que se tenait, au XVIIᵉ s, la célèbre **cour des Miracles,** dans le passage du Caire (lire plus bas). Celle-ci devait son nom au fait qu'au soir venu « les aveugles voyaient clair... les estropiés retrouvaient l'usage de leurs jambes ». À propos, Victor Hugo fantasma un peu lorsqu'il la situa au Moyen Âge dans *Notre-Dame de Paris.* On y trouvait des milliers de faux mendiants, tire-laine, « vendangeurs de coste » (pickpockets de l'époque), soldats déserteurs ou filles de joie... On y élisait un roi et une reine, surnommés Rolin-Trapu et Catin Bon-Bec. Il y avait une bassine devant une statue de saint dérobée dans une église et, lorsque les gueux passaient devant, ils étaient obligés d'y jeter une pièce... d'où l'expression « cracher au bassinet ».

¶¶ *La place du Caire* (plan couleur D1) : **M** *Sentier.* Ici commence véritablement *le Sentier,* le royaume du prêt-à-porter. C'est toute une atmosphère pendant la journée, où grouillent chariots, scooters, klaxons et autres diables. Le quartier est, en revanche, d'un calme désertique la nuit et le week-end. Sur la place se trouve la plus belle entrée du *passage du Caire* (lun-ven 8h30-18h30), bordée par un immeuble d'inspiration égyptienne. Amusant aussi : au XIXe s, c'était le quartier des imprimeurs et des fabricants de chapeaux de paille. Le passage en lui-même n'est qu'une succession de grossistes

À PROPOS DE MENDIANTS !

En 1668, le lieutenant La Reynie nettoya la cour des Miracles en 24h, promettant que les six derniers mendiants encore présents seraient pendus sur place. « Bonne nouvelle ! », s'écrièrent les braves gens. Depuis, le quartier garda ce nom ! Connaissez-vous l'origine du mot « argot » ? Il vient d'un groupe de mendiants possédant son langage et ses propres lois, qui avait surnommé son chef « le Rajot » (d'où le mot « argot »). Chaque soir, on lui remettait un pourcentage sur la recette, et le reste était transformé en ripailles et beuveries.

qui se regardent en chien de faïence dans un dédale de couloirs abrités qui rejoignent la place et la rue du Caire, la rue d'Alexandrie et la rue Saint-Denis. Intéressant pour capter les tendances de la mode à venir, dans une ambiance méridionale teintée d'une touche basmati ; mais peu de ventes au détail, il faut négocier sec !

¶ De la rue d'Aboukir (beau mur végétalisé, à l'angle avec la rue des Petits-Carreaux), rejoindre la rue de Cléry jusqu'au n° 87, où vous remonterez les 14 marches de l'escalier qui constituent à elles seules la plus petite rue de Paris. Avec 5 m de long, elle ne possède ni chaussée, ni trottoirs, ni numérotation, et ses fenêtres sont aveugles, mais elle est formée de cet escalier qui lui donne ce nom : *rue des Degrés.*

LE QG DES « BORDELIÈRES »

¶¶ *La rue Saint-Denis* (plan couleur D1-2) : ancienne voie romaine, elle fut la première rue pavée de Paris. Entre la rue de Turbigo et la porte Saint-Denis, cette rue a toujours été l'épicentre de la prostitution parisienne. Déjà, au XIVe s, le prévôt de Paris, Aubriot, notant que les prostituées s'habillaient de façon très voyante, édicta une ordonnance « interdisant les ceintures dorées, les collets renversés et les plumes de geai dans les robes ».

L'enceinte de Charles V intégra ces rues qui portèrent des noms sans équivoque : rue Trace-Putain (transmuée par l'usage en Transnonain, premier nom de la rue Beaubourg), rue Gratte-Cul (l'actuelle rue Dussoubs), rue Tire-Boudin, puis Tire-Putain (rue Marie-Stuart), etc. Les ancêtres d'Irma la Douce s'appelaient Alix la Maigriotte, Paule la Bien Fêtée, Hélène la Brette, Lucette aux Yeux Pers... Très organisées, elles avaient leurs réjouissances annuelles sous l'égide de leur patronne, sainte Madeleine, bien sûr, avec procession et tout. Cette organisation fait toujours ses preuves. Il est curieux de noter comme l'histoire se répète : écartées quelque temps du centre au Moyen Âge, les prostituées revinrent quand les Halles gagnèrent en importance, constituant une grande part du folklore local.

¶¶ *Les rues des Petits-Carreaux et Montorgueil* (plan couleur C1-2) : rues-marchés extrêmement vivantes, autrefois empruntées par les mareyeurs apportant, aux Halles, poissons et langoustes depuis les côtes de la Manche et de la mer du Nord. Le prolongement de ces deux rues, la *rue Poissonnière,* est un témoin explicite de ce passé. Nombreux commerces et vieilles boutiques. *Pharmacie Moderne* au 7, rue des Petits-Carreaux, avec ses boiseries à l'intérieur ;

au n° 10, à l'entresol, amusante peinture *Au Planteur.* Quelques façades originales comme celle du restaurant *Au Rocher de Cancale,* au n° 78 de la rue, décrit dans *La Comédie humaine* et fréquenté en leur temps par Balzac, Stendhal, Théophile Gautier et Alexandre Dumas. Pour les gourmands, une adresse incontournable, au n° 51 de la rue Montorgueil, qui a su garder son décor depuis 1804 : la pâtisserie *Storher,* du nom du pâtissier polonais qui accompagna Marie Leczcinscka lors de son mariage avec Louis XV. Religieuses, puits d'amour, financiers... des noms évocateurs... Sur la gauche, une pharmacie arbore une amusante enseigne d'apothicaire.

AUX INNOCENTS LES MAINS PLEINES !

Avec la rue Saint-Denis, le cimetière des Innocents était l'un des lieux de prédilection de ces dames pour le racolage. Les prostituées constituèrent toujours un casse-tête pour les autorités. Charlemagne tenta en vain de les chasser. Saint Louis, excédé par ces « femmes folieuses de leur corps », les bouta hors de l'enceinte de Philippe Auguste. De cette époque vient le mot « bordel ». En effet, les prostituées se construisirent extra-muros des baraques en « bords » (terme pour « planches »), et les clients ne tardèrent pas à appeler « bordes » ces maisons, et « filles bordelières » celles qui y logeaient.

LE QUARTIER DE LA PRESSE

Il y eut d'abord, sous la Révolution française, à l'emplacement du **passage du Caire,** l'imprimerie d'Hébert, directeur du célèbre brûlot *Le Père Duchesne.* Puis le passage lui-même abrita, au Second Empire, de nombreux lithographes et imprimeurs. Au 100, rue Réaumur, *L'Intransigeant* s'installa dans un nouvel immeuble en 1924. *France-Soir* lui succéda par la suite, avant d'abandonner les lieux en 1988. Dans le quartier ne subsiste plus que l'AFP, place de la Bourse.

À l'angle de la rue du Croissant et de la rue Montmartre, le café-resto *Le Croissant,* où fut assassiné, le 31 juillet 1914, Jean Jaurès, fondateur de *L'Humanité* et partisan de la paix. Une grande plaque de marbre rappelle l'événement, qui fut l'un des détonateurs du début du conflit. La première boucherie mondiale commencera quelques jours plus tard.

LE TUEUR ASSASSINÉ

Après avoir tiré une balle dans la tête de Jean Jaurès le 31 juillet 1914 à Paris, le nationaliste français Raoul Villain n'alla pas au front, lui qui était belliciste. En effet, il fut emprisonné durant toute la Première Guerre mondiale (il ne connut donc pas l'horreur des combats). Ensuite, il sera acquitté, et Mme Jaurès condamnée à payer les frais du procès, les jurés estimant qu'un Jaurès vivant aurait privé la France de sa victoire ! Ironie du sort, ce Villain fut à son tour assassiné à Ibiza, en 1936, par un républicain espagnol.

🏛 *La rue Réaumur (plan couleur C-D1-2) :* elle doit à un concours d'architecture – lorsque les contraintes haussmanniennes portant sur l'homogénéité des façades furent levées – quelques-unes des plus beaux exemples de l'art du fer à Paris. Qu'il adopte les formes végétales de l'Art nouveau, comme au n° 118, qu'il se fasse moderne à force de simplicité, comme au n° 124, ce matériau ouvrait d'immenses possibilités. Au n° 100, à l'angle de la rue Saint-Denis, l'immeuble qui abritait autrefois la rédaction de *France-Soir.* Dans le hall se trouve une inscription relative à l'ancienne cour des Miracles (lire plus haut le paragraphe sur la rue du Caire).

Vous trouverez sûrement moins d'intérêt à la **Bourse** (plan couleur B-C1), temple des affaires, construite dans un style pseudo-grec froid et lourd.

🎥 👫 **Les Étoiles du Rex** (plan couleur C1) **:** 1, bd Poissonnière, 75002. ☎ 01-45-08-93-58. ● legrandrex.com ● Ⓜ Bonne-Nouvelle ou Grands-Boulevards. Parcours audioguidé et visites interactives tte l'année mer-dim, ainsi que j. fériés et tlj pdt vac scol (ttes zones) ; départs ttes les 5 mn 10h-19h (dernier départ). Entrée : 11 € ; 9 € moins de 18 ans. Avec film du moment (2D ou 3D, petite ou grande salle – hors spectacle de Noël et « Féerie des eaux ») : + 7 € ; + 4,50 € moins de 14 ans. À partir de 6 ans.

Premier cinéma atmosphérique, Le Rex fit sensation le jour de son inauguration, en 1932 : pensez donc, une salle gigantesque, un immense écran (qui pèse plus de 1 t) et, au-dessus des têtes, un plafond constellé d'étoiles. En plus, au sous-sol se trouvaient un commissariat de police (!), une infirmerie, ainsi qu'un chenil et une nurserie pour soulager les spectateurs de leurs... paquets ! Un système novateur de ventilation de l'air (localisé au niveau des pieds des fauteuils) permettait même aux spectateurs de fumer.

Le Rex abrite toujours la plus grande salle de cinéma d'Europe (2 650 places). Superbe décor Art déco assez inclassable, entre palais vénitien, minaret, voûte bleue étoilée... Une ambiance toute méditerranéenne.

Guidée par une voix off, la visite des Étoiles du Rex commence par un passage derrière l'écran et dans les coulisses du grand cinéma. On traverse la salle de montage, l'atelier du projectionniste, où l'on découvre ce qu'est une pellicule de cinéma, et on peut même s'asseoir dans le fauteuil du directeur. Très dynamique, la présentation se poursuit par une simulation d'effets spéciaux vraiment extra et de bruitages. Petits et grands se prennent au jeu, fous rires assurés. Pour finir sur une projection très spéciale, vos débuts au cinéma aux côtés de Clint Eastwood...

3e ARRONDISSEMENT

LE NORD DU MARAIS • LE QUARTIER DU TEMPLE

> ▶ Pour le plan du 3e arrondissement, voir le cahier couleur.

Actif et embouteillé dans sa partie nord, autour du passionnant musée des Arts et Métiers, l'arrondissement devient plus populaire dans le périmètre du quartier du Temple. C'est là que subsiste une activité artisanale et que prospère le commerce des vêtements. En descendant vers le sud, on aborde le quartier du Marais, loti à partir du XIIe s par les moines templiers sur d'anciens marécages. C'est là, entre le XVIe et le XVIIe s, que la noblesse se fit construire de splendides hôtels particuliers, avant d'émigrer aux abords du Louvre, puis à Versailles. Parmi les plus remarquables, l'hôtel de Soubise, qui abrite les Archives nationales, l'hôtel Carnavalet ou l'hôtel Salé, où est (fort bien) logé le musée Picasso, dont la réouverture toute récente après des années de travaux était très attendue ; sans parler de la magnifique place des Vosges, ex-place Royale. Ses belles demeures se dégradèrent jusqu'à ce qu'on se souciât enfin du patrimoine. Restaurés et ravalés, occupés par des galeries, des musées, éclairés et mis en valeur la nuit tombée, ces hôtels particuliers donnent au sud de l'arrondissement son caractère aristocratique. Mais il y a aussi foule, le dimanche surtout, dans les boutiques à la mode du côté de la rue des Francs-Bourgeois.

Où dormir ?

De bon marché à prix moyens

🏠 **Hôtel Météore** (plan couleur C2, **2**) : 115, rue de Turenne, 75003. ☎ 01-42-77-58-69. ● contact@hotel-meteore. com ● hotel-meteore.com ● Ⓜ Filles-du-Calvaire ou République. Doubles 60-80 € ; petit déj 5 €. 📶 Façade austère pour ce petit hôtel témoin d'un autre temps, mais l'accueil est aimable et discret. Les chambres mériteraient un rafraîchissement, toutefois elles sont correctes et pas chères pour le quartier, le haut Marais si tendance. Préférez celles sur cour car, côté rue, il n'y a pas de double vitrage.

🏠 **Paris-Bruxelles Hôtel** (plan couleur B1, **3**) : 4, rue Meslay, 75003. ☎ 01-42-72-71-32. ● hotelparisbruxelles.net ● Ⓜ République ou Temple. Selon saison, doubles 85-115 €, familiales (3-4 pers) 119-155 € (offrant un bon rapport qualité-prix) ; petit déj 8 €. 📶 TV. Parking payant. 10 % sur le prix de la chambre sur présentation de ce guide. Hôtel familial classique, idéalement situé à l'orée de la place de la République et de ses métros, dans une rue spécialisée dans la chaussure. Les chambres côté rue (insonorisées) sont assez agréables, car plus grandes et plus lumineuses que celles donnant sur la cour. On a préféré celles du dernier étage, aux allures mansardées et offrant une jolie vue. Ascenseur.

De chic à plus chic

⬗ *Hôtel Paris France* (plan couleur B1, 5) : 72, rue de Turbigo, 75003. ☎ 01-42-78-00-04. • parisfrancehotel@wanadoo.fr • paris-france-hotel.com • Ⓜ Temple ou République. Doubles 105-140 € selon confort et saison ; petit déj 7 €. ☐ 📶 TV. Satellite. Parking payant. Un peu cher et un poil bruyant, mais ce 2-étoiles offre (comme souvent à Paris) un confort digne d'un 3-étoiles avec clim et écran LCD dans les chambres. La réception et les salons de style, avec mosaïques au sol et fauteuils Louis XVI ou club, font tout d'abord penser à un hôtel particulier. Les chambres, toutes rénovées, toutes différentes, se révèlent en revanche nettement plus sobres, ce qui n'empêche pas un bel effet de déco. Elles sont spacieuses, colorées et lumineuses. Préférez celles du dernier étage, légèrement mansardées et avec vue sur les toits de Paris.

⬗ *Hôtel Jacques de Molay* (plan couleur B2, 4) : 94, rue des Archives, 75003. ☎ 01-42-72-68-22. • hotel molay@wanadoo.fr • hotelmolay.fr • Ⓜ Temple ou Arts-et-Métiers. Doubles 140-205 € selon saison ; petit déj 15 €. 📶 TV. Satellite. Cet hôtel, situé au cœur du Marais, porte le nom du grand maître templier. Poutres, vieilles pierres, déco personnalisée des chambres et accueil très professionnel. L'ensemble, à la fois chaleureux, hétéroclite et harmonieux, est impeccablement tenu. Les couleurs chaudes, la verrière qui surplombe la salle de petit déjeuner, le confort 3 étoiles, la salle de musculation et le sauna (accessibles gratuitement) sont autant d'atouts à l'heure du choix.

⬗ *Hôtel du Vieux Saule* (plan couleur B2, 6) : 6, rue de Picardie, 75003. ☎ 01-42-72-01-14. • reserv@hotel vieuxsaule.com • hotelvieuxsaule.com • Ⓜ République ou Filles-du-Calvaire. Doubles 115-195 € selon confort et saison ; petit déj-buffet 12 €. ☐ 📶 TV. Canal +. 10 % sur le prix de la chambre sur présentation de ce guide. Bel hôtel à la façade fleurie en saison. Réception rénovée, accueil très avenant. Chambres pas bien grandes mais modernes, toutes refaites à neuf, très confortables, à la déco classique pour certaines, bien plus tendance pour d'autres. Clim, coffre, minibar et TV à écran plat. Petit déj servi dans une cave voûtée du XVIe s, entièrement relookée. Petit espace détente avec sauna, baignoire balnéo-hammam et coin fitness.

⬗ *Austin's Arts et Métiers Hôtel* (plan couleur B1, 10) : 6, rue Montgolfier, 75003. ☎ 01-42-77-17-61. • austins. amhotel@wanadoo.fr • hotelaustins.com • Ⓜ Arts-et-Métiers (sortie Rue-Conté). Doubles 120-190 € selon saison ; petits déj 10-12 €. Promos selon période (contacter la réception directement par tél ou e-mail, le meilleur tarif trouvé sur Internet sera proposé avec le petit déj offert). ☐ 📶 TV. Canal +. Satellite. Un petit déj/pers offert sur présentation de ce guide. Un hôtel chaleureux entièrement rénové, d'excellente tenue et de bon confort (double vitrage, clim, écran plat, plateau courtoisie...), qui offre l'immense avantage de se situer à la sortie du métro (Châtelet n'est qu'à 3 stations !).

Très chic... et tendance

⬗ *Jules et Jim Hôtel* (plan couleur B2, 1) : 11, rue des Gravilliers, 75003. ☎ 01-44-54-13-13. • contact@hotel julesetjim.com • hoteljulesetjim.com • Ⓜ Arts-et-Métiers, Rambuteau ou Temple. Doubles 200-400 € (promos intéressantes sur le site) ; petit déj 19 € ! 📶 Satellite. On passerait devant sans remarquer l'étroite façade grise, où aucune enseigne n'accroche le regard ! Une vingtaine de chambres au design épuré, avec douche à l'italienne, et balcon pour celles qui donnent sur la cour et le mur végétal. Pour un court séjour, 2 chambres pas bien grandes, au 8e étage, donnent sur les toits de Paris ! Celles surnommées « Hi-macs » sont lovées dans un cocon, dont les portes coulissantes s'ouvrent sur la salle de bains et la baie vitrée. Côté cour, bar très sympa ouvert le soir aux non-résidents. En basse saison, allez vous blottir à 2 sur les banquettes installées autour du feu de cheminée, dans la cour !

⬗ *Hôtel Georgette* (plan couleur A2, 7) : 36, rue du Grenier-Saint-Lazare,

3ᵉ

75003. ☎ 01-44-61-10-10. ● info@ hotelgeorgette.com ● hotelgeor gette.com ● Ⓜ Rambuteau. Doubles 190-400 € (promos intéressantes sur le site pour un séjour, se renseigner) ; petit déj 12 €. ☏ TV. « L'hôtellerie, c'est tout un art », tel est le slogan repris par les propriétaires de cet hôtel entièrement rénové, qui n'a rien d'un musée. Ou alors d'un musée moderne (ça tombe bien près de Beaubourg !), où on pourrait faire la sieste devant un tag géant, dans un espace cosy où l'art se fait op, pop, et plus fou encore si vos moyens le permettent. Si les chambres dites « classic » ne le sont pas vraiment, apportant confort, jeux optiques, esprit vintage, couleurs flashy et contrastes vitaminés pour les jours gris, les plus chères vous donneront une nouvelle idée du luxe, abordant le land art dans l'une, un esprit plus graphique dans l'autre. Dix-neuf chambres qui revisitent tous les courants artistiques du XXe s. Bon voyage dans le temps pictural !

🏨 **Hostellerie du Marais** (plan couleur C3, **9**) : 30, rue de Turenne, 75003. ☎ 01-42-72-73-47. ● info@hoteldes chevaliers.com ● hostelleriedumarais. com ● Ⓜ Chemin-Vert ou Saint-Paul. Parking public payant rue Saint-Antoine. Double 230 € ; petit déj 13 €. Promos de dernière minute. ☏ TV. Câble. Jouxtant la place des Vosges,

l'hôtel baigne dans une atmosphère très XVIIe s. Dans l'escalier, poutres d'origine. Les 24 chambres, de taille raisonnable et décorées avec goût, ont été rénovées dans un esprit résolument contemporain. Splendides salles de bains. Toutes les chambres ont double vitrage et clim. Pour une plus grande intimité, blottissez-vous dans les chambres mansardées du 5e étage, avec vue sur les toits.

🏨 **Hôtel du Petit Moulin** (plan couleur B2, **8**) : 29-31, rue de Poitou, 75003. ☎ 01-42-74-10-10. ● contact@hotel dupetitmoulin.com ● hoteldupetit moulin.com ● Ⓜ Filles-du-Calvaire ou Saint-Sébastien-Froissart. ♿ Résa impérative. Doubles 215-450 € ; petit déj 16 €. ☏ TV. Canal +. Parking. En plein cœur du Marais, ce bâtiment du XVIIe s (avec au rez-de-chaussée, à l'accueil, les traces de l'ancienne boulangerie dont on a conservé la devanture 1900) a été remis au goût du jour par le créateur de mode Christian Lacroix. Classe et charme sont au rendez-vous ! Dans chaque chambre, toutes résolument différentes, des matériaux élégants, des tissus soignés, des couleurs vives et du mobilier hétéroclite créent une atmosphère fortement personnalisée. Essayez la chambre n° 303, avec son plafond-miroir ! Entre le kitsch, le zen et le chic, cette adresse intimiste joliment habillée comblera les amoureux !

Où manger ?

I●I **Auberge Nicolas Flamel** (plan couleur A2, **17**) : 51, rue de Montmorency, 75003. ☎ 01-42-71-77-78. ● auberge. flamel@yahoo.fr ● Ⓜ Rambuteau ou Arts-et-Métiers. Tlj midi et soir. Formules déj 18,50-25 € ; menus 31-65 € (dégustation 7 plats) ; carte env 45 €. Le plus vieux restaurant de la capitale serait né en 1407, quand Nicolas Flamel, qui avait percé les secrets de la pierre philosophale, décida d'ouvrir une auberge pour les indigents. On pénètre avec un brin d'émotion dans cette vénérable maison, qui a gardé son cachet, ses poutres de guingois et sa pierre apparente. Des tables décemment espacées, de beaux miroirs, des nappes immaculées et un

service exemplaire, prévenant sans être pesant, tout participe à l'ambiance feutrée et romantique. Dans l'assiette, de belles surprises, de la créativité sans débordements hasardeux et des présentations qui font mouche ! En bref, on acquiesce volontiers pour « l'alchimie de saveurs » ! NOUVEAUTÉ.

Sur le pouce

I●I **Cuisine de Bar – Poilâne** (plan couleur C2, **22**) : 38, rue Debelleyme, 75003. ☎ 01-44-61-83-40. Ⓜ Filles-du-Calvaire. ♿ Tlj sf lun ; service continu 10h-17h30 (9h-16h30 w-e). Formule (avec vin et café) 14,50 € ;

tartines 9-12 €, sandwichs 5,10-6,20 € ; brunch 18 €. Des tons gris seigle et un mobilier boisé épuré pour ce bar à tartines Poilâne ultra-tendance du haut Marais. On y entre pour déjeuner rapidement, et pas n'importe comment ! Assiettes simples mais travaillées, tartines de saumon fumé-tarama sur lit de roquette précisément assaisonnée, ou cultissime croque-monsieur poivré. Cuisine ouverte sur la salle.

De bon marché à prix moyens

|●| **Les stands du marché des Enfants-Rouges** (plan couleur B2, **19**) : 39, rue de Bretagne, 75003. ☎ 01-48-04-34-59. ⓜ Filles-du-Calvaire. Tlj sf lun 11h30-18h (17h sam, 16h30 dim). Plats ou formule du jour env 13-14 €. C'est la cantine préférée des amoureux de ce quartier, qui viennent dès 11h30 humer les parfums se dégageant des différents stands pour voir ce qui se prépare de bon. Sous la grande halle du marché couvert, vous avez le choix des régions et des nationalités. Juste quelques tables, si vous avez envie du tajine du moment ou une nostalgie d'Asie. Vous êtes plus Sud-Ouest que Bretagne, végétarien que viandard ? Cherchez bien !

|●| **Le Café des Musées** (plan couleur C3, **14**) : 49, rue de Turenne, 75003. ☎ 01-42-72-96-17. ● cafe.des.musees@orange.fr ● ⓜ Saint-Paul. Tlj sf le soir sam-dim 8h-23h ; service 12h-15h, 19h-23h. Congés : 1 sem début janv, 1 sem début mai et 3 sem en août. Formule déj en sem 17 € ; menu 27 € le soir ; carte env 35 €. Un bon vieux bistrot-resto parisien, avec une cuisine ouverte sur la salle, où l'on élabore une cuisine de marché et de saison. Service variable.

|●| **L'Estaminet** (plan couleur B2, **19**) : marché des Enfants-Rouges, 39, rue de Bretagne, 75003. ☎ 01-42-72-28-12. ● lestaminetdesenfantsrouges@gmail.com ● ⓜ Filles-du-Calvaire ou Saint-Sébastien-Froissart. ♿ Tlj sf lun 10h-18h (20h ven-sam, 15h dim) ; service continu 12h-16h30. Résa conseillée en sem. Plat du jour en sem 13 € ; formules déj à partir de 14 € ; belles assiettes de charcuterie petites (7 €) ou grandes (14 €) ; brunchs dim 20-22 €. Un bistrot aménagé dans un angle du marché des Enfants-Rouges (le plus vieux marché couvert de Paris), tenu par la charmante Estelle. Tables colorées ou salle toute simple, avenante et chaleureuse. La plupart des produits proviennent tout droit de nos régions. Quant aux vins, ils tapent eux aussi dans le mille ! Les prix sont « nets, sourire compris ».

|●| **Breizh Café** (plan couleur B2, **23**) : 109, rue Vieille-du-Temple, 75003. ☎ 01-42-72-13-77. ⓜ Filles-du-Calvaire, Saint-Sébastien-Froissart ou Saint-Paul. Tlj sf lun-mar 11h30-23h (22h dim). Congés : 3 sem en août. Galettes 4,50-16,50 € (complète 8,50 €). Jonc de mer au sol, bois clair au mur, c'est dans une petite salle avenante qu'on explore avec intérêt une carte qui décline des crêpes et galettes à base de farine bio, garnies de produits bretonnants, comme l'andouille ou l'artichaut (dans les galettes de sarrasin). Suggestions à l'ardoise qui sortent des crêpières battues.

|●| **L'Aller-retour** (plan couleur C1, **29**) : 5, rue Charles-François-Dupuis, 75003. ☎ 01-42-78-01-21. ● lallerretour@gmail.com ● ⓜ République ou Temple. Tlj sf sam midi et dim ; service 12h-14h30, 19h30-22h30. Formule déj 11,40 € ; carte 30-35 €. Une petite adresse assez cosy, le soir, avec ses lumières douces, et à laquelle on donnerait le bon Dieu sans confession. Attention, végétariens, passez votre chemin, ici, c'est un repaire de viandards : boudin béarnais, os à moelle, entrecôte servie avec des frites maison, voire burger de charolais si l'on est petit joueur. Accueil sympathique et souriant. Mêmes patrons en face, au Barav, et à L'Îlot (fruits de mer et vin blanc) à 50 m.

|●| **Page 35** (plan couleur C3, **26**) : 4, rue du Parc-Royal, 75003. ☎ 01-44-54-35-35. ● restopage35@free.fr ● ⓜ Saint-Paul ou Chemin-Vert. Mar-ven 11h30-15h, 18h30-minuit ; w-e et j. fériés 11h30-minuit. Congés : 1re quinzaine de janv et 1re quinzaine d'août. Formules déj en sem 13-14 € ; menus 13-29 € ; menu crêpes 13,90 € ; galettes composées 8-12,50 € ; crêpe gourmande 7,50 €. Large choix de

3e

crêpes copieuses au froment ou au sarrasin, de salades fraîcheur et de plats d'ici et d'ailleurs. Idéal pour un déjeuner sur le pouce entre 2 musées. Fait aussi salon de thé le week-end. Et organise des expos photo et peinture. Service attentionné.

Prix moyens

|●| *Au Bascou* (plan couleur A1, *18*) : 38, rue Réaumur, 75003. ☎ 01-42-72-69-25. Ⓜ *Arts-et-Métiers. Tlj sf w-e ; service 12h-14h, 19h45-22h30. Congés : août et 1 sem à Noël. Résa conseillée. Formule déj 18 € ; menu 25 € ; menu-carte 36 €. Café offert sur présentation de ce guide.* Une petite adresse discrète, dans une salle voûtée tout en longueur et aux tons ocre. Ici, on arbore avec résolution l'identité basque : on a adoré le boudin noir croquant au piment d'Espelette et la poule faisane aux poires. Les desserts sont parfaitement réussis (hmm... le béret basque !). L'accueil est particulièrement affable, même aux heures d'affluence. Prix un peu élevés pour la quantité mais non pour la qualité.

|●| *L'Ambassade d'Auvergne* (plan couleur A2, *25*) : 22, rue du Grenier-Saint-Lazare, 75003. ☎ 01-42-72-31-22. ● info@ambassade-auvergne.com ● Ⓜ *Rambuteau. Tlj ; service 12h-14h, 19h30-22h. Formule déj 22 € ; menu 33 € ; carte env 35 €. Verres de vin à partir de 6 €. Apéritif maison offert sur présentation de ce guide.* Ici, le cochon vient du Cantal, l'agneau de Marvejols, le veau du Ségala et le poulet d'Escurolles (Allier). C'est donc une Auvergne au fil des saisons que la carte vous invite à découvrir : saucisse de Parlan et aligot (le meilleur de Paris), dos de truite Fario à l'embeurrée de choux... accompagnés d'un gouleyant vin d'Auvergne. Quasiment tous les vins sont servis au verre. L'accueil est suffisamment franc et malicieux à la fois pour nous séduire, et on apprécie tous les petits bonus (terrine, fouace, amuse-bouche, etc.) offerts au cours du repas.

|●| *Chez Janou* (plan couleur C3, *21*) : 2, rue Roger-Verlomme, 75003.

☎ 01-42-72-28-41. Ⓜ *Chemin-Vert ou Bastille. Tlj 8h-2h ; service 12h-15h (16h w-e et j. fériés), 19h-minuit. Fermé le soir du 24 déc et le midi du 1er janv. Formule déj en sem 15 € ; carte env 40 €.* Un petit coin de Provence perdu, tranquille, dans le Marais. Service décontracté et amical dans ce resto qui a pour principal mérite d'être doté d'une adorable et bien calme terrasse (rare dans le coin). Cuisine originale et parfumée. Bonne sélection de vins ; ne pas oublier de demander la suggestion du jour.

|●| *Le Progrès* (plan couleur C2, *28*) : 1, rue de Bretagne, 75003. ☎ 01-42-72-01-44. ● bouyssou.d@ wanadoo.fr ● Ⓜ *Saint-Sébastien-Froissart ou Filles-du-Calvaire. Tlj sf dim et j. fériés ; service 12h-minuit (en continu). Congés : 2 sem en août et 1 sem aux fêtes de fin d'année. Plats 12-15 €. Apéritif maison ou café offert sur présentation de ce guide.* Un bistrot authentique, avec ses vieilles chaises, son lustre seventies et son horloge de grand-mère. Un conseil : commandez dès l'arrivée ! Cuisine généreuse de saison, bonnes viandes et, surtout, accompagnements très réussis : le patron a fait ses classes chez Robuchon ! Huîtres selon l'arrivage. Carte des vins variée et abordable. Bons desserts maison. Salle à l'étage, terrasse aux beaux jours. Service très sympa.

Chic

|●| *Glou* (plan couleur B2, *20*) : 101, rue Vieille-du-Temple, 75003. ☎ 01-42-74-44-32. ● contact@glou-resto.com ● Ⓜ *Filles-du-Calvaire. Lun-ven 12h-14h30, 19h30-23h (23h30 ven) ; sam 12h-15h, 19h30-23h30 ; dim 12h-17h, 19h30-22h30. Résa hautement conseillée. Formules déj en sem 17-21 € ; carte env 40 €.* À la source des plats, la qualité et la fraîcheur des produits, choisis avec le plus grand soin chez des fournisseurs de province. Ensuite, un chef de talent qui préfère une petite carte *Glou* bien faite à une carte longue et impossible à glouglouter. Deux salles superposées dans un décor sobre et chaleureux

en plein Marais, un service soigné et attentionné ; résultat, c'est souvent complet ! Fait aussi cave à vins à emporter et sert quelques grands crus au verre. Une aubaine !

I●I **Les Enfants Rouges** (plan couleur B2, **27**) : 9, rue de Beauce et 90, rue des Archives, 75003. ☎ 01-48-87-80-61. ● enfantsrouges@wanadoo. fr ● Ⓜ Filles-du-Calvaire ou Temple. Tlj sf mar tte la journée et mer midi ; service 12h-14h30, 19h-22h. Résa conseillée. Menus-carte 30 € le midi (entrée + plat ou plat + dessert), 38 € le soir (entrée + plat + dessert). Vins au verre à partir de 7 €. Un petit bistrot tout juste repris par un chef japonais sorti des cuisines de La Régalade (14ᵉ). Le chef élabore une cuisine de marché créative mixant astucieusement les traditions culinaires françaises et japonaises. Très bons points pour la cuisson des poissons et le rapport qualité-prix. Pensez à réserver, la salle n'est pas bien grande.

I●I **Les Bonnes Sœurs** (plan couleur C3, **16**) : 8, rue du Pas-de-la-Mule, 75003. ☎ 01-42-74-55-80. ● lesbonnessoeurs@yahoo.fr ● Ⓜ Bastille ou Chemin-Vert. Service lun-ven 12h-15h30, 19h-23h, sam-dim 12h (11h dim)-23h. Fermé 24 et 31 déc au soir. Formules déj en sem 13-15 € ; brunch w-e 23 € ; carte env 30 €. Bouteilles de vin 17-32 € ; vin au verre. Accueil jeune et affable. Découvrez une cuisine élaborée, avec cette sympathique touche personnelle qu'on aime bien. En outre, généreusement servie. Goûtez à la pasta du chef, au juteux « hamburger Bonnes Sœurs », à vous réconcilier avec le genre... On peut déjeuner rapidement et presque à toute heure le week-end, ou encore bruncher, selon l'envie. Annexe au 43, av. Trudaine, dans le 9ᵉ (☎ 01-48-78-43-25).

I●I **Dessance** (plan couleur B2, **30**) : 74, rue des Archives, 75003. ☎ 01-42-77-23-62. Ⓜ Arts-et-Métiers. Mer-jeu 14h-23h, ven-dim 12h-minuit. Congés : 15 j. en août. Menus 36 € ou 42 €. Un cadre lumineux, contemporain et longiligne, qui fait la part belle au large bar en granit, où tout se crée sous les yeux

de ceux qui ont choisi de s'y attabler. « Premier restaurant gastronomique de cuisine du sucré », voilà une présentation qui séduit les gueules sucrées qui restent souvent sur leur faim, parfois même dans de bons restos. Mais que tous les autres se rassurent, le concept est plus subtilement sweet que ça, et parfois aucune adjonction ne vient renforcer les saveurs naturelles des fruits, herbes, baies et autres tubéreuses cuisinées. Les papilles savourent des textures contrastées et des saveurs originales (un poil trop d'associations parfois) minutieusement dressées. Également quelques assiettes salées. Une poignée de tables en mezzanine, et d'autres en terrasse. NOUVEAUTÉ.

I●I **Chez Nénesse** (plan couleur B2, **15**) : 17, rue de Saintonge, 75003. ☎ 01-42-78-46-49. Ⓜ Filles-du-Calvaire. Tlj sf w-e et j. fériés ; service 12h-14h30, 19h45-22h30. Congés : août et Noël-Jour de l'an. Formule déj 15 € ; carte 40-45 €. Ce lieu a l'allure typique du vieux Paris revisité, avec poêle au milieu de la salle, carrelage qui court au sol, nappes en tissu et bar en formica. Bonnes vibrations générales, accueil vraiment adorable, sincère et souriant. Une cuisine française classique, copieuse et réussie, à défaut d'être particulièrement inventive. Le midi, les habitués se pressent pour les bonnes assiettes garnies.

I●I **Le Bouledogue** (plan couleur A2, **24**) : 20, rue Rambuteau, 75003. ☎ 01-40-27-90-90. ● contact@ lebouledogue.fr ● Ⓜ Rambuteau. Tlj sf dim 12h-15h, 19h-23h30. Congés : août et Noël-Jour de l'an. Plats 19-26,50 € ; carte env 40 €. Kir au vin blanc offert sur présentation de ce guide. Le Bouledogue ne montre pas les crocs, bien au contraire : les jeunes serveurs soignent leurs clients, détaillent patiemment le menu du jour et apportent avec célérité le pot-au-feu cuisiné dans les règles, le tartare bien préparé et la bavette goûteuse, le tout accompagné d'excellentes frites au couteau. Le cadre est à l'image de la carte, traditionnel et élégant à la fois. Un bistrot de haute volée.

Bar à vins

|●| ▼ *Le Barav* (plan couleur C1, **35**) : 6, rue Charles-François-Dupuis, 75003. ☎ 01-48-04-57-59. ● lebarav paris@gmail.com ● ⓜ *République ou Temple. Lun-ven 12h-15h (service jusqu'à 14h30), plus mar-sam 18h-0h30 (service jusqu'à 22h30). Fermé sam midi, dim et lun soir. Formule déj 11 €.* Un bar à vins caché à l'angle d'une rue tranquille du haut Marais. Petite salle lumineuse et quelques tables en terrasse. Le midi, formules bon marché avec tartines, salades, plats du jour, etc. Le soir, planches de charcuterie ou de fromages à base de bons produits du terroir. On fait son choix à la cave voisine et on paie un petit supplément pour consommer la bouteille sur place. Accueil sympathique et souriant. Mêmes patrons en face, à *L'Aller-retour.*

Cuisine d'ailleurs

De très bon marché à bon marché

|●| *Bob's Kitchen* (plan couleur A2, **37**) : 74, rue des Gravilliers, 75003. ☎ 09-52-55-11-66. ● bob@bobsjuice bar.com ● ⓜ *Arts-et-Métiers. Lun-ven 8h (à emporter avt 11h30)-15h, samdim 10h30-16h. Congés : août et Noël-Jour de l'an. Compter 15 € ; plats 6-9 €.* Un bastion new-yorkais grand comme un mouchoir de poche. Bon plan pour le petit déj : muesli fruits rouges, gâteau noix-banane, cookies avoineabricot... et autres douceurs *gluten free.* À moins que tout ça ne vous fasse office de dessert. Sinon, pour le déjeuner, *veggie stew* (riz complet, légumes, graines germées et sauce du jour), *futomaki* au radis japonais ou à la mangue, bagels... À déguster dans des assiettes en carton, une fesse posée sur un tabouret, ou à emporter si c'est blindé. Côté lipides, on commande le jus multifruits-légumes du jour ou le thé au gingembre, à accompagner de la lecture d'*US Weekly.* Très bon, bio et « Bob-o ».

|●| *Rose Bakery* (plan couleur C2, **17**) : 30, rue Debelleyme, 75003. ☎ 01-49-96-54-01. ⓜ *Filles-du-Calvaire ou Saint-Sébastien-Froissart. Tlj sf lun 9h-17h30 ; service 12h (10h w-e)-16h. Congés : une dizaine de j. en août et Noël-Jour de l'an. Plats 12-18 € ; repas 20-25 €.* La déco minimaliste, l'accueil parfois timide (in English but not only), l'espace compté, la file d'attente mémorable à l'heure du brunch, on connaît mais on fait avec, car c'est toujours aussi bon... Bons petits plats sains et exquis (mais pas très copieux), à compléter par d'autres spécialités anglo-saxonnes à l'heure du thé : scones, cheese-cakes, *carrot cakes... Rose Bakery* se plaît à Paris, elle a fait des petits (au *Bon Marché* et à la *Fondation Maison Rouge*).

|●| *Taéko* (plan couleur B2, **19**) : 39, rue de Bretagne, 75003. ☎ 01-48-04-34-59. ⓜ *Filles-du-Calvaire. Tlj sf lun 11h30-18h (17h sam, 16h dim). Plats du jour 10-15 €, riz inclus.* Cantine japonaise installée sous la grande halle du marché des Enfants-Rouges, dans une sorte de grand box en métal de forme cylindrique. Cuisine savoureuse à prix sages : filet de porc Tonkatsu, sardines grillées à la Kabayaki, thon au gingembre... Pas d'assiettes mais des petits plateaux comme les bentos du Japon ou des boîtes carrées en bois garnies d'ingrédients crus ou cuits, dans lesquels on plonge les baguettes avec délice. Accueil jovial, service rapide et attentionné, comme à Tokyo.

|●| *La Briciola* (plan couleur C2, **36**) : 64, rue Charlot, 75003. ☎ 01-42-77-34-10. ⓜ *Filles-du-Calvaire ou République. Tlj sf dim 12h-14h30 (15h sam), 19h30-23h (23h30 vensam). Congés : 7-21 août. Pizzas 9,50-15 € ; salades, pâtes et pizzas du jour env 11-15 €. Vins au verre à partir de 3,50 €, carafe, demi ou bouteille. Limoncello offert sur présentation de ce guide. Aperitivo, pizza e vino,* voici le credo de la maison. Une belle salle aux murs de pierre et des tables en formica

bien agencées. Côté cuisine, c'est du bon et de l'authentique, avec quelques *antipasti* en entrée, suivis d'un choix de pizzas garnies de bons produits bien frais. Excellentes pizzas blanches (sans sauce tomate), qui mettent parfaitement en valeur la pâte légère et croustillante. Vins de toute l'Italie (un peu chers).

|●| *Chez Omar* (plan couleur B2, **33**) : 47, rue de Bretagne, 75003. ☎ 01-42-72-36-26. Ⓜ Temple. Tlj sf dim midi ; service 12h-14h, 19h-23h30. Carte 12-26 € ; couscous 12 € (végétarien)-26 €. CB refusées. Chez Omar, ça fait plus de 20 ans qu'on trouve de tout : Américains en goguette, gens du quartier, techniciens de cinéma, Japonais en quête d'authentique et une kyrielle d'habitués. Et c'est vrai qu'on se sent bien dans ce troquet vieux Paris imprégné d'une convivialité tout droit venue d'Afrique du Nord. Hauts plafonds, glaces biseautées, superbe comptoir et tables côte à côte. Bon couscous et viandes, remarquablement tendres, ou pastilla.

Prix moyens

|●| *Les Caves Saint-Gilles* (plan couleur C3, **31**) : 4, rue Saint-Gilles, 75003. ☎ 01-48-87-22-62. ● cavessaintgilles.com ● Ⓜ Chemin-Vert. Tlj 12h-15h, 19h30-minuit ; bar ouv 8h30-1h30. Carte 25-35 € ; tapas froides ou chaudes 8-19 € ; plats du jour 12,50-15,50 € ; w-e et j. fériés, paella 22 €. Bon bistrot à *vinos* pour goûter l'assortiment de tapas chaudes ou la paella richement garnie du week-end, dans un décor ibérique inspiré de

l'idée que l'on s'en fait. Les azulejos et les affiches de corridas n'étant qu'un prétexte pour venir se frotter aux VIP du quartier. *Platos combinados* bien typiques. Ambiance garantie.

|●| *Le Petit Dakar* (plan couleur B3, **38**) : 6, rue Elzévir, 75003. ☎ 01-44-59-34-74. ● petitdakar@gmail.com ● Ⓜ Saint-Paul. Tlj sf dim midi et lun 12h-14h30, 19h30-22h (dernier service). Ouv slt le soir en août. Formule déj entrée + plat ou plat + dessert 15 € ; le soir, carte env 35 €. Un resto sénégalais qui fait la différence dans ce quartier tranquillement branché. Une petite salle passe-partout juste rehaussée par quelques toiles, pour une cuisine haute en couleur, où les herbes et les épices prennent toute leur place, mais rien que leur place. Les recettes changent régulièrement, mais le poulet yassa et le mafé de viande sont toujours au rendez-vous, tout comme le sourire de Marie.

Chic

|●| *Anahi* (plan couleur B1, **34**) : 49, rue Volta, 75003. ☎ 01-48-87-88-24. Ⓜ Arts-et-Métiers ou République. Tlj 20h-2h (dernière commande à minuit). Résa conseillée (à partir de 17h). Carte env 50 €. Installé dans les murs « écorchés vifs » d'une ancienne charcuterie carrelée façon métro, ce resto n'a jamais cessé d'attirer les foules ultra-tendance à coup d'*empanadas* bien léchées, de steaks argentins et d'onctueuses confitures de lait. Plutôt cher mais tellement dépaysant. Accueil charmant, avec l'accent.

Où prendre un bon goûter ?

🍴 *Pâtisserie Meert* (plan couleur B3, **40**) : 16, rue Elzévir, 75003. ☎ 01-49-96-56-90. Ⓜ Saint-Paul. Mar-ven 10h30-19h, sam 11h-19h, dim 11h30-13h30, 14h-19h. La fameuse pâtisserie lilloise a débarqué dans la capitale. On y retrouve la même ambiance que chez sa jumelle nordiste, même style bonbonnière du XVIIIe s, où s'alignent chocolats, pâtes de fruits, macarons, biscuits... C'est surtout

pour ses fameuses gaufres à la vanille de Madagascar (pourtant vendues très chères) que les Parisiens et visiteurs de passage viennent s'y approvisionner. Autre *Pâtisserie Meert* à Saint-Germain-des-Prés, dans le 6e (3, rue Jacques-Callot).

🍴 *Jacques Genin* (plan couleur C2, **41**) : 133, rue de Turenne, 75003. ☎ 01-45-77-29-01. Ⓜ Filles-du-Calvaire. Tlj sf lun 11h-19h (20h sam). Chocolat chaud : 7 € ; pâtisseries 6,50-8,50 €. L'élégant « salon de dégustation » de Jacques Genin marie avec élégance vieilles pierres et plancher sombre. Autant le savoir d'entrée, les prix battent des records. Mais on est ici chez un fondeur en chocolat... Tout un programme ! Les (fines) gueules sucrées

se damnent pour la tarte au citron vert, le paris-brest ou le millefeuille. Mais les fondamentaux, ici, ce sont les chocolats et le fameux chocolat chaud, qui rivalisent désormais avec des caramels, eux aussi délicieux, à déguster sur place, enfoncé dans un fauteuil en cuir. Accueil charmant.

Où boire un verre ?

Ÿ Le Parisien (plan couleur A1, **48**) : 337, rue Saint-Martin, 75003. ☎ 01-42-72-11-33. Ⓜ Strasbourg-Saint-Denis. Tlj 8h-2h. Verres de vin à partir de 3,70 € ; bière 3,80 € ; cocktail env 9 €. Plats 10-20 €. Un bar branché à la déco design très réussie, entre rétro-futurisme seventies (néons, comptoir laqué) et bar à sushis où l'on discute volontiers avec ses voisins. Le lieu vit toute la journée, du petit noir jusqu'à l'apéro en passant par un déj rapide ou un dernier verre. On y grignote à toute heure des petits plats de bistrot voyageur : burrata, assiette de jambon ibérique, sandwichs toastés... Bonne surprise, l'accueil est chaleureux !

Ÿ La Perle (plan couleur B3, **47**) : 78, rue Vieille-du-Temple, 75003. ☎ 01-42-72-69-93. ● laperle@wanadoo.fr ● Ⓜ Saint-Paul ou Saint-Sébastien-Froissart. Tlj 6h30 (8h w-e)-2h. Café 1 € au comptoir,

2,20 € en salle ; demi 3,60 € ; cocktails 8,50-9,50 €. À l'écart des flots du Marais, un bar kitsch qui... déborde ! Le principe est simple : les beautiful people issus des boutiques mode ou des galeries bohèmes du quartier commandent au comptoir une bière pas chère et, l'été venu, refont le monde debout sur le trottoir !

Ÿ La Fusée (plan couleur A2, **44**) : 168, rue Saint-Martin, 75003. ☎ 01-42-76-93-99. ● cafelafusee@gmail.com ● Ⓜ Rambuteau. Tlj 9h-2h. Fermé Noël et Jour de l'an. Demi 2,90 € ; verres de vin à partir de 2,80 €. Le midi, plats 7-12 € ; le soir, assiettes de charcuterie et/ou de fromages 4,50-12 €. Atmosphère estivale et ambiance décontractée règnent dans ce petit bar ouvert sur la rue à un pas de Beaubourg. Ampoules colorées, mignonne terrasse et petits vins issus des quatre coins de l'Hexagone : on est déjà loin du stress de la capitale.

Où boire un verre ou un cocktail avec des huîtres ?

|●| Ÿ Le Mary Céleste (plan couleur C2, **42**) : 1, rue Commines, 75003. ☎ 09-80-72-98-83. Ⓜ Filles-du-Calvaire. Tlj 18h (12h sam-dim)-2h. Verre de vin 5 € ; demi 4 € ; pinte 8 € ; cocktail 12 €. Huître 2-5 € l'unité. Un bar à huîtres doublé d'un bar à vins et cocktails d'un genre nouveau. Ce lieu tout droit sorti de Brooklyn propose une carte baroque composée de 6 ou

7 sortes d'huîtres (dont de délicieuses huîtres d'un producteur anglais), de vins triés sur le volet, de cocktails fins et originaux (c'est la même équipe qu'à la Candelaria, voir la rubrique « Où boire un excellent cocktail ? » plus bas) et de finger food étonnante (bulot à la coréenne, etc.). Un lieu chic et choc, mais pas donné.

Où boire un excellent cocktail ?

Ÿ Candelaria (plan couleur B2, **46**) : 52, rue de Saintonge, 75003. ☎ 01-42-74-41-28. ● info@candelariaparis.com ● Ⓜ Temple ou

Filles-du-Calvaire. Taqueria tlj 12h30-23h (minuit jeu-sam) ; bar tlj 18h-2h. Cocktail env 12 €. Un endroit qu'on adore, tout droit sorti des quartiers chic de Mexico. Après avoir mangé de délicieux tacos et goûté à une bière mexicaine, on pousse la petite porte blanche du fond... et on tombe dans un cocktail-bar secret et apaisant. On vous conseille « La Guêpe Verte », une subtile mixture à base de tequila, agave, piment, citron, concombre et coriandre. Épicé et original, à l'image de ce lieu.

🍸 **Little Red Door** *(plan couleur C2, 49)* : 60, rue Charlot, 75003. ☎ 01-42-71-19-32. Ⓜ *Temple ou Filles-du-Calvaire. Tlj 18h-2h. DJs le w-e ; jazz live 1 fois/mois. Cocktail 13 €.* Un aller

simple pour Brooklyn. C'est le voyage qui vous attend dans ce *speakeasy* planté au cœur du Marais. Une fois passée la *little red door* (on vous laisse deviner comment on y entre), vous vous installerez confortablement dans un profond sofa ou au bar. Classiques ou inventifs, les cocktails, très soignés, sont assurément à classer parmi les meilleurs de la capitale. La musique soul et hip hop vous transportera un peu plus vers les rues de New York, tout comme le décor *casual chic* tout de brique, pierre et tentures. Une belle adresse.

Où écouter de la musique ?

♪ **La Gaîté Lyrique** *(plan couleur A1, 50)* : 3 bis, rue Papin, 75003. ☎ 01-53-01-51-51. ● *reservations@gaite-lyrique. net* ● *gaite-lyrique.net* ● Ⓜ *Réaumur-Sébastopol. Mar-sam 14h-20h, dim 12h-18h, plus env 3 concerts/sem à 19h. Fermé lun. Entrée : de gratuite à env 30 €.* Cet ancien théâtre inauguré en 1862 a réussi sa reconversion après

avoir été fermé pendant 20 ans. Ne vous fiez pas à sa superbe façade aux colonnes de marbre très classiques : c'est devenu un temple de la culture numérique, visuelle et musicale, et des nouvelles technologies. Il propose concerts, projections, conférences, expos, etc. C'est du pointu !

À voir

LE NORD DU MARAIS

Suite logique du 4e arrondissement, il s'étend grosso modo de la rue des Francs-Bourgeois à la rue de Bretagne. Commençons par son fleuron : le musée Carnavalet.

Le musée Carnavalet, Histoire de Paris
(plan couleur B-C3)

🎨🎨🎨 🕴 *16, rue des Francs-Bourgeois, 75003.* ☎ *01-44-59-58-58.* ● *carnavalet. paris.fr* ● Ⓜ *Saint-Paul ou Chemin-Vert. Bus nos 29, 69, 76 et 96. Tlj sf lun et j. fériés 10h-17h15 (fermeture des caisses). Fermé dim de Pâques et dim de Pentecôte. GRATUIT (expos temporaires payantes). Audioguide : 5 €. Pour la visite guidée des collections permanentes ou le jeu-parcours pour enfants (1 €), rens au* ☎ *01-44-59-58-31/32. Ttes les salles ne sont pas ouv au public en même temps ; se renseigner à l'accueil du musée ou sur le site internet. Demander un plan d'orientation à l'entrée, ça aide.*

Installé dans deux beaux hôtels particuliers des XVIe et XVIIe s, dont l'hôtel Carnavalet où vécut Mme de Sévigné durant une vingtaine d'années, le musée fut ouvert en 1880. C'est l'un des plus beaux musées parisiens par son cadre, ses proportions et, surtout, par la valeur de ses collections. Compter 3h pour remonter le temps. La capitale est racontée à travers de nombreux tableaux, des sculptures, de superbes meubles, ainsi que des objets usuels et décoratifs. Il n'y a rien de plus passionnant et de plus amusant que de découvrir la configuration, l'évolution et les différents visages de Paris, du Moyen Âge au XXe s. On entre ici comme dans un livre d'images et on voyage d'une époque à l'autre, accroché par la puissance d'évocation de tous ces magnifiques décors. Dommage toutefois que la muséographie soit un peu vieillotte.

Une des particularités du musée est de présenter, au 1er étage de l'hôtel Carnavalet, de superbes boiseries et panneaux peints provenant d'hôtels particuliers sauvés des démolitions parisiennes et remontés au musée. Ils permettent de suivre en détail les techniques et modes décoratives des XVIIe et XVIIIe s. À l'entrée du musée, juste après le guichet, on tombe directement sur les galeries des enseignes. Ralentissez le pas et levez le nez pour admirer ces pittoresques témoignages des métiers d'autrefois. Les plus anciennes enseignes remontent au Moyen Âge. Très amusant de décrypter les métiers qu'elles illustrent : l'homme au violon (fin XVIIe s) représente un luthier, une main déformée par un œdème (le propriétaire de cette main était tellement connu pour sa déformation qu'il jugea judicieux d'en faire son enseigne)... Au bout de la première galerie, une porte de l'Hôtel de Ville avec une magnifique gorgone en bronze dans sa version originale, qui a brûlé en 1871.

Visite

Sans passer en revue toutes les richesses du musée, voici un petit éclairage sur les sections principales.

Chronologiquement, il faut commencer la visite par la salle de l'orangerie de l'hôtel Le Peletier de Saint-Fargeau, consacrée à la période des origines jusqu'à la fin de l'époque mérovingienne. Cette orangerie, avec celle de l'hôtel de Sully, est une des rares à subsister encore dans Paris. Le clou de la présentation est incontestablement le résultat des fouilles effectuées lors des travaux de Bercy en 1991, notamment les pirogues néolithiques miraculeusement préservées dans la vase des berges de la Seine, ce qui fait reculer la première implantation humaine de Paris à une époque située il y a 4 000 ou 6 000 ans ! Parmi les pièces remarquables : des maquettes, objets de l'âge du bronze et bijoux superbes, d'étonnantes pièces de monnaie en or du début de notre ère...

Ensuite, pour respecter la chronologie, il faut revenir dans l'hôtel Carnavalet et voir les salles du rez-de-chaussée consacrées à la Renaissance (les salles sur Paris au Moyen Âge étant toujours en cours d'aménagement), puis continuer au 1er avant de repasser dans l'hôtel Le Peletier de Saint-Fargeau.

Attention : sachez qu'en 2015 toutes les salles XVIe et XVIIe s seront fermées au public.

Salles 7 à 10 : Paris au XVIe s

– ***Salle 7 :*** voir François Ier, représenté à la manière des grands humanistes de son temps. Intéressante maquette de Paris au début du XVIe s.
– ***Salle 8 :*** Catherine de Médicis, reine de France (vers 1570), par l'atelier de Clouet.
– ***Salle 9 :*** procession de la Ligue, place de Grève.
– ***Salle 10 :*** terrifiant portrait de Mme de Miraille. Également des mascarons originaux qui ont leur copie sur le Pont-Neuf.

Salles 11 à 20 : Paris au XVIIe s

– ***Salle 12 :*** voir *Le Pont-Neuf vu depuis la place Dauphine vers 1633* avec la pompe de la Samaritaine.
– ***Salle 13 :*** le *Roman des chevaliers de la Gloire,* grand carrousel donné en la place Royale (des Vosges) pour le mariage de Louis XIII avec Anne d'Autriche ; notez un char (globe) tiré par des ours ! Portrait de Louis XIII par Philippe de Champaigne.

– **Salle 15 :** tableau du collège des Quatre-Nations et du Louvre vus du Pont-Neuf. Remarquez, à droite de la statue d'Henri IV, deux personnages accroupis en train de se soulager les boyaux sans pudeur.
– **Le cabinet Colbert de Villarcef (salle 17) :** provient d'un hôtel de la rue de Turenne. Décor caractéristique du style Louis XIII (fleurs, rubans, grotesques, masques, amours, etc.). Dans le manteau de la cheminée, portrait de Mazarin.
– **Le cabinet doré de l'hôtel La Rivière (salles 19 et 20) :** décor provenant d'un hôtel de la place des Vosges (1653). Architecture de Le Vau, peintures de Le Brun. Superbe plafond.

Salles 21 à 23 : Mme de Sévigné et son temps

On trouve ici les seules boiseries conçues *in situ* pour l'hôtel, vers 1700. Avec notamment son bureau « en pente » à ses armes, le portrait de Mme de Sévigné par Claude Lefèbvre et, juste en face, le portrait de sa fille par Pierre Mignard. De ce dernier, voir aussi le célèbre portrait de Molière en César.

Salles 24 à 26 : la municipalité parisienne sous l'Ancien Régime

Superbe cheminée dans la **salle 24.** Nombreux portraits de parlementaires, dont certains dus à Nicolas de Largillierre.

Salles 27 à 48 : Paris au XVIIIᵉ s, règne de Louis XV

– **Salle 30 :** café militaire (Claude-Nicolas Ledoux).
– **Salle 31 :** superbes panneaux de boiseries blanc et or provenant du salon de l'hôtel d'Uzès, dessiné par Claude-Nicolas Ledoux (XVIIIᵉ s), le célèbre architecte à qui l'on doit la saline d'Arc-et-Senans ainsi que les pavillons d'octroi du mur d'enceinte de Paris.
– **L'escalier de Luynes (salle 32) :** seul survivant de tous les décors d'escalier du XVIIIᵉ s. Peintures murales de Brunetti provenant de l'hôtel de Luynes (1748). Noter les personnages qui semblent regarder ceux qui montent l'escalier.
– **Salle 39 :** au-dessus de la cheminée, délicate étude de pied de Boucher, et dans la vitrine, originaux reliefs en cire polychrome.
– **Salle 41 :** salle avec de belles boiseries vertes, qui accueille des tableaux montrant des scènes truculentes de la vie parisienne. Entre autres : *Conduite des filles de joie à la Salpêtrière, Dispute à la fontaine, Carnaval,* etc. Également une *Partie de billard* de Chardin.
– **Le Salon chinois (salle 42) :** bel ensemble de décors de chinoiseries datant du XVIIIᵉ s et acheté pour le musée au siècle suivant.
– Et puis, tous aussi beaux les uns que les autres : superbe **Salon jaune (salle 44)** avec boiseries « musicales » provenant de l'hôtel Lally-Tollendal ; **Salon bleu** Louis XV **(salle 43)** ; dans la **salle 40,** un insolite « régulateur » en gaine violonée (c'est une horloge !) ; également le **Salon lilas** (dont on vous laisse deviner la couleur) avec ses superbes meubles.
– **Le salon Brulart de Genlis (salle 47) :** accueille les personnages de la commedia dell'arte sous ses lambris sculptés Louis XV.
– **La salle des Philosophes (salle 48) :** dans une vitrine, objets ayant appartenu à Voltaire et à Rousseau, et devant, leurs bustes.

Salles 49 à 64 : règne de Louis XVI

Suite de salons au décor caractéristique des demeures parisiennes de l'époque : entre autres, le **salon du graveur Demarteau (salle 58).** On est là dans le trip campagne idyllique. Portes peintes par Boucher lui-même. La quatrième serait de Fragonard, et les animaux de J.-B. Huet. Bel exemple de collaboration à un haut niveau ! Apparition du boudoir, dans lequel ces dames s'isolent de la gente masculine. Maquette du quartier du Temple et tableaux d'Hubert Robert, le peintre des ruines, avec notamment la démolition des maisons sur le pont Notre-Dame et le dégagement de la colonnade du Louvre par le peintre Pierre-Antoine Demachy, qui semble avoir frappé les imaginations à cette époque. Dans les dernières salles, nombreuses vues de Paris d'une grande précision, peintes par Raguenet. Voir les ponts qui supportent encore des maisons et les berges de la Seine.

Galerie de liaison vers l'hôtel Le Peletier de Saint-Fargeau

Cette section abrite les collections de peinture du XXᵉ s, ainsi que des expos temporaires. Quelques beaux portraits de Jacques-Émile Blanche, et des peintures de Truchet sur Clichy.

Au bout du passage, on rejoint la suite de la promenade dans l'histoire de Paris.

Salles 101 à 123

On y trouve une iconographie abondante et des souvenirs émouvants. La Révolution et la fin de Louis XVI sont racontées avec verve, colère, et parfois même humour. Une foule d'objets rappelle cette période : en vrac, l'esquisse du célèbre tableau de David sur le *Serment du Jeu de paume,* une Bastille en réduction taillée dans un bloc de pierre de la célèbre prison, une belle collection de faïences patriotiques, les tables de la Constitution et des Droits de l'homme posées autrefois derrière le président de la Convention, un vrai bonnet rouge de sans-culotte, une belle armoire en marqueterie avec maximes révolutionnaires incrustées, portraits et bustes des révolutionnaires et des membres de la Convention, reconstitution de la cellule de la prison du Temple lors du séjour de la famille royale *(salle 106),* modèles réduits en os et de la guillotine *(salle 108)...*

– *Salle 112 :* une cinquantaine de gouaches sur carton découpé de Le Sueur, réalisées sous la forme d'un journal théâtral, donnent un témoignage vivant du costume et de l'imagerie populaire sous la Révolution.

– En descendant, ne pas louper les vues de Paris au XIXᵉ s au moment des différentes crues (1879, 1887), ni l'impressionnante vue du Champ-de-Mars après l'Expo de 1878. La campagne !

– Pour la période napoléonienne, ainsi que pour la période romantique jusqu'à la Révolution de 1848 *(salles 115 à 121),* rejoindre le rez-de-chaussée. *Portrait de Mme Récamier* par Gérard (salle 115) et nécessaire de campagne de Napoléon Iᵉʳ. Bel ensemble de meubles Empire (salle 116), et dans une vitrine, carrosse en or, jouet de luxe pour enfant royal. Un peu bling-bling, non ? Salle 117, tableau plein de vie de la fontaine des Innocents, et belle précision des costumes du tableau *Messe à la chapelle expiatoire* de Turpin. Joli portrait du jeune Victor Hugo (salle 120) et tableau de l'érection de l'obélisque place de la Concorde. Visiblement un franc succès ! Salle 121, beaux portraits de Proudhon et de Blanqui. Pas si courant.

– Dans la *salle 122,* la vie littéraire et artistique au début du XIXᵉ s avec, dans les vitrines, de nombreuses caricatures (bustes) de J.-P. Dantan.

Salles 126 et 127

Paris vu par les peintres au temps du romantisme, avec un amusant service à thé aux vues de Paris.

Salles 128 à 143

Le Second Empire avec le berceau du prince impérial et une maquette d'un défilé sur la place Vendôme. *Salle 129,* évocation des grands travaux de Paris avec, entre autres, le percement de l'avenue de l'Opéra. Suivent les affres de la Commune et du siège de Paris avec cette *Ascension de Gambetta en ballon (salle 130).* La fin du XIXᵉ s, la IIIᵉ République avec l'érection de la tour Eiffel pour l'Expo universelle de 1889. Et puis, *salle 131,* portrait plein de caractère de Louise Michel avec, à côté, plus modeste, celui de Jules Vallès. Belle reconstitution du salon particulier du Café de Paris, meubles d'Henri Sauvage le plus pur style Art nouveau. On peut admirer également, toujours dans le même style, la boutique du bijoutier Fouquet *(salle 142),* réalisée par Mucha en 1900.

Salles 144 à 148

La césure sanglante de 1914-1918 n'est suggérée que par des toiles des défilés de la Victoire de novembre 1918. Évocation des aménagements de Paris avec le percement de la première ligne de métro. Spectaculaire salle de bal de l'hôtel de Wendel due à l'artiste catalan José Maria Sert *(salle 146)*. Pour évoquer la vie littéraire et artistique à la Belle Époque et au début du XXᵉ s, quelques pièces ont été reconstituées, telles la chambre de Léautaud (au désordre révélateur de la personnalité de l'écrivain), celles d'Anna de Noailles et de Proust (plus chic). Plus proches de nous, des toiles évoquant Cocteau (beau portrait en pied de Jacques-Émile Blanche), Poiret, Mirbeau, Suzy Solidor et bien d'autres.

Le cabinet des Arts graphiques

Rens : ☎ 01-44-59-58-58. *Sur rdv mar-ven 14h-17h.* Retrace l'évolution de Paris à travers les gravures, dessins, estampes et photographies. Les collections révolutionnaires comptent parmi les plus riches.

🎭🎭 *Les hôtels de la rue du Parc-Royal (plan couleur B-C3) :* une succession unique de magnifiques demeures des XVIIᵉ et XVIIIᵉ s ; et, la nuit, l'une des balades les plus romantiques qui soient. Au nᵒ 4, l'hôtel Canillac, l'un des rares dont la porte d'entrée est, en principe, ouverte. À gauche, ne pas manquer l'escalier Louis XIII avec une pièce unique : la rampe en bois massif tout en entrelacs et fleurons. Au nᵒ 8, ancien hôtel Duret-de-Chevry rénové. Aux nᵒˢ 10 et 12, deux autres belles façades.

🎭 *Polka Galerie (plan couleur C3) :* 12, rue Saint-Gilles (cour de Venise), 75003. ☎ 01-76-21-41-30. ● polkagalerie.com ● Ⓜ Chemin-Vert. *Mar-sam 11h-19h30. GRATUIT.* À Paris, la référence du photojournalisme s'appelle Polka. Un lieu unique où un magazine se construit sur les murs d'une galerie. Trois espaces de 250 m² situés dans la jolie cour de Venise. La reine Marie-Antoinette avait l'habitude d'y venir et de s'assoupir sous son arbre fétiche, encore en vie ! Le magazine s'exporte dans 13 pays, et la galerie voyage dans le monde entier. Polka vise tous les amateurs de photographie, les passionnés, les collectionneurs, et plus largement un public ayant soif de vérité, de beauté et de grandes histoires. Les expositions changent avec les saisons. Toutes les photos sont à vendre, ainsi que *Polka Magazine...*

🎭🎭 *La rue de Turenne (plan couleur C2-3) :* l'un des principaux axes verticaux du Marais, bordé de nombreux anciens hôtels et anciennes demeures vénérables. Une curiosité : au nᵒ 67, vestiges d'une grande boucherie qui occupait tout le bas de l'immeuble. Des six têtes de bœufs-consoles qui supportaient le balcon, il en subsiste deux ainsi qu'un morceau de la barre servant à accrocher la viande. À l'angle des rues de Turenne et Villehardouin, très belle niche abritant une Vierge du XVIIᵉ s. L'autre immeuble d'angle eut comme locataire le poète Scarron, mari de Françoise d'Aubigné, future Mme de Maintenon. Il y mourut complètement paralysé. Il en était réduit, pour saluer ses visiteurs, à tirer sur une corde passant dans une poulie qui soulevait son bonnet. Profitez-en pour lire ou relire *L'Allée du roi* de Françoise Chandernagor.

🎭🎭 🚶 *Le musée Cognacq-Jay (plan couleur B3) :* 8, rue Elzévir, 75003. ☎ 01-40-27-07-21. ● cognacq-jay.paris.fr ● Ⓜ Saint-Paul ou Chemin-Vert. *Tlj sf lun et j. fériés 10h-18h. GRATUIT (expos temporaires payantes : autour de 5 €, réduc).* Visites-conférences et, pour les enfants, mer et sam, visites-animations, ateliers et séances de contes.

Un admirable musée consacré à la collection privée d'Ernest Cognacq, un homme au parcours étonnant : orphelin à 11 ans, il interrompt ses études pour vivre de petits métiers en province, avant de se fixer à Paris. Plusieurs embauches malheureuses en tant que vendeur, création d'une première affaire qui fait faillite. Il entreprend alors de vendre ses marchandises sur le Pont-Neuf, en face de l'emplacement de l'ancienne pompe de la Samaritaine, avant d'ouvrir en 1870 une boutique du même nom juste à côté (aujourd'hui fermée et en cours de reconversion). Bien plus tard, il se mettra à collectionner des œuvres du XVIIIᵉ s, aujourd'hui rassemblées dans l'hôtel Donon.

Peintures, dessins, mobilier, porcelaines et nombreux objets d'orfèvrerie sont présentés sur plusieurs niveaux, reliés par un bel escalier Louis XIV. Remarquez la très belle collection de portraits de Maurice Quentin de La Tour, saisissants de naturel et de vivacité. Tout aussi intéressantes, des œuvres de Boucher, Fragonard, Chardin, Canaletto, Tiepolo, ou encore Guardi. Du superbe mobilier estampillé, avec notamment une petite table mécanique marquetée de fleurs indiennes, ou une rangée de faux bouquins, un lit « à la polonaise » qui a appartenu à la Couronne, puis à Cambacérès... Incontournables porcelaines de Meissen, émaillées et colorées, fréquemment utilisées en décors de table. Les scènes, humoristiques et légères, empruntent souvent leur sujet au théâtre ; rigolote série d'« Amours » représentés dans des activités humaines.

🎥🎥 À l'angle de la rue des Francs-Bourgeois et de la rue Vieille-du-Temple, la **maison de Jean Hérouet,** trésorier de Louis XII, demeure médiévale très caractéristique avec sa magnifique tourelle d'angle en encorbellement du début du XVIᵉ s. Fines sculptures gothiques.

🎥🎥 🚶 *Le musée d'Art et d'Histoire du judaïsme (plan couleur A2) :* hôtel de Saint-Aignan, 71, rue du Temple, 75003. ☎ 01-53-01-86-60. ● mahj.org ● Ⓜ Rambuteau ou Hôtel-de-Ville. ⏰ Lun-ven 11h-18h, dim 10h-18h. Fermé sam, 1ᵉʳ janv, 1ᵉʳ mai, ainsi que pour les fêtes de Rosh Ha Shanah et de Kippour. Entrée collections permanentes : 8 € ; 6 € sur présentation de ce guide ; gratuit moins de 26 ans, chômeurs et pers handicapées. Également un billet couplé musée-expo temporaire (10 €). Audioguide de qualité disponible et gratuit ; livret découverte famille gratuit. Expos temporaires, contes, visites guidées, cinéma, lectures, conférences, concerts...

Ce magnifique hôtel particulier du XVIIᵉ s accueille depuis 1998 le musée d'Art et d'Histoire du judaïsme, élégant et pédagogique. À l'intérieur, en plus des aménagements muséographiques de grande qualité, on peut admirer les restes de l'architecture d'origine comme le grand escalier, entièrement reconstitué, ainsi que les fresques de la salle à manger (aujourd'hui librairie du musée) apparues au cours des travaux. Les architectes sont même allés plus loin en offrant à cet hôtel une peinture en trompe l'œil conçue en 1650 par Pierre Le Muet et qui n'avait jamais été réalisée.

Le musée d'Art et d'Histoire du judaïsme regroupe les collections Isaac Strauss-Rothschild du musée de Cluny et de l'ancien musée d'Art juif, ainsi que des dons et des prêts. Le parcours chronologique, géographique et thématique retrace l'histoire des juifs du Moyen Âge à nos jours, tout en valorisant le patrimoine et les traditions culturelles et artistiques des différentes communautés juives selon leur lieu d'implantation : objets ashkénazes et séfarades, mobilier de culte (chandelier et lampe de Hanouca), costumes et stèles funéraires médiévales découvertes près de la rue de la Harpe, toiles de Chagall, Lipchitz, Soutine (entre autres), témoins de la présence juive dans l'art du XXᵉ s. Bien entendu, une place particulière est faite à l'histoire des juifs en France, avec notamment des archives de l'affaire Dreyfus. Voir le mur de la cour intérieure recouvert de petites plaques portant les noms des émigrés juifs qui vivaient ici à la veille de la Seconde Guerre mondiale, œuvre de Christian Boltanski. Très émouvant. Un lieu qui permet une meilleure compréhension de la culture – ou plutôt des cultures – juive(s).

À noter, un auditorium, un centre de documentation (bibliothèque, vidéothèque, photothèque) et une librairie qui propose un large choix d'ouvrages sur ce thème.

🎥🎥 *La rue des Francs-Bourgeois (plan couleur B-C3) :* à cheval sur les 3ᵉ et 4ᵉ arrondissements, elle est bordée de part et d'autre de prestigieux hôtels particuliers. Afin de vous éviter de changer sans cesse de chapitre au gré des numéros pairs et impairs, nous avons traité les deux côtés de la rue dans le 4e arrondissement, à l'exception de l'hôtel de Soubise (voir plus bas).

🎭🎭🎭 🚶 *Le musée Picasso (plan couleur B3) :* hôtel Salé, 5, rue de Thorigny, 75003. ☎ 01-42-71-25-21. • musee-picasso.fr • Ⓜ Saint-Sébastien-Froissart ou Saint-Paul. ♿ Ouv mar-dim 11h30-18h ; nocturne 3e sam du mois jusqu'à 21h. Entrée : 11 € plein tarif, 9 € tarif réduit. Attention la réouverture du musée est prévue pour mi-sept 2014.

Ce superbe hôtel fut construit au XVIIe s pour un nouveau riche qui avait fait fortune en levant la gabelle (impôt sur le sel de triste mémoire). Ironiquement, le bon peuple parlait donc de l'hôtel « salé ».

Après 5 ans de travaux, l'un des plus beaux hôtels du Marais dévoile, sur une surface presque triplée – qui donne notamment accès aux combles et à la charpente baroque, ainsi qu'à la salle des boiseries du XVIIIe – et largement décloisonnée, les œuvres de l'artiste protéiforme. L'accrochage est chronologique et commence par les premières peintures exécutées quand Picasso n'avait que 14 ans. Quelque 500 œuvres – dont sa collection particulière (Chardin, Matisse, Degas, Ernst...) : de l'*Autoportrait* (1901), représentatif de la période bleue, aux grands *Étreintes* ou *Matadors* des dernières années, en passant par *La Flûte de pan* (1924), la période cubiste ou l'ensemble de peintures et sculptures marquant la période surréaliste (1924-1939), la collection permet une approche didactique, rétrospective et exhaustive de l'œuvre du grand maître moderne. Et le jardin a aussi été l'objet de tous les soins, pour prolonger le plaisir. Une escale incontournable du Marais à (re)découvrir !

– En face de l'hôtel de Châtillon, à deux pas du musée Picasso, beau petit *jardin Georges-Cain* pour vous aérer ou pour pique-niquer.

🎭🎭 *Les Archives nationales – Hôtel de Soubise (plan couleur B3) :* 60, rue des Francs-Bourgeois, 75003. ☎ 01-40-27-60-96. • archivesnationales.culture.gouv. fr/anparis • Ⓜ Rambuteau ou Hôtel-de-Ville. Accès slt dans le cadre d'expos temporaires : tlj sf mar et j. fériés 10h (14h30 w-e)-17h30. Entrée : 4-8 € selon expo ; réduc. Nombreuses activités proposées : juil, ateliers pour enfants et scolaires ; sept-juin, sam à 18h, concert de professionnels (• jeunes-talents.org • ; 10-12 €, réduc) ; 1 mer/mois 12h30-13h30, concert baroque gratuit.

Superbe hôtel annoncé depuis le n° 54 par une succession d'aristocratiques demeures datant des XVIIe et XVIIIe s. Par le portail en demi-lune apparaît l'immense et magnifique cour d'honneur en fer à cheval, flanquée d'une galerie de colonnes. La façade de l'édifice, ornée de sculptures de Robert Le Lorrain, est un chef-d'œuvre d'équilibre et d'élégance.

Du XVIe au XVIIe s, l'hôtel est occupé par la famille de Guise, qui, dit-on, y fomenta la Saint-Barthélemy. En 1808, Napoléon y installe ses archives impériales, puis l'édifice est agrandi sous Louis-Philippe et jusqu'en 1871 pour y accueillir l'ensemble des archives de la nation depuis le haut Moyen Âge. Ainsi naissent les Archives nationales.

L'accès aux expositions donne droit à la visite de l'hôtel de Soubise. Au rez-de-chaussée, l'appartement du prince se déploie en enfilade : chambre, cabinet des livres, salon de musique et salle à manger. À l'étage, l'appartement de la princesse est un étalage de faste et de luxe : magnifique chambre de parade et fresque de Natoire représentant l'histoire de Psyché.

🎭🎭 *La Traversée des jardins des Archives nationales :* entrée rue des Archives ou rue des Quatre-Fils. Ouv tlj 8h-17h (20h fin mars-fin oct). L'endroit rêvé pour se poser un peu au calme, avec un sandwich ou un bouquin, après avoir arpenté le quartier. Une succession de trois jardins si inattendue qu'on n'en devine pas l'existence de l'extérieur – les espaces sont variés et superbement aménagés, le tout le long longeant de vénérables hôtels particuliers (lire aussi ci-dessus).

🍴 **L'hôtel de Clisson** (plan couleur B2) **:** 58, rue des Archives, 75003. Ⓜ Hôtel-de-Ville. L'un des plus anciens édifices d'architecture civile parisiens, construit en 1380. Il ne reste aujourd'hui de la demeure du connétable de Clisson, compagnon de Du Guesclin, que le portail ogival surmonté de deux tours poivrières en encorbellement.

🍴🍴🍴 🚶 **Le musée de la Chasse et de la Nature** (plan couleur B2) **:** hôtel de Mongelas, 62, rue des Archives, 75003. ☎ 01-53-01-92-40. ● chassenature.org ● Ⓜ Hôtel-de-Ville ou Rambuteau. ☃ Tlj sf lun et j. fériés 11h-18h (21h30 mer). Entrée : 8 € ; réduc, notamment sur présentation de ce guide ; gratuit moins de 18 ans et pour ts le 1er dim de chaque mois.

Présenté d'une part dans un superbe hôtel particulier du XVIIᵉ s, œuvre de François Mansart et sauvé in extremis par Malraux, et d'autre part dans l'hôtel voisin, dit de Mongelas, le musée s'adresse à tous les utilisateurs de la nature. Dans un esprit d'ouverture et de dialogue, il présente des œuvres inspirées par le rapport de l'homme à son environnement, et notamment ses relations avec les animaux. Il fut mis sur pied grâce à François et Jacqueline Sommer, riches industriels de la 2ᵈᵉ moitié du XXᵉ s, amateurs de chasse, qui y disposèrent leurs importantes collections d'objets (peintures, sculptures, mobilier et objets d'art, céramiques, tapisseries, trophées, armes, livres...) et y installèrent la Fondation de la Maison de la chasse et de la nature. Sujet controversé de nos jours, la chasse est vieille comme l'humanité : que ce soit pour se nourrir (et se vêtir), pour se mesurer avec la nature, pour s'approprier la force animale, pour magnifier son courage devant le danger et se préparer aux métiers de la guerre, les différents objets présentés nous le rappellent de manière spectaculaire.

Intelligemment agencée, la succession des salons et cabinets évoque la riche demeure d'un amateur éclairé, à la manière des cabinets de curiosités du XVIIIᵉ s. Les thèmes animaliers, conçus autour de figures emblématiques (le sanglier, le cerf et le loup, la... licorne, le cheval, l'oiseau de proie, les chiens...), sont illustrés par des animaux naturalisés, des tableaux (on notera au passage de fameuses signatures : Rubens et Jan Brueghel – double collaboration autour de la figure de Diane –, Lucas Cranach, Franz Snyders, Desportes, Oudry ou Chardin), des trophées... L'aspect scientifique n'a pas été négligé, grâce à de très réussis secrétaires à tiroirs pleins de... secrets. Vitrines de carabines et fusils, arquebuses aux crosses nacrées aussi, de toute beauté, rappellent que la chasse a longtemps été le privilège d'une aristocratie désœuvrée (c'est la Révolution qui étendra le droit de chasse). Impressionnant, l'ours blanc, dressé sur ses pattes arrière ! Fascinante, la salle des Trophées et sa galerie de bêtes, au plafond peint par Lorjou, et dont le sanglier albinos émet, à la demande du gardien, des sons inquiétants et émouvants, les deux lions majestueux, les deux gorilles... Au dernier étage, la cabane de François Sommer, reconstituée, évoque une vie de passion. Une salle d'expositions temporaires, au rez-de-chaussée, vient compléter un attrayant et édifiant parcours. Agrandi en 2007, le musée a également initié en 2012 « les Nocturnes du musée de la Chasse et de la Nature », qui proposent chaque mercredi lectures, concerts, projections-débats et performances. Le regard que l'on porte sur la chasse en sort peut-être changé : le débat, lui, reste ouvert.

🍴 🚶 **Le musée de la Poupée, Au Petit Monde ancien** (plan couleur A2) **:** impasse Berthaud (au niveau du 22, rue Beaubourg), 75003. ☎ 01-42-72-73-11. ● museedelapoupeeparis.com ● Ⓜ Rambuteau ou RER B : Châtelet-Les Halles. ☃ Tlj sf dim et j. fériés 13h-18h. Entrée : 8 € ; tarif réduit : 6 € ; 3-11 ans : 4 €. Entrée au tarif réduit sur présentation de ce guide. Jeux, parcours pour les enfants. 2 expos temporaires par an. Possibilité de visites guidées sur inscription 1 fois/ mois. Également 1 boutique (poupées et jouets de collection, affiches, livres, etc.) et 1 clinique de soins pour les poupées et les peluches qui nécessitent une petite opération (expertise de poupées sur rdv). Ateliers, goûters d'anniversaire sur résa. Blotti bien au calme au fond d'une impasse, ce petit musée abrite une superbe collection de poupées mise en scène dans quatre salles qui feront rêver les enfants et rappelleront des souvenirs aux parents et grands-parents. Au fil des vitrines, c'est l'histoire de la poupée et de ses évolutions qui défile sous nos yeux émerveillés. Poupées en porcelaine du XIXᵉ s à la beauté hiératique, poupons issus de la Première Guerre mondiale, poupées folkloriques nées des congés payés qui permettent de découvrir la France, poupées de salon pour adultes des Années folles, poupées en tissu de l'entre-deux-guerres jusqu'aux poupées de la génération du baby-boom produites par les grandes maisons françaises comme *Raynal* ou *Bella* et habillées dans un style inspiré de la haute couture. Si les enfants s'émerveilleront devant les costumes et les accessoires, les plus grands remarqueront l'évolution des matériaux depuis le fragile biscuit jusqu'à l'apparition des nouvelles matières plastiques dans les années 1950 via le celluloid et le tissu, mais aussi l'influence des modes et la concurrence entre les pays.

Juste en face, le jardin Anne-Franck sera bienvenu pour se dégourdir les jambes après la visite.

🕯 *Le passage Molière* (plan couleur A2) : *débute au niveau du 82, rue Quincampoix, et rejoint la rue Saint-Martin.* On y trouve le *théâtre Molière*, qui dépend de la Maison de la poésie et propose, comme son nom l'indique, surtout de la poésie ou des textes littéraires ; le bâtiment a connu divers avatars, mais il abritait déjà un théâtre en 1792. Sous la Révolution, ce passage s'appelait passage des Sans-Culottes. L'un de ceux qu'on aime le plus pour son vieux charme tranquille et son côté provincial, sa rigole et ses gros pavés, ses petites galeries (comme cet étonnant atelier de moulage des mains, pieds... de vos chers), les gros buissons poussant sur les balcons. De grosses grilles montent la garde à chaque entrée.

🕯🕯 *La rue du Temple* (plan couleur B1-2) : un curieux mélange que tous ces grossistes en bijoux et accessoires de pacotille, environnés de beaux hôtels particuliers. Au nº 71, l'*hôtel de Saint-Aignan*, siège de la municipalité de 1795 à 1800, puis mairie de l'ancien 7ᵉ arrondissement. Il abrite aujourd'hui le musée d'Art et d'Histoire du judaïsme (lire plus haut).

🕯🕯 *La maison de Nicolas Flamel* (plan couleur A2) : *51, rue de Montmorency, 75003.* Ⓜ *Rambuteau.* Construite en 1407, ce qui en fait, dit-on, la plus ancienne de Paris (en tout cas plus ancienne que celle de la rue Volta, pourtant à colombages). Elle fut restaurée au XVIIIᵉ s, et les éléments pseudo-gothiques de la façade sont, bien sûr, postérieurs à la date de construction. Nicolas Flamel, grand universitaire du XVᵉ s, est réputé pour avoir inventé la pierre philosophale, pierre ayant la propriété de transformer le métal en or et de produire l'élixir de longue vie. Le premier tome de la série *Harry Potter* tourne en grande partie autour de la recherche de cet éminent alchimiste dont la quête a manifestement traversé les siècles. On retrouve ici ses initiales, N et F, sur les deuxième et cinquième piliers. Pour la petite histoire, Flamel hébergeait les ouvriers nécessiteux moyennant un loyer assez particulier : il leur fallait réciter deux prières quotidiennes pour les trépassés !

Itinéraire des « belles provinces » de France
(plan couleur B-C2)

Voici une balade un peu en dehors des sentiers battus. Il n'y a plus d'hôtels particuliers spectaculaires, seulement de belles cours avec des pignons accrocheurs, des escaliers tarabiscotés, de vieilles ruelles pittoresques. La plupart des rues arpentées portent des noms de province.

➤ Empruntez la *rue Charlot*, qui ne rend pas hommage à un célèbre acteur de cinéma mais porte le nom d'un obscur financier du XVIIᵉ s.
Presque en face, la *cathédrale Sainte-Croix*, aujourd'hui cathédrale de l'exarchat – circonscription ecclésiastique qui se situe entre le patriarcat et l'archevêché – apostolique arménien. Autrefois, ce fut un couvent des capucins, puis une

chapelle, très fréquentée par Mme de Sévigné. Grille en fer forgé, vieille fontaine avec margelle dans une petite cour paisible. Porche refait par Baltard. À l'intérieur, belles peintures, remarquables boiseries dans le chœur, et un *Saint François d'Assise* de Germain Pilon. Votre seule chance de les découvrir : la grand-messe du dimanche, de 10h30 à 12h.

➤ En route, on croise la *rue du Perche*. Au n° 9 habita Mme de Maintenon. Puis à gauche la *rue Pastourelle,* dénommée ainsi depuis 1330. En face de la rue de Beauce, débouché de la *ruelle de Sourdis (fermée par une porte en fer le soir).* Même aspect qu'il y a trois siècles, avec ses maisons en encorbellement, les grosses bornes protège-piétons, le ruisseau central. Malheureusement, un mur au fond empêche désormais de rejoindre la rue Charlot.

➤ À l'angle des *rues de Beauce* et *Pastourelle,* noms gravés dans la pierre : « Beausse et rue d'Anjou » (ancien nom). La rue de Beauce est étroite mais elle n'a pas conservé, comme la ruelle de Sourdis, son aspect médiéval. Avant d'arriver rue de Bretagne, empruntez la minuscule rue des Oiseaux pour gagner le marché voisin.

➤ La *rue de Bretagne* est toujours très commerçante et animée, d'autant qu'on y trouve l'une des entrées du *marché des Enfants-Rouges,* qui porte le nom d'un orphelinat voisin dont les enfants étaient reconnaissables à leurs vêtements rouges. Plusieurs bonnes adresses où grignoter (voir « Où manger ? » plus haut).

➤ À l'angle avec la *rue de Poitou,* boulangerie avec céramiques et glaces peintes. Au n° 64 résida Robespierre, de 1789 à 1791. Un peu plus loin, au 8, *rue Saint-Claude,* jetez un œil à l'étonnante boutique d'Alain, un des derniers maîtres barbiers de Paname. Son salon *(mar-sam sur rdv)* est un vrai petit musée : moustache Guillaume II, à la hongroise ou en brosse, coupe-choux et fers à friser n'auront plus de secrets pour vous !

On arrête, toutes les rues recèlent quelque chose d'intéressant !

LE QUARTIER DU TEMPLE

Ce sont les moines templiers qui rendirent le terrain habitable et cultivable. Bien qu'une rue, un boulevard, un faubourg et un square s'acharnent à en rappeler le souvenir, il ne reste rien de la présence des templiers et de la fameuse tour d'où partit Louis XVI pour aller à l'échafaud. À la veille de la Révolution, le quartier du Temple était encore une ville dans la ville, une sorte de zone franche de 12 ha pour artisans et gens endettés. L'enclos du Temple (dont on peut voir des vestiges au 17, rue de Picardie et au 73, rue Charlot) se composait d'un donjon, d'une église et d'une prison, ainsi que du palais du Grand Prieur. La famille royale y séjourna, après quoi le palais fut désaffecté. Louis XVI y resta pendant toute sa détention, et Louis XVII, âgé de 10 ans, y mourut. Napoléon fit détruire le palais et le donjon, sûrement par superstition. Autour du beau square du Temple, il y a beaucoup de choses intéressantes à voir.

➤ Autour des rues Volta, des Vertus et des Gravilliers vit toujours une vieille population de quartier. La *rue des Vertus (plan couleur B2)* rappelle le commerce qui s'y déroulait. Beaucoup de bistrots et restos arabes, et de plus en plus de Chinois. Ils constituent la plus ancienne communauté asiatique de Paris : pour remplacer les ouvriers partis au front en 1914, le gouvernement fit venir 100 000 sujets de la province de Wenzhou (dont des inconnus nommés Zhou Enlai et Den Xiaoping !). Beaucoup restèrent après guerre et s'installèrent dans le 3e arrondissement. Aujourd'hui, ils rachètent peu à peu les cafés et prennent la succession des artisans juifs et arméniens installés dans la maroquinerie.

🚶 *La rue Volta (plan couleur B1-2),* adorablement sombre pour honorer l'inventeur de la pile électrique, abrite l'une des deux plus vieilles maisons de Paris, avec celle de Nicolas Flamel, située au 51, rue de Montmorency (datant de 1407). Donc, la maison à colombages au n° 3 remonte probablement à la fin du XIIIe s. Elle présente certaines caractéristiques typiques du Moyen Âge. Elle est constituée de deux anciennes boutiques avec une margelle de pierre de part et d'autre de la porte qui, en l'absence de vitres, se fermaient avec des volets horizontaux. Celui du bas servait de comptoir (d'où l'expression « trier sur le volet »). Les étages, en outre, mesuraient à peine 2 m de hauteur. Qu'elle soit ou non la plus ancienne de Paris, l'importance des parties de bois dans sa construction suffit à la dater ; en effet, après le XIVe s, il fut interdit d'utiliser le bois pour les murs, par crainte des incendies. Exit donc le torchis entre les colombages...

Le musée des Arts et Métiers : « le Louvre des techniques » (plan couleur A1)

♦♦♦ 🏃✝ 60, rue Réaumur, 75003. ☎ 01-53-01-82-00. ● arts-et-metiers.net ● Ⓜ Arts-et-Métiers. Bus n°s 20, 38, 39 et 47. ♿ Tlj sf lun, 1er mai et 25 déc 10h-18h (21h30 jeu, conférences 18h30-20h). Entrée : 6,50 € ; tarif réduit : 4,50 € ; gratuit moins de 26 ans. Audioguide : 3 parcours différents selon temps disponible ; parcours enfants et « parcours rapide » de 150 objets phares.

Fondé en 1794 par l'abbé Grégoire, le fameux prêtre jureur (du nom de ces religieux qui avaient prêté serment au nouvel ordre social issu de la Révolution), le Conservatoire national des arts et métiers a été créé afin de réunir « tous les outils et machines nouvellement inventés ou perfectionnés, en promouvoir la démonstration et l'enseignement pour former de bons artisans et leur permettre de copier les bons modèles et perfectionner l'industrie nationale ».

C'est l'abbaye Saint-Martin-des-Champs qui est choisie, en 1798, pour abriter ce conservatoire. L'église devient alors le temple d'une nouvelle religion : le progrès. Tout au long du XIXe s, les collections ne cessent de s'accroître. Les bâtiments, restaurés, conservent leur intégrité, et leur aménagement, renforcé de matériaux contemporains, offre un remarquable cadre aéré pour présenter les quelque 3 000 pièces, témoins privilégiés du génie de l'esprit humain.

La visite se décline autour de sept collections. Chacune d'elles est flanquée d'un atelier où l'on peut manipuler des modèles et réaliser des expériences. À chaque étape, des bornes de consultation présentent 150 objets phares, les phases de leur invention et leur utilisation dans leur contexte.

Niveau 2

Première collection, les **instruments scientifiques** : tout ce qui permet, depuis le XVIIe s, de diviser en unités, de compter, de peser, de prévoir ou d'évaluer le temps, l'espace, la température, etc. Depuis les godets-unités, les étalons et pesons destinés au commerce jusqu'au microscope, en passant par la machine à calculer de Pascal (1642), la sphère céleste de Burgi ou les cadrans solaires. Également une belle reconstitution du labo de Lavoisier avec ses gazomètres et ses balances de précision. Magnifique section des horloges avec l'atelier de Ferdinand Berthoud, concepteur d'horloges de marine capables de déterminer la longitude en mer.

Ne manquez pas la vitrine consacrée à l'histoire du mètre qui, comme chacun sait, n'est que la 1/10 000 000 partie de l'arc du méridien terrestre entre le pôle et l'équateur ! On découvre aussi que la lentille de Fresnel, qui équipe tous les phares du monde, fut construite par un certain M. Soleil, le bien nommé !

Sont aussi présentés là une cinquantaine de nouveaux objets illustrant les champs majeurs de la recherche contemporaine : les lasers, le microscope à balayage électronique (précieux pour la détection du cancer) et la matière molle popularisée par la technique des écrans à cristaux liquides. Le cyclotron du Collège de France, construit en 1937, a été une découverte capitale pour sa contribution à l'étude de la matière. Vient ensuite le premier modèle de supercalculateur Cray-2 de 1985. Une cinquième partie complète cette section : la robotique avec le véhicule destiné à l'exploration du sol des planètes, fabriqué par Alcatel. On se penchera avec respect sur les maquettes de modèles géométriques en fil, sur lesquels ont sué des générations d'élèves ingénieurs.

Viennent ensuite les **matériaux** : c'est d'abord la collection des textiles, avec le superbe métier à tisser de Vaucanson (1748) et la maquette de la *Mule-Jenny,* qui révolutionna l'industrie des filatures de coton. Puis le papier (maquette d'usine de 1830), le verre (vitrine avec les chefs-d'œuvre de Gallé), la céramique, la porcelaine et les techniques d'émaillage. Sans oublier l'acier, avec la maquette de l'aciérie *Martin* à Saint-Étienne (1912). Quand la chimie vient au secours de la physique, on invente les matériaux composites modernes : les premières matières plastiques faites de polymères synthétiques, comme la bakélite. Retrouvez en fin de collection un espace entièrement dédié aux matériaux utilisés dans la production des emballages alimentaires. À la fois ludique et pédagogique, cet espace est aussi un espace de démonstration, où l'on trouve une dizaine de systèmes interactifs et audiovisuels, une ensacheuse, des animations pédagogiques dont une minichaîne de production d'emballage, et un site internet dédié. Tout un programme !

Niveau 1

On commence avec la **construction,** des charpentes de bois à l'apparition du béton et du ciment. Maquette de la construction d'un immeuble rue de Rivoli, avec utilisation d'une locomobile à vapeur pour actionner les treuils. Les ponts et leurs techniques sont évoqués sur une mezzanine : ponts tournants, ponts haubanés, ponts de chemin de fer dupliqués dans tout l'empire colonial français, il ne manque plus que le viaduc de Millau ! Le parcours se termine par un espace thématique, « Les dessous des grands travaux ».

Toute une longueur du bâtiment est occupée par la **communication,** qui s'articule autour de plusieurs thèmes : à gauche, tout ce qui concerne l'écrit, les arts graphiques et l'imprimerie avec les premières presses à bras (voir la rotative de Marinoni qui imprimait plus d'un million d'exemplaires du *Petit Parisien* au début du XXe s) ; à droite, l'audiovisuel (ses débuts avec la lanterne magique), puis la photographie (la chambre de Daguerre, le « fusil » de Marey – 1882 – destiné à l'observation des oiseaux, les débuts du cinéma avec un prototype des frères Lumière, et le projecteur Pathé-Kok et son célèbre coq peint sur le boîtier). Le prolongement : la TV avec l'évocation de la première émission en France en 1931 et le premier récepteur couleur de Schneider (1960). Le son ensuite, avec le phonographe d'Edison ; la communication à distance, avec le télégraphe à aiguille aimantée de Wheatstone et Cooke, et les premiers appareils et centraux téléphoniques. Enfin, les techniques modernes dont une maquette du satellite *Telstar :* appareils photo, caméras, enregistreurs, tourne-disques (le *Teppaz* des teenagers des sixties !), magnétoscopes, DVD...

On poursuit avec la section **énergie,** de l'énergie animale ou naturelle (vent, eau) jusqu'au nucléaire. Maquette de la machine de Marly (qui alimentait en eau les bassins du parc de Versailles), les roues à aubes et la machine élévatoire à vapeur de Papin. L'évolution de l'électricité depuis la pile de Volta, les lampes à incandescence jusqu'à la dynamo de Zénobe Gramme ; des innovations capitales, comme le moteur Diesel, les éoliennes et la centrale nucléaire. Les préoccupations écologiques contemporaines sont illustrées via un modèle de maison bioclimatique.

L'étage se termine sur la **mécanique** et les corps de métiers touchant à l'artisanat de précision et aux débuts de la mécanisation. Des engrenages, des leviers, des roulements à billes, mais aussi l'outillage de la petite mécanique : les serrures ouvragées (la machine à guillocher fabriquée pour Louis XVI), les pièces d'horlogerie et, surtout, les sphères de buis, d'ivoire ou d'ébène, chefs-d'œuvre de finesse de François Barreau. Et des machines-outils magnifiques, comme le tour à tailler des vis de Senot.

À mi-parcours de la section, faites un crochet par le fabuleux **théâtre des Automates,** où un petit film vous présente les pièces exposées dans la salle (se renseigner pour les horaires des démonstrations). Boîtes à musique, tableaux animés (collection de Marie-Antoinette), tous objets magiques et merveilleux. À l'âge de l'électronique, ce sont les puces et les robots qui donnent aux machines souplesse et facilité d'emploi. Programmée, la machine devient capable d'effectuer des tâches de plus en plus spécialisées. La présence de l'homme n'est plus requise que pour l'entretien et la réparation.

Niveau 0

Dernière section, celle des **transports** : d'abord, les bateaux à voile et les chevaux, avant que le chemin de fer ne prenne le relais et que l'automobile ne s'impose. Des pièces exceptionnelles : le fardier de Cugnot (1770), premier véhicule véritablement automobile (à vapeur) surplombé, au-

LE SAVIEZ-VOUS ?

Des rails ont été installés à l'intérieur du musée pour acheminer les objets lourds jusqu'aux amphithéâtres. Ils sont encore visibles dans le musée.

dessus de l'escalier, par l'aéroplane original de Clément Ader inspiré de la morphologie de la chauve-souris. Puis les locomotives : celle de Stephenson (1833) et celle de Mallet (1876), immortalisée par Monet à la gare Saint-Lazare. Une étonnante collection de deux-roues, du grand-bi au Solex ; le quadricycle Peugeot de 1893 avec les premières roues caoutchoutées, un exemplaire de la Ford T, des tramways et des maquettes de paquebots. Plus récent : une maquette en coupe de la ligne de métro n° 14 et celle de l'hydroptère de 1997 reprenant les techniques de l'aéronautique pour la navigation.

Et pour finir en beauté, l'**église Saint-Martin-des-Champs,** entièrement restaurée, qui marie son chevet du XIIe s à une polychromie néogothique du XIXe s. Au centre du chœur, le pendule de Foucault, qui apporta en 1855 la preuve expérimentale de la rotation de la Terre. Dans la nef sont présentées des pièces de grande dimension ; une passerelle permet de s'en approcher de très près : le magnifique coupé Hispano-Suiza (1935) avec une cigogne chromée sur la calandre, la voiture à hélice de Leyet (1921) ou la Renault F1 de Prost (1983) ; aussi des avions, dont celui de Blériot (première traversée de la Manche), modèle d'exécution de la statue de la Liberté de Bartholdi et, enfin, une réalisation actuelle comme le moteur Vulcain d'*Ariane 5.*

Vous trouverez également dans le musée un centre de documentation ouvert à tous et une boutique-librairie à l'accueil.

|●| *Café des Techniques :* tlj sf lun 10h-18h. Bel assortiment de salades, verrines et plats à la vapeur 7-9 € ; brunch à l'italienne dim 21,50 € (avec entrée au musée), proposé à volonté dès 11h30 (résa obligatoire 3 j. à l'avance au ☎ 01-53-01-82-83). Tables groupées autour de la grande maquette du paquebot *France* (celui de 1912) de la ligne Le Havre-New York.

🍴 *Le Carreau du Temple (plan couleur B1-2) :* 4, rue Eugène-Spuller, 75003. ● *carreaudutemple.eu* ● Ⓜ *Temple.* Sous cette belle structure métallique, avec verrière lumineuse et ferronneries en arabesque, s'étendait un vieux marché de la « nippe ». Le Carreau perpétuait la tradition de la foire qui se tenait là au Moyen Âge. Tout au long du XIXe s, les Parisiens fauchés venaient déjà s'habiller ici. Le succès du marché était tel que, pour attribuer les places aux vendeurs, il fallait tirer au sort. Le bâtiment actuel remplaça vers 1900 une structure type Baltard, construite sous Napoléon III. Une grande partie de l'argot concernant les vêtements date d'ailleurs du Carreau du Temple de cette époque : un habit est une « pelure », une chemise une « limace »... Aujourd'hui, le Carreau renaît de ses cendres après un vaste chantier de rénovation, découvrant un espace baigné de lumière. Un résultat très réussi. Au menu : un agenda culturel (spectacles vivants, ateliers créatifs, projections...), des salons, un espace sportif et un bar.

🎥 Le quartier possède toujours un certain nombre d'artisans et de petites industries, héritiers de ceux qui s'installèrent dans l'enclos du Temple et qui bénéficiaient à l'époque d'avantages fiscaux. Se promener (en semaine, bien sûr) en particulier *cité Dupetit-Thouars (plan couleur B1),* bordée de vieux ateliers, de cours pavées avec grilles et grosses bornes médiévales. Certaines ont été rénovées.

3e

▶ Pour le plan du 4e arrondissement, voir le cahier couleur.

Peu étendu, cet arrondissement abrite néanmoins de nombreuses richesses. Remontant le cours du temps, il réunit l'art moderne et le gothique flamboyant, le Centre Pompidou et Notre-Dame, Matisse et Victor Hugo. Et au milieu coule la Seine... Unie à l'île de la Cité, comme une vaste péniche immobile, l'île Saint-Louis, avec ses hôtels particuliers, son harmonie et son atmosphère. Sur la terre ferme, solidement ancré, l'Hôtel de Ville, témoin de l'histoire, de ses tragédies comme de ses moments

L'HOMME QUI PARLAIT AUX CHEVAUX

En 1855, Xavier Ruel était camelot et vendait de la bonneterie rue de Rivoli, dans de grands parapluies. Un jour, apercevant une calèche tirée par des chevaux emballés, il se jeta sur l'attelage et réussit à arrêter leur course effrénée. À l'intérieur, il découvrit Eugénie de Montijo, épouse de l'empereur. Pour le remercier, Napoléon III lui donna suffisamment d'argent pour qu'il s'offrît le bâtiment qui deviendra le Bazar de l'Hôtel de Ville.

de liesse. Lui faisant face, le *Bazar de l'Hôtel de Ville* – aujourd'hui le *BHV-Marais* –, « tout pour la maison », disait la publicité... et c'est toujours vrai.
Non loin, on aborde, délimités par une frontière invisible, le Paris gay, qui concentre une pléiade de boutiques, bars et boîtes tendance, et le quartier juif historique, témoin de toutes les émigrations, ayant survécu depuis le Moyen Âge contre vents et marées, rafles de la police de Vichy et pelleteuses des promoteurs.
Plus loin, conduisant à la Bastille, dans un dédale de rues au tracé sinueux, les demeures aristocratiques du quartier Saint-Paul, à découvrir au cœur de la nuit. Une fois franchi la rue Saint-Antoine, l'admirable hôtel de Sully et, par un passage secret, la place des Vosges, trait d'union avec l'élégant 3e arrondissement.

Où dormir ?

De très bon marché à bon marché

⌂ **Hôtel MIJE Fourcy** (plan couleur C2, **1**) : 6, rue de Fourcy, 75004. ☎ 01-42-74-23-45. ● info@mije. com ● mije.com ● Ⓜ Saint-Paul ou Pont-Marie. Resto le soir slt ; service 18h-21h30. Congés : août pour le resto. Compter 33,50-39 €/pers en dortoir selon nombre de lits (55 € pour une simple), petit déj et draps compris. Menu du soir 10,50 €. 📶 Cet ancien hôtel particulier du XVIIᵉ s abritait l'un des bordels les plus célèbres de Paris, *Le Moulin Galant*, fermé en 1946. Rénové, il accueille aujourd'hui une jeunesse bien saine, tout étonnée de se retrouver dans cette demeure joliment située entre la place des Vosges et l'île Saint-Louis. Petite cour fleurie à l'angle de la rue Charlemagne, où il fait bon lézarder sur l'un des bancs de pierre. Chambres simples de 1 à 10 lits avec mezzanine, lavabo et douche ; 204 places au total. Toilettes communes à l'étage. Restaurant dans une belle salle à manger voûtée avec pierres apparentes, commune aux 3 hôtels *MIJE* du Marais.

🛏 **Hôtel MIJE Le Fauconnier** (plan couleur C2, **3**) : 11, rue du Fauconnier, 75004. ☎ 01-42-74-23-45. • info@mije.com • mije.com • Ⓜ Saint-Paul ou Pont-Marie. Resto le soir slt ; service 18h-21h30. Congés : août pour le resto. Compter 33,50-39 €/pers en dortoir selon nombre de lits (55 € pour une simple), petit déj et draps compris. Menu du soir 10,50 €, proposé à la MIJE Fourcy. 📶 Ancien hôtel du XVIIᵉ s, superbement rénové. Porte d'entrée imposante en bois sculpté. À l'intérieur, un magnifique escalier avec rampe en fer forgé. L'été, on prend le petit déj dans la cour pavée. Chambres de 1 à 9 lits ; 131 places au total. Toutes les chambres sont équipées d'une bonne literie et de petites salles de bains avec lavabo et douche. Toilettes dans le couloir. Excellent accueil.

🛏 **Hôtel MIJE Maubuisson** (plan couleur B2, **2**) : 12, rue des Barres, 75004. ☎ 01-42-74-23-45. • info@mije.com • mije.com • Ⓜ Hôtel-de-Ville, Saint-Paul ou Pont-Marie. Resto le soir slt ; service 18h-21h30. Congés : août pour le resto. Compter 33,50-39 €/pers en dortoir selon nombre de lits (55 € pour une simple), petit déj et draps compris. Menu du soir 10,50 €, proposé à la MIJE Fourcy. 📶 Idéalement située, dans l'une des parties piétonnes du Marais, cette AJ occupe une magnifique maison médiévale avec encorbellement, colombages, pignons en dents de scie, etc. Intérieur décoré avec goût, portes style gothique, vieux meubles en bois massif. Chambres de

1 à 7 lits (99 places au total) avec salle de douche et lavabo ; w-c sur le palier.

Prix moyens

🛏 **Hôtel Jeanne-d'Arc, Le Marais** (plan couleur C2, **4**) : 3, rue de Jarente, 75004. ☎ 01-48-87-62-11. • information@hoteljeannedarc.com • hotel jeannedarc.com • Ⓜ Saint-Paul, Bastille ou Chemin-Vert. ⚡ Résa impérative 3 mois à l'avance en saison. Selon saison, doubles 98-120 €, familiales 180-300 € ; petit déj 8 €. 💻 📶 TV. Satellite. À deux pas de la belle et animée place Sainte-Catherine, un petit hôtel familial, bien tenu, avec pas mal de charme et un accueil agréable. Les chambres, jolies et confortables, sont peu à peu rénovées. Certaines ont conservé un style sobre et classique quand d'autres ont adopté des tons et un esprit bien plus actuels. Dans la salle du petit déjeuner, curieux et gigantesque miroir tout en mosaïque, véritable signature de la maison. Ascenseur.

Chic

🛏 **Grand Hôtel du Loiret** (plan couleur B1-2, **6**) : 8, rue des Mauvais-Garçons, 75004. ☎ 01-48-87-77-00. • hotelduloiret@hotmail.com • Ⓜ Hôtel-de-Ville. ⚡ Doubles 100-130 € selon confort ; petit déj 9 €. 📶 TV. Satellite. Un petit déj/chambre par nuit (janv-fév) offert sur présentation de ce guide. Les chambres ont été rénovées. Celles du 7ᵉ étage (dont une pour 3 personnes) offrent une vue sympathique sur les toits, qui embrasse tout Paris, du Panthéon au Sacré-Cœur, en passant par Beaubourg et Notre-Dame. Certaines salles de bains s'avèrent néanmoins bien petites. Ascenseur.

🛏 **Hôtel du 7ᵉ Art** (plan couleur C2, **9**) : 20, rue Saint-Paul, 75004. ☎ 01-44-54-85-00. • hotel7art@wanadoo.fr • paris-hotel-7art.com • Ⓜ Saint-Paul, Pont-Marie ou Sully-Morland. Doubles 120-180 € selon confort et saison ; petit déj 8 €. Chèques refusés. 💻 📶 TV. Câble. Café offert sur présentation de ce guide. Hôtel pittoresque dont les chambres, bien tenues mais un peu datées, sont toutes climatisées et décorées avec des affiches de vieux films et des photomontages sur le thème du cinéma américain des années 1940 à 1960. Il y en a partout, jusque sur les carreaux des salles de bains ! Les chambres les plus chères sont en fait de grandes chambres mansardées. Vitrine avec des figurines en plâtre représentant Mickey, des pin-up, des musiciens de jazz... Machines à laver et sécheuses à dispo.

🏠 **Hôtel de la Place des Vosges** (plan couleur D2, **11**) : 12, rue de Birague, 75004. ☎ 01-42-72-60-46. ● contact@hpdv.net ● hotelplacedes vosges.com ● Ⓜ Saint-Paul ou Bastille. Doubles 95-180 € selon confort ; une suite à partir de 180 € avec jacuzzi, écran plasma, marbre, parquet, poutres du XVIIᵉ s ; loft de 100 m² 200 € pour 2, 400 € pour 6 ; petit déj 8 €. ▭ TV. Satellite. Cette ancienne écurie du XVIIᵉ s propose 16 chambres calmes, pas très spacieuses ni très lumineuses, mais confortables et surtout toutes rénovées : parquet, poutres apparentes, salles de bains en mosaïque. Les plus grandes sont toutes situées côté rue. La réception ne manque pas de cachet. Propreté impeccable. Un bon rapport qualité-charme-prix.

🏠 **Hôtel Émile** (plan couleur C2, **7**) : 2, rue Malher, 75004. ☎ 01-42-72-76-17. ● resa@hotelemile.com ● hotelemile.com ● Ⓜ Saint-Paul. Doubles 135-215 €, petit déj compris. ▭ ☏ Une trentaine de chambres pour ce charmant boutique-hôtel où le noir et le blanc se mélangent divinement bien dans des chambres graphiques à souhait. Des rideaux aux moquettes en passant par le carrelage blanc typique du métro, le style est résolument classieux et contemporain. La suite, au dernier étage, permet d'embrasser les toits de Paris. Certaines chambres sont auréolées d'un ciel bleu, et d'autres de baignoires à l'ancienne avec pattes de lion. Moquettes pour compenser et faire patte de velours. IPad à disposition si vous êtes en manque.

🏠 **Hôtel Saint-Louis Marais** (plan couleur C2, **12**) : 1, rue Charles-V, 75004. ☎ 01-48-87-87-04. ● marais@

saintlouis-hotels.com ● saintlouis marais.com ● Ⓜ Bastille ou Sully-Morland. Double 169 € ; petit déj 13 €. ☏ TV. Câble. Parking payant. On s'y sent comme dans une vieille maison de famille. Il y a peu de chambres, pour préserver l'intimité des hôtes. Celles sous les combles sont bien charmantes, les autres pleines de caractère avec leurs tomettes et leurs poutres patinées. Entièrement rénové. Double vitrage. Petit déj servi dans une belle cave voûtée ou dans la chambre.

🏠 **Hôtel de Nice** (plan couleur B2, **10**) : 42 bis, rue de Rivoli, 75004. ☎ 01-42-78-55-29. ● contact@hoteldenice. com ● hoteldenice.com ● Ⓜ Hôtel-de-Ville. Résa conseillée. Doubles avec clim 110-220 € selon saison ; petit déj 8 €. ☏ TV. 1ᵉʳ petit déj offert sur présentation de ce guide. De l'élégance, du raffinement, de la discrétion (d'ailleurs, on a un peu de mal à trouver l'entrée de l'hôtel, coincée entre 2 terrasses), un accueil polyglotte et souriant, bref un établissement qui donne envie de prolonger son séjour. Les propriétaires, autrefois antiquaires, ont gardé le goût des beaux objets, et certaines chambres ont tout d'une bonbonnière, même si quelques unes (en particulier les salles de bains) nous ont paru bien petites. L'été, préférez les chambres donnant sur la jolie place du Bourg-Tibourg et essayez d'obtenir l'une de celles avec balcon.

🏠 **Hôtel Beaubourg** (plan couleur B1, **15**) : 11, rue Simon-Lefranc, 75004. ☎ 01-42-74-34-24. ● reser vation@hotelbeaubourg.com ● hotel beaubourg.com ● Ⓜ Rambuteau ou Hôtel-de-Ville. Doubles 95-175 € ; suites 140-230 € selon saison ; petit déj 9,50 €. Souvent, bons plans de dernière minute. ▭ ☏ TV. Canal +. Satellite. L'établissement se compose de 2 bâtiments réunis, l'un avec poutres apparentes, l'autre sans, mais toutes les chambres avec baignoire sont spacieuses et décorées dans un style floral ou coloré, très coquet. Les plus récentes sont parées de ravissantes toiles de Jouy. Un bon rapport qualité-prix pour ce quartier.

🏠 **Le Vieux Marais** (plan couleur B1, **13**) : 8, rue du Plâtre, 75004. ☎ 01-42-78-47-22. ● hotel@vieuxmarais.com ●

vieuxmarais.com • Ⓜ *Hôtel-de-Ville ou Rambuteau. Doubles 125-190 € selon saison ; petit déj 10 €.* 📶 *TV.* Bel immeuble du XVIIIᵉ s. Les chambres, à la déco sobre et moderne, sont spacieuses, confortables et fonctionnelles (téléphone, clim, coffre et TV à écran plat). Elles ont toutes été refaites avec goût, notamment avec de belles salles de bains. Accueil très agréable dans une réception très cosy.

Plus chic

🛏 *Hôtel de la Bretonnerie (plan couleur B1, 5) :* 22, rue Sainte-Croix-de-la-Bretonnerie, 75004. ☎ 01-48-87-77-63. • *hotel@bretonnerie.com* • *bretonnerie.com* • Ⓜ *Hôtel-de-Ville. Ouv tte l'année. Doubles 155 € (« classiques »)-185 € (« charme ») ; suites junior et familiale 180-235 € ; petit déj 10 €.* 📶 *TV. Satellite.* Un petit déj/chambre offert sur présentation de ce guide. Un coup de cœur pour cet hôtel qui a su conserver, avec ses longues poutres, ses pierres de taille d'époque et son escalier ancien, tout le charme d'autrefois. Ensemble soigné. Petit déj servi dans la belle salle voûtée. Les chambres « charme » sont particulièrement spacieuses. Les « classiques », bien que plus petites, bénéficient elles aussi de tout le confort et d'une déco personnalisée. Depuis le dernier étage, vue sur les toits de Paris. Prix ajustés à la notoriété du quartier, où il n'est pas facile de trouver des hôtels d'un si bon rapport qualité-prix.

🛏 *Hôtel de Lutèce (plan couleur B2, 19) :* 65, rue Saint-Louis-en-l'Île, 75004. ☎ 01-43-26-23-52. • *info@hoteldelutece.com* • *hoteldelutece.com* • Ⓜ *Pont-Marie ; RER B : Saint-Michel-Notre-Dame. Doubles 225-250 € ; petit déj 14 €.* 📶 *TV. Câble.* Très chic et pas donné, mais on est dans l'un des plus beaux, des plus charmants quartiers de Paris. Hôtel de charme et de caractère. La réception est superbe, plaquée de chêne, avec sa très belle cheminée et ses tomettes Louis XIV au sol tout en dégradés de jaunes, ocre et terre de Sienne. Les Américains adorent ses poutres et son charme d'un autre siècle. Certes, chambres pas bien

grandes, mais elles bénéficient d'une belle hauteur sous plafond. Attention, peu de chambres à grand lit (clientèle étrangère oblige !). Bref, une belle adresse pour un séjour d'exception.

🛏 *Castex Hôtel (plan couleur D2, 8) :* 5, rue Castex, 75004. ☎ 01-42-72-31-52. • *info@castexhotel.com* • *castexhotel.com* • Ⓜ *Bastille ou Sully-Morland. Double 199 € ; petit déj 11 €. Promos sur Internet.* 💻 📶 *TV. Satellite. Câble.* Cet hôtel a été entièrement rénové. La déco, sobre, évoque le XVIIᵉ s, avec des meubles néo-Louis XIII, des tomettes au sol et de lourdes tentures. Résultat, c'est beau, stylé et impeccable. On peut néanmoins regretter que l'ensemble soit un peu froid, un peu monacal (on a connu des monastères plus gais !). Petit déjeuner servi dans une belle salle voûtée.

🛏 *Hôtel Saint-Louis (plan couleur B2, 14) :* 75, rue Saint-Louis-en-l'Île, 75004. ☎ 01-46-34-04-80. • *isle@saintlouis-hotels.com* • *saintlouisnisle.com* • Ⓜ *Pont-Marie. Doubles 179-249 €.* 📶 *TV. Câble.* Hôtel de charme, dans le genre chic et bourgeois. Accueil agréable et chambres pas très spacieuses mais confortables. Entièrement rénové et mis au goût du jour, l'hôtel présente un beau rapport qualité-prix compte tenu de son emplacement. Petit déjeuner servi dans une jolie salle voûtée en pierres apparentes. Une belle adresse pour cocooner en amoureux.

🛏 *Spéria Bastille (plan couleur D2, 16) :* 1, rue de la Bastille, 75004. ☎ 01-42-72-04-01. • *info@hotelsperia.com* • *hotelsperia.com* • Ⓜ *Bastille. Doubles 172-230 € selon saison ; petit déj 13 €.* 📶 *TV. Canal +. Satellite.* Fauteuils en cuir et déco moderne pour cet hôtel super clean et fonctionnel. Chambres toutes rénovées dans un style conventionnel impeccable. Certaines ont des salles de bains particulièrement spacieuses. Très bien situé et très agréable.

🛏 *Hôtel Caron de Beaumarchais (plan couleur B2, 17) :* 12, rue Vieille-du-Temple, 75004. ☎ 01-42-72-34-12. • *hotel@carondebeaumarchais.com* • *carondebeaumarchais.com* • Ⓜ *Hôtel-de-Ville ou Saint-Paul.*

Doubles 160-198 € ; petit déj 13 €. 📺 📶 *TV. Câble.* Ici, l'hôtellerie est une affaire de famille et d'histoire. Le bâtiment a été entièrement rénové et joliment décoré sur des modèles du XVIIIᵉ s pour rendre hommage à l'auteur du *Mariage de Figaro,* qui vécut dans la rue. D'emblée, la table de jeu et la harpe déposées là comme par mégarde donnent l'impression d'entrer dans le salon d'un élégant plutôt que dans la réception d'un hôtel. Chambres finement décorées et salles de bains raffinées, avec des peignoirs brodés à l'effigie de Beaumarchais. Nombreuses antiquités, très beaux tissus, confort irréprochable. Comme souvent, les chambres côté rue sont un peu plus spacieuses et lumineuses que celles côté cour.

Où manger ?

Bon marché

|●| La Mangerie *(plan couleur C2, 38)* **:** 7, rue de Jarente, 75004. ☎ 01-42-77-49-35. Ⓜ *Saint-Paul. Tlj sf dim 18h-23h (23h30 ven-sam). Tapas du moment 6-13 €, à partager 14-23 €.* Le nom est difficile à avaler, à l'opposé de la cuisine, c'est l'essentiel. Un fond de décor réjouissant, avec des objets de récup' détournés de leur utilisation pour faire place à l'humour. Et un accueil chaleureux, qui devient vite familier si on se laisse prendre au jeu. Belle carte de tapas aussi savoureuses qu'originales. Profitez des jours de match (il y a moins de monde !) pour vous faufiler dans ce lieu qui cartonne, à la tombée de la nuit.

|●| Le Grand Appétit *(plan couleur D2, 29)* **:** 9, rue de la Cerisaie, 75004. ☎ 01-40-27-04-95. ● grandappetit@free.fr ● Ⓜ *Sully-Morland ou Bastille.* ♿ *Tlj sf w-e 12h-15h (fermé à 14h30 ven), 19h-21h. Congés : vac de Pâques et 10-20 août. Plats du jour 10-14 € ; menus 13-25 €.* Un classique du Paris macrobiotique. Grande assiette de légumes bio avec céréales ou bol de riz garni et infusion du jour. Une suggestion différente tous les jours. Épaisses tartes aux légumes. Fait également épicerie (elle est tout à côté). Très zen. N'oubliez pas de prendre plateaux et couverts, et de les rapporter à la fin du repas. Comme à la cantoche !

Prix moyens

|●| Le Métropolitain *(plan couleur C2, 35)* **:** 8, rue de Jouy, 75004. ☎ 09-81-20-37-38. ● contact@metroresto.fr ●

Ⓜ *Pont-Marie ou Saint-Paul. Tlj sf sam midi et dim 12h-14h15, 19h30-22h15. Formules déj 19-24 € ; menus 38-55 €. Vins au verre à partir de 5 €.* Dans un décor métro-rétro aux murs de céramique blanche et banquettes de bois, vous dégusterez, au choix sur ardoise, une fine cuisine de saison à la présentation festive et inventive. Une explosion de couleurs et de saveurs qui ravit autant les yeux (toujours rivés sur l'assiette du voisin) que le palais. Amusante carte des vins en plan de métro. Service adorable, assiettes généreuses ; un coup de cœur ! Petit bout de jardin à l'arrière.

|●| Le Bistrot de l'Oulette *(plan couleur D2, 33)* **:** 38, rue des Tournelles, 75004. ☎ 01-42-71-43-33. Ⓜ *Chemin-Vert ou Bastille. Tlj sf sam midi et dim ; service 12h-14h30, 19h-23h (minuit ven-sam). Résa conseillée. Formules déj 15-22 € (boisson comprise) ; menu-carte 35 € (entrée + plat + dessert).* Propose une cuisine mi-terroir, mi-créative à prix doux. Dans les 2 cas, la cuisine met toujours le cap vers le Sud-Ouest. Si le cassoulet maison vous effraie, vous pouvez opter pour un plat du jour plus élaboré. Vu la bonne tenue des prix, il y a matière à clore ces agapes par un armagnac 1975.

|●| Aux Vins des Pyrénées *(plan couleur C2, 32)* **:** 25, rue Beautreillis, 75004. ☎ 01-42-72-64-94. Ⓜ *Bastille, Saint-Paul ou Sully-Morland. Tlj 12h-14h30 (15h30 sam-dim), 19h45-23h (23h30 ven-sam). Formule déj en sem 16 € ; carte env 35 €.* Un grand bistrot à la déco chaleureuse. On y mange au coude-à-coude dans une ambiance mi-décontractée, mi-branchée, très animée avec les habitués et les touristes de passage. La carte est courte et propose des classiques bien servis mais sans trop d'originalité, à accompagner de petits vins abordables. À l'ardoise le soir, suggestions du chef. Service féminin souriant.

|●| Le Gorille Blanc (plan couleur D2, **31**) : 4, impasse Guéménée, 75004. ☎ 01-42-72-08-45. ● legoril leblanc905@orange.fr ● Ⓜ Bastille. Tlj sf dim ; service 12h-14h30, 19h30-23h. Fermé 1er janv, 24, 25 et 31 déc. Formule déj en sem 17 € ; carte env 35 €. Apéritif maison offert sur présentation de ce guide. Déco de bistrot d'antan, plutôt brute de décoffrage avec son parquet usé, ses chaises Thonet et ses murs de gros moellons et les photos de Flocon de Neige, le gorille albinos vedette du zoo de Barcelone. Côté assiettes, les plats sont à l'image des proprios père et fils : francs du collier, sans façons mais spontanés, avec une palette de recettes dans la bonne tradition bistrotière, de quoi ravir touristes et habitués. Quelques petits crus de derrière les fagots à découvrir sans retenue (ou presque !), puisqu'ils sont aussi servis au verre.

|●| Au Bougnat (plan couleur B2, **39**) : 26, rue Chanoinesse, 75004. ☎ 01-43-54-50-74. ● contact@aubougnat.com ● Ⓜ Saint-Michel-Notre-Dame ou Cité. Tlj 12h-15h, 18h30-22h. Menus du jour (sem) 15,90-19,90 € ; menuscarte 24-29 € ; plat 18 €. Ce petit bistrot parisien traditionnel, tout près du parvis de Notre-Dame, est LA bonne affaire sur cette très touristique île de la Cité. Canon d'agneau rôti croustillant, filet de bar a la plancha, tout est préparé à la minute. Et pour patienter, quelques mignardises de saison vous mettront en appétit. NOUVEAUTÉ.

|●| Brasserie Bofinger (plan couleur D2, **37**) : 5-7, rue de la Bastille, 75004. ☎ 01-42-72-87-82. ● lcarsault@ groupeflo.fr ● Ⓜ Bastille. Lun-ven 12h-15h, 18h30-23h30 (minuit ven) ; sam 12h-15h30, 18h30-minuit ; dim service continu 12h-minuit. Menus 29,90-36,50 € ; choucroutes à partir de 23 € ; plateaux de fruits de mer 26,90-122 €. Cette célèbre brasserie, inaugurée en 1864 et transformée en 1919, offre un décor qu'apprécient les nombreux touristes qui viennent y dîner. Les Parisiens sont, tout comme eux, sensibles à l'esthétique de la belle verrière et du salon du 1er étage, décoré par Hansi. Et c'est vrai qu'on en a plein la vue. Que l'on soit d'ici ou d'ailleurs, on sacrifie à la sacro-sainte choucroute paysanne, la « Spéciale », et aux plateaux de fruits de mer.

|●| Brasserie de l'Île Saint-Louis (plan couleur B2, **36**) : 55, quai de Bourbon, 75004. ☎ 01-43-54-02-59. ● brasse rieilesaintlouis@wanadoo.fr ● Ⓜ Pont-Marie. Tlj sf mer ; service 12h-23h. Congés : 1 sem en fév et août. Carte slt, 30-40 € (boissons comprises). Rien n'a changé depuis plusieurs décennies, pas même les serveurs. Pourtant, ils n'ont rien perdu de leur zèle ni de leur bonne humeur. Sous l'œil d'un sanglier empaillé et de toute la famille des gibiers, les touristes-clients se nourrissent d'une cuisine de brasserie convenable, arrosée d'un bon petit vin d'Alsace (que l'on peut boire au compteur) ou d'une bière pour réconcilier tout le monde. À voir au comptoir, le plus vieux percolateur à café de Paris. En fin de compte, vaut surtout pour l'endroit !

Chic

|●| Les Elles (plan couleur C2, **30**) : 5, rue Ferdinand-Duval, 75004. ☎ 01-42-71-63-88. Ⓜ Saint-Paul. Tlj sf dim soir (sf sur résa) ; service 19h30-23h30. Congés : août. Entrées 12-13 €, plats 17-19 €, dessert 8 € ; carte env 40 €. Cuisine américaine, banquettes rouges et éclairage tamisé. Christine Nguyen-Cong, amoureuse de la gastronomie française sans pour autant renier ses origines vietnamiennes, cuisine en fonction de son humeur et des produits du marché. Cette autodidacte améliore sans cesse ses recettes et son style. Les bouchées vapeur, qui n'ont rien en commun avec celles que l'on mange habituellement, font partie des spécialités de la maison. Et les plats tels que les gambas grillées ou encore les Saint-Jacques sauce d'agrumes sont un régal.

|●| Le Dôme du Marais (plan couleur C1, **34**) : 53 bis, rue des Francs-Bourgeois, 75004. ☎ 01-42-74-54-17. ● contact@ledomedumarais.fr ● Ⓜ Hôtel-de-Ville ou Saint-Paul. Tlj 12h-2h ; service 12h-14h30, 19h-22h30. Formule 29 € ; carte env

40 € ; brunch dim (12h-16h) 27 €. Dans l'ancienne salle des ventes du Mont-de-piété, une très belle adresse, assez chic. On dîne sous la coupole XVIIIᵉ s en verre dépoli. Cuisine qui a le goût d'aujourd'hui, avec juste ce qu'il faut d'épices ou d'herbes. Très beau menu « Retour du marché ». Service aimable et aux petits soins. Belle carte des vins.

|●| Monjul (plan couleur B1, **28**) : 28, rue des Blancs-Manteaux, 75004. ☎ 01-42-74-40-15. ● ✉ restaurantmonjul@yahoo.fr ● Ⓜ Hôtel-de-Ville ou Rambuteau. Tlj sf dim-lun ; service 12h-14h30, 20h-23h30. Formule déj 20,50 € ; menu-carte 35,50 €, menu dégustation 55 €. En plein cœur du Marais, Julien nous accueille dans sa tanière, entre murs de pierre et poutres couleur crème. Une cuisine colorée et ludique dont l'amuse-bouche nous indique d'entrée le ton. Un mélange de saveurs et de textures intéressant, du sucré-salé, de l'espuma (cette écume utilisée en cuisine) pour le côté aérien, presque moléculaire, sans perdre le goût des produits ni oublier le jeu d'épices incessant. Plutôt réussi ! NOUVEAUTÉ.

Bars à vins

|●| ▼ Le Bubar (plan couleur D2, **42**) : 3, rue des Tournelles, 75004. ☎ 01-40-29-97-72. Ⓜ Bastille. Tlj 19h-2h. Verres de vin à partir de 4,50 € ; bouteilles à partir de 22 €. Un patron barbu autant que débonnaire, dans un petit bar à vins de Bordeaux intimiste et trendy. Beau choix de flacons du monde entier, que l'on boit au comptoir ou dans l'un des recoins tranquilles en grignotant quelques amuse-gueules. Savoureuses assiettes de charcuterie et de fromages. Bonne sélection musicale, tendance blues, jazz. Un des rares bars du coin à la déco sympa, où il fait bon discuter entre amis ou avec son voisin.

|●| ▼ L'Enoteca (plan couleur C2, **43**) : 25, rue Charles-V, 75004. ☎ 01-42-78-91-44. ● ✉ enoteca@enoteca.fr ● Ⓜ Saint-Paul ou Bastille. Tlj 12h-14h30 (12h30-15h dim), 19h30-23h30. Fermé 1 ou 2 j. à Pâques, 1ᵉʳ mai, 3 sem en août, Noël et Nouvel An. Formule déj en sem 14,50 €, boisson comprise ; carte 35-40 €. Vieilles pierres, poutres apparentes et murs patinés en toile de fond pour une découverte toujours renouvelée du vignoble transalpin (plus de 250 références à la carte). Pour les petites faims, pâtes fraîches.

|●| ▼ La Tartine (plan couleur C2, **41**) : 24, rue de Rivoli, 75004. ☎ 01-42-72-76-85. Ⓜ Hôtel-de-Ville ou Saint-Paul. Lun-ven 7h30-1h, sam 8h-1h, dim 10h-1h ; service 12h-23h30. Fermé 24 déc au soir. Un peu plus de 30 vins au verre (spécialités de bordeaux et de beaujolais) 3,70-6,50 € ; tartines chaudes 5,80-9,90 €, assiettes de charcuterie 11-18 € (pour 1 ou 2 pers), salades à partir de 12,50 €. Spécialités lyonnaises et auvergnates. On aime bien le côté rétro de ce vieux bar à vins, repris en main et complètement rénové. Grands miroirs, plafond ouvragé, banquettes et tables de bistrot projettent dans un autre temps, à l'abri de l'agitation de la rue de Rivoli. Petite terrasse aux beaux jours.

|●| ▼ Le Coude Fou (plan couleur B1, **44**) : 12, rue du Bourg-Tibourg, 75004. ☎ 01-42-77-15-16. Ⓜ Hôtel-de-Ville. Tlj 12h-14h45, 19h-23h30. Formules déj en sem 14,50-17,50 € ; menu 28 € ; carte env 35 €. Kir offert sur présentation de ce guide. Un bar à vins dont la renommée attire en nombre connaisseurs et amateurs curieux. Murs patinés et jolies fresques naïves qui courent le long des 2 salles. Tables recouvertes de vieilles caisses de bouteilles de vin. Petits plats traditionnels.

Cuisine d'ailleurs

Très bon marché

|●| L'As du Fallafel (plan couleur C1, **50**) : 34, rue des Rosiers, 75004. ☎ 01-48-87-63-60. Ⓜ Saint-Paul. ⚒ Tlj sf sam 11h-minuit (20h juil, 16h ven). À partir de 5,50 € (8 € en salle). L'adresse incontournable pour déguster l'authentique falafel. Qu'est-ce qu'il met dedans, *L'As* ? C'est indiqué, suffit de lire : pois chiches, choux rouge et blanc, crème de sésame, aubergine, concombre, un chouia de harissa. Vous aimez ? Sinon, bonnes assiettes aussi, variées et colorées, et très bon *shawarma* à l'agneau.

≋ *Breakfast in America* (plan couleur C2, *51*) : 4, rue Malher, 75004. ☎ 01-42-72-40-21. ● *biaparis@gmail. com* ● Ⓜ Saint-Paul. ♿ Tlj 8h30-23h. *Fermé à Noël. Burgers 8,95-12,95 € ; formule 10,95 € ; plusieurs petits déj max 10 € ; brunch dim 16,95 €. Café offert sur présentation de ce guide.* Craig, un Américain étudiant en cinéma, tombé amoureux de Paris, a eu l'idée d'ouvrir ce *diner* façon années 1950, et propose de sympathiques burgers pour une poignée d'euros à une clientèle d'étudiants, de jeunes désargentés et de touristes... américains. Le lieu est agréable, la viande de qualité, le service souriant – à l'américaine – et les prix vraiment attractifs. Une autre adresse dans le 5e arrondissement *(17, rue des Écoles).*

🍽 |●| *Miznon* (plan couleur C1-2, *56*) : 22, rue des Écouffes, 75004. ☎ 01-42-74-83-58. Ⓜ Saint-Paul ou Hôtel-de-Ville. *Tlj sf sam 12h-minuit (15h ven). Repas env 15 €.* Voici une nouvelle cantine kasher, version *street food* améliorée, à l'ambiance boboïsante (murs en pierres apparentes, larges lattes au sol, cuisine ouverte et musique branchée). Ici, la vedette, c'est la pita. Et comme accompagnement, place aux légumes tels que le chou grillé, autre produit phare de la maison, ou l'excellente ratatouille mijotée (exit les frites !). On passe commande. On hurle ensuite votre prénom quand votre pitance est prête (pour la discrétion, c'est raté !). Au comptoir ou dans la charmante salle du fond, plus tranquille, c'est selon. Longue vie au *Miznon* ! *NOUVEAUTÉ.*

Bon marché

|●| *Pasta Linea* (plan couleur C2, *55*) : 9, rue de Turenne, 75004. ☎ 01-42-77-62-54. Ⓜ Saint-Paul. *Tlj sf dim-lun 12h-20h. Congés : août.* Grande assiette

de fromages ou de charcuterie 12 € (7 € la petite) ; assiettes mixtes pâtes 12 €, fromages et charcuterie 15 € ; pâtes, antipasti, charcuterie et fromages 18 € ; sandwich 6,50 €. Grand comme un mouchoir de poche. Excellente *bufala* de Campanie, goûteuse *bresaola* de Ligurie, ou encore excellente huile d'olive de Toscane. Un bonheur pour nos papilles ! Au choix : lasagnes de légumes ou pâtes fraîches maison à base de farine bio. Le rayon épicerie-traiteur n'est pas en reste avec de fameux sandwichs à composer. La gentillesse de Sylvie et d'Alexis nous a définitivement conquis.

|●| *Cucina Napoletana* (plan couleur D2, *53*) : 6, rue Castex, 75004. ☎ 01-44-54-06-61. ● *info@cucina napoletana.fr* ● Ⓜ Bastille. *Tlj sf sam midi, dim et lun midi ; service 12h-14h, 19h30-22h30. Congés : août, Noël et Jour de l'an. Antipasti à partir de 13 €, plats 16-26 €.* La cuisine napolitaine, c'est avant tout un art de vivre, on s'en rend vite compte en lisant le règlement en vitrine ! Si le cadre n'a rien d'exceptionnel, on apprécie le va-et-vient des serveurs sifflant les standards de la pop napolitaine. Les *antipasti* respirent le soleil de la Campanie, les pâtes sont divines, et la *mozzarella di bufala campana* bien suave. Carte des vins alléchante mais pas donnée. Cependant, beaucoup de vins au verre.

|●| *Saveurs d'Atika* (plan couleur D2, *52*) : 14, rue des Tournelles, 75004. ☎ 01-42-77-65-95. Ⓜ Bastille. *Lun-mar 12h-16h30 ; mer-jeu 12h-15h30, 18h30-22h30 ; ven-sam 12h-22h30. Fermé 15 août. Formule déj en sem 14,90 € ; plats 14-17 € ; carte env 25 €.* Les saveurs d'Atika sont bien douces. Son minuscule resto s'emplit de belles senteurs marocaines provenant de tajines, couscous ou pastilla servis copieusement et avec gentillesse. L'après-midi, le salon de thé prend le relais avec d'appétissantes pâtisseries maison. Vous savez, celles qui ne font pas grossir du tout !

|●| *Schwartz's Deli* (plan couleur C1, *57*) : 16, rue des Écouffes, 75004. ☎ 01-48-87-31-29. ● *contact@ schwartzsdeli.fr* ♿ Ⓜ Saint-Paul ou Hôtel-de-Ville. ♿ *Lun-ven 12h-15h, 19h30-23h ; sam-dim 12h-17h, 19h-23h. Repas complet 20-25 €.* Voici

un *deli* qui fait la joie des Parisiens et des touristes de passage. On y retrouve les plats typiques qui font la popularité des recettes américaines et kasher : bel éventail de burgers bien épais et juteux servis généreusement avec des frites, copieux sandwichs au pastrami, savoureuse assiette saumon fumé-bagel (spécialité de la maison). Seul bémol : l'attente (pas de résa possible), mais grâce à une organisation optimale, on vous dégotte une table rapidement. Service rapide et enjoué. *Autres adresses dans le 16ᵉ (7, av. d'Eyleau) et dans le 17ᵉ (22, av. Niel). NOUVEAUTÉ.*

De prix moyens à chic

|●| *Isami* (plan couleur B2-3, **54**) : 4, quai d'Orléans, 75004. ☎ 01-40-46-06-97. Ⓜ *Pont-Marie. Tlj sf dim-lun 12h-14h, 19h-22h. Congés : 3 sem en août et 2 sem à Noël. Résa indispensable (salle minuscule). Formules 33-40 € ; carte env 60 €.* Au cœur de l'île Saint-Louis (face à *La Tour d'Argent*), les vrais amateurs de sushis trouveront ici des produits d'une exquise délicatesse et d'une remarquable fraîcheur. Si l'on hésite, les assortiments de sushis et sashimis (avec amuse-bouche et soupe miso en prime) sont parfaits. On passe allègrement de l'anguille au poulpe et à la coquille Saint-Jacques, sans oublier le saumon et l'huître. Tout est préparé devant vos yeux par M. Nakamura. L'accueil, empreint d'une politesse nipponne bien agréable, et le service sont assurés par sa femme.

Où boire un thé ? Où prendre un bon goûter ?

|●| 🍵 *Le Loir dans la Théière* (plan couleur C2, **60**) : 3, rue des Rosiers, 75004. ☎ 01-42-72-90-61. Ⓜ *Saint-Paul. Tlj 9h-19h30. Tartes salées et plats du jour 9,50-13,50 € ; formule 11,50 € l'ap-m (thé + une tarte ou un gâteau) ; brunch w-e 20,50 €.* Salon de thé adorable qui sert des plats chauds le midi. Atmosphère assez cosy et relax. Vieux fauteuils moelleux dans lesquels on s'enfonce délicieusement. Les épaisses tourtes aux épinards (*pascualina*) ou les tartes salées donnent à elles seules envie d'y revenir. Côté sucré, c'est tout aussi bon et copieux, comme la tarte pommes-noix-cannelle ou celle au citron et son impressionnante meringue. Quelques salades également et une bonne sélection de thés. Prévoir de l'attente le week-end.

|●| 🍵 *La Charlotte de l'Isle* (plan couleur C2, **61**) : 24, rue Saint-Louis-en-l'Île, 75004. ☎ 01-43-54-25-83. ● *salondethe@lacharlottedelisle.fr* ● Ⓜ *Pont-Marie ou Sully-Morland. Mer-ven 14h-19h, sam-dim 11h-19h. Env 10 € pour un thé et un gâteau ; 11 € pour un chocolat et un cake maison.* Depuis plus de 30 ans, avec quelques mesures de farine, 2 ou 3 de sucre, quelques graines de folie, amour et patience, *La Charlotte de l'Isle*

confectionne de délicieux gâteaux qui font le bonheur des gourmands. Tartes au chocolat ou au citron, cakes...

|●| 🍴 *Comme à Lisbonne* (plan couleur B2, **62**) : 37, rue du Roi-de-Sicile, 75004. ☎ 07-61-23-42-30. ● *info@ commealisbonne.com* ● Ⓜ *Hôtel-de-Ville ou Saint-Paul. Tlj sf lun 11h-19h. Pasteis de nata 2 € pièce.* Une toute petite échoppe pour (re)découvrir le plaisir de croquer dans ces *pasteis de nata,* sortes de petits flans crémeux, tout ronds, tout chauds et saupoudrés de cannelle. Exactement comme là-bas ! Et possibilité de poser une fesse pour prendre un café ou carrément s'installer pour une pause déj au *Tasca,* juste à côté : soupes, salades, et conserves de poissons. Coin épicerie avec plein de bons produits lisboètes (il y a même le *licor Ginja de Odibos*) pour une *saudade* party.

|●| *Ann's Cookies* (plan couleur B2, **63**) : 60, rue Saint-Louis-en-l'Île, 75004. ☎ 01-55-42-14-88. ● *info@ anns-cookies.com* ● Ⓜ *Sully-Morland ou Pont-Marie ; RER B : Saint-Michel-Notre-Dame. Tlj sf lun-mar 12h-19h. Congés : janv et sem du 15 août. Café offert (pour 2 cookies achetés) sur présentation de ce guide.* Voici une boutique grande comme un mouchoir de poche qui ravira les becs sucrés les

plus exigeants. Anne-Laure, de retour en France après une année d'études en Angleterre, s'est lancée avec succès dans la réalisation de cookies (les vrais !). Résultat : des cookies moelleux à souhait et des produits de grande qualité : chocolat, noix de pécan, orange, spéculoos, pistache... Y a qu'à choisir ! En été, on apprécie la fraîcheur du « Cookice », constitué de boules de glace surmontées de morceaux de cookies. Accueil enjoué et chaleureux. Idéal pour une pause gourmande dans le quartier. ▮❶| ☙ *L'Éclair de Génie* (plan couleur C2, **64**) : 14, rue Pavée, 75004. ☎ 01-42-77-85-11. Ⓜ Saint-Paul. Tlj sf lun 11h (10h w-e)-19h30. Compter

env 5 € la pièce. Le bon génie de l'éclair se nomme Adam, Christophe de son prénom, et on ne compte plus le nombre de ses conquêtes qui traversent tout Paris pour venir se perdre dans cette petite rue du Marais. Elles ne peuvent même pas espérer se poser autour d'une table pour déguster l'éclair au caramel au beurre salé de Paris ou le génial (forcément !) framboise-griotte-dragée : il n'y a que 2 fauteuils cachés au fond de ce *concept store* malin. L'été, emportez vos 6 éclairs (sur les 12 du moment !) dans une boîte en carton maison vite repérée par tous les envieux pour un goûter chic place des Vosges.

Où manger une glace ?

♈ *Berthillon* (plan couleur B2, **75**) : 31, rue Saint-Louis-en-l'Île, 75004. ☎ 01-43-54-31-61. Ⓜ Pont-Marie. ♨ Mer-dim 10h-20h. Congés : vac scol de fév et de Pâques, et fin juil-fin août. Compter 2,50, 4 et 5,50 € le cornet pour 1, 2 ou 3 boules de glace, à consommer sur place ou à emporter. CB refusées. Une vieille institution parisienne ! 75 parfums au compteur, et les glaces sont toujours délicieuses : les classiques (fraise des bois, caramel au beurre salé, marron glacé...), les nouvelles, audacieuses (yaourt au *yuzu*, sésame noir, ananas rôti au basilic frais), et une indétrônable vanille. Au salon de thé, les coupes glacées ne sont pas tristes !
♈ *Pozzetto* (plan couleur B2, **77**) : 39, rue du Roi-de-Sicile, 75004. ☎ 01-42-77-08-64. ● info@pozzetto.biz ● Ⓜ Saint-Paul ou Hôtel-de-Ville. Tlj 12h15-23h45. Coppette à partir de 4 €. Cette adresse 100 % italienne nous régale de *coppette* copieuses et façonnées à la spatule. Les parfums *fior di latte*, *gianduja* ou pistache sont

à tomber ! Les sorbets aux fruits amadoueront les gourmands plus attentifs à leur ligne ! Choix restreint mais gage de qualité. Quelques tables pour la dégustation (attention, les glaces sont majorées) et épicerie attenante. *Autre adresse à deux pas, au 16, rue Vieille-du-Temple. NOUVEAUTÉ.*
♈ *Amorino* (plan couleur B2, **76**) : 47, rue Saint-Louis-en-l'Île, 75004. ☎ 01-44-07-48-08. ● amorino@amorino.fr ● Ⓜ Pont-Marie. Tlj 12h-minuit. Congés : déc-fév. Compter 3,60, 4,60 et 5,70 € pour une glace petite, moyenne ou grande. 20 % de réduc sur présentation de ce guide. Pour changer, agréablement, de l'illustre *Berthillon*. Cette chaîne propose des spécialités italiennes assez exotiques pour nos papilles françaises : *amarena* (vanille-cerise), *stracciatella* (lait et chocolat), Nutella et beaucoup d'autres, servies à la spatule, en forme de fleur. Une astuce : demandez à ce que votre parfum préféré soit le cœur de la fleur : il y en a plus ! Également des gaufres et des crêpes.

Où boire un verre ?

♈ *L'Étoile Manquante* (plan couleur C1, **81**) : 34, rue Vieille-du-Temple, 75004. ☎ 01-42-72-48-34. ● xavier@cafeine.com ● Ⓜ Saint-Paul ou Hôtel-de-Ville. Tlj 9h-2h ; service 12h-1h.

Demis 2,50 € au bar et 3,50 € en salle ; autres bières 4,50 € en salle ; caïpirinha 9 €. Salades et assiettes froides 9-14 €. Déco singulière ! Sur les murs ocre s'alignent une énorme pendule pour scander le temps, des sculptures, des moulages (de mains) prisonniers de cadres, des dizaines de petits miroirs dans le fond, le tout surmonté d'un plafond-constellation façon anneaux de Saturne (manque l'étoile !). Un service plutôt sympa, des grignotes simples et assez copieuses (ne pas manquer les glaces 100 % nature, aux parfums saisonniers).

☙ Le Petit Fer à Cheval (plan couleur C1, **81**) : 30, rue Vieille-du-Temple, 75004. ☎ 01-42-72-47-47. Ⓜ Saint-Paul ou Hôtel-de-Ville. Tlj 9h-2h ; service 12h-1h. Demis 2,50 € au comptoir et 3,50 € en salle ; verres de vin à partir de 3,50 €. Plat du jour env 12 € en sem. Vénérable établissement, Le Petit Fer à Cheval a ouvert ses portes en 1903. Depuis cette date, rien n'a changé. Ce bistrot de quartier, 100 % parigot, a conservé ses vieux bancs en bois provenant des anciens wagons de métro et son bar original en forme de... fer à cheval. On y déguste encore de bons petits ballons chipés parmi la quinzaine de sélections vineuses de la maison.

☙ La Belle Hortense (plan couleur C1, **82**) : 31, rue Vieille-du-Temple, 75004. ☎ 01-48-04-71-60. ● xavier@cafeine. com ● Ⓜ Saint-Paul ou Hôtel-de-Ville. ☘ Tlj 17h-2h. Verres de vin 3,50-8 € ; bouteilles à partir de 18 € sur place, 5 € à emporter. Un bar littéraire qui joue la carte conviviale qu'on regrette tant ailleurs. Rencontres fréquentes garanties, mais avec des écrivains cette fois. Programme des lectures, notamment de poésie, parfois en v.o., dans l'arrière-salle. Demandez à voir la cave du patron, elle vaut le détour. Dégustations tous les mois. Expos de photos, dessins ou peinture et coin librairie.

☙ Les 3 W Kafé (plan couleur C2, **87**) : 8, rue des Écouffes, 75004. ☎ 01-48-87-39-26. Ⓜ Saint-Paul. Mar-sam 19h-2h (4h jeu, 6h ven-sam) ; happy time 19h-22h. Bière pression 4 € ; consos 4-10 €. Voilà une sympathique adresse de filles qui aiment les filles, mais pas du tout ghetto (les garçons ne

sont pas refoulés s'ils sont accompagnés). Entre pierres apparentes et bar en pavés de verre, l'endroit est chaleureux, et une clientèle 20-40 ans vient gazouiller ou s'échauffer in before le week-end. Soirées à thème.

☙ Le Cox (plan couleur B1, **93**) : 15, rue des Archives, 75004. ☎ 01-42-72-08-00. ● contact@cox.fr ● Ⓜ Hôtel-de-Ville. Tlj 17h-2h. Bière 3,90 € ; alcool 7,10 € ; double dose sur les bières et soft au verre pdt l'happy hour (18h-21h). CB refusées. Ce bar gay de la rue des Archives est aujourd'hui une institution dans le quartier. Pas mal de fidèles y apprécient une ambiance toute de bonne humeur. Lumière sombre et musique plutôt forte, ça mate gentiment d'un bout à l'autre du comptoir. Ça tchatche pas mal aussi certains soirs, debout sur le trottoir, alors totalement pris d'assaut ! Serveurs sympas, et déco qui change tous les 3 mois.

☙ L'Imprévu Café (plan couleur A-B1, **95**) : 9, rue Quincampoix, 75004. ☎ 01-42-78-23-50. ● buckandmar tin@mac.com ● Ⓜ Châtelet. Tlj 15h-2h (1h30 dim). Demi 3,30 € ; pinte 6,50 € ; café 2,10 € (3,50 € après 22h). ☙ Un endroit sans prétention où se donner rendez-vous au cœur de Paris. Le lieu est aussi propice aux longues discussions qu'aux rencontres fortuites. L'ambiance de chacune des 4 salles est aussi hétéroclite que le mobilier.

☙ Le Stolly's (plan couleur C2, **84**) : 16, rue Cloche-Perce, 75004. ☎ 01-42-76-06-76. ● eva@cheapblonde.com ● Ⓜ Saint-Paul ou Hôtel-de-Ville. Tlj 16h30-2h. Fermé 1er janv et 24-26 déc. Demi 3 € ; happy hours 17h-20h : pinte et cocktail 5 €. Dans ce petit troquet british au zinc en bois et aux poutres et pierres apparentes, on vous accueille avec le sourire. Petite terrasse en haut des marches, à deux pas de la rue de Rivoli. Pour les amateurs de ballon rond, grosse ambiance les soirs de match. Marais straight et cool.

Où boire une bonne mousse ?

☙ Bar Demory Paris (plan couleur B1, **90**) : 62, rue Quincampoix, 75004. ☎ 09-81-12-53-06. Ⓜ Rambuteau ou Châtelet-Les Halles.

Lun-sam 18h-2h, dim 12h-18h. Bière 3 € ; pinte 5 € ; cocktails 6-10 €. Après avoir lancé l'excellente marque de bière parisienne Demory, quelques fous de la cervoise ont ouvert cette brasserie (au sens premier du terme) en plein cœur de Paris. Outre la bière maison, qui se décline en 5 « cuvées » (l'Astroblonde, la Roquette blanche, la Nova noire, la Cosmoblonde ou l'Atomique), on trouve ici, chaque mois, plusieurs bières invitées issues de microbrasseries du monde entier. Pour rester dans le ton, des cocktails délicats sont également réalisés avec de la bière. Hot dogs et excellentes saucisses maison rassasieront les affamés ou les nostalgiques de l'Oktoberfest. Bonne ambiance, excellent accueil. *NOUVEAUTÉ.*

Où boire un excellent cocktail ?

🍸 *Le Sherry Butt (plan couleur C2, 85)* : 20, rue Beautreillis, 75004. ☎ 09-83-38-47-80. Ⓜ *Saint-Paul. Mar-sam 18h-2h, dim-lun 20h-2h. Cocktails 12-13 €.* Un bar à cocktails raffiné mais pas guindé, établi dans une partie mystérieuse du quartier Saint-Paul. Dans un décor de pierre brute et sous un toit de verre, vous goûterez à des philtres étonnants, tous créés pour *Le Sherry Butt* : pourquoi ne pas commencer par le très rafraîchissant « Yuzu-Yuzu » (gin, liqueur de *yuzu*, liqueur d'*umeshu*, jus de citron, sucre) pour ensuite monter en puissance avec le plus tropical « Catch'n Cross » (*cachaça*, sirop d'ananas flambé maison, Apérol, citron jaune et angustura) ? Une étape délicieusement sucrée.

Où sortir ?

🍸 ∞ *Le Double Fond (plan couleur C2, 100)* : 1, pl. du Marché-Sainte-Catherine, 75004. ☎ 01-42-71-40-20. ● resa@doublefond.com ● doublefond.com ● Ⓜ *Saint-Paul. Terrasse + bar ouv mer-dim à partir du milieu de l'ap-m (plus le mar l'été). Spectacles à 21h jeu-sam ; pour les enfants mer et sam-dim à partir de 16h30 (14h30 sam). À noter : moins de spectacles pdt les vac d'été. Programmation des spectacles sur le site internet. Entrées : 20-25 € ; 17-20 € pour les étudiants et les chômeurs. Avt 21h, café 2,60 € et cocktail alcoolisé 10,50 € ; ajouter 1 € après 21h.* Antre de la magie tenu par une équipe de 5 pros. Leur magie en *close up*, c'est-à-dire « de près », se décline de 2 manières : les « klip-poupes », spécialité maison qui désigne des numéros de prestidigitation humoristiques réservés à des groupes attablés, et le spectacle proprement dit, dans la cave, où l'on s'assoit autour d'une table en forme de cœur. En terrasse, les animateurs vous font profiter avec le sourire de leur science funambulesque, qui renoue avec l'esprit du music-hall et du café-théâtre.

À voir

LE CENTRE POMPIDOU (BEAUBOURG ; plan couleur B1)

☎ 01-44-78-12-33. ● centrepompidou.fr ● Ⓜ *Rambuteau, Hôtel-de-Ville* ou *Châtelet ; RER A, B* et *D : Châtelet-Les Halles. Bus n°s 21, 29, 38, 47, 58, 69, 70, 72, 74, 75, 76, 81, 85* et *96.* ♿ *Pour les pers handicapées moteur et pour le public aveugle et malvoyant, accès par la rue du Renard, à l'angle de la rue Saint-Merri. Prêt de fauteuils roulants (sur présentation d'une carte d'identité) au vestiaire, niveau 0. Ttes les activités dans les espaces sont accessibles aux visiteurs handicapés ou à mobilité réduite.*

Un peu d'histoire

Objet de vives critiques lors de sa construction en 1977 par Renzo Piano et Richard Rogers, pour son architecture originale et colorée au cœur du vieux Paris, le Centre fait maintenant partie du paysage urbain et culturel parisien et a depuis longtemps trouvé sa vitesse de croisière et un public fidèle séduit par son côté ludique, vivant, ouvert à toutes les formes d'expression artistique contemporaines. Le Centre abrite un exceptionnel musée national d'Art moderne, mais présente aussi chaque année plusieurs grandes expositions temporaires d'envergure (thématiques ou monographiques). On y trouve aussi (non détaillés dans ces pages) une grande et riche bibliothèque ouverte à tous (BPI) qui connaît une grande affluence, l'Institut de recherche et de coordination acoustique/musique (IRCAM), des salles de spectacle et de cinéma, et un espace réservé au jeune public. Il propose aussi des cycles de conférences et une riche programmation de débats, de spectacles sur les arts visuels dans une perspective pluridisciplinaire.

Horaires

Le Centre est ouv tlj sf mar et 1er mai, 11h-21h (fermeture des caisses à 20h). Nocturne jeu jusqu'à 23h pour les expos temporaires du niveau 6 (fermeture des caisses à 22h). Afin d'éviter la foule, venir en fin de journée ou acheter son billet en ligne.

Tarifs

Billet unique pour le musée et les expos temporaires (« Musée et expositions ») : 11-13 € selon expo ; tarif réduit : 9-10 € ; gratuit jusqu'à 26 ans, pour les demandeurs d'emploi et pour ts le 1er dim de chaque mois (sf expos temporaires). Billet valable le jour même pour une seule entrée au musée d'Art moderne et pour l'ensemble des expositions du Centre Pompidou.
Accès slt à la vue panoramique du 6e étage : 3 €. Audioguide pour découvrir le Centre : 5 €.
Laissez-passer annuel : plusieurs formules 22-48 €/an, avec des avantages non négligeables si vous avez l'occasion de venir souvent. Rens : ☎ 01-44-78-14-63 ; ou sur place : niveau 0, tlj sf mar 11h-19h.

Renseignements

– Pour les manifestations du Centre, les collections du musée national d'Art moderne et la documentation : ☎ *01-44-78-12-33.* ● *centrepompidou.fr* ●
♿ Pour le public handicapé : ☎ *01-44-78-49-42.* ● *handicap.centrepompidou.fr* ●

Accueil

Il se situe au niveau 0. En entrant, on est accueilli par le portrait de l'initiateur du Centre, Georges Pompidou.
Le forum s'étend sur trois niveaux (- 1, 0 et 1).
Au fond, la billetterie, les vestiaires (gratuits sur présentation d'un titre d'entrée) et un espace services : poste et distributeur bancaire. À ce niveau 0, une boutique de design. À droite, la librairie.
Au niveau 1, à gauche, la salle de cinéma 1, la Galerie des enfants sur une mezzanine *(ouv 11h-19h)*. À droite, le *Café Mezzanine* et une galerie d'expos temporaires.

🎨🎨🎨 🚶🚶 *Le musée national d'Art moderne (MNAM) : Entrée gratuite pour ts le 1er dim du mois. Visite commentée « Balades au musée » gratuite avec le billet « Musée et expositions », au tarif réduit ts les dim (sf le 1er du mois) à 16h ; durée :*

1h30. Visites gratuites « Premier dimanche au musée » le 1er dim du mois, 15 mn devant une œuvre, 15h30-17h30. Le dim également, « Un dimanche, une œuvre » à 11h30 (4,50 €, tarif réduit 3,50 €). Programme complet des visites sur le site internet.

Détenteur de la plus grande collection d'art moderne et contemporain en Europe, le musée est en mouvement perpétuel. Les collections riches de plus de 70 000 œuvres ne peuvent être exposées simultanément, et les accrochages changent régulièrement (tous les 2 ans environ). L'objectif du musée est de regrouper toutes les formes artistiques présentes dans la collection à travers des salles thématiques ou monographiques. Certaines salles sont ainsi consacrées à l'architecture, au design, ou même à l'art sonore et au multimédia.

Le **niveau 5** présente *l'Art moderne* des années 1905 aux années 1970. La nouvelle présentation des collections du Centre Pompidou propose une vision de l'art inédite, ouverte et mondialisée. Aux icônes de l'art occidental s'ajoutent les chefs-d'œuvre issus d'Amérique latine, d'Asie, du Moyen-Orient, d'Afrique. Au travers de plus de 1 000 œuvres, cette traversée de la modernité fait apparaître la richesse et la diversité de la création mondiale de ces années-là.

Le **niveau 4** est lui entièrement consacré aux *collections contemporaines* de 1960 à nos jours. Le parcours chronologique, ponctué de présentations thématiques, s'appuie sur les figures marquantes de l'art contemporain à partir des années 1960 : Joseph Beuys, Louise Bourgeois, Simon Hantaï, Joan Mitchell, Pierre Soulages, Andy Warhol...

Plus loin, le visiteur croisera des noms connus (Christian Boltanski, Marlene Dumas, Martin Kippenberger, Fabrice Hyber...) et d'autres – nouveaux dans la collection – moins connus en France (Danh Vo, Carsten Höller, Yael Bartana...).

Les mouvements et les tendances, désormais historiques, sont également représentés : le minimalisme avec Robert Ryman, l'*Arte povera* avec Mario Merz, *Supports surface* avec Claude Viallat, *Fluxus* avec Robert Filliou...

🍴 Le **6e niveau** abrite, sur 3 100 m², les grandes **expos temporaires.** N'hésitez pas à y aller faire un tour pour profiter d'une des plus belles vues sur les toits de Paris. Vous êtes ici au centre de la Ville Lumière, ni trop près ni trop loin, juste assez pour reconnaître, admirer et détailler les monuments emblématiques de la capitale.

🍴🍷 *Les restos :* au niveau 1, on trouve le *Café Mezzanine*. Les utilisateurs de la BPI trouveront un *kiosque de restauration rapide* au 2e niveau. Le fin du fin consiste sans doute à aller au *Restaurant Georges* du 6e niveau (☎ 01-44-78-47-99 ; *tlj sf mar 12h-minuit),* dès qu'il fait beau, pour profiter de la terrasse offrant un splendide panorama sur les toits de Paris. À partir de 21h, accès autonome en ascenseur par la porte Rambuteau. L'étonnante déco a été conçue par le cabinet Jakob-MacFarlane : d'immenses coques en aluminium qui évoquent soit des cocons de larves, soit, pour ceux qui auraient la dent dure, de gigantesques molaires creuses. Superbe, mais aussi très branché et cher *(club sandwich 19 €, plats 25-40 €).* On peut aussi se contenter d'y prendre un verre *(7-15 €).*

🍴 *L'atelier Brancusi :* entrée sur la piazza. *Tlj sf mar 14h-18h. GRATUIT.* Né en 1876 en Roumanie, Constantin Brancusi a vécu dans la capitale de 1904 jusqu'à sa mort en 1956. C'est l'un des sculpteurs les plus importants du XXe s, et la majeure partie de son œuvre a été réalisée dans son atelier du 15e arrondissement. Dans son testament, il a légué celui-ci à l'État français. Mais ce n'est qu'en 1997, à l'occasion du 20e anniversaire du Centre, qu'il a été reconstruit à l'identique sur la *piazza.* On y trouve près de 140 sculptures, presque 90 socles qui sont autant d'œuvres d'art, ainsi que des dessins et de nombreux tirages photographiques.

LE QUARTIER BEAUBOURG

Prolongement de celui des Halles, à la frontière du Marais, il propose son treillis de ruelles étroites pour échapper rapidement à la raffinerie. Au sud, les rues de La Reynie, Quincampoix, des Lombards, de la Verrerie (vouées à la restauration des touristes), et l'Hôtel de Ville.

🎎 **La rue Quincampoix** (plan couleur A-B1) **:** longtemps l'une des plus pittoresques de Paris. Le nord de la rue se balade dans le 3e arrondissement. Nombreuses belles demeures et hôtels particuliers. Son nom reste lié à celui du banquier écossais Law, surintendant des Finances, précurseur du Jeudi noir de Wall Street. Il avait installé sa banque au n° 65 et créé la *Compagnie des Indes,* société par actions, qui coiffait tout le commerce extérieur. En 1720, une spéculation monstre sur les actions fit multiplier leur valeur par 10 en quelques jours. Dans la rue, c'était l'émeute permanente. Et puis, toutes les bonnes choses ayant une fin, Law ne put payer les dividendes promis, perdit la confiance des épargnants, et le système s'effondra du jour au lendemain avec son cortège de gens ruinés. En tout cas, les Français doivent à Law leur durable méfiance pour les valeurs mobilières, les titres, les actions, et leur préférence pour les bas de laine remplis de pièces d'or... Au-dessus du n° 27, à l'angle de la rue Aubry-le-Boucher, jolie façade en trompe l'œil. Jusqu'aux années 1970, les belles demeures de la rue abritèrent les mottes de beurre et les poireaux des mandataires des Halles, ainsi qu'un certain nombre de maisons de passe légendaires. On pouvait joindre le plaisir à l'esthétique en admirant au passage les superbes escaliers à balustres en bois. La rénovation a révélé toute la richesse des façades : encorbellements, pignons, mascarons, balcons de fer forgé, portes monumentales cloutées. Superbe promenade architecturale. Nombreuses galeries d'art.

🎎 **L'église Saint-Merri** (plan couleur B1) **:** entrée sur les rues Saint-Martin et de la Verrerie. Date du milieu du XVIe s. Le flanc nord présente une belle architecture gothique flamboyant, bien qu'à l'époque ce fut le style Renaissance italienne qui était à la mode. Remarquer sur ce porche le démon sculpté qui prit la place de Dieu sous la Révolution française. Le côté sud-est est parasité, comme cela arrivait souvent dans le passé, par des maisons. Tout autour, les rues Saint-Martin (la plus ancienne de Paris avec la rue Saint-Jacques), de la Verrerie, du Cloître-Saint-Merri et des Juges-Consuls alignent de vieilles demeures et de beaux hôtels particuliers. À l'intérieur de l'église, jolie série de piliers que l'absence de chapiteaux effile. Remarquable sobriété décorative. Nef très profonde, tout comme le chœur. Quelques belles boiseries et vitraux dans les chapelles des premières travées.

– Deux rues plus haut, noter que la rue Geoffroy-l'Angevin a intégralement conservé son pittoresque tracé médiéval. La **rue du Temple** (plan couleur B1), dans sa partie 4e arrondissement, propose de charmantes échappées. Au 41, rue du Temple, pénétrer dans la cour de l'ancienne auberge *L'Aigle d'Or,* la dernière survivante à Paris des grandes compagnies de diligences pour la province. Jolies façades. Le bâtiment du fond est occupé par le *Café de la Gare* de Romain Bouteille (excellents spectacles, publicité faite de bon cœur !)... Les autres abritent différents cours de danse, que l'on peut observer à travers les grandes fenêtres ouvertes lors de chauds après-midi. C'est l'une de nos cours préférées, parce que toujours vivante et animée. Ça vibre incontestablement. À l'angle de la rue Sainte-Croix-de-la-Bretonnerie, curieuse tourelle d'angle datant de 1610.

🎎 **La rue Saint-Merri** (plan couleur B1), dans laquelle débouche le cul-de-sac du Bœuf, qui n'a pratiquement pas changé d'apparence depuis le Moyen Âge : gros pavés, ruisseau central. Une anecdote : Voltaire avait protesté contre le maintien du terme « cul-de-sac » et écrit au préfet de police d'alors : « Je trouve qu'une rue ne ressemble ni à un cul, ni à un sac. Je vous prie de vous servir du mot impasse qui est noble, sonore et intelligent. »

🎣 *La tour Saint-Jacques* (plan couleur A1) : étape importante du pèlerinage de Saint-Jacques-de-Compostelle. Elle connut d'ailleurs un drôle de destin. On raconte qu'en 1382 l'alchimiste Nicolas Flamel y changea du mercure en argent, ou du moins le fit croire à la population. Puis elle fut ajoutée au XVIᵉ s à une église plus ancienne. Elle aida la science, puisque Pascal s'y livrait à des expériences sur la pression atmosphérique ; sa statue est d'ailleurs visible entre les piliers du 1ᵉʳ niveau. On s'en servit aussi de tour de guet pour surveiller le départ d'éventuels incendies. L'église fut démolie à la Révolution, mais le proprio, sentimental, conserva la tour. Celle-ci, bien seulette, fut louée par un armurier qui fabriquait ses plombs de chasse en laissant tomber des gouttes de plomb dans le vide. Ingénieux, non ? Récemment rénovée, ne manque pas d'allure et elle est désormais accessible, en principe, de juillet à mi-septembre *(payant)*, mais beaucoup d'amateurs et peu d'élus ! Après avoir gravi 300 marches, on découvre une bien belle vue sur la capitale.

🎣🎣 *L'Hôtel de Ville* (plan couleur B1-2) : siège de la Mairie de Paris. ☎ 01-42-76-50-49. Ⓜ Hôtel-de-Ville, bien sûr ! ♿ Possibilité de visiter gratuitement les salons avec une conférencière, en général 1 fois/sem (appeler le ven de la sem précédant la visite) ; durée de la visite : 1h. Incendié lors de la Commune de Paris, l'Hôtel de Ville fut reconstruit dans un style néo-Renaissance encore plus grandiloquent que le précédent. À l'intérieur, c'est un parfait chef-d'œuvre du style pompier. Fresques, dorures, bois précieux et lustres de cristal s'y entassent dans une véritable obsession décorative. Des expos temporaires et gratuites concernant le plus souvent Paris (évidemment !) se tiennent ici régulièrement *(29, rue de Rivoli et 5, rue Lobau ; ☎ 01-42-76-43-43, ou ☎ 39-75 pour connaître le sujet de l'expo ; tlj sf dim et j. fériés 10h-19h).*

🎣 *La place de l'Hôtel-de-Ville* (plan couleur B1-2) s'appela jusqu'au milieu du XIXᵉ s place de Grève (parce qu'elle descendait en pente douce vers la Seine). C'est aussi l'origine du mot « grève » : port actif également, la place de Grève concentrait tous ceux qui cherchaient du travail ; marchant de long en large, ils « faisaient la grève » en attendant.

La Commune de Paris (de 1789 à 1795) y siégea. Sorte de troisième pouvoir, elle reçut ici le roi, le 17 juillet 1789, pour lui remettre la cocarde tricolore. En septembre 1793, les sans-culottes vinrent demander l'institution de la Terreur. Pendant toute la Révolution, l'Hôtel de Ville fut en effervescence. Robespierre s'y réfugia avant d'être arrêté à son tour.

C'est là que se déroulaient toutes les grandes exécutions capitales. Des condamnés célèbres y perdirent la tête, y furent roués, s'y balancèrent au bout d'une corde ou s'y firent couper en morceaux : Ravaillac, la Brinvilliers (l'empoisonneuse), le bandit Cartouche, Damiens (qui tenta de tuer Louis XV), Fouquier-Tinville. Le 25 août 1944, le général de Gaulle y célébra la libération de Paris devant 200 000 personnes (Pétain en avait réuni autant quelques mois auparavant – ça devait d'ailleurs, pour beaucoup, être les mêmes !).

PARIS LIBERADA

Le 24 août 1944, le général Leclerc ordonne au capitaine Dronne d'aller à Paris, en éclaireur. Arrivé à la porte d'Italie, avec ses trois half-tracks, il se dirige vers l'Hôtel de Ville insurgé. Les soldats seront accueillis par Léo Hamon du Conseil national de la Résistance. Dans ses Mémoires, ce dernier évoquera sa stupéfaction d'accueillir les premiers soldats français qui ne parlaient... qu'espagnol. C'était des républicains qui avaient fui l'Espagne franquiste !

🎣🎣 *Le cloître des Billettes* (plan couleur B1) : 22-26, rue des Archives, 75004. On peut le visiter dans le cadre des expos temporaires ; en général, tlj 11h (14h dim)-19h (dans la mesure où il y a une expo). Dernier cloître médiéval à Paris (édifié en 1427), avec de belles arcades à voûtes flamboyantes. L'église des Billettes, qui abrite le cloître aujourd'hui, date du XVIIIe s. Vous avez des chances de la visiter lors des concerts ou petites expos qui s'y tiennent régulièrement. À la fin du XIIIe s, l'usurier Jonathas prêta de l'argent à une pauvre femme. Comme elle était incapable de le rembourser, il lui demanda de lui apporter une hostie le jour de Pâques. Il s'acharna alors sur l'hostie, la tailladda, mais elle se mit à saigner et à virevolter dans l'air. De rage, il la plongea dans un chaudron d'eau bouillante qui se changea en sang et déborda dans la rue. Une voisine courageuse portera l'hostie au curé de Saint-Jean-en-Grève. Jonathas, lui, pour de vrai, sera écartelé en place de Grève. On ne rigolait pas avec ça ! Un couvent fut édifié ensuite, puis une église.

🏛 *La maison de Jacques Cœur* (plan couleur B1) : 40, rue des Archives, 75004. Aujourd'hui, elle abrite une école communale. Lors d'un ravalement, on découvrit avec étonnement que sous l'enduit qui la recouvrait complètement se cachait un ensemble de briques rouges, briques noires en losanges, traces de moulures et de fenêtres à meneaux. Cela permit de faire remonter la maison au XVe s et d'en trouver le propriétaire : Jacques Cœur, grand argentier du roi Charles VII. Cela en fait l'une des plus anciennes maisons de Paris.

LE QUARTIER SAINT-GERVAIS-SAINT-PAUL

Le sud du Marais. Séparé de la partie nord par la rue Saint-Antoine et la rue de Rivoli. Le quartier qui, en deux décennies, a subi le plus de changements sociologiques, puisqu'il a pratiquement perdu toute son atmosphère populaire et beaucoup de vieilles maisons. Une superbe promenade architecturale.

🏛🏛 *L'église Saint-Gervais-Saint-Protais* (plan couleur B2) : pl. Saint-Germain, derrière l'Hôtel de Ville. Dédiée à l'origine à une corporation des marchands de vin, elle est devenue celle de l'aristocratie du Marais. Bien plantée sur son tertre qui lui épargne les risques d'inondations, on y accède par un grand escalier. Façade classique et sévère superposant les trois ordres grecs : dorique, ionique et corinthien. À l'intérieur, superbe voûte élancée du XVIe s. Triple nef de style gothique flamboyant, buffet d'orgue du XVIIIe s comprenant 2 400 tuyaux, parmi les dernières orgues de cette époque subsistant à Paris. S'y sont succédé huit générations de Couperin (dont le fameux François) qui habitaient une maison attenante, en quelque sorte à proximité de leur outil de travail ! Toutes les chapelles présentent des fresques, tableaux, sculptures ou vitraux du XVIIe s. À l'entrée du chœur, stalles du XVIe s avec des scènes amusantes sous les sièges ; au XVIIe s, un rabot censeur est venu assagir les plus osées. Derrière le chœur, chapelle de la Vierge avec une clé de voûte pendante, de 2,5 m de diamètre. Vitraux magnifiques, un christ en croix du XIXe s et une grille ouvragée du XVIIe s. En 1918, lors du Vendredi saint, un obus de la Grosse Bertha fit s'effondrer une partie de la voûte, tuant 51 personnes.

🏛🏛 La balade dans le quartier commence, bien sûr, par le superbe immeuble du XVIIIe s s'étendant du 2 au 14, *rue François-Miron* (plan couleur B-C2), sur le flanc gauche de Saint-Gervais. Aux balcons, sous lesquels on rendit la justice pendant des siècles, élégantes ferronneries en forme d'orme. Et sur une façade, l'ancienne inscription « place Baudoyer ». Non loin de là, en 1993, lors de la mise en chantier d'un parking souterrain, on a retrouvé un ensemble d'habitats carolingiens. À quelques mètres sous les pavés, on a aussi mis au jour une rare nécropole mérovingienne (IVe-VIIe s apr. J.-C.). Au no 82, un bel hôtel avec balcon à consoles, ferronneries. Aux nos 11-13, deux maisons à colombages parmi les plus anciennes de Paris : « À l'enseigne du faucheur » et « À l'enseigne du mouton ». Restaurées en 1967, elles dateraient du XIVe s.

🏛 Tourner ensuite à droite : la *rue des Barres* (plan couleur B2) mène à la rue de l'Hôtel-de-Ville et à la Seine. Curieuse rue, bordée de nouvelles constructions sans grâce, relayées par des maisons médiévales comme celle qui abrite l'Accueil des jeunes en France (MIJE). À l'angle de la rue du Grenier-sur-l'Eau, on distingue une amorce de tourelle d'angle avec encorbellement et colombages. Plus loin, on aperçoit le chevet de Saint-Gervais avec ses arcs-boutants et ses gargouilles bien saillantes.

🎭🎭 La rue de l'Hôtel-de-Ville *(plan couleur B-C2)* a été restaurée dans sa plus grande partie. Anciennement rue de la Mortellerie, de 1212 au XIXᵉ s. Inscription gravée dans la pierre au n° 95 (les *mortelliers* étaient les ouvriers maçons et gâcheurs de mortier). Après la grande épidémie de choléra de 1832, qui décima Paris, les habitants survivants, trouvant que le nom de leur rue était trop morbide, obtinrent son changement en celui de l'Hôtel-de-Ville. Nombreuses maisons en encorbellement. Au n° 84 (piliers sculptés), siège des Compagnons du devoir du tour de France, la plus ancienne corporation et gardienne des traditions du pays. Au n° 62, à l'angle avec la rue des Barres, un restaurant occupe une ancienne boulangerie : grille extérieure ouvragée et plafond de céramique.

🎭🎭 🕍 Le Mémorial de la Shoah *(plan couleur B2)* : *17, rue Geoffroy-l'Asnier, 75004. ☎ 01-42-77-44-72. ● memorialdelashoah.org ● 🚇 Saint-Paul ou Pont-Marie. ♿ Tlj sf sam, j. fériés et fêtes juives 10h-18h (22h jeu). GRATUIT. Salle de lecture, centre multimédia et librairie. Également un auditorium où plusieurs manifestations hebdomadaires sont programmées (lectures, conférences, projections de films...), et un espace dédié aux expos temporaires ; entrée : 5 €, sf indication particulière. Livret d'accompagnement payant destiné aux enfants (la muséographie les protège des photos les plus violentes) et ateliers pédagogiques (6 €) pdt les vac scol. Visite guidée gratuite dim à 15h. Une suggestion : commencer par la visite du musée d'Art et d'Histoire du judaïsme, qui n'est pas très loin (voir dans le 3ᵉ arrondissement).* Comprendre le passé pour éclairer l'avenir, telle est la vocation du Mémorial de la Shoah, à la fois lieu de mémoire, musée, centre de documentation et d'éducation ; un lieu de vie et d'échange intégré à la vie quotidienne, où se croisent groupes scolaires, grand public, familles de victimes et historiens. Dès 1943, dans la France occupée, Isaac Schneersohn décidait avec 40 représentants d'organisations juives de mettre en place une structure qui rassemblerait des preuves de la persécution des juifs : ainsi naquit le Centre de documentation juive contemporaine (CDJC). En 1956 fut inauguré le Mémorial du martyr juif inconnu, abritant un parvis (espace de transition entre la vie quotidienne et le lieu de mémoire) et une crypte (tombeau symbolique de six millions de juifs morts sans sépulture). En face du tombeau, la porte d'un baraquement d'un camp d'internement français.

L'actuel Mémorial de la Shoah est issu du remodelage des deux institutions préexistantes. Le « mur des Noms » porte les patronymes de 76 000 juifs déportés de France entre 1942 et 1944. En un seul regard, il fait prendre la mesure de toute l'horreur de la Shoah, que l'on retrouve dans l'exposition permanente au sous-sol. Avec plusieurs millions de pages de documents d'archives, une bibliothèque de 36 000 ouvrages et 220 000 documents photographiques, c'est le plus grand centre de recherche en Europe sur la Shoah. On retrouvera entre autres les archives de la Gestapo, celles ayant trait à la persécution des juifs de France, dont les listes originales des convois de déportation, des témoignages de la Fondation Spielberg et des documents datant du procès de Nuremberg.

Depuis 2006, dans l'allée des Justes, à l'extérieur du bâtiment, 3 376 noms de Français sont gravés sur des plaques de bronze et constituent le « mur des Justes ». Depuis 1963, 24 356 personnes dans le monde ont été reconnues « Juste parmi les Nations ».

– L'exposition permanente : à ne pas manquer. À l'aide d'outils multimédias, elle aborde l'histoire de la présence des juifs en France depuis le IVᵉ s, date du début de la diaspora. Elle décrit de manière détaillée l'alternance des époques où les juifs furent acceptés ou rejetés au sein de la population française, jusqu'à leur expulsion en 1394. Excellent film introductif sur les origines de l'antijudaïsme et de l'antisémitisme. La religion hébraïque et la culture juive sont illustrées par une multitude de documents visuels et de notices historiques explicites. La Révolution française, en assimilant les juifs comme citoyens français à part entière, permet à de nombreux juifs de considérer la France comme un pays d'accueil idéal où ils peuvent prospérer en toute liberté, même si l'affaire Dreyfus vient, au tournant du XXe s, exacerber les sentiments antisémites d'une partie de la population. Au sein de la communauté juive (on dit « israélite » à partir de Napoléon) apparaissent des figures remarquables qui contribuent au progrès de la société française et au rayonnement de sa culture : Albert Kahn, Tristan Bernard, Henri Bergson, Jacques Offenbach, Sonia et Robert Delaunay, Sarah Bernhardt, Max Jacob, Marcel Proust, André Citroën, Léon Blum, Georges Mandel...

À la montée du nazisme, la France devient une véritable terre de refuge pour tous les juifs victimes des lois de Nuremberg. Ils pensent y trouver un abri jusqu'à la défaite française de 1940 face aux armées allemandes. L'avènement du régime de Vichy et la collaboration de l'État français et de sa police jetteront une tache indélébile sur l'histoire de France. La déportation des juifs de France commence en mars 1942, quelques mois avant la trop célèbre rafle du Vél' d'Hiv'.

La Shoah proprement dite (le meurtre de masse planifié par les nazis) fait l'objet d'une description détaillée, et souvent terrible en raison de l'impact que peuvent avoir certains documents photographiques ; il convient de l'épargner aux trop jeunes enfants. Parallèlement à ce volet français sont décrits la montée du nazisme en Allemagne et les moments forts de l'histoire européenne de l'époque.

Toute cette partie ne nécessite aucun commentaire, les documents exposés, jusqu'à la fin de la guerre et à la découverte des camps d'extermination, parlent d'eux-mêmes. On termine la visite par un émouvant mur de photographies d'enfants juifs de France exterminés au nom de la folie des hommes.

Et n'hésitez pas à vous renseigner sur les conditions de visite du Mémorial de Drancy (93).

🏛 *L'hôtel de Beauvais* (plan couleur C2) : 68, rue François-Miron, 75004.
Ⓜ Saint-Paul. Accès à la cour lun-ven 6h-19h, sam 9h-19h, dim 10h-18h. Visites guidées possibles.

À notre avis, le plus bel édifice du quartier. Abrite aujourd'hui la cour administrative d'appel. Date du XVIIe s. Propriété de Pierre Beauvais et de sa femme Catherine, surnommée Cateau la Borgnesse : pas vraiment jolie, c'est pourtant elle qui « dénoua l'aiguillette », comme on disait alors, au jeune Louis XIV à 16 ans. On raconte que la mère de celui-ci, Anne d'Autriche, en fut folle de joie, elle qui avait dû vivre pendant tant d'années avec un mari impuissant (Louis XIII, peu porté sur le sexe).

En 1660, à Paris, lors de l'entrée triomphale de Louis XIV avec sa jeune épouse, Marie-Thérèse, il y avait du beau linge aux balcons de l'hôtel : Anne d'Autriche, la reine d'Angleterre, Turenne, Mazarin et, bien sûr, Cateau la Borgnesse, qui ne dut pas manquer de faire un clin d'œil de connivence au roi. On raconte qu'elle collectionna par la suite les archevêques. Mozart séjourna en ces lieux, qui appartenaient alors à l'ambassadeur de Bavière.

À gauche, un superbe escalier en pierre, avec chapiteaux corinthiens et plafond sculpté. La cour, de forme ovale, est entourée de pilastres et colonnes ioniques avec un balcon au milieu, surmonté d'une curieuse lucarne. Limité par les constructions tout autour, l'architecte tira le meilleur parti de la situation.

– Toujours rue François-Miron, des nos 72 à 78, belles façades du XVIIIe s. Tous les immeubles ont été superbement rénovés.

QUAND LA RUE SE DÉ-CHAÎNE !

Un peu d'histoire : les anneaux qui surmontent les grosses bornes, à l'entrée de certaines rues, n'étaient pas destinés à attacher les chevaux mais à tendre des chaînes en travers des rues. Au Moyen Âge, les rois craignaient beaucoup les émeutes parisiennes ; aussi, en cas de trouble, ils essayaient ainsi de réduire la liberté de circulation des piétons et des cavaliers.

🐾 **L'hôtel d'Aumont** (plan couleur C2) : à deux pas, au n° 7 de la rue de Jouy. On peut voir la cour. Illuminé la nuit depuis le quai de l'Hôtel-de-Ville. Plutôt froid, B.C.B.G. Pas étonnant, c'est l'œuvre de Le Vau, l'un des architectes de Versailles. Il abrite aujourd'hui le tribunal administratif. En face, à l'angle des rues de Jouy et de Fourcy, belle enseigne de pierre, représentant un rémouleur, enchâssée dans un immeuble neuf, autrefois peinte (c'est une reproduction, l'original est au musée Carnavalet).

🐾🐾 **La Maison européenne de la photographie** (plan couleur C2) : 5-7, rue de Fourcy, 75004. ☎ 01-44-78-75-00. • mep-fr.org • Ⓜ Saint-Paul ou Pont-Marie. ♿ Tlj sf lun-mar et j. fériés 11h-20h. Entrée : 8 € ; réduc, notamment sur présentation de ce guide ; gratuit moins de 8 ans et pour ts mer à partir de 17h. Depuis 1996, l'hôtel Hénault de Cantobre, un bel hôtel particulier restauré, présente d'intéressantes expositions temporaires de photographies anciennes ou contemporaines en tirages originaux (Salgado, Depardon, Newton, Parr, Klein y ont été exposés), ainsi qu'une bibliothèque, une vidéothèque et une librairie : une référence à Paris sur le sujet, qui satisfera les amoureux de la petite bobine argentique. Bien se renseigner sur le programme des expositions, des rencontres et des projections.

🐾🐾 **L'hôtel de Sens** (plan couleur C2) : 1, rue du Figuier, 75004. ☎ 01-42-78-14-60. Ⓜ Pont-Marie. Fermé dim-lun. Entrée aux expos temporaires (mar et ven-sam 13h-19h30, mer-jeu 10h-19h) : 6 € ; tarif réduit : 3-4 € ; entrée libre à la bibliothèque (mar-sam 13h-19h) sur présentation d'une carte d'identité. L'un des derniers témoignages de l'architecture civile médiévale, transformé en bibliothèque spécialisée dans les arts et les arts décoratifs. L'hôtel de Sens fut construit sur ordre de l'archevêque de Sens : son aspect ressemble à la fois à un hôtel et à une forteresse. Il rappelle à bien des égards les châteaux forts : tourelles d'angle à poivrières, échauguettes, et une tour avec balcon ajouré et encorbellement. Entre 1689 et 1743, ce fut le siège des « messageries, coches et carrosses de Lyon et Franche-Comté », puis on l'utilisa comme conserverie, fabrique de confitures... L'édifice possède de superbes fenêtres, lucarnes ouvragées, et surtout un remarquable porche gothique doté d'une belle voûte. En fait, l'archevêque mourut avant de l'habiter. En revanche, ses successeurs le louaient. C'est ainsi qu'à son retour de captivité après sa répudiation par Henri IV la reine Margot résida dans cet hôtel. Elle y collectionnait les cheveux de ses amants pour s'en faire des perruques (pas bien nette, la fille).

🐾 **La muraille de Philippe Auguste** (plan couleur C2) : à côté du lycée Charlemagne, la destruction des maisons de tout un côté de la rue des Jardins-Saint-Paul a au moins permis la mise au jour d'une portion très importante de l'enceinte de Philippe Auguste et de la poterne Saint-Paul. L'espace laissé libre fait la joie des gamins du quartier, qui ont tôt fait d'y élire leur terrain de jeux. Deux tours et une longue muraille de 70 m. En fait, l'expansion de Paris fut si rapide à l'époque que les nouvelles maisons utilisèrent la muraille comme point d'appui, ce qui la préserva. Au n° 12, jolie fontaine.

🐾 À l'angle des rues Neuve-Saint-Pierre et Saint-Paul se trouvait le **cimetière Saint-Éloi**. Fermé en 1791 pour permettre la construction de bâtiments, il ne fut pas déplacé. Si bien que sous vos pieds, des occupants aussi illustres que le Masque de fer, Jean Nicot (mort en 1600, dont le nom donna le mot « nicotine »), François Rabelais (mort en 1553) et Madeleine Béjart (maîtresse et non moins belle-mère de Molière) hantent encore les lieux.

🐾🐾 **Le village Saint-Paul** (plan couleur C2) : entre le quai des Célestins, la rue Saint-Paul et la rue Charlemagne. Tlj sf mar-mer 11h-19h. Construits sur les anciens jardins de Charles V, les immeubles insalubres du XVIe s et les fontaines ont fait peau neuve. Les jolies petites cours intérieures sont devenues un rendez-vous de balade très prisé du quartier. Une chine bien organisée et bourgeoise a pris le relais de la petite chine sauvage. Plus de 80 designers, antiquaires et galeristes y ont ouvert leurs portes, faisant de ce microcosme un lieu de shopping prisé des portefeuilles bien fournis ! Traverser aussi le soir ces grandes cours pavées communiquant entre elles. Balade romantique dans le halo des réverbères.

🏹 Splendide maison rénovée, à l'angle des rues Charlemagne et Eginhard. Encore plus belle la nuit, quand la lumière met en valeur les tons chauds de la pierre. Dans la petite *rue Eginhard* en coude, gros pavés, ruisseau axial et vestiges de fontaine ancienne dans un cul-de-sac.

LE MYSTÈRE DE L'HOMME AU MASQUE DE FER

Un des prisonniers les plus fameux de l'histoire de France. Le point de départ de l'affaire, en 1703, est la mort, au terme d'une longue captivité à la Bastille, d'un prisonnier dont nul ne connaissait le nom ni le motif d'incarcération. Il aurait été enterré sous le nom de Marchiali. L'Homme au masque de fer est devenu, sous la plume de Voltaire, un symbole de l'absolutisme monarchique.

🏹🏹🏹 *L'église Saint-Paul-Saint-Louis (plan couleur C2) : par la rue Saint-Paul, rejoindre la rue Saint-Antoine. Visite guidée (gratuite) le 2e dim du mois à 15h.* Église des jésuites, édifiée en 1627 dans le style dit jésuite, voulue par Louis XIII. Possède une belle façade à trois étages surmontée de colonnes corinthiennes. La nouveauté réside dans l'apparition d'un dôme. Richelieu en posa la première pierre, offrit les magnifiques portes sculptées et y dit la première messe. Bossuet y prononça des sermons célèbres, et le prédicateur Bourdaloue y attirait les foules (il y est d'ailleurs enterré). Les nobles, dont Mme de Sévigné, envoyaient leurs valets plusieurs heures à l'avance occuper les meilleures places. Dans des écrins, on avait entreposé les cœurs de Louis XIII et Louis XIV. Pendant la Révolution, un « patriote » les vola pour fabriquer de la teinture... L'intérieur est très lumineux : pilastres à chapiteaux corinthiens, voûte de la nef en anse de panier. Nette influence du baroque italien. Plafonds sculptés et coupole haute de 55 m, ce qui fut considéré à l'époque comme un grand exploit technique. Tambour de la coupole peint en trompe l'œil. Très réussi. On y voit notamment Clovis, Charlemagne, Robert le Pieux, Saint Louis... Les deux grands bénitiers en coquillage à l'entrée furent offerts par Victor Hugo, qui fréquentait cette paroisse en voisin. Au-dessus de l'arcade menant à la sacristie, *Le Christ au jardin des Oliviers* de Delacroix. En face, *Saint Louis recevant la couronne d'épines du Christ.* Dans le transept gauche, une peinture montre Louis XIII faisant cadeau de l'église.
– Pour sortir de l'église, nous conseillons d'emprunter la porte latérale (à gauche en regardant l'autel) et de rejoindre la rue Saint-Paul par le pittoresque *passage Saint-Paul (plan couleur C2).* Il n'a pratiquement pas changé d'aspect depuis le XVIIIe s. Les vieilles bornes qui protégeaient les piétons des carrosses montent toujours la garde. Sortie du passage au 45, rue Saint-Paul.

🏹🏹 *La rue Saint-Antoine (plan couleur C-D2)* possède encore de nombreuses vieilles maisons ou hôtels intéressants. Cette ancienne voie gallo-romaine était l'axe est de la ville. À l'ouest, on trouvait la rue Saint-Honoré, au nord, la rue Saint-Martin, et au sud, la rue Saint-Jacques. Au n° 133, splendide balcon en ferronnerie, soutenu par des chimères ; c'est d'ailleurs le nom de la brasserie du rez-de-chaussée.

🏹 *La rue Saint-Paul (plan couleur C2) :* « l'artère du quartier ». Elle existait déjà en 1350 sous ce nom. À partir de maintenant, vous allez aborder un ensemble de rues architecturalement homogènes et relativement épargnées. À l'angle de la rue des Lions-Saint-Paul, une tourelle quadrangulaire du XVIe s. Dans cette maison habitait un médecin réputé, partisan de la saignée.

Il eut pour patient Louis XIII lui-même, qu'il saigna 47 fois en une année ! On comprend mieux son manque d'entrain au lit.

🏹 À l'angle des rues Saint-Paul et Neuve-Saint-Pierre, pan de mur de l'**ancienne église Saint-Paul,** détruite après la Révolution. Ce qui reste est un vestige de la tour-clocher.

🏹🏹 🏃 **Le musée de la Magie et le musée des Automates** (plan couleur C2) **:** 11, rue Saint-Paul, 75004. ☎ 01-42-72-13-26. ● museedelamagie.com ● Ⓜ Saint-Paul. Mer, w-e et certains j. fériés 14h-19h ; pdt les petites vac scol (zone C), tlj 10h30 (14h w-e)-19h. Entrée au musée de la Magie seul (comprenant un spectacle de 20 mn) : 9 € ; 7 € 3-12 ans. Entrée aux 2 musées : 12 € ; 9 € 3-12 ans. Une entrée enfant offerte pour une famille composée de 2 adultes et 2 enfants sur présentation de ce guide.

Avis aux prestidigitateurs amateurs ! Sous le village Saint-Paul, caché dans des caves voûtées du XVIᵉ s, ce musée abrite une collection unique au monde, rassemblée en 1993 par Georges Proust, parent du célèbre Marcel. En tout et pour tout, plus de 3 000 objets et documents, allant de 1800 à 1950, y sont présentés. Illusions d'optique, appareils de physique amusants et boîtes à secrets, objets truqués aussi célèbres que la femme sciée, affiches... Tous les curieux seront ravis. Un historique de la magie ponctue le voyage.

Mais la magie, c'est aussi étonner et distraire. Un spectacle de prestidigitation (sur scène et rapproché) vient clore la visite et met la perspicacité des visiteurs à l'épreuve (ttes les 30 mn ; dernier à 18h). N'hésitez pas, Cocteau lui-même vous y invite : « Homme aux mille mains, je forme des vœux pour que votre art se lègue, parce qu'il s'adresse à ce que le monde conserve en lui de meilleur : l'enfance. » Le musée des Automates, à la même adresse, présente une centaine d'automates à animer soi-même.

🏹 **La rue des Lions-Saint-Paul** (plan couleur C2) **:** tout au long de cette rue, nombreux hôtels dignes d'intérêt. Au nᵒ 11, maison où vécut Mme de Sévigné toute jeune mariée et où – faute de mieux – elle passa son temps à écrire. Sa fille, Mme de Grignan, destinataire de bon nombre de ses fameuses lettres, y naquit.

🏹 **La rue Charles-V** (plan couleur C2) **:** voir, au nᵒ 12, l'hôtel de la marquise de Brinvilliers, la célèbre empoisonneuse du XVIIᵉ s, qui s'exerça sur des patients de l'Hôtel-Dieu et sur ses domestiques avant d'éliminer sa première victime, son père, afin d'obtenir la fortune familiale. Elle fut décapitée place de Grève, actuelle place de l'Hôtel-de-Ville. Dans la cour à gauche, vaste cage d'escalier avec superbe rampe en fer forgé. Jardin intérieur. La porte est malheureusement presque toujours fermée, mais la façade demeure intéressante.

🏹 **La rue Beautreillis** (plan couleur C2) **:** tout le charme provincial d'une ancienne rue de Paris.

🏹 À l'angle de la rue du Petit-Musc et de la rue Saint-Antoine, l'**hôtel de Mayenne** (plan couleur D2), de 1612 (aujourd'hui école des Francs-Bourgeois), et un peu plus loin rue Saint-Antoine, à l'angle de la rue Castex, l'**église réformée de Sainte-Marie.** Son dôme est considéré comme une esquisse de celui des Invalides. En face, Beaumarchais et, toute proche, la colonne de la Bastille.

🏹 **La rue du Petit-Musc** (plan couleur C-D2) a peu de chose à voir avec le parfum du même nom : il s'agit d'une corruption de l'expression « pute y muse », ce qui donne une idée du type d'activités qui y avait cours du temps du port des Célestins. Adorable maison de la fin du XVIIIᵉ s, à l'angle avec la rue de la Cerisaie. Une profusion de sculptures, guirlandes et fruits, atlantes et clocheton parent le magnifique hôtel Fieubet (XVIIᵉ s) – à l'angle du quai des Célestins –, édifié sur les plans de Jules Hardouin-Mansart et fortement remanié au milieu du XIXᵉ s. Le nom de la rue rappelle qu'un roi avait fait planter dans le coin 1 000 cerisiers.

🏃 **Le pavillon de l'Arsenal** (plan couleur C3) **:** 21, bd Morland, 75004. ☎ 01-42-76-33-97. ● pavillon-arsenal.com ● Ⓜ Sully-Morland. ♿ Mar-sam 10h30-18h30, dim 11h-19h. GRATUIT. Visite guidée gratuite sur demande. Dim, food truck brunch et atelier pédagogique thématique.

Ce bâtiment, surmonté d'une verrière caractéristique de la fin du XIXe s, est dédié à l'architecture et à l'urbanisme, et plus particulièrement à l'histoire récente de Paris et de la métropole parisienne.

Au rez-de-chaussée, une belle exposition permanente intitulée « Paris, la métropole et ses projets », récemment repensée. Elle retrace l'évolution de la métropole au travers des siècles, son actualité et ses perspectives d'évolution selon différentes échelles, le tout grâce à des maquettes, des films, des plans et de très belles photos.

Au cœur de l'exposition, une maquette numérique interactive aux dimensions exceptionnelles (40 m²) permet de comprendre ce territoire selon différentes échelles. Ainsi, chacun peut, par une navigation simple géographique, thématique ou par mots-clés, rechercher l'ensemble des projets ou réalisations, découvrir les futures infrastructures du Grand Paris ou plus simplement ce qui va se passer à côté de chez lui.

Le contenu des deux étages est plus pointu et intéressera les passionnés. Au 1er étage, de grandes expositions temporaires (trois par an) offrent une lecture plus thématique de l'architecture et de l'urbanisme parisiens. Le 2e étage prolonge aussi la découverte du plus urbain des musées. La galerie d'actualité présente les résultats de concours de logements ou d'équipements, et accueille des expositions étrangères qui permettent de suivre les apports réciproques de certains styles et les mouvements de l'architecture internationale. Conférences et colloques sont régulièrement organisés, et une librairie spécialisée sur Paris et l'architecture contemporaine est accessible. Également un centre de documentation (mar et jeu 14h-18h15) et une photothèque (accessible sur rdv aux mêmes horaires). En face du pavillon, un curieux bronze intitulé L'Homme aux semelles devant rend hommage à Arthur Rimbaud.

Et pour info, puisque vous êtes là, sachez que le boulevard Morland reprend le tracé d'un ancien bras de la Seine – le bras de Grammont –, qui délimitait l'île Louviers au nord ; ce bras sera comblé en 1844.

L'ÎLE DE LA CITÉ
(partie 4e arrondissement ; plan couleur A-B2)

Cette autre moitié de l'île, sise dans le 4e arrondissement, a été quasiment rayée de la carte par Haussmann, qui y installa sa préfecture de police et son moche tribunal de commerce. Heureusement, il y a la merveilleuse Notre-Dame, le monument le plus visité de France (deux fois plus que la tour Eiffel) avec 13 millions de visiteurs par an, soit une moyenne de 30 000 personnes par jour !

La cathédrale Notre-Dame (plan couleur A-B2)

🏃🏃🏃 Pl. du Parvis-Notre-Dame, pl. Jean-Paul-II, 75004. Rens : ☎ 01-42-34-56-10. ● notredamedeparis.fr ● Ⓜ Cité ou Saint-Michel ; RER B et C : Saint-Michel-Notre-Dame. Tlj 8h-18h45 (19h15 w-e). Messes en sem à 8h, 9h, 12h et 18h15, sam à 8h, 9h, 12h et 18h30, dim à 8h30, 10h, 11h30, 12h45 et 18h30. Visite guidée (contribution libre) de la cathédrale lun-ven à 14h et 15h (sf le 1er ven de chaque mois et ven du carême), w-e à 14h30 ; rens à l'accueil pour les visites en langues étrangères ; rdv sous l'orgue ; durée : 1h-1h30. Audition d'orgue dim en fin d'ap-m, après l'office des vêpres ; les organistes viennent du monde entier. ATTENTION, pdt les différents offices, le silence est évidemment de rigueur, et seuls les collatéraux sont accessibles.

La première approche se fait généralement par la place du Parvis. Ce parvis n'était pas aussi vaste au Moyen Âge : d'étroites rues le bordaient, et les constructions bouchaient la vue que les passants avaient sur l'édifice. C'est une fois de plus Haussmann qui finit de dégager les maisons et les rues. On peut aujourd'hui voir au sol la délimitation de l'emprise des anciens bâtiments d'habitation, de chapelles et de l'ancien Hôtel-Dieu.

Près de deux siècles furent nécessaires à la construction de l'édifice. Au milieu du XIIᵉ s, l'évêque de Paris, Maurice de Sully, décida de bâtir une prestigieuse cathédrale. À l'époque, de récentes découvertes architecturales permirent de faire entrer davantage de lumière dans les édifices ; c'est ce qu'on a appelé le gothique. Des architectes anonymes, puis Jean de Chelles et Pierre de Montreuil (celui de la Sainte-Chapelle) furent chargés de diriger les travaux. Vers 1340, l'édifice était achevé. On pense qu'alors la cathédrale était peinte à l'intérieur et à l'extérieur jusqu'au niveau des rois de Juda.

Bien entendu, de nombreux événements ont rythmé sa longue histoire : parmi les plus marquants, l'arrivée de la Couronne d'épines en 1239 ramenée par Saint Louis, le procès de réhabilitation de Jeanne d'Arc, le mariage entre Marguerite de Valois et Henri de Navarre. Pendant la Révolution, les cloches furent fondues, et les rois de Juda sur la façade furent décapités. Les révolutionnaires les avaient pris pour... les rois de France ! Puis le sacre de Napoléon en 1804. Enfin, la messe de Libération en août 1944, au cours de laquelle le général de Gaulle – qui chanta, faux paraît-il, un *Magnificat* – échappa à son premier attentat. Et la venue des papes Jean-Paul II et Benoît XVI...

L'extérieur

En observant attentivement, mais avec un peu de recul, la façade ravalée, vous verrez qu'elle est constituée de trois parties distinctes, tant du point de vue horizontal que vertical – tout un symbole ! Dans le sens de la verticalité, les différentes parties illustrent la Trinité (le Père, le Fils et le Saint-Esprit), alors que dans l'autre sens, c'est l'humanité qui est évoquée dans la tripartition. L'intersection de ces deux axes illustrant l'Incarnation de Dieu. Et pour ce faire, les architectes ont utilisé le cercle (la rosace) et le carré : ce dernier évoque l'humanité (les quatre points cardinaux, les quatre éléments...), tandis que le cercle représente Dieu, dont le règne n'a ni début ni fin ; et c'est l'inscription du cercle dans le carré qui illustre l'Incarnation de Dieu. Si ça ne vous semble pas tomber sous le sens, ce n'est pas pour autant tiré par les cheveux ! À l'époque, l'architecture est un art de célébration, et on est alors bien loin de l'art pour l'art.

La façade principale est composée de trois gigantesques portails : du Couronnement de la Vierge (à gauche), du Jugement dernier et de sainte Anne (mère de Marie). Sur le tympan de ce dernier portail, Vierge en majesté, romane, hiératique, qui surplombe les linteaux ; elle proviendrait de l'église primitive.

Autrefois, des comédiens jouaient sur le parvis. Le décor de la façade de l'église faisait office de Paradis, d'où le nom « parvis » qui en découla.

Sur le portail de la Vierge, remarquable tympan. Les statues des ébrasements des portails sont de Viollet-le-Duc. Sur le portail du Jugement dernier, on reconnaîtra facilement les démons de l'Enfer (à gauche du Christ) et le Paradis (à droite). Sur le portail Sainte-Anne, de style gothique, encore des anges, des saints et des rois. Au-dessus, la galerie des Rois, en rang d'oignons. Les 28 rois de Juda et d'Israël furent décapités et brisés par les révolutionnaires en 1793. Viollet-le-Duc les fit refaire dans le style du XIXᵉ, sans oublier, au passage, de doter l'une des statues de ses propres traits ! Quand il y a de la gêne... Il n'y a pas si longtemps, on retrouva les têtes originales dans les sous-sols d'une banque de la chaussée d'Antin. Elles sont aujourd'hui exposées au musée de Cluny.

Au-dessus de la galerie des Rois, la rosace, d'une étonnante pureté. Son diamètre de près de 10 m prouve l'audace des architectes de l'époque. On a peine à imaginer, il y a plus de sept siècles, les artisans grimpés sur d'incroyables échafaudages pour édifier, pierre à pierre, ce château de dentelle. Ce sont les plants de roses orientales (rose de Damas...), rapportés des premières croisades, qui ont été à l'origine de l'engouement de l'Occident pour leur parfum, leur symbolique (amour, pureté...), tant dans la vie profane que religieuse. Au-dessus, une série d'arcades accentue l'impression de légèreté.

Devant la cathédrale, une étoile de bronze figure le centre de Paris. C'est aussi de là que sont calculées, depuis le Moyen Âge, les distances reliant les différentes villes de France à la capitale.

Les tours

Accès par l'angle de la rue du Cloître-Notre-Dame, 75004. Rens : ☎ 01-53-10-07-00. Oct-mars, tlj 10h-17h30 ; avr-sept, tlj 10h-18h30 (23h w-e juin-août) ; fermeture des caisses 45 mn avt. Fermé 1er janv, 1er mai et 25 déc. Entrée : 8,50 € ; tarif réduit : 5,50 € ; gratuit moins de 26 ans. Mieux vaut venir tôt le mat ou en nocturne, à cause de l'affluence, bien sûr.

Surplombant cet ensemble majestueux des XIIe et XIIIe s, les tours abritent, pour l'une, les deux bourdons, dont l'un est une énorme cloche de 13 t (le battant pèse, à lui seul, 500 kg), et, pour l'autre, huit toutes nouvelles cloches et un escalier de 400 marches. Vous parviendrez, grâce à lui, sur la plateforme de la tour sud, offrant à vos yeux ébahis une vue splendide sur la flèche, la Cité et tout Paris.

RIEN N'EST PARFAIT !

Si vous comptez les statues des saints à la base de la tour gauche, vous en trouverez 10. En revanche, en bas du clocher droit, on n'en compte que 9. Pourquoi, alors que cette façade est un chef-d'œuvre de symétrie ? Parce que, selon les bâtisseurs de cathédrale, rien n'est parfait sur Terre. La perfection n'existe qu'au Ciel...

Les gargouilles aux têtes monstrueuses de Viollet-le-Duc donnent un brin d'humour à l'édifice. La flèche, haute de 45 m, c'est-à-dire à 90 m au-dessus du sol, fut rétablie dans les années 1850, toujours par le même Viollet-le-Duc. Elle est entièrement faite de chêne recouvert de plomb et pèse près de 750 t. À son sommet, un coq boule contient les reliques de saint Marcel, de sainte Geneviève et de saint Denis.

L'intérieur

L'ampleur de la nef saisit d'emblée. Sa pureté ne peut laisser indifférent. D'énormes piliers supportent la charge, relayés à l'extérieur par de gracieux arcs-boutants. Observez d'ailleurs bien les piliers : ils portent parfois la signature d'un artisan ; ceux-ci devaient, chaque soir, indiquer le travail qu'ils avaient effectué pour se faire payer et marquaient donc la pierre de leur empreinte (voir, par exemple, l'avant-dernier pilier droit avant le transept ; mais ouvrez vos mirettes, il y en a beaucoup d'autres !).

Au Moyen Âge, il y avait une sacrée vie dans la cathédrale : les animaux y circulaient librement, on y conservait des barriques de vin, on y concluait des affaires...

Dans les chapelles latérales ont été placées les œuvres que la confrérie des orfèvres – les Mays – avait pour habitude d'offrir le 1er mai au cours des XVIIe et XVIIIe s. Le transept abrite de belles verrières et des rosaces du XIIIe s, admirables de finesse. Dans le croisillon sud, une discrète plaque au sol rappelle qu'en 1886 Paul Claudel, touché par la foi, s'est converti ici. Le chœur a été modifié au début du XVIIe s pour accueillir le vœu de piété fait par Louis XIII à la Vierge *(fermé dim)*. À propos du chœur, il est, comme dans la majorité des églises, « orienté » vers l'est, en direction de la lumière qui se lève, symbolisant le Christ sauveur.

Et puisque vous voilà arrivé dans le transept, découvrez les rosaces nord et sud. La rose nord illustre l'Ancien Testament, l'attente de la venue du Christ, avec, au centre, la Vierge et l'Enfant, cette scène figurant le lien entre l'Ancien et le Nouveau Testament. Juges, prophètes et rois entourent la Vierge. Les personnages de la claire-voie représentent les rois de Juda, dont descend Jésus. La grande majorité des verres sont d'origine. La rose sud (côté Seine), davantage remaniée, illustre le Nouveau Testament, avec des représentations d'évangélistes, apôtres, martyrs et anges qui entourent le Christ. Juste en dessous : représentation des 16 prophètes (XIXᵉ s) ; regardez bien les quatre du centre, chacun a un petit personnage juché sur ses épaules : ce sont les évangélistes, qui s'appuient moralement sur les prophètes, l'Ancien Testament. Cette rosace est la plus grande d'Europe !

Le mur de clôture du chœur (détruit dans sa partie occidentale), initialement destiné à isoler les chanoines en prière du bruit de la foule, dépeint, au nord, les scènes de la vie du Christ et, au sud, les apparitions du Christ ressuscité. Il remonte au XIVᵉ s. La partie sud est assez différente, et pour cause, puisqu'une cinquantaine d'années la sépare du pan nord. Outre l'évolution des traits, le pan nord est sculpté en haut-relief alors que la technique utilisée pour la partie sud, plus tardive, est celle de la ronde-bosse (les sculptures se désolidarisent du fond). Louis XIII ayant fait un vœu à Notre-Dame, son fils Louis XIV le matérialisera en commandant une pietà. Sur la droite et la gauche apparaissent donc les deux rois Louis XIII et Louis XIV.

– **Le trésor :** *après le transept sud, sur la droite en entrant. Lun-sam 9h30-18h, dim 13h30-18h30. Horaires modifiés lors des grandes cérémonies. Droit d'entrée :* 4 € ; *réduc.* C'est ici qu'est conservée la couronne d'épines du Christ. L'anneau de jonc tressé de 21 cm de diamètre, protégé par un cylindre de cristal et d'or, est sorti dans la cathédrale tous les vendredis de carême et le premier vendredi de chaque mois de 15h à 16h. Outre cette fameuse relique, Notre-Dame possède également un morceau de la Vraie Croix et l'un des trois clous. Sinon, la plupart des pièces présentées sont postérieures à la Révolution. Ciboires, crucifix, ostensoirs et calices en bronze doré ou vermeil et pierres précieuses, pour la majeure partie, sont utilisés pour le culte.

Mais Notre-Dame, c'est aussi pléthore de coins et recoins malheureusement inaccessibles au public. Juste pour l'anecdote, sachez par exemple que l'incroyable charpente de châtaignier est faite à partir de 1 300 arbres (on l'appelle d'ailleurs « la forêt »), que Viollet-le-Duc s'est représenté non seulement au beau milieu de la galerie des Rois, mais aussi sur la flèche de la cathédrale (on l'aperçoit d'ailleurs du quai de la Tournelle), en toute simplicité ! Et tant d'autres encore...

🎋 **La crypte archéologique du parvis Notre-Dame** *(plan couleur A-B2) :* 7, pl. Jean-Paul-II, parvis Notre-Dame, 75004. ☎ 01-55-42-50-10. ● crypte.paris.fr ● ♿ (fin 2014). Tlj sf lun et j. fériés 10h-18h *(fermeture des caisses à 17h30). Fermé dim de Pâques et dim de Pentecôte. Entrée :* 7 € ; *tarif réduit :* 5 € ; *gratuit jusqu'à 13 ans inclus.* Située sous le parvis (eh oui, autrefois, le sol était plus bas !), on peut y découvrir les vestiges (les plus anciens remontent au IIIᵉ s) résultant des fouilles du cœur historique de Paris. Si Lutèce s'est initialement développée du côté de la montagne Sainte-Geneviève (actuel 5ᵉ arrondissement), l'île, rempart naturel contre les invasions extérieures, devint rapidement le centre de la ville. Ruines gallo-romaines, caves de l'antique rue Neuve-Notre-Dame... Une balade sur l'île à travers les siècles. Une récente scénographie propose à la fois des images de synthèse interactives, un parcours sonore nouvellement installé, ainsi que la mise en place de tablettes pour une meilleure lecture de l'ensemble. Expositions temporaires régulières.

🎋 **La place Louis-Lépine** *(plan couleur A2) :* on y trouve le marché aux fleurs, qui s'y tient du lundi au samedi de 8h à 19h30 ; le dimanche, c'est le jour du marché aux oiseaux.

🎋 **Le square de l'Île-de-France** *(plan couleur B2) : derrière Notre-Dame, au bout de l'île. Juste à la sortie du sq. Notre-Dame.* À l'origine, c'était un îlot séparé, appelé à la fin du XIIIe s « la Motte aux Papelards », puis « le terrain », où s'étaient accumulés gravats et déchets du chantier de construction de Notre-Dame. Il abrite maintenant le Mémorial des martyrs de la déportation. Les 200 000 pointes de cristal symbolisent les 200 000 morts de la déportation. Sur les quais de Seine, tout autour, l'été, on bronze.

🕯 **Le pont de l'Archevêché** *(plan couleur B2) :* ce pont offre une vue superbe sur l'arrière de Notre-Dame. Une balade idéale pour les amoureux. Pas étonnant que les rambardes soient envahies par des cadenas... d'amour. La tradition consistait à y attacher un cadenas avec une date symbolisant une relation amoureuse, et à jeter la clé dans la Seine en guise d'éternité. Cette pratique est désormais interdite car elle fragilise la structure des rambardes.

🕯 **Les rues des Ursins, Chanoinesse et de la Colombe** *(plan couleur B2)*, rescapées des massacres haussmanniens, donnent encore une petite idée de l'atmosphère de l'île de la Cité autrefois. Au 16, rue Chanoinesse vécut Racine (ainsi qu'au 7, rue des Ursins). Au n° 26, dans le passage menant aux bâtiments intérieurs, on note par terre, de-ci, de-là, des vestiges de pierres tombales avec inscriptions gothiques s'effaçant tout doucement. Dans la petite rue de la Colombe, une bande de pavés marque l'emplacement de l'ancienne enceinte gallo-romaine de la ville.

LES BOUTIQUES DE SATAN

Au XIXe s, rue Chanoinesse, la boutique d'un barbier jouxtait celle d'un charcutier. Le premier rasait gratis les indigents. Un jour, on aperçut un chien tenant un fémur entre ses crocs ; c'est alors qu'on découvrit que le barbier tranchait la gorge des sans-famille. La viande était ensuite transformée en pâtés par le charcutier. Tous deux furent pendus. A l'emplacement des boutiques, on trouve aujourd'hui le garage de la police.

L'ÎLE SAINT-LOUIS *(plan couleur B-C2-3)*

L'île Saint-Louis a une histoire étonnante. D'abord nommée « île Notre-Dame », elle fut scindée en deux par un canal vers 1360 (sur l'actuelle rue Poulletier), pour entrer dans l'enceinte de Charles V. Les deux parties de l'île restent en friche, fréquentées par les lavandières et les amoureux jusqu'au début du XVIIe s. Là, le canal est comblé, l'île se couvre d'hôtels particuliers et, à partir de 1725, se nomme « île Saint-Louis ».

Son seul monument public est l'église du même nom, que l'on aperçoit de loin grâce à une grosse horloge accrochée comme une enseigne au-dessus de l'artère principale, la rue Saint-Louis-en-l'Île. On pourrait supposer que les habitants de cette île, les Ludoviciens, dont les appartements s'arrachent à coup de millions, jouissent encore d'une atmosphère de village, avec ses petits commerces et son absence de monument. Eh bien, il semble que les boutiques d'objets d'art et autres produits du terroir attirent une enseigne de badauds, touristes ou Parisiens, du moins dans l'artère principale. Au début du XXe s, un groupe d'amis, de joyeux drilles, proclamèrent l'indépendance de l'île, et la dotèrent d'une constitution !

Les quais sont plus calmes et révèlent une exceptionnelle unité des façades, par exemple sur les quais d'Anjou et de Bourbon, qui datent toutes ou presque du XVIIe s. La classe, quoi !

🕯🕯 Au 1, *quai d'Anjou*, **l'hôtel Lambert** *(plan couleur C3)*, du nom de son premier propriétaire, conseiller du roi Louis XIII, est sans doute la plus belle demeure parisienne, mais il a malheureusement subi des dégâts importants suite à un énorme incendie. Après avoir été le domicile de Michèle Morgan, puis de Guy de Rothschild, l'hôtel appartient aujourd'hui à la famille de l'émir du Qatar.

Au 3, quai d'Anjou, *hôtel de Louis Le Vau,* architecte talentueux et malin qui réalisera bien d'autres projets sur l'île et lui donnera son style. Son balcon est le plus long de l'île. Au n° 5, petit *hôtel de Marigny* (belle grille en fer forgé). Au n° 7, siège du *Syndicat des maîtres boulangers de Paris.* Dans le hall d'entrée, à droite, d'intéressants commentaires historiques et une collection de vieux pétrins. Daumier vécut au n° 9.

Ne pas manquer également l'**hôtel de Lauzun,** là aussi l'un des plus beaux de l'île. Édifié en 1656 (et attribué à Le Vau !), on peut y découvrir de magnifiques boiseries et plafonds peints. Les visites guidées sont malheureusement suspendues pour l'instant.

🎭🎭 **Le quai de Bourbon** *(plan couleur B2) :* malheureusement, la plupart des portes sont maintenant équipées d'un digicode... sale manie ! Mais quelques curiosités quand même, pour le cas où. Au n° 11, *hôtel de Philippe de Champaigne,* très grand peintre et... valet de chambre de Marie de Médicis. Dans la cour, escalier à balustre. Au n° 15, *hôtel le Charron,* de 1637. Cour intéressante. D'abord, de chaque côté, élégants escaliers avec rampe en fer forgé. L'édifice en fond de cour possède une pittoresque mansarde à poulie. Au-dessus du porche, côté cour, tourelle d'angle sur trompe. Enfin, au n° 19, harmonieuse façade de l'*hôtel de Jassaud* avec trois frontons et beau portail. Là aussi, découvrez la cour avec son jardinet et sa statue au fond. Camille Claudel y travailla de 1899 à 1913.

🎭 **La rue Saint-Louis-en-l'Île** *(plan couleur B-C2-3) :* elle ne possède pas beaucoup de beaux édifices à part l'*hôtel de Chemizot,* au n° 51. Remarquable par sa façade : portail surmonté d'un tympan sculpté, balcon en fer forgé porté par des chimères ; au-dessus, fronton triangulaire ornementé. Dans la cour, on retrouve le même foisonnement végétal sur la façade. À droite, escalier E, fort jolie rampe d'escalier.

🎭🎭 **L'église Saint-Louis-en-l'Île** *(plan couleur C2-3) :* construite en 1644 à partir d'un projet de Le Vau. Intéressant décor intérieur. À côté de l'entrée, chapelle des fonts baptismaux avec huit scènes de la vie du Christ sur bois (école flamande, XVIe s). *Baptême du Christ* par Stella. En suivant le côté gauche (vers le chœur), *Saint Jean et saint Pierre guérissant un paralytique* par Van Loo. Côté droit, dans la chapelle Sainte-Thérèse, jolies faïences italiennes du XVIIe s (au milieu, l'*Adoration des bergers*). Dans la chapelle Saint-Vincent-de-Paul, *Sainte Vierge* dans un médaillon attribuée à Canova. Dans la chapelle de la Communion, au-dessus de l'autel, *Les Pèlerins d'Emmaüs* par Coypel. Enfin, dans la troisième chapelle, splendide bas-relief en bois doré et polychrome, *La Mort de la Vierge* (XVIe s, école flamande).

🎭 **Le quai de Béthune** *(plan couleur B-C3)* propose également son lot d'élégants hôtels. Au n° 24 vécut et mourut le président Georges Pompidou. Aux nos 22 et 20, deux hôtels jumeaux. Aux nos 18 et 16, *hôtel de Comans* ou *de Richelieu,* qui en fut propriétaire.

LE VIEUX QUARTIER JUIF ET LE QUARTIER GAY. LA PLACE DES VOSGES

Délimité à l'ouest par la rue des Archives, au nord par la rue des Francs-Bourgeois, au sud par la rue de Rivoli et la rue Saint-Antoine. C'est le cœur du **Marais,** le Marais animé, encore populaire par endroits, mais de plus en plus bourgeois. Le coin des petits restos sympas. Sachez que dans ce périmètre, presque toutes les boutiques sont ouvertes le dimanche, et les promeneurs y sont d'ailleurs nombreux.

🎭 **La rue Sainte-Croix-de-la-Bretonnerie** *(plan couleur B1) :* le cœur battant du Marais. Un des coins, avec la rue Vieille-du-Temple, massivement investis par les gays. La bannière arc-en-ciel y flotte à tous les vents. Bars, restos, salons de coiffure ou de beauté, agences de pub ou de communication, ils y vivent, y travaillent, y sortent et s'y sentent bien. Cette communauté, qui a toujours eu bon goût et su venir habiter dans les plus beaux quartiers, a ainsi contribué à rendre vie à celui-ci, déserté par les artisans et par les commerces de proximité à cause des loyers trop élevés.

Au bout du compte, c'est l'un des coins les plus animés du Marais. Quand ailleurs, la nuit, c'est un vrai désert de (belle) pierre, ici on retrouve un peu l'atmosphère de ce que fut le Paris d'antan, mais avec une couleur nouvelle. Nombreux petits restos, vieux bars chaleureux ou *néon-bars* animés, cafés-théâtres, boutiques *trendy*. Dans un autre registre : à l'angle de la rue Aubriot (ancienne rue Dupuits), Vierge dans une niche.

🏃 En face de l'église part la **rue Aubriot** *(plan couleur B-C1)*, l'une des voies du Marais qui ont conservé le plus de caractère. Nombreuses portes charretières.

🏃 **Le Crédit municipal de Paris (Mont-de-piété ;** *plan couleur C1)* : 55, rue des Francs-Bourgeois, 75004. ☎ 01-44-61-64-00. ● creditmunicipal.fr ● Ⓜ *Hôtel-de-Ville ou Rambuteau. Tlj sf dim. GRATUIT.*

Héritier du Mont-de-piété, appelé aussi familièrement « Ma Tante ». La petite histoire veut que le prince de Joinville, fils de Louis-Philippe, ait gagé une montre que sa mère lui avait offerte, pour éponger une dette de jeu. Aux interrogations de la reine Marie-Amélie, le prince répondit qu'il avait oublié sa montre chez sa tante. Le Mont-de-piété fut créé en 1777 pour lutter contre les usuriers.

Aujourd'hui encore, dans les moments difficiles, c'est là que plusieurs centaines de personnes viennent chaque jour « mettre au clou » bijoux et objets de valeur. Si ce qu'on apporte est de qualité, on obtient un prêt de 50 à 70 % de sa valeur en vente aux enchères publiques avec un taux d'intérêt variable. Le prêt sur gage dépanne notamment les 10 % de Français qui n'ont pas accès aux crédits bancaires classiques en leur accordant un prêt immédiat. Derrière chaque guichet, dans les arrière-boutiques, les commissaires-priseurs estiment les biens gagés. Assez poignant... Environ 93 % des objets gagés sont récupérés par leur propriétaire. Seuls les objets gagés dont le prêt n'a pas été remboursé à échéance du contrat sont finalement mis en vente aux enchères à l'hôtel des ventes de l'établissement – où les bonnes affaires ne manquent pas (voir le calendrier des ventes sur leur site).

Les anecdotes sur ce lieu haut en couleur foisonnent, comme l'histoire de la Castiglione, maîtresse de Napoléon III, contrainte de gager discrètement certains de ses bijoux. Comptant le directeur d'alors parmi ses amis, celui-ci l'autorisait à « emprunter » ses bijoux gagés le temps d'une soirée, avant qu'ils ne retrouvent leur place à la réouverture des bureaux...

Un patrimoine architectural assez exceptionnel : cinq cours ceinturées de bâtiments en pierre de taille – dont l'une (celle avec la verrière) a pour architecte un élève d'Eiffel –, un escalier Directoire, l'une des tours vestiges de l'enceinte de Philippe Auguste – qui faisait alors partie des fortifications entourant Paris (une tour tous les 70 m)... Baissez les yeux sur les pavés où a été reproduit le tracé de l'emplacement de la muraille. Une curiosité à droite en arrivant : une étuve à matelas de la fin du XVIIIe s, histoire d'éradiquer morpions et bestioles indésirables...

Le Crédit municipal de Paris, outre sa partie bancaire classique, est aussi le deuxième entrepôt d'objets d'art en France après le Louvre.

🏃🏃 **La rue Vieille-du-Temple** *(plan couleur B-C1-2)* : elle existait déjà au XIIIe s sous le nom de Vieille-Rue-du-Temple. Bordée tout le long de vénérables demeures et hôtels particuliers. À noter principalement, au n° 47, l'*hôtel Amelot de Bisseuil*, dit des ambassadeurs de Hollande, du XVIIe s. Tympan sculpté et l'une des plus belles portes du Marais avec ses médaillons et têtes de Méduse. Beaumarchais y habita le temps d'écrire *Le Mariage de Figaro* et d'organiser le trafic d'armes pour les insurgés américains pendant la guerre d'Indépendance. Il se ruina à demi dans l'affaire, les insurgés, après leur victoire, ne lui ayant jamais payé ces armes ! Possibilité d'admirer la cour intérieure.

Passons ensuite tranquillement devant l'hôtel de Soubise (voir les Archives nationales dans le 3e arrondissement) pour enfiler la rue de la Perle (appelée rue Crucifix-Maquereau au XVIe s, du fait de la concentration de prostituées autour d'une croix qui s'y trouvait).

⚐⚐ La rue du Roi-de-Sicile (plan couleur B-C2) **:** rue qui musarde, tout en décrochements, avancées, et méprisant le terme « frappé d'alignement ». Aujourd'hui, la rue du Roi-de-Sicile possède encore de nombreuses et pittoresques boutiques et ateliers, comme la pâtisserie du n° 30 (maison à pignons et grille ancienne) et l'ancienne boucherie chevaline à l'angle de la rue Vieille-du-Temple (décorée en mosaïque).

⚐⚐⚐ Le vieux quartier juif (plan couleur C1-2) **:** la **rue des Rosiers** en est l'épicentre. Difficile de l'imaginer, mais il fut un temps où la rue méritait bien son nom, grâce à ses jardins abondamment fleuris de roses. C'est aujourd'hui l'un des coins les plus attachants et les plus vivants du Marais, d'autant que la rue est piétonne. Elle a retrouvé son caniveau central, qui faisait office d'égout à ciel ouvert au Moyen Âge. Inutile de préciser que ça ne sentait pas... la rose. C'est pourquoi les bourgeois, les gens riches marchaient le plus loin du caniveau central, dans la partie la plus haute de la chaussée, à l'écart de la puanteur. Ainsi naquit l'expression « tenir le haut du pavé » ! L'encombrement de ce caniveau central donna même naissance à un petit métier de gagne-misère : le passeur de ruisseau, lequel, grâce à une planche amovible – pour laisser circuler charrettes et voitures à cheval – aidait les bourgeois à traverser en échange d'une pièce.

Au n° 4, jolie façade classée de l'ancien *Hammam Saint-Paul* ; juste à côté, une curieuse *école de travail*. Bizarre comme nom ?

Ce fut l'un des quartiers où se concentrèrent les juifs au XIIe s. Comme au Moyen Âge il leur était interdit de pratiquer la plupart des métiers et charges « nobles » (enseignants, avocats, etc.), ils devinrent, ainsi que les Lombards, commerçants ou prêteurs sur gages. Puis ils furent expulsés du quartier à la fin du XIVe s. À la veille de la Révolution, la communauté s'était un peu reconstituée et comptait quelques centaines de membres dans le Marais (on a retrouvé des *stibels*, pièces réservées à la prière). Jusqu'à la fin du XIXe s, la place Saint-Paul était surnommée « place aux Juifs ». Il est peu probable qu'en 1900 on doive à une coïncidence le changement de la rue aux Juifs en rue Ferdinand-Duval, alors que la France était en plein délire antisémite après l'affaire Dreyfus.

Au XXe s, le quartier vit sa population augmenter avec l'arrivée des juifs ashkénazes de Russie et de Pologne fuyant les pogroms, puis ceux chassés par les persécutions nazies. À ce sujet, il convient de rappeler l'une des pages les plus noires de l'histoire de notre pays : la rafle du Vél' d'Hiv' (le Vél' d'Hiv', détruit en 1959, se trouvait dans le 15e arrondissement, à l'angle du boulevard de Grenelle et de la rue Nélaton). Dans la nuit du 16 juillet 1942, les juifs du quartier des rues des Rosiers et de Saint-Paul furent arrêtés par la police française. Les autorités allemandes avaient précisé que les enfants au-dessous de 14 ans ne devaient pas être emmenés. Cependant, la police française fit preuve d'un zèle particulier et arrêta tout le monde, en direction du Vélodrome d'Hiver, avant la déportation vers les camps de la mort.

Aujourd'hui, les juifs séfarades, rapatriés d'Afrique du Nord, sont venus renforcer la vieille communauté ashkénaze. Les snacks à falafels (délicieux sandwichs) se mêlent désormais aux vieilles boutiques ashkénazes avec inscriptions traditionnelles en hébreu, boutiques casher, etc. Malheureusement, la roue tourne et les plus vieilles enseignes sont remplacées par des boutiques de fringues, parfois très chères ! Les petits commerces ferment de plus en plus.

Malgré tout, l'esprit communautaire a préservé le quartier de la désertification du reste du Marais et lui a conservé son caractère. Ici, tout le monde se connaît, et la rue des Écouffes, en été, prend le visage d'une place méditerranéenne où l'on trouve le soleil arrêté par les toits.

Les rues du quartier sont bordées de nombreuses vieilles maisons pittoresques. Flânant rue des Hospitalières-Saint-Gervais, vous vous interrogerez peut-être sur l'origine des deux têtes de taureau d'inspiration égyptienne ornant l'école qui se trouve entre les n°s 6 et 10. Elles indiquaient l'ancien pavillon de boucherie du marché des Blancs-Manteaux. On peut encore distinguer, aux n°s 6 et 10, les inscriptions « École primaire de jeunes israélites » (dont tous les enfants furent déportés...).

I●I Pour déguster une pâtisserie, c'est juste en face, *Chez Finkelsztajn,* qu'il faut faire halte, au 27, rue des Rosiers. Ils ont ouvert aussi une succursale au 24, rue des Écouffes. Belle façade de mosaïques. On y devine un moulin à vent, un autre à eau, une gerbe de blé, tout ce qui évoque la meunerie et le bon pain.

🎭 *La rue Pavée* *(plan couleur C1-2) :* elle porte ce nom depuis 1450 parce qu'elle fut l'une des premières rues pavées de Paris. Au n° 22, à l'angle de l'hôtel Lamoignon, on devine un vestige de pan de mur et une plaque. Ici s'élevaient les prisons de la Force, aménagées en 1780. Celle de la Petite-Force accueillait les filles de mauvaise vie, et celle de la Grande-Force les hommes endettés. Lors des massacres du 2 septembre 1792, 60 personnes y furent assassinées, dont la princesse de Lamballe. Sa tête, plantée sur une pique, fut présentée à la reine. Les Girondins y séjournèrent également. Au n° 12, derrière une porte à code (encore), belle cour encadrée par un hôtel du milieu du XVIIe s où habita Tronchet, l'avocat de Louis XVI. Sur la droite, petit escalier du XVIIIe s porté par une poutre de maintien et façade en encorbellement. À gauche, encore un bel escalier monumental. Au n° 10, une synagogue réalisée par Guimard au début du XXe s. L'architecte a choisi une façade convexe pour donner une impression de largeur dans cet espace très étroit. On peut jeter un coup d'œil à l'intérieur le matin *(sf sam ; téléphoner au secrétariat de la synagogue un peu avt : ☎ 01-48-87-21-54)* ; les aménagements intérieurs sont aussi de l'architecte. Dommage que, sur place, on ne nous donne aucune info sur les rites, etc.

🎭 *L'hôtel de Lamoignon* *(plan couleur C1) :* 24, rue Pavée, 75004. Ⓜ Saint-Paul. L'un des plus anciens hôtels de Paris (1585) abrite aujourd'hui la ***Bibliothèque historique de la Ville de Paris :*** ☎ 01-44-59-29-40. *Tlj sf dim et j. fériés 10h-18h. Accès à la cour slt. Expos temporaires.*

Cet hôtel fut construit entre 1585 et 1590 pour Diane de France, duchesse d'Angoulême, fille naturelle du roi Henri II. À la mort de celle-ci, il échoit à son neveu, Charles de Valois. Parmi les habitants prestigieux de l'hôtel : Guillaume de Lamoignon, premier président du Parlement de Paris, Lamoignon de Malesherbes et Alphonse Daudet.

À l'angle de la rue Pavée et de la rue des Francs-Bourgeois, une échauguette, tourelle carrée qui permettait d'observer les deux rues dans leurs quatre directions. Dans la cour, façade à pilastres corinthiens, premier exemple parisien d'ordre colossal ; décoration à têtes de lion, arcs, flèches et carquois qui rappelle la passion de Diane de France pour la chasse.

De beaux jardins accessibles via la rue des Francs-Bourgeois sont ouverts tous les jours au public.

🎭 *La rue des Francs-Bourgeois* *(plan couleur C1) :* à cheval sur les 3e et 4e arrondissements. Prendre la rue Pavée pour rejoindre la rue Vieille-du-Temple. Une curiosité : certaines boutiques de mode ont conservé leurs anciennes devantures, témoignages du caractère populaire du quartier autrefois. Ainsi au n° 7, ancien boucher dont on note les crochets qui courent en haut tout du long. À l'angle des rues de Sévigné et des Francs-Bourgeois, ex-boulangerie-pâtisserie au décor extérieur typique, et au n° 29, boulangerie avec bel émail figurant un moulin à farine.

Succession d'hôtels aux façades toutes originales : au n° 31, *hôtel d'Albret* (siège de la direction des Affaires culturelles de la Ville), avec sa porte sculptée, ses lions au tympan et son balcon ouvragé. Date de 1550 (façade sur rue de 1700). Au XIXe s, c'était une fabrique de luminaires. C'est là qu'eut lieu la première rencontre de la Montespan et de la veuve Scarron. (Au n° 37, *hôtel de Coulanges* (aujourd'hui Maison de l'Europe). Au n° 26, *hôtel de Sandreville* (avec façade Louis XVI). Au n° 39, *maison* du XVIIe s logeant une curieuse « société des Cendres » (fonderie d'or et d'argent, traitement des cendres, essais et analyses). Au n° 30, *hôtel d'Almeyras* (beau portail et alliance harmonieuse, dans la cour, de la pierre et de la brique rouge).

Aux nos 34-36 s'élevait au XIVe s une « maison d'aumône », un petit hospice qui abritait des pauvres, « francs » de toute contribution financière. Ces « francs bourgeois » donnèrent leur nom à la rue.

Au n° 38, pittoresque *passage des Arbalétriers* communiquant à travers des cours avec la rue Vieille-du-Temple. C'est ici que Louis d'Orléans, frère du roi Charles VI, aurait été assassiné par les hommes de main de Jean sans Peur, duc de Bourgogne. Tout du long, maisons en encorbellement. Celles de gauche datent de 1600. Celles de droite sont restaurées, mais cela ne nuit pas bien sûr à l'atmosphère délicieusement médiévale du lieu.

⚔⚔ La place du Marché-Sainte-Catherine *(plan couleur C2) : entre la rue de Sévigné et la rue de Turenne.* Édifiée sur l'emplacement de l'ancien prieuré et de l'ancienne église Sainte-Catherine, démolis en 1783. Mignonne place piétonne joliment dallée, occupée par les terrasses de restos et cafés. Donne aussi sur la rue de Jarente, elle-même bordée de belles cours et d'une vieille fontaine.

⚔⚔⚔ L'hôtel de Sully *(plan couleur C2) :* 62, rue Saint-Antoine, 75004. ☎ 01-44-61-20-00. ● sully.monuments-nationaux.fr ● Ⓜ Saint-Paul ou Bastille. *Aujourd'hui* **Centre des monuments nationaux.** *On trouve sur place une librairie (qui possède un magnifique plafond décoré) richement documentée sur le patrimoine français (☎ 01-44-61-21-75 ; tlj 10h-19h), un centre d'info (☎ 01-44-61-21-50 ; lun-ven 9h30-12h30, 14h-18h – 17h ven). Intéressantes visites-conférences (☎ 01-44-54-19-30). Les appartements de la duchesse sont ouv à la visite, sur rdv slt (☎ 01-44-61-21-50).*

Prestigieux hôtel du quartier, construit en 1624, dans le plus pur style Renaissance, pour Sully, ancien ministre d'Henri IV. Deux entrées au choix : par la place des Vosges (c'est celle que l'on préfère !) et sa petite porte dérobée à l'angle sud-ouest de la place, qui s'ouvre sur un jardin à la française pour nous transporter comme par magie dans un autre temps et loin de la pollution parisienne. Sinon, plus simplement, par la cour d'honneur rue Saint-Antoine, au portail de toute beauté, richement sculpté. Dans cette cour, des lucarnes maçonnées avec volutes, des niches avec sculptures représentant les quatre éléments, ainsi que les quatre saisons (deux se trouvent côté jardin).

Pour accéder à la deuxième cour, on traverse le bâtiment central. Dans la librairie, levez les yeux et découvrez d'incroyables poutres peintes. Escalier Renaissance avec médaillons, décoré de mascarons. Dans le jardin, un petit cadran solaire et l'orangerie, destinée autrefois à protéger les arbres exotiques. Les hivers étaient rudes alors et il n'était pas rare qu'on débite le vin... à la hache. Les amateurs de septième art reconnaîtront le décor extérieur de certaines scènes des *Liaisons dangereuses* version américaine avec Glenn Close, Michelle Pfeiffer et John Malkovich.

⚔⚔⚔ La place des Vosges *(plan couleur D2) :* la plus belle place de Paris, à notre avis. C'est aussi la première fois qu'un souci d'urbanisme faisait obéir tout un ensemble à un plan unique – jusqu'ici, on pouvait construire à peu près n'importe comment, n'importe où, ce qui donne leur côté fantaisiste aux vieilles rues du Moyen Âge. Sur cette place tirée au cordeau, Victor Hugo ironisa : « Quand on pense qu'on la doit au coup de lance de Montgomery ! »

La mort d'Henri II sonna le glas moins d'une époque que d'un quartier, puisque la reine, Catherine de Médicis, prit en horreur cet énorme palais où le roi tomba pour la gloire, et elle le fit détruire. Henri IV profita donc de cet emplacement inespéré dans un Paris plutôt à l'étroit pour commander la construction de la place Royale (ancien nom de la place des Vosges) dans un style très proche de celui de la Renaissance. Elle fut inaugurée 2 ans après sa mort, à l'occasion du mariage de Louis XIII et d'Anne d'Autriche, en 1612. D'une ordonnance parfaite (108 m de côté), entourée d'une quarantaine de pavillons sur arcades,

PAS LE COMPAS DANS L'ŒIL !

Un grand tournoi fut organisé le 30 juin 1559 rue Saint-Antoine, au cours duquel Henri II affronta de nombreux adversaires qu'il vainquit. Pour parachever sa victoire, il voulut combattre Montgomery, le capitaine de sa garde. Et ce fut la tragédie. La lance brisée de ce dernier ne lui pénétra pas dans le buffet (Henri II !) mais dans l'œil. Bien que soigné par le célèbre Ambroise Paré, Henri II mourut après 10 jours d'agonie à l'hôtel des Tournelles ; agonie durant laquelle on se hâta de décapiter tous les condamnés à mort pour récupérer leur tête et tenter des expériences qui auraient pu servir à soigner le roi !

construits avec un grand raffinement de tons : toits bleus très pentus en ardoise d'Angers, arcades et encadrements de fenêtres en pierre blanche et brique rouge. Pour certains bâtiments (côté sud notamment), il ne s'agit que d'un enduit imitant la brique ! Le souverain a eu la folie des grandeurs, mais le portefeuille n'a pas suivi... Les pavillons du Roi et de la Reine, au nord et au sud, sont un peu plus élevés que les autres.

Sous le règne de Louis XIII, époque durant laquelle la place connut son plus grand succès, le jardin central n'existait pas. L'espace était libre, et fêtes et tournois y étaient régulièrement organisés.

La statue équestre de *Louis XIII,* au centre de la place, est une médiocre copie du XIXe s de la statue originale de bronze, qui fut fondue pendant la Révolution (la statue actuelle a dû être renforcée par un pilier sous le cheval !).

Au-dessus de l'arc monumental de la rue de Béarn, le *pavillon de la Reine,* à frontons arrondis et triangulaires, ce qui lui donne du rythme. Fleur de lys au sommet des pointes de la toiture. Sous Louis XIII, toute la cour voulait y habiter. Quand celle-ci partit pour Versailles, grands bourgeois, financiers et riches marchands l'occupèrent à leur tour. C'est toujours une adresse prestigieuse. Profusion de portes sculptées, escaliers monumentaux, rampes splendides, cours et jardins intérieurs. Au n° 21 (parmi tant d'autres), jolie cour verdoyante, ancien hôtel de Richelieu, où le cardinal habita avant que le Palais-Cardinal ne fût achevé (l'actuel Palais-Royal).

À la Révolution, elle s'appela place de l'Indivisibilité, pour finir par prendre le nom de place des Vosges, en l'honneur du premier département français qui paya ses impôts en 1800. Il faut dire que personne ne les avait payés depuis la Terreur.

Plusieurs personnalités habitèrent cette prestigieuse place, dont Victor Hugo de 1832 à 1848 ; au n° 8, Théophile Gautier et Alphonse Daudet ; à côté, Francis Blanche, qui vivait dans les combles du palais de la Reine ; sans oublier Simenon.

Sous les arcades, belles boutiques, antiquaires et salons de thé. Une vraie fête pour les yeux. Le jardin central est un lieu de promenade familiale et dominicale très apprécié.

★★★ 🚶🚶 *La maison de Victor Hugo* (plan couleur D2) : 6, pl. des Vosges, 75004. ☎ 01-42-72-10-16. ● ● maisonvictorhugo.paris.fr ● Ⓜ Bastille, Saint-Paul ou Chemin-Vert. Bus nos 20, 29, 65, 69, 76 et 96. ♿ *(parcours tactile pour les malvoyants et visites en langue des signes). Tlj sf lun et j. fériés 10h-18h. GRATUIT (expos temporaires payantes, gratuites jusqu'à 13 ans).*
Située dans l'hôtel de Rohan-Guéménée, transformée en musée en 1902, année du centenaire de la naissance de l'écrivain. Victor Hugo vécut au 2e étage de cette

demeure de 1832 à 1848. Il y écrivit tous ses grands drames, dont *Marie Tudor* et *Ruy Blas,* des recueils poétiques (notamment *Les Chants du crépuscule* et *Les Voix intérieures*) et une grande partie des *Misérables*. Parmi ses visiteurs, on peut citer Lamartine, Vigny, Dumas, Liszt et Théophile Gautier.

Au 1er étage, présentation de documents d'archives, dessins, photographies ou expositions temporaires sur Hugo, son œuvre et son époque. Au 2e étage, la visite est organisée selon les trois « chapitres » de la vie de l'écrivain : avant, pendant et après l'exil. L'antichambre et le salon rouge rassemblent des souvenirs de son enfance et des années qui précédèrent son départ de France. Le salon chinois et la salle à manger, d'inspiration médiévale (rapportés intégralement de la maison de Juliette Drouet à Guernesey), offrent un aperçu du talent d'Hugo comme décorateur délirant et de son goût pour la brocante : vous pourrez d'ailleurs vous essayer au jeu des gardiens de la maison, qui consiste à retrouver partout, gravées, sculptées ou peintes, les initiales « V. H. » et « J. D. ». Dans le cabinet de travail, vous pourrez admirer le buste de Rodin, et dans le salon du retour d'exil, le célèbre portrait d'Hugo peint par Bonnat en 1879. La visite s'achève dans la chambre à coucher (reconstituée) où il mourut, avenue Victor-Hugo (ex-avenue d'Eylau, déjà renommée avenue Victor-Hugo de son vivant), dans le 16e arrondissement.

Bibliothèque de recherche accessible sur rendez-vous. Organise aussi des visites-conférences, des séances de contes et des ateliers *(rens auprès du secrétariat)*.

▶ Pour le plan du 5e arrondissement, voir le cahier couleur.

Délimité à l'ouest, d'un trait d'un seul, par le « boul'Mich' », à l'est par le Jardin des Plantes, cet arrondissement a une longue histoire. La Gaule romaine nous a laissé ses thermes et ses arènes (celles de Lutèce) ; le Moyen Âge, l'église Saint-Séverin et l'hôtel des abbés de Cluny. Les flancs de la montagne Sainte-Geneviève ayant été dédiés depuis le XIIe s à l'enseignement, on y parlait couramment le latin. Le nom de « quartier latin » en est resté. De ce quartier couvert de collèges, habité de doctes professeurs et d'*escholiers* frondeurs, il reste principalement comme témoignage architectural... la chapelle de la Sorbonne. Autres témoins, les 82 noms qui ont été donnés aux rues de l'arrondissement en référence à la religion et à la science. La Révolution française, elle, consacrera son temple laïque, le Panthéon des grands hommes. Les étudiants des années 1960 manifestèrent beaucoup dans ce quartier : contre la guerre d'Algérie, les attentats de l'OAS, la guerre du Vietnam, la répression policière... Aujourd'hui, les étudiants étudient, fréquentent les facultés de Censier et de Jussieu, déambulent le long du boul'Mich' et de ses boutiques sans grand intérêt, font la queue dans les cinémas de la rue Champollion et animent le quartier de la Mouff' et de la Contrescarpe, remplissant les cafés, les coins propices aux conversations de la mosquée ou les allées du Jardin des Plantes.

Où dormir ?

Très bon marché

🏠 *Young and Happy Hostel* (plan couleur B3, **1**) : 80, rue Mouffetard, 75005. ☎ 01-47-07-47-07. ● smile@youngandhappy.fr ● youngandhappy.fr ● Ⓜ *Monge* ou *Censier.* Selon saison, 21-40 €/pers en dortoir (de 2-10 lits), petit déj compris. TV et cuisine communes. Bar. 🖥 📶 10 % sur le prix de la chambre (lun-jeu) sur présentation de ce guide. Dans le quartier vivant de Mouffetard, voici ce qu'il y a de plus simple, propre, à l'équipe jeune et joviale. Rue assez bruyante, mieux vaut le savoir, mais des dortoirs rénovés donnent sur une cour. Propose une soixantaine de lits superposés répartis en 18 chambres rudimentaires pas bien hautes de plafond ; douches et sanitaires sur le palier (pas toujours à l'étage) ou dans la chambre. Possibilité de cuisiner sur place ou de manger au restaurant universitaire tout proche. Consigne, baby-foot, laverie... Prisée des Anglo-Saxons, la formule, qui fonctionne depuis un bail, est sans nul doute la plus économique du quartier.

De bon marché
à prix moyens

🏠 *Port-Royal Hôtel* (plan couleur B3, **15**) : 8, bd Port-Royal, 75005.

☎ 01-43-31-70-06. • contact@port-royal-hotel.fr • port-royal-hotel.fr • Ⓜ Gobelins ; RER B : Port-Royal. Résa conseillée. Doubles avec lavabo (douche payante aux 2ᵉ et 6ᵉ étages) 61-66 €, avec douche et w-c ou bains 88-98 € ; petit déj 8 €. CB refusées. ☎ Tenu par la même famille depuis 1931, ce joli petit hôtel a tout pour plaire, à commencer par une excellente tenue et des prix plus que modérés. Les chambres à la décoration simple mais variée, le patio gravillonné où l'on peut prendre son petit déj aux beaux jours donnent même un certain charme désuet à l'endroit. Tout est pensé afin que vous passiez un bon séjour. Les chambres avec baignoire, un peu plus chères, ont une double porte qui permet une meilleure isolation phonique. Double vitrage côté rue, ascenseur. Excellent accueil.

🏠 *Hôtel Marignan* (plan couleur B1, **3**) : 13, rue du Sommerard, 75005. ☎ 01-43-54-63-81. • reserv@hotel-marignan.com • hotel-marignan.com • Ⓜ Maubert-Mutualité ou Saint-Michel. Selon confort et saison, doubles 75-125 €, familiales 125-178 €, petit déj inclus ; hors saison, tarifs dégressifs au-delà de 4 nuits nov-fév (hors fêtes) pour les familiales (3-4 pers). ☎ Un petit déj/pers offert la 1ʳᵉ nuit (nov-fév hors fêtes) sur présentation de ce guide. Dans une rue calme, l'*Hôtel Marignan* est le rendez-vous des routards depuis un bail. Dans une ambiance entre l'hôtel et l'auberge de jeunesse, on est ici comme chez soi. D'ailleurs, lave-linge, micro-ondes, frigo sont à disposition. Une trentaine de chambres plus ou moins spacieuses, avec lavabo, mais douche et toilettes sur le palier pour la plupart. Elles sont propres et d'un confort simplissime, et elles ont été rafraîchies tout en conservant leurs moulures au plafond. Celles du 6ᵉ étage (sans ascenseur) conviendront aux sportifs... Toujours du passage, une adresse internationale et pittoresque.

🏠 *Hôtel du Commerce* (plan couleur B1, **6**) : 14, rue de la Montagne-Sainte-Geneviève, 75005. ☎ 01-43-54-89-69. • commerce@sequanahotels.com • commerceparishotel.com •

Ⓜ Maubert-Mutualité. Ouv tte l'année, tlj 24h/24. Doubles 58-78 € selon confort (accès douches communes 2 €/j. et par pers), 108 € avec sdb privée ; familiales 88-148 € ; pas de petit déj. CB refusées. 🖳 ☎ Une adresse agréable, en plein Quartier latin. Chambres très simples, ce qui est largement compensé par les prix pratiqués, plutôt contenus pour le coin. Seulement 2 douches au rez-de-chaussée, pour 12 chambres doubles et 3 triples, mais elles sont modernes et impeccables. D'ailleurs l'hôtel a été entièrement rénové. En revanche, le ménage n'est pas fait systématiquement pour les courts séjours. Deux chambres possèdent tout le confort (douche, w-c, TV et clim). Un atout : la mise à disposition d'un espace convivial pour préparer son petit déj (frigo, distributeur de boissons chaudes...). Bon accueil.

Chic

🏠 *Timhotel Jardin des Plantes* (plan couleur C2, **17**) : 5, rue Linné, 75005. ☎ 01-47-07-06-20. • jardin-des-plantes@timhotel.fr • timhotel.fr • Ⓜ Jussieu ou Place-Monge. Doubles 120-180 €. ☎ TV. Satellite. Câble. Ancien immeuble transformé en hôtel, quasiment en face de la ménagerie du Jardin des Plantes. Chambres fonctionnelles, climatisées, sans éclat particulier mais plutôt agréables (mobilier passe-partout, double vitrage, baignoire dans la salle de bains). Celles du 5ᵉ étage (ascenseur) sont plus vastes. Très propre. Salon avec piano dans la cave voûtée. Salle du petit déj (copieux) dans la lumière du jour en rez-de-chaussée. Terrasse sur le toit de l'hôtel.

🏠 *Familia Hôtel* (plan couleur B2, **9**) : 11, rue des Écoles, 75005. ☎ 01-43-54-55-27. • hotelfamilia@wanadoo.fr • familiahotel.com • Ⓜ Cardinal-Lemoine, Maubert-Mutualité ou Jussieu. ⚒ Ouv tte l'année. Résa conseillée. Doubles avec douche ou bains 129-147 € ; familiale env 200 € ; petit déj 7 €. ☎ TV. Satellite. Câble. Parking payant. Le cadre est soigné, confortable, aux inspirations médiévales avec ses tissus et ses tapisseries aux murs dans l'entrée, et sa bibliothèque de livres anciens. Côté chambres, on a le choix : pierres à la boucharde, parquet ou moquette, élégantes fresques murales sur le thème des monuments de Paris, avec balcon pour certaines chambres. Et même le double vitrage, un minifrigo et la clim ! Une adresse accueillante et bien tenue, en plein Quartier latin.

■ **Hôtel Acte V** (plan couleur C2, **13**) : 55, rue Monge, 75005. ☎ 01-43-26-87-90. ● contact@hotel-actev. com ● hotel-actev.com● Ⓜ Cardinal-Lemoine ou Place-Monge. Doubles 120-200 € selon confort et saison ; triples 115-240 €. 🖥 📶 TV. Canal +. Satellite. Un petit déj/pers offert sur présentation de ce guide. On découvre un hôtel à l'entrée théâtrale, aux teintes pourpres, avec son bar pour siroter un dernier verre, dans un cadre élégant. À l'exception des 4 chambres élégamment rénovées, les autres sont un peu pâlottes mais pas désagréables, et ont bénéficié de certains aménagements appréciables, comme des couettes et des écrans plats.

■ **Hôtel Devillas** (plan couleur D3, **5**) : 4, bd Saint-Marcel, 75005. ☎ 01-43-31-37-50. ● info@hotel devillas.com ● hoteldevillas.com ● Ⓜ Saint-Marcel ou Gare-d'Austerlitz. Doubles 110-180 € selon confort et saison ; petit déj-buffet 13 €. 📶 TV. Satellite. Câble. Parking payant. À la lisière du 13e arrondissement, sur un axe passant à proximité de la gare d'Austerlitz et du Jardin des Plantes. Chambres fonctionnelles et bien équipées (double vitrage, clim). On choisira parmi une quarantaine, entre celles sur courette (la n° 101 par exemple) et celles sur rue (la n° 105), plus lumineuses et avec double vitrage. Pour être au calme, vous savez lesquelles demander...

■ **Minerve Hôtel** (plan couleur B2, **16**) : 13, rue des Écoles, 75005. ☎ 01-43-26-26-04. ● resa@parisho telminerve.com ● hotel-paris-minerve. com ● Ⓜ Jussieu, Maubert-Mutualité ou Cardinal-Lemoine. Ouv tte l'année. Doubles 156-192 € selon confort ; petit déj-buffet 9 €. 🖥 📶 TV. Satellite. Parking payant. 10 % sur le prix de la chambre (janv-fév, 21-31 août et

25 nov-25 déc) sur présentation de ce guide. Même proprio que le Familia Hôtel (voir plus haut). Propose une cinquantaine de chambres personnalisées, climatisées, avec pierres apparentes dans certaines, toile de Jouy, mobilier en bois sculpté, parfois balcon, voire un petit patio côté cour. Quelques-unes ont une belle vue sur Notre-Dame ou le Quartier latin. Pour les familles, chambres communicantes au 6e, avec tissus anciens, poutres et vieilles pierres, qui reste très abordable. Évidemment, plus calme côté cour. Très fréquenté par des Américains ravis.

■ **Hôtel des Grandes Écoles** (plan couleur B2, **11**) : 75, rue du Cardinal-Lemoine, 75005. ☎ 01-43-26-79-23. ● hotel.grandes-ecoles@ free.fr ● hotel-grandes-ecoles. com ● Ⓜ Cardinal-Lemoine ou Place-Monge. ♿ Résa nécessaire longtemps à l'avance. Doubles avec douche ou bains 130-160 € ; petit déj 9 €. 📶 Parking payant. Un vrai coup de cœur. La campagne à Paris, tout simplement incroyable ! Situé dans une impasse privée à deux pas de la place de la Contrescarpe, cet hôtel est en fait une délicieuse maison de caractère du XIXe s, avec jardin verdoyant et cour pavée. Charme désuet et tranquillité garantis. On loge soit dans le bâtiment principal, soit dans les bâtiments qui entourent l'impasse et le jardin. Les chambres sont soigneusement tenues, et arrangées avec goût. Accueil souriant. Dès les beaux jours, on peut prendre le thé dans le jardin, même si l'on n'est pas client de l'hôtel. De surcroît, on apprécie les prix justes, qui ne font pas le grand écart d'un jour à l'autre.

■ **Hôtel Best-Western Quartier Latin Panthéon** (plan couleur C2, **8**) : 71, rue Monge, 75005. ☎ 01-43-31-25-64. ● quartier-latin@timhotel. fr ● timhotel.fr ● Ⓜ Place-Monge. Doubles 115-240 € ; petit déj-buffet 13 €. 🖥 📶 TV. À quelques mètres de la rue Mouffetard et des arènes de Lutèce, cet hôtel entièrement rénové abrite une trentaine de chambres dont le confort s'est encore amélioré avec le lifting général. Des murs ont été abattus pour laisser passer la lumière, la

5e

déco a été revue dans un style contemporain. Les chambres sont plutôt petites mais bien équipées : liseuses, clim réversible, coffre-fort, belles salles de bains, bonne literie, double vitrage, ascenseur... Une oasis de luxe dans ce quartier étudiant le jour et fêtard la nuit.

Plus chic

🛏 *Hôtel Saint-Jacques (plan couleur B1, 7)* : 35, rue des Écoles, 75005. ☎ 01-44-07-45-45. ● hotelsaint jacques@wanadoo.fr ● paris-hotel-stjacques.com ● Ⓜ Maubert-Mutualité ou Cluny-La Sorbonne. Résa conseillée (et à confirmer par e-mail). Doubles avec douche ou bains 153-190 €, deluxe 265 € ; petit déj 14,50 €. 🖥 📶 TV. Canal +. Satellite. Un hôtel de charme en plein cœur du Quartier latin, installé dans un immeuble XIXᵉ très stylé avec ses fresques et son bel escalier qui servit pour le tournage du mythique *Charade* avec Audrey Hepburn et Cary Grant. Chambres tout confort, fonctionnelles, vastes et climatisées. Certaines chambres ont un balcon et la vue sur le Panthéon (dont les *deluxe*, somptueuses). Accueil délicieux.

🛏 *Hôtel du Levant (plan couleur zoom, 12)* : 18, rue de la Harpe, 75005. ☎ 01-46-34-11-00. ● info@ hoteldulevant.com ● hoteldu levant.com ● Ⓜ Saint-Michel ou Cluny-La Sorbonne ; RER B ou C : Saint-Michel-Notre-Dame. ♿ Doubles 180-210 € avec douche ou bains ; familiales 250-320 € ; petit déj-buffet 10 €. 📶 TV. Canal +. Satellite. 10 % sur le prix de la chambre (juil-août) sur présentation de ce guide. Dans la même famille depuis un siècle, cet hôtel a gardé le charme qui fait sa réputation, et il vous réconciliera avec le quartier désormais célèbre pour ses sandwicheries grecques. L'atmosphère y est apaisante, et les chambres (rénovées) gaies et confortables (clim, plateau de courtoisie, coffre-fort...). Elles sont toutes pimpantes et soignées, mais certaines sont petites ; se renseigner.

🛏 *Hôtel Design Sorbonne (plan couleur A2, 10)* : 6, rue Victor-Cousin, 75005. ☎ 01-43-54-58-08. ● reser vation@hotelsorbonne.com ● hotelsorbonne.com ● Ⓜ Cluny-La Sorbonne ; RER B : Saint-Michel-Notre-Dame ou Luxembourg. Entrée sous le porche. Ouv tte l'année. Doubles 120-400 € selon confort et saison ; familiales 280-700 € ; petit déj-buffet 14 €. 🖥 📶 TV. Satellite. Câble. En face de l'antique Sorbonne. C'est frais, acidulé, un crime de lèse-majesté parfaitement organisé. Les vieux tableaux ont été repeints en rose bonbon, vert pomme ou bleu ciel, les tentures rafraîchies, et les chambres, entièrement rénovées mais petites, ont carrément viré de siècle, avec iMac à bâbord (TV, webcam, musique à disposition) et chaise Louis XVI redécorée à tribord. Accueil sympa de surcroît.

Beaucoup plus chic... et tendance

🛏 *The Five (plan couleur B3, 2)* : 3, rue Flatters, 75005. ☎ 01-43-31-74-21. ● contact@thefivehotel.com ● thefive hotel.com ● Ⓜ Les Gobelins. Ouv tte l'année, 24h/24. Doubles 255-355 € ; suite env 400 € ; petit déj 15 €. Réduc fréquentes sur Internet. 🖥 📶 TV. Dans une rue minuscule, un hôtel qui sort suffisamment du lot pour faire oublier que les chambres sont un peu exiguës. Place au design et aux lumières étudiées ! Les chambres supérieures scintillent de mille loupiotes pour ciel de lit qui, pour l'occasion, n'a jamais si bien porté son nom. L'ambiance et la déco, très classe, mélangent couleurs flashy, métal et jeux de lumières. Les amoureux ne seront pas gênés par les lits de 140 cm de large, propices aux étreintes langoureuses. Clim en cas de coup de chaud... Accueil charmant au possible et plein d'attentions, comme les pétales de rose déposés sur le lit. Également une suite au rez-de-chaussée avec jacuzzi sur la terrasse. Ne pas manquer la *Love Capsule*, le bar couleur rouge passion réservé aux clients de l'hôtel. Tout un programme !

🛏 *Hôtel Henri IV (plan couleur zoom, 4)* : 9-11, rue Saint-Jacques, 75005. ☎ 01-46-33-20-20. ● info@hen ri4hotel.com ● henri4hotel.com ● Ⓜ Cluny-La Sorbonne ; RER B ou C :

Saint-Michel-Notre-Dame. ♿ Ouv tte l'année. Double 230 € ; triple 255 € ; petit déj 13 €. 🖥 📶 TV. Un petit déj/ pers offert sur présentation de ce guide. Hôtel raffiné : tableaux et mobilier anciens, cheminée du XVIIe s, gravures, tomettes, boiseries et azulejos portugais dans le chaleureux salon, où est aussi servi le petit déj... Les chambres, équipées de la clim, sont douillettes avec leurs couleurs apaisantes. On choisit soit le calme absolu des chambres sur cour, soit celles donnant sur la rue avec leur vue plongeante sur l'église Saint-Séverin. Les doubles portes garantissent une bonne insonorisation.

🛏 ***Seven Hotel*** *(plan couleur B3, 14) :* 20, rue Berthollet, 75005. ☎ 01-43-31-47-52. ● *contact@seventho telparis.com* ● *sevenhotelparis. com* ● Ⓜ *Port-Royal.* ♿ *Doubles env 281-524 €, mais promos conséquentes (jusqu'à 50 % du tarif) très régulières.* 🖥 📶 *TV. Satellite. Câble. Parking payant.* Impossible de rester insensible à la déco hors norme de cet établissement contemporain intimiste, au charme glamour : on dort en lévitation, on fait ses ablutions dans une baignoire suspendue... à moins d'opter pour les douches ouvertes, éclairées par des myriades d'étoiles. Fabuleux et onirique ! Mais si vous en avez les moyens, ce sont les suites délirantes qui vous laisseront le souvenir le plus impérissable : toutes différentes, aménagées avec audace, équipées avec ce qui se fait de mieux, et pleines de surprises, à l'image de la « On Off » avec sa déco alternative, la « 007 » au salon en alcôve doté d'un écran géant dissimulé, ou la « Lovez-vous » avec sa cheminée et sa baignoire en peau de vache ! Étonnant.

🛏 ***Sélect Hôtel Rive Gauche*** *(plan couleur A2, 18) :* 1, pl. de la Sorbonne, 75005. ☎ 01-46-34-14-80. ● *info@selecthotel.fr* ● *selecthotel. fr* ● Ⓜ *Cluny-La Sorbonne ; RER B : Luxembourg. Ouv tte l'année. Doubles avec douche ou bains, AC, sèche-cheveux et téléphone 218-265 € ; petit déj 12 €. 🖥 📶 TV. Satellite. Câble. Un petit déj/pers et par nuit offert (janv-mars, juil-août et 1er nov-25 déc) sur présentation de ce guide.* Une architecture résolument contemporaine et très réussie, depuis le salon avec la cheminée au gaz et les sculptures animalières d'Orlinski, jusque dans les chambres, spacieuses et toutes rénovées. Tons mats et déco très design, où ont été intégrées les poutres d'origine et la pierre. Beaucoup de cachet aussi du côté de la réception, qui s'articule autour d'un puits de lumière. La vue sur la prestigieuse Sorbonne ou sur la place est un atout incontestable. Personnel discret et attentionné. *NOUVEAUTÉ.*

Où manger ?

Sur le pouce

🍟 ***Friterie Declercq*** *(plan couleur A-B2, 29) :* 184, rue Saint-Jacques, 75005. ☎ 01-43-54-24-20. ● *contact@ lesroisdelafrite.com* ● *RER B : Luxembourg. Tlj sf dim 11h-23h (minuit ven-sam). Cornets 3 tailles 2,60, 3,60 et 4,60 €.* Une vraie friterie à la belge. Devanture rouge, quelques tabourets et une tablette trouée pour poser son cornet. Côté frites, les règles de base sont respectées : des « bintjes » fraîches importées du plat pays, coupées à la main, calibrage idéal, cuisson en 2 temps dans la graisse de bœuf. Résultat : de succulentes frites tendres et croustillantes, dorées à souhait. Différentes sauces, et snacks en accompagnement : croquette de fromage, fricadelle, boulette, poulet panné, burgers, le tout à déguster au jardin du Luxembourg, tout proche.

Très bon marché

🍽 ***Chez Gladines*** *(plan couleur B1, 32) :* 44, bd Saint-Germain, 75005. ☎ 01-46-33-93-88. Ⓜ *Maubert-Mutualité.* ♿ *Tlj 9h-23h30 (minuit w-e) ; service continu 12h-23h30. Compter 15-20 €.* Voilà un bon café-bar à vins-resto, avec déco années 1970, formica du sol au plafond et banquettes bien replètes.

5e

Service jovial avec l'accent. Foie gras maison, cassolette d'escargots ou encore grosses salades servies dans des saladiers comme chez mamie. Sans oublier les assiettes de patates au jambon de pays, au cantal, au bleu... De quoi se faire plaisir pour pas cher. Terrasse (chauffée en hiver).

|●| Le Royal Saint-Jacques (plan couleur A3, **28**) : 263, rue Saint-Jacques, 75005. ☎ 01-43-54-56-20. **Ⓜ** Place-Monge ; RER B : Port-Royal ou Luxembourg. Tlj sf dim, le midi slt. Congés : août. Plat du jour env 13 €. L'archétype du bistrot de quartier au décor banal mais sachant offrir un copieux plat du jour, de belles salades et de belles viandes pour un prix à jamais modéré. Vins de propriété de qualité et toujours bien choisis.

|●| Le Coup de Torchon (plan couleur A2, **26**) : 187, rue Saint-Jacques, 75005. ☎ 01-46-33-22-93. **Ⓜ** Cluny-La Sorbonne ; RER B : Luxembourg. Tlj sf sam midi et dim ; service 12h-14h, 19h-22h. Congés : août. Menus 12,90 € (2 plats)-14,90 € (3 plats) ; carte env 20 €. Un caboulot de poche avec ses 2 salles superposées sorties d'une autre époque. Pas de coup de bambou sur les prix du menu-carte, qui restent incroyablement sages vu le quartier. Pas de grand miracle non plus dans l'assiette, mais une cuisine traditionnelle honnête et sans surprise, certes pas toujours copieuse mais servie rapidement et avec le sourire.

|●| Le Reflet (plan couleur A1, **25**) : 6, rue Champollion, 75005. ☎ 01-43-29-97-27. **Ⓜ** Cluny-La Sorbonne. Lun-sam 11h-2h, dim 15h-minuit ; service 12h-23h. Congés : 15 j. en août et 1 sem à Noël. Petits plats ou croques 6,50-12 € ; plat du jour 11 €. Dans un décor 7ᵉ art avec les sunlights au-dessus des têtes en attendant la prochaine séance, jeunes et moins jeunes cinéphiles, qui ont leurs habitudes dans les salles environnantes, dévorent quelques tartines, des entrées façon petits plats (pommes de terre farcies au fromage, croque avec salade verte) ou carrément un plat. Il n'est pas non plus interdit d'y refaire le film après la dernière séance, sous l'œil bienveillant d'Orson Welles...

Bon marché

|●| Dans les Landes... mais à Paris (plan couleur B-C3, **36**) : 119 bis, rue Monge, 75005. ☎ 01-45-87-06-00. ● dansleslandes@hotmail.fr ● **Ⓜ** Censier-Daubenton. ♿ Tlj 12h-23h en continu. Congés : 4-28 août et 2 sem à Noël. Tapas 4-23 € ; carte env 30 €. Vins au verre à partir de 5 €. La façade le distingue à peine des grandes brasseries de boulevard. Mais à l'intérieur, c'est toute la chaleur des Landes que l'on perçoit : de grandes tablées d'hôtes bordées de chaises hautes (une poignée de petites tables pour les irréductibles solitaires), quelques incursions chez les voisins basques pour la musique et des serveurs au look de rugbymen vraiment sympa. Sur l'ardoise, c'est tout le Sud-Ouest qui défile sous forme de tapas généreuses à partager entre copains. Service parfaitement rodé !

|●| Le Languedoc (plan couleur B3, **45**) : 64, bd Port-Royal, 75005. ☎ 01-47-07-24-47. **Ⓜ** Gobelins ; RER B : Port-Royal. Tlj sf mar-mer ; service 12h-14h, 19h-22h. Congés : 20 déc-6 janv et 18 juil-18 août. Menu 22,50 € ; carte env 23 €. Cuisine roborative du Sud-Ouest dans un cadre de vieille maison de province. Si le confit de canard pommes sautées à l'ail et le cassoulet au confit d'oie règnent en maîtres, les viandes se défendent bien. Le vin du Rouergue aide superbement à faire descendre tout ça (ainsi que le gaillac blanc, rouge ou rosé, en direct des vignes du patron). Une adresse qui ne change pas, et c'est tant mieux.

|●| L'AOC (plan couleur C1, **30**) : 14, rue des Fossés-Saint-Bernard, 75005. ☎ 01-43-54-22-52. ● aocrestaurant@wanadoo.fr ● **Ⓜ** Jussieu. ♿ Tlj sf dim-lun ; service 12h-14h, 19h30-23h. Congés : 3 premières sem d'août. Formule déj 21 € ; menu 31 € ; carte 35-40 €. Vins au verre 5-8 €. Apéritif maison offert sur présentation de ce guide. Une rôtissoire, un poisson rouge, un plancher qu'on pourrait croire déjà vieux, une déco broc pas toc, des terrines fabuleuses qu'on voit passer avant même de s'asseoir. Le patron est issu d'une famille de bouchers. Ici, la tradition, ça n'a que du bon : tout est fait maison, du carpaccio de tête de veau à la crème anglaise du dessert. On vient ripailler entre potes ou papoter entre filles, car tout le monde se sent bien dans ce lieu qui a su conserver son âme bistrotière. Bons vins de propriétaires.

I●I 58 Qualité Street (plan couleur B2, **33**) : 58, rue de la Montagne-Sainte-Geneviève, 75005. ☎ 01-43-26-70-43. Ⓜ Cardinal-Lemoine ou Maubert-Mutualité. Tlj sf dim 12h-23h. Entrées 2-14 €, plats 8-20 € selon le marché. On pourrait croire à une épicerie fine : jambon pata negra suspendu, huile parfumée à la truffe, tomates séchées et confiture de lait se partagent la vitrine. Passez la porte de ce bistrot et pénétrez dans une salle carmin, à la déco travaillée et toute faite de récup'. Côté ardoise, on hésite encore entre les lasagnes de légumes, le parmentier de biche au parmesan et le ceviche de daurade, tous cuisinés avec des produits frais. Une adresse aussi suprenante qu'un bonbec anglais...

Prix moyens

I●I Terroir Parisien (plan couleur B1, **37**) : 20, rue Saint-Victor, 75005. ☎ 01-44-31-54-54. Ⓜ Maubert-Mutualité. Tlj 12h-14h30, 19h-22h30. Plat du jour en sem 15 € ; carte env 30 €. Au sein de la Maison de la mutualité, le bistrot ouvert par Yannick Alléno, ex-chef étoilé du Meurice, et auquel Jean-Michel Wilmotte a apporté sa griffe a de la gueule : grand bar central, cuisine visible à travers la vitre et, au mur, la liste des producteurs locaux qui fournissent la maison. Une cuisine locavore, faite de bons p'tits plats de grand-mère : voilà l'idée, sans reprendre pour autant le poncif de la nappe à carreaux. Les recettes du terroir francilien sont là : excellentes charcuteries (véritable jambon de Paris), épinards de Montfermeil, brie de Meaux, miel de l'Opéra de Paris... Pas de vin de Montmartre, mais de nombreuses références de vins au verre. Au final, tellement bon ! Autre maison au Palais Brongniart (voir la rubrique « Où manger ? » dans le 2ᵉ arrondissement).

I●I Le Pré Verre (plan couleur B1, **44**) : 8, rue Thénard, 75005. ☎ 01-43-54-59-47. ● saslepreverre@gmail.com Ⓜ Maubert-Mutualité ou La Sorbonne. Tlj sf dim-lun hors saison ; service 12h-14h, 19h30-22h30. Congés : Noël et Jour de l'an. Résa conseillée 1 sem avt. Formule déj 13,90 €, verre de vin et café compris ; menu-carte 30,50 €. Nouveau proprio qui a conservé le chef, l'efficacité du service, les bons produits, les vins nature et l'intéressant menu déjeuner... Ce qui a bougé, c'est l'atmosphère, désormais plus branchouille que bistrot rigolo et relax. Bon, dès lors qu'on y déguste toujours de bons petits plats élaborés (comme le cochon de lait fondant, choux croquants et épices) et que les prix savent rester sages... On regrettera cependant les suppléments aux menus et les tables un peu serrées. Bonne sélection de vins du mois au tableau noir.

I●I Les Papilles (plan couleur A2, **27**) : 30, rue Gay-Lussac, 75005. ☎ 01-43-25-20-79. ● lespapilles@hotmail.fr ● RER B : Luxembourg. Tlj sf dim-lun 12h-14h, 19h30-22h30. Congés : 1ʳᵉ sem de janv et 3 premières sem d'août. Formule déj en sem 28 € ; menu 35 € ; carte env 40 €. Café offert sur présentation de ce guide. La vedette, ici, c'est le vin, même si ce n'est pas à proprement parler un bar à vins. Plutôt un bistrot-épicerie, avec un mur recouvert de casiers où l'on peut choisir sa bouteille et la boire à table, moyennant un droit de bouchon de 7 €. Côté assiettes, optez pour le menu du jour, voire pour une planche de charcuterie, car les produits sont nickel, et oubliez la carte qui fait vite grimper l'addition. Seul regret : le plat unique du menu, qui peut tout à fait ne pas plaire à tout le monde ! Accueil authentique et chaleureux.

I●I Louis Vins (plan couleur B1, **34**) : 9, rue de la Montagne-Sainte-Geneviève, 75005. ☎ 01-43-29-12-12. ● louisvins@orange.fr ● Ⓜ Maubert-Mutualité. Tlj 12h-14h30, 19h30-22h30. Résa conseillée le soir et le w-e. Formules déj en sem 16-20 € ; menus 26-32 €. Vins env 28-35 € la bouteille. Grande salle au plaisant faux décor années 1930. Cuisine sachant allier entrées créatives (notamment la tatin de mangue et foie gras au jus de morilles) et plats traditionnels de terroir (comme le délicieux et copieux cassoulet béarnais maison). Belle carte des vins. Service aimable et souriant.

◖●◗ Restaurant Lilane *(plan couleur B-C2, 38) :* 8, rue Gracieuse, 75005. ☎ 01-45-87-90-68. Ⓜ *Place-Monge. Tlj sf sam midi et dim-lun ; service 12h-14h, 19h-22h. Formules déj 18-22 € ; menus le soir 31-35 €.* Bonne pioche que ce discret restaurant installé en retrait de la rue Monge, sobrement décoré dans les tons chocolat, avec un éclairage tamisé ; on s'y sent tout de suite bien. L'impression se confirme avec une cuisine de bistrot allégée, joliment enlevée et élégamment présentée. La carte offre une palette de plats assez complète entre les poissons et les viandes. Au dessert, soufflé aérien au parfum chaque mois différent. Dommage que les vins soient chers, mais vous pourrez vous rabattre sur le pichet ou choisir des vins au verre. Accueil tout sourire.

◖●◗ ChantAirelle *(plan couleur B2, 42) :* 17, rue Laplace, 75005. ☎ 01-46-33-18-59. ● fbethe@chantairelle.com ● Ⓜ *Cardinal-Lemoine ou Maubert-Mutualité ; RER B : Luxembourg. Tlj sf sam midi, dim et lun soir ; service 12h-14h, 19h-22h. Congés :* 1ᵉʳ-21 août. *Formules déj (2 ou 3 plats) 19,50-25 €, avec un verre de vin ; menu 29 €.* Une assiette de dégustation de fromages fermiers offerte pour l'ensemble de la table sur présentation de ce guide. Une ambassade de la Haute-Loire tenue par un défenseur pur et dur des produits de son terroir. Des spécialités rustiques qui font chaud au cœur : chou farci Yssingeaux à l'ancienne, *pounti* auvergnat... Cuisine copieuse et roborative. Excellent pain, carte des eaux d'Auvergne et petits vins locaux. Cadre agréable et montagnard. Belle et reposante terrasse de jardin.

◖●◗ Restaurant Christophe *(plan couleur B2, 31) :* 8, rue Descartes, 75005. ☎ 01-43-26-72-49. Ⓜ *Cardinal-Lemoine. Tlj sf mer-jeu 12h-14h, 19h-22h. Formules déj 12-19 € ; sinon, à la carte.* Passé dans les cuisines de chefs étoilés, Christophe Philippe

s'affaire seul en cuisine (que ceux qui ont les yeux rivés sur leur montre passent leur chemin). Ici, l'important est dans l'assiette. Les portions sont généreuses et les associations souvent inventives. Le déjeuner est une option avantageuse puisque les formules sont d'un bon rapport qualité-prix ; assez cher à la carte.

◖●◗ Au Bon Coin *(plan couleur C3, 43) :* 21, rue de la Collégiale, 75005. ☎ 01-43-31-55-57. Ⓜ *Gobelins ou Censier-Daubenton. Tlj 12h-14h30, 18h30-22h (service continu dim). Résa conseillée. Formules déj en sem 15,90-19,90 € ; menus-carte 26-32 €.* Dans un cadre entièrement rénové, ce joli bistrot parisien reste fidèle à la tradition populaire sans tomber dans le cliché. Terrine de veau maison aux châtaignes ou suprême de pintade rôtie et jus de viande aux noix ; fins et bien servis, les plats valent bien l'attente due au service un peu débordé. *NOUVEAUTÉ.*

Chic

◖●◗ Chez Léna et Mimile *(plan couleur B2-3, 39) :* 32, rue Tournefort, 75005. ☎ 01-47-07-72-47. ● christe legendre@free.fr ● Ⓜ *Censier-Daubenton ou Place-Monge.* ♿ *Tlj 12h-14h (14h30 sam-dim), 19h-22h30. Plat du jour (midi en sem) 9,50 € ; carte 40-45 €.* Kir au vin blanc offert sur présentation de ce guide. Le resto a certes été agrandi, mais c'est surtout la terrasse en surplomb qui donne tout son charme à l'endroit. De plus, la circulation étant quasi inexistante, elle ne couvrira pas vos doux mots d'amour... À préférer donc par beau temps. Quant à la cuisine, elle est très convenable (bonne pièce de bœuf au beurre d'herbes, par exemple) et s'aventure même dans le registre moléculaire.

◖●◗ Moissonnier *(plan couleur C2, 41) :* 28, rue des Fossés-Saint-Bernard, 75005. ☎ 01-43-29-87-65. Ⓜ *Jussieu. Tlj sf dim-lun 12h-14h, 19h30-22h. Congés : août et 24-25 déc. Carte env 40 €.* Tous les classiques de la cuisine lyonnaise et franc-comtoise sont réunis dans ce bouchon discret, qui régale une clientèle de fidèles amateurs de bonne chère depuis un demi-siècle. La vedette de la maison, c'est l'impressionnant chariot de saladiers lyonnais servis à volonté ! Les petits rideaux à l'ancienne en devanture, le cadre « bourgeois de province », les « dring dring » qui retentissent en cuisine pour prévenir de l'arrivée des plats, tout ici respire le bon vieux temps.

Bars à vins

IOI Ⴑ Grains Nobles *(plan couleur zoom, 49)* : 8, rue Boutebrie, 75005. ☎ 01-75-57-89-07. ● bardegustation@grainsnobles.fr ● Ⓜ *Saint-Michel ou Cluny-La Sorbonne. Mar-sam 19h-23h ; lun sur résa slt (dernière commande à 22h30). Formule déj 12 € ; menus 12,50-16,50 € ; carte env 22 € ; assiettes gourmandes 7,50-10 €. Vins au verre.* Bar à vins au cadre ravissant alliant sans complexe vieilles pierres, mobilier contemporain et expos de tableaux modernes (et au sous-sol, beau caveau voûté pour les dégustations). Formules astucieuses : vins au verre servis en 4, 8 et 12 cl, respectivement à partir de 1, 2 et 3 € (et bien plus, bien sûr, pour les grands crus). Cela permet de goûter un certain nombre de vins sans attenter au portefeuille. Pour accompagner, de très bons plats élaborés. Périodiquement, de grandes dégustations de très grands vins (résa obligatoire). Possibilité d'acheter son coup de cœur sur place de 15h à 23h (sans droit de bouchon). Une adresse exceptionnelle !

IOI Ⴑ Café de la Nouvelle Mairie *(plan couleur B2, 50)* : 19, rue des Fossés-Saint-Jacques, 75005. ☎ 01-44-07-04-41. Ⓜ *Cardinal-Lemoine ou Place-Monge ; RER B : Luxembourg. Lun-ven 8h-minuit. Congés : 3 sem en août et 1 sem à Noël. Verres de vin 4-7 €. Assiettes de fromages 7-15 €, plats 9,50-19 €.* Ambiance néorétro pour ce bar à vins un peu jazzy, avec vieux zinc et chaises de bistrot bien patinées dans les teintes sobres et élégantes, fréquenté par une clientèle de fidèles heureux de boire un bon vin de pays choisi avec soin par le patron. Belle terrasse en été.

IOI Ⴑ Le Porte-Pot *(plan couleur zoom, 51)* : 14, rue Boutebrie, 75005. ☎ 01-43-25-24-24. ● portepot@gmail.com ● Ⓜ *Cluny-La Sorbonne. Tlj sf dim-lun à partir de 18h30. Congés : 2 sem autour du 15 août et Noël-Nouvel An. Plats 14-22 €, assiette de charcuterie ou de fromages 12 € ; carte 25-30 €. Un verre de vin offert sur présentation de ce guide.* Un petit bar à vins qui fait la part belle aux vins du sud de la France, avec une prédilection pour les vignerons qui travaillent en biodynamie ou font des vins naturels sans soufre. Même soin côté restauration, où les produits sont scrupuleusement sélectionnés (charcuteries, viandes, pains...), avec une petite carte de tradition régionale qui change à chaque saison. Ambiance décontractée au zinc. Salle plus intime au sous-sol. Soirée jazz tous les jeudis.

IOI Ⴑ Au Doux Raisin *(plan couleur B2, 52)* : 29, rue Descartes, 75005. ☎ 01-43-29-31-13. ● contact@douxraisin.com ● Ⓜ *Cardinal-Lemoine ou Place-Monge. Tlj 10h-1h. Plusieurs formules vin-mets 16-28 €. Digestif maison offert sur présentation de ce guide.* Ce bar à vins convivial rend hommage aux délires alcoolisés du cinéma français des années 1950-1960 et propose des dégustations, entre autres, de crus de Bourgogne et de vins biodynamiques, agrémentées de petits plats qui tiennent chaud comme des gratins, des terrines, des tartines de pain Poilâne, des planches de fromages et de charcuterie, ou des salades bien garnies. De quoi arpenter la Contrescarpe le cœur plein d'allégresse.

Cuisine d'ailleurs

Très bon marché

IOI Foyer Vietnam *(plan couleur C2-3, 35)* : 80, rue Monge, 75005. ☎ 01-45-35-32-54. Ⓜ *Place-Monge ou Censier-Daubenton. Tlj sf dim ; service 12h-14h, 19h-22h. Congés : août. Pho env 8 €, 4 nems env 4 € ;*

plateau-repas complet 11 € ; carte env 13 €. CB refusées. C'est une cantine traditionnelle vietnamienne (gestion associative) où les plats sont préparés par un chef vietnamien. On y est servi par des étudiants... vietnamiens et par des bénévoles. Soutenue par l'ambassade et le centre culturel du... Vietnam, voici une initiative à encourager. Une partie des bénéfices sert à financer des projets associatifs et humanitaires pour aider les étudiants vietnamiens. Le foyer accueille aussi des expos et propose livres et jeux de société.

I●I **Comptoir Méditerranée** *(plan couleur C2, 59) : 42, rue du Car-dinal-Lemoine, 75005.* ☎ 01-43-25-29-08. Ⓜ *Cardinal-Lemoine. Tlj sf dim 11h-22h. Congés : de mi-déc à début janv et 1 sem autour du 15 août. Vente à emporter : sandwichs ou pizzas au thym à partir de 4,50 € ; assiettes composées à partir de 7,40 € ; café ou thé à la menthe 1,50 €.* Une adresse colorée qui fait découvrir, sur le pouce, la gastronomie du Liban, avec des mezze froids type houmous, feuilles de vigne, caviar d'aubergine, salade « Bulgaria » (fromage de brebis, tomates et menthe fraîche) et *labné* (fromage frais à l'huile d'olive). Ou, encore mieux, avec des mezze chauds. Tables en terrasse ou à l'intérieur. Parfait pour compléter la visite de l'Institut du monde arabe !

I●I **Mexi and Co** *(plan couleur zoom, 57) : 10, rue Dante, 75005.* ☎ 01-46-34-14-12. ● *contact.rm@gmail.com* ● Ⓜ *Maubert-Mutualité. Tlj 12h-minuit. Formule déj en sem 10 € ; carte env 15 € ;* burritos 9 €, quesadillas 6 €. Sorte d'épicerie-buvette ensoleillée, à la déco insolite. Un coup d'œil au panneau où s'affichent les classiques : guacamole, *burritos* légumes, bœuf ou poulet, *tamales*. Et vous pourrez prendre place à table, au coude-à-coude, dans une ambiance très conviviale. Tables sur le trottoir pour lézarder au soleil.

Bon marché

≝ **Loulou'Friendly Diner** *(plan couleur zoom, 71) : 90, bd Saint-Germain, 75005.* ☎ 01-46-34-86-64. ● *loulou*

friendlydiner@gmail.com ● Ⓜ *Cluny-La Sorbonne. Tlj ; service continu 9h-23h sur place ou à emporter. Breakfast et brunch tlj 9h-12h (17h w-e) 17-19,50 € ; burgers 12,50-21,50 € (en double ration).* Plus qu'une vague, un vrai tsunami que cette mode florissante des *diners* où, bien souvent, la qualité des burgers-frites et le cadre n'ont rien à envier aux inspirateurs new-yorkais ! Et où MacDo fait office de Mickey. Excellents burgers (pain Kayser, viande charolaise ou Wagyu) servis en simple ou double portion, bagels, œufs bénédicte, *fish & chips*... et desserts qui vont bien aussi pour le goûter : sundays, milk-shakes, pancakes. Un voyage à moindres frais ! NOUVEAUTÉ.

I●I **Machu-Picchu** *(plan couleur A2, 62) : 9, rue Royer-Collard, 75005.* ☎ 01-43-26-13-13. *RER B :* Luxembourg. Tlj sf dim ; service 12h-14h, 19h30-23h. Congés : 2 sem en août et fin d'année. Menus 10,80 € le midi, 16 € le soir ; carte env 24 €.* Bonne cuisine péruvienne. On démarre un apéro avec le célèbre *pisco sour.* En entrée, il faut évidemment essayer le *ceviche de pescado.* Ensuite, vous aurez du mal à choisir entre le *lomo soltado* (filet de bœuf émincé aux oignons) et l'*arroz con pato* (canard au riz), bien servis. Bières péruviennes et vins du Chili et d'Argentine. Service souriant mais pas toujours pro.

I●I **Lhassa** *(plan couleur B1, 67) : 13, rue de la Montagne-Sainte-Geneviève, 75005.* ☎ 01-43-26-22-19. Ⓜ *Maubert-Mutualité. Tlj sf lun 12h-14h, 19h-23h (dernière commande à 22h30 dim). Formule déj 14 € ; menus 15,50-26 € ; carte env 28 €.* Resto tibétain au décor authentique, objets d'intérieur et poupées en costume traditionnel. Carte très variée, des plats surprenants et soigneusement élaborés. Goûtez, pour une initiation en règle, à la soupe à la farine d'orge grillée, une spécialité de la région, suivie d'un bœuf sauté aux épices ou d'une préparation végétarienne. Service aimable et discret.

I●I **Kootchi** *(plan couleur C2, 58) : 40, rue du Cardinal-Lemoine, 75005.* ☎ 01-44-07-20-56. Ⓜ *Cardinal-*

Lemoine. Tlj sf dim ; service 12h-15h, 19h-22h30 (dernière commande). Congés : août. Menus 9,50-12,50 € le midi, 15,50 € le soir. Et si l'on parlait de l'Afghanistan d'une façon plus généreuse ? Dans cette petite salle ornée de tapis et d'instruments de musique, on déguste une cuisine pleine de saveurs mais pas épicée. Bon qhaboli palawo, plat traditionnel à base de veau, carottes, raisins, amandes, pistaches et épices. On accompagne le repas de dogh (boisson constituée de yaourt liquide et salé).

|●| Tashi-Delek (plan couleur B2, 60) : 4, rue des Fossés-Saint-Jacques, 75005. ☎ 01-43-26-55-55. ● tsering. dolkar@wanadoo.fr ● RER B : Luxembourg. Tlj sf dim ; service 12h-14h30, 19h-23h. Congés : 2 sem mi-août. Résa indispensable le soir. Menus 10,50-12 € le midi, 18-23 € le soir ; menu découverte 36 € pour 2. Apéritif maison offert sur présentation de ce guide. Le 1er resto de Paris tenu par d'authentiques Tibétains, installés ici depuis l'invasion chinoise de leur pays. Si vous n'optez pas pour le menu, qui propose les traditionnels momoks (chaussons à la viande cuits à la vapeur), prenez donc plusieurs plats pour vous familiariser avec cette cuisine du bout du monde : sharil gobtseu (boulettes de bœuf, ail, gingembre, sauce tomate), baktsa markhou, dessert tibétain (boulettes de pâtes avec beurre fondu, fromage de chèvre et sucre)... puis le thé au beurre salé pour les courageux.

|●| Han Lim (plan couleur B2, 61) : 6, rue Blainville, 75005. ☎ 01-43-54-62-74. Ⓜ Place-Monge. Tlj sf lun et mar midi ; service 12h-14h30, 19h-22h30. Congés : 2e et 3e sem d'août. Formule déj en sem 12 € ; menu le midi 13,50 € ; menu barbecue 18,50 € ; carte 25-30 €. Café ou thé offert sur présentation de ce guide. Clientèle en partie coréenne (plutôt bon signe). Menu intéressant le midi, comprenant potage au pot-au-feu, fruits de mer sautés (bulots et seiches), riz et assortiment de légumes coréens, dessert et boisson, ou barbecue coréen à prix raisonnable. Très bonnes grillades de bœuf mariné sur brasero, crêpe à la ciboule et excellent poulet farci à l'ail.

Prix moyens

|●| Lengué (plan couleur zoom, 56) : 31, rue de la Parcheminerie, 75005. ☎ 01-46-33-75-10. Ⓜ Cluny-La Sorbonne ou Saint-Michel. Tlj sf dim midi et lun ; service 12h-14h, 19h-23h. Congés : août. Bento à midi 18 € (23 € avec dessert) ; carte env 40 € le soir. L'art et le raffinement de la gastronomie japonaise avaient un peu disparu des petites échoppes asiatiques du quartier. On retrouve toute cette sagesse dans cette adresse de poche, où, juché sur un tabouret ou derrière un beau comptoir de bois sombre, sous des colombages (pas très nippon, mais bon !), on déguste religieusement ces légumes, soupes, viandes et autres poissons dans de petites boîtes (bento box). Ici, donc, ni sushis ni sashimis ! Gardez une place pour les desserts (ah ! les financiers au yuzu !). Au fait, le lengué est une fleur...

|●| El Picaflor (plan couleur C2, 63) : 9, rue Lacépède, 75005. ☎ 01-43-31-06-01. ● contact@picaflor.fr ● Ⓜ Place-Monge. Mar-dim 19h-1h (dernière commande à 23h), plus ven-dim 12h-15h. Résa conseillée. Menus 19,80 € le midi, 25,80-31,80 € le soir ; carte 30-40 €. Ce « Colibri » (eh oui, Picaflor...) propose des spécialités du Pérou. Accueil et cadre chaleureux. À la carte : aji de gallina, ceviche (poisson mariné), chupe de camarones (soupe parfumée aux crevettes) et le mystérieux quinua atamalada... Également un menu végétarien. Nombreuses spécialités : pescado relleno (farci à la coriandre) « comme au pays ». Glaces maison aux fruits exotiques : lucuma, maracuya, guanabana... Enfin, belle et unique carte de vins péruviens.

|●| Les Délices d'Aphrodite (plan couleur B3, 64) : 4, rue de Candolle, 75005. ☎ 01-43-31-40-39. ● info@mavrommatis.fr ● Ⓜ Censier-Daubenton. Tlj 12h-14h30, 19h-23h. Menu (entrée + plat) 19,50 € ; assiettes de dégustation 17,50-24,50 € ; carte 35-40 €. Voilà un restaurant grec dans lequel la cuisine est fine, aérienne, de l'houmous au tzatziki en passant par le calamar aux épinards, les gambas au

5e

fenouil ou les travers de porc. Enfin, tout est bon. Pas négligeable non plus, un service impeccable et une terrasse où siroter son verre d'ouzo. Carte des vins assez chère.

I●I Quartier Latin (plan couleur B2, **65**) : 1, rue Mouffetard, 75005. ☎ 01-40-51-04-61. ● alati pietro@free.fr ● Ⓜ Place-Monge. Mar-sam 12h-15h, 19h-23h30 ; dim. 10h30-23h30. Fermé lun, 1er janv et 25 déc. Formules 9,99-15 € (midi et soir jusqu'à 20h sf sam-dim et j. fériés). Une halte italienne agréable dans une salle claire ouverte sur la terrasse aux beaux jours. Plats traditionnels, copieusement servis : risotto aux cèpes, toutes sortes de pâtes, penne, rigatoni et autres tagliatelles, en passant par les pizzas. Service extra. Et le pain, maison. Au sous-sol, salle voûtée pour un dernier verre. L'un des meilleurs rapports qualité-prix du coin.

Chic

I●I Mavrommatis, Le Restaurant (plan couleur B-C3, **69**) : 42, rue Daubenton, 75005. ☎ 01-43-31-17-17. ● info@mavrommatis.fr ● Ⓜ Censier-Daubenton. Mar-jeu 19h-23h, plus ven-sam 12h-14h15. Menus à partir de 38 € ; carte 45-60 €. La gastronomie grecque dans un cadre de maison athénienne du début du XXe s. Délicieuses spécialités helléniques et méditerranéennes, que l'on peut déguster en terrasse dès les beaux jours. Assortiments de mezze, moussaka, trilogie d'agneau, filet de bar rôti.

I●I L'Atlas (plan couleur C1, **68**) : 10-12, bd Saint-Germain, 75005. ☎ 01-46-33-86-98. ● contact@latlas. fr ● Ⓜ Maubert-Mutualité. ♿ Tlj sf lun et mar midi ; service 12h-14h30, 19h30-23h. Carte 30-35 €. Resto au décor des Mille et une Nuits. Cuisine marocaine (couscous et tajines) mais allégée de ses sucres et matières grasses. En dehors de ces classiques, une incontestable inventivité : gambas grillées au paprika, ris de veau aux morilles. Accueil chaleureux et service attentionné. Ce n'est, hélas, pas donné.

I●I Anahuacalli (plan couleur B1, **66**) : 30, rue des Bernardins, 75005. ☎ 01-43-26-10-20. ● infos@anahua calli.fr ● Ⓜ Maubert-Mutualité. Tlj 19h-23h, plus dim 12h30-14h30. Fermé 1er janv, 24, 25 et 31 déc. Carte 35-40 €. Enfin un resto réellement mexicain. Bien sûr, tacos et enchiladas sont de la partie, mais aussi le mole poblano (viande au chocolat épicé, un délice...), le filete moctezuma (bœuf poêlé sur sauce aux champignons et maïs) et des spécialités de Veracruz et de Merida. Bon choix de tequilas et cervezas. Vous pouvez aussi goûter le café Anáhuac (avec tequila et Kahlúa)... pas donné mais absolument délicieux !

Où boire un café ?

I●I ☕ Le Café Maure de la mosquée de Paris (plan couleur C3, **75**) : 39, rue Geoffroy-Saint-Hilaire, 75005. ☎ 01-43-31-18-14. ● contact@lamos queedeparis.com ● Ⓜ Jussieu ou Place-Monge. Tlj 9h-minuit. Thé à la menthe et pâtisseries à partir de 2 €. Avec ses colonnes, ses arcades, ses belles faïences et son patio, Le Café Maure vous transporte instantanément dans les jardins de l'Alhambra. Hélas, victime de son succès, ce havre de paix s'est transformé peu à peu en usine à touristes (prise d'assaut le week-end) en quête d'exotisme.

🍷 Dose, Dealer de café (plan B3, **77**) : 73, rue Mouffetard, 75005. ☎ 01-43-36-65-03. Ⓜ Place Monge. Lun-ven 9h-19h, sam-dim 10h30-19h. Boissons 2-4,50 € ; pâtisseries 1,50-3 €. 📶 Expresso, allongé, macchiato, brésilien... vous prendrez bien une petite dose de kawa ? Le joli cadre aux murs de céramique grise, l'accueil sympa comme tout de Grégoire et Baptiste, les gourmandises (financiers, cookies, muffins et yaourts) invitent à poser une fesse dans ce quartier bien vivant dévolu à la jeunesse estudiantine. Petite terrasse.

Où prendre un bon goûter ?

🍵 **Odette** *(plan couleur zoom, 76)* : 77, rue Galande, 75005. Ⓜ Cluny-la-Sorbonne ou RER : Saint-Michel-Notre-Dame. ☎ 01-43-26-13-06. *Ouv tlj 10h-19h30.* Compter 1,90 € le chou et 9,90 € les 6. *Un chou offert pour 3 achetés sur présentation de ce guide.* Des p'tits choux, des p'tits choux... encore des p'tits choux ! Vous l'aurez compris, le chou ici est roi. Confectionné tous les matins dans les cuisines du sous-sol, il est fourré comme il se doit d'une onctueuse crème pâtissière aromatisée : chocolat, caramel, pistache, citron... et, plus exotique, au thé vert. On les a tous goûtés et appréciés ! À consommer – sans modération tant ils sont aériens – avec un bon chocolat chaud ou une coupe de champagne dans le salon cosy à l'étage. Sinon, jolies boîtes à emporter. Ah, ne cherchez pas Odette, c'est la grand-mère du patron : elle vit en Bretagne ! *NOUVEAUTÉ.*

Où manger une glace ?

🍦 **Gelati d'Alberto** *(plan couleur B2, 70)* : 45, rue Mouffetard, 75005. ☎ 01-77-11-44-55. Ⓜ Place-Monge. *Tlj 12h-2h. Congés : nov-fév.* Compter 3,50 € pour 2 parfums, 4,50 € pour 3 et 5,50 € pour 4. Alberto fabrique chaque matin une quarantaine de parfums : les classiques (citron, framboise...), les gourmands (crème caramélisée, Nutella, macarons...) et les originaux (laissez-vous tenter par le yaourt ou le coquelicot). La forme sympathique des glaces réchauffera tous les cœurs ; elles se savourent pétale par pétale. Très bon rapport qualité-prix-accueil. Pour les insatiables, les glaces sont aussi vendues au litre. *Autre adresse au 12, rue des Lombards (4e).*

Où boire un verre ?

🍸 **Le Verre à Pied** *(plan couleur B3, 80)* : 118 bis, rue Mouffetard, 75005. ☎ 01-43-31-15-72. Ⓜ Censier-Daubenton. *Tlj sf lun 9h30-22h (16h dim).* Demis 2,50-3 € au bar, 3-3,80 € en salle. *Formule 15 € ; plats du jour 12 € le midi, 13 € le soir.* Vieux bistrot inchangé depuis 1914-1918, avec un comptoir si étroit qu'un verre y tient à peine. Carrelage, poêle antique en fonte, tables de café classiques... Habitués, journalistes et artistes s'y côtoient fraternellement dans une atmosphère très Marcel Carné. La meilleure table ? Celle des dinosaures. Expos temporaires de peintres ou de photographes.

🍸 **Finnegan's Wake** *(plan couleur C2, 81)* : 9, rue des Boulangers, 75005. ☎ 01-40-51-01-73. ● allolebar@free.fr ● Ⓜ Jussieu ou Cardinal-Lemoine. *Tlj sf dim 12h (18h sam)-2h non-stop. Happy hours 16h-20h : pinte 5 €, pinte de blonde 3,50 €.* 📶 Perché dans une petite rue en pente, un pub irlandais authentique. Population très étudiante, quartier oblige, qui apprécie de se retrouver entre les murs de pierre de la cave voûtée. Une ambiance bon enfant qui plaira aux amateurs de Guinness, aux adeptes du ballon sous toutes ses formes (retransmission des matchs de foot et de rugby), comme aux chanteurs en herbe (karaoké) !

🍸 **Le Café Léa** *(plan couleur B3, 88)* : 5, rue Claude-Bernard, 75005. ☎ 01-43-31-46-30. Ⓜ Censier-Daubenton. *Tlj 8h30 (9h w-e)-2h. Tartine et mezze 9,90 € ; brunch dim 20 €.* Un sympathique café toujours animé, où les jeunes (et moins jeunes) du coin ne manquent jamais de passer, du petit noir du matin au dernier mojito. Une alternative rafraîchissante aux usines à bières du quartier Mouffetard. Quelques tartines et mezze à partager entre copains.

🍸 **Le Pantalon** *(plan couleur A2, 83)* : 7, rue Royer-Collard, 75005. ● bernardlauriat@yahoo.fr ● Ⓜ Cluny-La Sorbonne ; RER B : Luxembourg. *Tlj 17h-2h. Pinte de Licher 3 €.* Ce repaire d'étudiants, fait de bric et de broc (et même d'un pantalon !), offre une déco conçue par le patron et des étudiants des Beaux-Arts. Les plus observateurs iront faire un tour au fond : étonnant ! Si vous êtes sage, le boss, Bernard, vous montrera peut-être ce qu'il a trouvé et qui mesure 16 m !

Où boire un excellent cocktail ?

🍸 *Curio Parlor* (plan couleur B1, **90**) : *16, rue des Bernardins, 75005.* ☎ *01-44-07-12-47.* Ⓜ *Maubert-Mutualité. Mar-jeu 20h-2h, ven-sam 20h-4h. Fermé dim-lun. Cocktail 12 €.* Derrière cette lourde porte se cache un *cocktail-club* cosy et racé. La lumière tamisée invite à la détente, et la déco, faite d'animaux empaillés et de lourds rideaux de velours, étonne. Côté cocktails, on peut dire que vous êtes là chez l'équivalent d'un grand chef. Goûtez le « Spice Mule », qui mélange rhum épicé, gingembre frais, citron vert pressé, sucre vanillé maison et *ginger beer* bio. Une tuerie ! La maison propose également de très bons whiskys japonais. Un lieu idéal pour impressionner votre chéri(e).

Où sortir ?

🍸 ∞ *La Lucha Libre* (plan couleur B1, **98**) : *10, rue de la Montagne-Sainte-Geneviève, 75005.* ☎ *01-43-29-59-86.* ● *contact@luchalibre.fr* ● *luchalibre.fr* ● Ⓜ *Maubert-Mutualité. Tlj sf dim-lun 17h-2h. Happy hours 17h-20h (21h mar-mer) : pinte de bière ou Coca 3,50 € ; cocktail 6 €. Carte env 12 €.* Voici une adresse au concept original puisque c'est probablement le seul bar au monde équipé d'un vrai ring de catch ! Totalement dédiée à la *lucha libre* (ou lutte libre mexicaine), cette *cantina*-bar colorée sert de généreux cocktails (pas moins de 10 mojitos différents) et accueille les 1ᵉʳ et 3ᵉ vendredis du mois des matchs de catch professionnel. Ambiance explosive et public déchaîné garantis. Tous les mardis, mercredis et jeudis, *open-ring* ouvert à tous : un habit en mousse permet d'envoyer ses amis dans les cordes. Le ring se fait également *dancefloor*, et l'ambiance y est tout aussi chaude. *Ay Caramba !*

Où danser ?

🎵 *Caveau de la Huchette* (plan couleur zoom, **100**) : *5, rue de la Huchette, 75005.* ☎ *01-43-26-65-05.* ● *huchette@aol.com* ● Ⓜ *Saint-Michel. Tlj 21h30-2h30 (4h jeu-sam). Entrée : 13 € dim-jeu, 15 € ven-sam et veilles de fête ; étudiant 10 €. Consos à partir de 6 €.* C'est une institution parisienne pour les danseurs « à l'ancienne », hors des modes. Les étudiants, les nombreux touristes et les quadras ou quinquas parisiens viennent écouter les plus grands jazzmen américains ou européens, ainsi que l'indestructible Maxim Saury. Ça swingue dans la cave aux pierres apparentes, et on peut même prendre des cours tous les jours de 19h à 21h.

À voir

....

LE QUARTIER LATIN

Jusqu'à la Révolution, on y parlait le latin. D'où ce nom, qu'il prit au XIXᵉ s. Un quartier étudiant, toujours très animé, comme il se doit.

Le Quartier latin vit largement du souvenir de son université et de ses étudiants turbulents, bien que la vieille Sorbonne n'ait plus depuis longtemps le rôle central qu'elle eut jadis. Alors que beaucoup de ses rues ont été livrées aux restos touristiques, aux fast-foods et aux cafés plus réputés pour l'escalade de leurs prix que pour la chaleur de leur accueil, quelque chose d'indéfinissable fascine encore.

Question promenades, tous les petits secteurs historiques qui composent le Quartier latin possèdent leur charme, leurs caractéristiques propres, sans qu'il soit facile d'en définir les frontières : où commencent et finissent Saint-Michel, le Luco, la Maub', la Mouff' ?

POURQUOI L'EXPRESSION « LA FIN DES HARICOTS » ?

Autrefois, dans les collèges et universités, la nourriture était frugale. On mangeait surtout des haricots, le légume des pauvres et des nécessiteux. Quand on annonçait la fin des haricots, cela signifiait qu'il n'y avait plus rien à manger. Par extension, l'expression indique que c'est la fin de tout, rien ne va plus.

UN PEU D'HISTOIRE

Abélard, théologien et philosophe du XIIe s, vint le premier coloniser la montagne Sainte-Geneviève en emmenant avec lui ses étudiants de l'île de la Cité à la suite d'une querelle philosophique. Il restera cependant plus célèbre dans l'histoire pour sa douloureuse aventure avec Héloïse. Puis le Quartier latin se couvrit de collèges. Robert de Sorbon en créa un en 1253 pour les étudiants pauvres et lui laissa son nom.

Le Quartier latin garde toujours le souvenir du premier poète moderne, François Villon, tout à la fois étudiant et brigand, fréquentant indifféremment les plus grands professeurs de la Sorbonne et les « Coquillards », bande de malfaiteurs notoires. Véritable lutin, paillard, frondeur, il eut maille à partir plus d'une fois avec les chevaliers du guet et fut sauvé par deux fois de la potence par le roi.

La Sorbonne s'opposa aux nouveaux courants philosophiques. D'abord aux jansénistes, puis aux philosophes du XVIIIe s. Dans les années 1960, elle ne sentit pas plus le malaise de l'université (critique de l'enseignement traditionnel, du mandarinat, manque de débouchés). La crise éclata en mars 1968 à la faculté de Nanterre (fermée le 2 mai), puis à la Sorbonne le jour suivant. La vieille université n'avait évidemment rien vu venir. La police osa violer, pour la première fois, les franchises universitaires en arrêtant les étudiants dans son enceinte même. La suite, on la connaît : manifestations, répression, nuit des barricades des 10 et 11 mai (400 blessés, des centaines d'arrestations).

Le Quartier latin vécut encore quelques années d'agitation et de bouillonnement créateur, puis retomba en léthargie complète jusqu'à nos jours. L'épais goudron que se hâta de répandre le pouvoir sur le boulevard Saint-Michel après Mai 68 semble bien devoir désormais servir de sépulture à ses vieux pavés, et ce, malgré un regain de tensions à l'occasion des manifestations anti-CPE du printemps 2006.

➤ Agréable **balade à pied** *(plan couleur zoom)* à la recherche des belles portes et façades sculptées des maisons anciennes et hôtels particuliers. Il n'existe pratiquement plus de petits commerces traditionnels et d'artisans. Cependant, c'est l'un des rares quartiers de Paris, avec le Marais, qui n'ait pas subi trop d'attentats architecturaux depuis Haussmann. En partant de la fontaine, place Saint-Michel, vous êtes immanquablement aspiré par les rues étroites de l'îlot Saint-Séverin : **rue de la Huchette, rue de la Harpe, rue Saint-Séverin** (pour l'anecdote, le « saint » fut gratté à la Révolution), **rue Xavier-Privas**. Dix restos au mètre carré, une foule énorme les soirs d'été, mélange de touristes et d'étudiants : question animation, on y trouve son compte. Question bouffe, c'est autre chose ! La rue de la Huchette porte le même nom depuis 800 ans. Au n° 10 vécut un jeune homme qui s'appelait Bonaparte. Marrant : passez donc dans l'une des plus petites rues de Paris, la **rue du Chat-qui-Pêche** (20 m de long et 1,50 m de large), qui donne à la fois sur la rue de la Huchette et le quai Saint-Michel.

🐾 **L'église Saint-Séverin** *(plan couleur zoom)* : elle date du début du XVe s. Nombreux concerts. Jolie façade avec large baie flamboyante. Tour du XIIIe s et portail de la même époque provenant d'une église démolie de la Cité. À droite, sur le flanc, festival de gargouilles. En angle droit dans le petit jardin, une partie du dernier charnier de Paris du XVe s. Cela donne une idée de ce que fut celui des Innocents (lire, dans le 1er arrondissement, le paragraphe qui lui est consacré, dans le quartier des Halles). Le reste est de style gothique flamboyant. À l'intérieur, magnifique déambulatoire, flamboyant toujours, et superbe buffet d'orgue datant de Louis XV ; malheureusement, il dissimule le plus beau vitrail de l'église. Les premières colonnes des travées sont surmontées de chapiteaux, les autres pas, ce qui indique clairement les deux étapes de construction (XIIIe et XVe s). Beau triforium (galerie de circulation creusée dans un mur) aux baies élancées et fines. Les amateurs de belle ouvrage pourront s'absorber dans la contemplation du pilier central du déambulatoire. Des nervures qui s'y enroulent rayonnent les arcs de la voûte, avec une souplesse, une aisance superbes. Du grand art. Quant aux vitraux, intéressante série d'apôtres dans les trois premières travées (XIVe s). Ceux de l'abside datent du XVe s.

🚶 *La rue du Petit-Pont et la rue Saint-Jacques* (plan couleur zoom), qui la prolonge, suivent le tracé de l'ancienne voie gallo-romaine. On peut dire d'elles qu'elles furent les premières rues de Paris, et même de Lutèce. Le boulevard Saint-Germain, qui les coupe, fut percé, ainsi que le boulevard Saint-Michel, sous Napoléon III.

PÉAGE AU PETIT PONT

Pendant tout le Moyen Âge, ce pont qui donnait accès à l'île de la Cité était payant. Une tradition permettait aux troubadours, jongleurs ou acrobates de le traverser gratuitement à condition de faire une démonstration de leur talent aux gens d'armes. Certains dompteurs utilisaient des singes. D'où l'expression « payer en monnaie de singe »... quand on ne paie pas.

Le musée national du Moyen Âge, thermes et hôtel de Cluny *(plan couleur B1)*

🚶🚶🚶 ⛪ 6, pl. Paul-Painlevé, 75005. ☎ 01-53-73-78-00 ou 16. ● musee-moyen age.fr ● Ⓜ Cluny-La Sorbonne. Tlj sf mar 9h15-17h45. Entrée : 8-8,50 €, audioguide compris ; tarif réduit : 6-6,50 € ; gratuit moins de 26 ans, chômeurs et pour ts le 1er dim du mois. Visites-conférences mer et sam pour les collections médiévales, l'hôtel, les thermes de Lutèce et leurs galeries souterraines. Visites thématiques de 1h-1h30 (plein tarif : 4,50-6,50 € en plus de l'entrée du musée au tarif réduit ; réduc). Régulièrement, concerts de musique médiévale. Audioguide gratuit (1 € pour les visiteurs bénéficiant de gratuité).

À l'intersection des boulevards Saint-Michel et Saint-Germain, face à la Sorbonne, le musée prend place dans deux bâtiments adjacents qui figurent parmi les plus beaux du vieux Paris. En effet, plusieurs édifices se mêlent ici, au travers des époques : tout d'abord, les thermes gallo-romains, datant des Ier et IIe s, dont les ruines reflètent assez peu la grandeur d'antan, unique ensemble préservé de la Lutèce antique avec les arènes de la rue Monge. Le musée abrite un ensemble exceptionnel de sculptures, peintures, vitraux, pièces d'orfèvrerie et tapisseries, dont la célèbre *Dame à la licorne,* et d'intéressantes expos temporaires.

L'hôtel de Cluny

L'une des trois demeures médiévales parisiennes qui tiennent encore debout. Passé le joli portail à guirlande végétale, on découvre une façade pleine de richesses : arcades finement ciselées, tourelles d'angle avec portes armoriées, balustrade superbement flamboyante, lucarnes décorées, gargouilles, fenêtres à meneaux, tour-escalier décorée d'un cadran solaire. À droite, dans la cour, belle margelle d'un puits du XVe s. L'intérieur a conservé la plupart des volumes de l'époque.

Rez-de-chaussée

En fonction de l'actualité du musée, les salles 2 et 3 abritent des éléments de la collection permanente ou des expositions temporaires.

– *Salle 5 (corridor des albâtres) :* petit couloir discret où se trouve pourtant une superbe série d'albâtres anglais du XVe s, évoquant le *Nouveau Testament.* Grande précision du trait. Noter les traces de polychromie persistantes. De même, on retrouve cette grande finesse d'exécution dans des éléments de retables du nord de la France.

– *Salle 6 (salle des vitraux) :* vitraux des XIIe et XIIIe s, la majorité provenant de la Sainte-Chapelle. Restaurés récemment, ils ont repris leurs couleurs chatoyantes d'origine. Il est rare de pouvoir observer de telles œuvres d'aussi près. Belle mise en valeur.

– *Salle 7 (passage des dalles funéraires) :* c'est l'escalier qui mène aux thermes. On quitte donc à cet endroit l'hôtel de Cluny proprement dit pour faire un saut dans le temps, à l'époque romaine, et pénétrer dans les thermes. Quelques dalles funéraires.

– *Salle 8 (salle Notre-Dame) :* le portail provient de l'abbaye de Saint-Germain-des-Prés. Ici sont rassemblées quelques sculptures monumentales, notamment la série des *têtes des rois de Juda.* Elles proviennent des statues de la galerie des Rois de Notre-Dame de Paris, décapitées pendant la Révolution. Les émeutiers étaient persuadés qu'il s'agissait des rois de France ! On les retrouva par hasard en 1977, au cours de travaux rue de la Chaussée-d'Antin. Pas de chance, les rois de la cathédrale avaient déjà de nouvelles têtes... du XIXe s. Sur certains visages, on devine des restes de polychromie. En effet, toute la façade de la cathédrale était haute en couleur. Les visages conservent toute leur puissance expressive.

– *Salle 9 (frigidarium) :* salle froide des thermes, elle est sans doute la plus grande salle sous voûte gallo-romaine de France. Au fond, le *pilier des Nautes,* composé de quatre blocs de pierre, monument votif trouvé sous Notre-Dame, dédié à Jupiter. En descendant quelques marches, à l'extérieur, on trouvait une salle chaude ou caldarium (autrefois couverte). Sous le trottoir du boulevard Saint-Michel, on aperçoit des ouvertures. Il s'agissait des fours à bois servant à chauffer l'eau des bains. Cette partie des thermes et le sous-sol ne sont accessibles que lors des visites guidées.

– *Salle 10 (salle romane) :* une salle qu'on aime bien, dont la nouvelle muséographie permettra, courant 2015, de redécouvrir l'admirable collection d'art religieux du Moyen Âge, provenant notamment de quatre abbayes royales franciliennes : Saint-Germain-des-Prés, Sainte-Geneviève, Saint-Martin-des-Champs et Saint-Denis. Elle offre un panorama très complet de la sculpture au cœur du royaume capétien, de l'époque romane au premier art gothique. Cet ensemble lapidaire est mis en regard de sculptures romanes de marbre et de bois qui proviennent de régions plus méridionales : Auvergne, Languedoc, Catalogne ; mais aussi de précieux objets d'ivoires religieux ou profanes : plaques de reliures, crosses, pièces d'échecs ou pions de trictrac de la fin du Xe au début du XIIIe s trouvés en France, en Angleterre et dans la vallée du Rhin. Quels que soient la taille, l'origine géographique ou le matériau de ces œuvres, bien souvent, des traces de leur riche parure colorée demeurent visibles pour qui sait les voir.

– *Salles 11 et 12 (salles gothiques) :* notables pour une série de chapiteaux (Saint-Denis...) qu'on peut observer de près car situés à bonne hauteur. Retables de pierre, statues de saints, d'anges et les apôtres de la Sainte-Chapelle... Vitrine de somptueux ivoires gothiques, dont un coffret profane à scènes de roman courtois. Beaux exemples de sculptures représentant la nature : cherchez à reconnaître feuilles de lierre, de chêne ou de cresson !

1er étage

– *Salle 13 (Dame à la licorne) :* le clou (de tapissier) du musée, *La Dame à la licorne,* tissée au XVe s et découverte au XIXe s, en partie rongée par les rats.

On entre dans cette salle comme dans un écrin, salle qui renferme six grandes tapisseries d'une rare finesse, illustrant le thème des cinq sens d'une manière délicieusement romantique. Les armes représentées sont celles d'une riche famille lyonnaise, les Le Viste. Le style – dit des mille-fleurs – met en avant une gaieté naturelle, une certaine proximité avec la nature et ses éléments, avec des tons chauds et la représentation de dizaines de variétés de fleurs et de plantes, véritable toile de fond de ces scènes bucoliques. La Dame est toujours entourée d'un lion et d'une licorne. Cette dernière possède un corps mi-chèvre, mi-cheval et, sur le front, une corne de narval.

Dans une nouvelle configuration physique suggérant davantage le type d'espaces dans lesquels les tapisseries étaient accrochées au Moyen Âge, l'ordre de présentation retenu est celui du plus matériel des sens (le toucher – la Dame effleure la corne de la licorne) au plus spirituel (la vue – la Dame tresse une couronne d'œillets ; au centre, la licorne se mire dans un miroir que lui tend la Dame). La scénographie a été pensée comme un espace intime, facilitant le contact direct du visiteur avec l'œuvre. Un éclairage par LED, discrètement inséré dans le plafond de la salle, contribue à cette atmosphère et valorise les teintes réveillées par la restauration. Sans perturber la contemplation, l'appareil de médiation (textes pédagogiques, audioguides...) donne au public des clés pour mieux comprendre les tapisseries et leur contexte de création. L'entrée dans la salle s'effectue par une rampe permettant l'accès aux personnes à mobilité réduite. Les éléments graphiques disposés sur ce parcours suscitent la curiosité et invitent à la découverte de la poésie de l'œuvre, mille fois célébrée.

À l'époque, pour la teinture des fils, on employait des plantes ou des racines tinctoriales : la garance donnait du rouge (et rosissait le lait des vaches qui en mangeaient !), le pastel du bleu, etc. En revanche, le seul moyen qu'on avait de blanchir une laine naturellement écrue était de l'exposer à la rosée matinale, très oxygénée.

– **Salle 14** (*salle de peintures et de sculptures de la fin du Moyen Âge*) **:** tapisseries, retables et superbes sculptures du XIIIᵉ au XVIᵉ s. Parmi les chefs-d'œuvre, un panneau d'autel anglais du début du XIVᵉ s, consacré à la vie de la Vierge, un retable d'Anvers du XVIᵉ s doré et polychrome : *Enfance et Passion du Christ* (noter le réalisme des deux larrons et de leurs contorsions), plusieurs Vierges à l'Enfant d'une extrême finesse, et un triptyque brugeois du début du XVIᵉ s. Enfin, une exquise *Marie-Madeleine* révèle tout de la mode de l'époque.

– **Salle 15** (*corridor de la nation picarde*) **:** vitrine consacrée au scriptorium, cet atelier où les copistes réalisaient les manuscrits sur parchemin.

– **Salle 16** (*salle d'orfèvrerie*) **:** sorte de trésor où sont réunis les objets d'orfèvrerie religieuse et profane. Croix, reliquaires émaillés, ostensoirs, pendentifs, insignes, ainsi que de beaux émaux limousins. Voir la Rose d'or du XIVᵉ s, offerte par le pape à un personnage pieux.

– **Salle 17** (*galerie de l'hôtel de Cluny, qui a retrouvé dans sa partie centrale les proportions de la galerie d'origine*) **:** vitraux français et européens des XIVᵉ et XVᵉ s.

– **Salle 18** (*salle des stalles de Beauvais*) **:** surtout notable pour sa tenture de 45 m, tenture de chœur de la cathédrale Saint-Étienne d'Auxerre. Tellement longue qu'elle est répartie dans plusieurs salles (début dans la salle 20, suite dans la salle 19 et fin dans la salle 18). Elle narre l'histoire du martyre et des reliques de saint Étienne en 23 scènes. Bien jolies couleurs. Une véritable B.D. ! Splendide feuillet enluminé du lectionnaire de Cluny (fin XIᵉ-début XIIᵉ). Chouettes stalles de Beauvais. Noter les sculptures des miséricordes, narrant des scènes de la vie quotidienne profane, souvent amusantes (on rappelle que les miséricordes sont les assises des stalles qui permettaient aux moines de s'asseoir « discretos », pendant les longs offices, du bout des fesses, tout en donnant l'impression de rester debout).

– **Salle 19** (*salle de l'autel d'or de Bâle*) **:** scènes de la tenture de saint Étienne, devant d'autel en or vendu par la cathédrale de Bâle en 1800 et judicieusement acheté par un colonel français qui le revendit au musée, et remarquable retable de cuivre et émail champlevé provenant de l'abbaye de Stavelot, près de Liège. Une récente vitrine présente de précieux ivoires de l'Antiquité évoquant l'Orient médiéval.

– **Salle 20** (chapelle) : chef-d'œuvre de l'art flamboyant, avec son pilier central en palmier qui délivre son bouquet de nervures. Décor en grappe de raisin et feuilles de chou.

– **Salle 21** (la dévotion) : cette salle est consacrée à quelques aspects de la dévotion publique et privée à la fin du Moyen Âge : pèlerinages (enseignes) et processions (Christ des Rameaux), manifestations variées d'une dévotion privée en plein essor (livres d'heures, images personnelles, petits reliquaires).

– **Salle 22** (la vie domestique) : la vie à la fin du Moyen Âge, dans les châteaux à la campagne ou dans les résidences en ville, est illustrée par les représentations sur les tapisseries ou les vitraux, et par les objets réunis : décor intérieur (mobilier, décor mural, cheminée), ameublement, vêtements et parures, activités domestiques (le repas, le jeu).

– **Salle 23** (la guerre, la chasse et le tournoi) : la guerre ainsi que la chasse et le tournoi, qui constituent à la fois un divertissement et un entraînement à la guerre, sont les activités principales du chevalier médiéval. Les armes présentées, offensives ou défensives, appartiennent néanmoins à l'équipement des fantassins.

Le jardin médiéval

Il englobe le jardin public qui s'étend entre le boulevard Saint-Michel et la rue de Cluny, le long du boulevard Saint-Germain. Sur 5 000 m², vous trouverez la forêt de la licorne, la petite clairière et celle des enfants, la terrasse avec le préau (prairie piquetée de fleurs, agrémentée de canaux et d'une fontaine) et ses quatre carrés (le potager ou « ménagier », le jardin de plantes médicinales, le « jardin céleste » dédié à la Vierge et le « jardin d'amour », l'amour courtois bien sûr). Puis vous emprunterez le chemin creux pour passer ensuite de l'autre côté de la rue Du Sommerard, dans le square Paul-Painlevé, lui aussi aménagé en tapis mille-fleurs. Intéressant : ce jardin médiéval est inspiré des nombreuses représentations végétales et animales figurant sur les œuvres du musée. On retrouve ainsi des plantes identifiées sur la tapisserie de La Dame à la licorne ou encore les plessis de bois tressé représentés sur plusieurs œuvres.

La Sorbonne (plan couleur A-B1-2) : angle rue des Écoles et rue Saint-Jacques. Entrée rue des Écoles ou par la cour d'honneur, rue de la Sorbonne. Attention, les vigiles ne laissent passer que les étudiants (présentation d'une carte d'étudiant obligatoire) ou ceux qui viennent chercher des infos. Donc n'ayez pas trop l'air d'un(e) touriste et prétextez une inscription quelconque... Au Moyen Âge, les cours avaient lieu en plein air, et on y enseignait uniquement la théologie. Ça ressemble à une caserne, ça a le goût d'une caserne, mais ça n'en est pas une. Les beaux bâtiments du XVIIᵉ s, devenus trop petits, furent remplacés par ce chef-d'œuvre impérissable à la fin du XIXᵉ s. Ne subsiste que la grande chapelle édifiée en 1635 dans le style jésuite (comme Saint-Paul-Saint-Louis, dans le Marais). Harmonieuse façade. À l'intérieur, peintures de Philippe de Champaigne et superbe tombeau de Richelieu en marbre blanc. La chapelle n'est ouverte qu'à certaines occasions (expos temporaires). Possibilité de circuler librement dans la cour de l'université et ses galeries. Dans le grand amphithéâtre, Le Bois sacré, fresque de Puvis de Chavannes. Dans la cour, les statues de Victor Hugo et de Pasteur, sacrément peinturlurées en Mai 68. Sachez aussi que la coupole de la Sorbonne abrite un observatoire auquel on peut toujours accéder sur réservation, pour profiter d'explications et faire quelques observations du système solaire si le ciel est dégagé (rens : **Société astronomique de France**, ☎ 01-42-24-13-74 ; sur résa, s'y prendre min 2 mois à l'avance ; compter 7 € pour les 2h). En tout cas, la vue sur Paris est superbe !

De la Sorbonne au Panthéon, il n'y a qu'un pas. Au passage, vous longerez le prestigieux **lycée Louis-le-Grand**. Molière, Robespierre, Hugo, Baudelaire (qui, lui, s'en fit exclure), Pompidou, Senghor en furent, entre autres, les élèves prestigieux, et Sartre y enseigna. C'est aujourd'hui encore une pépinière de premiers prix au concours général.

Le Panthéon (plan couleur B2)

🏃🏛 *Entrée rue Soufflot, 75005.* ☎ *01-44-32-18-00.* • *pantheon.monu ments-nationaux.fr* • Ⓜ *Maubert-Mutualité ou Cardinal-Lemoine ; RER B : Luxembourg. Tlj 10h-18h (18h30 en été) ; fermeture des caisses 45 mn avt. Fermé 1er janv, 1er mai et 25 déc. Réservez vos billets en accès prioritaire en magasin et sur* • *fnac.com* • *Visite : 8,50 € ; réduc ; gratuit moins de 26 ans ressortissant de l'UE (sf groupes). Visites guidées sur résa. Pour les visites-conférences :* ☎ *01-44-54-19-30.*

Un peu d'histoire

Le Panthéon connut une curieuse histoire. D'abord église voulue par Louis XV à la suite d'un vœu, sa réalisation est confiée à Soufflot. L'église, en forme de croix grecque, manque de financements. Des loteries sont organisées. L'édifice sera terminé en 1790. Pendant la Révolution, on le transforme en « temple » destiné à accueillir les grands hommes de la liberté : Mirabeau (qui fut le premier « locataire »), Voltaire, Jean-Jacques Rousseau... Les régimes se suivant et ne se ressemblant guère, Mirabeau est remplacé par Marat, qui, ensuite, devra déguerpir. Ses restes seront jetés dans les égouts.

Au début du XIXe s, l'édifice redevient église, puis Panthéon de 1831 à 1852, puis de nouveau église. En 1885, à l'occasion des funérailles nationales de Victor Hugo, son statut est fixé définitivement. Parmi les nouveaux locataires, citons Gambetta, Jean Jaurès, Émile Zola, Braille, Jean Monet, l'abbé Grégoire, Monge, Condorcet, Victor Schœlcher (qui abolit l'esclavage dans les colonies), Jean Moulin. Le transfert des cendres de ce dernier fut l'occasion d'un des discours les plus célèbres de Malraux. Derniers locataires arrivés : Pierre et Marie Curie, André Malraux et, plus récemment, Alexandre Dumas (c'est son nègre qui va hurler !). Plus récemment encore, ce sont Aimé Césaire (il repose dans sa terre natale, mais une plaque lui rend hommage), Germaine Tillion, Geneviève de Gaulle-Anthonioz, Pierre Brossolette et Jean Zay qui ont fait leur entrée. La parité est toujours loin d'être respectée au royaume des grands hommes (tiens, tiens !)...

La crypte

Par des allées perpendiculaires à l'artère centrale, on rejoint les tombeaux des grands hommes. On en compte actuellement 73. Plan à l'entrée. La froideur de cette galerie glace un peu les sangs. Si les tombeaux de Voltaire, Rousseau, Jaurès et Hugo se trouvent aisément, la sépulture de Jean Moulin est moins évidente à dénicher. À la grande rotonde centrale, prendre à droite. Il est en compagnie de Pierre et Marie Curie, Condorcet, l'abbé Grégoire, Jean Monet, Malraux... Tout un couloir est occupé par d'illustres inconnus (à part Lagrange, Bougainville et

LES JUSTES DE FRANCE

Qui sont ces 3 376 Justes de France (aujourd'hui 24 356 à travers le monde) à qui l'on a décerné une médaille gravée de ces mots : « Qui sauve une vie sauve le monde tout entier » ? Des hommes et des femmes, notables, fonctionnaires, simples citoyens, curés, et même tout un village – Le Chambon-sur-Lignon, en Haute-Loire – qui risquèrent leur vie pour venir en aide à des juifs pourchassés pendant l'Occupation. Grâce à leur courage, ce sont près des deux tiers des juifs de France qui ont survécu aux nazis.

quelques autres). Ne soyez pas étonné : ils ont été nommés, pour la plupart, sous le Premier Empire. Grands commis de l'État, notables de grandes familles, juges, financiers et autres piliers du système qui se retrouvent ici plus pour les services qu'ils ont rendus à la bourgeoisie que pour une œuvre de portée universelle ! Dumas, Hugo et Zola sont dans la même pièce, ils doivent avoir des choses à se raconter ! Enfin, en compagnie de Jaurès et de Schœlcher, une simple plaque rend quand même hommage à Toussaint Louverture, leader de la lutte antiesclavagiste en Haïti (et mort déporté en France en 1803), et Louis Delgrès, autre grand lutteur contre la colonisation des Antilles (mort en 1802 au combat). Et, depuis peu, ce sont les Justes de France qui ont fait leur entrée au Panthéon. « Juste », en référence au Talmud, qui qualifie ainsi la bienveillance qu'un non-juif peut témoigner à l'égard d'un juif. Une plaque est désormais apposée en leur mémoire.

La grande nef

On remonte ensuite vers la nef. Une ancienne chapelle contient une maquette du Panthéon réalisée par l'architecte Rondelet, le successeur de Soufflot. De là, vue partielle sur l'édifice. La mauvaise rénovation réalisée au XIXe s a provoqué de nombreuses infiltrations. Sur le flanc droit, la célèbre fresque *Sainte Geneviève ravitaillant Paris*, de Puvis de Chavannes. L'architecture intérieure est assez lourde et prétentieuse. Série de colonnes à frise qui soutiennent des voûtes arrondies. L'absence de nef dans les bas-côtés est comblée par une corniche et une balustrade. On trouve ça austère. Au centre

LE PENDULE DE FOUCAULT

Physicien et astronome, Léon Foucault entreprend une expérience dans la cave de son appartement parisien. Louis Napoléon Bonaparte, ayant eu connaissance des travaux du scientifique, lui demande de réaliser son expérience dans un lieu prestigieux ; ce sera le Panthéon. Cette sphère de 47 kg, suspendue à un fil de 67 m, prouve la rotation de la Terre sur elle-même. Malgré l'impression d'optique, la sphère ne pivote pas. Elle oscille toujours dans le même plan. C'est le cadran et donc la Terre en dessous qui tournent sur eux-mêmes.

du monument oscille le pendule de Foucault, expérience scientifique installée par Léon Foucault en 1851.

Coupole impressionnante, haute de 83 m. Mais c'est de l'extérieur que le dôme prend toute son ampleur. Murs peints par différents artistes à la fin du XIXe s, mais ils n'étaient point de valeur égale. La *Mort de sainte Geneviève* de Laurens surpasse les autres (même Puvis !). Remarquable composition théâtrale autour de la sainte agonisante, superbe travail sur les corps, sur les ombres. Grand sens de la composition et beau travail sur la lumière également dans le *Sacre de Charlemagne par Léon III*. Dans le chœur, sculpture monumentale et pompeuse du début du XXe s, en hommage à la Convention. Un escalier mène ensuite à la tribune d'où l'on jouit d'une belle vue plongeante sur l'église. L'escalier à vis rejoint une première terrasse extérieure qui fait le tour de la colonnade. Ceux qui veulent prendre encore de la hauteur poursuivront jusqu'à la coursive de la coupole, qui offre un panorama complet sur Paris et l'une des plus belles vues sur le Quartier latin. Cette partie est ouverte uniquement de début avril à fin octobre.

🎗 **La place de l'Estrapade** (plan couleur B2) **:** à deux pas du Panthéon, elle est bordée par la rue des Fossés-Saint-Jacques. L'estrapade était un châtiment que l'on faisait subir aux soldats déserteurs ou voleurs. Le supplice consistait à leur disloquer les membres par des chutes répétées du haut d'une potence. Louis XVI – toujours à la pointe du progrès en ce domaine – supprima ce supplice d'origine italienne et le remplaça par la chaîne pour les forçats condamnés à travailler pour le royaume. Au 3, rue de l'Estrapade, la maison où vécut Diderot de 1747 à 1754, quand il dirigeait l'*Encyclopédie*.

🎗🎗🎗 **L'église Saint-Étienne-du-Mont** (plan couleur B2) **:** derrière le Panthéon. ☎ 01-43-54-11-79. Pdt vac scol, tlj sf lun 10h-12h, 16h-19h45. Le reste de l'année, mar-ven 8h45-19h45 ; sam-dim 8h45-12h, 14h-19h45.

Elle annonce le charmant quartier de la Montagne-Sainte-Geneviève. Commencée sous Charles VIII en 1492, l'église fut achevée sous Louis XIII en 1626. Elle fut bâtie à l'emplacement d'une ancienne abbaye où l'on priait sainte Geneviève, qui prit la défense des habitants de Lutèce lors de l'invasion d'Attila et de son armée barbare. Ses prières, dit-on, sauvèrent la cité. L'église fut reconstruite au XVᵉ s. Ce nouvel édifice prit le nom de Saint-Étienne-du-Mont. Dans la tour Clovis du lycée Henri-IV, dernier vestige de l'église abbatiale, Arago et Dulong se livrèrent, au XIXᵉ s, à de nombreuses expériences scientifiques.

La façade, pleine de charme, mélange les styles avec bonheur : influences italienne et gothique, et formes antiques. Elle se présente en trois parties, chacune en retrait sur la précédente. Sur le tympan, *Martyre de saint Étienne*. Le clocher complète gaiement le tableau. Intérieur gothique avec une belle voûte flamboyante et une ravissante clé pendante à la croisée de transept. Noter la curieuse coursive entre les piliers. Le clou de l'église : le *jubé* (cloison) séparant le chœur de la nef et datant de 1541. C'est le seul qui subsiste à Paris. De style Renaissance. Grande finesse d'exécution. Escalier à vis de chaque côté et superbe balustrade ajourée. Depuis le jubé, on lisait l'Évangile. Incroyable, de nombreux paroissiens réclamèrent sa suppression au XVIIIᵉ s, car il empêchait de voir le chœur. Heureusement, cela ne se fit jamais. Et puis encore un beau buffet d'orgue surmonté d'angelots du XVIIᵉ s. Admirer également la chaire en bois sculpté du XVIIᵉ s, avec son atlante portant le tout. Autour du chœur, intéressants vitraux du XVIᵉ s. Dans la chapelle de la Vierge, derrière le chœur, des piliers accueillent les dépouilles de Pascal et de Racine. Fresques par Caminade (à droite, les Rois mages). Dans le bas-côté droit, chapelle avec les restes de sainte Geneviève. Tombeau de pierre avec châsse en cuivre doré. Ne pas rater la *chapelle des Catéchismes* (on passe devant la sacristie) et le *cloître des Charniers*. Vous y découvrirez de superbes vitraux du XVIIᵉ s. Est-ce le fait d'être à hauteur des yeux, on dirait presque de la peinture par la finesse de touche des personnages. En particulier dans *L'Arche de Noé, Le Vaisseau de l'Église* (noter aussi le joli rendu de la mer). À côté, *La Multiplication des pains,* fort belle composition. Plus loin, le très symbolique et mystique pressoir. Dans la salle des Catéchismes, sur la droite, fresques de Giacometti *(La Pentecôte...)*.

– En sortant par la rue Clovis, au n° 3, petit bout de l'enceinte de Philippe Auguste (visible également dans la cour du n° 7).

🎥🎥 Pour rejoindre la place Maubert, retour au Moyen Âge par la **rue de la Montagne-Sainte-Geneviève** *(plan couleur B1-2),* l'une des plus anciennes de Paris, bordée de nombreuses maisons basses. La potence, la roue et le bûcher y étaient supplices courants, place Maubert.

🚶 *Le musée de la Préfecture de Police (plan couleur B1) : 4, rue de la Montagne-Sainte-Geneviève, 75005 (dans l'hôtel de police).* ☎ *01-44-41-52-50.* Ⓜ *Maubert-Mutualité. Visites individuelles lun-ven 9h-17h, groupes sur rdv sam 9h30-17h30. GRATUIT.*
Voilà un musée qui comblera les passionnés d'histoire(s)... Sur une surface de 500 m², y sont présentés par ordre chronologique des mannequins, des manuscrits, des estampes, des affiches, etc., qui

DE LA TRAÇABILITÉ DU POULET

Flic, argousin, cogne, gardien de la paix, hirondelle, poulet... Poulet, tiens, d'où vient ce surnom ? En 1871, Jules Ferry installe la préfecture de Police de la Cité. Ce bâtiment ayant été construit sur l'emplacement de l'ancien marché aux volailles de Paris, les policiers sont alors coiffés du sobriquet de « poulets ».

évoquent l'histoire de la police de Paris depuis le XVIIᵉ s. La création de la lieutenance de police sous la monarchie, celles de la garde nationale sous la Révolution, de la fonction de préfet de police sous l'Empire, des sergents de ville en 1829, en sont quelques-unes des principales étapes chronologiques. Les nombreux documents exposés dans les vitrines rappelleront quelques souvenirs, même aux élèves les plus inattentifs : le registre d'écrou de Ravaillac, des lettres de cachet, l'affaire du Collier de la reine, le décret de comparution de Louis XVI devant la Convention, l'ancien bagnard Vidocq, devenu chef de la Sûreté, l'incendie de la préfecture de Police pendant la Commune, les attentats anarchistes, la bande à Bonnot, l'assassinat de Jaurès, les célèbres affaires criminelles : Landru, Petiot...

Et c'est la cohabitation entre l'histoire et les faits divers (voir les nombreuses « armes du crime » sous vitrine ou les débuts de l'identité judiciaire) qui rend la visite de ce musée passionnante. On y découvre aussi le registre des saisies effectuées au camp de Drancy, qui précéda la déportation vers Auschwitz des juifs arrêtés par des... policiers français lors de la rafle du Vél' d'Hiv'. Sont également largement évoqués les policiers qui se battirent dans et avec la Résistance, sauvant l'honneur d'une police compromise avec l'occupant nazi. Faute de place, le parcours s'arrête à la Libération. On espère

UNE POLICE PARISIENNE GAULLISTE ?

Malgré quelques résistants, la police parisienne a notoirement collaboré avec l'occupant, surtout en organisant la rafle du Vél' d'Hiv' de 1942. Le 19 août 1944 (les Américains étaient aux portes de Paris), des policiers se rebellent contre les Allemands à la préfecture, faisant 167 morts dans les rangs policiers. Oubliant ce passé collaborationniste, de Gaulle décernera la Légion d'honneur à la police parisienne ! On épura la moitié des effectifs, qui furent d'ailleurs vite réintégrés...

qu'en cas d'agrandissement la guerre d'Algérie et Mai 68 seront évoqués.

🕺 *La rue Maître-Albert (plan couleur zoom)* existe depuis le XIII° s et elle a toujours été en coude. Au n° 7, la plus belle demeure de la rue (XVII° s). *Rue de la Bûcherie,* ancienne faculté de médecine du XV° s avec sa rotonde. La rue tient son nom du port aux bûches (le bois arrivait à Paris sur des radeaux), et donc des marchands de bois, qui travaillaient là jusqu'au XVI° s. *Rue de l'Hôtel-Colbert,* quelques superbes hôtels particuliers (notez qu'elle s'appelait avant « rue des Rats », détail révélant que la Maub' ne fut pas toujours un quartier à la mode).

🕺 Retour par la *rue Galande (plan couleur zoom)*, où subsistent de vieilles maisons intéressantes. À noter, le ciné *Studio Galande,* qui a respecté le style du quartier.
– La rue Saint-Julien-le-Pauvre offre également un alignement d'élégants hôtels fort bien restaurés.

🕺🕺 *L'église Saint-Julien-le-Pauvre (plan couleur zoom) :* une des plus charmantes églises de Paris, bâtie avec les pierres qui n'ont pas été utilisées pour la construction de Notre-Dame.
Depuis 1170, l'église a reçu bien des coups, comme en témoigne le mur moignon devant l'entrée. Cette partie englobait le puits, aujourd'hui à l'extérieur. La façade actuelle date du XVII° s. À droite, dalle de la voie romaine Paris-Orléans. Mais l'intérieur possède un côté attendrissant, presque intime. Intéressant chœur aux voûtes gothiques. L'iconostase qui barre le chœur (œuvre d'un artiste syrien de 1890) et les icônes indiquent que l'église est de rite grec melkite catholique (on n'en compte que deux en France, la seconde, Saint-Nicolas-de-Myre, se trouve à Marseille), ce qui explique qu'il n'y ait aucune statue ni instrument de musique. Belle pierre tombale du XV° s sur le côté droit et chapiteaux remarquables du XII° s dans le chœur, avec figures monstrueuses (harpies) et feuilles d'acanthe. Mur de gauche, très beau lutrin en fer forgé du XVII° s. Liturgies – en période ordinaire – les mardi et jeudi à 12h15 et le dimanche à 11h, en grec, en arabe ou en français. Des concerts y sont régulièrement organisés.

– Dans le *square* attenant, un arbre de 400 ans, le plus vieux de Paris, un robinier, dit « faux acacia », et quelques vieilles pierres.

– Vers Saint-Michel, les anglicistes ne manqueront pas de passer, rue de la Bûcherie, à l'extraordinaire *librairie Shakespeare & Co* : hors du temps, l'escalier qui craque, et en haut de chaleureux fauteuils, le piano d'où s'échappent parfois quelques notes selon l'humeur des clients, le chat de la maison qui vous file entre les jambes...

LA CONTRESCARPE. LA MOUFF'

À l'orée du Quartier latin, des petits coins pleins de charme et particulièrement vivants. Leur visage s'est cependant profondément modifié, là aussi. Certaines rues et placettes ont perdu leur caractère villageois avec le départ de ceux qui ne pouvaient plus supporter les nouveaux loyers.

🎥 Par la *rue des Écoles,* à la hauteur de la rue Saint-Jacques, allez place Marcellin-Berthelot. Vous remarquerez au passage la masse imposante du *Collège de France (plan couleur B1-2),* fondé par François Ier. Les plus grands intellectuels y enseignèrent – Ampère, Champollion, Bergson, Paul Valéry, Roland Barthes, Pierre Bourdieu, Michel Foucault, Pierre Boulez, Emmanuel Le Roy Ladurie... Une exception, et de taille : Einstein, qui refusa le poste qu'on lui offrait. Pour le « punir », il n'est pas une rue, pas une placette, ni même un gymnase qui porte son nom dans la capitale ! Si vous vous sentez une âme d'érudit, consultez le programme : les enseignements sont accessibles à tous et gratuits (● college-de-france.fr ●) !
Enfilez ensuite la *rue de Lanneau,* une des plus anciennes de Paris, et la *rue de l'École-Polytechnique* (« l'X » a déménagé depuis bien longtemps déjà). Puis rejoignez la *rue Monge,* partant du métro Cardinal-Lemoine, et jetez un œil, au no 49, sur le bel hôtel particulier construit en 1701 pour Charles II Lebrun, auditeur à la Cour des comptes et élève d'Hardouin-Mansart. Watteau y demeura les dernières années de sa vie (de 1718 à 1721), et Buffon s'y installa en 1766. Au no 65, la masse imposante du *collège des Écossais* (1662). Dans sa chapelle se trouvait une urne avec le cerveau du roi d'Angleterre Jacques II (Jacques VII pour les Écossais), mort en France en 1701. Le bâtiment fut transformé en prison sous la Terreur.
Remontez, toujours par la rue du Cardinal-Lemoine, vers la *rue Clovis* et le mur d'enceinte de Philippe Auguste. Au no 75, l'adorable *hôtel des Grandes Écoles* dans un environnement quasi champêtre. Plus haut, au no 74, vécut Hemingway avec sa femme Hadley, de 1921 à 1923. Il y écrivit *Paris est une fête.*
Par la rue Thouin, faites un crochet par la *rue Descartes* : au no 39, l'immeuble où, en 1896, mourut Verlaine, qui y louait une chambre pour travailler.

🎥🎥 *La place de la Contrescarpe (plan couleur B2)* : une des places les plus mignonnes de Paris, avec souvent des petits groupes de *musicos* qui s'y produisent. Toutes les maisons ont été restaurées, avec plus ou moins de bonheur. Prendre un verre au *Café Delmas,* en terrasse, reste une option agréable. Au no 1 (ou non loin !), Rabelais, Ronsard, Du Bellay et leurs copains de la Pléiade venaient disserter sur les subtilités de la langue française... Levez les yeux : même si les commerces ont disparu, quelques enseignes préservées témoignent encore du caractère populaire du quartier. Ainsi, au no 3 de la place, une ancienne *maison de la Pomme de Pin.*

🎥🎥 *La rue Mouffetard (plan couleur B2-3) :* la « Mouff' », nommée ainsi en raison de la puanteur (la *mofette*) qui provenait des ateliers installés sur les rives de la Bièvre (tanneurs, tripiers... y résidaient), est une longue et étroite rue en pente. Ancienne voie romaine, donc l'une des plus vieilles de Paris, qui garde encore une animation de village. Malgré les rénovations et les échoppes - fastfood subsistent vieilles enseignes, noms de rues, petits passages et courettes. Au no 6 de la rue, pittoresque enseigne de boucher datant du XVIIIe s, avec deux bœufs bien gras. Au n° 12, il est rappelé que la maison fut fondée en 1748. Au n° 14, l'ancienne chocolaterie *Au Nègre Joyeux* avec son tableau délavé ; ça a quand même une autre gueule que « supermarché » ! À l'angle, la petite fontaine édifiée par Marie de Médicis (1671) qui régulait le débit d'eau nécessaire aux jardins du Luxembourg. Tout au long de la rue, vénérables maisons anciennes, à la restauration parfois très léchée. Au n° 53, on a découvert en 1938 un trésor caché par Louis Nivelle, écuyer, conseiller du roi, constitué de 3 351 pièces d'or, la plupart à l'effigie de Louis XV. L'ensemble avait à cette date une valeur de plus de 16 millions d'anciens francs ! Au n° 69, un bois sculpté représente un chêne magnifique, généreux, splendide. À cet endroit, de 1844 à 1880, s'est tenu un bal réputé autant que mal famé. On y dansait la « chaloupeuse », l'ancêtre – prétendent certains – de la java.

Le bas de la rue Mouffetard, jusqu'au niveau de la rue Jean-Calvin, est occupé par un marché quotidien de primeurs et par des commerces de proximité destinés aux habitants du quartier : bouchers, crémiers, boulangers..., mais aussi par quelques bars et cafés. Pour profiter de l'activité trépidante, arriver tôt le matin, et de préférence le samedi. Les vendeurs remballent vers 13h30. À l'angle de la rue Daubenton, une maison joufflue semble prête à craquer. Au n° 122, l'enseigne de la *Bonne Source* date d'Henri IV, elle annonce l'existence d'un puits là où se trouvait autrefois un marchand de vin.

> ## UN ROI RECONNAISSANT
>
> *Henri IV descendait la rue Mouffetard vers le bourg Saint-Médard lorsque sa monture, effrayée par le bruit, s'emballa. N'écoutant que leur courage, les riverains stoppèrent le royal canasson. Très heureux de s'en sortir indemne, Henri IV accorda alors aux marchands le droit de commercer tout le long de la rue Mouffetard.*

Au n° 134, au-dessus d'un traiteur italien, admirer la superbe façade tout en arabesques végétales et en représentations animales. Décorée selon le procédé du sgraffite (ciment sculpté et rehaussé de décors d'inspiration baroque) par Adhigeri au XVIIe s, c'est elle qui a valu à l'édifice son classement.

Tout en bas, la charmante *église Saint-Médard (plan couleur B3 ; entrée par le 41, rue Daubenton, par une porte à colonnes).* Sa construction s'est étalée sur deux siècles. Elle fut interrompue par les guerres de Religion, et particulièrement lors du *Tumulte de Saint-Médard,* une dispute entre protestants et catholiques qui entraîna le saccage de l'église par les Réformés en 1561. Son cimetière fut, au XVIIIe s, le théâtre de crises d'hystérie et de convulsions autour de la tombe d'un janséniste à qui le peuple attribuait le don de favoriser les guérisons. Les autorités firent fermer le cimetière et, en 1732, quelqu'un écrivit sur un mur : « De par le Roi, défense à Dieu de faire miracle en ce lieu. »

Et si vous êtes dans le coin un dimanche en fin de matinée, ne manquez pas de passer place Saint-Médard pour chanter ou danser sur les airs de musette joués par l'accordéoniste Christian Bassoul et ses joyeux drilles du *Petit Bal,* qui mènent la danse ici depuis plus de 20 ans. *Y a d'la joie, L'Amant de Saint-Jean,* chants kabyles... autant de notes qui font des heureux parmi les nombreux inconditionnels et les passants. Une institution dans le quartier ! • petitbal.com •

🦌 ***Les arènes de Lutèce** (plan couleur C2) :* rues Monge et de Navarre *(entrée par la rue de Navarre).* Situées au centre d'un jardin public et datées de la fin du IIe s de notre ère, elles furent mises au jour lors du percement de la rue Monge, en 1869. Mais il y avait longtemps déjà que l'on soupçonnait leur existence, sans avoir cependant pu mettre la main sur les pierres élevées par les Gallo-Romains. Une partie fut néanmoins détruite jusqu'à ce qu'une vaste mobilisation – menée notamment par Victor Hugo –, puis une souscription publique viennent les sauver définitivement en 1917. Leur taille modeste prouve que Lutèce, à l'époque, avait beaucoup moins d'importance qu'une ville comme Arles, bien que les 35 degrés de gradins aient pu accueillir jusqu'à 17 000 personnes (soit davantage que la population des *Parisii* de l'époque) ; on a retrouvé, sur certains gradins, les noms de ceux qui avaient des places réservées. Au niveau du sol, de petites ouvertures voûtées, les « *carceres* », sortes de loges qui permettaient de garder les bêtes sauvages, et aux gladiateurs de se préparer. Elles servent aujourd'hui de terrain de jeux aux enfants du quartier. Ils l'ont échappé belle : les arènes faillirent une nouvelle fois être rasées en 1980 pour faire place à un lotissement ! Ce fut l'objet d'une polémique passionnée entre promoteurs et défenseurs du vieux Paris. Agréables espaces verts tout autour. Aujourd'hui, ce petit havre de paix est également fréquenté par des promeneurs et des boulistes.

🏃 Par la petite *rue des Boulangers* (à angle droit depuis le XIVᵉ s, quelques jardins intérieurs), on atteint la *place Jussieu* et l'entrée du *campus scientifique Pierre-et-Marie-Curie* (plan couleur C2). Nous ne reviendrons pas sur l'opportunité de la grande tour Zamanski (du nom du premier recteur de l'université), ni sur les choix controversés, de l'architecte Édouard Albert concernant la structure régulière

> ## BONJOUR L'ARNAQUE !
>
> *Grâce à Pierre et Marie Curie, le radium bénéficia d'une énorme notoriété. D'ailleurs, des charlatans commercialisèrent des crèmes au radium pour combler les rides dès 1934. On se rendit compte de l'effet dangereux de ces soins en 1937. Heureusement que les doses étaient bien trop faibles pour avoir un effet nocif...*

des bâtiments, que l'on appelle « le gril ». Ce qui est sûr, c'est que l'utilisation massive de l'amiante y défraie la chronique depuis les années 1970. Le site a enfin été désamianté. Jussieu est aujourd'hui la plus grande « usine à matière grise » parisienne : plus de 50 000 chercheurs, professeurs, étudiants et employés administratifs y travaillent.

🏃🏃 *La collection de minéraux de l'université Pierre-et-Marie-Curie* (plan couleur C2) **:** 4, pl. Jussieu, 75005. ☎ 01-44-27-52-88. Ⓜ *Jussieu. Tlj sf mar 13h-18h. Fermé avr-juil. Entrée : 5 € ; tarif réduit : 3 € ; gratuit moins de 10 ans. Audioguide gratuit.* Extraordinaire exposition de près de 1 400 échantillons de minéraux, remarquablement beaux et bien mis en valeur.

AUTOUR DU JARDIN DES PLANTES

🏃 *La mosquée de Paris* (plan couleur C2-3) *: pl. du Puits-de-l'Ermite, 75005.* ☎ *01-45-35-97-33.* Ⓜ *Place-Monge ou Jussieu. Tlj sf ven et le mat les j. de fêtes musulmanes 9h-12h, 14h-18h. Entrée de la mosquée et visite guidée : 3 € ; tarif réduit : 2 € ; gratuit moins de 6 ans. Max 30 mn d'attente entre 2 départs de visite.*
La mosquée fut construite de 1922 à 1926 par trois architectes français et plusieurs centaines d'artisans maghrébins, dans

> ## DES MUSULMANS SAUVÈRENT DES JUIFS
>
> *Dès 1942, le recteur Si Kaddour ben Ghabrit de la mosquée de Paris cacha des juifs. Certains mangeaient régulièrement à la grande mosquée, sûrs qu'on n'y servait pas de porc. On y distribuait aussi de faux papiers pour échapper aux rafles. Une attitude héroïque, malheureusement un peu oubliée. Respect.*

un style hispano-mauresque, sur un terrain offert par la France en reconnaissance des sacrifices des dizaines de milliers de musulmans morts dans les tranchées lors de la Première Guerre mondiale. Son minaret carré est d'ailleurs caractéristique du Maghreb (à l'inverse des minarets circulaires du Moyen-Orient).

Superbes patios intérieurs à la végétation luxuriante. Plafonds en bois de cèdre du Liban. Précédant la mosquée, belle cour intérieure à arcades sculptées, céramiques et dalles de marbre. Au centre, l'ancienne fontaine aux ablutions. La salle de prières est somptueusement décorée : grandes portes en bois sculpté et ciselé, tapis anciens et coupoles richement ornées. Au fond, le mihrab indiquant la direction de La Mecque et une chaire (minbar), utilisée lors du prêche du vendredi. Visite également de la salle de conférences et de la bibliothèque.

La mosquée comprend également un hammam (mais on ne le recommande pas), un resto et un salon de thé (voir la rubrique « Où boire un thé ? » plus haut).

➤ Pour les curieux, ne pas manquer, au 5, rue Geoffroy-Saint-Hilaire, l'ancien pavillon de surveillance du marché aux chevaux (de 1760), occupé désormais par un... commissariat. Autre témoignage de cette importante activité au XIXe s, l'inscription en façade au n° 11 (avec sa tête de cheval) : « Marchands de chevaux, poneys, etc. ». La rue de l'Essai évoque... l'essai des montures qui précédait les transactions. Pour retrouver l'ambiance, (re)lire *Les Misérables*, de Victor Hugo. Pour terminer, les cinéphiles ne manqueront pas de se rappeler l'inénarrable *Traversée de Paris*, où le trio Gabin-Bourvil-de Funès trafique au marché noir chez « Jambier : 25, rue Poliveau ! »...

Le Jardin des Plantes *(Muséum national d'histoire naturelle ; plan couleur C-D2-3)*

✸✸✸ 👫 *Entrée à l'angle des rues Cuvier et Geoffroy-Saint-Hilaire (Ⓜ Jussieu) ou pl. Valhubert (Ⓜ Gare-d'Austerlitz), à l'angle des rues Geoffroy-Saint-Hilaire et Buffon, 75005.* ☎ 01-40-79-56-01. • mnhn. fr • *Jardin ouv tlj 7h30-20h en été et 8h-17h30 en hiver. Tarif variable selon ouverture des sites ; gratuit moins de 26 ans pour les collections permanentes et galeries. Visite guidée du jardin et des galeries sam à 15h hors vac scol : infos et inscriptions par tél au* ☎ 0826-10-42-00 (0,15 €/mn ; 9h-12h30,

HONTE À CUVIER !

En l'honneur du grand spécialiste d'anatomie animale, on érigea une fontaine à l'angle des rues de Linné et Cuvier, représentant notamment un crocodile qui tourne complètement la tête. Heureusement que l'anatomiste était mort alors, car la morphologie du crocodile ne lui permet pas de tourner la tête ainsi, les vertèbres cervicales de l'animal étant bloquées. Peut-être le sculpteur a-t-il voulu se venger du racisme inouï dont Cuvier fit preuve à l'encontre des Noirs.

14h-18h30) et sur • museum@cultival.fr • *; 13,50 €, réduc. Sinon, nous vous signalons l'existence de la carte annuelle de la Société des amis du Muséum (40 € adulte ; 25 € enfants et étudiants), qui permet d'accéder gratuitement à ts les sites du Muséum.*

L'une des plus belles promenades parisiennes et l'une des plus riches en découvertes.

L'entrée principale du jardin se trouve place Valhubert et permet de profiter de la perspective des parterres avec en ligne de mire la Grande Galerie de l'Évolution. Royal !

Si vous entrez par la porte de la Pitié, en face de la fontaine Cuvier, vous apercevrez sur votre gauche le grand amphithéâtre, et la maison de Cuvier à côté. À droite, le « labyrinthe », butte ombragée, fraîche et paisible, avec de très vieux arbres, dont un cèdre du Liban planté en 1734. Ce jardin fut aménagé sur un monceau d'ordures qu'on recycla et transforma en jardin paysager... un souci d'écologie avant l'heure !

1. Serre des forêts tropicales et humides
2. Serre des déserts et des plantes arides
3. Serre de la Nouvelle-Calédonie
4. Serre de l'histoire des plantes

Un peu d'histoire

C'est à Guy de La Brosse et Jean Héroard, médecins de Louis XIII, que l'on doit l'idée de ce jardin (en 1635) destiné aux étudiants en médecine et en pharmacie de l'époque, pour l'étude de l'herboristerie. De fait, c'est l'un des plus vieux musées d'histoire naturelle du monde. Le souverain créa un « droguier du roi » où l'on stockait toutes les substances médicamenteuses, puis un cabinet des curiosités. En 1714, on y édifia la toute première serre chaude de France dont on ait trace, pour protéger un précieux pied de café offert à Louis XIV par le bourgmestre d'Amsterdam. Buffon, intendant du jardin du roi pendant un demi-siècle sous Louis XV et Louis XVI, véritable père des sciences naturelles, en fit doubler la superficie au XVIIIe s.

De nombreux naturalistes et botanistes français y travaillèrent : Tournefort, les Jussieu, Geoffroy Saint-Hilaire, Lamarck, Lacépède, Cuvier... Véritable jardin expérimental, nombre de voyageurs explorateurs ou missionnaires y rapportèrent des plants ou des graines. Nicot y planta du tabac. Des Antilles, on fit venir un cacaoyer.

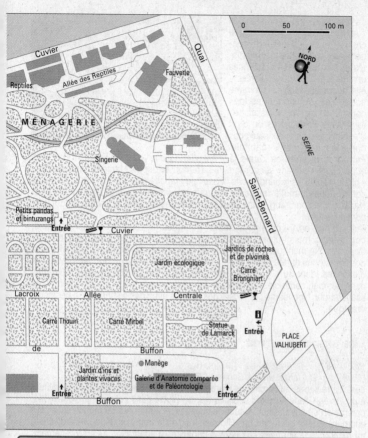

LE JARDIN DES PLANTES

Dans un pavillon de la rue Cuvier, Becquerel découvrit la radioactivité en 1903. Rien à voir avec *Le Savant fou* que Tardi dessina au début des aventures en B.D. d'Adèle Blanc-Sec, album mythique qui reconstitue avec humour et nostalgie le petit monde du Jardin des Plantes d'avant la guerre de 1914.

Aujourd'hui, dans des galeries diversement intéressantes, le Muséum national d'histoire naturelle abrite des collections d'une immense richesse. Côté jardin proprement dit, on trouve plus de 8 000 espèces présentées dans 11 jardins différents. Pour vous aider à vous repérer dans ce jardin extraordinaire, des guides sont en vente, et des fiches-parcours sont distribuées dans les points d'accueil.

La ménagerie

Accès par le 57, rue Cuvier et par le jardin. ☎ 01-40-79-37-94. ♿ *(en partie). Tlj 9h-17h en hiver et 9h-17h30 ou 18h en été (18h30 dim et j. fériés avr-sept). Entrée : 13 € ; tarif réduit : 9 €. Un plan est gracieusement fourni à la caisse, avec le nom de ttes les bébêtes. Buvette et snack à l'intérieur.*

La ménagerie est le plus ancien zoo public du monde. Fondée en 1793 dans le dessein de donner « aux philosophes, aux artistes et aux hommes de sciences une matière à penser et à créer », elle accueillit dans sa première année les pensionnaires des collections de Versailles et des forains de Paris privés du droit d'exhiber des animaux sauvages dans les rues de la capitale.

DE L'EXOTISME DANS LES ASSIETTES

Lors du siège de Paris en 1870 par les Prussiens, les Parisiens avaient tellement faim que presque tous les animaux de la ménagerie furent mangés. Ils figuraient d'ailleurs en bonne place sur les menus des grands restaurants !

Parmi les plus célèbres, Zarafa, la girafe offerte par le vice-roi d'Égypte à Charles X et qui connut un franc succès lors de sa remontée depuis Marseille ; une véritable « girafomania » se répandit dans la capitale : tabatières, papiers peints, assiettes sont revêtus du motif de la célèbre girafe ; désormais, plus modestement, c'est Nénette, maman orang-outan, et plusieurs espèces de félins asiatiques qui tiennent la vedette.

Aujourd'hui, on y voit singes, félins, vigognes, tortues, dromadaires, gaurs, porcs-épics, mangoustes, yacks, reptiles, pandas roux, oryx d'Arabie, oiseaux tropicaux. Ne manquez pas le vivarium, qui montre des serpents, des mygales, des caméléons et des phasmes (insectes en forme de tiges). Bref, des centaines d'espèces (dont 30 % rares et menacées dans leur habitat naturel) hébergées dans des bâtiments classés de style Art déco, et que la ménagerie entend bien sauvegarder. Nouveauté : la volière des déserts avec des oiseaux de la péninsule Arabique.

Les grandes serres

☎ 01-40-79-54-79 ou 56-01. ♿ *Tlj sf mar et 1er mai 10h-17h en hiver, 10h-18h (18h30 dim et j. fériés) en été. Entrée : 6 € ; tarif réduit : 4 €.*

Les quatre serres du Jardin des Plantes, entièrement réaménagées, vous invitent à un voyage dans l'univers des plantes, ou plutôt dans celui de la biodiversité, comme on dit aujourd'hui. Autant de voyages à l'autre bout du monde sans faire augmenter notre bilan-carbone ! Tout au long de la visite, on découvre la diversité du monde végétal et ses étonnantes capacités d'adaptation à l'environnement, grâce à une scénographie qui déroule le long d'une liane en acier des informations claires et précises sous forme d'animations interactives. La première serre est édifiée en 1714. Au fil des années, d'autres serres sont construites, dotées d'améliorations techniques permettant de mieux contrôler la température et l'humidité des collections de plantes rares et exotiques que les naturalistes rapportent de leurs voyages lointains. Les serres jumelles qui abritent aujourd'hui la flore de Nouvelle-Calédonie et l'histoire des plantes datent de 1834. Elles sont à l'époque les plus hautes serres du monde à être construites en verre et en métal. La plus grande et la plus haute (la serre tropicale) est élevée en 1936 dans un style Art déco en remplacement d'une serre datant de 1881, premier jardin d'hiver dans lequel les plantes étaient cultivées en pleine terre et non en pots.

– *La serre des forêts tropicales et humides :* belle entrée Art déco avec ses piliers en pâte de verre et ses grilles. À l'intérieur, on se trouve plongé dans l'atmosphère chaude et humide de la forêt tropicale, au milieu d'une végétation très dense avec des plantes de toutes tailles. L'endroit est assez magique avec son grand rocher recouvert de lianes géantes, du haut duquel on peut admirer la serre dans son ensemble. Dans ce milieu touffu et imposant, on découvre de nombreuses plantes utiles à l'homme dans divers domaines. Particulièrement instructif, le parcours des plantes ressources comme le caféier, le vanillier ou la pervenche de Madagascar aux vertus anticancéreuses.

– **La serre des déserts et des plantes arides :** peut-être moins spectaculaire en raison de sa présentation plus linéaire, mais très intéressante. On y découvre des plantes provenant des milieux arides de notre planète (moins de 300 mm d'eau par an), et les différents types de stratégies qu'elles développent pour résister à la sécheresse, mais aussi au soleil. Passionnant tant d'un point de vue botanique que d'un point de vue esthétique ; un festival de formes et de textures assez surprenantes. On y apprend par exemple que les plantes « succulentes » ne sont pas bonnes à manger, mais sont des plantes riches en liquide ou « suc » (comme les cactus) qui stockent l'eau dans leurs feuilles, tiges ou racines.

– **La serre de la Nouvelle-Calédonie :** elle abrite une collection spécifiquement dédiée à cet archipel océanien, qui a la caractéristique d'abriter 76 % d'espèces végétales endémiques, c'est-à-dire qui n'existent nulle part ailleurs. La diversité de cette flore si spécifique est présentée à travers cinq milieux : la forêt humide, la forêt sèche, le maquis minier, la savane et la mangrove. Dans chaque milieu, certaines plantes sont plus spécifiquement commentées, et l'exposition insiste sur la fragilité de cette zone aussi exceptionnelle que menacée.

– **La serre de l'histoire des plantes :** on y accède (toujours avec son ticket) indépendamment des autres. On entre ici dans le domaine de la paléobotanique. L'objectif est plus didactique puisqu'il s'agit de nous faire comprendre selon un parcours chronologique l'histoire des plantes terrestres, celle d'une adaptation à des milieux changeants depuis la sortie des eaux il y a 430 millions d'années, jusqu'à l'apparition des fleurs. Un parcours dans le temps un peu complexe, visuellement moins spectaculaire (pas de plantes à fleurs, plus de pièces fossiles), mais qui complète fort intelligemment la visite des trois autres serres.

L'école de botanique

Accessible aux mêmes horaires que le jardin. Trois mille espèces de plantes classées par genres, par familles, à découvrir sous l'œil paternel d'un vieux pin de Corse planté en 1774. Autour d'une table d'orientation sur laquelle est gravé un arbre de l'évolution des plantes terrestres, une nouvelle scénographie met en évidence les relations entre diversité, classification et évolution des végétaux. Quatre nouveaux massifs illustrent en nature des concepts évolutifs (l'adaptation, la diversité, la convergence...). On y trouve par exemple des plantes « divariquées », venues de Nouvelle-Zélande, dont l'architecture étrange leur évitait d'être broutées par des autruches géantes... Également deux parcours botaniques, l'un pour les adultes et l'autre pour les enfants.

Le jardin alpin

En sem 8h-16h40, w-e et j. de fête 13h30-18h. Fermé nov-mars. Entrée gratuite en sem, 2 € w-e et j. de fête. Groupées par régions géographiques, plus de 2 500 espèces venant des Alpes, des Pyrénées, de Corse, de l'Himalaya... vivent ici grâce aux différents microclimats obtenus en fonction de leur place dans le jardin (c'est assez étonnant !). On y trouve également des arbres d'importance historique, notamment le pistachier mâle qu'utilisa Sébastien Vaillant pour démontrer, en France, la sexualité chez les végétaux. Balade très agréable à travers les allées.

Le jardin écologique

Visites guidées slt. Rens : ☎ *01-40-79-56-01.* Accompagné par un botaniste, on peut découvrir la flore et les arbres qui poussent naturellement en Île-de-France. Une oasis de biodiversité en plein Paris.

Le cabinet d'histoire du Jardin des Plantes

57, rue Cuvier. Tlj sf mar 10h-17h (18h w-e et j. fériés avr-sept). Entrée : 3 € ; réduc. Au cœur du jardin, dans l'hôtel de Magny – un bâtiment classé mais dont l'extérieur doit encore être restauré –, trois salles présentent l'histoire topographique et architecturale des jardins, dont une maquette reconstituant les lieux au début du XIXe s. Deux autres petites salles accueillent des expos, présentant notamment par roulement les précieux vélins et objets de la collection patrimoniale du Muséum.

La galerie de Minéralogie et de Géologie

Fermée pour travaux ; réouverture prévue en déc 2014, avec une présentation permanente « Trésors de la terre ».

La galerie de Botanique

Au rdc. Entrée : 4 €.
Au terme de 4 ans de travaux, le plus vieux – 450 ans – et le plus vaste herbier au monde, riche de 8 millions de spécimens, vient de retrouver une nouvelle jeunesse, et un espace de présentation lui est aujourd'hui consacré dans la galerie de Botanique, elle aussi entièrement rénovée.
Tout a commencé par le « jardin des plantes médicinales » voulu par Louis XIII, à vocation pédagogique (un aspect médical toujours prégnant aujourd'hui, puisque plus de 50 % des médicaments ont encore un lien avec la nature, et notamment les plantes, chimiquement synthétisées ou pas).
Puis ce sont les naturalistes-voyageurs qui, à partir du siècle des Lumières – souvent dans le cadre d'expéditions ou de guerres (science et pouvoir politique sont liés) –, sont venus étoffer l'herbier. À cela se sont ajoutés des legs.
Une poignée de panneaux colorés et introductifs nous invitent à entrer progressivement dans le monde végétal : comprendre pourquoi les botanistes s'intéressent aussi à une partie du monde bactérien, (re)découvrir les modes de reproduction des plantes, les plantes à graines et plantes à fleurs...
Puis on découvre les méthodes de collecte, de conservation et de classification.
Une superbe vitrine présente les fruits, parfois spectaculaires et en tout cas étonnants.
Des illustrations naturalistes (et notamment une superbe collection de moulages de végétaux en cire) étoffent les explications.
Les enjeux de l'étude des plantes et de leurs graines sont aujourd'hui toujours multiples, et ce, dans différents domaines : médical bien sûr, mais aussi dans les domaines de la chimie, de l'industrie ou de l'alimentation. Tout cela est expliqué.
Les amateurs de botanique pourront regretter que si peu de planches du fameux herbier soient présentées, mais les néophytes apprécieront la pédagogie, la beauté et la variété des vitrines. Un joli dépaysement.
Quant à l'herbier, après avoir été manipulé, soigné, reclassé et numériquement sauvegardé, il dort désormais paisiblement, juste de l'autre côté de la cloison vitrée, quand il n'est pas dérangé par les délicates manipulations d'un chercheur...

La galerie d'Anatomie comparée et de Paléontologie

2, rue Buffon, 75005. Ⓜ *Austerlitz. Ou accès par le jardin. Tlj sf mar et 1er mai 10h-17h (18h w-e et j. fériés avr-oct). Entrée : 7 € ; tarif réduit : 5 €.*
Ces galeries, chef-d'œuvre de l'architecture métallique de la fin du XIXe s, furent édifiées en vue de l'Expo universelle de 1900 pour présenter les collections d'anatomie et de paléontologie, et notamment les squelettes des grands dinosaures. Science développée par Cuvier et Geoffroy Saint-Hilaire, l'anatomie comparée a permis une meilleure compréhension des parties du corps des animaux, et a fourni des méthodes d'analyse et de classement à la future théorie de l'évolution. Vous trouverez ici des milliers de squelettes actuels et fossiles, les herbivores, les carnivores, les mammifères marins, le fameux cœlacanthe, les dinosaures marchant à deux ou à quatre pattes, les représentants des périodes glaciaires, les hommes préhistoriques... Bref, plus de 600 millions d'années d'histoire de la vie. Un plan permet de se retrouver dans ce labyrinthe d'ossements.

Parmi les derniers spécimens arrivés, vous verrez *Carnotaurus* (son nom résume bien la nature terrifiante de ce dinosaure carnivore), *Pteranodon* prenant son envol comme dans la B.D. de Tardi ou encore *Cynthiacetus*, un ancêtre des baleines.

La Grande Galerie de l'Évolution
(plan couleur C2-3)

36, rue Geoffroy-Saint-Hilaire, 75005. Ⓜ *Jussieu* ou *Censier-Daubenton*. ♿ *Tlj sf mar et 1er mai 10h-18h. Réservez vos billets en accès prioritaire en magasin et sur ● fnac.com ● Entrée (expo permanente) : 7 € ; tarif réduit : 5 € ; accès expo temporaire + expo permanente : 9 € plein tarif, 7 € tarif réduit. Service de billetterie en ligne : ● billetterie.mnhn.fr ●*

L'ÉLÉPHANT DE LA MÉNAGERIE DE VERSAILLES

Un squelette d'éléphant d'Asie, l'un des plus anciens de la galerie d'Anatomie comparée, trône au beau milieu de la nef. L'animal fut offert en 1668 à Louis XIV par le roi Pierre II du Portugal. Cette femelle éléphant vécut 13 ans au château de Versailles, période durant laquelle elle inspira artistes et poètes, dont La Fontaine. Morte au cours de l'hiver 1681, elle fut disséquée par Claude Perrault, frère de Charles, le célèbre auteur des contes. Deux cents ans plus tard, ce squelette servit de modèle à un certain Gustave Moreau, à qui il a été demandé d'illustrer plusieurs fables de… La Fontaine !

Un musée incontournable, une superbe galerie de zoologie rénovée par deux des architectes (Paul Chemetov et Borja Huidobro) du ministère des Finances de Bercy, et le résultat est vraiment réussi.

Petit retour en arrière : en 1635, le Jardin royal des plantes médicinales, inauguré sous Louis XIII, accueille les premières collections, vite développées grâce aux voyageurs naturalistes qui rapportent de leurs expéditions des animaux et des végétaux jusqu'alors inconnus. En 1793 (alors que le mot « royal » n'est pas franchement à la mode !), un décret de la Convention interdit les ménageries des forains et des anciens domaines royaux, dans lesquelles on trouvait des locataires aussi prestigieux qu'un rhinocéros indien offert à Louis XV en 1770. Installé dans la ménagerie de Versailles, il mourut en 1793. Les naturalistes se mirent alors au boulot avec les moyens du bord : quatre pieds de table pour les pattes et deux fonds de tonneau pour le thorax. Sur cet assemblage, on posa le cuir dépigmenté de l'animal, revivifié grâce à de la peinture à l'huile. Du coup, le pachyderme ressemble plus à un meuble Louis XV qu'à un rhinocéros d'Asie. Depuis, il a été consolidé et rafraîchi, et reste le premier rhinocéros naturalisé au monde. Il est aujourd'hui exposé au dernier étage de la galerie. Impossible à rater ! Dans cette galerie, un seul thème : l'évolution. Le message est clair : faire prendre conscience aux visiteurs de la biodiversité et de la responsabilité de l'homme envers la nature. C'est pourquoi seuls les animaux permettant cette démonstration sont présentés au public. Les autres spécimens se trouvent encore dans la zoothèque, réservée aux scientifiques, située en sous-sol devant la galerie. Dans la galerie, c'est le visuel qui prime, au détriment de légendes individuelles plus explicatives. On tapote beaucoup sur les bornes interactives, on écoute les cris d'animaux en stéréo, sans oublier les courts-métrages. Aller à la médiathèque vous permet d'approfondir la visite. Le parcours est divisé en trois actes : « La diversité du vivant », « L'évolution de la vie » et « L'homme, facteur d'évolution ».

Sous-sol

Consacré aux expositions temporaires.

Rez-de-chaussée

« La diversité du monde du vivant en milieu marin », des origines communes aux spécificités de chacun. Un impressionnant squelette de baleine vous accueille dès l'entrée. Les deux petits os qui semblent flotter sous la colonne vertébrale, survivances d'un bassin et des membres inférieurs, sont la démonstration qu'antérieurement la baleine était un organisme terrestre. Un peu plus loin à gauche, découvrez le détail des micro-invertébrés (méiofaune) qu'abrite le sable de nos plages : on passe au milieu de grains de sable grossis 800 fois (ce qui ne donne plus vraiment envie de lézarder sur la plage !). Réplique du narval (au fond, à gauche), un mammifère marin chassé pour son impressionnante dent torsadée et ramené du Spitzberg par le duc d'Orléans lui-même. Et ce squelette de rorqual, tout aussi impressionnant. Un peu plus loin, vous pourrez lire pourquoi certaines zones maritimes sont riches en matière vivante alors que d'autres en sont totalement dépourvues.

Le musée s'enorgueillit d'exposer pour la première fois au monde un spécimen de calmar géant comme dans son milieu naturel. Animal mythique des récits de marins et des légendes scandinaves (le Kraken) – les scientifiques eurent peu de preuves de son existence jusqu'à la fin du XIXe s –, ce calmar n'a pas fini de nous dévoiler les secrets de son mode de vie. À l'exception de quelques spécimens échoués, en très mauvais état, conservés dans le formol, les seules traces observées étaient celles (parfois énormes) laissées par les ventouses de ses tentacules sur la peau des cachalots, leur ennemi intime. On pense que les plus grands spécimens atteignent 18 m et pèsent jusqu'à 2 t... Wheke (prononcez « ouéké ») – nom maori qu'on lui a donné – est une jeune femelle de 6,50 m de long qui a eu le malheur de se retrouver emprisonnée dans un filet de pêche dérivant à plus de 600 m de profondeur au large de la Nouvelle-Zélande. Offert au Muséum, ce céphalopode a bénéficié d'une nouvelle technique de naturalisation – la plastination –, qui consiste à déshydrater le corps à basse température et à injecter dans son enveloppe une résine plastique durcissante. Il a fallu aussi reconstituer certaines parties de son corps, comme les yeux, le bec et les ventouses, qui avaient mal résisté au séjour dans le formol. Après plus de 2 ans de soins cosmétiques, la jeune dame a reçu une nouvelle pigmentation luisante rose crevette qui lui donne cet air frais et pimpant pour se présenter à ses nombreux admirateurs.

On rejoint le 1er niveau en passant devant des spécimens de l'Antarctique, survolés par des albatros.

1er niveau

« La diversité du monde vivant en milieu terrestre ». Plus de 3 000 spécimens issus de l'Arctique, de la savane africaine, du désert saharien et des forêts tropicales d'Amérique. Les adaptations à la vie aux pôles ou dans la savane se consultent sur une borne interactive. L'éléphant qui précède le cortège africain conduit tout ce beau monde, la larme à l'œil, vers un avenir incertain.

Juste avant d'accéder à la salle de découverte, sur la droite, on voit la nacelle du duc d'Orléans. Juché sur un éléphant et parti à la chasse d'une tigresse, le duc ne s'attendait sans doute pas à ce face-à-face aussi mémorable. En un bond, l'animal se jeta sur la nacelle ducale, un coup de fusil cassa le rebord sur lequel était agrippé le fauve, qui tomba. Affolé, l'éléphant s'enfonça au pas de charge dans la jungle, son altesse accrochée à la croupe du pachyderme. Le lendemain, un peu secoué, il finit par abattre la tigresse. La scène est aujourd'hui immortalisée à la galerie.

Toujours à propos d'éléphant, on ne peut passer sous silence l'arrivée remarquée de Siam, ce fameux éléphant qui a même eu droit à une pleine page dans Le Monde. En effet, ce pachyderme d'Asie, mort en 1997, le même jour que son dresseur (!), est une véritable star. Il fut d'abord artiste au sein du cirque Knie en Suisse (vidéos à l'appui), avant d'enchaîner avec une carrière cinématographique et de terminer une vie bien remplie au Parc zoologique de Paris. Un destin qui n'en finit pas, puisque le voici aujourd'hui à nouveau sous les feux de la rampe. Quelques chiffres : après dépouillage, le tanneur partit avec une peau de 600 kg sous le bras (qui, une fois traitée, n'en faisait plus que 160), laquelle fut conservée 3 ans dans un congélateur avant que les taxidermistes ne s'attellent à l'ouvrage. La fixation des 80 kg de défenses (1,80 m de longueur) nécessita même l'intervention d'un serrurier ! Et puis ce furent aussi plus de 1 000 épingles et un nombre infini de points de couturière pour rendre à cet animal toute sa vérité. Stupéfiant ! Penchez-vous sur le menton (si, si !) des deux hippopotames qui talonnent l'éléphant : alors qu'ils étaient devenus imberbes suite au traitement de leur peau, le taxidermiste leur a avantageusement rendu leur virilité en y substituant des poils... de balayette !

Également au 1er niveau : la *médiathèque*. Attention, quand on y accède depuis la galerie, on ne peut plus revenir dans le musée. Mieux vaut donc y faire un tour après la visite. Autre entrée (gratuite) par le 36, rue Geoffroy-Saint-Hilaire. Et même un snack pour les petites faims.

3e niveau

« L'évolution de la vie ». On arrive au cœur de la démonstration : comment les animaux ont évolué depuis l'aube des temps et ont pu s'adapter sans cesse à leur environnement. Après être passé devant le rhinocéros de Louis XV, voici un peu de théorie : quelques infos sur les origines et les acteurs de la théorie de l'évolution, avec, à l'appui, une petite saynète animée et commentée. Puis on aborde la reproduction, la sélection naturelle, un petit coup d'histoire moléculaire, avant de découvrir l'évolution de la vie depuis les premières espèces aquatiques

PLUS QUESTION DE « PEIGNER LA GIRAFE »

Une girafe fut offerte par le vice-roi d'Égypte à Charles X en vue d'apaiser les relations entre les deux pays. Débarquée à Marseille en 1826, elle traversa la France à pied pour rejoindre le souverain. Atir, un palefrenier égyptien chargé du précieux animal, passait son temps à la nourrir, la brosser, la nourrir, la brosser... histoire de s'occuper. D'où l'expression « peigner la girafe », qui signifie avoir une activité qui ne sert pas à grand-chose.

(on sait maintenant, avec certitude, que la vie est d'origine aquatique), jusqu'aux différentes espèces terrestres. On déambule devant un parterre de petites bébêtes nageantes et rampantes. Il représente la progression de la sortie de l'eau. L'étage est ensuite consacré à la génétique pour expliquer comment, par mutation de leur ADN, les animaux sont parvenus à s'adapter à leur environnement. La nature établit ensuite sa sélection. Comme la phalène, ce papillon qui vit sur les bouleaux et change de couleur selon sa situation. Il est blanc lorsque l'arbre est couvert de lichen et noir quand le végétal pousse à proximité des zones industrielles. Depuis l'aube des temps, l'évolution biologique s'est ainsi poursuivie... jusqu'à l'apparition de l'homme. Habile transition pour descendre au 2e niveau.

2e niveau

« L'homme, facteur d'évolution » présente les processus successifs qui ont conduit l'espèce d'un million d'individus dans les débuts à plus de 7 milliards aujourd'hui. Présente également les conséquences des actions de l'homme sur l'environnement et l'évolution des espèces : domestication, sédentarisation, introduction d'espèces dans de nouveaux milieux, pollution, surexploitation et destruction des forêts, transformation des paysages.

La salle des animaux disparus, ou en passe de l'être, est cachée dans un recoin de la galerie. On la localise grâce au dodo placé à l'entrée. Le dodu dodo, que ses courtes ailes empêchaient de voler, vivait sur l'île Maurice. Il a disparu au cours du XVIIIe s avec l'arrivée d'explorateurs et de marins qui raffolaient de sa chair. Le moulage présenté ici a été façonné en 1901, à partir du tableau d'un peintre hollandais.

On pénètre ensuite dans une grande et splendide salle tamisée, sorte de coffre-fort de la mémoire animale et végétale. On y trouve des pièces uniques au monde, témoins naturalisés d'une époque presque révolue, comme ce cheval de

Przewalski venu d'Asie centrale et témoin des frasques de Gengis Khan, offert par Nicolas II. Aujourd'hui, l'espèce a été réintroduite en Lozère, sur le causse Méjean. On trouve, au rang des espèces disparues, le loup de Tasmanie, comparé à un vampire car il buvait le sang de ses proies : kangourous, wallabies ou autres moutons. Le dernier représentant de l'espèce est mort en 1936. Sans oublier la tortue des Seychelles, dont on découvre l'un des trois exemplaires naturalisés dans le monde, éteinte au début du XIXe s ; l'œuf d'æpyornis, animal malgache mystérieux disparu au XVIIe s ; ou le cerf de Schomburgk (c'est le seul spécimen naturalisé au monde). En tout, 120 spécimens pour se souvenir de la richesse naturelle et de l'action souvent destructrice de l'homme sur son environnement.

La visite se termine sur une question qui reste en suspens : de cette action de l'homme sur son environnement résulte une réduction de la biodiversité et, surtout, une orientation de cette biodiversité. Comment peut-on aujourd'hui trouver un équilibre entre exploitation d'une part et développement et maintien d'un certain équilibre de l'écosystème d'autre part, le tout concentré autour d'une concrétion à la César, avec tous nos déchets ?

La Grande Galerie de l'Évolution transmet un message éducatif pour que cette réunion animale et végétale ne devienne pas une vaste arche de Noé. Message reçu !

La Galerie des Enfants

Dans le bâtiment de la Grande Galerie de l'Évolution, au 1er étage. Tlj sf mar et 1er mai 10h-18h. Résa conseillée (jour et horaire de visite) sur le site ● galerie desenfants.fr ● Entrée, couplée avec la Grande Galerie : 9 € adulte ; 7 € enfant. Un espace destiné aux 6-12 ans qui permet de découvrir de façon ludique les questions liées à la biodiversité et aux problèmes environnementaux. En plus, on peut toucher empreintes et sculptures.

Les parterres

De la place Valhubert, où vous pourrez vous informer au pavillon d'accueil *(tlj 10h-17h),* magnifique perspective sur les parterres bordés d'allées de platanes taillés « en plateaux-rideaux ». De mai à octobre, on peut y admirer les plus jolies fleurs de la capitale.

🏃 **Le quai Saint-Bernard** *(plan couleur C-D1-2) :* on se baignait ici aux XVIIe et XVIIIe s. Les riches se déshabillaient dans leur carrosse, les pauvres comme ils pouvaient ; mais tous se baignaient nus. Aujourd'hui, on s'y promène le long des quais aménagés, au milieu des œuvres contemporaines du *musée de Sculptures en plein air.*

L'Institut du monde arabe *(IMA ; plan couleur C1)*

🏃🏃🏃 *1, rue des Fossés-Saint-Bernard, pl. Mohammed-V, 75005. ☎ 01-40-51-38-38. Rens (répondeur) : ☎ 01-40-51-38-11. ● imarabe.org ● Ⓜ Jussieu, Cardinal-Lemoine ou Sully-Morland. Tlj sf lun 10h-18h. Entrée libre. Accès payant pour le musée (voir plus bas) et certaines expos ; gratuit moins de 12 ans. Réservez vos billets en accès prioritaire en magasin et sur ● fnac.com ● L'Institut comprend un musée, une bibliothèque, plusieurs salles d'expo, un auditorium, un espace jeunes, un resto et une cafétéria. Le rdc accueille une librairie-boutique (livres, affiches, CD, objets d'artisanat) ainsi qu'un café littéraire, où l'on peut participer à des rencontres et à des signatures mer à 19h. Spectacles régulièrement proposés.* Un grand concours fut lancé en 1981 pour réaliser cet incroyable édifice. Jean Nouvel, Gilbert Lezenes, Pierre Soria et l'équipe d'Architecture Studio remportèrent le gros lot. Pas facile de trouver une forme moderne s'intégrant dans la courbure du quai Saint-Bernard et évoquant le monde arabe ! Le résultat est là.

Verre, aluminium et béton : les trois matériaux des années 1980 ont été utilisés à merveille. La façade sud est une réussite, utilisant le meilleur des techniques modernes pour donner une marque arabisante à l'édifice : plusieurs centaines de diaphragmes, mus par une cellule photoélectrique en fonction de l'intensité lumineuse, évoquent les moucharabiehs. Le bâtiment nord, effilé comme une lame de couteau, décrit une courbe délicate. Entre les deux, une faille, étroite et profonde. La jonction se fait par une passerelle qui évoque la rencontre entre deux cultures. L'Institut du monde arabe appartient désormais au patrimoine de la modernité architecturale.

Ce superbe édifice a pour but d'explorer les multiples facettes de la culture arabe. Créé à l'initiative de la France et de 19 États arabes (il regroupe aujourd'hui les 21 États membres de la Ligue des États arabes), l'IMA a connu depuis 20 ans d'importants succès, notamment avec les expositions « Delacroix, le voyage au Maroc », « Venise et l'Orient », « Pharaon » ou encore « Bonaparte et l'Égypte ».

Le musée

Début de la visite au 7e étage. Entrée : 8 € ; réduc ; gratuit jusqu'à 12 ans. Visite guidée mar-ven à 15h, ainsi qu'à 16h30 le w-e : 12 € plein tarif. Pass combiné pour l'expo temporaire et le musée.

Le musée présente différentes facettes de « L'identité arabe », un sujet vaste et complexe, tant du point de vue chronologique, puisqu'elle s'est constituée dès 1500 av. J.-C. – bien antérieurement à l'émergence de l'islam donc –, que géographique, du Maghreb au continent indien.

Le parti pris muséographique ? Un travail de refonte mené en association avec des spécialistes de disciplines complémentaires, comme l'archéologie, les beaux-arts, l'anthropologie, et une présentation des œuvres articulée autour de cinq thèmes (l'Arabie, berceau d'un patrimoine commun, le sacré et les figures du divin, les villes, les expressions de la beauté et le quotidien) sans souci chronologique.

Témoignages de la présence de communautés polythéistes, juives et chrétiennes, vêtements du quotidien ou cérémoniels, monnaies, céramiques, tapis, instruments de mesure scientifiques, œuvres contemporaines, le tout ponctué par quelques entretiens filmés d'ethnologues, historiens... Très franchement, en l'absence de présentation des différentes thématiques (encore à venir), on perd un peu le fil... D'autant que, probablement par souci d'esthétisme, les cartels ont souvent été relégués à distance des œuvres exposées ; soit, mais de là à les installer à nos pieds... Malgré tout, au terme du parcours, on se dit qu'on a pu admirer de beaux témoignages de ces « ailleurs », servis par la transparence totale des vitrines.

|●| ♟ Le resto **Le Ziryab** (☎ 01-55-42-55-42 ; *9e étage*) offre une vue exceptionnelle sur Paris. Terrasse, décor raffiné et atmosphère chaleureuse. Spécialités libanaises (de chez *Noura*, traiteur libanais) au resto comme au café littéraire du rez-de-chaussée.

🚶 **Le collège des Bernardins** (plan couleur C1) : 20, rue de Poissy, 75005. ☎ 01-53-10-74-44. ● collegedesbernardins.fr ● Ⓜ Cardinal-Lemoine. ♿ Tlj 10h (14h dim)-18h. GRATUIT. Visites guidées tlj à 16h : 5 €, tarif réduit 3 €. Certaines conférences, concerts, projections de films sont payants. Fondé par les cisterciens au XIIIe s, l'ancien collège a formé les moines européens pendant quatre siècles avant de devenir successivement une prison, un entrepôt, un internat pour... l'école de Police (après le goupillon, le sabre !). L'unique bâtiment subsistant du collège des Bernardins constitue aujourd'hui le plus vaste édifice civil médiéval de la capitale. Les architectes Wilmotte et Baptiste n'ont pas boudé les technologies modernes, lesquelles côtoient ainsi sept siècles d'histoire en toute harmonie. Ce sont aujourd'hui 5 000 m² et de superbes volumes qui abritent une structure assez unique en son genre, lieu d'échanges sur l'Église et la société, avec l'homme pour objet. Riche programmation : conférences, débats, échanges culturels, formations, mais aussi tout un aspect artistique avec des expos, des projections de films ou des concerts parfois dans le grand auditorium sous les toits (superbe) mais surtout dans la nef. Également un café. Un projet initié par Jean-Marie Lustiger.

🍴 Vous pouvez compléter votre visite du Quartier latin en vous rendant au Val-de-Grâce par l'ancestrale *rue Saint-Jacques.* Nombreuses maisons anciennes et invitation à parcourir les rues alentour : rue des Fossés-Saint-Jacques, rue Royer-Collard, qui a conservé son tracé original.

– Le *Val-de-Grâce (plan couleur A-B3),* ancienne abbaye du XVIIᵉ s, est depuis 1793 un hôpital militaire. Son dôme rappelle celui de Saint-Pierre de Rome. Pour l'anecdote, c'est Louis XIV, fils d'Anne d'Autriche, qui, à l'âge de 7 ans, posa lui-même la première pierre. C'est pour remercier le Ciel de sa naissance que la reine décida d'entreprendre la construction de cet édifice d'une fastueuse richesse, dessiné par François Mansart et qui symbolise la Nativité. Mais, au lendemain de la Fronde, il illustre aussi la puissance religieuse, politique et militaire de la royauté. À l'intérieur, quatre scènes de la vie du Christ peintes par Philippe de Champaigne et, sur la voûte de la coupole, la fresque de Pierre Mignard qui rassemble pères de l'Église, apôtres, prophètes et martyrs autour de la Trinité. L'accès à l'église est possible à l'occasion de la messe dominicale de 11h, mais aussi par le musée du Service de santé des armées (voir ci-dessous). Également des auditions d'orgue *(accès libre)* le 1ᵉʳ dimanche de chaque mois à 17h30 d'octobre à juin et des concerts gratuits certains samedis à 18h30 (programme sur ● valdegrace.org ●).

– Il y avait, jadis, beaucoup de couvents dans le quartier, comme en témoignent encore les noms des rues : des Ursulines, des Feuillantines...

– *L'ex-rue des Marionnettes :* au 277, rue Saint-Jacques débute un passage pavé bordé de bornes anticarrosses et de vénérables demeures, qui se termine en cul-de-sac. En fait, c'est l'ancienne *rue des Marionnettes,* supprimée lors de la restructuration du quartier, vestige discret et intact du tracé urbain médiéval.

🍴 *Le musée du Service de santé des armées (plan couleur A3) :* 1, pl. Alphonse-Laveran, 75005. ☎ 01-40-51-51-92. RER B : Port-Royal. Bus nᵒˢ 38 et 91. Mar-jeu et sam-dim 12h-18h. Entrée : 5 € ; réduc. Pas de visites guidées.
Ce surprenant (et intéressant) musée est installé dans le magnifique cloître des bénédictines, au flanc de l'église du Val-de-Grâce. Volontairement pédagogique, la présentation des collections aide le visiteur à mieux comprendre les fondements et les vocations multiples de la médecine aux armées. Chaque thème est approfondi par un matériel audiovisuel. Le parcours didactique s'amorce dans les cuisines des bénédictines, par la belle collection du Dr Debat de pots de pharmacie – en majolique à décor polychrome –, de flacons en verre soufflé et de mortiers en bronze, ainsi que de nombreux instruments médicaux aussi sympathiques que des trépans ou des scies à amputation... Ouvrages techniques, planches anatomiques, mannequins en uniforme et maquettes illustrent les différentes missions de la médecine aux armées : le secours aux blessés sur le champ de bataille et leur évacuation vers les hôpitaux de l'arrière, la prévention des maladies tropicales au temps des colonies (évoquée par les figures emblématiques de Calmette et Yersin, fondateurs d'écoles de médecine et d'instituts Pasteur), la lutte contre les endémies, et l'actuelle aide humanitaire avec les soins aux populations sinistrées. De nombreux objets insolites suscitent la curiosité : les effrayants masques à gaz ou les éprouvants moulages en cire des « gueules cassées » de la grande boucherie de 1914-1918, le caisson hyperbare de la médecine subaquatique et la tête de fusée *Véronique,* de la médecine aérospatiale, chargée d'effectuer des expériences biologiques. Si l'art de faire la guerre s'est nourri de découvertes terrifiantes, la chirurgie réparatrice et la psychiatrie, entre autres, ont accompli d'incontestables progrès grâce à la médecine militaire. Ne négligez pas de jeter un coup d'œil par les fenêtres au fil de votre visite, car l'ensemble architectural est superbe. Vous pouvez ensuite visiter l'église du Val-de-Grâce (voir le détail plus haut).

6e ARRONDISSEMENT
ODÉON ● SAINT-GERMAIN-DES-PRÉS

▶ Pour le plan du 6e arrondissement, voir le cahier couleur.

Rival de son voisin 5e, cet arrondissement, où le mètre carré est le plus cher de la capitale, est fort bien pourvu en lieux d'enseignement. École alsacienne, lycée Stanislas, Institut catholique de Paris, facultés de pharmacie, de médecine, de droit : il y a aussi là un côté plus net, moins désordonné – allez, disons-le : plus bourgeois. À l'image d'une partie de cet arrondissement qui glisse vers la tranquille prospérité de son autre voisin, le 7e. Comme pour démentir ce propos, l'École des beaux-arts, qui fut un haut lieu de la contestation étudiante. En fait, l'image de l'arrondissement, c'est d'abord un espace vert, le jardin du Luxembourg, qui en occupe une large partie, et un espace mental, Saint-Germain-des-Prés, qui court après un souvenir. *Le Tabou* de Boris Vian, de Juliette Gréco et de Jean-Paul Sartre n'est plus. Mais on se presse toujours à la terrasse du *Flore* ou aux *Deux Magots*. Et librairies ou marchands de disques ont été de plus en plus remplacés par des commerces de luxe.
À quelques dizaines de mètres du boulevard Saint-Germain, il est pourtant possible de cheminer à pied, le nez en l'air ou collé aux vitrines, dans le calme périmètre de l'église Saint-Sulpice et du théâtre de l'Odéon, ou derrière l'église Saint-Germain, jusqu'à y trouver la délicieuse place Furstenberg et son musée Delacroix. Le vrai luxe est là...

Où dormir ?

Prix moyens

🛏 **Résidence du Palais** (plan couleur B3, **7**) : 78, rue d'Assas, 75006. ☎ 01-43-26-79-32. ● pensionla dagnous@wanadoo.fr ● residen cedupalais.com ● Ⓜ Vavin. Doubles 70-84 € ; familiales 90-140 € ; petit déj compris. 📶 TV. Face au jardin du Luxembourg, cette pension de famille abrite une vingtaine de chambres, avec TV, douche et lavabo mais sans w.-c. privés. L'adresse manque de charme, mais elle dépanne. Et puis vous pouvez aussi vous rabattre sur l'autre pension de l'immeuble, *Les Marronniers* (● pension-marronniers.com ●), à peine un peu plus chère mais à l'ambiance moins impersonnelle.

🛏 **Hôtel Stella** (plan couleur C2, **8**) : 41, rue Monsieur-le-Prince, 75006. ☎ 01-40-51-00-25. ● hotelstella@ hotmail.com ● hotel-stella.voila.net ● Ⓜ Cluny-La Sorbonne. Résa vivement conseillée. Doubles avec douche et w.-c. 80-90 € ; familiales 130-140 € ; pas de petit déj. Un petit hôtel discret et vieillot mais bien placé, propre (carrelage au sol) et fonctionnel. L'escalier qui mène à la réception (pas d'ascenseur) annonce la couleur : dans cette bâtisse ancienne, les poutres et les colombages sont apparents, et la hauteur sous plafond imposante. Une adresse pratique où l'on ne se sent pas à l'étroit.

🛏 **Hôtel Stanislas** (plan couleur B3, **4**) : 5, rue du Montparnasse, 75006. ☎ 01-45-48-37-05. ● stan.

hotel@wanadoo.fr • stanislas-hotel. com • Ⓜ Notre-Dame-des-Champs ou Saint-Placide. Résa conseillée. Doubles 80-85 € selon confort ; petit déj 6 €. 🖥 📶 📺 TV. Satellite. Une petite adresse modeste mais fort bien située. Chambres à la déco basique et vieillotte mais de confort correct. L'accueil est poli, toutes les chambres sont équipées de double vitrage, douche et w-c. Le petit déj est servi au café d'en bas, fréquenté par les élèves du collège d'à côté. Un hôtel économique et sans prétention.

🛏 **Hôtel de Nesle** (plan couleur C1, 5) : 7, rue de Nesle, 75006. ☎ 01-43-54-62-41. • contact@hoteldenesle paris.com • hoteldenesleparis.com • Ⓜ Odéon ou Pont-Neuf. Ouv 8h-2h. Résa par tél indispensable. Doubles 85-120 € selon confort et saison ; pas de petit déj. 📶 Parking payant. Une petite merveille d'hôtel de charme, avec des chambres thématiques à la déco chargée et colorée. Les patrons couvent leurs clients avec amour et règnent sur ce petit monde avec bonne humeur. Certaines chambres donnent sur la rue et d'autres sur le vaste jardin intérieur et sa terrasse, où il est agréable de bouquiner. Levez les yeux au plafond du salon : il est tapissé de bouquets de fleurs séchées. Magique !

🛏 **Hôtel Saint-André-des-Arts** (plan couleur zoom, 20) : 66, rue Saint-André-des-Arts, 75006. ☎ 01-43-26-96-16. • hsaintand@ wanadoo.fr • Ⓜ Odéon. Doubles avec douche ou bains et w-c 98-105 €, petit déj compris. 🖥 📶 Dès la réception, on se sent à l'aise : l'accueil est souriant et jovial dans un cadre de vieil immeuble parisien, avec beau carrelage ancien, poutres et pierres apparentes. Seul un escalier aux marches inégales dessert les chambres assez grandes, simples (ni TV ni AC), bien tenues et pratiques.

Chic

🛏 **Hôtel de Sèvres** (plan couleur A2, 16) : 22, rue de l'Abbé-Grégoire, 75006. ☎ 01-45-48-84-07. • info@hotelde sevres.com • hoteldesevres.com • Ⓜ Saint-Placide ou Sèvres-Babylone. 🍴 Doubles à partir de 124 €. 🖥 📶 📺 TV.

Canal +. Satellite. Dans cette rue tranquille du vieux 6ᵉ romantique, superbe hôtel de charme et accueil affable. Entièrement rénové, dans un décor d'une fort élégante sobriété, il dispose de chambres d'excellent confort et du meilleur des dernières techniques. Salon très accueillant, et patio relax (c'est la campagne à Paris avec ses pierres apparentes et son auvent à l'ancienne). En prime, la Bulle de Sèvres, un agréable espace détente et balnéo ; prix étudiés (réductions pour les clients de l'hôtel). Notre meilleure adresse dans cette catégorie.

🛏 **Grand Hôtel des Balcons** (plan couleur C2, 11) : 3, rue Casimir-Delavigne, 75006. ☎ 01-46-34-78-50. • grandhoteldesbalcons @orange.fr • balcons.com • Ⓜ Odéon ; RER B : Luxembourg. Doubles 123-180 € selon taille ; petit déj-buffet 12 €. 📶 📺 TV. Satellite. Un petit déj/pers offert sur présentation de ce guide. Décoration intérieure style Art nouveau avec vitraux 1900, luminaires, paravent, miroirs et boiseries, que l'on ne retrouve plus dans les chambres, mais qui ont le mérite d'avoir été rénovées et d'être spacieuses pour certaines. Accueil aimable et efficace dans cet hôtel familial de bonne tenue. Un bon rapport qualité-prix.

🛏 **Le Petit Belloy Saint-Germain** (plan couleur C2, 9) : 1, rue Racine, 75006. ☎ 01-43-26-87-13. • hotel-petit-belloy-saint-germain.com • Ⓜ Cluny-La Sorbonne. Doubles 109-239 € selon saison, petit déj inclus. 🖥 📶 📺 TV. Satellite. Malgré la réception qui se résume à un couloir étroit, c'est en réalité un établissement urbain et chaleureux, moderne et confortable, au décor minimaliste. Tout confort donc : chaque chambre possède double vitrage, clim, etc. Pour contempler Notre-Dame, inutile de traverser la Seine, puisque la vue des derniers étages la présente déjà.

🛏 **Hôtel du Dragon** (plan couleur B2, 6) : 36, rue du Dragon, 75006. ☎ 01-45-48-51-05. • hotel.du.dra gon@wanadoo.fr • hoteldudragon. com • Ⓜ Saint-Germain-des-Prés ou Sèvres-Babylone. 🍴 Double 138 € ; petit déj 10 €. 🖥 📶 📺 TV. Un petit déj/ chambre offert sur présentation de ce *guide*. Avec modestie et des prix plutôt sages pour le quartier, on se doute que l'hôtel n'a rien d'un palace. Mais on craque pour son côté suranné, son atmosphère d'antan qui rappelle le vieux Paris. L'adresse, évidemment, fait fureur auprès des touristes américains, pourtant habitués à un confort haut de gamme (il n'y a pas d'ascenseur). Alors s'ils sont sous le charme, pourquoi pas vous ? D'autant plus que les chambres sont coquettes, bien entretenues, et offrent des prestations tout à fait honorables. Très bon accueil et bon petit déjeuner.

🛏 **Hôtel Michelet-Odéon** (*plan couleur C2, 3*) *:* 6, pl. de l'Odéon, 75006. ☎ 01-53-10-05-60. ● *hotel@micheletodeon.com* ● *hotelmicheletodeon. com* ● Ⓜ *Odéon ; RER B : Luxembourg*. Doubles 135-155 € *selon confort ; familiales 185-255 € ; petit déj 14 €.* 📶 *TV. Canal+. Câble*. Eh bien, il est possible de dormir sur cette élégante place sans pour autant se ruiner ! Que l'on choisisse une chambre avec vue plongeante sur le théâtre, ou que l'on préfère être côté rue de Condé, avec ses hôtels particuliers, on profite d'une belle adresse aux couleurs sobres et apaisantes. On a un petit faible pour les chambres n°s 6, 16, 26 et 38, qui bénéficient de 2 fenêtres en angle qui leur donnent du caractère, ou pour celles qui donnent sur le théâtre (petite précision pour les amoureux : seules quelques chambres sont dotées d'un grand lit). Évidemment, l'espace étant compté à Paris, elles sont de petite taille.

Plus chic

🛏 **Hôtel des Marronniers** (*plan couleur zoom, 13*) *:* 21, rue Jacob, 75006. ☎ 01-43-25-30-60. ● *hotel-des-marronniers@wanadoo.fr* ● *21jacobstreet.com* ● Ⓜ *Saint-Germain-des-Prés*. Réserver longtemps à l'avance, surtout jour un w-e. Doubles avec douche et w-c ou bains 150-225 € selon saison ; petits déj 13-16 €. 📶 *TV. Satellite. Câble*. Un petit déj/chambre offert sur présentation de ce guide. Un endroit au charme fou, au fond d'une cour, et au style Napoléon III plein de cachet.

Derrière, un jardinet avec sa belle terrasse joliment aménagée et sa petite véranda lumineuse et confortable, où l'on prendra un petit déj ou un thé. Déco un peu « cocotte du Second Empire », on adore ! Demandez une chambre donnant sur le clocher de Saint-Germain (les numéros finissant par 1 ou 2), la n° 12, toute rouge, avec bains, lit à baldaquin et vue sur le jardin, la n° 54, couverte de toile de Jouy, ou encore les n°s 61 et 62 pour leur charme dû aux mansardes. Accueil à la hauteur du lieu. Idéal pour un week-end romantique, à deux pas de la si discrète et charmante place de Furstenberg et des célèbres cafés de Saint-Germain. Un seul bémol : les salles de bains sont riquiqui.

🛏 **Hôtel du Danube** (*plan couleur B1, 15*) *:* 58, rue Jacob, 75006. ☎ 01-42-60-34-70. ● *info@hoteldanube. fr* ● *hoteldanube.fr* ● Ⓜ *Saint-Germain-des-Prés*. Doubles avec douche et w-c ou bains 175-270 € selon saison ; familiale pour 3-4 pers 270 € ; petit déj 12 €. 📶 *TV. Satellite. Un petit déj/pers offert sur présentation de ce guide*. Dans un décor Napoléon III, une quarantaine de chambres réparties dans 2 bâtiments. Entre les 2, un patio pour prendre son petit déjeuner les jours de beau temps. Chambres spacieuses, à la déco un peu chargée, avec salon personnalisé, guéridon en acajou, fauteuils et beaux tissus. Les chambres « prestige », plus contemporaines (notamment les n°s 2, 6, 10, 15 et 19), sont particulièrement grandes. Accueil serviable. Pour la petite histoire, la maison hébergea en 1939-1940 le général Sikorsky, chef du gouvernement polonais en exil en France. Une adresse au charme classique.

🛏 **Hôtel Novanox** (*plan couleur B3, 18*) *:* 155, bd du Montparnasse, 75006. ☎ 01-46-33-63-60. ● *hotel-novanox@wanadoo.fr* ● *hotelnovanox.com* ● Ⓜ *Vavin ou Raspail ; RER B : Port-Royal*. Doubles 130-230 € selon confort et saison, mais tarifs variables tlj : consulter les offres sur Internet ; petit déj 13 €. 📶 *TV. Satellite*. Excellent confort et déco sobre et chaleureuse dans les parties communes. Chambres classiques, impeccables. Préférez celles qui donnent sur l'arrière, car elles sont un peu plus grandes et tout aussi lumineuses (elles donnent en fait sur une rue très calme). Celles sur le boulevard sont parfaitement insonorisées. *Propreté, bon goût et professionnalisme*, telle semble être la devise de la maison.

🛏 *Hôtel Mayet (plan couleur A2, 1) : 3, rue Mayet, 75006.* ☎ 01-47-83-21-35. ● *hotel@mayet.com* ● *mayet.com* ● Ⓜ *Duroc. Doubles avec douche ou bains 130-200 € selon vue ; petit déj-buffet 11 €.* 💻 📶 *TV. Satellite.* Cet hôtel allie le confort d'un hôtel 3 étoiles à une déco jeune : hall lumineux aux 2 peintures murales façon tag. Une adresse fraîche, même si les chambres sont vraiment très petites. Très bon confort général et bon accueil. Le tout rénové récemment.

Très chic... et tendance

🛏 *Villa Madame (plan couleur B2, 21) : 44, rue Madame, 75006.* ☎ 01-45-48-02-81. ● *reservation@ villa-madame.com* ● *villa-madame. com* ● Ⓜ *Saint-Sulpice ou Rennes.* ⚒ *Doubles à partir de 290 € ; suite 525 € ; petit déj 19 €.* 💻 📶 *TV. Canal +. Satellite. Câble. Apéritif maison offert sur présentation de ce guide.* Effectivement, cette adresse raffinée tient plus de la demeure de charme : un accueil personnalisé, peu de chambres pour préserver l'intimité des hôtes, et une déco contemporaine très chic, dans un registre chaleureux (dans les salons) avec nombreuses œuvres d'art et rayonnages garnis de livres et de jeux de société. Quand il fait beau, direction l'adorable jardinet aménagé dans une cour intérieure. Irrésistible ! Quant aux chambres, elles se révèlent tout aussi soignées et de très bon confort. Un vrai cocon.

🛏 *Apostrophe Hôtel (plan couleur B3, 19) : 3, rue de Chevreuse, 75006.* ☎ 01-56-54-31-31. ● *direc tion@apostrophe-hotel.com* ● *apostrophe-hotel.com* ● Ⓜ *Vavin.* ⚒ *Doubles 149-290 €, jusqu'à 353 € avec balnéo en hte saison ; petit déj 10-17 € selon saison.* 📶 *TV. Satellite.* La façade ornée de feuillages stylisés annonce la couleur : ici, la déco

n'est pas un passe-temps mais une passion. Tout est soigné et original. Quelques citations écrites à l'envers (à lire dans le miroir !), des caractères d'imprimerie en relief, ou bien carrément des graffitis suffisent à donner une atmosphère unique à chacune des chambres. Bien sûr, certaines d'entre elles sont assez petites, mais c'est Paris, et le niveau de confort compense largement cet inconvénient. Excellent accueil.

🛏 *Hôtel Relais Saint-Sulpice (plan couleur zoom, 14) : 3, rue Garancière, 75006.* ☎ 01-46-33-99-00. ● *relaisstsulpice@wanadoo.fr* ● *relais-saint-sulpice.com* ● Ⓜ *Saint-Sulpice ou Mabillon. Doubles 229-278 € selon taille ; triple 349 € ; petit déj 14 €.* 📶 *TV. Satellite.* Un bel hôtel particulier XVIIIᵉ (4 étoiles) à l'ombre de l'église Saint-Sulpice. Chambres feutrées aux murs tendus de tissus, et dotées de quelques meubles anciens. Après avoir été au sauna, on a plaisir à s'installer le soir dans le salon-bibliothèque au style colonial, dans lequel trônent des souvenirs de voyage. Une adresse intime très germanopratine, à l'atmosphère chaleureuse.

🛏 *Hôtel Le Clos Médicis (plan couleur C2, 12) : 56, rue Monsieur-le-Prince, 75006.* ☎ 01-43-29-10-80. ● *message@hotelclosmedi cisparis.com* ● *hotelclosmedicisparis. com* ● Ⓜ *Odéon ; RER B : Luxembourg.* ⚒ *Doubles 130-340 € selon confort et saison ; petit déj-buffet 13 €.* 💻 📶 *TV. Câble. Un petit déj/ pers offert sur présentation de ce guide.* Une belle demeure du XVIIIᵉ s construite pour la famille Médicis. L'été, terrasse dans une courette fleurie pour prendre le petit déj ou un verre le soir venu. Les 38 chambres sont soignées, avec une décoration aux teintes actuelles et aux tissus élégants, et dotées de belles salles de bains carrelées, certaines en duplex ou avec terrasse. L'accueil y est professionnel, et la clientèle de goût. Et pour se reposer entre 2 balades, le hall d'accueil dispose d'un coin salon cosy avec cheminée et banquettes, impeccables pour siroter un thé ou un café.

🛏 *Hôtel Louis II (plan couleur zoom,*

10) : 2, rue Saint-Sulpice, 75006. ☎ 01-46-33-13-80. • reservation@ hotel-louis2.fr • hotel-louis2.com • Ⓜ Odéon. Doubles 215-340 € (offres promotionnelles très intéressantes sur Internet) ; petit déj continental (servi 7h-12h) 15 €. 📶 TV. Canal +. Voici un bel immeuble du XVIIIᵉ s et sa vingtaine de chambres personnalisées. Grand confort. Leur charme réside dans le mobilier ancien et les poutres apparentes, mais aussi dans une rénovation réussie qui a su allier des coloris frais et modernes à une collection de miroirs néobaroques. Chambres pas bien grandes mais plutôt lumineuses. Esprit familial, accueil très aimable.

Spécial coup de folie

🛏 La Belle Juliette (plan couleur A2, 17) : 92, rue du Cherche-Midi, 75006. ☎ 01-42-22-97-40. • reservation@ labellejuliette.com • labellejuliette. com • Ⓜ Vaneau ou Saint-Placide. ♿ Doubles 210-350 €, mais promos conséquentes très régulières ; petit déj 20 €. 📶 TV. Satellite. Une coupe de champagne offerte sur présentation de ce guide. La belle Juliette, c'est Juliette Récamier, l'amie de Mme de Staël et intime de Chateaubriand. Cet hôtel romantique lui rend hommage : la décoration féminine est raffinée, privilégiant le charme d'antan dans les superbes chambres au confort douillet, et l'atmosphère propre aux causeries dans les beaux salons élégamment meublés et réchauffés par des feux de cheminée. Idéal pour profiter d'un tea time en terrasse, ou des récitals de

piano régulièrement organisés ! Une adresse pour se ressourcer et se faire dorloter (l'espace bien-être, avec hammam et massages, n'est pas le moindre de ses atouts !). Accueil charmant.

🛏 Hôtel des Académies et des Arts (plan couleur B3, 2) : 15, rue de la Grande-Chaumière, 75006. ☎ 01-43-26-66-44. • reservation@hoteldesa cademies.com • hoteldesacademies. com • Ⓜ Vavin. ♿ Doubles 189-314 € (belles promos sur Internet) ; petits déj 12-16 €. 🖥 📶 TV. Satellite. Câble. C'est la coqueluche des magazines de déco, et on comprend pourquoi. La rénovation de cet hôtel de quartier qui, en son temps, a vu défiler tout Montparnasse, de Modigliani (qui avait son atelier au dernier étage) à Foujita en passant par Picasso, est un modèle du genre. Les nouveaux propriétaires en ont fait un petit hôtel de charme et ont su concilier tendance et originalité. Les teintes sont chaudes et actuelles, le confort on ne peut plus moderne. Surtout, ils ont fait appel au peintre Jérôme Mesnager et au sculpteur Sophie de Watrigant pour décorer et mettre en scène l'espace de la façon la plus ludique qui soit. C'est ainsi que l'on retrouve les Corps blancs de Jérôme Mesnager déclinés à l'infini, sur la façade, dans la cage d'escalier, dans l'ascenseur, dans les chambres... Flottant, volant, escaladant, tels des équilibristes fantasmagoriques, ils sont partout. Chaque chambre évoque un thème, distille une atmosphère particulière. Chambres communicantes pour les familles. Le salon de thé Chez Charlotte, qui sert des macarons de chez Hermé, est ouvert de 14h30 à 18h30. Également un salon de bien-être sur place.

Où manger ?

Sur le pouce

🍽 La Cuisine de Bar (plan couleur B2, 28) : 8, rue du Cherche-Midi, 75006. ☎ 01-45-48-45-69. Ⓜ Sèvres-Babylone ou Saint-Sulpice. Lun-sam 8h30-19h, brunch dim 9h30-15h30. Congés : août. Tartines à partir de 9,20 € ; formule petite salade-tartine + boisson + café

14,50 € ; brunch dim 16,90 €. L'annexe plutôt chic de la boulangerie Poilâne, où l'on vient de loin pour se régaler de tartines préparées devant soi. Original, frais et goûteux, dans un cadre propret. Bons cocktails de fruits pressés et un concept qui a fait ses petits, avec une autre Cuisine de Bar dans le Marais (voir le 3ᵉ arrondissement). Accueil souriant.

Très bon marché

|●| *La Crêperie des Canettes – Pancake-Square (plan couleur zoom, 26)* : 10, rue des Canettes, 75006. ☎ 01-43-26-27-65. ● philip petouchet92@orange.fr ● Ⓜ Mabillon ou Saint-Germain-des-Prés. Tlj sf dim ; service 12h-16h (18h sam), 19h-23h. Congés : août et Noël-Jour de l'an. Formule 13,50 € avec galette, crêpe beurre-sucre et bolée de cidre ; carte env 15 €. Déco marine : chaises blanches et banquettes bleu océan, appliques en forme de bateau, photos de mer signées Plisson. Galettes et crêpes sont croustillantes et généreuses. Penser à venir tôt, car on se serre franchement les coudes ! Fait aussi salon de thé et glacier l'après-midi. Service rapide et efficace.

|●| *L'Assignat (plan couleur C1, 23)* : 7, rue Guénégaud, 75006. ☎ 01-43-54-87-68. ● gerard.bessenay@orange. fr ● Ⓜ Odéon. Tlj sf dim ; service 12h-15h. Congés : juil. Plat du jour 8 € ; menu 12 € (15 € avec une boisson). CB refusées. Discret petit resto de quartier, refuge des marchands d'art, des ouvriers de la Monnaie de Paris et des étudiants des Beaux-Arts, qui peuvent ici renouer avec un mode de paiement d'avant-guerre : le crédit ! Les boursiers mangent et inscrivent sur un carnet ce qu'ils ont pris, ils paieront en fin de mois. Intéressant : répétitions hebdomadaires des fanfares, comme celle des Beaux-Arts, dans la cave du bistrot ; ces soirs-là, la fermeture est plus tardive. Au coude-à-coude, on déjeune de plats simples, qui tiennent au corps, dans une atmosphère animée.

Bon marché

|●| *Le Petit Vatel (plan couleur zoom, 24)* : 5, rue Lobineau, 75006. ☎ 01-43-54-28-49. Ⓜ Mabillon ou Odéon. Tlj sf dim-lun 12h-14h30, 19h-22h30. Congés : 22 déc-6 janv. Formules déj en sem 16 € ; menus 18-21 € ; carte env 28 €. Verre de vin du mois 3,50 €. CB refusées. Cette adresse de poche est tenue par un sympathique duo de chefs qui a égayé l'ensemble tout en conservant des prix cléments. Essayez la terrine maison, les farcis ou les plats mijotés ; le bon rapport qualité-prix vous semblera encore plus évident. Attention, peu de tables. Certaines en terrasse aux beaux jours.

|●| *La Tourelle (plan couleur C2, 25)* : 5, rue Hautefeuille, 75006. ☎ 01-46-33-12-47. Ⓜ Odéon ou Saint-Michel. Tlj sf sam midi et dim 12h-14h, 19h-22h. Congés : août. Formules déj 16-20 € ; menus-carte 23-27 €. Dans l'une des plus anciennes maisons du quartier, vieille de 5 siècles, avec, à l'angle, une magnifique tourelle en encorbellement. Clientèle d'employés et d'habitués. Petite salle carrée au plafond bas, habillée de boiseries de resto parigot d'antan. Service rapide pour une halte reconstituante midi et soir, autour d'une cuisine fraîche et sans prétention. Accueil particulièrement gentil.

|●| *Au Pied de Fouet (plan couleur B1, 33)* : 3, rue Saint-Benoît, 75006. ☎ 01-42-96-59-10. Ⓜ Saint-Germain-des-Prés. Tlj sf dim 12h-14h30, 19h-23h. Pas de résa. Carte env 18 €. Apéritif maison offert sur présentation de ce guide. Une réplique zinc pour zinc de leur 1ʳᵉ adresse rue de Babylone. Même gouaille, même bonne humeur et même cuisine canaille, à choisir à l'ardoise. Ici aussi, on a l'impression de courber l'échine pour monter en mezzanine... Comme les aubaines sont plutôt rares dans le quartier, on y prend vite ses habitudes. Vous apprécierez l'apéritif offert, à siroter sur le trottoir !

|●| *Eggs & Co (plan couleur B2, 31)* : 11, rue Bernard-Palissy, 75006. ☎ 01-45-44-02-52. ● franklin. reinhard@gmail.com ● Ⓜ Saint-Germain-des-Prés. Tlj 10h-18h. Congés : sem du 15 août. Résa impérative. Carte 15-25 € ; brunch tlj 22 €. Parking payant. Une adresse de poche dédiée à l'œuf sous toutes ses formes. Brouillé, en omelette, au plat, bénédicte, à la coque (entre autres), à la coque (entre autres). Ambiance maison de campagne, décor champêtre (et bas de plafond !) au 1ᵉʳ étage côté basse-cour ou mezzanine, service enjoué et décontracté, assiettes copieuses et goûteuses. Pour les affamés, l'œuf s'accompagne de saumon, d'un steak (très bon burger),

de truffe, de légumes... Idéal pour le déjeuner ou le brunch.

IOI La Lozère *(plan couleur C2, 27) : 4, rue Hautefeuille, 75006.* ☎ *01-43-54-26-64.* • *contact@lozere-a-paris. com* • Ⓜ *Saint-Michel ou Odéon. Tlj sf dim-lun 12h-14h, 19h30-22h. Congés : 1 sem en avr, de mi-juil à mi-août et Noël-Jour de l'an. Formules déj 18,20-19,40 € ; menu-carte 24,30 € ; carte env 25 €.* C'est le resto de la Maison de la Lozère. Bonnes spécialités régionales dans un cadre rustique. À la carte, entre autres, pâté caussenard au genièvre, agneau de Lozère, entrecôte fleur d'Aubrac et, le jeudi, aligot de l'Aubrac (minimum 2 personnes). En face du resto, le bureau de tourisme, la librairie régionale et la boutique de produits du terroir et d'artisanat.

IOI Le Vavin *(plan couleur B3, 34) : 18, rue Vavin, 75006.* ☎ *01-43-26-67-47.* Ⓜ *Vavin ou Notre-Dame-des-Champs. Tlj 7h (8h dim)-minuit ; service continu 11h30-23h. Formule déj en sem 15,90 € ; salades à partir de 14,90 € ; carte env 15 € ; brunch dim 23 €.* Une belle brasserie d'angle, où la clientèle, à l'image de ce quartier chic et étudiant (la fac d'Assas est toute proche), remplit les tables du matin au soir. Vaste et agréable terrasse. Côté cuisine, les classiques de brasserie (tartare, entrecôte, etc.), de belles salades et 2 nouveaux plats chaque jour. Pour les petites faims, des croque moelleux au pain de campagne, et pour les douceurs, tartes maison et glaces *Berthillon*.

Prix moyens

IOI Les Racines *(plan couleur C2, 43) : 22, rue Monsieur-le-Prince, 75006.* ☎ *01-43-26-03-86.* • *lesracines@sfr. fr* • Ⓜ *Odéon ; RER B : Luxembourg. Tlj sf dim midi et soir jusqu'à 22h. Congés : août. Formule déj en sem 15,50 € ; carte 30-35 €.* Jean-François, le volubile patron, ne tente même pas de séduire par le cadre, toujours dans son jus. Pour lui, ce qui compte, c'est la qualité des produits et le contenu de l'assiette. Divine blanquette, foie de veau à la cuisson exacte, pot-au-feu, tête de veau, lapin... Ça bouge suivant les humeurs et le marché. Et que dire

du poulet au vin jaune et morilles (rare à la carte, surtout sur commande) ! Goûteux hors-d'œuvre et desserts. Bref, une de nos plus belles découvertes !

IOI L'Antre-deux *(plan couleur B2, 44) : 16, rue de Mézières, 75006.* ☎ *01-45-44-55-63.* • *contact@lantre-deux. com* • Ⓜ *Saint-Sulpice. Tlj sf lun soir et dim 12h-15h, 19h-23h. Congés : sem du 15 août. Formule déj 16,20 € ; carte env 30 €.* Apéritif maison offert sur présentation de ce guide. Jeremy et Anne-Sophie ont repris le vieux *Mézières* et ont vite su fidéliser par leur accueil et leur humour une clientèle inconditionnelle. Formule déjeuner à l'ardoise, autour de produits du marché d'une fraîcheur irréprochable pour un prix très sage. Croustillant de pied de cochon, saumon à l'unilatérale, jolies verrines en dessert. Le soir, magnifique menu-carte. Excellents vins du moment. Une belle surprise au cœur du 6e !

IOI Pouic-Pouic *(plan couleur zoom, 45) : 9, rue Lobineau, 75006.* ☎ *01-43-26-71-95. Tlj sf dim-lun 12h-14h30, 19h-22h30 (minuit ven-sam). Menu midi en sem 24 € ; carte env 34 €.* Un nom qui sonne comme une blague tant il est assimilé au film de Louis de Funès, dont le propriétaire est un fan ! Sauf que la plaisanterie s'arrête là. Sur l'ardoise, on découvre une cuisine gourmande et spontanée, à base de produits du marché, qui change donc régulièrement, réinterprétée par un chef fan de rugby... et de desserts ! Belle sélection de vins, pour beaucoup servis au verre. Enfin, puisqu'on est dans un quartier festif, *Pouic-Pouic* ouvre ses portes le week-end, dès 5h, avec une carte simplifiée mais roborative pour les faims (ou fins ?) de nuit.

IOI Les Bistronautes *(plan couleur B2, 32) : 54, rue d'Assas, 75006.* ☎ *01-45-49-24-88.* Ⓜ *Notre-Dame-des-Champs.* ♿ *Tlj sf sam midi, dim tte la journée et lun soir ; service 12h-14h, 19h30-22h. Résa conseillée. Formules déj 20-24 € ; carte 40-45 €.* Une cuisine française traditionnelle revisitée, avec des produits frais uniquement, et une carte qui suit le cours des saisons. Ce petit bistrot coquet et contemporain du côté du jardin du Luxembourg ne pourra que vous séduire avec sa

6e

cuisine généreuse et sa cave à vins, dans un quartier où les prix grimpent vite ! *NOUVEAUTÉ.*

|●| Café Trama *(plan couleur A2, 29)* : 83, rue du Cherche-Midi, 75006. ☎ 01-45-48-33-71. ● cafe.marion trama@gmail.com ● Ⓜ Saint-Placide ou Sèvres-Babylone. *Tlj sf dim-lun ; service 12h-14h15, 19h30-22h. Congés : 3 sem en août. Carte slt, env 30 €.* Un café chic et sobre, à l'image du quartier, tenu par Marion Trama (issue d'une famille de restaurateurs). La façade est discrète et la salle présente un look vintage années 1950. La carte, courte, n'en impose pas mais sait mettre en avant l'essentiel : la qualité des produits. Rillettes de Guillemin, tartare de bœuf de Desnoyer, pain *Poujauran*... C'est bon, frais et servi en toute simplicité. Accueil souriant. *NOUVEAUTÉ.*

|●| Brasserie Fernand *(plan couleur B3, 30)* : 127, bd du Montparnasse, 75006. ☎ 01-43-27-47-11. Ⓜ Vavin. *Tlj sf dim ; service 12h-14h30, 19h-23h30. Congés : 3 sem fin juil-début août. Formule déj 18 € (entrée + plat ou plat + dessert et boisson) ; menu 30 € le soir (kir + entrée + plat + dessert et boisson) ; carte env 32 €. Parking payant.* La bonne vieille brasserie parisienne, avec les nappes à carreaux rouges et blancs et le carrelage au sol. Grande salle où déguster une cuisine de bistrot classique, sans prétention, bien tournée et franchement copieuse, de l'entrée au dessert.

|●| Le Petit Lutétia *(plan couleur A2, 52)* : 107, rue de Sèvres, 75006. ☎ 01-45-48-33-53. ● lepetitlutetia@ gmail.com ● Ⓜ Vaneau ou Duroc. *Tlj 12h-15h, 19h-23h. Fermé 24-25 déc. Menus 28-37 € ; plat 20 €.* La vraie brasserie parisienne, avec son beau cadre rétro patiné : salles compartimentées par des panneaux de bois sombre et verre gravé, grands miroirs et petits rideaux de dentelle. La cuisine ne dépare pas, jouant dans le registre bistrotier classique mais de qualité. Une valeur sûre du quartier.

|●| H Kitchen *(plan couleur A2, 53)* : 18, rue Mayet, 75006. ☎ 01-45-66-51-57. Ⓜ Duroc. *Tlj sf dim-lun 12h-14h15, 19h-22h15. Formules déj 17-26 € ; le soir, menu dégustation*

54 € ; carte env 50 €. Une petite adresse discrète comme tout, une salle d'une sobriété presque réfrigérante... Et la surprise est bien là, dans l'assiette, copieuse et créative, et largement influencée par le Japon. Ainsi, le poisson est agrémenté d'un subtil bouillon, les Saint-Jacques (en saison) servies juste snackées, les légumes parfois crus. Étonnant mais toujours bon, et produits de grande qualité. Service sincèrement adorable.

|●| Semilla *(plan couleur zoom, 57)* : 54, rue de Seine, 75006. ☎ 01-43-54-34-50. Ⓜ Mabillon ou Saint-Germain-des-Prés. *Lun-sam 12h30-14h30, 19h-23h ; dim 12h-15h, 19h-22h. Résa conseillée le soir. Formule déj sf dim 24 € ; carte 35-40 €.* C'est dans un décor néo-industriel que Drew Harré et Juan Sanchez ont fait le pari d'ouvrir leur 4e adresse parisienne et d'y installer Éric Frochon (MOF 2011) aux commandes d'une grande cuisine ouverte sur la salle principale. Bien agréable, mais préférer tout de même la salle du fond, plus calme. Cuisine de marché bien dans son époque et assiettes créatives. Un régal total pour cette graine (*semilla* en espagnol) de gastro à prix contenus.

|●| Le Comptoir Tournon *(plan couleur C2, 37)* : 18, rue de Tournon, 75006. ☎ 01-43-26-16-16. ● patrick. canal804@orange.fr ● Ⓜ Odéon. ♿ *Tlj sf dim 7h30-2h. Congés : 3 sem en août. Carte env 35 €.* Un vrai bistrot à la parisienne, à deux pas du Sénat, une institution qui revit grâce à Patrick Canal, un amoureux des vins nature et des plats canaille. Les fresques, les banquettes en cuir, la carte de brasserie revisitée, tout concourt au bien-être d'une clientèle qui célèbre ici le « retour au plaisir de manger et à celui de manger avec plaisir ». Côte de bœuf à la fleur de sel, andouillette AAAAA, confit de canard et gibier en saison, on se rassure, et on assure.

|●| Le Mâchon d'Henri *(plan couleur zoom, 42)* : 8, rue Guisarde, 75006. ☎ 01-43-29-08-70. Ⓜ Mabillon ou Saint-Germain-des-Prés. *Tlj 12h-14h30, 19h-23h. Résa très conseillée. Plats 15-18 € ; repas complet env 25 €.* Sympathique bistrot tout de pierre et de poutres, dispensant sa volée de bons p'tits plats classiques mais copieux : œufs cocotte, agneau de 7 heures, croustillante tarte aux fruits du jour. Une adresse authentique dans ce coin éminemment touristique.

|●| Aux Charpentiers *(plan couleur zoom, 35)* : 10, rue Mabillon, 75006. ☎ 01-43-26-30-05. ● auxcharpentiers@wanadoo.fr ● Ⓜ Mabillon. Ⴊ Tlj ; service 12h-15h, 19h-23h. Fermé 1er mai. Formule déj en sem 20,50 € (verre de vin compris ; supplément plat du jour jeu-ven 1,50 €) ; menu le soir et le w-e 29,30 € (entrée + plat + fromage ou dessert) ; carte env 40 €. Apéritif maison offert sur présentation de ce guide. Une bonne adresse, solide comme une charpente à l'ancienne. D'ailleurs, ce sont les anciens locaux des Compagnons charpentiers du Devoir. Côté décor, nombreux clins d'œil aux Compagnons : maquettes de charpente, photos et gravures liées au métier. Atmosphère mi-bistrot, mi-bourgeoise, à l'image de cette cuisine traditionnelle bien tournée, régulière et solide. Le midi, à chaque jour son plat. Le soir, on retrouve également les classiques de la cuisine française, qui enchantent papilles et estomac. Service pro.

|●| Le Parc aux Cerfs *(plan couleur B3, 47)* : 50, rue Vavin, 75006. ☎ 01-43-54-87-83. ● leparcaux cerfs@gmail.com ● Ⓜ Vavin. Tlj 12h-14h15 (14h30 ven-dim), 19h30-22h15 (23h ven-sam, 22h30 dim). Congés : 1re quinzaine d'août. Formules déj 19,50-32 € ; menus 32-39 € le soir. Une déco soignée, et dans la salle du fond, une belle verrière donnant sur une grande cour lumineuse, très calme, où l'on peut s'installer aux beaux jours, et abritant des ateliers d'artistes. Cuisine bourgeoise sympathique et légère. Très bon rapport qualité-prix au déjeuner.

De chic à plus chic

|●| KGB *(plan couleur C1, 38)* : 25, rue des Grands-Augustins, 75006. ☎ 01-46-33-00-85. ● kitchengale riebis@orange.fr ● Ⓜ Saint-Michel ou Odéon. Tlj sf dim-lun ; service 12h15-14h30, 19h15-22h30 (23h w-e). Congés : 3 sem en août. Le midi en sem, formules et menus 28-35 € ; menu découverte 55 € ; carte env 55 €. KGB, pour Kitchen Galerie Bis. Le célèbre restaurant de William Ledeuil est à l'image de Saint-Germain, un rendez-vous d'artistes. Cuisine de partage, pour revenir aux sources, ouverte sur (tout) le monde, et sur l'Asie en particulier. On joue avec les « Zors-d'œuvre », avant de s'intéresser à ce qui se passe dans les marmites : respirez en saison la blanquette de joue de veau, girolles et jus thaï, humez les crevettes et moules de bouchot, coco et citronnelle, avant de piquer avec la fourchette et de goûter à l'air du temps.

|●| Boucherie Roulière *(plan couleur zoom, 39)* : 24, rue des Canettes, 75006. ☎ 01-43-26-25-70. Ⓜ Saint-Sulpice ou Mabillon. Ⴊ Tlj ; service 12h-14h30, 19h-23h30 (minuit ven-sam). Congés : 3 sem en août. Plats du jour 15,50-25,50 € ; carte env 40 €. Discret resto dans une salle en enfilade, à la déco sobre et moderne, avec de beaux portraits noir et blanc de vaches aux murs. La cuisine classique, aux portions franches et généreuses, originale juste ce qu'il faut, et le service attentionné ont séduit les aficionados de bonne viande, servie avec des sauces goûteuses.

|●| Mangetout *(plan couleur zoom, 40)* : 82, rue Mazarine, 75006. ☎ 01-43-54-02-11. ● mangetout75@ orange.fr ● Ⓜ Odéon. Tlj sf dim-lun 12h-14h, 19h-22h30. Congés : en août. Formules déj 20-25 € ; le soir, carte 35-40 €. Vins au verre à partir de 4 €. Après quelques tâtonnements, Mangetout (ex-Pinxo Saint-Germain) a pris le chemin d'une cuisine plus classique (exit les tapas, version gastro). Alain Dutournier, chef du Carré des Feuillants (entre autres !), a mis en place une jeune équipe efficace et dynamique, qui propose désormais une carte courte aux accents du Sud-Ouest. Formules imbattables, excellente carte des vins, goûteuse cuisine landaise et personnel serviable font de ce lieu un endroit diablement agréable. Bon point pour le vin, servi au verre. NOUVEAUTÉ.

|●| L'Épi Dupin *(plan couleur B2, 48)* : 11, rue Dupin, 75006. ☎ 01-42-22-64-56. ● lepidupin@wanadoo.fr ●

Ⓜ *Sèvres-Babylone. Tlj sf sam-dim et lun midi ; service 12h-15h, 19h-23h. Congés : 3 premières sem d'août. Résa impérative quelques j. à l'avance pour le 1er service du soir. Formule déj 27 €, verre de vin compris (sf j. fériés) ; menu-carte 38 €.* François Pasteau, ancien élève entre autres de Robuchon, affiche complet midi et soir. La raison du succès : un menu peaufiné par des trouvailles quotidiennes, qui propose chaque jour un choix de 5 entrées, 5 plats et 5 desserts, plus les suggestions du jour. Bons desserts. Service efficace. Malin comme tout, le chef a ouvert, au n° 4 de la rue, son comptoir de plats à manger sur le pouce ou à emporter pour une poignée d'euros : *L'Épi Malin (lun-ven 10h-21h ; formule complète 15 €).*

|●| *La Méditerranée (plan couleur C2, 54)* : 2, pl. de l'Odéon, 75006. ☎ 01-43-26-02-30. ● *restaurant-la-mediterranee@wanadoo.fr* ● Ⓜ *Odéon ; RER B : Luxembourg. Tlj 12h-14h30, 19h30-23h. Congés : Noël-Jour de l'an. Formules 29-36 € ; carte env 55 €.* Jadis, écrivains, cinéastes et peintres avaient leur table à La Méditerrannée, d'Orson Welles à Aragon en passant par Picasso, Chagall, Man Ray ou Jean-Louis Barrault. Remise à flot après un toilettage discret – il ne fallait surtout pas toucher au décor des maîtres (Vertès, Bérard et Cocteau) –, *La Méditerranée* a retrouvé sa figure de proue face au théâtre de l'Odéon. À la carte, tendance grand bleu, avec quelques plats de viande pour contenter les carnivores. Pour adeptes de la vie parisienne.

|●| *Brasserie Lipp (plan couleur zoom, 55)* : 151, bd Saint-Germain, 75006. ☎ 01-45-48-53-91. Ⓜ *Saint-Germain-des-Prés. Tlj 12h-1h (dernière commande à minuit). Fermé 25 déc. Résa conseillée. Carte 45-50 €.* Presque une légende. Le vieux décor (grands miroirs, jolis panneaux en céramique, fresques qui s'estompent), sorti tout droit des années 1900, est classé Monument historique et Lieu de mémoire, excusez du peu ! L'atmosphère est plutôt relax, et les acteurs, auteurs, vedettes de la chanson font naturellement partie du paysage. La magie s'arrête là... Les plats immuables sont certes d'une qualité constante, mais les vins ruinent le portefeuille, et

l'accueil, quant à lui, est inégal.

|●| *L'Alcazar (plan couleur zoom, 56)* : 62, rue Mazarine, 75006. ☎ 01-53-10-19-99. ♿ ● *contact@alcazar.fr* ● Ⓜ *Odéon. Tlj 12h-14h30, 19h-23h. Fermé le midi du 31 déc. Menus 22-40 € le midi, 44 € le soir ; en mezzanine, formule dîner (plat + verre de vin) 27 € ; brunch dim 35 €.* Une brasserie moderne toute londonienne. Dans un vaste espace aéré et lumineux, sous une verrière, avec au déjeuner une vue directe sur les cuisines, on a tout le temps d'apprécier le spectacle des brigades concoctant une *world food* à la mode, goûteuse et pas chiche, sans oublier les classiques bien de chez nous. Une recommandation : le brunch du dimanche, très copieux... Ambiance plus jeune en mezzanine où, du mercredi au samedi, se retrouvent clubbers chic pour soirées animées par la crème des DJs.

|●| *Le Procope (plan couleur zoom, 51)* : 13, rue de l'Ancienne-Comédie, 75006. ☎ 01-40-46-79-00. ● *reservationprocope@blanc.net* ● Ⓜ *Odéon. Tlj en continu 12h-minuit (1h sam-dim). Menus « Procope » 20,90-27,90 € ; menu « Philosophe » 36 € ; carte 40-45 €.* Le plus ancien café de la capitale. En 1686, un certain Francesco Procopio dei Coltelli vint d'Italie ouvrir un troquet à Paris, y introduisant un breuvage nouveau appelé à un fulgurant succès : le café. La proximité de l'ancienne Comédie-Française en fit d'emblée un lieu littéraire et artistique. Au XVIIIe s, les philosophes s'y réunissaient, et l'*Encyclopédie* naquit ici d'une conversation entre Diderot et d'Alembert. Beaumarchais y attendait le verdict de ses pièces jouées à l'Odéon. Danton, Marat et Camille Desmoulins y prirent des décisions importantes pour la Révolution. Et Napoléon y laissa son bicorne pour honorer ses dettes de repas. Plus tard, Musset, George Sand, Balzac, Huysmans, Verlaine et bien d'autres aimaient à s'y retrouver. Aujourd'hui, *Le Procope* garde son rôle de lieu de rencontres et dispose même d'une table présidentielle. Cuisine traditionnelle de brasserie sans grande surprise, mais l'essentiel est d'être dans un lieu historique !

|●| *La Rôtisserie d'en Face (plan couleur C1, 49)* : 2, rue Christine, 75006. ☎ 01-43-26-40-98. ● *la-rotisserie@*

orange.fr • Ⓜ *Saint-Michel ou Odéon.
Tlj sf sam midi et dim ; service 12h-
14h, 19h-23h. Formules déj 25-39 € ;
carte 37-45 €. Apéritif maison offert
sur présentation de ce guide.* Jacques
Cagna, éminent toqué dont le resto
gastronomique est à deux pas, a fait
de sa *Rôtisserie d'en Face* une institution de la rive gauche. Mignon de porc
rôti au gingembre et citron vert, poulet
fermier à la broche, etc., la rôtissoire
tourne à plein. Ce n'est pas très inventif, mais c'est en général bon et enlevé.

Ⓘ●Ⓘ *Au Bon Saint-Pourçain (plan
couleur B2, 50) :* 10 bis, rue Servan-
doni, 75006. ☎ 01-43-54-93-63.
Ⓜ *Mabillon ou Saint-Sulpice. Tlj sf
dim 12h-14h, 19h-22h30. Congés :
août. Carte slt, 35-40 €. CB refusées.*
Une adresse de poche qui ne se fait
pas remarquer, tranquillement installée depuis presque 2 décennies. Des
trains de sénateurs, de bons vivants et
de ripailleurs (pléonasme !) se refilent
l'adresse entre 2 dossiers et viennent ici
recevoir le sourire de la fille du patron,
la sympathique gouaille de son père et
surtout se régaler de plats simples et
savoureux, comme ces poireaux vinaigrette parfaits, cette exquise terrine de
lapereau, qu'on fera suivre d'une fondante souris d'agneau. Ça n'a l'air de
rien ces plats-là, mais quand c'est bien
fait, c'est tout bonnement un régal.

Bars à vins

Ⓘ●Ⓘ 🍷 *Les Vendangeurs (plan couleur B3, 63) :* 6-8, rue Stanislas, 75006.
☎ 09-82-40-67-91. • *contact@vendan
geurs.fr* • Ⓜ *Vavin. Tlj 11h30-15h30,
17h-minuit. Plats du jour 9-12 € ;
carte 20-30 €.* Bar à vins, épicerie, resto,
la Sainte-Trinité de la qualité... Vins
chouchoutés de jeunes proprios, boudin
signé *Parra,* viandes de chez *Hugo,* sardines *La Perle des Dieux* (millésimées,
excusez du peu !)... Les meilleurs produits dans l'épicerie, le meilleur dans
l'assiette comme la soupe de carottes
bio et cet onctueux aligot de Laguiole (et
saucisse de chez *Le Conquet,* ça va de
soi !). Belles assiettes froides, délicieux
desserts et même de fins sandwichs !
Cadre plaisant et intime, conseils avisés
et accueil affable en prime...

Ⓘ●Ⓘ 🍷 *Fish, la Boissonnerie (plan couleur zoom, 61) :* 69, rue de Seine, 75006.
☎ 01-43-54-34-69. Ⓜ *Mabillon. Tlj ;
service 12h30-14h30, 19h-22h45.
Congés : 1 sem en août et 1 sem fin
déc. Formule déj 14,50 € ; menus
28,50 € (midi)-38 €.* Ne soyez pas trop
surpris si vous entendez que la plupart
des clients *speak English* : les patrons
sont tout simplement anglo-saxons, ce
qui ne les empêche pas de connaître
nos vignobles mieux que pas mal de
Frenchies. De la vallée du Rhône au
Languedoc-Roussillon, de la Provence
à la Loire, on boit ici en majesté... et en
essayant de raison garder. Les assiettes ? Sudistes, ensoleillées et plébiscitées par une grosse foule.

Ⓘ●Ⓘ 🍷 *La Quincave (plan couleur B3,
36) :* 17, rue Bréa, 75006. ☎ 01-43-
29-38-44. Ⓜ *Vavin. Tlj sf dim-lun
11h-15h, 17h-23h30.* Un bienheureux
petit lieu, chaleureux en diable et qui a
réinventé le bar à vins et la vraie convivialité. Ici, les petites tables hautes
rapprochent les gens, et permettent
de disserter sur la qualité des vins proposés avec son voisin. Fred, l'épicurien
et tonique patron, ne sélectionne que
des petits crus de vignerons amoureux
de leur terre et de leurs vignes. Gouleyants vins naturels, beaux jasnières,
montlouis superbement élaborés, bour-
gueil de Breton et magnifique mauzac
pétillant de Plageoles... Et pour aider à
descendre, de belles planches de charcuterie et de fromages. *NOUVEAUTÉ.*

Cuisine d'ailleurs

Sur le pouce

🥖 *Bagel Bagels (plan couleur
zoom, 41) :* 4, rue Monsieur-le-Prince,
75006. ☎ 09-54-44-20-58. Ⓜ *Odéon.
Lun 11h30-16h, mar-sam 11h30-21h.
Congés : août. Menu 8,50 € ; 1 € de
réduc pour les étudiants.* Damien et

llan préparent sous vos yeux (et avec le sourire !) des bagels aux notes new-yorkaises. Brooklyn, Tribeca ou Queens, les sandwichs frais s'accordent à merveille avec le décor de vieilles briques et les photos de la Grosse Pomme aux murs. Laissez-vous tenter par les desserts cuisinés par les deux frangins, mention spéciale au *carrot cake* avec glaçage de *cream cheese* ! *NOUVEAUTÉ.*

De très bon marché à bon marché

|●| *Cosi* (plan couleur zoom, **65**) : 54, rue de Seine, 75006. ☎ 01-46-33-35-36. ● cosi@wanadoo.fr ● Ⓜ Mabillon. Tlj 12h-23h. Sandwichs 5,50-8,50 € selon nombre d'ingrédients ; salades 6,50-8 € ; menus salade ou sandwich + boissons + dessert 9,50-11,50 €. Cadre et musique de circonstance, très *cosi (fan tutte)*, pour soigner l'entrée en scène de la diva des lieux. Le pain sort du four sous vos yeux. Plusieurs formules, du « Naked Willi », à base de ricotta et légumes rôtis, à la « Perfide Albion », qui s'accommode naturellement de rosbif, tomates confites à la coriandre et oignons rôtis. Également les traditionnels crumbles et tiramisù. À déguster au 1ᵉʳ étage. Vins au verre.

|●| *Le Bouillon des Colonies* (plan couleur C2, **66**) : 3, rue Racine, 75006. ☎ 01-44-32-15-64. ● bouillon. racine@wanadoo.fr ● Ⓜ Cluny-La Sorbonne ; RER B : Luxembourg. Tlj 12h-14h30, 19h-23h ; brunch dim 12h-14h30. Congés : 2 sem en août et 24-25 déc. Formule déj en sem 15,95 € ; menu découverte 25,90 € ; brunch 17,50 €. Apéritif maison offert sur présentation de ce guide. Décor *lounge* comme une initiation au voyage lointain, autant Saigon que Zanzibar. Sièges exotiques, lanternes chinoises, masques africains. La carte est dans l'air du temps, métissant habilement les saveurs et les genres : curry, coriandre et citronnelle se mélangent au poulet, au poisson et aux légumes. C'est habile, goûteux et gentiment dépaysant. Vins au verre à prix raisonnables. Le menu est une

vraie bonne affaire, et le service est souriant.

|●| *Le Petit Mabillon* (plan couleur zoom, **67**) : 6, rue Mabillon, 75006. ☎ 01-43-54-08-41. Ⓜ Mabillon. Tlj sf dim et lun midi 12h-14h30, 19h-23h15. Congés : 3 sem en août et 2 sem fin déc. Menu 16,80 € ; plats du jour 11,50-15,80 € ; carte env 25 €. Café offert sur présentation de ce guide. Passez la 1ʳᵉ salle et préférez celle en sous-sol, dont les fenêtres ont vue sur la cour. Quelques tables à touche-touche, une cuisine italienne sans grande prétention, mais un petit menu servi tout le temps, qui est une aubaine dans le quartier !

Prix moyens

|●| *L'Altro* (plan couleur B1, **71**) : 16, rue du Dragon, 75006. ☎ 01-45-48-49-49. Ⓜ Saint-Germain-des-Prés. Tlj 12h30-15h, 19h30-23h30. Congés : 1 sem autour du 15 août. Formules déj 17-22 € ; le soir, carte slt. La bande des *Cailloux* (voir dans le 13ᵉ) a remis le couvert dans un style industriel branché. Carreaux blancs aux murs, tables en bois brut foncé, mezzanine et grosse horloge de gare : le ton est donné. De la salle, vue sur les coulisses où les cuistots s'affairent devant un bel alignement de bocaux de pâtes. Et ici, c'est toute la botte italienne qui se retrouve dans votre assiette... et dans votre verre. Malgré les portions congrues et le service un peu longuet, on y reviendra avec plaisir.

|●| *L'Acropole* (plan couleur C2, **68**) : 3, rue de l'École-de-Médecine, 75006. ☎ 01-43-26-88-90. Ⓜ Odéon. Tlj sf mer ; service ,12h-14h15, 19h-22h15. Congés : août. Menu 40 € (boissons comprises) ; carte 25-35 €. On vous l'accorde, le cadre n'a rien d'exceptionnel, et la Grèce n'est guère évoquée qu'au travers de quelques objets un peu vieillots. Mais l'accueil est chaleureux, et l'assiette belle et bonne : le tarama maison est délicieux, les mezze soignés, les brochettes et légumes farcis frais, savoureux et goûteux. On ne regrette pas l'addition, qui reste raisonnable.

|●| *Le Timbre* (plan couleur B3, **69**) : 3, rue Sainte-Beuve, 75006. ☎ 01-45-49-10-40. Ⓜ Notre-Dame-

des-Champs ou Vavin. Tlj sf dim-lun ; service 12h-13h30, 19h-22h30. Congés : de mi-juil à mi-août et Noël-Jour de l'an. Menus déj 22-26 € ; menu sam soir 32 € ; le soir en sem, env 32 €. Même s'il y a quelques inévitables petits suppléments, les menus (qui changent très régulièrement) sont à prix très compétitifs : dans le quartier, ça sonne comme une vraie affaire. Les 24 places sont donc souvent prises, car le chef anglais aux fourneaux a le sens du bon produit travaillé sans trop de chichis : essayez la tartine d'anchois avec ses oignons caramélisés ou le boudin noir piquant avec son chutney de mangue, et vous comprendrez qu'il y a matière à revenir. **|●| _Blueberry_** (plan couleur B2, **46**) : 6, rue du Sabot, 75006. ☎ 01-42-22-21-56. Ⓜ Saint-Germain-des-Prés. Mar-sam 12h30-14h30, 19h30-22h30. Congés : 23 déc-2 ou 3 janv. Résa indispensable. Formules déj 21-24 € ; makis 12-16 € ; carte env 40 €. Digestif maison (umeshu) offert sur présentation de ce guide. Un restaurant japonais haute couture. De vraies spécialités venues du Soleil levant : sushis, alcool de prune, saké et purée de pommes de terre aux oignons. La marque de fabrique de la maison reste les makis

aux noms délicieusement amusants : « Little Miss Yuzu » (tataki de saumon mariné au yuzu, framboise, mangue) ou encore « Rackham le Rouge » (tempura de gambas, thon mariné, truffe, œufs de poisson volant et ciboulette thaïe). L'ensemble est raffiné, original, et réveille les palais sensibles aux saveurs aigres-douces. Cadre élégant et moderne. Service un peu lent mais adorable.

|●| _Le Cherche-Midi_ (plan couleur B2, **70**) : 22, rue du Cherche-Midi, 75006. ☎ 01-45-48-27-44. ● contact@lecherchemidi.fr ● Ⓜ Sèvres-Babylone. Tlj 12h-15h, 20h-23h45 (19h30-23h15 l'hiver). Fermé 1er janv, 24, 25 et 31 déc. Résa souhaitable. Pâtes 18 €, plat 22 € ; carte env 40 €. Des allures de bistrot « franchouillard », et pourtant, c'est toute l'Italie qui surgit dans l'assiette. Produits frais, mozzarellas et salaisons en provenance de la Botte, viandes de producteurs triés sur le volet, poissons de la pêche et pâtes maison (3 sortes différentes chaque jour). Les desserts sont également della casa. Le café est servi avec des cantuccini, la (petite) terrasse brille sous le soleil, et les tables sont nappées. La gentillesse du service fait le reste.

Où boire un thé ?

|●| 🍵 _Pâtisserie Viennoise_ (plan couleur C2, **75**) : 8, rue de l'École-de-Médecine, 75006. ☎ 01-43-26-60-48. Ⓜ Odéon. Tlj sf w-e et j. fériés 9h-19h. Congés : de mi-juil à fin août. Formules déj 10,50-12,50 €. CB refusées. Café offert (pour un repas pris) sur présentation de ce guide. Une institution dans le Quartier latin, créée en 1928 par un couple hongrois. Dans les 2 petites salles, les places sont chères. Atmosphère et style un peu province. Nombreux sont celles et ceux qui y reviennent après leurs études à la Sorbonne ou à l'institut d'anglais tout proche. Grandes salades, tourtes, quiches, tagliatelles maison... Pour les gâteaux : strudel, sacher, flanni, kifli, tarte pavot-groseille, macarons... accompagnés d'une petite sélection de thés,

d'un onctueux chocolat ou d'un café viennois.

🍵 _Salon de thé Christian Constant_ (plan couleur B3, **76**) : 37, rue d'Assas, 75006. ☎ 01-53-63-15-15. ● christianconstant@orange.fr ● Ⓜ Saint-Placide ou Rennes. ♿ Lun-ven 9h30-20h30, sam-dim et j. fériés 9h-20h. Chocolat chaud (la spécialité maison, une tuerie !) 6,50 € ; pâtisseries 4-7 €. 📶 Dégustation de chocolats offerte sur présentation de ce guide. Comme il n'y a pas d'heure pour être gourmand, dixit l'un des serveurs, venez tester toute la journée les splendeurs cacaotées de ce « compositeur de chocolat ». Une poignée de tables à peine, l'idéal pour faire une pause dans les fèves après une balade au Luxembourg. En été, on y apprécie aussi les glaces et sorbets aux fruits frais.

Où manger une glace ?

♀ Grom (plan couleur zoom, **80**) : 81, rue de Seine, 75006. ☎ 01-40-46-92-60. • parigiseine@grom.it • Ⓜ Odéon. En hiver, tlj 13h (12h dim)-22h30 (minuit jeu-sam) ; en été, tlj 12h (11h dim)-23h (minuit jeu-sam). Pots 3,70-7,50 €. Si vous aimez les gelati, rendez-vous chez Grom, le célèbre glacier de Turin, membre du mouvement slow food et adepte des produits bio de qualité. Parfums savoureux et texture parfaite, difficile d'ailleurs de choisir parmi les différentes crèmes glacées, les sorbets ou granités... tout est bon ! Essayez donc la pistacchio ou la gianduja (noisette et chocolat), et laissez-vous fondre de plaisir. En hiver, également des chocolats chauds.

Cafés historiques

♀ Le Café de Flore (plan couleur zoom, **90**) : 172, bd Saint-Germain, 75006. ☎ 01-45-48-55-26. Ⓜ Saint-Germain-des-Prés. Tlj 7h30-1h30. Restauration à la carte 18-38 €. Un grand café chargé d'histoire ! Sur ses tables vénérables s'est accoudé plus d'un illustre personnage. Tout a commencé en 1890. Depuis, au Café de Flore, poètes, éditeurs, écrivains, intellectuels et artistes de tout poil se côtoient et se succèdent. C'est ici qu'Apollinaire a fait germer le surréalisme, que Sartre, Simone de Beauvoir et Prévert se chauffaient au même poêle. Puis ce fut au tour d'Hemingway et de Camus de fréquenter les lieux... L'histoire du Flore, comme celle de ses voisins la Brasserie Lipp ou Les Deux Magots, s'est forgée au XXe s. Aujourd'hui encore, ce monstre sacré ne désemplit pas.

♀ Les Deux Magots (plan couleur zoom, **91**) : 6, pl. Saint-Germain-des-Prés, 75006. ☎ 01-45-48-55-25. • contact@lesdeuxmagots. fr • Ⓜ Saint-Germain-des-Prés. Service continu tlj 7h30-1h. Café 4,40 € ; verres de vin à partir de 7,60 €. Salade env 17 € ; assiettes 19-25 € ; carte le soir env 55 €. Son nom, Les Deux Magots, a pour origine l'enseigne d'un magasin de nouveautés qui occupait le même emplacement au XIXe s. Le café qui lui succède conserve son nom, la décoration et les statues, les fameux magots. Au XXe s, Les Deux Magots deviennent un des QG emblématiques de l'intelligentsia germanopratine. Il faut dire que la position privilégiée de sa terrasse-jardin, ouverte d'avril à octobre, en face de l'église Saint-Germain, en fait un lieu éminemment stratégique pour côtoyer le monde des arts, des lettres, de la mode, du spectacle et de la politique. Nul besoin de rappeler que Sartre, Simone de Beauvoir et bien d'autres y avaient table. Le prix des Deux-Magots y est décerné depuis 1933. Nombreux sont ceux qui viennent y prendre un petit déj tout à fait parisien, avec un chocolat chaud à l'ancienne. Pour déjeuner, carte de brasserie assez classique à prix soutenus mais qui ne nous a pas paru se distinguer de ses voisins, et, le soir, carte qui se renouvelle au gré des saisons.

♀ Le Sélect (plan couleur B3, **92**) : 99, bd du Montparnasse, 75006. ☎ 01-45-48-38-24. Ⓜ Vavin. Tlj ; service bar 7h-3h (3h30 w-e et 19h 24 déc). Cocktails à partir de 12 €. Rendez-vous des artistes (ou de ceux qui s'en donnent le look), Le Sélect fut, entre 1923 et 1935, l'un des bars phares de la vie artistique française. L'endroit est le repaire des habitués jusque tard dans la nuit. Vous pourrez toujours traquer la piste d'un futur peintre génial, autour d'un cocktail.

♀ La Closerie des Lilas (plan couleur C3, **93**) : 171, bd du Montparnasse, 75006. ☎ 01-40-51-34-50. • closerie deslilas@orange.fr • Ⓜ Vavin ; RER B : Port-Royal. Tlj 11h-1h30 ; service 12h-0h30. Cocktail env 16 €. Œufs mayo 6,80 € ; steak tartare (l'un des meilleurs de Paris) 21,50 €. Ancienne guinguette et relais de diligences, c'est aujourd'hui une belle brasserie. Le mouvement parnassien fréquenta La

Closerie, de même que le firent Verlaine, Baudelaire... Plus tard, les surréalistes reprirent le flambeau. Et tant d'autres dont on retrouve les noms gravés sur les tables : Max Jacob, Modigliani, Lénine... sauf Hemingway ! Lui, il possède sa plaque de cuivre sur le comptoir du célèbre bar américain qu'il vit naître dans les années 1925, et qu'il ne quitta plus. Il y écrivit *Le soleil se lève aussi*. Décor superbe et chaleureux. Bar en chêne clouté de cuivre. Tables massives et cirées. Sol en mosaïque. Sur les murs, vieilles glaces et lambris. Fréquenté aujourd'hui par une clientèle assez mélangée d'intellos, de bourgeois ultrachic, d'écrivains frimeurs, de snobs et d'artistes. Au bar, sur les hauts tabourets de cuir rouge, la note grimpe quand même assez vite ! Si vous désirez manger, le resto est très cher ; mieux vaut aller en brasserie, au « bateau », comme on dit. Moins cher, plus relax et plus de monde, bien sûr ! Ambiance piano-bar.

Où boire un verre ?

🍸 *Chez Georges* (plan couleur zoom, **100**) : 11, rue des Canettes, 75006. ☎ 01-43-26-79-15. Ⓜ Saint-Germain-des-Prés. Tlj sf dim-lun 12h-2h. Congés : août et fin d'année. Bières en bouteille 4,50-5 € ; verres de vin à partir de 2,50 €. Planche de fromages et de charcuterie 13,50 €. Des générations de tabagiques et intellos fumeux ont patiné murs et plafond. Ancien cabaret où débutèrent bien des chanteurs (portraits aux murs), les lieux n'ont guère changé depuis plus de 60 ans, et on aime bien ce vieux comptoir Art déco de 1928 et le sourire de Nicolette derrière. Certains soirs, il peut se passer quelque chose, parfois trois fois rien, en fonction de la clientèle, de la proportion de touristes, des événements... Le week-end, c'est souvent plein comme un œuf de jeunes qui se ruent dans la vieille cave voûtée où crépite un feu aux premiers frimas. On n'y refait plus trop le monde, mais ça reste joyeux, convivial et bruyant. Sympathiques expos temporaires.

🍸 *Cubana Café* (plan couleur B3, **97**) : 47, rue Vavin, 75006. ☎ 01-40-46-80-81. ● info@cubanacafe.com ● Ⓜ Vavin. Tlj 11h-4h (5h w-e) ; service continu 11h-minuit (1h jeu-sam). Happy hours 16h-20h. Carte très variée : tapas et salades, plats... ; formule déj en sem 12,80 € ; menus 27-54 € ; brunch dim 19,90 € (avec buffet de desserts à volonté). Parking payant. Café offert sur présentation de ce guide. Un resto-bar-fumoir où l'on chipote sur des classiques latinos en tête à tête avec le *caballero* de son choix ou, mieux encore, avec les Che Guevara de la *casa*. La déco est un savant méli-mélo de bagues de cigares, de photos, d'affiches et de slogans révolutionnaires égratignés à même les murs ocre. Cave à cigares où l'on trouve des cigares... cubains.

🍸 *Au Petit Suisse* (plan couleur C2, **99**) : 16, rue de Vaugirard, 75006. ☎ 01-43-26-03-81. Ⓜ Odéon ; RER B : Luxembourg. Tlj 6h-2h. Jus de fruits 4,20 € ; bières à partir de 4 €. Sandwich env 5 € ; salades 8,50-10,80 € ; tartes à partir de 4,80 € ; plats 9-15 €. Un petit bistrot typique, avec une jolie mezzanine à l'intérieur et petite terrasse agréable aux beaux jours, à deux jets de pierre du jardin du Luxembourg. Jadis point de convergence des gardes suisses de Marie de Médicis, s'y mélangent aujourd'hui, dans une ambiance bon enfant, touristes et Parisiens. Petite restauration (salades, charcuterie auvergnate, croques au pain de campagne, plat du jour, vins de propriété) à des prix plus que modestes pour le coin.

🍸 *Coolin* (plan couleur zoom, **102**) : 15, rue Clément (adresse postale : 14, rue Lobineau), 75006. ☎ 01-44-07-00-92. Ⓜ Mabillon. ⚥ Tlj 10h-2h. DJ ven-sam à partir 22h ; musique live dim. Fermé 25 déc. Alcool, pinte, du cidre à la Guinness, à partir de 7,80 € ; 5,80 € pdt l'happy hour (17h-20h). Un havre de convivialité dans ce marché Saint-Germain déshumanisé, tout entier voué à la fringue. On peut y savourer son whisky seul ou avec des amuse-gueules, ou en profiter pour goûter à l'assiette de crêpe de pomme de terre farcie. Un endroit chaleureux donc, avec ses murs ocre, ses tables et bancs en bois blond, et son vaste bar sombre. Terrasse.

Ⴑ Le Bar du Marché *(plan couleur zoom,* **103***) :* 75, rue de Seine, 75006. ☎ 01-43-26-55-15. Ⓜ *Mabillon. À l'angle de la rue de Buci. Tlj 8h-2h. Café 1,20 € au comptoir, 2,30 € en salle ; demis à partir de 2,70 € au comptoir, 4,30 € en salle.* Les serveurs, casquette vissée et démarche canaille, se la jouent apaches de Ménilmuche. Avec l'aisance de vieux pros, ils zigzaguent entre les tables remplies d'une clientèle bigarrée incluant touristes et titis, posant mousse, cahoua, Viandox devant le solitaire en séance de matage à la terrasse (parfaite pour suivre l'animation du marché) ou une Américaine en corvée de cartes postales. Y a d'la joie, un peu à l'image de l'immense affiche des Frères Jacques scotchée sur la glace.

Ⴑ La Palette *(plan couleur C1,* **104***) :* 43, rue de Seine, 75006. ☎ 01-43-26-68-15. Ⓜ *Odéon. Tlj 7h (10h dim)-2h ; brunch dim. Boisson env 5,50 €. Plats du jour à partir de 15 € ; pâtisserie 7,50 €.* Un élitisme bon teint, composé de marchands d'art, d'artistes, de poètes, ou encore de quelques étudiants. Les affaires se concluent autour d'un verre de saint-émilion ou de brouilly, en dégustant une « guillotine » (morceaux de jambon de pays ou de fromage sur pain Poilâne). Plafond tout stucs et moulures, grandes glaces, céramiques. Les tables sont installées dehors dès les premiers rayons de soleil. Atmosphère animée, très parisienne, dans ce qui reste une institution du quartier.

Ⴑ Le 10 Bar *(plan couleur zoom,* **95***) :* 10, rue de l'Odéon, 75006. ☎ 01-43-26-66-83. Ⓜ *Odéon. Tlj 18h-2h. Fermé 24-25 déc et 31 déc-1er janv. Verre de vin env 4 € ; sangria 3,50 € ; bières 4-5,50 €. CB refusées.* Guy, le patron, et son équipe essaieront sans doute de vous faire boire la sangria maison dans ce petit rade improbable du quartier de l'Odéon. On y écoute, dans des sièges défoncés et sous des lambris de galion, des standards de jazz ou de rock, dans la cave couverte d'affiches jaunies d'opéra-comique et de cinéma. Beaucoup de charme.

Où sortir ?

∞ Le Lucernaire *(plan couleur B3,* **110***) :* 53, rue Notre-Dame-des-Champs, 75006. ☎ 01-45-44-57-34. ● livia.communication@lucernaire.fr ● lucernaire.fr ● Ⓜ *Notre-Dame-des-Champs ou Vavin. Ouv jusqu'à 23h. Théâtre 25-30 € ; cinéma 6,50-7,50 €.* Centre national d'art et d'essai. Un des lieux les plus vivants à Paris. Toute l'année, plus de 30 pièces de théâtre, une sélection des meilleurs films d'art et d'essai, une galerie de photos et un bouquiniste. Après le spectacle, vous pouvez vous restaurer au resto du même nom (☎ 01-45-48-91-10 ; tlj 12h-14h30, 19h-23h – 22h30 dim-lun ; service continu mer et sam ; formules déj à partir de 8,50 €, carte env 25 €).

Où écouter de la musique ?

♪ Cavern Café *(plan couleur C1,* **131***) :* 21, rue Dauphine, 75006. ☎ 01-43-54-53-82. ● contact@lecavern.com ● lecavern.com ● Ⓜ *Odéon ou Pont-Neuf. Tlj sf dim-lun 19h-2h ou 3h (5h ven-sam). Congés : 3 sem en août. Aux bars du rdc et du sous-sol, demi 3,50 € après 22h30, alcool 6 €, « Black Bull » (spécialité maison) 4 €.* Voilà un endroit qui a la pêche. Un concert live tous les soirs, dans des styles très différents : blues, funk, soul, rock, jazz, électro, etc. Sur scène passent souvent des musiciens pro (le guitariste d'Higelin par exemple) qui viennent se produire tranquillement dans cette petite salle. Tous les mercredis soir, bœuf dans une ambiance cool et pas frime.

À voir

LE QUARTIER DE L'ODÉON

De l'autre côté du boulevard Saint-Michel, entre Luco (Luxembourg) et Seine, un quartier qui a su se créer une personnalité. Transition douce vers Saint-Germain-des-Prés, le Quartier latin y conserve cependant un orteil avec l'institut d'anglais et la fac de médecine Descartes. Magasins de fringues aussi nombreux que du côté de la rue de la Huchette, surtout le soir, la rue Saint-André-des-Arts et les ruelles adjacentes (passage de Rohan, rue de Buci, rue Dauphine...) ont néanmoins conservé une certaine élégance, malgré les lourdes pressions mercantiles.

🎭🎭🎭 À partir de la fontaine Saint-Michel, un petit quartier pittoresque, l'*îlot Saint-André-des-Arts* (plan couleur C1-2), nous invite à faire une petite balade dans ses ruelles médiévales. Vous noterez, au hasard de votre promenade, de-ci, de-là, des vestiges du passé, une tourelle d'angle, des portes basses, des balcons en fer forgé. Belles façades rue Saint-André-des-Arts. Pittoresque passage de l'Hirondelle qui mène à la rue Gît-le-Cœur. Rue Séguier, rue Christine, beaux hôtels particuliers. La rue Suger conserve un charme tout provincial. Au n° 1 de la rue Danton s'élève la première maison en béton armé (1898), œuvre de l'architecte François Hennebique, l'inventeur de ce matériau.

🎭 *La cour de Rohan* (plan couleur zoom) : *entrée par la rue du Jardinet ou par la cour du Commerce-Saint-André.* Charmante succession de courettes bordées d'élégantes demeures bourgeoises du XVIe s. Avec un peu de chance, le portail sera ouvert... De l'ancien atelier de serrurerie, dans la cour du Commerce-Saint-André, à droite de l'accès à la première courette, subsiste une tour intacte du rempart de Philippe Auguste. On la voit à travers les carreaux. À l'entrée de la 2e cour, on trouve un « pas de mule » qui servait à se hisser sur les chevaux et, dans la 3e, un vieux puits avec margelle. Le tout possède un étrange charme provincial.

🎭🎭 *La cour du Commerce-Saint-André* (plan couleur zoom) : édifiée en 1776, elle offre une image intéressante du vieux Paris avec ses maisons basses usées et patinées. Au n° 8, l'ancienne imprimerie de Marat d'où sortait *L'Ami du peuple* et où travailla le futur maréchal Brune. Ce bel ensemble architectural a été rénové. Au n° 9, on construisit la première guillotine dans l'atelier du menuisier Tobias Schmidt.

PAUVRE DOCTEUR GUILLOTIN

Le docteur Guillotin, député du tiers état à l'Assemblée constituante, protesta jusqu'à sa mort (1814) contre l'usage abusif de son nom. Il se contenta de proposer la célèbre machine à l'Assemblée ; c'est un certain docteur Louis qui se chargea de la mettre au point, d'où son premier nom de « louison ». Finalement, on ne retint que « guillotine », parce que ça rimait avec machine et que ça arrangeait les chansonniers de l'époque.

De l'Odéon au jardin du Luxembourg
(plan couleur C2)

🎭 *Le carrefour de l'Odéon* est l'un des plus animés de Paris. Aux beaux jours, il y a encore foule jusqu'à une heure avancée, et parfois des embouteillages. Danton occupait une maison à l'emplacement exact de sa statue. Dans le coin habitaient beaucoup de révolutionnaires de 1789. Marat fut assassiné dans le secteur.

🎎 *La rue Monsieur-le-Prince,* qui s'appelait jadis rue des Fossés (car elle suivait l'enceinte de Philippe Auguste), abrite beaucoup de belles demeures. Le prince en question était le prince de Condé. Au n° 4, portail superbe de l'hôtel de Bacq (1750). Vieilles demeures aux n°s 13, 15, 19 et 21. Au n° 14 habita le compositeur Saint-Saëns, et au n° 54 Blaise Pascal. Il y écrivit la plupart de ses *Pensées* et quelques *Provinciales*. On ne vous cite pas tous les autres. Pratiquement chaque maison a sa plaque.

🎎 *La rue de l'École-de-Médecine* s'appela autrefois rue des Cordeliers, puis rue Marat. C'est dans l'ancien *couvent des Cordeliers,* du n° 15 au n° 21, que Danton fonda son club en 1790. Aujourd'hui, on y trouve le ***musée d'Anatomie pathologique Dupuytren*** *(au rdc, dans le cloître, escalier D ; ☎ 01-44-27-45-45 ; lun-ven 14h-17h ; entrée : 5 €, réduc ; âmes sensibles s'abstenir).* Il s'agit d'un petit musée d'histoire du XIXᵉ s aménagé au cœur de la fac de médecine, celui des lésions anatomiques du squelette et des tissus (conservés dans des bocaux). Également de très belles cires à vocation pédagogique. L'ensemble est impressionnant. On ne vous conseille la visite du musée que dans la mesure où vous pourrez vous joindre à une visite guidée prévue *(elles ont nécessairement lieu le mat ; se renseigner à l'avance ; compter 8 €),* passionnante.

🎎 *Le musée d'Histoire de la médecine (plan couleur C2) :* 12, rue de l'École-de-Médecine, 75006. ☎ 01-76-53-16-93. ● univ-paris5.fr/culture/musee-d-histoire-de-la-medecine ● ♿ *Tlj sf jeu, dim et j. fériés 14h-17h30 (de mi-juil à fin août, tlj sf w-e 14h-17h30). Fermé Noël-Jour de l'an. Entrée : 3,50 € ; 2,50 € sur présentation de ce guide ; réduc. Le Petit guide du visiteur (1,50 €) vaut le coup.* Le musée est abrité au 2ᵉ étage (accès fléché) du beau bâtiment de l'université Paris-Descartes. Au 1ᵉʳ étage, ne pas manquer le célèbre tableau *Une leçon clinique à la Salpêtrière,* représentant Charcot et tous les grands « pontes » de l'époque. Dans une vaste salle de caractère du début du XXᵉ s sont présentés, de façon chronologique et thématique, tous les instruments importants liés à la pratique médicale : collyre gaulois, coffret à scalpels qui servit pour l'autopsie de Napoléon, trépan de Bichat, stéthoscope de Laennec... Belle sélection de forceps (impressionnant !), de scalpels, d'instruments de trépanation et autre nécrotome (bistouri servant à ouvrir les corps lors de l'embaumement)... Parmi les pièces de choix : le bistouri de Félix, qui opéra avec succès Louis XIV d'une fistule anale (importante, cette opération, puisqu'elle entraîna la reconnaissance de la chirurgie et sa séparation de la corporation des barbiers, à laquelle elle appartenait jusqu'alors). Important aussi, un mannequin anatomique en bois de tilleul entièrement démontable, commandé par Bonaparte lors de la campagne d'Italie et destiné à l'École de santé. Et à proximité de ce superbe mannequin justement, une petite table pour le moins étrange réalisée par un médecin et offerte à Napoléon III... Souvent de bien beaux objets en tant que tels (bois précieux, ivoire...), parfois curieux pour les yeux du néophyte ; et justement, vraiment dommage que la présentation manque de dessins nous éclairant sur l'usage de tel ou tel instrument.

🚶 *Le musée de Minéralogie de l'école des Mines de Paris (plan couleur C2-3) :* 60, bd Saint-Michel, 75006. ☎ 01-40-51-91-39. ● musee.mines-paristech. fr ● RER B : Luxembourg. ♿ *(prévenir avt). Mar-ven 13h30-18h ; sam 10h-12h30, 14h-17h ; dernière entrée 30 mn avt la fermeture. Fermé dim-lun et j. fériés. Visites guidées sur rdv. Entrée : 6 € ; 3 € enfant ; gratuit moins de 12 ans.* Fondé en 1794 par un arrêté du Comité de salut public, ce musée présente une collection de minéraux qui le place parmi les premiers au monde. Dans la galerie (d'une centaine de mètres !), dont les baies s'ouvrent sur le jardin du Luxembourg (façade classée du ci-devant hôtel de Vendôme), sont exposées des collections de roches, minerais, gemmes et météorites (5 000 pièces en vitrine). Le musée abrite 100 000 échantillons, dont 80 000 minéraux et 15 000 roches. À signaler, les plus beaux spécimens, réellement spectaculaires, exposés dans les salles de l'entrée.

🎭 *L'Odéon – Théâtre de l'Europe* (plan couleur C2) : • theatre-odeon.fr • Il fut construit en 1782 dans le style antique, alors en vogue à l'époque, et inauguré par Marie-Antoinette. Il connut une occupation mémorable en mai 1968. Les casques romains utilisés lors des représentations théâtrales protégèrent plus d'un crâne étudiant sur les barricades, et Jean-Louis Barrault s'y fit gentiment chahuter. À l'intérieur, beau plafond d'André Masson.

ET MERDE !

Cette expression bizarre est toujours employée chez les comédiens pour souhaiter bonne chance. Autrefois, les spectateurs arrivaient en calèche. La quantité de crottin devant le théâtre était évidemment proportionnelle à l'affluence. Donc un signe de succès pour le spectacle !

– Maisons classées tout autour de la place. Au n° 2 habitait l'un des héros de 1789 qui nous est le plus sympathique : Camille Desmoulins. Au n° 1, on trouvait jadis l'ancien *Café Voltaire,* haut lieu littéraire pendant 150 ans. Les Américains de la génération perdue s'y retrouvaient (Scott Fitzgerald, Hemingway, Sinclair Lewis...). Dans le quartier, vous trouverez partout de superbes hôtels particuliers des XVIIe et XVIIIe s (en particulier rue de Condé, rue de Tournon, etc.). Au n° 5 de la rue de Tournon, une voyante avait un client sombre et famélique : Bonaparte. Au n° 17, c'est là, à son domicile, que Gérard Philipe est mort.

LE JARDIN ET LE PALAIS DU LUXEMBOURG
(plan couleur B-C2-3)

Le jardin du Luxembourg

🌳🌳🌳 Appartenant au Sénat, c'est l'un des plus beaux jardins parisiens, romantique à souhait avec ses allées ombragées, ses pelouses et ses parterres à la française. En plein milieu du Quartier latin, le Luxembourg (le Luco pour les anciens) a toujours été un lieu privilégié pour les écrivains, les étudiants et... les amoureux. S'il pouvait parler, ce serait sans doute le témoin le plus précieux de la vie historique et littéraire de la France (lire *Si le Luxembourg m'était conté,*

AU DIABLE VAUVERT...

Du temps de Saint Louis s'élevait, au sud du jardin, une bâtisse maudite appelée le château de Vauvert. Repaire d'une bande de brigands, on y voyait d'étranges lumières et on disait le lieu hanté, évidemment. C'est ainsi que se forgea l'expression « Aller au diable vauvert ». Pour exorciser les lieux, Saint Louis permit aux moines chartreux de s'y installer. Leur arrivée mit fin à la légende... Pas drôles, les chartreux !

d'Annie Epelbaum-Moreau, aux éditions Buchet-Chastel). Ainsi, Rousseau et Diderot se promenèrent dans des jardins que Watteau avait déjà peints dans sa jeunesse, imités en cela par David, et aussi par Delacroix. Si la Révolution fut insensible aux côtés initiatiques du lieu, le XIXe s vit Baudelaire, Chateaubriand, Chopin, Lamartine, Musset ou encore George Sand en faire leur endroit de prédilection. Les personnages des *Misérables* de Victor Hugo fréquentèrent aussi beaucoup les jardins, tout comme Balzac, qui, dit-on, se promenait le long des grilles en robe de chambre, un chandelier à la main. Puis ce fut au tour de Gide, enfant, de tomber en admiration devant les sculptures, tandis que Sartre créait un spectacle de marionnettes... avant d'y rencontrer Simone de Beauvoir. Ensuite vinrent la guerre et les rendez-vous clandestins des résistants, qui croisèrent Kessel, Modigliani et Zadkine. Gérard Philipe y venait pour relire ses textes, Rilke pour rêver, Hemingway pour apprendre la peinture, Lénine pour voir la chaisière dont il était tombé amoureux. Enfin... chacun d'entre eux avait une bonne raison ! Aujourd'hui, on y vient pour lire, étudier, draguer gentiment ou prendre le soleil dès les premiers beaux jours, devant l'Orangerie ou autour du bassin central.

À voir

🕺 À gauche de l'entrée par la place Edmond-Rostand, les rendez-vous amoureux se donnent près de la superbe **fontaine Médicis,** entourée de platanes. Elle date de 1624 ; au XIXe s, elle a été déplacée et complétée par des sculptures. Le plus charmant endroit du quartier pour conter fleurette.

🕺 Du côté de la rue Guynemer, vous trouverez une réplique de la statue de la Liberté de Bartholdi, l'original ayant déménagé au musée d'Orsay. Nombreuses autres statues à découvrir au cours d'une promenade pleine de surprises. Celles des **reines de France** agrémentent les terrasses qui surplombent le bassin dans lequel s'ébattent des carpes et que sillonnent depuis toujours des maquettes de voiliers (fabuleux souvenir d'enfance, non ?). Petit kiosque et buvette en plein air.

À faire

– On trouve des tas de choses étonnantes dans ce jardin, dont la possibilité de suivre des *cours d'horticulture* et *d'apiculture.* Pour les curieux, le verger du jardin renferme 600 variétés de pommes et de poires, dont certaines rarissimes.

🕺 Pour les enfants (et ceux qui le sont restés), le fameux **guignol,** increvable avec ses *Trois Petits Cochons* notamment *(programme et horaires : ☎ 01-43-26-46-47 ; ● marionnettesduluxembourg.fr ● ; spectacles mer, w-e et tlj pdt vac scol ; entrée : 4,80 € ; pour être bien placé, venir 30 mn avt).* À côté, parc de jeux *(payant)* pour les enfants. Ces derniers peuvent aussi faire une promenade à poney, de la balançoire, ou manger une barbe à papa. Le **manège,** dessiné par Charles Garnier (l'architecte de l'Opéra), a plus d'un siècle et tourne toujours.

– **Courts de tennis :** ☎ 01-43-25-79-18. ● *tennis.paris.fr* ● *Résa sur Internet. Compter 4,50 €/h le mat, 7,50 €/h l'ap-m.* Six courts découverts très demandés, on s'en doute.

– Vous serez aussi surpris d'apprendre que le jardin abrite un terrain de **jeu de longue paume.** Bien sûr, on n'y joue plus avec le creux de la main, contrairement à ce que son nom indique, mais avec une raquette. C'est de ce jeu que provient l'expression « jeu de mains, jeu de vilains », en référence à ceux qui n'avaient pas les moyens d'acheter une raquette pour jouer. Possibilité de découvrir les règles du « roi des jeux et jeu des rois » le dimanche matin *(rens : ☎ 01-72-27-42-89 ; cotisation annuelle : env 80 €).*

– Les amateurs d'échecs pourront venir avec leurs pions s'installer à l'une des tables-plateau d'échecs... ou s'intéresser aux parties en cours si les places sont prises.

Le palais du Luxembourg

🕺🕺🕺 Commandé par Marie de Médicis, qui s'ennuyait au Louvre après la mort d'Henri IV, il abrite aujourd'hui le **Sénat.** L'architecte s'inspira du palais Pitti, à Florence, ville dont la reine était originaire. Rubens le décora de tableaux retraçant la vie de Marie de Médicis (ils sont aujourd'hui au Louvre). L'aile est du palais abrita la première collection de peintures accessible au public (1750). Le palais servit de prison pendant la Révolution. Un certain nombre d'occupants célèbres y furent incarcérés, parmi lesquels David. On dit que, l'ayant reconnu comme étant le professeur de son fils, son geôlier accepta de lui fournir des pinceaux.

Visites guidées 1 ou 2 fois par mois ; rens : ☎ 01-44-54-19-49 ; ● monuments-nationaux.fr/fr/visites-conference-ile-de-france/presentation ● Pour assister aux séances : ☎ 01-42-34-20-01 (programme sur répondeur). Programme des séances également sur le site ● senat.fr ● Se présenter à l'accueil du Sénat, 15, rue de Vaugirard, avec carte d'identité.

Ceux qui accéderont à l'hémicycle observeront que les fauteuils sont de gabarit différent, et pour cause : chacun avait initialement été réalisé selon les mesures de son destinataire, d'où une certaine hétérogénéité à y regarder de plus près ! Les groupes politiques sont situés dans l'hémicycle selon leur tendance, la gauche à gauche et la droite à droite (ça, c'est de l'info !), et les centristes... au milieu ! Tout ça par rapport au président, bien sûr.

VOUS AVEZ DIT « DISCRIMINATOIRE »

En 1932, le Sénat français rejeta la proposition de loi ouvrant l'accès de la profession d'avocat aux femmes, au prétexte qu'elles étaient « congénitalement incapables de garder un secret et donc pas en mesure d'exercer les fonctions nécessitant la discrétion »...

🏃 *Le musée Zadkine (plan couleur B3) : 100 bis, rue d'Assas, 75006. ☎ 01-55-42-77-20. ● zadkine.paris.fr ● Ⓜ Vavin ou Notre-Dame-des-Champs ; RER B : Port-Royal. Tlj sf lun et j. fériés 10h-18h. GRATUIT (sf expos temporaires : 7 €, réduc). Audioguide : 5 €, et livret*

EXPRESSIONS MURALES

Au 36, rue de Vaugirard (sous l'arcade, près de la porte cochère) subsiste l'un des derniers mètres-étalon destinés à l'usage de tous. Il fut placé à hauteur d'homme à la Révolution, quand on a adopté le système métrique. Un peu plus loin, au 4, rue de Tournon, à droite du porche, une inscription, « MACL », qui signifiait « Maison assurée contre l'incendie ». Cette abréviation, fréquente au XVIIIe s, fut vite détournée par les Parisiens pour devenir « Marie-Antoinette cocufie Louis ».

6[e]

d'accompagnement à la visite gratuit. Pour les visites guidées (individuels, groupes et malvoyants), résa obligatoire auprès du musée.

Au fond d'une impasse discrète, loin de l'agitation urbaine, à l'arrière de la faculté de droit d'Assas, voici un jardin secret et une charmante demeure du XIXe s. Elle abrite un de nos musées préférés de la rive gauche. Ouvert au public depuis 1982, entièrement restauré en 2012, ce musée est installé dans la maison qu'habita Ossip Zadkine de 1928 jusqu'à sa mort en 1967 (sa tombe est au cimetière du Montparnasse). Né à Vitebsk (Biélorussie), l'artiste séjourne d'abord en Angleterre, où il fait l'apprentissage du bois. D'abord élève et ami de Rodin, il se dégage de son influence en découvrant l'art primitif et le cubisme. Zadkine fut une figure célèbre du Montparnasse des années 1920-1930, ami de Guillaume Apollinaire, Blaise Cendrars, Henry Miller et Max Jacob, il fréquenta Braque, Chagall, Kessel, Modigliani...

À taille humaine, bien agencé, lumineux et plaisant, le musée consiste en six salles qui reflètent bien les périodes de création de Zadkine : primitivisme, cubisme (influence de Picasso et de Braque), art des Cyclades, art de l'Égypte ancienne et art abstrait.

– **Salle 1 :** des murs blancs, une grande verrière restaurée qui laisse pénétrer la lumière du jour, des sculptures bien exposées... voici l'enchantement qui commence sous vos yeux. Les *Vendanges,* œuvre sculptée dans du bois d'orme, la *Sainte Famille,* où les yeux en amande du personnage évoquent l'influence russe, *Maternité* (1919), qui rappelle les idoles des Cyclades... Quant à la *Tête aux yeux de plomb* (1919, le regard était naguère incrusté de plomb) et à la *Vénus Cariatide,* elles dénotent un primitivisme et une influence venue de Modigliani... Ne surnommait-on pas Zadkine à ses débuts le « sculpteur nègre » ?

– **Salle 2 :** on remarque aussitôt *Rebecca ou la Grande Porteuse d'eau* (1927), sculpture en plâtre de 3 m de haut, et à côté, *La Belle Servante* en calcaire à gros grains, influencée par le cubisme. Zadkine aimait se rendre en Bourgogne pour rapporter dans son atelier cette matière minérale brute qu'il affectionnait.

– **Salle 3 :** étonnante *Tête de femme* (1924) très proche par son style et sa facture de l'art antique égyptien. Cette sculpture appartenait à la riche collectionneuse Eileen Gray, qui l'avait exposée dans le salon de son appartement de la rue Bonaparte. Pensant que la sculpture était sale et poussiéreuse, la bonne eut l'idée de la laver. Patatras ! La belle tête perdit le rouge peint sur ses lèvres... Zadkine vint lui-même chez Eileen, et d'un coup de pinceau rétablit la couleur sur ces lèvres... Dans un coin, *L'Accordéoniste*, autre sculpture « cubiste » influencée par Picasso. Zadkine jouait de l'accordéon et considérait que le corps humain était l'égal d'un instrument de musique...

– **Salles 4, 5 et 6 :** cette charmante petite véranda ouvre sur le jardin. Autrefois, on entrait dans la maison par là. Admirables sculptures acéphales en ébène représentant *Déméter ou Pomone* et un *Torse-violoncelle*. La salle 5 est consacrée aux œuvres décoratives de Zadkine, comme cet *Oiseau d'or* (1924) qui n'est pas sans évoquer le style de Constantin Brancusi (sculpteur d'origine roumaine), qui habitait aussi Montparnasse.

– **Le jardin :** secret, discret, verdoyant et paisible, poétique et inspiré, cet adorable petit jardin est orné de plusieurs œuvres, comme *Rebecca*, *La Forêt humaine*, le *Cœur venteux* et *La Ville détruite*, monument érigé à Rotterdam en 1953. Près de la sortie (qui est aussi l'entrée), émouvante sculpture qui servit de projet au *Monument aux frères Van Gogh* érigé à Zundert (Pays-Bas) en 1964. À Auvers-sur-Oise, depuis 1961, on peut voir un autre monument à Van Gogh réalisé par Zadkine.

– **L'atelier de Zadkine :** il n'existait pas en 1928, il fut construit en 1950. Il abrite notamment une seconde *Déméter ou Pomone* (sans tête), une remarquable sculpture sur bois que Zadkine a d'abord peinte en blanc avant de gratter la peinture pour faire apparaître la texture brute du bois. C'est son style, sa manie, sa méthode esthétique. Zadkine avait une obsession artistique, une constante : sculpter des torses sur bois, sur plâtre, sur pierre, sur granit... Il resta fidèle à ce thème pendant 50 ans. Il éprouvait depuis son enfance russe une passion pour la forêt. De cette époque date « son mariage pour la vie avec la ligne perpendiculaire du tronc du pin... », disait-il.

SAINT-GERMAIN-DES-PRÉS *(plan couleur zoom)*

Saint-Germain affiche une personnalité bien à lui. Certes, la frontière est difficile à marquer, mais ce quartier possède une histoire et une culture différentes à bien des égards de celles du Quartier latin. Peu à peu, l'esprit germanopratin, illustré par Sartre, Simone de Beauvoir et Boris Vian, entre autres, se délite. Boutiques de luxe et chaînes de fringues ont pris le relais des institutions culturelles et, malgré lui, le quartier s'engourdit. Pour les inconditionnels, voir le *Manuel de Saint-Germain-des-Prés*, de Boris Vian, paru aux éditions Pauvert, qui retrace l'âge d'or des années d'après-guerre à Saint-Germain.

UN PEU D'HISTOIRE

L'enceinte de Philippe Auguste (qui passait à hauteur de la rue de l'Ancienne-Comédie) délimitait en 1200 le Quartier latin du faubourg Saint-Germain. Mais toute l'histoire de Saint-Germain-des-Prés tourna d'abord autour de son abbaye. De 555 (date à laquelle saint Germain, évêque de Paris, construisit la première basilique) à la Révolution, l'abbaye ne cessa d'étendre son rayonnement intellectuel.

Puis, aux XVIIIᵉ et XIXᵉ s, les bourgeois et les éditeurs du faubourg Saint-Germain régnèrent en maîtres avant de céder la place aux intellectuels du XXᵉ s. « Ça n'a jamais été un vrai quartier, on n'y trouvait ni putains ni marchands de cacahuètes », disait Jacques Prévert avant de le quitter pour s'installer à Montmartre. Boris Vian le définissait comme une île, dernier havre de la création et du non-conformisme. Pour tous, il y soufflait en tout cas un vent de liberté !

Le Flore recueille, à la fin des années 1930, les turbulents qui se font vider des Deux Magots. C'est la bande des frères Prévert, rejointe en 1939 par « Jean-Sol

QUAND PARIS FAISAIT LA FOIRE

La foire de Saint-Germain connut un vif succès au Moyen Âge : jeux de hasard, acrobates, montreurs d'animaux, cracheurs de feu attiraient beaucoup de monde. On pouvait y voir, pour la première fois, un rhinocéros en payant 24 sols. Henri IV venait jouer de l'argent et perdait. Il demanda même à Sully de lui prêter 3 000 écus car, dit-il, « les marchands me tiennent au cul et aux chausses ».

Partre » (selon Vian) et Simone de Beauvoir, qui assurent l'animation intellectuelle du quartier. L'Occupation sera paradoxalement un riche moment de la vie de Saint-Germain. En effet, les Allemands y sont très peu présents. Poètes et écrivains se réunissent devant des assiettes aux trois quarts vides mais phosphorent dur. L'hiver, Simone de Beauvoir arrive toujours la première au Flore pour être sûre d'avoir une place près du poêle. Sartre y retrouvait l'atmosphère d'un club anglais. Des fiestas rassemblent tout le monde pour écouter en sourdine du jazz, lire des poèmes, jouer de petites pièces.

À la Libération, la vie culturelle jaillit au grand jour, et c'est l'âge d'or. Selon Nimier, à cette époque, « on ferma les bordels et on ouvrit Saint-Germain ». Le quartier est alors colonisé par une jeunesse qui, après les jours sombres de la guerre, cherche à s'éclater. Vian note ironiquement : « On s'y rue parce que là s'élaborent des œuvres dont parle le monde entier et pour voir peintres et intellectuels, mais eux n'y sont déjà plus ! » C'est l'époque des caves aussi : Le Lorientais (où débute un tout jeune clarinettiste : Claude Luter), puis Le Tabou, découvert par Juliette Gréco et Boris Vian. Le be-bop fait fureur. La presse invente de prétendues orgies et fabule sur les excès des « rats des caves » et autres « zazous » : danses hystériques, accoutrements excentriques, mœurs, graffiti et poésie existentialistes. Dans cette période émergent Mouloudji, les Frères Jacques, Yves Robert, le mime Marceau et, bien sûr, Juliette Gréco, muse des caves, toute de noir vêtue. Léo Ferré fait aussi ses débuts.

Même si pour beaucoup la mémoire de cette époque s'est singulièrement effritée, il en reste cependant quelque chose. Et puis, au cas où on l'oublierait, place Saint-Germain-des-Prés, Les Deux Magots sont là pour nous le rappeler opportunément. N'ont-ils pas écrit sur leur menu qu'ils sont bien « le rendez-vous de l'élite intellectuelle » ? Mais Le Flore et Lipp, qui reçoivent éditeurs, écrivains, artistes et politiques, ne sont pas en reste.

SAD DAY

Jim Morrison, le chanteur des Doors, mourut le 3 juillet 1971, à 27 ans, d'avoir trop bu (et non d'une overdose), dans les toilettes du Rock & Roll Circus (aujourd'hui Le Wagg, 62, rue Mazarine). Afin d'éviter le scandale, on le transporta chez lui, 17, rue Beautreillis, où on l'installa dans sa baignoire pour faire croire à une noyade ou à une crise cardiaque. Il est aujourd'hui enterré au Père-Lachaise.

SAINT-GERMAIN-DU-PRÉ (-À-PORTER) ?

Comme dans beaucoup de quartiers parisiens, la fringue, la bouffe et les banques envahissent Saint-Germain. Premières victimes : les libraires. On ne compte plus celles du Quartier latin ou de Saint-Germain sacrifiées sur l'autel du faux-semblant, du paraître et de la frime...

Après les changements sociologiques (vieille population de quartier contrainte de déguerpir), les modifications esthétiques de la rue (enseignes clinquantes, décor vulgaire des fast-foods), voilà les derniers lambeaux de réputation de quartier littéraire qui s'envolent. Avec le triomphe du tissu sur le papier imprimé, c'est le caractère même du quartier qui change profondément. On assiste ainsi à une uniformisation de la rue germanopratine, à une banalisation, à une grave perte d'identité. Ce qui nous rend amers aujourd'hui, c'est la victoire de la logique mercantile textile sur les idées et les arts. De plus, les enseignes valsent. Si ça ne marche pas là, on se tire ailleurs. Et le mal est fait. La fin du *Divan* (rue de l'Abbaye), quelle belle revanche sur la psychanalyse, qui n'a cessé de définir l'obsession vestimentaire comme un refus de se mettre à nu, une volonté de couvrir, d'habiller ses problèmes (et vlan !)...

🏃 L'église Saint-Germain-des-Prés *(plan couleur zoom) :* la plus ancienne des églises parisiennes. Depuis que le fils de Clovis rapporta un bout de la Croix, une église a toujours présidé en ces lieux. Entre le VIIIᵉ et le XIIIᵉ s, l'abbaye rayonne et s'agrandit sans cesse. Elle devient un important lieu d'érudition. Il ne reste pas grand-chose de la grande abbaye, véritable ville dans la ville, qui prospéra jusqu'à la Révolution. Elle faillit bien nous arriver intacte puisque, à l'aube du XIXᵉ s, elle était encore debout et qu'elle avait relativement bien passé la tourmente révolutionnaire. Elle servit alors de prison d'État et hébergea à ce titre Mme Roland, Charlotte Corday et Brissot en 1793. Malheureusement, en 1802 furent démolis la chapelle de la Vierge, le cloître, le chapitre, etc. Du XIIᵉ s subsistent la grande tour et le chœur. Le presbytère sur la droite date du XVIIIᵉ s. À l'intérieur de l'église, quelques fresques « salonnardes » du XIXᵉ s. Leur application froide et prétentieuse contraste avec la simplicité naïve et spontanée des chapiteaux romans. Nef gothique, après avoir été romane. Chœur et déambulatoire du XIIᵉ s. Dans ce dernier, Boileau repose. À gauche de l'église, petit square avec une sculpture de Picasso en hommage à Apollinaire et ruines de la chapelle de la Vierge. Le palais abbatial, belle demeure de pierre et de brique de style Louis XIII, s'élève à l'angle de la rue de l'Abbaye et du passage de la Petite-Boucherie, et abrite des départements de l'Institut catholique de Paris.
– Sur la place Saint-Germain-des-Prés, statue de Zadkine, devant l'immeuble de la Société d'encouragement pour l'industrie nationale.
– Belle et originale fontaine offerte par le Québec, à l'angle de la rue Bonaparte et de la place du Québec. C'est l'image même de la glace qui recouvre les rivières là-bas et qui se brise sous la pression des eaux.

🏃 La petite place de Furstenberg et les rues environnantes *(plan couleur zoom) :* ancienne cour d'honneur de l'abbaye Saint-Germain-des-Prés, c'est aujourd'hui l'une des plus jolies places de Paris. Les paulownias donnent, au printemps, de belles fleurs bleues ou mauves, et les réverbères confèrent à l'ensemble une atmosphère gentiment romantique.
Quelques rues pittoresques autour : rues *Cardinale* (en coude et bordée de vieilles maisons), *de l'Échaudé, de Bourbon-le-Château. Rue de Seine,* beaux hôtels particuliers, parfois sur petite cour avec façades couvertes de lierre. *Rue Jacob,* il suffit de regarder les plaques pour connaître tous les gens illustres qui y vécurent. Marguerite Duras, pour ne citer qu'elle, séjournait parfois *rue Saint-Benoît.* Tout le quartier est le royaume des galeries d'art. Les grosses affaires se règlent encore à *La Palette,* autour d'un verre. À l'angle de la rue Jacques-Callot et de la rue de Seine, jolie sculpture d'Arman évoquant les arts.

🏃 Le musée national Eugène-Delacroix *(plan couleur zoom) :* 6, rue de Furstemberg, 75006. ☎ 01-44-41-86-50. ● musee-delacroix.fr ● Ⓜ Mabillon ou Saint-Germain-des-Prés. Tlj sf mar 9h30-17h (fermeture des caisses à 16h30). Fermé 1ᵉʳ janv, 1ᵉʳ mai et 25 déc. Entrée : 6 € ; réduc ; gratuit moins de 26 ans, visiteurs qui viennent munis de leur ticket du Louvre, et pour ts le 1ᵉʳ dim de chaque mois. Documentation et bibliothèque accessibles sur rdv.
Au cœur de l'une des places les plus romantiques de Paris, le musée occupe une grande partie de l'appartement et de l'atelier qu'Eugène Delacroix (1798-1863) avait

aménagés en 1857, à la fin de sa vie, pour se rapprocher de l'église Saint-Sulpice, dont il était chargé de décorer la chapelle des Saints-Anges. C'est là qu'il réalisa ses dernières œuvres. Pour la petite histoire, la place constituait l'avant-cour du palais abbatial de Saint-Germain-des-Prés, et les immeubles qui la bordent étaient les communs (logement des domestiques et garage pour les calèches).

Dans le salon, la chambre et la bibliothèque de Delacroix sont exposées des œuvres du maître et de son entourage. Quelques meubles et objets personnels laissent deviner un peu de son intimité. On peut même voir sa table à peinture et ses palettes. L'atelier, situé dans le jardin privatif également accessible, fut édifié selon les plans mêmes de Delacroix. Dans des vitrines, quelques objets rappellent son voyage en Afrique du Nord. Sur les murs, nombreuses œuvres de Delacroix, dont un beau pastel *Modèle noir au turban* ; sur un chevalet, une saisissante *Académie d'homme* et une émouvante *Éducation de la Vierge,* que Delacroix a peinte lors d'un séjour à Nohant auprès de George Sand.

Attention, en cas d'exposition temporaire (généralement décembre-mars), l'accrochage habituel du musée est totalement bouleversé.

🏃 *Le marché de Buci (plan couleur zoom) :* bien que principalement situé rue de Seine, on dit « le marché de Buci » quand même. Les terrasses de la rue de Buci, entre « Seine » et « Comédie », sont particulièrement recherchées dès les beaux jours. Autour de vous, sirotant tranquillou, c'est plutôt gauche caviar germanopratine. Excellents commerces de bouche, rue de Buci, et, surtout, le marché ferme tard.

🏃 *La rue des Saints-Pères (plan couleur B1-2) :* à l'angle de la rue Jacob, un chef-d'œuvre mussolinien mâtiné de stalinisme, la fac de médecine. On reste sidéré qu'ils (qui « ils » ?) aient pu laisser construire ça. Seule chose remarquable : la belle porte en bronze du sculpteur Paul Landowski, celui-là même qui sculpta le Christ du Corcovado, à Rio de Janeiro.

En face de la faculté de médecine, au n° 30 de la rue des Saints-Pères, vous pouvez encore contempler une enseigne sur le fronton d'une boutique Directoire : « Debauve et Gallais, cafés, vanilles, thés et chocolats fins et hygiéniques ». C'est la boutique d'un apothicaire qui s'était acoquiné avec un confiseur pour mêler, en 1800, la fameuse pâte brune du chocolat à des poudres curatives de sa fabrication. Au XVIIIe s, un fou qui habitait au n° 2 s'habilla en homme-oiseau et plongea du toit pour traverser la Seine en vol plané. Il atterrit sur un bateau-lavoir, se cassa une jambe mais réalisa là un bel exploit !

L'une des rues les plus « oxyde-carbonées » de Paris. Un flic de carrefour ne tient pas plus de 2h sans tente à oxygène. Au-delà, c'est le 7e arrondissement, un autre monde, une atmosphère feutrée...

➤ *Vers les quais (plan couleur C1) : au bout de la rue Dauphine, prendre à gauche.* On trouve l'*impasse de Nevers,* percée au XIIIe s, toujours bordée de maisons anciennes. Elle bute sur un vestige de l'enceinte de Philippe Auguste. À l'angle de la *rue de Nesle,* splendide maison toute ventrue. Pendant la dernière guerre, Picasso travaillait dans son atelier du 7, rue des Grands-Augustins. C'est là qu'il a peint sa célébrissime toile *Guernica,* en noir et blanc, signe de deuil.

🏃 *Monnaie de Paris (plan C1) :* 11, quai de Conti, 75006.

GUERNICA OU LE CRI DU PEINTRE

Le 26 avril 1937, l'aviation allemande Condor pilonne la ville de Guernica, foyer des libertés basques, selon la technique du « tapis de bombes » (une première dans l'histoire militaire). Ce massacre de 2 000 civils fait l'effet d'un électrochoc. En protestation contre cette barbarie, Picasso peint cette toile considérée depuis lors comme son chef-d'œuvre. Un photographe allemand, admirant un jour le tableau, lui posa la question : « C'est vous qui avez fait ça ? » Picasso répondit : « Non, c'est vous. »

☎ 01-40-46-56-66 • *monnaiedeparis.fr* • Ⓜ *Saint-Germain-des-Prés.* Un vaste projet de rénovation et de métamorphose est en cours, qui va ouvrir cette vénérable institution sur la ville. L'ouverture au public se fera en deux temps : le bâtiment dit « du palais » rouvrira ses portes en novembre 2014, et abritera des expositions temporaires d'art contemporain *(en principe 7j/7),* ainsi que le restaurant gastronomique de Guy Savoy ; puis, début 2016, la manufacture et l'hôtel particulier seront à leur tour accessibles au public, qui pourra y découvrir les ateliers de la Monnaie de Paris et le travail des quelque 150 artisans (fabrique d'objets d'art, des pièces de collection, médailles, etc.), et une brasserie, de Guy Savoy toujours ; et entre ces différents bâtiments, des cours intérieures, voies piétonnes, un jardin, des boutiques ; une sorte de balade culturo-gastronomico-commerciale, en somme.

🏃🏃 En continuant, on arrive à l'**Institut de France** *(plan couleur C1),* bel ensemble architectural construit par Louis Le Vau (1663), couronné de sa fameuse coupole du collège des Quatre-Nations en l'honneur des quatre provinces nouvellement conquises par Louis XIV (Artois, Alsace, Cerdagne et Pignerol – aujourd'hui dans le Piémont). La coupole atteint une hauteur minutieusement calculée de 44 m, le point culminant du Louvre se situant à 45 m... Aujourd'hui, l'Institut, devenu le lieu de rencontre des plus grands savants de la République, abrite une bibliothèque réservée aux académiciens et aux chercheurs, ainsi que la **bibliothèque Mazarine,** la plus ancienne bibliothèque publique de France, riche d'ouvrages anciens. L'Institut, qui doit son existence à Mazarin, construit avec une partie de sa fortune personnelle, regroupe les cinq Académies : les Inscriptions et Belles-Lettres, les Sciences, les Beaux-Arts, les Sciences morales et politiques et, enfin, les 40 « immortels » de l'**Académie française,** autrement appelée « Le Parlement des savants ». Créée en 1635 par Richelieu, la noble institution, dont la tâche principale est de défendre la langue française, a accepté en 1980, après plus de trois siècles de réflexion, une femme dans ses rangs : Marguerite Yourcenar ; habitant alors aux États-Unis, elle ne mit jamais les pieds aux réunions hebdomadaires mais conserva son siège. D'autres suivront : Jacqueline de Romilly, Hélène Carrère d'Encausse, Simone Veil... Chaque jeudi, les académiciens se réunissent pour élaborer l'actualisation du dictionnaire. Il faut compter une cinquantaine d'années pour que la mise à jour soit complète. Pour la petite histoire, l'uniforme vert (couleur de l'Empire et celle qui évoque la sagesse) est tellement coûteux – car brodé à la main dans de prestigieuses maisons – que ceux qui veulent prendre la parole – et doivent alors obligatoirement le porter – peuvent emprunter celui qui aurait été légué à l'Institut par un illustre prédécesseur. Les broderies représentent des feuilles d'olivier (la sagesse) et les feuilles de chêne (la longévité). Sachez que les réunions de l'Institut – à l'exception de celles de l'Académie française – sont publiques. Devant l'Institut, la **passerelle du Pont-des-Arts** *(plan couleur C1)* premier pont en fer de Paris, refuge des romantiques, des peintres et des amoureux, mène au Louvre. Fragilisée par de répétitifs accidents de péniche, elle a été remplacée par l'actuelle passerelle en 1984. Aujourd'hui, elle est fragilisée par tout autre chose : des milliers de « cadenas d'amour »... dont le poids menace la structure du pont. La pratique est désormais interdite.

À noter qu'à l'est de l'emplacement de l'Institut se trouvait l'ancienne *tour de Nesle.* Au XIVᵉ s, les trois belles-filles de Philippe le Bel y recevaient leurs amants pendant qu'on formait leurs époux au métier de roi. Le lendemain (bon, on va vite en besogne...), pour éviter le scandale, on balançait les amants dans la Seine, enfermés dans des sacs. Sans rancune !

Un peu plus loin se trouve la célèbre **école des Beaux-Arts,** avec une entrée rue Bonaparte et une autre quai Malaquais.

🏃🏃 **La rue Visconti** *(plan couleur B-C1) : entre la rue de Seine et la rue Bonaparte.* On a un coup de cœur pour cette rue étroite bordée presque entièrement de maisons et d'hôtels du XVIᵉ s, percée en 1540. Y vivaient une majorité de protestants (dont Bernard Palissy), ce qui lui avait valu le surnom de Petite Genève. Du fait de la discrétion et de l'isolement de cette voie, beaucoup échappèrent d'ailleurs au massacre de la Saint-Barthélemy. Racine mourut au n° 24. Balzac avait créé une imprimerie au n° 17.

🦅 **La rue du Dragon** (plan couleur B1-2) **:** nombreuses vieilles et élégantes demeures, mais trop de commerces vulgaires la défigurent. Sur un bel immeuble d'angle (avec la rue de Grenelle), insolite griffon. Deux petites rues pittoresques ont conservé leur tracé du Moyen Âge : la *rue du Sabot* et la *rue Bernard-Palissy*. La *rue du Cherche-Midi,* qui la prolonge au-delà du carrefour de la Croix-Rouge, présente en revanche une harmonieuse et élégante continuité. La *rue du Four,* qui part du carrefour de la Croix-Rouge, tient son nom d'un four, tout ce qu'il y a de plus banal, propriété de l'abbaye de Saint-Germain-des-Prés, où les habitants étaient tenus d'aller faire cuire leur pain. Logique !

🦅🦅 **Le quartier autour de Saint-Sulpice** (plan couleur zoom) **:** *visite guidée gratuite de l'église (♿ par la porte latérale, rue Palatine) chaque dim à 15h et visite des cryptes le 2e dim du mois à 15h30. Inscription au ☎ 01-42-34-59-98 ou par e-mail ● visites@pssparis.net ●* L'église, massive, voire lourde, présente peu d'intérêt, si ce n'est le son du célèbre orgue Cavaillé-Coll. Avec 7 étages de machinerie et 8 600 tuyaux, c'est l'un des plus grands du monde. À entendre tous les dimanches avant, pendant et après la messe de 10h30 ! Quelques anecdotes tout de même : la tour de droite, inachevée, était équipée, jusqu'en 1850, d'un télégraphe Chappe afin de communiquer avec Toulon. Elle abrite un couple de faucons crécerelles, site tout à fait adéquat pour un oiseau dont on dit qu'il fait le « Saint-Esprit » lorsqu'il vole sur place pendant un long moment. Baudelaire et Sade furent baptisés dans cette église. Camille Desmoulins – avec Robespierre pour témoin – et Victor Hugo s'y marièrent. À l'intérieur, deux très belles peintures murales de Delacroix, dont *La Lutte de Jacob avec l'Ange* (première chapelle à droite en entrant). Une impression de puissance, de force ; pas étonnant, puisque Delacroix aurait voulu se représenter lui-même aux prises avec les forces de sa création passionnée. À la hauteur du chœur, encastrée dans le sol, une ligne de cuivre est une « méridienne », orientée précisément nord-sud, faisant partie d'un « gnomon » (cadran solaire primitif), instrument astronomique qui a servi à étudier les mouvements de l'axe de rotation de la Terre et qui, accessoirement, donnait l'heure de midi et la date ! Près de l'entrée, deux gigantesques bénitiers, qui sont en fait les deux valves d'un spectaculaire coquillage océanien offert à François Ier par la république de Venise.

Devant l'église, la grande **fontaine des Orateurs-Sacrés,** dite des Quatre-Points-Cardinaux, puisque Fléchier, Massillon, Fénelon et Bossuet, dont les statues ornent la fontaine, furent évêques mais jamais cardinaux ! Signe des temps : de nombreuses boutiques d'objets du culte autour de la place ont disparu. Elles avaient donné naissance à l'expression « goût saint-sulpicien » pour désigner quelque chose de franchement ringard.

Au n° 36 de la rue Saint-Sulpice, sur le flanc de l'église, il y avait un bordel célèbre, *Chez Miss Beety.* De là à imaginer le genre de clientèle... Pourtant, cet établissement ainsi que *Chez Alys,* au n° 15, accueillaient des prêtres, comme le note Alphonse Boudard, auteur d'un ouvrage documenté sur le sujet.

La petite **rue des Canettes** part de la place et rejoint la rue du Four. Très ancienne (elle fut ouverte au XIIIe s), elle aligne quelques belles vieilles demeures. On pense qu'elle tient son nom du superbe bas-relief sur la façade du n° 18, qui représente trois canettes batifolant dans l'eau.

La *rue Guisarde* et la **rue Princesse** possèdent également de vieilles maisons. Au n° 13 de cette dernière vécut le peintre Chardin.

🦅🦅 **La rue du Cherche-Midi** (plan couleur A-B2) **:** *débute au carrefour Croix-Rouge, qui fut un temps très populaire.* Ancienne voie romaine, appelée chemin de Vaugirard au XIVe s, son nom actuel aurait pour origine la présence d'un cadran solaire. Bordée d'élégants hôtels particuliers avec d'intéressantes cours. Une des rues les plus chic et les plus recherchées du quartier. Au n° 18, jolie façade décorée XVIIIᵉ s. Au n° 19, enseigne de la même époque. À l'angle du boulevard Raspail, hommage à François Mauriac. Au n° 40, bel hôtel de 1710 qui appartint à Rochambeau, vainqueur de la bataille de Yorktown (guerre

LE SEXE DU CENTAURE

À l'angle de la rue du Cherche-Midi et de la rue de Sèvres, vous ne pouvez pas manquer l'imposant centaure de César. L'animal, mi-homme, mi-cheval, fut sculpté en souvenir de Picasso. Il a l'avantage d'avoir deux sexes, un devant et un derrière, ce qui est effectivement bien pratique, d'autant que celui de devant possède une roulette !

d'Indépendance américaine). En 1831 y mourut l'abbé Grégoire, émancipateur des juifs et des Noirs pendant la Révolution, fondateur du conservatoire des Arts et Métiers. Au n° 58, belle cour avec statue... derrière un digicode. Au coin de la rue de l'Abbé-Grégoire précisément, hôtel où Laennec (inventeur du stéthoscope) vécut (inscription ancienne « rue des Vieilles-Thuilleries »). Au n° 72 (encore un code d'entrée !), au fond de la cour, beau jardin privé. Au n° 86, tout au fond, pittoresque fontaine figurant Jupiter.

🕯 **L'hôtel du Petit-Montmorency** *(plan couleur A2)*: 85, rue du Cherche-Midi, 75006. Bâti en 1743. Statue dans une niche à l'angle. Ravissantes fenêtres de l'entresol (très ornées avec mascarons). À côté, au n° 89, hôtel de la même époque qui abrita la fameuse Mme Sans-Gêne, femme du maréchal Lefebvre. Dans le hall, à droite, élégante cage d'escalier, rampe en fer forgé, avec statue de Napoléon à ses pieds. Aujourd'hui, c'est l'ambassade du Mali. Au n° 95, hôtel de la fin du XVIIIᵉ s. Pittoresque portail, fronton triangulaire et ferronneries.

🕯 **L'hôtel Lutétia** *(plan couleur B2)*: 45, bd Raspail, 75006. Ⓜ Sèvres-Babylone. À l'angle de la rue de Sèvres. Un hôtel fabuleux construit en 1910 à l'initiative de Mme Boucicaut (femme du fondateur du *Bon Marché*) pour y héberger ses clients. Certaines sculptures de la façade sont du sculpteur Paul Belmondo (le père de Jean-Paul). Alexandra David-Néel y descendait au retour de ses voyages en Orient. De Gaulle et Yvonne y passèrent leur nuit de noces. Le général resta très fidèle à l'hôtel, ce qui lui

AU BONHEUR DES DAMES

En 1865, après avoir été vendeur sur les marchés, Boucicaut décide d'ouvrir son magasin de nouveautés, Le Bon Marché. Une première : les vêtements sont confectionnés en série dans les ateliers du 2ᵉ étage ; on peut les voir et les toucher, et les prix sont désormais affichés. Vingt ans plus tard, Jules Jalusot, employé zélé, s'installe rive droite et ouvre le Printemps, premier magasin électrisé. Son génie : l'officialisation des soldes chaque année au 15 janvier.

permit d'y rencontrer lors d'un baptême... le maréchal Pétain. Pendant la Seconde Guerre mondiale, l'hôtel fut réquisitionné par l'armée allemande. La propriétaire fit alors murer la cave, qui renfermait les meilleurs vins, jusqu'au jour où un officier tomba sur un ancien menu qui proposait d'excellents vieux crus. Tout le personnel fut interrogé pour savoir où étaient passés ces trésors... sans succès. En 1945, le *Lutétia* hébergea les déportés revenant des camps de concentration. Les chambres furent transformées en infirmerie. Les listes, affichées sur le trottoir, permettaient aux familles de retrouver les leurs... ou pas. Aujourd'hui, ce superbe hôtel de luxe est la propriété d'un groupe israélien et est fermé depuis avril 2014 pour au moins 3 ans de travaux.

> ▶ Pour le plan du 7e arrondissement, voir le cahier couleur.

Le 7e arrondissement se cache derrière de hauts murs et de lourdes portes. Ce sont le plus souvent celles des ministères, des ambassades et des institutions internationales. Mais ses musées et monuments, eux, ne se cachent pas. À commencer par le musée d'Orsay, qui a élu domicile... dans une gare. Les Invalides, qui abritent le musée de l'Armée, se voient de loin, avec leur dôme doré à l'or fin et leur belle esplanade, dans l'axe du pont Alexandre-III. Quant à la tour Eiffel, risque-t-on de la manquer ? Si la plupart des touristes l'abordent depuis le Trocadéro, elle n'est pas mal non plus depuis les jardins du Champ-de-Mars, familière et pourtant surprenante. Autrement discret, le musée Rodin, dont le jardin, parsemé de statues du maître, est un havre accueillant. Le musée du quai Branly apporte, lui, sa nécessaire touche d'exotisme et de modernité... Haut lieu de la cinéphilie, *La Pagode* draine une clientèle fidèle, originaire du quartier, toujours digne, avec ses vieux manteaux de si bonne qualité que personne n'en devine l'âge... Le périmètre de la rue de Sèvres et de la rue du Bac offre ses magasins de décoration et de vêtements, son *Bon Marché,* avec sa fabuleuse épicerie. On vit bien, dans le 7e...

Où dormir ?

Prix moyens

🛏 *Hôtel Kensington* (plan couleur B2, **2**) **:** 79, av. de La Bourdonnais, 75007. ☎ 01-47-05-74-00. ● hk@hotel-kensington.com ● hotel-kensington.com ● Ⓜ École-Militaire. *Doubles sur rue ou sur cour avec douche ou bains 102-121 € selon saison ; petit déj 6 €.* 🖥 📶 *TV. Un petit déj/chambre offert sur présentation de ce guide.* Cette adresse a su rester simple jusque dans ses prix, son principal intérêt. Accueil très aimable et de bon conseil, pour des chambres simples mais propres et sans surprise. Préférez celles sur cour, plus calmes et parfois un peu plus grandes, ou celles avec vue sur la tour Eiffel pour le même prix.

Chic

🛏 *Hôtel du Champ-de-Mars* (plan couleur B2, **9**) **:** 7, rue du Champ-de-Mars, 75007. ☎ 01-45-51-52-30. ● reservation@hotelduchampdemars.com ● hotelduchampdemars.com ● Ⓜ École-Militaire. *Parking : Place-Joffre. Double 140 € ; petit déj 10 €.* 🖥 📶 *TV. Satellite.* Charmant établissement. Dès la porte franchie, le bon goût nous est offert avec cette réception jolie comme tout, à la fois classique et chaleureuse. La décoration pimpante des chambres, sur rue et sur cour, est également intemporelle, avec une touche personnalisée dans chacune. L'entretien soigné et le calme en font une adresse au bon rapport qualité-prix.

🛏 **Grand Hôtel Lévêque** (plan couleur B2, **3**) : 29, rue Cler, 75007. ☎ 01-47-05-49-15. ● info@hotel-leveque.com ● hotel-leveque.com ● Ⓜ École-Militaire ou La Tour-Maubourg. Résa conseillée. Doubles 90-190 € selon confort et saison ; petit déj 9 €. 🖥 📶 TV. Satellite. Café (juil-août et nov-avr) offert sur présentation de ce guide. On se bat pour les chambres donnant sur la rue Cler et son pittoresque marché quotidien, équipées de double vitrage. Mais dans le fond, toutes sont impeccables, de taille honnête, climatisées et élégamment rénovées dans un style très contemporain. Seule différence, les « supérieures » sont plus grandes. Accueil sympathique.

Plus chic

🛏 **Hôtel de Londres-Eiffel** (plan couleur B1, **13**) : 1, rue Augereau, 75007. ☎ 01-45-51-63-02. ● info@londres-eiffel.com ● londres-eiffel.com ● Ⓜ École-Militaire ou La Tour-Maubourg. Résa conseillée. Doubles 130-260 € selon confort et saison ; petit déj 14 €. Promos sur Internet. 📶 TV. Canal +. Satellite. Ici, le goût et les couleurs sont au rendez-vous ! Dans un style contemporain cosy, relevé par des couleurs bien choisies, les chambres ont chacune leur caractère et profitent d'un équipement moderne et complet. À deux pas de la vivante rue Saint-Dominique, les lieux restent bien calmes, même sur rue. Accueil charmant. Un beau travail sur l'élégance !

🛏 **Hôtel Saint-Thomas d'Aquin** (plan couleur D2, **16**) : 3, rue du Pré-aux-Clercs, 75007. ☎ 01-42-61-01-22. ● hotelsaintthomasdaquin@wanadoo.fr ● hotel-st-thomas-daquin. com ● Ⓜ Saint-Germain-des-Prés ou Rue-du-Bac. Doubles 180-190 € selon saison ; petit déj 12 €. 🖥 📶 TV. Satellite. Façade garnie de plantes vertes.

À l'intérieur, une atmosphère douillette et une équipe disponible et fort souriante. Les chambres, vraiment étroites pour certaines, disposent, selon le style, d'un mobilier ancien ou moderne, de tissus élégants et de tout le nécessaire. Certaines ont même 2 fenêtres. Un endroit très appréciable pour son calme, et particulièrement bien situé.

🛏 **Hôtel d'Orsay** (plan couleur C1, **12**) : 93, rue de Lille, 75007. ☎ 01-47-05-85-54. ● orsay@espritdefrance. com ● espritdefrance.com ● Ⓜ Solférino ou Assemblée-Nationale ; RER C : Musée-d'Orsay. ♿ Résa conseillée. Doubles 160-285 € selon confort et saison ; petit déj 17 €. 🖥 📶 TV. Satellite. Un petit déj/chambre offert sur présentation de ce guide. À deux pas du musée d'Orsay (hôtels rares aux alentours), cet établissement au confort complet affiche calme et élégance : accueil très souriant, chambres spacieuses joliment meublées d'ancien. On apprécie les belles chambres avec poutres dans les anciens combles. Espace commun cosy, et atmosphère décontractée chic. Grand standing mais prix encore très raisonnables pour cet hôtel nouvellement classé en 4 étoiles.

🛏 **Best Western Tour Eiffel-Invalides** (plan couleur B1, **18**) : 35, bd de La Tour-Maubourg, 75007. ☎ 01-45-56-10-78. ● invalides@timotel.fr ● timhotel.com ● Ⓜ La Tour-Maubourg. Doubles 125-249 € selon saison et standing ; petit déj-buffet très complet 15,50 €, petit déj express 7 €. 🖥 📶 TV. Satellite. Une situation privilégiée, à quelques minutes de la tour Eiffel. Petit hôtel de charme aux chambres personnalisées et agréables, avec tableaux ou gravures et meubles cosy. Deux d'entre elles donnent même sur un petit balcon. Par temps ensoleillé, on profite de la petite cour intérieure fleurie. Équipe disponible et accueillante.

🛏 **Hôtel Lenox Saint-Germain** (plan couleur D2, **14**) : 9, rue de l'Université, 75007. ☎ 01-42-96-10-95. ● hotel@lenoxsaintgermain. com ● lenoxsaintgermain.com ● Ⓜ Saint-Germain-des-Prés ou Rue-du-Bac. Résa conseillée. Doubles 135-270 € selon catégorie et saison ; beaux duplex avec balcon *env 290-320 € ; petit déj-buffet 16 €.* 🖥 📶 *TV. Satellite.* Déco élégante et bon confort pour cet établissement rénové, stratégiquement situé. On préfère les chambres du 5e étage, mansardées, aux autres plus classiques et exiguës. Bar agréable et intime à l'ambiance jazzy, au décor années 1930.

🏠 *Hôtel de la Tulipe (plan couleur B1, 5) : 33, rue Malar, 75007.* ☎ *01-45-51-67-21.* ● *hoteldelatulipe@wanadoo.fr* ● *paris-hotel-tulipe. com.* ● Ⓜ *La Tour-Maubourg ; RER C : Pont-de-l'Alma.* ♿ *Doubles 140-198 € ; petit déj 11 €. Appart pour 4 pers 250-395 €.* 🖥 📶 *TV. Satellite. 10 % sur le prix de la chambre (janv-fév et août) sur présentation de ce guide.* Cet établissement de charme propose une vingtaine de chambres toutes différentes, principalement décorées aux couleurs du Sud. Dix d'entre elles donnent sur une calme et verdoyante cour-patio, aussi agréable qu'inattendue. Même s'il n'y a pas d'ascenseur, préférez celles aux étages, plus calmes. Coup de cœur pour celle qui occupe le pigeonnier : luminosité garantie. Accueil diligent.

🏠 *Hôtel Bersolys Saint-Germain (plan couleur D1, 8) : 28, rue de Lille, 75007.* ☎ *01-42-60-73-79.* ● *hotel bersolys@wanadoo.fr* ● *bersolys hotel.com* ● Ⓜ *Rue-du-Bac ou Saint-Germain-des-Prés. Congés : août. Réserver à l'avance. Accompte demandé pour la 1re nuit. Doubles avec douche ou bains 125-185 € ; familiales 255-370 € ; petit déj offert à partir de 3 nuits, sinon 10 €.* 📶 *TV. Satellite. Parking payant.* Cet immeuble du XVIIIe s, avec poutres et salons voûtés, présente une quinzaine de chambres pas bien grandes mais propres, calmes et climatisées. Elles portent des noms

de peintres et sont décorées avec 1 ou 2 lithographies de l'artiste en question. Simple et convenable, mais pas donné. C'est évidemment lié au bon emplacement.

Beaucoup plus chic

🏠 *Hôtel Duc de Saint-Simon (plan couleur C-D2, 1) : 14, rue de Saint-Simon, 75007.* ☎ *01-44-39-20-20.* ● *duc.de.saint.simon@wana doo.fr* ● *hotelducdesaintsimon.com* ● Ⓜ *Rue-du-Bac ou Solférino. Doubles avec bains 175-275 € (terrasse) selon saison ; petit déj-buffet 19 €.* 🖥 📶 *TV. Câble.* Un hôtel ravissant du faubourg Saint-Germain, avec sa façade recouverte de glycine. Les couleurs chatoyantes, le mobilier ancien et les gravures font de cette demeure cossue et chaleureuse un vrai nid douillet. Chambres tout confort avec vue sur cour, sur rue ou sur jardin, dont certaines ont une belle terrasse. Excellent accueil.

Très chic... et tendance

🏠 *Hôtel du Cadran (plan couleur B2, 4) : 10, rue du Champ-de-Mars, 75007.* ☎ *01-40-62-67-00.* ● *resa@cadranhotel.com* ● *cadranhotel.com* ● Ⓜ *École-Militaire. Doubles 250-280 € ; petit déj-buffet 13 €. Offres régulières (voir le site internet).* 📶 *TV. Satellite.* De la réception aux chambres, ce charmant hôtel a fait peau neuve et nous offre une déco contemporaine très réussie sur le thème du temps. Mais la véritable originalité ici, c'est la présence d'une boutique-bar à chocolat, où l'on peut déguster un grand cru (30 sortes de chocolats) ou un macaron face à la cheminée. Un vrai « boutique »-hôtel ! Accueil tout sourire.

7e

Où manger ?

Sur le pouce

|●| *Stands de la Grande Épicerie de Paris (plan couleur C-D2, 20) : 38, rue de Sèvres, 75007.* Ⓜ *Sèvres-Babylone. Tlj sf dim*

8h30-21h (19h30 pour le Comptoir Picnic). L'épicerie du *Bon Marché* est un écrin luxueux qui présente des produits de grande qualité de toutes origines : chocolats, thés, huiles, rayon pâtes génial... Ce que l'on sait moins, c'est qu'un bataillon de commis et d'artisans œuvre en sous-sol, sous la houlette d'un MOF... Salades variées, fruits frais découpés, jambons coupés à la main (Iberico, pata negra), plats régionaux et du monde à emporter. Idéal pour un bon pique-nique dans un jardin (le parc Catherine-Labouré, rue de Babylone, juste derrière, est idéal). Sinon, le *Comptoir Picnic*, avec ses grandes tables d'hôtes, propose une formule self-service, pour une « vraie » pause déjeuner.

Très bon marché

|●| *Au Pied de Fouet* (plan couleur C2, **21**) : 45, rue de Babylone, 75007. ☎ 01-47-05-12-27. Ⓜ *Saint-François-Xavier, Vaneau ou Sèvres-Babylone.* Tlj sf dim et j. fériés ; service 12h-14h30, 19h-23h. Pas de résa possible. Plats du jour 8,90-13,90 €, entrées du jour 3,50-5 € ; carte 20-22 €. Ancien relais de diligences minuscule, avec zinc, nappes à carreaux, banquettes en moleskine... et des prix imbattables. Inchangé depuis la nuit des temps. L'image vivante du vieux bistrot parigot tel qu'on l'aime et qui n'existe pratiquement plus. La cuisine se fond à merveille dans le décor. Une annexe version marine a ouvert ses portes juste à côté : *La Criée de Babylone* (☎ 01-47-05-85-00).

|●| *Coutume Café* (plan couleur C2, **31**) : 47, rue de Babylone, 75007. ☎ 01-45-51-50-47. ● contact@coutumecafe.com ● Ⓜ *Sèvres-Babylone.* Tlj 8h (10h sam-dim)-19h ; petit déj 8h30-11h, déj 12h-15h. Formule 13 € ; carte 9-13 € ; brunchs w-e et j. fériés (11h-16h) 20-25 €. Un *coffee shop* et torréfacteur, ouvert aux beaux jours sur la rue, dans une grande salle au design industriel, parquet patiné et large comptoir avec rangée de percolateurs. La maison est spécialisée dans les cafés, à accompagner d'une pâtisserie maison, mais elle propose aussi des formules déj aux assiettes surprenantes et créatives. Du coup, la clientèle féminine très B.C.B.G. du *Bon Marché* et du *Conran Shop* voisins se bousculent aux heures de pointe – mais poliment, 7ᵉ oblige !

|●| *Bar-brasserie Aux PTT* (plan couleur B2, **23**) : 54, rue Cler, 75007. ☎ 01-45-51-94-96. ● auxptt@hotmail.fr ● Ⓜ *École-Militaire.* ⚒ Tlj sf dim ; service 11h30-21h. Menu 14 € ; carte env 20 €. Câble. Apéritif maison offert sur présentation de ce guide. Un petit bistrot de quartier bien agréable pour se retrouver après avoir fait son marché ou lors de retransmissions d'événements sportifs (foot, tennis, Tour de France). Mais tout son intérêt réside dans la dégustation d'huîtres du Cotentin, à savourer sur place, les vendredi et samedi de septembre à mars, avec un verre de vin, en terrasse (chauffée) ou à l'intérieur.

Bon marché

|●| *Le Bistrot du 7ᵉ* (plan couleur B1, **22**) : 56, bd de La Tour-Maubourg, 75007. ☎ 01-45-51-93-08. ● mariana.beauvallet@orange.fr ● Ⓜ *La Tour-Maubourg.* Tlj, midi et soir. Résa très conseillée. Menus 19,50 € (midi sf dim)-27 €. Vins au verre à partir de 4 €. Dans un cadre typique de resto parisien de quartier, *Le Bistrot du 7ᵉ* a fait ses preuves. Excellente cuisine traditionnelle à base de produits simples et frais. On retrouve ici les classiques. Le rapport qualité-prix du menu est incontestable dans ce quartier où tout est relativement cher. Service attentif et hyper rapide. Terrasse aux beaux jours et dîner aux chandelles pour agrémenter le tout.

|●| *Le Café de Mars* (plan couleur B2, **38**) : 11, rue Augereau, 75007. ☎ 01-45-50-10-90. ● pierremarfaing@gmail.com ● Ⓜ *École-Militaire.* Lun-ven 12h-14h30, 20h-22h30 ; sam 20h-23h. Formules déj 20-24 € ; menu 31 €. Cette bonne vieille enseigne de quartier a repris du service sous la houlette d'une jeune équipe dynamique et expérimentée, dans un décor de bistrot fraîchement relooké. Idéal au déjeuner pour qui traîne ses guêtres dans le quartier ; plutôt réservé à la clientèle locale le soir. Sur l'ardoise, une poignée de suggestions revisite astucieusement la tradition. Parmi les outsiders, on apprécie le cheeseburger suivi d'une bonne part de gâteau au chocolat (aérien en bouche bien que

concentré en calories). Vins au verre, délicieux pain de chez *Poujauran,* et avec ça, service gentil tout plein.

I●I *Au Babylone (plan couleur C2, 28) :* 13, rue de Babylone, 75007. ☎ 01-45-48-72-13. **Ⓜ** *Sèvres-Babylone. Tlj sf dim et j. fériés ; service le midi slt, 11h30-14h30. Congés : août. Menu 23 € comprenant entrée, plat, fromage ou dessert et boisson ; à peine plus cher à la carte ; plats 13,50-15 €.* Bonne cuisine de ménage. Petite adresse où, assis sur les banquettes de moleskine, on aime toujours déjeuner, et qui ne change pas.

De prix moyens à chic

I●I *Le Vin de Soif (plan couleur C2, 24) :* 24, rue Pierre-Leroux, 75007. ☎ 01-43-06-79-85. **Ⓜ** *Vaneau ou Duroc. Tlj sf sam midi et dim 12h-14h30, 19h30-22h30. Congés : 2 premières sem d'août. Formule déj 16 € ; carte env 30 €.* Lui, c'est le chef ; elle, c'est la patronne en salle. Et dans nos assiettes, pour notre plus grand plaisir, que des produits frais et bien préparés. Une cuisine classique de bistrot bien sentie qui évolue selon le marché... Côté vins, il faut se laisser conseiller par madame, qui connaît parfaitement sa cave.

I●I *Le 20 (plan couleur C1, 25) :* 20, rue de Bellechasse, 75007. ☎ 01-47-05-11-11. **Ⓜ** *Solférino. Tlj sf sam midi et dim 12h-15h30, 19h-23h (23h30 jeu-sam). Congés : 15 j. en août. Formule déj 18 €, verre de vin ou café compris ; carte env 35 €.* Néo-bistrot revu à l'ancienne. Caricatures au-dessus des banquettes en moleskine rouge. Formule du jour d'un bon rapport qualité-prix. Dans les assiettes, de la bonne cuisine française : filet de bar au beurre, terrine de foie gras et confiture d'oignons...

I●I *Belhara (plan couleur B2, 30) :* 23, rue Duvivier, 75007. ☎ 01-45-51-41-77. ● *bistrotbelhara@gmail. com* ● **Ⓜ** *École-Militaire. Tlj sf dim-lun 12h-14h30, 19h-22h30. Congés : 3 sem en août. Résa indispensable. Formules 24-34 € le midi, 35-38 € le soir ; menu dégustation 52 €. Digestif maison offert sur présentation de ce guide.* Quelle surprise que ce bistrot de poche, au charme rétro ! Du fond de la salle, derrière ses fourneaux, Thierry Dufroux, formé à grande école et fier de travailler enfin chez lui, élabore une cuisine bistrotière maligne, aux présentations soignées. Les plats de bistrot déclinés sur ardoise suivent inévitablement le marché, avec une forte connotation basque, comme pour rappeler les origines du chef. Un travail impeccable, raffiné, presque haute-couture (ris de veau incroyables, riz au lait aux fruits secs formidable), qui fait le bonheur des bourgeois du quartier. *NOUVEAUTÉ.*

I●I *Les Cocottes (plan couleur B1, 29) :* 135, rue Saint-Dominique, 75007. ● *constant@maisonconstant. com* ● **Ⓜ** *École-Militaire. Tlj ; service 12h-15h30, 18h30-22h30 (23h ven-sam). Pas de tél, pas de résa possible. Plat du jour 16 €, cocottes 14-29 € ; carte env 33 €. Sélection de vins au verre 3-5 €.* Déco très contemporaine – avec son long bar en inox brossé et ses tables et tabourets hauts – mais très chaleureuse pour ce 3e resto de la galaxie Constant dans la même rue. Les plats sont servis dans des cocottes individuelles. Des cocottes, mais aussi des verrines, à la fois simples et délicieuses, teintées de ce qu'il faut de créativité pour ne pas s'en lasser.

I●I *Chez Graff (plan couleur C2, 33) :* 62, rue de Bellechasse, 75007. ☎ 01-45-51-33-42. **Ⓜ** *Solférino. Tlj sf dim ; service 12h-14h30, 20h-23h. Congés : 3 sem en août et 1 sem à Noël. Formules déj en sem 21-25 € ; le soir, carte env 35 € ; plat env 20 €.* Proprio et sommelier, Thomas propose un cadre au design chaleureux de bistrot contemporain, et aux teintes et matériaux dans l'air du temps. Dans l'assiette : bavette Angus, caille purée de panais, haricots coco et cèpes, ou encornets lait de coco et piment d'Espelette ; quelques touches exotiques du chef nippon qui orchestre les plats. Manifestement, les produits sont bons, et pas éteints par la préparation. Et comme ici on emboîte le pas aux saisons, la carte évolue un peu toutes les semaines. Côté vins, c'est au tableau noir que ça se passe. Service rapide et sympathique. Carton plein ! *NOUVEAUTÉ.*

7e

|●| Cinq Mars (plan couleur D1, **32**) : 51, rue de Verneuil, 75007. ☎ 01-45-44-69-13. ● cinq-marsrestaurant@ wanadoo.fr ● ⓜ Solférino ou Rue-du-Bac. Tlj sf dim 12h-14h30, 19h30-23h. Congés : 15 j. en août. Formules déj en sem 18-21,50 € ; le soir, carte 35-40 €. Vins au verre 4-5 €. Chèques refusés. Une carte avec un beau choix d'entrées, plats et desserts, qui change régulièrement en fonction du marché. Les portions sont généreuses, les produits frais, et les cuissons justes. Belle carte de vins français. Côté cadre, tables de bistrot en bois, tomettes, planches de chantier, suspension cristalline, châssis de fenêtre atelier, le tout teinté d'un gris ficelle agrémenté de grands accrochages aux murs. On aime moins le trop faible éclairage le soir. Clientèle jeune et plutôt sympa. Service génial.

|●| Le Petit Bordelais (plan couleur B1, **34**) : 22, rue Surcouf, 75007. ☎ 01-45-51-46-93. ● contact@ le-petit-bordelais.fr ● ⓜ Invalides ou La Tour-Maubourg. Tlj sf dim-lun 12h-14h30, 19h30-22h30. Congés : 1 sem pdt les vac d'hiver et 3 premières sem d'août. Menus 21,50 € (midi)-34 € ; menu dégustation 58,80 € (73 € avec les vins) ; carte 56 €. Chef d'origine bordelaise, on pouvait s'en douter. Salle aux tons chauds qui créent une ambiance intime. Quelques plats régionaux, d'excellents poissons, et toujours une petite touche personnelle. Cuissons parfaites. En dessert, ne pas manquer le millefeuille, aérien et goûteux à souhait ! La carte des vins ne connaît pas l'ostracisme : elle aborde tous les terroirs.

|●| Le Basilic (plan couleur C1, **47**) : 2, rue Casimir-Périer, 75007. ☎ 01-44-18-94-64. ⓜ Solférino ou Varenne. Tlj sf le midi sam-dim 12h-14h30, 20h-22h30. Congés : 23 déc-1ᵉʳ janv. Carte 35-40 €. Le Tout-7ᵉ aime se retrouver dans cette brasserie confortable, avec sa terrasse accueillante. La carte change à chaque saison, mais, pour les fidèles, quelques incontournables : le foie gras maison au piment d'Espelette et le gigot d'agneau rôti au sel de Guérande font le bonheur d'une clientèle aux bonnes manières et assez conservatrice dans ses goûts.

Pas vraiment routard mais reposant après une longue balade dans cet arrondissement.

|●| L'Affriolé (plan couleur B1, **37**) : 17, rue Malar, 75007. ☎ 01-44-18-31-33. ⓜ et RER C : Invalides. Tlj sf dim-lun 12h-14h30, 19h30-22h30. Congés : 3 sem en août. Formules déj 26-30 € ; menu-carte le soir 36 €. Thierry Vérola propose une cuisine délicieuse et innovante, avec une préférence pour le poisson. Les menus changent tous les 2 mois, l'ardoise plus souvent. En dessert, les gourmands seront comblés. Quelques petites attentions fort sympathiques dès le 1ᵉʳ menu. Accueil très prévenant.

|●| Restaurant Alain Milliat (plan couleur B1, **36**) : 159, rue de Grenelle, 75007. ☎ 01-45-55-63-86. ● boutique@alain-milliat.com ● ⓜ École-Militaire ou La Tour-Maubourg. Mar-ven 11h-15h, 18h-minuit ; sam 9h-minuit ; dim 10h-18h. Service 12h-14h, 20h-22h30. Fermé dim soir et lun. Congés : août et 25 déc-1ᵉʳ janv. Formules déj en sem 25-30 € ; menus le soir 35-39 € ; menu dégustation 65 € ; carte env 40 €. Alain Milliat, le spécialiste des jus de fruits et nectars artisanaux, tient désormais boutique et resto. Décor épuré, ouvert sur la rue aux beaux jours, et, en sous-sol, cave voûtée de laquelle on voit œuvrer le chef anglais. La carte évolue au rythme de la journée, du petit déj, composé de jus et de délicieuses confitures home made, au dîner en passant par le déj et le goûter. Sélections courtes (on regrette d'aillleurs le manque de choix sur l'ardoise), mais pour peu qu'on y trouve son bonheur, assiettes fraîches, imaginatives et joliment tournées. À fréquenter à toute heure avec une bonne copine ou pour un tea time avec belle-maman !

|●| La Fontaine de Mars (plan couleur B1, **26**) : 129, rue Saint-Dominique, 75007. ☎ 01-47-05-46-44. ● lafon tainedemars@orange.fr ● ⓜ École-Militaire. ♿ Tlj ; service 12h-15h, 19h-23h. Fermé 1ᵉʳ janv, 24, 25 et 31 déc. Résa conseillée. Plat du jour 22 € ; carte env 45 €. L'institution vénérable de ce coin du 7ᵉ s'est agrandie, offrant plus d'intimité et d'élégance. De jolies nappes bistrot, de belles assiettes, des verres prêts à en découdre et une cuisine traditionnelle de saison réussie, celle qui vous fait venir et revenir. Très belle sélection de vins. Personnel prévenant et sympa. Obama l'a vérifié lui-même !

l●l Pottoka (plan couleur B1-2, **27**) : 4, rue de l'Exposition, 75007. ☎ 01-45-51-88-38. ● *restaurantpottoka@ orange.fr* ● Ⓜ *La Tour-Maubourg. Tlj 12h15-14h30, 19h30-22h30. Congés : août et 4 j. à Noël. Résa indispensable. Le midi, formules et menus 22-27 € ; menu-carte 35 € ; menu dégustation 65 €.* Tenu par Sébastien Gravé, un chef plein d'allant, ancien des *Fables de la Fontaine,* le restaurant voisin. Cuisine de marché inspirée et dans l'air du temps, mêlant judicieusement inconditionnels régionaux et plats de toujours, revus et corrigés sauce *Pottoka...* Le gâteau basque est une merveille qui ne plombera pas (trop) l'addition mais la balance à coup sûr ! Si l'on peut reprocher le coude-à-coude bien gênant pour les dîners en tête à tête (demander à ce moment-là les tables hautes), on peut dire que le « petit cheval basque » (sens de *pottoka*) tient bon le galop depuis son ouverture.

l●l Restaurant Grannie (plan couleur C2-3, **35**) : 27, rue Pierre-Leroux, 75007. ☎ 01-47-34-94-14. ● *grannie. cheznaoto@free.fr* ● Ⓜ *Vaneau. Tlj sf sam midi et dim ; service 12h-14h30, 19h30-22h30. Congés : 2 sem en août. Menu 36 € ; carte env 40 €. Vin au verre 6 €.* En entrant, on évite d'attacher de l'importance au décor, car ce que l'on trouve dans l'assiette est réellement une surprise. Naoto, sous ses allures de samouraï, vous concocte une cuisine à la fois simple et inventive, pleine de subtilité créatrice. Il faut dire qu'il a été l'élève de Bardet, à Tours. Les assiettes sont très joliment présentées, et le contenu est totalement réussi. La carte change régulièrement en fonction du marché. Une adresse d'un bon rapport qualité-prix. En prime, excellent accueil.

l●l Le Poulpry – Maison des Polytechniciens (plan couleur D1, **45**) : 12, rue de Poitiers, 75007. ☎ 01-49-54-74-54. ● *lepoulpry@maison desx.com* ● Ⓜ *Solférino ; RER C :*

Musée-d'Orsay. Tlj sf w-e et j. fériés ; service 12h30-14h30, 19h30-21h30. Congés : août. Carte 45-60 €. Installé dans l'ancien hôtel de Poulpry, un bel édifice du XVIIIe s (plafond peint d'arabesques signé Watteau) acquis en 1930 par la Maison des Polytechniciens. C'est ici qu'une réunion des chefs monarchistes choisit de porter un certain prince Louis-Napoléon à la tête de l'État, sur le thème : « C'est un crétin qu'on mènera. » On a vu où cela a mené ! C'est encore ici qu'ont eu lieu certains repas du PS voisin. La cuisine se révèle tout à la fois légère et copieuse, fraîche et inventive. Et surtout d'un extraordinaire rapport qualité-prix si l'on tient compte de la qualité des produits. Remarquables desserts, carte des vins au diapason. Service impeccable et ambiance tamisée qui conviennent parfaitement aux dîners de fête.

Plus chic

l●l Thoumieux (plan couleur B1, **40**) : 79, rue Saint-Dominique, 75007. ☎ 01-47-05-79-00. ● *contact@thou mieux.com* ● Ⓜ *La Tour-Maubourg. Tlj 12h-minuit. Formule déj en sem 30 € ; carte 50-60 €.* Depuis quelque temps déjà, Jean-François Piège (ex-chef étoilé du *Crillon*) veille aux destinées de cette vénérable brasserie et nous régale de quelques plats traditionnels superbes, où l'on reconnaît bien son talent. Les adeptes de cure iodée y découvriront avec ravissement son plateau de fruits de mer réinterprété. À noter, quelques merveilles dans la carte des vins. Reste que le cadre ancien, restauré avec ses dorures, miroirs et lumières vives, peut ne pas plaire à tout le monde... Pour ceux qui souhaitent faire chauffer la CB, rendez-vous au 1er étage, où le chef tient sa table gastronomique dans un extraordinaire écrin signé India Mahdavi, la talentueuse architecte-designer iranienne. Pour les becs sucrés, rendez-vous en journée en face, dans la toute nouvelle pâtisserie *Thoumieux* où sont confectionnés les gâteaux et le pain servi à table (excellent, au demeurant).

7e

Cuisine d'ailleurs

De très bon marché à bon marché

|●| **L'Oasis** (plan couleur B1, **50**) : 162, rue de Grenelle, 75007. ☎ 01-45-51-61-10. Ⓜ La Tour-Maubourg. *Tlj sf sam midi et dim 12h-14h30, 19h30-22h15. Congés : août et 1 sem à Noël. Couscous 10-16 € ; repas env 14 €.* Un petit resto de quartier qui ne paie pas de mine, mais dont la gentillesse de l'accueil et la qualité de la nourriture vous mettent vite dans de bonnes dispositions. Nombreux couscous à la semoule remarquablement fine, généreusement servis. Grillades, salades, sans oublier les pâtisseries orientales à prix raisonnables.

≜ **Diner** (plan couleur B2, **54**) : 12, rue du Champ-de-Mars, 75007. ☎ 09-83-85-06-53. ● info@dinerbedford.com ● Ⓜ École-Militaire. *Tlj ; service continu 8h-minuit. Burgers 6-18 €.* Un vrai *diner* américain au pied de la tour Eiffel. Burgers, hot dogs, bagels, *eggs, salads.* Des intitulés de la carte au contenu de l'assiette (ou du panier pour les burgers), tout semble made in USA. Burgers fondants et juteux (le pain, fameux, vient de chez Rachel, l'Américaine qui fournit la capitale en *buns*), des œufs bénédicte que tout le monde s'arrache, et un cheese-cake comme à New York. Sympa de voir débouler ce genre d'adresse dans le quartier ! D'ailleurs, ça cartonne, et le service reste souriant.

|●| **Marcel** (plan couleur C2, **52**) : 15, rue de Babylone, 75007. Ⓜ Sèvres-Babylone. ☎ 01-42-22-62-62. *Tlj ; service continu 10h-23h (19h sam-dim) ; brunch le w-e. Résa préférable. Plats 14-22 €, salades 12-16 €.* Le très chic 7ᵉ n'échappe pas à la vague new-yorkaise avec cette nouvelle cantine au décor loft design bien léché. La carte, elle aussi bien étudiée, claire et appétissante, propose le meilleur des USA dans l'assiette : ceasar ou *cobb salad*, crab cakes, fish and chips, BBQ ribs, hot dogs, club sandwichs, cheese-cakes, *key lime pie*... Frites fameuses, et délicieux pancakes à l'heure du goûter. On a (presque) tout goûté et tout approuvé. De plus, service gentil tout plein. *NOUVEAUTÉ.*

Prix moyens

|●| **Al Dente** (plan couleur C-D2, **53**) : 38, rue de Varenne, 75007. ☎ 01-45-48-79-64. Ⓜ Rue-du-Bac ou Sèvres-Babylone. *Tlj sf dim-lun 12h-14h30, 19h45-22h30. Congés : dernière sem de juil-3 premières sem d'août et 1 sem à Noël. Compter 25-35 € selon vos goûts et votre appétit ; pizzas 12-16 €. Café offert sur présentation de ce guide.* Deux petites salles agréables à la déco chic et dépouillée, actuelle et de bon goût. Les gens du quartier y ont leurs habitudes. Cuisine essentiellement italienne, élaborée avec des produits d'excellente qualité et d'une grande fraîcheur. Les plats de pâtes sont délicieux, les pizzas également. Au verre, un vin des Abruzzes, blanc ou rouge, d'un très bon rapport qualité-prix. Ne soyez pas surpris si vous trouvez une certaine ressemblance entre le patron et Vincent Lindon, c'est normal... ils sont frères !

|●| **Apollon** (plan couleur B1, **51**) : 24, rue Jean-Nicot, 75007. ☎ 01-45-55-68-47. Ⓜ La Tour-Maubourg. *Tlj sf dim ; service 12h-15h, 18h-22h30. Formule déj 16,50 € (boisson incluse) ; menu 27 € le soir ; carte env 35 €.* Entre la tour Eiffel et le Champ-de-Mars, un resto grec qui s'est « septiémisé » en adoptant un décor plus cossu et recherché que la majorité des tavernes grecques de Paris, au style folklo et banal. Dans l'assiette d'*Apollon*, rien que du grec traditionnel de qualité. Spécialité : le *kleftiko* (épaule d'agneau à l'étouffée). À côté du resto, une boutique-traiteur avec les produits de là-bas et de bons sandwichs.

Où boire un thé ? Où boire un café ?

|●| ☕ **Coutume Café** (plan couleur C2, **31**) : 47, rue de Babylone, 75007. ☎ 01-45-51-50-47. ● contact@coutumecafe.com ● Ⓜ Sèvres-Babylone. Voir plus haut la rubrique « Où manger ? ».

|●| ☜ **Restaurant Alain Milliat** *(plan couleur B1, 36)* : 159, rue de Grenelle, 75007. ☎ 01-45-55-63-86. ● *boutique@* alain-milliat.com ● Ⓜ *École-Militaire ou La Tour-Maubourg.* Voir plus haut la rubrique « Où manger ? ».

Où manger une glace ?

♥ **Martine Lambert** *(plan couleur B2, 58)* : 39, rue Cler, 75007. ☎ 01-40-62-97-18. Ⓜ *École-Militaire. Avr-sept, tlj 10h-minuit ; oct-mars, mer-dim 10h-19h30.* Cornets 1 boule 2,90 €, 2 boules 5,20 €, 3 boules 6,70 €. Déjà bien connue des Deauvillais, Martine Lambert a installé ses bacs à glaces dans cette toute petite échoppe ouverte sur la rue. Les sorbets sont élaborés avec des fruits bio de grande qualité, qui entrent à 70 % dans la conception des parfums. Quant aux glaces onctueuses et légères, elles sont fabriquées avec du bon lait de Normandie ! Excellents desserts glacés aussi, dont le « Succulent » *(5,20 €)*, recouvert de noisettes et d'amandes grillées.

Où boire un verre ?

♟ **L'Éclair** *(plan couleur B2, 62)* : 32, rue Cler, 75007. ☎ 01-44-18-09-04. Ⓜ *La Tour-Maubourg. Tlj 7h-2h.* Verres de vin à partir de 4,20 € ; cocktails 12-15 €. Plats 9-15 €. Il porte bien son nom ! Ce café, où se retrouvent les trentenaires chic du quartier, électrise cette rue piétonne calme et tranquille. Sous les loupiotes à l'ancienne de la terrasse, on sirote l'un des nombreux cocktails originaux et bien dosés de la maison. À l'intérieur, sous la lumière tamisée et le lierre grimpant au plafond, les barmen s'amusent à jongler avec les bouteilles derrière le bar. Leur spécialité : les cocktails d'un litre, de préférence à partager ! *NOUVEAUTÉ.*

♟ **O'Brien's** *(plan couleur B1, 60)* : 77, rue Saint-Dominique, 75007. ☎ 01-45-51-75-87. ● *obriens@ obriens-pub.com* ● Ⓜ *Invalides ou La Tour-Maubourg. Tlj 17h-2h ; happy hours 17h-20h en sem.* Pinte env 7,40 € *(5,90 € pdt l'happy hour).* Ce pub, tenu par un Gaulois et sa femme irlandaise, a réussi son pari. C'est bondé en permanence. Rien d'étonnant à cela, l'arrondissement manquant singulièrement de lieux tout à la fois jeunes et vivants. À la carte : Guinness, Kilkenny, Cider, blanche... à la pression, et Corona, Carlsberg, Becks en bouteille.

♟ **Le Café du Marché** *(plan couleur B2, 61)* : 38, rue Cler, 75007. ☎ 01-47-05-51-27. ● *cler7@wanadoo. fr* ● Ⓜ *École-Militaire. Tlj 7h-minuit (16h dim).* Plats du jour et salades 9,50-12 € en sem, 11-15 € le w-e. Terrasse sympathique pour profiter, en toute saison, de l'animation marchande de la rue piétonne. Cela suffit amplement pour que l'on ait envie de se poser un instant devant un verre.

♟ **Rosa Bonheur sur Seine** *(plan couleur C1, 63)* : 37, quai d'Orsay, 75007. Ⓜ *Invalides. Presque au pied du pont Alexandre-III, direction l'Assemblée nationale. Mar-dim 11h-0h30.* Verre de vin env 4 € ; cocktail 10 €. Les filles de Rosa Bonheur (voir le 19e arrondissement) ont pris leurs aises sur les magnifiques berges de Seine rendues aux piétons depuis le musée d'Orsay jusqu'au pont de l'Alma. Elles ont emménagé sur une jolie barge avec de grandes verrières. Sa devise ? *Fluctuat nec mergitur !* Au moindre rayon de soleil, on peut aussi s'étaler sur la terrasse à quai pour déguster un bon rosé ou une bière fraîche, et grignoter un hot dog fumant. L'une des plus belles vues sur Paris et le Grand Palais vous attend. Parfait en été, mais vous ne serez évidemment pas seul à avoir eu la bonne idée de venir ici. *NOUVEAUTÉ.*

Où sortir ?

♟ ∞ **Club des Poètes** *(plan couleur C1, 70)* : 30, rue de Bourgogne, 75007. ☎ 01-47-05-06-03. ● *blaise@ poesie.net* ● *poesie.net/cdp.htm* ●

Ⓜ *Assemblée-Nationale, Invalides ou Varenne.* ♿ *Mar et ven-sam, dîner à 20h, spectacle à 22h15 ; ouv au déj lun-ven 12h-14h mais sans poésie ! Congés : août. Dîner 20 € (entrée, plat et dessert). Si on ne dîne pas, on paie la 1ʳᵉ conso 7,50-10 €, les suivantes sont à 3 € pour les jus de fruits et 5 € pour les cocktails.* Amis de la poésie, bonsoir ! Jean-Pierre Rosnay, ex-M. Poésie de la télé, réunit avec gentillesse sa famille d'étudiants tourmentés et de ministres venus en voisins autour d'un programme où cohabitent Victor Hugo, Rimbaud, Aragon et Vian, sans oublier Villon. Objectif : rendre la poésie « contagieuse et inévitable ». Dans ce doux décor d'auberge campagnarde, chacun déclame ses œuvres et celles des grands disparus. Tous les mardis, soirées d'audition et de découverte, avec des poètes contemporains inconnus... du moins pour l'instant !

À voir

LA TOUR EIFFEL *(plan couleur A1)*

🚶🚶🚶 🧍🚶 ☎ *0892-70-12-39 (0,34 €/mn).* ● *tour-eiffel.fr* ● **Ⓜ** *Bir-Hakeim, Trocadéro ou École-Militaire ; RER C : Champ-de-Mars-Tour-Eiffel. Bus nᵒˢ 42, 69, 72, 82 et 87.* ♿ *(pour les 1ᵉʳ et 2ᵉ étages). Visite tlj sans exception 9h30-23h (9h-minuit de mi-juin à fin août) pour les 1ᵉʳ, 2ᵉ et 3ᵉ étages (sommet), dernier accès à 22h30 ; hors hte saison, les escaliers ferment à 18h30 (dernier accès à 18h). Mieux vaut monter en ascenseur et descendre par l'escalier si ça vous amuse. Possibilité de résa en ligne. Accès par ascenseur pour les 1ᵉʳ et 2ᵉ étages : 9 €, pour le 3ᵉ étage 15 € ; accès par l'escalier (jusqu'au 2ᵉ étage) : 5 € plein tarif, 4 € 12-24 ans, 3 € 4-11 ans, réduc, gratuit moins de 4 ans. Application iPhone « Tour Eiffel, le guide officiel de visite » : 2,69 €.*
– *Au 1ᵉʳ étage, à 57 m :* Restaurant 58 Tour Eiffel ainsi qu'un coin restauration rapide viennent d'être rénovés. Grâce à un plancher en verre, on peut y expérimenter la sensation de vide à 57 m de haut ! Également un nouvel espace muséographique. Restauration rapide et service de brasserie.
– *Au 2ᵉ étage, à 115 m :* célèbre grand resto gastronomique *Jules Verne (menu 98 € le midi en sem).*
– *Au 3ᵉ étage, à 276 m :* une galerie supérieure ouverte, d'où la vue est époustouflante. Longues-vues à pièces. Maquette du sommet tel qu'il se présentait en 1889. Panorama jusqu'à 60 km de Paris par temps clair ; le meilleur moment : 1h avant le coucher du soleil. À cet étage, on a reconstitué un bureau de Gustave Eiffel, que l'on voit en compagnie de Thomas Edison (l'inventeur du phonographe), venu lui offrir son appareil. Bar à champagne *(tlj 12h-22h ; coupes 15-21 €).*

UN PEU D'HISTOIRE

Si la Tour écrivait ses Mémoires... nous connaîtrions tous les secrets, scandales et métamorphoses d'un siècle. Mais évoquons déjà son extraordinaire histoire et sa naissance, qui couronne l'épopée industrielle du XIXᵉ s. Tous les bons manuels rendent hommage à l'ingénieur Gustave Eiffel... En fait, l'histoire est moins simple qu'il n'y paraît (voir encadré).
Avant l'inauguration officielle de l'Exposition universelle, Gustave Eiffel organisa une fête plus intime pour les ouvriers du chantier le 31 mars 1889. À cette occasion, il gravit les 1 710 marches de la Tour (montée en 26 mois !) pour planter le drapeau tricolore au sommet de son invention. Puis la Tour accueillit ses premiers visiteurs le 15 mai 1889. Ayant le droit de propriété sur elle pendant 20 ans, son constructeur fonda dès 1888 la Société de la tour Eiffel. Toujours en avance sur son temps, la Tour fut dotée en 1907 d'une horloge géante de 6 m de haut, affichant l'heure en chiffres lumineux. En 1909, elle faillit être détruite...

mais fut sauvée par la télégraphie sans fil (TSF), qui lui permit de donner l'heure au monde entier (1910). Par la suite, elle participa à la Défense nationale pendant la guerre, indiqua la force du vent, la pression atmosphérique, puis reçut les antennes de TV. Elle émet notamment aujourd'hui six chaînes françaises, les chaînes de la TNT et environ 30 stations de radio.

Elle fut critiquée, traitée de « chandelier creux » ou de « squelette disgracieux », selon Guy de Maupassant. L'écrivain Joris-Karl Huysmans en parlait plus vertement : « On ne peut se figurer que ce grillage infundibu-

LES VÉRITABLES INVENTEURS DE LA TOUR

Contrairement à Guillotin, qui n'a jamais revendiqué la paternité de la création qu'on lui attribue, Eiffel était fier de l'œuvre qui rendit son nom célèbre, et dont il n'est pas le créateur... En effet, ce sont deux ingénieurs des ateliers de Gustave Eiffel, Kœchlin et Nouguier, qui conçoivent l'idée d'une très haute tour de fer. Eiffel leur achète le brevet, remanie un peu le projet et le présente à l'Exposition universelle. Sur 107 projets présentés, il remportera le premier prix, financera le projet, et son nom sera pour toujours associé à la Tour.

liforme soit achevé, que ce suppositoire vulgaire et criblé de trous restera tel. » Pourtant, la tour Eiffel conquit de nombreux artistes : Seurat, le Douanier Rousseau, Utrillo ; d'autres l'ont chantée, comme Mistinguett, Trenet, Dutronc.

Dans l'axe des quatre points cardinaux, quatre massifs de maçonnerie servent d'appui aux quatre pieds et à la tour de 324 m (antennes comprises). Poids total : 10 100 t (moins quelques kilos, rachetés par César pour ses sculptures), dont 60 t de peinture supplémentaire à chaque campagne de restauration (19 en tout !). Du 1er étage au sommet, elle est repeinte tous les 7 ans, enfin si l'on peut dire, car le chantier dure 18 mois. Trois couleurs dégradées du plus clair (en haut) au plus foncé. Ça permet ainsi d'accentuer la perspective et l'impression d'élancement et de hauteur qu'on a du sol. Savez-vous que le sommet fuit le soleil et, par dilatation, s'écarte jusqu'à 18 cm de sa position initiale, alors que sous l'effet du vent elle ne bouge que de 6 ou 7 cm ?

La Tour a aussi ses aventuriers : en 1912, Reichelt, « l'homme-oiseau », avec ses ailes artificielles, ne plana malheureusement pas mais fit dans le sol gelé un trou de 35 cm de profondeur. Marc Gayet, récidivant avec un parachute, et bossu de surcroît, perdit bien sa bosse car, détail technique, le parachute ne s'ouvrit pas, la soie étant trop humide. D'autres aventures sont plus souriantes, celle du journa-

UN ESCROC DE HAUT VOL

En 1925, Victor Lustig, faux aristocrate autrichien, réussit à vendre la tour Eiffel à un ferrailleur parisien. La victime, une fois attrapée dans les filets, ne porta pas plainte de peur d'être ridiculisée. Faut dire que la proie s'appelait monsieur Poisson ! Ce même escroc parvint aussi à arnaquer Al Capone, ce qui était courageux.

liste qui descendit à bicyclette par l'escalier du 1er étage, mais fut, à son arrivée triomphale, inculpé par la préfecture de Police en tant que « provocateur d'attroupement ». En août 1944, Sarniguet, un capitaine de l'armée, vint à l'insu des Allemands hisser le drapeau tricolore au sommet de la Tour fermée au public durant la guerre. Des escrocs ont aussi réussi à tirer profit de la « dame de fer », comme cet homme qui, en 1925, a réussi à vendre la Tour à un ferrailleur ! Qui dit mieux ?

Gustave Eiffel, qui vécut jusqu'à 91 ans, avait raison de dire : « Je devrais être jaloux de la Tour, elle est plus célèbre que moi. » Une phrase plus que jamais d'actualité aujourd'hui, puisque la Tour reçoit près de 7 millions de visiteurs chaque année !

– Une curiosité si vous regardez en direction du musée du quai Branly (juste à côté de la tour Eiffel, au nord-est, également le long de la Seine) : on peut découvrir une commande publique d'art aborigène peinte à l'aide de 172 pochoirs sur 700 m^2 du toit du musée. Une œuvre de Lena Nyadby, qui est en fait le détail de l'un de ses tableaux, agrandi 46 fois. Et si vous voulez en découvrir plus sur les arts aborigènes, vous savez où vous rendre !

Le Champ-de-Mars *(plan couleur A-B1-2)* : entouré de vignes au XVᵉ s, il était occupé par des maraîchers cultivant des légumes pour les Parisiens. Au XVIIIᵉ s, on l'utilisa comme terrain de manœuvres pour les élèves de l'École militaire. Il fallut agrandir le champ avec une partie de l'île aux Cygnes et assécher un bras de la Seine. L'île actuelle fut créée artificiellement pour les Parisiens, qui se sentaient spoliés. En 1785, le Champ-de-Mars eut une affectation surprenante : ses fossés furent utilisés par Parmentier, qui y cultiva la pomme de terre. L'anecdote rapporte que les plantations avaient été entourées de clôtures pour inciter les Parisiens à s'intéresser à ce féculent inconnu. Tubercule défendu, il entraîna la convoitise, le vol et la consommation. Publicité garantie ! En 1790, au cœur de la Révolution, on y célèbre la fête de la Fédération. Un an plus tard, Bailly, premier maire de Paris, fait tirer sur les manifestants qui réclament la déchéance de Louis XVI.
Devenu aujourd'hui lieu de sociabilité incontournable les soirs de week-end (surtout en été), cet endroit rassemble les jeunes (et moins jeunes) fêtards parisiens, avides de profiter de ce grand espace pour prendre l'apéro, débattre entre amis, créer du lien, et plus si affinités...

L'École militaire *(plan couleur B2)* : construite en 1752 sur les plans de Jacques-Ange Gabriel, l'école est une idée de Mme de Pompadour pour initier à l'art militaire 500 gentilshommes pauvres. « Approuvé, le projet, approuvé, petite bien-aimée, puisque vous le voulez absolument », lui écrit Louis XV. Bonaparte y fut élève du roi en 1784. Il quitta l'institution 1 an plus tard, à 16 ans, avec le grade de sous-lieutenant et la mention : « Ira loin si les circonstances le lui permettent. »

LE MUSÉE DU QUAI BRANLY – ARTS ET CIVILISATIONS D'AFRIQUE, D'ASIE, D'OCÉANIE ET DES AMÉRIQUES *(plan couleur A1)*

Accès par le 206 ou le 218, rue de l'Université, ou par le 37, quai Branly, 75007. ☎ 01-56-61-70-00 (infos). ● quaibranly.fr ● Ⓜ Alma-Marceau ou Bir-Hakeim ; RER C : Pont-de-l'Alma. Bus nᵒˢ 42, 62, 63, 72, 80 et 92. Station Vélib' nᵒ 7023. Parking payant. ⚹ (entrée par le 222, rue de l'Université). Mar-mer et dim 11h-19h, jeu-sam 11h-21h. Fermé lun (sf pdt les petites vac), 1ᵉʳ mai et 25 déc. Réservez vos billets en accès prioritaire en magasin et sur ● fnac.com ● Entrée musée : 9 € ; réduc. Expos temporaires : 9 € ; réduc. Combiné musée + expos : 11 € ; réduc et divers passes ; gratuit moins de 26 ans. Audioguide : 5 € ; réduc ; + 2 €/pers supplémentaire. Nombreuses visites guidées thématiques, à partir de 6 €/pers (rens à l'accueil et programme sur le site internet). Application « quai Branly » gratuite pour iPhone, iPad et Android, et parcours audioguidés payants. N'hésitez pas à vous offrir une visite guidée ou l'audioguide, très bien fait, histoire d'avoir en tête quelques clés de compréhension des civilisations d'Asie, d'Afrique, d'Océanie et des Amériques, pour certaines disparues. Également : un resto au dernier étage *(Les Ombres)*, une caté' au rez-de-chaussée (le *Café Branly*), une très bonne librairie spécialisée, un salon de lecture, une médiathèque et de nombreuses manifestations culturelles.

UN PEU D'HISTOIRE

Ce grand projet architectural et muséographique a fait couler beaucoup d'encre. Initié en 1998 par Jacques Chirac et inauguré en 2006, ce sera LE grand chantier de ses mandats présidentiels. L'ambition ? Donner à voir les arts premiers non plus comme des objets d'étude anthropologique ou ethnologique, mais comme des œuvres d'art, tout simplement.

Après des mois d'une polémique sans issue sur le nom à adopter (« Arts premiers », « Arts primitifs » : mais par rapport à quoi ? à qui ?), on a opté pour une appellation géographique du musée, qui, si elle ne donne aucune indication sur le contenu des collections, a permis au projet de suivre son cours et d'intégrer les arts vivants et contemporains.

Pour son architecte, Jean Nouvel, le défi était de taille : ne pas imposer de style architectural occidental à un musée qui allait abriter des collections non occidentales, sans pour autant verser dans une parodie d'architecture tribale. Un exercice de funambule réussi pour cet ensemble qui épouse judicieusement la courbe de la Seine.

LA MUSÉOGRAPHIE

D'emblée, le visiteur est frappé par la richesse et la diversité des collections. Les différentes aires géographiques s'organisent de part et d'autre d'une allée dédiée aux personnes handicapées, la « Rivière », et la couleur du sol en authentique lino (c'est-à-dire une toile de jute enduite d'un agrégat imperméable d'huile de lin, de sciure et de liège – matériaux 100 % naturels) vous renseigne sur le continent que vous êtes en train de découvrir. Le long de cette « Rivière », un muret tendu de cuir naturel aux belles nuances du caramel (à tous les stades de la cuisson !), ponctué par des alcôves aux bornes interactives, autour d'un écran : films et documentaires viennent compléter l'exposition (à condition d'avoir vraiment du temps devant soi !). Une manière de guider le visiteur dans un parcours très libre, puisque aucun cheminement n'est imposé, ni au sein de chaque aire géographique ni d'un continent à l'autre. Seule une carte, à l'entrée de chaque zone continentale, resitue un peu la section. Mieux vaut donc avoir quelques notions de géographie et faire attention à ne pas sortir d'une zone par inadvertance (au risque d'un voyage culturel trop rapide).

Le but de cet ambitieux projet est en partie atteint : la muséographie incite à tourner autour de la plupart des 3 500 objets exposés, en vitrine ou à l'air libre, comme dans n'importe quel musée d'art classique à la muséographie réussie.

Quelques conseils : lorsqu'on débouche de la rampe d'accès, l'Océanie (et sa carte) se trouve sur la droite. C'est là que nous entamons notre visite : on longe d'abord la rue de l'Université, puis on poursuit en tournant autour de la « Rivière » dans le sens des aiguilles d'une montre. Essayer de se repérer sur les cartes et, surtout, bien faire attention à la couleur du lino, histoire de ne pas changer de continent par étourderie !

L'OCÉANIE

Le plus vaste continent du monde englobe la Mélanésie (Papouasie/Nouvelle-Guinée, îles Salomon, Vanuatu, Nouvelle-Calédonie) – de *mélasse*, « noir » –, la Polynésie, la Micronésie (peu représentée ici), l'Australie et l'Insulinde (Sud-Est asiatique insulaire). La majorité des objets présentés est d'origine mélanésienne, la France ayant été à l'initiative de plusieurs grandes expéditions d'exploration comme celle de Dumont d'Urville ou, plus récemment, celle de *La Korrigane* (début XXe s).

Plusieurs préoccupations semblent communes aux différents peuples de l'aire culturelle du Pacifique, malgré leurs considérables différences. Par exemple, l'initiation des jeunes garçons, avant qu'ils n'aient le droit d'accéder à la maison des hommes. En Mélanésie, où chacun pouvait, tout au long de sa vie, acquérir divers « pouvoirs spirituels et politiques » en fonction de ses capacités (financières, mentales, artistiques, etc.), les objets rituels étaient élaborés pour chaque occasion : des appuis-tête, des frontons de maison d'initiation et d'étranges personnages de la société secrète *Iniet* de Nouvelle-Bretagne, sorte de grand escogriffe doté de sept doigts à chaque main et d'un pied en zigzag. Ou encore ces masques du Vanuatu qui se caractérisent par l'utilisation de dents de cochon, dents dont les courbes plus ou moins accentuées symbolisent le grade acquis dans les « pouvoirs ». Alors qu'en Polynésie, où le pouvoir – spirituel – se transmettait de façon héréditaire au sein d'une même lignée, on trouve quelques objets anciens transmis de génération en génération.

Récurrente aussi, la symbolique des ancêtres : superbes totems en palétuvier et flûtes qui portent la voix des anciens. Et la question d'avoir ou pas le mana, une puissance invisible qui peut revêtir différents aspects ; celle d'un fluide contenu dans les objets et les êtres vivants selon la croyance polynésienne, par exemple. La tête est d'ailleurs souvent réputée en être le siège, ce qui expliquerait qu'elle ait été l'objet de prises de guerre par les Océaniens (on vole ainsi à l'ennemi son énergie vitale).

L'Australie est bien représentée aussi. Dans la chambre des écorces, une belle collection de peintures sur écorces d'eucalyptus datant des années 1960. Les motifs et figures traditionnels aborigènes trouvent leur écho dans une collection de toiles contemporaines : preuve, s'il en était besoin, de la persistance des savoir-faire et des symboliques de cette riche culture. Deux installations multimédias, « boîtes à musique », complètent ce parcours et invitent le visiteur à s'immerger au cœur des sonorités de cet autre monde.

Ce continent s'achève avec l'Insulinde (en gros, l'Indonésie et les Philippines), passerelle entre les cultures océanienne et asiatique : un panel de somptueuses parures, de sculptures en pierre et de textiles précieux entre autres.

L'ASIE

Si la diversité culturelle d'une zone géographique aussi vaste ne peut être résumée sur quelques dizaines de mètres carrés, il n'empêche que les belles pièces abondent et que les explications ne sont pas en reste. On découvre les décors superbes et les matières insolites des costumes et textiles des populations asiatiques, ainsi que des pochoirs japonais aux motifs épurés, puis on part à la rencontre du bouddhisme villageois, des traditions chamaniques sibériennes et des différentes expressions des mythes et des rites en Inde, avant de découvrir la vie nomade des cavaliers des steppes d'Asie centrale, le langage de la parure et la symbolique des armes au Moyen-Orient, jusqu'à la civilisation du désert en Arabie.

Le point fort de la collection réside dans la grande variété des textiles, présentés dans une enfilade de grandes vitrines centrales, épine dorsale du parcours muséographique proposant un voyage à travers le continent d'est en ouest. Le visiteur ne pourra que béer d'admiration devant la richesse des costumes hmong du sud de la Chine, du nord du Vietnam et du nord du Laos, en chanvre teinté à l'indigo aux riches décors réalisés à partir de réserves en cire (batik). Dans la société hmong traditionnelle, il était d'usage que, tous les ans, la femme hmong fabrique un costume à chacun des membres de sa famille, qu'il portera jusqu'à l'année suivante. Un costume de fête peut demander jusqu'à 4 ans de travail. Pas loin, une vitrine abrite des outils, principalement liés à la culture du riz et de la vannerie. À quelques milliers de kilomètres plus à l'ouest, les costumes et les voiles des femmes indiennes, surprenant de variété avec leurs broderies multicolores en soie floche, les drapés de lumière et fils d'or, et la pureté de la soie sauvage côtoyant la complexité de décors en ikat (fils de soie teint avant tissage). En suivant la route du fil de soie ikatée, on arrive dans les plaines d'Asie centrale parcourues par les nomades des steppes aux lourds manteaux de soie et aux habitations en feutre de laine. Nous sommes là dans le royaume du cheval, monture, allié, sacrifice par excellence aux esprits depuis la nuit des temps. C'est bien ici que le cheval a été domestiqué pour la première fois, et les enfants mongols, cavaliers intrépides, apprennent à monter avant même de savoir marcher !

Vient ensuite l'espace consacré aux cultures du Proche-Orient, où les Bédouins (de *badw*, « les gens du désert », ceux qui vivent hors des villes) tiennent une place importante. Voyez le superbe palanquin syrien qui, arrimé sur un chameau, transportait femmes et enfants dans leurs déplacements. Originaires du centre de l'Arabie, les Bédouins se sont dispersés par vagues successives à travers le Proche-Orient et l'Afrique du Nord, liant leur expansion à celle de l'islam des premiers siècles. Traditionnellement nomades, les Bédouins ont été contraints depuis le début du XXe s à se sédentariser. Dans les profondeurs désertiques, les mariées bédouines ont longtemps arboré, en symbole marital, un voile de visage alourdi de monnaies et richement brodé. À proximité sont présentés des costumes traditionnels colorés et brodés ; plus loin, des amulettes et des ex-voto chrétiens et musulmans témoignent de la survivance d'anciennes croyances héritées de l'Antiquité. Également des armes, des parures féminines et des figures d'ombre. Autant d'objets qui témoignent de la diversité culturelle religieuse du Proche-Orient, région qui sert de transition avec l'Afrique.

L'AFRIQUE

Les collections sont présentées selon un parcours géographique, depuis les rives méditerranéennes jusqu'à la côte orientale en passant par les régions occidentales, équatoriales, centrales et australes.

En parallèle, une approche thématique, particulièrement mise en valeur par les fameuses « boîtes suspendues » que le visiteur aperçoit d'abord sur la façade côté Seine. Une fois à l'intérieur du musée, ces boîtes se révèlent être de véritables petits cabinets d'exposition, de tailles variables, chacun doté de son atmosphère particulière. L'une invite à la découverte de l'art du tapis, une autre initie aux masques de l'Afrique forestière dont le fameux masque Krou qui inspira Picasso, une troisième à la peinture éthiopienne, etc.

Chaque visiteur construit ici son propre chemin, mêlant géographie et thématique. Voici tout de même quelques suggestions d'exploration.

Notre regard a changé sur ces sociétés qu'on a longtemps crues sans histoire parce qu'elles n'écrivaient pas leur passé dans la pierre ou sur le papier. D'abord l'Afrique septentrionale, vaste espace délimité à l'est par l'Égypte, au nord par la Méditerranée, à l'ouest par l'océan Atlantique et au sud par le grand désert du Sahara au-delà duquel commence le véritable monde africain.

En premier lieu, une vitrine totem aborde l'histoire millénaire de cette région au travers d'objets dont les plus anciens datent du Néolithique. Dans un autre espace, un ensemble exceptionnel de poupées de représailles ainsi qu'un étonnant mannequin d'Achoura en bourre de palmier. Enfin, deux vitrines évoquent la richesse et la diversité de l'art vestimentaire dans le monde citadin et rural. Entrez dans la boîte consacrée aux arts citadins. Un tableau du peintre Ange Tissier plonge le visiteur dans l'univers fascinant de l'Orient. Également des tapis, des poteries rurales, des armes, des lampes de mosquée et de synagogue, mais surtout une cascade de bijoux dont se paraient les femmes rurales de la tête aux pieds !

En Afrique subsaharienne, tissages, masques et de nombreuses sculptures ont un rôle culturel majeur et sont autant de supports qui tiennent lieu de parole et d'écriture. L'essentiel des œuvres africaines exposées date des XIXe et XXe s. Quelques focus historiques ponctuent le parcours et invitent à découvrir l'Afrique précoloniale : des terres cuites des civilisations nok, sao ou djenné à la peinture des chrétiens d'Éthiopie. Entre ces deux séquences, on découvre de grands moments de l'histoire de l'Afrique : les mouvements migratoires et artistiques en pays dogon à travers sa statuaire du XIe au XIXe s ; l'histoire de la traite des esclaves, du vaudou et du mécénat royal à Abomey (actuel Bénin) du XVIIe au XVIIIe s ; ou encore l'art de cour pluriséculaire du royaume de Bénin (Nigeria).

Dans la plus grande « boîte » (15 m de surplomb au-dessus du jardin), dédiée aux masques dogon (actuel Mali), les représentations d'animaux, de femmes ou d'hommes traduisent le haut degré d'abstraction des croyances dogon. Toujours chez les Dogon, on peut se plonger dans le fonctionnement de la société de masques, un rouage essentiel de ces croyances, et en apprendre un peu plus sur les deux cérémonies majeures qui ponctuent leur vie : le *dama*, ou levée de deuil, est régulièrement organisé pour inciter l'âme des défunts errant entre le monde des vivants et celui des morts à définitivement choisir le « camp » des morts ; il pourra ainsi devenir un ancêtre. Quant aux cérémonies du *sigi* (tous les 60 ans), elles traduisent le renouvellement du cycle de la vie, mais rappellent aussi le moment où la mort est apparue chez les Dogon.

On change de pays pour explorer la très belle collection Harter (il la légua au musée à la seule condition qu'elle soit intégralement présentée...), constituée essentiellement de pièces venues du Cameroun. La sculpture est un art de cour, qui peut apporter la fortune à un artiste reconnu ; certains rois ont d'ailleurs revendiqué l'œuvre d'artistes ou sont devenus eux-mêmes de grands artistes. Faites donc le tour de la superbe statue de la reine Bamiléké, en bois recouvert de raphia et de perles de verre de Bohème ou de Venise (révélatrices des échanges commerciaux existants).

Un peu plus loin, une boîte est consacrée aux croyances rencontrés dans la région du Congo et à l'importance accordée aux statuettes magiques et protectrices Minkisi (sing. : Nkisi), sollicitées par l'intermédiaire du devin du village pour remédier à toutes sortes de problèmes (santé, famille...). L'abondance de clous témoigne du nombre important de consultants venus voir le devin ainsi que de la popularité et de l'efficacité de la statue... !

LES AMÉRIQUES

Dernier continent du parcours, il est subdivisé en deux grandes parties : la première dédiée aux peuples amérindiens rencontrés par les Européens, de la conquête espagnole à nos jours ; la seconde porte sur les civilisations précolombiennes, vieilles de plusieurs millénaires.

Chez les Indiens d'Amérique du Nord, la vie s'articule autour de la guerre, de l'élevage de bisons et de nombreux rituels. Toujours chez les Indiens, mais en Amazonie cette fois, on découvre des sociétés dépourvues de chef (comme chez les Aborigènes d'Australie), qui vivent en symbiose avec l'univers animal et végétal qui les entoure. L'art est donc lié à la personne vivante, d'où l'importance des peintures corporelles et des parures. Leur nudité est toute relative puisqu'ils se considèrent habillés par leurs peintures corporelles, et même davantage : les peintures, différentes selon les âges de la vie et leur place dans la communauté, leur permettent de construire leur corps. De la même manière, les plumes remplissent une fonction sociale d'individualisation. La forme solaire des coiffes (réservées aux hommes), la plus répandue, atteste de l'importance accordée au soleil. Un florilège de couleurs éblouissantes qui dissimule une ruse : quand, pour une coiffe d'exception, la couleur recherchée n'existe pas naturellement, hop, les Indiens plument l'oiseau et l'enduisent d'une mixture à base de pigments naturels ; à la repousse, les plumes seront, comme par magie, de la couleur souhaitée !

La production artistique des Amérindiens des Andes et de Méso-Amérique est à l'image de leur cosmologie, très élaborée. Là, nombreuses poteries à usage funéraire et représentations de dieux aztèques, incas et mayas : le Serpent à plumes, des déesses liées à la fertilité, à la beauté, à l'eau... Voyez aussi, chez les Mayas, l'importance accordée au *pok-ta-pok,* un jeu de balles rituel opposant deux équipes qui doivent se renvoyer une balle en caoutchouc (matière sacrée chez les Mayas) sans qu'elle touche le sol. La trajectoire de la balle correspondait à la course du soleil.

Du détroit de Béring à la Terre de Feu

Les collections amérindiennes sont présentées par grandes aires culturelles. Plusieurs séquences rythment ce parcours, du nord au sud, du détroit de Béring à la Terre de Feu. L'Arctique et la côte nord-ouest sont principalement illustrés par des masques de l'Alaska, des masques et des figurines du Groenland et des productions inuit en ivoire. Au pied du mât de l'Ours, masques et récipients de la Colombie britannique voisinent avec vanneries, ceintures et coiffes des Indiens de Californie. Hérités des collections des rois de France, peaux peintes, *wampums*, calumets, armes, productions en perles provenant de la région des Grands Lacs et de la vallée du Mississipi sont les témoins des contacts entre Amérindiens et Français aux XVIIe et XVIIIe s.

Parallèlement, une sélection de costumes et de masques festifs de Bolivie illustre le syncrétisme religieux dans le monde andin. En vis-à-vis, les objets mexicains évoquent la place de l'homme dans l'univers, et les chatoyantes parures de l'Amazonie sont l'illustration d'un art de la plume fascinant associé aux peintures corporelles. Quelques armes et massues, à l'image du casse-tête tupinamba ramené en France au milieu du XVIe s, révèlent l'ancienneté des collections guyanaises et brésiliennes. Le sud de l'Amérique méridionale est évoqué par des pièces d'argenterie hispano-créoles et indigènes, par ses textiles et la peinture sur cuir, associés à d'imposantes sculptures rituelles des Mapuche du Chili.

L'Amérique avant l'arrivée des Européens

De nombreuses cultures se sont succédé, pendant plusieurs millénaires, à l'intérieur des grandes aires culturelles : la Caraïbe, l'Amérique centrale, la Méso-Amérique et les Andes. La présentation de cette séquence est chronologique et culturelle, allant – dans le sens de la visite – des cultures les plus récentes aux plus anciennes. Les premières sont représentées par les Taïnos des Grandes Antilles, les Aztèques du Mexique et les Incas du Pérou, celles qui subirent de plein fouet la confrontation avec les colons européens. Puis on se plonge dans les civilisations précolombiennes de la Méso-Amérique et des Andes : des Olmèques aux Mayas en passant par Teotihuacan d'un côté ; de Paracas, Mochica et Nazca aux cultures inca et muisca de l'autre. Pour illustrer ces temps précolombiens, statues, céramiques, œuvres en pierre représentant généralement des divinités, ainsi que des objets en bois, en métal, en orfèvrerie, en textiles et en plumes.

– Voilà un rapide tour d'horizon de ce musée unique ! Et pour prolonger la visite, pourquoi ne pas faire un tour au pavillon des Sessions, antenne du musée du quai Branly au musée du Louvre, où sont exposés une centaine de chefs-d'œuvre supplémentaires ?

LES INVALIDES (plan couleur B-C1-2)

☎ 0810-11-33-99 *(prix d'un appel local).* Ⓜ *Invalides, Varenne ou La Tour-Maubourg ; RER C : Invalides. Bus nᵒˢ 28, 49, 63, 69, 82, 83, 87, 92 et 93. Tlj 10h-17h (18h avr-sept). Fermé 1ᵉʳ janv, 1ᵉʳ mai et 25 déc, ainsi que le 1ᵉʳ lun de chaque mois (sf juil-sept). Réservez vos billets en accès prioritaire en magasin et sur* ● *fnac.com* ●
Cet ensemble monumental est l'un des plus aérés de Paris. La grille d'entrée ouvre sur des parterres. Certains (un peu plus loin) étaient autrefois cultivés par les soldats invalides. Imaginez ici les petits carrés de légumes et les Parisiens se promenant le dimanche et discutant avec les vieux soldats. C'était cela, l'idée de Louis XIV en 1670 : accueillir dignement les vieux soldats qui l'avaient servi et ne pas les couper du monde. Au bout de l'imposante esplanade (500 m de longueur, 250 m de largeur), l'hôtel et la grande église du Dôme, et l'église des soldats. Dans la cour d'honneur, cherchez l'œil-de-bœuf entouré de deux pattes de loup : « le loup voit... », c'est-à-dire Louvois, qui fut chargé de superviser la construction des Invalides. Libéral Bruant est le responsable du plan de l'hôtel et de la petite église (celle des soldats) ; quant à Mansart, il est l'architecte du Dôme.

🏃🏃🏃 **L'hôtel des Invalides** (plan couleur C2) : visite tlj 9h-19h. Accès libre à la cour d'honneur et aux galeries, mais pas aux musées. Les vieux soldats invalides y étaient soignés gracieusement à partir du règne de Louis XIV. À cette époque, l'hôtel reçut jusqu'à 4 500 pensionnaires. Depuis le début du XXᵉ s, l'administration militaire et les musées ayant occupé progressivement les bâtiments (le gouverneur militaire de Paris y siège toujours, par exemple), il n'en reste guère qu'une centaine, ainsi qu'un secteur hospitalier public. La façade nord de 195 m (100 toises du châtelet, unité de mesure de l'époque) offre une ligne très pure. Le portail est magnifique. Imposante cour d'honneur où ont lieu les grandes cérémonies militaires ; le « dernier poilu », Lazare Ponticelli, y a reçu un hommage solennel en mars 2008. De part et d'autre, les bâtiments abritant les *musées de l'Armée, des Plans-reliefs* et *de l'Ordre de la Libération* ; au sous-sol, l'*Historial Charles-de-Gaulle.*

TENTATIVE DE SÉDUCTION

En 1940, après la débâcle de notre armée, Hitler essaya de se créer une bonne image auprès des Français. Eh oui ! l'Aiglon était enterré à Vienne, près de sa famille maternelle. Le Führer fit transférer ses cendres aux Invalides, auprès de son père. La cérémonie, totalement contrôlée par l'armée allemande, n'incita aucun Français à changer d'avis sur le dictateur du Reich.

🏃 Au fond, l'*église des soldats* : visite 10h-16h45 (17h45 en été), sf lors de cérémonies religieuses importantes. GRATUIT. L'église Saint-Louis, celle des soldats, dégage une froideur toute militaire ; la seule décoration de la longue nef consiste en une centaine de drapeaux pris à l'ennemi, issus, pour la plupart, des conflits coloniaux des XIXᵉ et XXᵉ s (les trophées plus anciens furent brûlés en 1814 dans la cour, afin qu'ils ne tombent pas entre les mains des ennemis). L'édification de l'église du Dôme débute en 1677 sous la direction de Jules Hardouin-Mansart : but était au départ de réaliser une église qui permette aux pensionnaires de l'hôpital et au roi d'entendre la même messe mais en entrant par des accès différents, étiquette oblige. D'où ces églises jumelles, celle dite du Dôme (voir plus loin) et l'église Saint-Louis. L'église du Dôme offre d'ailleurs un bel exemple de l'architecture classique. Son lanternon culmine à 101 m.

LES PRÉMICES DE LA RÉVOLUTION

Louis XVI avait massé d'importantes troupes autour de Paris. Pour se défendre, le peuple de Paris récupéra des milliers de fusils aux Invalides, le 13 juillet 1789. Une rumeur prétendait que des munitions étaient cachées à la Bastille. La suite est connue.

Le musée de l'Armée

🏃🏃🏃 ☎ 01-44-42-38-77 ou 0810-11-33-99 (prix d'un appel local). ● musee-armee.fr ● ♿ Avr-oct, visite tlj 10h-18h (21h mar avr-sept) ; nov-mars, tlj 10h-17h ; fermeture des caisses 30 mn avt. Oct-juin, le 1ᵉʳ lun de chaque mois, l'église du Dôme est ouv. Fermé 1ᵉʳ janv, 1ᵉʳ mai et 25 déc. Le ticket (9,50 € ; tarif réduit 7,50 € ; gratuit moins de 18 ans et moins de 26 ans ressortissants ou résidents de l'UE, hors visites guidées ; gratuit pour ts le 14 juil) donne accès au musée de l'Armée, à l'église du Dôme (tombeau de Napoléon Iᵉʳ), au musée des Plans-reliefs et à l'Historial Charles-de-Gaulle. Expos temporaires : 8,50 € plein tarif ; billet jumelé expo + musée : 12 € ; gratuit moins de 18 ans.

Guide multimédia (disponible en 8 langues) : 6 € ; 4 € moins de 26 ans. Visites-conférences, visites-contes, ateliers pédagogiques, expos temporaires et saison musicale (oct-juin) dans le Grand Salon et l'église Saint-Louis (☎ 01-44-42-54-66).

Pour vous faciliter la compréhension de l'évolution des armes et des équipements militaires, nous avons pris le parti de la progression chronologique, mais chaque grand département peut se visiter séparément.

NAPOLÉON STÉRILE ?

L'impératrice Joséphine ne lui ayant donné aucun héritier, Napoléon s'est cru un moment stérile... Pourtant, il eut un premier fils illégitime, Léon, né d'une liaison fugace avec Éléonore Denuelle, puis un autre, Alexandre, avec Marie Waleska... L'impératrice avait alors 46 ans. Napoléon, désormais sûr de ses talents de géniteur, divorce et décide d'épouser en 1810 Marie-Louise, fille de l'empereur d'Autriche. Elle lui donna un fils, le roi de Rome (connu également sous le nom de l'Aiglon), que son père ne connut pratiquement pas...

Département ancien : les salles des Armes et Armures (aile Occident)

L'une des plus belles collections du genre après celles de Madrid et de Vienne. Les salles proposent un parcours chronologique sur 2 500 m² retraçant les grandes étapes de l'histoire militaire française du XIIIᵉ au XVIIᵉ s, auquel s'ajoutent des parcours thématiques consacrés à la chasse, aux joutes et aux tournois ou aux armures orientales. Pièces uniques et fascinantes, l'armement et les armures anciennes sont souvent de véritables œuvres de joaillerie plus précieuses pour leur décoration que pour leur mécanisme ou leur efficacité.

– *Salle médiévale :* armes, épées, masses d'armes du XIVᵉ s. Magnifique épée de connétable, armes de la guerre de Cent ans (1340-1453). Armures de toutes formes, et casques de formes et de noms (crapauds, salades, armet, bacinet, barbute) souvent fantaisistes.

– *Salle des Collections de la Couronne :* elle est aménagée dans un ancien réfectoire décoré de peintures murales de Joseph Parrocel restaurées, illustrant les batailles des guerres de Hollande sous Louis XIV. On peut y voir l'armure équestre gigantesque de François Iᵉʳ (il faisait 1,95 m !), gravée et dorée, au riche décor floral, réalisée à Innsbruck en 1539, et l'épée d'Henri IV, avec les signes du zodiaque gravés sur la lame. Curieux pistolet à trois canons... On peut observer la croissance de Louis XIII à travers les armures confectionnées à son intention à divers âges. Ce fut le dernier roi à porter l'armure. Deux superbes armures japonaises offertes à la cour de France au début du XVIIᵉ s.

– *Galerie de l'Arsenal :* 2 500 pièces des XVᵉ-XVIIIᵉ s. Sa réserve derrière les vitrines recrée l'ambiance des arsenaux du passé. On y distingue les pièces d'armement défensif (les armures) et offensif, comme les armes d'hast (lances), les armes blanches (épées), les armes de jet (arbalètes) et les armes à feu (arquebuses). Le harnachement des chevaux est également exposé. Immense couleuvrine (1500) venant de Rhodes et incroyable canon d'ornement, chef-d'œuvre de fonderie, coulé à l'occasion d'un mariage princier (couples enlacés sur les poignées). Plusieurs bombardes aussi, dont la plus grosse au monde (1480). Rien que le boulet en granit pesait 261 kg, mais sa portée était de 200 m maximum.

– *Salle Chasse, Joute et Tournois :* armes de chasse depuis la préhistoire... Épées, dagues, poignards, arbalètes finement ornementées, fusils à crosse en os ou ivoire gravé. Les armures de tournoi étaient autant utilisées pour les parades que pour les tournois. Au XIVᵉ s, les tournois se transforment en joutes opposant deux chevaliers de part et d'autre d'une lice. Ces duels se font plus rares à partir de 1559, lorsque Henri II est mortellement blessé lors d'un assaut avec le comte Montgomery.

7ᵉ

– *Cabinets orientaux :* armes et costumes chinois des XVIIᵉ et XVIIIᵉ s. En face, la *Salle japonaise* : magnifiques armures et selles richement décorées. Les fascinantes armures des samouraïs étaient fabriquées en laque, en acier et en soie. Leur structure était constituée de lamelles, souvent laquées et reliées par des cordons. Cabinet ottoman, le casque-turban du sultan Bajazet II (1481-1512), fils de Mehmet II, le conquérant de Constantinople.

– *Le cabinet des Grands Fusils :* remarquable collection de pistolets à rouet, hallebardes et mousquets à mèche. On notera la richesse du décor en nacre des crosses de mousquet. Très curieux poignard-crucifix (l'alliance du sabre et du goupillon ?).

– *Salle de l'Europe :* dans un des réfectoires. Créations des grands armuriers italiens, allemands et français. Pièces de toute beauté : armures polychromes, casques aux formes étranges comme la bourguignotte au griffon. Impressionnante armure équestre du comte-électeur palatin Otto Heinrich (1533).

Département moderne : de Louis XIV à Napoléon III (aile Orient)

Ne pas manquer, avant de franchir l'entrée, de visiter l'ancien réfectoire Vauban, décoré de peintures murales retraçant les batailles de la guerre de Dévolution (1667-1668) en Flandre et en Franche-Comté. Il présente également un imposant cortège de cavaliers du Consulat au Second Empire.

La chronologie de ce département (de 1643 à 1870) s'articule, dans un parcours en carré, autour de cinq grandes batailles emblématiques ayant impliqué les armées de terre françaises : Rocroi (1643), Fontenoy (1745), Austerlitz (1804), Waterloo (1815) et Sedan (1870), et pas que des victoires, on le verra ! Soit un peu plus de deux siècles au cours desquels (on le constate dans chaque salle) les hommes se sont parés de costumes chatoyants pour mourir au combat... Chacune de ces grandes batailles bénéficie d'un traitement multimédia remarquable permettant d'en suivre le déroulement.

Au fil des salles, à chaque étape, on passe alternativement par une illustration, côté droit, des pouvoirs en place et des politiques militaires avec un panorama des forces en présence, et, côté gauche, par le contexte purement militaire dans son rapport avec la Nation.

Ainsi, en vrac, est abordée pour les XVIIᵉ et XVIIIᵉ s la vie au sein des forces armées : le recrutement des soldats (la plupart du temps du racolage) ou le traitement des déserteurs, la place des mercenaires (le rôle des fameux gardes suisses). On y constate l'évolution des uniformes et les premiers signes distinctifs permettant d'identifier les grades et les hiérarchies. Beaucoup d'armes, d'uniformes, de drapeaux, de trophées, de harnachements de cavalerie, etc. Longue liste des campagnes de Turenne, déjà propriétaire d'un régiment à l'âge de 14 ans ! Déploiement des fortifications de Vauban, qui était non seulement un ingénieur, mais aussi un économiste d'avant-garde pour avoir rédigé un « Traité de la dîme royale » préconisant un impôt à répartir entre toutes les couches de la société !

Avec Fontenoy éclate sur le théâtre de la guerre de succession d'Autriche la figure glorieuse du maréchal Maurice de Saxe, Allemand au service de Louis XV auquel Voltaire en personne consacra une ode après sa conquête des Pays-Bas.

Avec l'épisode de la guerre d'Indépendance américaine sont évoquées les figures de Rochambeau à la bataille de Yorktown, et surtout du marquis de La Fayette, dont le sabre de commandant de la Bastille nous permet de faire la transition vers la Révolution. Les guerres de la République (1792-1795) contre l'Autriche et ses alliés, avec ses soldats en haillons, sont malgré tout jalonnées de victoires : Valmy, Jemmapes, Fleurus. À leur issue, la France s'est dotée d'une armée de 450 000 hommes pour à peine 28 millions d'habitants. C'est la plus puissante d'Europe. Elle combat l'ennemi extérieur qui menace et réprime férocement les révoltes vendéennes. À Toulon, un jeune capitaine d'artillerie fait parler la poudre et provoque l'étincelle de sa fulgurante ascension. Devenu Premier consul, il se distingue en Italie à la tête d'une fougueuse armée. Superbe plan-relief de la fameuse bataille du pont de Lodi. Sous le général en chef (habit de général porté à Marengo) se profile déjà l'homme d'État. Mais avant d'accomplir son impérial destin, Bonaparte lance son expédition d'Égypte avec 300 navires, 40 000 soldats et 15 000 marins : sabre de mamelouk, somptueux harnachement ottoman, le contenu des vitrines est éblouissant.

Chapitre suivant : en 1805, la Grande Armée, forte de 150 000 fantassins, 40 000 cavaliers et 350 canons, fonce sur Vienne à raison de 40 km par jour. Le 2 décembre, le soleil de la gloire se lève sur Austerlitz, trois empereurs s'affrontent. Russes et Autrichiens sont vaincus, Napoléon s'empare de Vienne, l'Angleterre reste seule face au désir de conquête du maître de l'Europe. La cour impériale déploie ses fastes : maréchaux et généraux s'affublent de tenues extravagantes, l'industrie du luxe prospère à l'occasion du couronnement de l'Empereur des Français. La toile d'Ingres représentant Napoléon sur le trône impérial et la présence, dans une vitrine, du grand collier de la Légion d'honneur en attestent. Portrait de Roustan, le fidèle mamelouk qui dormait devant sa porte. Touchant : une vitrine où se tient, fier sur ses pattes, Vizir (1800-1825), le cheval arabe de Bonaparte naturalisé. Il a tout de même atteint l'âge de 25 ans et survécu à son maître ! L'épopée napoléonienne est somptueusement illustrée par les uniformes chamarrés et les équipements des campagnes de Prusse, de Pologne, d'Autriche... Redingote, chapeau, tente et lit de camp spartiate sont entrés dans la légende.

Puis vient le temps des revers : révolte espagnole, désastreuse campagne de Russie avec le terrible tableau de la bataille de la Moskowa, abdication à Fontainebleau : sur le tableau de Delaroche, on voit un Napoléon abattu et bouffi. Puis la courte aventure des Cent-Jours avec le retour de l'île d'Elbe, le débarquement sur le rivage du golfe Juan à la tête de 1 600 hommes, et le vol de l'Aigle qui, de clocher en clocher, vient s'embourber dans la plaine de Waterloo le 18 juin 1815. La cuirasse du carabinier Fauveau percée de part en part par un boulet est un terrible témoin de cette bataille où mourront 25 000 Français.

À WATERLOO, NAPOLÉON A MAL AUX FESSES

Diminué par une crise d'hémorroïdes qui l'empêchait de monter en selle, et abruti par la forte dose de laudanum que ses médecins lui avaient administrée, Napoléon ne put engager cette bataille cruciale en bonne condition. Il sortit tardivement du sommeil et ne lança la bataille que tard dans la matinée. Ces quelques heures perdues permirent sans doute à Blücher de gagner à temps le champ de bataille pour venir épauler les Anglais et défaire l'armée française. Petites causes, grands effets...

Avec la Restauration réapparaissent les fastes un peu surannés de l'Ancien Régime : buste de Louis XVIII, manteau de cérémonie de l'ordre du Saint-Esprit de l'impopulaire Charles X, puis révolution de Juillet, règne de Louis-Philippe, le roi citoyen qui organise le retour des cendres de Napoléon Ier de Sainte-Hélène en 1840. Les armées ont été réorganisées sur le modèle ancien, les titres comptent plus que le mérite pour gravir les échelons de la hiérarchie militaire. Campagne de Belgique avec l'expédition du général Gérard venu faire le siège d'Anvers pour réduire le dernier bastion tenu par les Hollandais à la suite de l'indépendance belge de 1830. Révolution de 1848 et coup d'État du prince Napoléon le 2 décembre 1851 (date anniversaire d'Austerlitz !). Portrait de Garibaldi et règne de Napoléon III avec les premières photos de l'histoire. Le nouvel empereur a repris les aigles comme emblèmes en souvenir de son oncle. Guerres en Italie (costume de zouave) : Magenta, Solferino, la guerre s'est industrialisée, et les pertes humaines au cours des batailles sont de plus en plus effroyables. Henri Dunant crée la Croix-Rouge.

La fin du parcours se précise avec l'inutile conflit voulu par Bismarck pour consolider l'unité allemande. En 1870, malgré les neutralités russe et britannique, Napoléon III se laisse piéger en Lorraine, Bazaine est enfermé dans Metz, et la capitulation à Sedan sonne le glas du Second Empire. Gambetta fuit Paris encerclé en ballon. Le Reich est proclamé à Versailles, et l'Alsace et la Lorraine deviennent allemandes. Début des projets de revanche...

Salles du département des deux guerres mondiales (étages de l'aile Occident)

Entrée par la cour d'honneur, côté Occident.
3 500 m², 3 niveaux et 7 séquences sont consacrés aux collections et à l'histoire des années 1871-1945 : de la défaite de Sedan à la bombe d'Hiroshima.
– **La salle Alsace-Lorraine** dresse le bilan de la guerre perdue contre l'Empire allemand. La IIIᵉ République organise l'armée de conscription en préparant les Français à la « revanche » dès l'école avec les bataillons scolaires. Évocation des guerres coloniales, levée des troupes de l'Empire : les uniformes des zouaves et des tirailleurs sénégalais, la chaise à porteurs de Gallieni et la cantine de campagne de Lyautey avec son monocle vissé au képi illustrent les joyeusetés de la *Coloniale.*
– En parallèle, **salle Joffre,** la montée des périls se précise avec les crises qui précèdent Sarajevo en 1914 : guerre des Boers, Fachoda, Tanger, Agadir et l'affaire Dreyfus. Les vitrines d'uniformes russes, anglais, japonais, italiens, autrichiens et allemands annoncent la déflagration de 1914, rendue inévitable par le jeu des alliances militaires. Avec son pantalon garance, son képi et ses boutons dorés, le soldat de l'armée française apparaît bien anachronique pour la guerre qui va se dérouler dans la boue des tranchées. Une superbe carte lumineuse des combats qui mènent à la bataille de la Marne explique clairement le rôle joué par les taxis parisiens, réquisitionnés sur ordre du général Gallieni. Sur la plaque du taxi exposé, vous remarquerez que la compagnie dont il dépend, *G7,* est toujours en activité de nos jours.
– **La salle des Poilus** restitue les conditions de vie des combattants qui s'enterrent pour 4 ans sur un front long de 756 km, qui va de la mer du Nord à la Suisse. Évocation de la vie dans les départements occupés, développement des techniques de camouflage, adoption du casque Adrien et de l'uniforme bleu horizon. Mais aussi la brutalisation de la guerre avec les gaz de combat et le bombardement des grosses pièces d'artillerie qui mutilent à jamais les corps et les âmes. Touchante échappatoire à la terrible vie des tranchées, l'artisanat naïf à partir de douilles de cuivre et la correspondance des poilus pourtant censurée par la hiérarchie.
– **La salle Foch** traite de la guerre sous-marine et aérienne, des théâtres d'opérations extérieures (Dardanelles, Balkans) et de l'arrivée, en 1917, des forces américaines, encore peu aguerries. Un bel hommage est rendu aux troupes coloniales. Novembre 1918 voit la fin des combats, armistice, défilé de la victoire et bâtons de maréchal pour Pétain, Joffre et Foch. L'entre-deux-guerres débute avec le bilan des hostilités qui laisse une nation épuisée ; anciens combattants et gueules cassées tentent de se réinsérer tant bien que mal dans une vie civile où le pacifisme a gagné les consciences. Traité de Versailles, occupation de la Ruhr, expos coloniales, construction de la ligne Maginot, montée des fascismes, guerres d'Abyssinie et d'Espagne, et remilitarisation mènent aux accords de Munich et à la deuxième tragédie du siècle.
– **La salle Leclerc** débute en septembre 1939 avec la drôle de guerre et poursuit avec l'attaque des nazis vers l'ouest en 1940, la débâcle, les réfugiés, Dunkerque et l'armistice avec l'Occupation, la France de Vichy et de la Révolution nationale chère à Pétain. Photo légendaire d'Hitler devant la tour Eiffel.
– **La salle Juin :** le parcours se dédouble sur la période juin 1940-juillet 1943 et traite, d'une part, du conflit et sa mondialisation : le *Blitz* sur Londres et la bataille d'Angleterre, l'opération *Barbarossa* à l'Est, la bataille de l'Atlantique, Pearl

Harbor, Bir-Hakeim, Midway, Guadalcanal, Stalingrad, la guerre sous-marine, en parallèle avec la France occupée, les camps d'internement, la Milice, la rafle du Vél' d'Hiv', LVF, la tragédie de Mers el-Kébir et l'empire colonial administré par Vichy, l'occupation de la zone non occupée, le sabordage de la flotte à Toulon ; et, d'autre part, l'évolution des Forces françaises libres, de leur naissance en 1940 à leur transformation ultérieure (France combattante). À remarquer, les maquettes (échelle 1/2) des terribles V1 et V2 dans l'escalier.

– De juillet 1943 jusqu'à 1945, *salle de Lattre,* l'histoire des armées françaises réunies s'inscrit plus largement dans la chronologie générale de la guerre sur l'ensemble de la planète. Avec les épisodes qui jalonnent ce parcours : El-Alamein, la Tunisie, la participation de l'escadrille *Normandie-Niémen* en Russie, les débarquements en Afrique du Nord, en Sicile, *Monte Cassino* et les goumiers marocains, les figures héroïques de la Résistance, Jean Moulin, les actes de sabotage, les maquis du Vercors, la Corse (premier département libéré), l'effort de guerre américain et la construction en masse des *Liberty ships,* l'héroïsme de l'armée Rouge, le Mur de l'Atlantique, les débarquements de Normandie et de Provence, la libération de Paris et de Strasbourg jusqu'au franchissement du Rhin, les bombes alliées sur le Reich, l'occupation de l'Allemagne et les capitulations successives de l'Allemagne et du Japon après Hiroshima, les procès de Nuremberg. Un regret peut-être, l'absence, dans cette évocation, des « débordements » de la Libération, mais la libération des camps de concentration et d'extermination et le retour des prisonniers sont traités avec la sobriété requise. Le bilan terrifiant de la guerre : au moins 50 millions de morts (dont 30 millions de civils). Plus de 26 millions pour la seule URSS, 6 millions pour la Pologne et l'Allemagne, 580 000 pour la France... Sans compter le bilan matériel et économique, dont un tableau terrible est présenté et se résume en un chiffre hallucinant : 1 milliard de francs par jour.

En conclusion, les moyens vidéo et multimédias utilisés font du musée de l'Armée un espace muséographique moderne. On forme le vœu que, dans le futur, les guerres coloniales comme celles du Maroc, d'Indochine et d'Algérie, et les conflits dans lesquels les armées françaises ont été engagées (Tchad, Congo, Golfe, Serbie) seront traités avec le même souci de rigueur historique.

L'Historial Charles-de-Gaulle

🎬🎬 *Entrée par la galerie de l'Orient. Les horaires de diffusion du film biographique sont annoncés à l'endroit où l'on récupère l'audioguide (gratuit et indispensable à la visite du lieu).*

Architecturalement parlant, cet espace muséal est organisé sur près de 2 500 m² comme une réplique en creux du dôme des Invalides. Après les deux grandes figures historiques de Louis XIV et de Napoléon, il retrace l'itinéraire d'un homme qui a épousé le destin de la France jusqu'à l'incarner pendant plus de 30 ans.

Ni mémorial ni musée au sens traditionnel du terme, l'Historial est d'abord un lieu de transmission de la connaissance avec le parti pris muséal de privilégier l'image et le son, à travers des dispositifs interactifs. De Gaulle est le premier chef d'État français dont le parcours a été entièrement photographié et filmé. Le matériel exposé constitue un monument audiovisuel à la hauteur de son parcours. Aucun objet exposé donc, les commentaires d'un audioguide à infrarouges illustrent le propos.

Le cœur de l'Historial est constitué d'une salle où est projeté, sur cinq écrans, un film biographique de 25 mn. Ce magnifique montage d'images est en soi une synthèse de ce qu'on peut détailler plus tard au fil du parcours chronologique autour de la salle. On y accède par trois portes, puisant dans chaque alcôve les clés de décryptage des trois figures patrimoniales du général : l'homme du 18 Juin, le libérateur d'août 1944 et le fondateur de la Ve République.

On suit alors le fil rouge d'une destinée hors pair qui débute en 1890 à Lille, dans une famille de petite noblesse de robe, où le service de la France – teinté de monarchisme – et la religion servent de piliers. Si la défaite de 1870, l'humiliation de Fachoda et l'affaire Dreyfus constituent des motifs de révolte ou de revanche sur le cours de l'histoire, l'esprit de résistance d'un Gambetta et les réalisations qui contribuent à la grandeur de la France forgent déjà chez le jeune Charles les certitudes de son avenir. Une scolarité chez les jésuites d'Antoing en Belgique lui imprime le goût des lettres et de la belle langue. C'est tout naturellement à travers Saint-Cyr et les premiers combats de 1914, les blessures et la captivité, puis les missions en Pologne et au Liban, et les intrigues de cabinet que se trace un sillon qui déviera rarement de sa trajectoire : celui d'un militaire d'exception, visionnaire, courageux et souvent ombrageux, qui se muera en théoricien prophétique de la guerre moderne et, ensuite, à 49 ans, en rebelle à la croisée des chemins de l'histoire. À Londres, ce roc inébranlable incarnant par son verbe radiodiffusé toute la légende de la France libre refuse de subir l'histoire en s'efforçant de maintenir sa patrie dans le concert des nations souveraines, puis en œuvrant pour son redressement économique une fois les armes déposées. Dans chacune de ses actions publiques transparaît aussi le souci de s'inscrire dans une légalité sans faille, celle des institutions, quitte à en proposer de nouvelles (de tendance républicaine « musclée ») quand les anciennes s'avèrent inopérantes.

Tel un Cincinnatus des temps modernes, c'est aussi l'homme de Colombey, qui accepte la retraite dans la simplicité et la traversée du désert après la défaite électorale, mais se tient prêt à reprendre les rênes de la nation lorsque celle-ci est engluée dans les guerres postcoloniales. Architecte de la grandeur nationale, de la décolonisation (tardivement), partisan de la voie médiane entre les deux superpuissances, avec la constitution d'une force de frappe indépendante, c'est aussi l'orateur planétaire dont les discours sont attendus (ou redoutés) par les peuples des quatre coins du monde. Au bout de ce parcours, c'est une société française que la

LE GÉNÉRAL EN AMÉRIQUE

En 1967, lors de sa visite à Montréal, de Gaulle prononce cette phrase restée célèbre : « Vive le Québec... libre ! » Son but n'est pas de provoquer un clash entre le Québec et le Canada, mais plutôt de regonfler les « Français du Canada » face aux voisins anglo-saxons. Dans la foulée, il déclare : « Je leur ai fait gagner 30 ans » puis, pour répondre aux critiques : « Il y a trois catégories de gens que cela embête : les diplomates – on s'en occupe –, les journalistes – on s'en fout, ils n'écrivent pas l'histoire – et puis les Anglo-Saxons – et eux ne m'ont jamais aimé, alors... »

prospérité retrouvée porte plus à la consommation et à l'hédonisme qu'à l'austérité que l'homme de 80 ans n'appréhende plus avec la même clairvoyance, et qui le renvoie à l'occasion d'un référendum biaisé. À sa mort en 1969, à Notre-Dame de Paris, là où le général de 1944 n'a pas daigné baisser la tête lors d'une fusillade des derniers combats, 80 chefs d'État lui rendent un dernier hommage. En 2006, une émission de France 2 le plébiscite comme « le plus grand Français de tous les temps ».

Le musée des Plans-reliefs

🏃🏃 Installé sous les combles de l'hôtel depuis 1777. Sachez tout d'abord que le plan-relief, qui est une maquette de place forte, fut créé à l'initiative de Louvois au XVIIᵉ s pour remédier aux imperfections de la cartographie de l'époque et pouvoir analyser précisément l'environnement d'un lieu (collines, plaines...), afin de défendre et d'attaquer les points stratégiques. D'ailleurs, ils devinrent vite une preuve de puissance royale : si on les montrait fièrement aux hôtes de marque, ils n'en relevaient pas moins du secret-défense du royaume. La collection, qui comprend plus de 100 plans-reliefs conçus entre 1668 et le dernier quart du XIXᵉ s, a été classée Monument historique en 1927.

Avant d'entrer dans le vif du sujet, on explique aux visiteurs les techniques de fabrication (et de restauration) de ces grandes maquettes de bois : ce n'est pas rien, dans la mesure où certaines font plus de 120 m². Le clou, bien sûr, ce sont les 28 maquettes de villes fortifiées exposées, depuis les façades atlantiques et bretonnes (Le Mont-Saint-Michel ou Oléron) jusqu'aux rives méditerranéennes (Antibes, et même Saint-Trop', qui fut fortifié avant de devenir un bastion people !), en passant par les fortifications des Pyrénées (le fort Lagarde). Visite dans une douce pénombre. Au-delà des aspects militaires, c'est aussi un très intéressant musée de la mémoire des villes, de la géographie humaine et physique, de la sociologie de l'habitat. On voit clairement le passage de la ville fortifiée médiévale à la citadelle et son architecture en bastion, uniquement à usage militaire, qui se protège à la fois de l'extérieur et de la ville elle-même. Tout au fond, un Mont-Saint-Michel en cartes à jouer.

Activités pédagogiques pour les 8-13 ans.

Le musée de l'Ordre de la Libération

Attention, *fermé pour travaux jusqu'en juin 2015.*

Le Dôme

🏃🏃 Construit par Hardouin-Mansart, c'est l'un des plus majestueux monuments de la France classique ; l'édifice est, en effet, parfaitement en harmonie avec sa raison d'être, ce qui fut très rarement le cas sous Louis XIV – Versailles, impossible à chauffer, en est le meilleur exemple. Cette église au plan en croix grecque permettait au roi d'entendre la même messe que ses soldats sans les côtoyer de trop près. Et si l'architecture du tombeau est franchement mastoc, l'église, quoique solennelle, est réussie.

La décoration intérieure vaut davantage le coup d'œil que le fameux **tombeau de Napoléon,** qui a plus une valeur symbolique qu'esthétique. Il faut quand même savoir que les restes de Napoléon reposent dans... six cercueils ! Un en fer-blanc, un autre en acajou, puis un en plomb, doublé d'un autre en plomb ; pour finir, un cercueil d'ébène protégé, bien sûr, par un cercueil de chêne aujourd'hui détruit. Napoléon repose les pieds vers l'autel. Commandé à Visconti, le tombeau, ceint d'une couronne de laurier et gravé des victoires de l'Empire, fut achevé en 1861. Comme le Dôme est devenu nécropole militaire, on trouve dans les chapelles latérales de nombreux monuments funéraires renfermant les sépultures de maréchaux célèbres : Turenne, Vauban, Foch, ou encore Lyautey, ainsi que les deux frères de Napoléon, Joseph et Jérôme.

AUTOUR DES INVALIDES

Le musée Rodin *(plan couleur C2)*

🏃🏃🏃 79, rue de Varenne, 75007. ☎ 01-44-18-61-10 ou 11. ● musee-rodin.fr ● Ⓜ Varenne. ♿ *Tlj sf lun 10h-17h45 (20h45 mer) ; fermeture des caisses 30 mn avt. Le parc ferme à 17h en hiver. Réservez vos billets en accès prioritaire en magasin et sur* ● fnac.com ● *Entrée musée : 6 € ; 9 € en période d'exposition ; gratuit moins de 26 ans (UE) et pour ts le 1ᵉʳ dim de chaque mois. Achat possible sur Internet, qui donne droit à un accès prioritaire au musée. Parc seul : 2 €. Visites pour les familles pdt les vac scol. Boutique-librairie pour les souvenirs. Également 2 expos temporaires/an. Attention : d'importants travaux sont en cours dans le musée, qui ne permettent plus au visiteur d'accéder à l'ensemble des salles et des collections ;*

une muséographie temporaire – parcours condensé – est proposée jusqu'en 2015 dans les espaces rénovés.

En 1908, Rodin loua (par l'intermédiaire de Rilke, qui fut un temps son secrétaire) une partie de l'hôtel Biron afin d'y installer ses œuvres. Il fit don de l'ensemble de celles-ci à l'État en 1916, en vue de la création du musée, ouvert au public en 1919 (2 ans après sa mort). Il ne pouvait rêver meilleur cadre, avec le magnifique jardin de l'hôtel.

Plus de 300 sculptures sont présentées, dont les plus célèbres : *Le Baiser, Les Bourgeois de Calais, Balzac, Le Penseur.* Cette dernière sculpture, juchée sur un socle à 2,5 m du sol, n'est pas facile à apprécier... contrairement à sa copie, placée sur le quai de la station de métro voisine, Varenne ! Depuis avril 1987, 40 marbres restaurés sont exposés dans la galerie des Marbres pour les protéger des caresses des admirateurs de rondeurs et autres chutes de reins. Rodin aimait cette blancheur immaculée.

LES BOURGEOIS DE CALAIS, UNE ŒUVRE CONTROVERSÉE

Les officiels qui avaient passé commande à Rodin en 1885 rêvaient d'une statue – comme il y en avait partout – héroïquement dressée sur un piédestal. Rodin voulut au contraire que le passant soit confronté à la souffrance de ces hommes, en posant la statue à même le sol. Avec raison, puisque ce groupe de six personnages grandeur nature n'en a que plus de puissance évocatrice.

Vous rencontrerez également dans l'ensemble de l'hôtel un grand nombre d'œuvres issues de la collection personnelle de Rodin, dont plusieurs antiques, illustrant l'éclectisme du goût de l'artiste et qui ont nourri son œuvre.

La chapelle

Étonnant de constater qu'une partie du mur extérieur a été abattue pour être remplacée par une paroi de verre. Incroyable clarté grâce au plafond-verrière. Les travaux concernant la chapelle en elle-même ont permis d'en faire un lieu d'expositions temporaires. Le musée y propose de temps en temps des présentations d'artistes contemporains.

Le musée

Au fil de quatre salles au rez-de-chaussée et de quatre salles au 1er étage, les œuvres se succèdent depuis les débuts de Rodin, dans les années 1860, jusqu'à ses dernières grandes œuvres à la veille de la Première Guerre mondiale, en passant par les grandes phases créatrices des années 1880, 1890 et 1900.

Les principaux chefs-d'œuvre de l'artiste sont présents et replacés dans leur contexte : *L'Âge d'airain* et *Saint Jean-Baptiste* marquent les débuts du sculpteur ; *Le Penseur* et *Le Baiser* figurent dans une section sur *La Porte de l'Enfer* ; la genèse des monuments aux Bourgeois de Calais, à Balzac et à Victor Hugo est évoquée ; parmi les grandes figures caractéristiques de la fin de la carrière de l'artiste, *L'Homme qui marche* accueille les visiteurs en bas du grand escalier. Le musée conserve également une collection d'œuvres de Camille Claudel et de quelques-uns des contemporains de Rodin les plus connus : Carrière, Monet, Van Gogh.

Le parc

Côté ouest (ou à droite, le dos au musée), un chemin sinueux, itinéraire poétique sur le thème des sources. De l'autre côté, cadre spécial pour Orphée, où le végétal renforcera le caractère dramatique de l'œuvre. Tout au fond, trois arches dans un treillage, reprenant en écho les trois baies de la façade sur jardin. Bassin avec le très réaliste *Ugolin et ses enfants*. Vue remarquable sur jardin et hôtel ! On profite aussi de la tour Eiffel, qui pointe son nez, et du dôme des Invalides. Suite des sculptures en plein air : *La Porte de l'Enfer*, les célèbres *Bourgeois de Calais*, *Le Penseur*, *Balzac*...

Et pour combler le petit creux provoqué par la visite, une caféteria sur place :

|●| ☛ Le Café du Musée : ☎ 01-45-55-84-39. ☆ *Carte env 15 € ; sandwichs, salades, tartes salées 6-10 €.* Pourquoi ne pas admirer les œuvres du maître en déjeunant à la caféteria ombragée située dans le parc du musée ? Jardin, terrasse. Extra aux beaux jours.

⚲ Le musée des Lettres et des Manuscrits *(plan couleur D2) :* 222, bd Saint-Germain, 75007. ☎ 01-42-22-48-48. ● *musee deslettres.fr* ● Ⓜ *Rue-du-Bac.* Mar-dim 10h-19h (21h30 jeu). Entrée : 7 € ; réduc. Visites guidées et activités pédagogiques. Un bel écrin où sont présentés, par roulement, quelques-uns des 80 000 documents, lettres et manuscrits de son fonds. Du pur document historique à la partition musicale, en passant par la littérature et son lot de correspondances, on peut y découvrir – dans le désordre – une charte signée par Louis Ier, fils de Charlemagne, et son petit-fils Lothaire en 825, la Déclaration de Louis XVI à tous les Français avant sa fuite à Varenne, une

lettre d'amour adressée par Napoléon à Joséphine, le message d'Eisenhower annonçant la victoire des forces alliées, le manuscrit d'une chanson de Gainsbourg, le brouillon de la relativité restreinte d'Einstein et Besso, les deux manifestes du surréalisme de Breton... Quand la petite histoire vient frapper à la porte de la grande histoire ! Au milieu de tout ça, un exemplaire de la boule de Moulins et de la fameuse machine « Enigma » (lire encadrés respectifs). Et quelques bornes interactives (pas très intuitives, malheureusement) permettent de compléter la visite. Belles expos temporaires.

⚲ Le Bon Marché *(plan couleur C-D2) :* rue de Sèvres, 75007. Ⓜ *Sèvres-Babylone.* À l'angle de la rue du Bac. Le premier grand magasin de la capitale, ouvert en 1838. La charpente métallique est d'Eiffel. M. Boucicaut racheta l'enseigne et inventa l'entrée libre sans obligation d'achat, l'affichage des prix, le principe de l'échange et du remboursement, et les premiers soldes, ce qui fut une véritable révolution. C'est également d'ici que partit le premier catalogue de vente par correspondance.

A inspiré Émile Zola pour son livre *Au Bonheur des Dames*. Pour le besoin de celui-ci, il n'a pas hésité à interroger le personnel. Atmosphère feutrée, à l'image du quartier. Il y a encore quelques années, au 1ᵉʳ étage, le rayon soutanes approvisionnait les congrégations du coin. Aujourd'hui, *Le Bon Marché* a bien changé !

– Dans le jardin public juste en face, une énorme statue représente Mme Boucicaut (symbole de la bonté et de la charité !) en train de « nourrir ses pauvres ».

🎭 **La Pagode** *(plan couleur C2) :* 57 bis, rue de Babylone, 75007. ☎ 01-45-55-48-48. Ⓜ *Saint-François-Xavier.* Surgissant comme par magie au détour d'une rue du très conventionnel 7ᵉ arrondissement, *La Pagode* reste aujourd'hui un des lieux insolites du Paris exotique : d'abord célèbre pour avoir abrité les réceptions fastueuses du début du XXᵉ s, elle fut reconvertie en salon de thé et cinéma d'art et d'essai à partir de 1931. Cette pagode, classée Monument historique, est l'un des très rares vestiges de la folie japonaise qui saisit les élégantes de Paris après que, en 1868, l'ère Meiji a ouvert les portes du Japon aux marchands occidentaux. C'est le fruit d'un caprice de la très mondaine épouse du directeur du *Bon Marché*, à ce point entichée de japoniaseries qu'elle se fit offrir, en 1896, cette petite folie construite par Alexandre Marcel, un architecte français jamais allé au Japon ! Ouverte au public dès 1931, elle devint très vite un lieu mythique du cinéma : c'est ici que furent projetées les premières œuvres de Louis Delluc, Jean Renoir, Luis Buñuel et Jean Cocteau. Dans les années 1960, *La Pagode* devint LE cinéma à la mode, sous l'impulsion de Louis Malle et du mouvement de la Nouvelle Vague. Un endroit merveilleux, non seulement pour le cinéma, mais aussi pour la tasse de thé la plus exotique dont on puisse rêver sous les tuiles vernissées et les balcons biscornus, entre fresques et jardins d'hiver. Si vous hésitez entre les deux films projetés, choisissez celui dans la « salle japonaise ». Ses murs et son plafond richement décorés recréent subtilement l'atmosphère d'un Orient intemporel.

🎭 **Le jardin Catherine-Labouré** *(plan couleur C2) :* 29, rue de Babylone, 75007. Ⓜ *Sèvres-Babylone ou Saint-François-Xavier.* Autrefois potager de cloître, c'est un véritable verger. À l'entrée, derrière les jeux d'enfants, une rangée de cerisiers ; le long des allées, des pommiers ; sur la pergola de droite, des pieds de vigne et, tout au long, une double haie de noisetiers et de groseilliers.

🎭 **La rue du Bac** *(plan couleur D1-2) :* elle porte un nom de circonstance qu'elle doit au bac qu'on pouvait emprunter à son extrémité nord pour franchir la Seine. Cette voie servait à acheminer les pierres des carrières de Montrouge pour la construction des Tuileries. Elle devint très vite le lien entre les rives droite et gauche.

🎭 **La chapelle Notre-Dame-de-la-Médaille-Miraculeuse** *(plan couleur C2) :* 140, rue du Bac, 75007. ☎ 01-49-54-78-88. ● chapellenotredamedelamedailemi raculeuse.com ● Ⓜ *Sèvres-Babylone.* ♿ Chapelle ouv tlj 7h45-13h, 14h30-19h (en continu mar). Messes lun-sam à 8h, 10h30 et 12h30 (mar également à 15h30 et 17h15 ; sam, également messe anticipée à 17h15) ; dim à 8h, 10h et 11h15. Fermé 3 sem en janv. C'est là que la Vierge est apparue à une religieuse, Catherine Labouré, le 27 novembre 1830, lui demandant de faire frapper une médaille. « Ceux qui la porteront avec confiance, lui dit-elle, jouiront d'une protection toute spéciale de la Mère de Dieu. » Depuis, la chapelle ne désemplit pas. Il y passe environ 2 460 000 personnes chaque année. À la messe de 12h30, une population cosmopolite (pèlerins et habitants du quartier confondus). Décoration de la chapelle intéressante. Dans des châsses vitrées, le corps intact de sainte Catherine (à droite), les reliques de sainte Louise (fondatrice des Filles de la Charité) et de saint Vincent de Paul (dont le cœur se trouve à droite dans le chœur, dans un reliquaire). On vient du monde entier pour y prier et y trouver des médailles miraculeuses, dont le dessin a été suggéré à Catherine par l'Apparition.

🎭 Si d'aventure vous poussiez votre balade rue du Bac au-delà du boulevard Saint-Germain, attardez-vous un peu au n° 46, devant l'étonnante **boutique Deyrolle,** fondée en 1831 et dernier taxidermiste de Paris (tous les animaux sont morts de manière naturelle). Superbe magasin en bois, à l'ancienne, qui avait dû fermer à la suite d'un incendie majeur qui avait ravagé une partie des collections ainsi que le mobilier d'origine. Aujourd'hui, la restauration terminée, le magasin expose à nouveau ses collections et articles de luxe. Chapeau bas ! On y trouve aussi les célèbres « planches Deyrolle », suspendues aux murs de nos écoles pendant 150 ans. Elles avaient pour but d'enseigner aux élèves les animaux, les plantes, le corps humain, l'instruction civique ou la géographie. Elles contribuaient aussi à la lutte contre certains fléaux (l'alcoolisme, par exemple). Les plus belles planches ont été assemblées dans deux superbes livres, *Leçons de choses* (tomes 1 et 2), publié chez Michel Lafon.

🏃 Avis aux fans de Serge Gainsbourg : si vous continuez votre chemin vers la Seine, n'oubliez pas de passer devant le 5 bis, *rue de Verneuil (plan couleur D1)*, où vivait l'artiste. La façade de sa maison est décorée en permanence de dessins et de poèmes, tous dédiés à la mémoire de « l'homme à la tête de chou », disparu le 2 mars 1991. Émouvant, même si l'on n'est pas un fan de la première heure (ni de la dernière).

LE FAUBOURG SAINT-GERMAIN

Entre l'esplanade des Invalides et le boulevard Saint-Germain s'étend le quartier des ministères et des ambassades. Ils occupent la plupart des grands hôtels particuliers construits ici dans la première partie du XVIIIe s, quand le Marais était sur le déclin. Sur près de 200 ha, on en trouve au moins 150. En semaine, on peut éventuellement apercevoir des cours et des jardins. Le week-end, tout est fermé, le quartier est mort. Seule la rue du Bac, commerçante sur une partie de son tracé, reste animée. Superbe fontaine du XVIIIe s, au 59, rue de Grenelle. Au 57, rue de Varenne, l'*hôtel Matignon (plan couleur C2)*, où est installé le Premier ministre.
Un peu de socio : une petite étude des privilégiés qui s'enferment derrière les porches du faubourg se révèle assez fascinante, parce qu'on y retrouve côte à côte, et en bon voisinage, des membres de toutes les classes qui ont successivement dominé la vie politique ou économique depuis trois siècles. Si les énarques et autres hauts fonctionnaires se contentent d'un cinq-pièces avenue Rapp ou avenue Bosquet, quelques milliardaires se sont offert leur petit hôtel. Avant eux, les ministères républicains s'étaient installés sous les lambris royaux : entre le boulevard Saint-Germain et les Invalides, pas moins d'une douzaine de ministères et un ballet incessant de voitures à cocarde. Tout ce monde se connaît et se reçoit. Enfin, les derniers habitants d'un quartier dont, curieusement, les grandes sociétés sont absentes sont les héritiers de grandes familles de France ; plusieurs dizaines d'entre eux habitent encore, après quelques révolutions et pas mal de problèmes, les hôtels que leurs ancêtres firent construire voilà 200 ou 300 ans...

🏃🏃🏃 *Le musée Maillol – Fondation Dina-Vierny (plan couleur D2) :* 59-61, rue de Grenelle, 75007. ☎ 01-42-22-59-58. ● museemaillol.com ● Ⓜ Rue-du-Bac. Bus nos 63, 68, 69, 83 et 84. ⚘ Tlj 10h30-19h (21h30 ven). Réservez vos billets en accès prioritaire en magasin et sur ● fnac.com ● Entrée : 13 € ; réduc ; tarif réduit sur présentation de ce guide ; gratuit moins de 11 ans.
Noter que le musée organise régulièrement de superbes expositions temporaires. À cette occasion, l'accrochage des collections permanentes est parfois bouleversé.
Ce musée est le résultat d'une extraordinaire passion : celle de Dina Vierny pour l'art, et pour Aristide Maillol en particulier. Elle fut d'ailleurs le modèle privilégié de l'artiste, comme on peut le constater tout au long de la visite (ainsi que de Matisse, Dufy, Bonnard...). Les sculptures de Maillol et ses tableaux (il fut d'abord peintre dans la mouvance des Nabis avant de se consacrer à la sculpture) sont présentés dans un superbe hôtel particulier orné, sur la façade extérieure, de la *fontaine des Quatre-Saisons* de Bouchardon (XVIIIe s).

7e

1ᵉʳ étage
Mises en valeur par de beaux lambris, nombreuses œuvres de Maillol, essentiellement des nus, un hymne au corps féminin dans sa rondeur et sa volupté ; huiles (série de *Baigneuses*), sanguines, superbes fusains et craie sur papier d'emballage, pastels, ainsi que des sculptures.

2ᵉ étage
Suite des huiles du maître (exquis portrait de Mme Maillol), tapisseries, grands bronzes (*L'Été, Le Printemps, Flore, Pomone...*) et de jolies terres cuites. Dans une élégante salle lambrissée, cabinet des dessins richement doté : Picasso, Ingres, danseuses de Degas, Foujita, Cézanne, Pascin, Suzanne Valadon.

|●| Possibilité de se restaurer sur place au *Restaurant La Cortigiana :* au sous-sol du musée. | ☎ 01-42-22-27-77. Tlj 10h30-18h. Formules 22-26 € ; plats 10-18 €.

LE MUSÉE D'ORSAY *(plan couleur D1)*

🏃🏃🏃 👫 62, rue de Lille, 75007. Infos générales : ☎ 01-40-49-48-14 ou 00. ● musee-orsay.fr ● Ⓜ Solférino ; RER C : Musée-d'Orsay. ♿ Entrée par le parvis, 1, rue de la Légion-d'Honneur.

Dans son fabuleux écrin, Orsay est l'un des plus beaux musées du monde, en toute simplicité. Musée complet, il permet d'embrasser en un seul lieu tout l'éventail de la création artistique de 1848 à 1914 : sculpture, peinture, architecture, arts décoratifs et graphiques, et photographie. C'est aussi un musée interdisciplinaire, qui renvoie à la littérature, à la musique et à la vie quotidienne du Second Empire et des débuts de la IIIᵉ République. Son mérite est de pouvoir y confronter l'art officiel et académique avec les courants novateurs qui bouleversèrent l'histoire de l'art. On peut y suivre pas à pas la démarche des peintres et des sculpteurs qui, à l'avènement du XXᵉ s, provoquèrent la plus grande révolution esthétique depuis la Renaissance. Des expositions temporaires y sont régulièrement présentées pour souligner les contextes historique, économique et social de cette période artistique foisonnante d'une richesse exceptionnelle.

UN PEU D'HISTOIRE

L'intérieur du bâtiment, bien que construit à la fin du XIXᵉ s, est nettement du style « 1900 éclectique, rococo, Napoléon III », plus proche d'un palais que d'une gare. Les trains y arrivaient tractés électriquement pour éviter fumée et suie. Elle ne fonctionna que jusqu'en 1939, et à la Libération, elle servit de centre d'accueil pour les prisonniers des camps. Sauvée de la démolition, elle est inscrite à l'inventaire des Monuments historiques. L'idée d'y créer un musée prit corps en 1977, et François Mitterrand l'inaugura en 1986.
Le musée a récemment fait peau neuve au terme d'un vaste chantier, alors courez-y !

RENSEIGNEMENTS PRATIQUES

Horaires d'ouverture et tarifs

Tlj sf lun 9h30-18h (21h45 jeu) ; fermeture des caisses 45 mn avt. Réservez vos billets en accès prioritaire en magasin et sur ● fnac.com ● *Résas et vente à l'avance (créneau horaire pour les grandes expos) sur* ● digitick.com ● ticketnet.fr ● *Entrée : 11 €, qui donne accès aux collections permanentes et temporaires ; tarif réduit : 8,50 € ; gratuit moins de 26 ans et pour ts le 1ᵉʳ dim de chaque mois.*
– Il y a deux entrées : l'entrée A (côté Seine), pour les visiteurs sans billet, est souvent archibondée. Ceux qui sont munis de billet se présentent à l'entrée C

(à l'opposé, côté rue de Lille). Sans préachat de billet, il est toujours possible de s'en procurer au kiosque à journaux, en contrebas des marches de l'esplanade. Pour l'exposition en cours, les billets sont sans horaire et ne tiennent pas compte des flux. Dans ce cas-là, vous risquez de faire la queue longtemps !

– Le mardi est un jour d'affluence, la plupart des musées, dont le Louvre, étant fermés. Les mercredi et vendredi sont plus calmes. Reste la nocturne le jeudi, surtout entre 18h et 20h, pour profiter au mieux des œuvres.

– Visites générales guidées (durée : 1h30). Et nombreuses visites thématiques : par artistes, par genres, etc. Programme détaillé à l'accueil.

– Si vous visitez les musées d'Orsay et Rodin dans la même journée, le passeport Orsay-Rodin *(15 €)* sert aussi de coupe-file, ainsi que le billet Orsay-Orangerie *(16 € au lieu de 16,50 € ; visites dans les 4 j.).*

Où manger ? Où boire un verre ?

🍽 *Le Restaurant :* au niveau 2 du musée. ☎ 01-45-49-42-33. ♿ *Accès par le musée. Déj tlj sf lun 11h45-14h45 ; salon de thé tlj sf lun et jeu 14h45-17h45 ; formule dîner (55 €) jeu 19h-21h30. Formule déj 16,50 € ; menu de saison 20,50 € ; menu-enfants jusqu'à 10 ans 6,90 € ; plats 14-23 €.* Cadre classé, luxueux (plafond peint, panneaux peints, dorures), pour une cuisine correcte, à vocation gastronomique et à prix raisonnables.

🍸 *Le Café Campana :* au niveau 5. Un espace créé de toute pièce au bout de la galerie impressionniste et griffé par les frères Campana : tulipes dorées au plafond, chaises tréflées et guirlandes de buisson de métal orangé sur fond de grande horloge. Carte de brasserie, salades.

🍸 On trouve aussi, au fond de la nef, le *Café de l'Ours :* jolie vue d'ensemble sur les sculptures, mais bruyant. Petite restauration.

À VOIR

Nous n'allons pas énumérer ici tout ce qu'il y a à voir : chaque pièce, pour ainsi dire, est un chef-d'œuvre ! Indispensable : prendre à l'accueil le plan du musée, indiquant clairement la disposition des salles ainsi que les grandes lignes de leur contenu.

La présentation des collections

La peinture

Chronologiquement, les collections s'intercalent entre celles du Louvre (avant 1848) et celles du Centre Pompidou (après 1914). Elles débutent avec des artistes encore marqués par l'Antiquité et le courant académiste, imposés lors des Salons annuels qui donnaient accès aux commandes officielles.

Épaulés par une critique conformiste, Jean-Léon Gérôme, Alexandre Cabanel et William Bougereau cadenassèrent le « système des Beaux-Arts ». Pourtant, les prémices d'une révolution discrète s'annonçaient, sous le pinceau d'artistes héritiers du classicisme, comme Ingres ou les paysagistes de l'école de Barbizon, et surtout de Courbet, figure majeure du réalisme. Parallèlement à la colonisation, l'appel au voyage s'illustra par l'école des Orientalistes. Avec Manet, Degas et Monet en fer de lance, les impressionnistes révolutionnèrent définitivement la peinture par une recherche nouvelle de la représentation de la lumière. Ces collections impressionnistes, constituées au fil des généreuses donations et des acquisitions, sont parmi les plus riches au monde. Énumérer les noms de Bazille, Renoir, Sisley, Cézanne, Pissarro, Caillebotte, Morisot... suffit pour s'en convaincre.

Cette section, située au 5e étage, a bénéficié d'une remarquable rénovation. « Encore plus loin dans la couleur » fut le leitmotiv des postimpressionnistes comme Seurat, Signac et Cross, puis des Nabis, qui poussèrent encore plus loin les recherches jusqu'à l'apothéose avec Gauguin, Van Gogh et Toulouse-Lautrec. N'oublions pas de citer dans l'intervalle le courant symboliste, qui, rejetant l'inspiration par la nature, ne s'adresse pas au regard de l'homme, mais à l'imagination et à la force de l'esprit.

La sculpture

Bénéficiant de la manne des commandes publiques, la sculpture a considérablement gagné en visibilité dans la seconde moitié du XIXᵉ s. Du souffle romantique au nouveau stylisme en vogue au tournant du XXᵉ s, la collection de sculptures emprunte les nombreuses voies où se sont illustrés des artistes majeurs, dont les œuvres jalonnent les terrasses et l'allée centrale. Elle s'amorce dès l'entrée

EN HOMMAGE À VICTOR SCHŒLCHER

La statue de Carpeaux représente les continents en dehors de l'Océanie. Il rend, par ce biais, un hommage à l'abolition de l'esclavage : l'Afrique porte à la cheville la chaîne brisée de l'esclavage sur laquelle l'Amérique (un Indien !) avait posé son pied...

avec un *Jean-Léon Gérôme exécutant les gladiateurs* (tout un programme !), et se termine en apothéose avec *Les Quatre Parties du monde* de Carpeaux, commandées par le baron Haussmann pour la fontaine du jardin du Luxembourg.
À noter, à l'extérieur, les six statues féminines accompagnées d'animaux, représentant les six continents (il y a deux Amériques).

L'architecture

Tout au fond de la grande allée, un espace permanent lui est affecté avec, sous une dalle de verre, la maquette du quartier de l'Opéra et celle du bâtiment du Crédit lyonnais sur sa verrière en cristal. Deux petites salles intermédiaires *(salles 17 et 21)* sont également occupées par des plans d'architecture, notamment celle influencée par Byzance et l'Orient.

Les arts décoratifs

Ils sont loin d'être les parents pauvres du musée. Surtout depuis l'aménagement du pavillon Amont, qui leur est entièrement dédié. On y découvre la nouvelle section des Nabis après 1900 et les variations sur l'Art nouveau en provenance de plusieurs pays d'Europe.

La photographie

Les collections graphiques et photographiques sont exposées par roulement en expos temporaires et en lien avec l'exposition en cours.
La période couverte à Orsay coïncide avec la naissance de la photo, dont les premiers daguerréotypes.

Rez-de-chaussée

L'allée centrale constitue la voie royale du musée : les marbres, les plâtres, les bronzes et les onyx scandent l'espace en une majestueuse progression graduée dont l'agencement n'est pas sans évoquer l'ambiance un peu solennelle des salons officiels du XIXᵉ s. Les échappées latérales de la nef permettent de visiter des petites salles en enfilade où les œuvres sont présentées par thèmes ou écoles. Au centre de la galerie, impossible de manquer l'expressif *Ugolin* de Carpeaux devant l'immense tableau de Couture, *Les Romains de la décadence*, une dénonciation de la monarchie incarnée par le regard sévère des deux philosophes à droite de la composition. Présenté au Salon de 1847, ce tableau marque le point de départ chronologique des collections.

– Commençons par le côté droit de l'allée centrale *(salles 1 à 3)* avec les **grands classiques** et les **romantiques,** à qui les impressionnistes doivent beaucoup. Quelques « officiels » reconnus : le maître Ingres, avec notamment *La Source,* incontestablement influencé par Raphaël ; *La Naissance de Vénus,* de Bouguereau (que J. K. Huysmans, dans sa féroce critique, qualifiait de « baudruche mal gonflée, faite de chair molle de poulpe » – Bouguereau régnait en maître absolu sur les choix du Salon, et ses adversaires ne l'épargnaient pas !) ; ou la *Réception du Grand Condé à Versailles,* de Jean-Léon Gérôme.

À l'arrière, la **galerie Lille** et son annexe, la **salle 8,** hébergent les maîtres du **symbolisme** : Puvis de Chavannes – que Dalí appelait « Pubis de Cheval » –, qui a influencé jusqu'à Picasso et Matisse. Magnifique *Orphée et Galatée* de Moreau, foisonnant de paillettes dorées, ou encore Redon avec son *Char d'Apollon,* suivis des paysages alpestres du Suisse Hodler. La **salle 9,** dite « des Équivoques », est destinée aux expos thématiques. À noter que vous retrouverez les grands formats symbolistes au niveau médian, côté Seine.

En poursuivant à droite de l'allée centrale *(salle 11),* tableaux de Tissot et de l'**école de Paris,** puis **salle 13,** Degas avant 1870, dont les courses hippiques sont un des thèmes de prédilection. Le paisible Douanier Rousseau nous donne une surprenante évocation de la guerre.

Et pour clôturer en beauté : Toulouse-Lautrec, en **salle 10,** avec ses illustrations grand format de *La Vie parisienne,* en compagnie des panneaux décoratifs de Vuillard sur le thème des *Jardins publics.* Une curiosité : l'audacieux vitrail réalisé par Tiffany à partir d'un carton de Toulouse-Lautrec, intitulé *Au nouveau cirque, papa Chrysanthème.*

– Retour vers l'allée centrale, côté gauche : la **salle 4** avec Daumier, où l'extraordinaire talent du caricaturiste est mis en valeur par une habile scénographie de la série des *Parlementaires,* statuettes de terre crue décorées à l'huile.

– La longue galerie Seine abrite en procession toute l'**école de Barbizon** de la **collection Chauchard** : Corot, Millet, Daubigny, Théodore Rousseau nous sensibilisent, dans un registre un peu nostalgique, aux beautés de la nature qui disparaît petit à petit avec la révolution industrielle. Le monde agricole est exalté avec le célébrissime *Angélus* et *La Bergère et son troupeau,* tous deux de Millet, et surtout le puissant *Labourage nivernais* de Rosa Bonheur, avec des bœufs écumant sous l'effort.

– Dans la **salle 14,** Manet nous offre son *Olympia* en majesté, elle qui fit tant de scandale par son modèle dont le cou, entouré d'un lacet coquin, révèle l'immoralité de la prostituée. Considéré comme « inachevé » aux yeux du jury, le tableau fut refusé pour le Salon de 1865 : regardez bien le bouquet, il est composé de taches de couleurs et, en cela, *Olympia* peut être considéré comme le véritable début de l'impressionnisme.

– **Salle 18 :** à l'honneur dans cette salle, Cézanne, Pissaro, Meissonier... et le magnifique *Femmes au jardin* de Monet, où l'on « sent » circuler l'air et la lumière au milieu des feuillages et des étoffes des larges robes.

– La **salle 7** est affectée aux grands formats académiques de Salon. On y trouve la *Divina Tragedia* de Chenevard, et un bien fade *Été* de Puvis de Chavannes.

– Dans la **galerie des peintures de Salon dédiées à l'histoire,** on notera l'engouement pour le drame romantico-médiéval avec la *Mort de Francesca de Rimini et de Paolo Malatesta* de Cabanel... Regardez bien : l'assassin se dissimule derrière le rideau !

– À l'arrière, les **salles 15 et 16** mettent en scène l'**orientalisme,** reflet d'un véritable engouement pour l'Orient, l'Afrique et l'Asie. Ces compositions sont souvent de grande taille, comme celle de Charles-Émile de Tournemine qui nous entraîne boire le café – turc, bien sûr – en Anatolie, avant de nous émouvoir du bain des éléphants d'Afrique au couchant. Fascination des déserts avec Léon Bailly et ses *Pèlerins allant vers La Mecque,* et avec Guillaumet, qui nous convie à la *Prière du soir* dans un campement du Sahara baigné dans la lumière aveuglante du désert.

7ᵉ

– La **salle 19** est consacrée aux débuts de la photographie. Enfin, **salle 20,** en compagnie de lascives *Baigneuses* et d'une *Source* de la même eau, Courbet nous dévoile la célèbre *Origine du monde,* symbole cru de la liberté de regard sans limite, mais non dénué d'émotion.

– Les **salles 22 et 24** sont dédiées aux **arts décoratifs** au Second Empire, reflétant par leurs fastes la prospérité économique de la bourgeoisie enrichie par la banque et le négoce. On y

TOUR DE PASSE-PASSE PICTURAL

Le psychanalyste Jacques Lacan ne dévoilait l'Origine du monde qu'à des amis triés sur le volet. Un panneau coulissant permettait de montrer l'œuvre quand il le désirait. De plus, le verso de la toile était également peint, avec la représentation d'un paysage enneigé, ce qui permettait de cacher en un tournemain l'œuvre à ses visiteurs !

remarque une étonnante armoire de cèdre, sertie de bronzes et cuivres inspirés par la Gaule antique, avec, au sommet, le casque d'Astérix !

– Au niveau zéro du pavillon Amont **(salle 24),** sous une grande hauteur de plafond, sont exposés les grands formats de Courbet. Trois œuvres maîtresses : *Un enterrement à Ornans,* tableau-manifeste du mouvement réaliste, démoli par la critique en 1850 qui se demandait comment « il était possible de peindre des gens aussi affreux » ; *L'Atelier du peintre,* œuvre onirique malgré elle, en dépit du talent déployé dans l'art du portrait ; et plusieurs compositions à la gloire des cervidés dont le poignant *Hallali du cerf,* prêté jusqu'en 2015.

– Du rez-de-chaussée, empruntez les escalators qui mènent directement au 5e niveau, pour vous plonger dans l'univers des impressionnistes. À la fin de ce parcours, on redescendra pour aborder les galeries et terrasses du niveau médian.

Niveau supérieur

Les **collections impressionnistes** sont bien mises en valeur sur un fond de murs gris ardoise et grâce à un subtil éclairage mixte, tant naturel qu'artificiel, privilégiant un rapport intimiste avec les œuvres.

L'**impressionnisme** fit son entrée dans l'histoire de l'art en 1874, lors de la première exposition organisée autour des œuvres de Monet, Renoir, Degas, Cézanne, Pissarro, Sisley et Morisot. Ceux-ci se distinguaient essentiellement de leurs prédécesseurs par une nouvelle façon de peindre leurs « impressions », forcément subjectives, face aux changements du monde qui les entourait. À coups de touches rapides, de cadrages décentrés, de couleurs claires, ils restituaient les variations des saisons, le décor urbain parisien, les bals et les cafés, les lieux de loisirs ou d'industrie, ce qui les opposait forcément à la peinture officielle, solennelle et trop « léchée ». La reconnaissance vint des critiques, comme Zola, ou d'audacieux marchands, comme Paul Durand-Ruel, partisans déclarés de cette modernité dans l'art. Huit expositions furent montées jusqu'en 1888, puis de nouvelles tendances virent le jour, mais ce fut cette vision non réaliste du monde qui fit, ensuite, le lit de l'art moderne.

On démarre la chronologie avec un étonnant tableau d'Émile Friant, *La Toussaint,* transition idéale entre le réalisme par son sujet et l'impressionnisme par sa facture. Ensuite, on est emporté par le tourbillon de chefs-d'œuvre qui se bousculent : à défaut de tout décrire, voilà quelques-uns de nos coups de cœur.

– **Salle 29 :** 2 ans avant l'*Olympia,* Manet s'était déjà fait quelques ennemis en exposant le *Déjeuner sur l'herbe,* que Napoléon III avait jugé indécent. Le sujet fut violemment controversé, mais la nouvelle technique à la touche large et l'absence de la perspective chère aux classiques attirèrent l'attention. Le *Balcon* du même Manet détourne étrangement les conventions du portrait – même sa belle-sœur, la jolie Berthe Morisot, assise, semble perplexe. De Fantin-Latour, l'*Atelier aux Batignolles,* avec Manet aux pinceaux devant son chevalet. De Manet encore, le portrait d'Émile Zola, avec l'*Olympia* et une estampe japonaise en arrière-plan. Également deux vues bien différentes de la *Falaise d'Étretat,* l'une de Courbet, l'autre de Monet. Et de Monet, justement, l'incontournable *Déjeuner sur l'herbe.*

– **Salles 30-31 :** la **collection Moreau-Nelaton.** De Monet, *Les Coquelicots,* aux taches rouges disproportionnées accentuant l'impression visuelle, et *Les Dindons,* grand format décoratif avec des volatiles dans une lumière rasante (Monet en élevait à Giverny). *Un coin de table* de Fantin-Latour réunit le couple maudit : Verlaine et Rimbaud. Albert Mérat, qui ne voulait pas être représenté en compagnie du sulfureux duo de poètes, fut remplacé par un bouquet de fleurs.

LE PETIT RAT DE DEGAS

Cette sculpture d'une jeune fille de 14 ans, première sculpture « habillée » connue, rappelle aussi que Degas était fasciné par le sort de ces jeunes danseuses. D'origine modeste et mineures, elles étaient la proie de « riches protecteurs » qui les attendaient à la fin du spectacle. Moyennant quelques subsides et soupers fins, on n'hésitait pas à abuser d'elles. On prétendait vivre à « La Belle Époque »...

La Liseuse de Renoir et *La Lecture* de Manet offrent deux variations sur un même thème. Un quintette de paysages de Sisley, cet Anglais amoureux fou de la France, côtoie l'*Orchestre de l'opéra* et la *Classe de danse* de Degas, dont les cadrages sont très influencés par la photographie. Noter également, de Manet, le beau portrait aux yeux noirs de *Berthe Morisot,* sa belle-sœur, également peintre.

– **Salle 32 :** on ne peut passer sous silence le célébrissime *Bal du Moulin de la Galette* de Renoir, dont la restauration et le nouvel éclairage révèlent tous les détails : on voit nettement ces petites touches de vert sur les vêtements des danseurs, restituant admirablement le jeu de la lumière filtrée par le couvert du feuillage. Cela procure au spectateur une impression de fête mêlée de joie de vivre. *La Balançoire* relève de la même démarche. De Manet, un portrait de *Georges Clemenceau* jeune, le futur Tigre, qui restera toute sa vie un indéfectible ami des peintres. Avec la *Rue Montorgueil* bruissant de drapeaux tricolores et la *Gare Saint-Lazare* dans les volutes de vapeur des locomotives, Monet excelle dans la restitution des ambiances urbaines de son Paris. Pour clôturer la salle en beauté, dans les *Raboteurs de parquet,* dans un surprenant cadrage large et à contre-jour, Caillebotte se penche sur le labeur ouvrier.

– **Salle 33,** deux vitrines consacrées à Degas : d'un côté, des petits bronzes de danseuses, de l'autre, ses chers chevaux.

– Au milieu de la **salle 34,** le bronze de Rodin, *L'Âge d'airain,* la statue qui le rend célèbre à l'âge de 37 ans. Réalisée à Bruxelles, elle provoqua un scandale : on l'accusa d'avoir fait un moulage de plâtre sur un modèle vivant, un soldat belge ! Le paysage est un des thèmes de cette salle avec notamment trois évocations des beautés de l'hiver par Monet, et une *Gelée blanche* de Pissarro, déjà en train de virer pointilliste.

– **Salle 35 :** grande amie de Degas, l'Américaine Mary Casatt *(Jeune fille au jardin)* excelle dans le portrait, notamment celui des enfants, qui deviendra son thème de prédilection. Cézanne entame ici sa série de *Montagne Sainte-Victoire* et développe, avec *Pommes et oranges* et *Table de cuisine,* son goût marqué pour les natures mortes, où il excellera toute sa vie.

– **Salle 36 :** début de la fin de la période impressionniste. Pendant que Monet célèbre la fin de l'été avec une des ses *Meules,* les *Rochers près de la grotte* de Cézanne flirtent déjà avec la tentation de l'abstraction. Renoir en majesté expose ses variations sur la chair généreuse des fraîches jeunes filles qui ne se départissent jamais de leur petit minois aux yeux rieurs, qu'elles soient au piano, au bain, à leur toilette ou alanguies sur des coussins. Monet, lui, se noie dans les *Nymphéas bleus,* puis clôture la section par un *Soleil couchant à Vétheuil* dans les yeux d'un *Saint Jean-Baptiste* de Rodin, qui doit se demander ce qu'il fait là, surtout face à cinq des 18 *Façades de la cathédrale de Rouen,* « saisies » à différents moments de la journée.

Galeries du niveau médian

– Côté Seine, à partir de l'entrée, les ors et les pompes de la IIIᵉ République avec la *Salle des fêtes (salle 51),* agrémentés de sujets allégoriques dans la plus belle tradition du style pompier.

Les *salles 52 à 54* accueillent le legs de la dotation Meyer : Bonnard, Cézanne, Degas et Vuillard y cohabitent sans trop se bousculer. Ensuite, les *salles 55, 58 et 59,* consacrées au *naturalisme* et au *symbolisme,* nous confrontent aux sujets illustrant le monde du travail : œuvres remarquables (même si trop académiques ou outrageusement lyriques pour certaines de l'école symboliste). Citons *La Paye des moissonneurs* de Léon Lhermitte,

POURQUOI « POMPIER » ?

L'utilisation du mot « pompier » est apparue au XIXᵉ s pour tourner en dérision l'art académique, par allusion aux casques brillants des personnages des grandes compositions pompeuses, rappelant ceux des sapeurs-pompiers. D'autres sources proposent l'hypothèse d'une dérive du mot « pompéien », en raison du goût de l'époque pour les thèmes historiques de l'Antiquité.

étonnante de réalisme, et l'immense *Rêve* d'Édouard Detaille, qui nous montre, près d'un champ de bataille, un bivouac à la belle étoile, où les soldats sont visités par un songe d'où surgissent leurs aïeux de la Grande Armée... Dans un décor urbain flamand, le monumental triptyque *Âges de l'ouvrier* de Léon Frédéric. Au rayon « curiosités », la toile monumentale du cortège préhistorique *Caïn* de Cormon, inspirée du récit de Victor Hugo. *Salle 59,* les éphèbes alanguis du Belge Deville donnent une idée ambiguë de l'enseignement de Platon, et un kitschissime *Chevalier aux fleurs* de Rossegrosse nous montre, dans la veine préraphaélite, un chaste Parsifal insensible au charme de filles dont les corps sont à peine masqués par des fleurs.

– *Les salles 57 et 60* sont dédiées à la *collection Kaganovitch* : l'*Hôpital Saint-Paul à Saint-Rémy* de Van Gogh et le flamboyant *Restaurant de la Machine à Bougival* de Vlaminck. Sur la terrasse, côté Seine, ne pas passer trop rapidement les œuvres de Camille Claudel et de Rodin. On y trouve également Lévy-Dhurmer (*Méduse*), Ensor (*Au conservatoire,* féroce caricature) et Knopff.

– *Salles 61 à 66,* consacrées à l'*Art nouveau* en France, en Belgique, en Italie et en Espagne : boiseries d'inspiration florale de la salle à manger de Charpentier et meubles en marqueterie d'Émile Gallé et de Majorelle. Vitraux et meubles de Guimard, chef de file de l'école de Nancy, puis, pour l'Art nouveau belge, le mobilier de chambre de Serrurier-Bovy, l'écritoire et le fauteuil aux lignes « coup de fouet » de l'architecte Henri Van de Velde.

– *Le pavillon Amont,* ancienne salle des machines de la gare, complètement réaménagé, s'étale sur cinq niveaux (voir plus haut pour le niveau zéro).

Au *niveau 2,* les *arts décoratifs* de la courte période 1905-1914 témoignent du renouveau de la tradition décorative française avec les panneaux décoratifs commandés aux Nabis. Vuillard, Roussel, Bonnard, Redon, Denis sont bien en accord avec leurs préceptes : à-plats colorés, saturation de l'espace, expressivité de la ligne...

Au *niveau 3,* l'*Art nouveau* au nord et au centre de l'Europe, avec les débuts du *Jugendstil* en Allemagne et le retour du sentiment national proche de l'artisanat traditionnel en Scandinavie, avec le *courant « néoviking ».*

Au *niveau 4,* l'*Art nouveau* en Autriche, en Grande-Bretagne et aux États-Unis : magnifiques pièces de la *Wiener Werkstätte* des créateurs viennois autour d'Otto Wagner, Jozef Hofmann et Koloman Moser. Évocation des grandes figures que sont William Norris, créateur du *Arts & Crafts,* Rennie Macintosh à Glasgow et Frank Lloyd Wright aux États-Unis.

– Sur la *terrasse du fond de nef,* les œuvres majeures de Rodin : *Ugolin* et le plâtre monumental de *La Porte de l'Enfer.*

– De l'autre côté du niveau médian, sur la terrasse Lille, les sculptures de Maillol, Bourdelle et Bartholomé font concurrence au hiératique *Balzac,* qui provoqua un scandale digne de l'affaire Dreyfus.

Même si vos jambes ne vous portent plus, rassemblez vos forces pour les dernières salles qui en valent vraiment la peine.

– *Salle 67 :* les *Nabis* avant 1900. Le mot « nabi » viendrait de *nevi'im,* un mot hébreu qui signifierait « prophète » ou « illuminé ». Le mouvement fut fondé par Paul Sérusier, opposé à l'académisme encore dominant au début du XXᵉ s. Les Nabis cherchèrent des voies spirituelles au contact de philosophies nouvelles teintées d'Orient, d'ésotérisme et de théosophie, et utilisèrent de grands à-plats de couleurs pures comme « sorties du tube ». On retrouve dans leur peinture une influence très nette de l'école de Pont-Aven et de Paul Gauguin. Autour de Sérusier, Vallotton *(Madame Bernheim),* Vuillard *(Le Passeur),* Denis, Roussel, Ranson et Bonnard *(Maison de Misia).*

– *Salle 69 :* les peintres *néo-impressionnistes* fascinent par leur démarche quasi scientifique qui décortique la lumière en trois couleurs primaires (rouge, bleu, jaune) et trois complémentaires (vert, violet, orange). Signac, Seurat et Cross en sont les représentants les plus connus. Vous n'avez plus qu'à vous poster devant l'*Entrée du port de La Rochelle* (Signac), le *Cirque* ou la *Femme à l'ombrelle* de Seurat, ou encore le *Naufrage* de Cross, et à laisser vos yeux s'imprégner de la magie des couleurs.

– Les *salles 70 à 72* sont consacrées aux *postimpressionnistes.* En plus d'une partie de ses bois sculptés à Tahiti et aux Marquises, Gauguin tient la vedette avec sa *Belle Angèle* et ses *Meules jaunes,* qui répondent aux chauds coloris de la *Moisson au bord de mer* d'Émile Bernard.

Ensuite, si on a déjà été saupoudré du mélange subtil des coloris par la salle précédente, là c'est carrément l'explosion ! Avec Van Gogh, maître incontesté de la couleur, on s'en met plein les mirettes : son *Arlésienne* ne fait pas longtemps attendre le flot des émotions esthétiques. L'extraordinaire *Portrait de l'artiste,* peint à Saint-Rémy, où Vincent interroge anxieusement son image, à la fois lucide et tourmenté, sur fond de volutes d'un bleu-vert intense. Le bon docteur Gachet, l'ami des peintres, se révèle plein de compassion en le soignant à Auvers, mais l'hallucinante vision dramatique de

VAN GOGH NE SE SERAIT PAS SUICIDÉ

En 2011, une nouvelle biographie du peintre a évoqué l'hypothèse que sa mort pourrait avoir été accidentelle. Van Gogh aurait été blessé d'un coup de fusil involontaire provoqué par un duo d'adolescents qu'il connaissait bien. Le peintre aurait alors décidé d'endosser la responsabilité de l'incident pour les protéger. Van Gogh n'aurait donc pas cherché activement à mourir mais, face à cette issue, il l'aurait acceptée « pour l'amour de son frère, pour lequel il était un poids financier ».

L'Église d'Auvers-sur-Oise annonce sa fin de vie dramatique. La *Nuit étoilée,* malgré l'intensité du firmament, apaise les angoisses par la présence presque discrète d'un couple d'amoureux. Il est temps de se reposer dans sa *Chambre à Arles* entre les murs lilas, les draps citron et la couverture écarlate, tellement connue qu'on oublie parfois de la regarder attentivement et d'en découvrir toutes les nuances.

AUTOUR DU MUSÉE D'ORSAY

🏃 *Le musée de la Légion d'honneur et des ordres de chevalerie (plan couleur D1) :* 2, rue de la Légion-d'Honneur, 75007. ☎ 01-40-62-84-25. Ⓜ Solférino ; RER C : Musée-d'Orsay. ♿ Mer-dim 13h-18h *(dernière entrée à 17h15). Mar réservé aux groupes. Fermé certains j. fériés. GRATUIT. Audioguide gratuit.*

Occupe, en face du musée d'Orsay, le bel hôtel de Salm, incendié sous la Commune mais dont subsistent les superbes façades XVIIIᵉ. Belle cour à colonnades néoclassique (au 64, rue de Lille). Par la variété et la qualité des documents exposés, c'est autant un musée de l'histoire qu'un musée de société.

Rappelons que l'ordre de la Légion d'honneur fut créé en 1802 par Bonaparte, alors Premier consul, pour récompenser le talent, le courage et le dévouement au service de la Nation. Les admirateurs de Napoléon pourront y retrouver de nombreux objets lui ayant appartenu (pistolets, épée, cuirasse, grand collier, son portrait par Gros). Vitrines consacrées aux ordres de chevalerie (Toison

ET POURQUOI PAS LA SAINT NAPOLÉON ?

L'Empereur, qui n'avait peur de rien, l'institua dès 1805. Il choisit le 15 août, sa date de naissance, qui était aussi celle de la fête de la Vierge. Le pape Pie VII faillit en avaler sa tiare. Évidemment supprimée par Louis XVIII, cette fête fut rétablie par Napoléon III.

d'or, Malte et Saint-Sépulcre), aux ordres royaux (Saint-Lazare, Saint-Michel, Saint-Esprit) et décorations françaises du XVIᵉ au XXᵉ s, médaille militaire, ordre national du Mérite. Importante exposition d'ordres étrangers (Jarretière, Éléphant), encore décernés de nos jours. Nombreux objets d'art, tableaux, tapisseries, etc.

Un parcours audiovisuel permet aux visiteurs de découvrir des personnalités exemplaires à qui la Légion d'honneur, l'ordre national du Mérite ou la Médaille militaire ont été décernés, depuis le petit tambour du pont d'Arcole jusqu'à Laure Manaudou en passant par André Citroën, Marcel Dassault, Alain Prost, Éric Tabarly, Raymond Poulidor, Paul Bocuse et bien d'autres... À noter que, lors de son investiture, le président de la République se voit remettre le grand collier au titre de grand maître de la Légion d'honneur.

🗶🗶 *L'Assemblée nationale (plan couleur C1) : 33 bis, quai d'Orsay, 75007. ☎ 01-40-63-56-00. • assemblee-nationale.fr • Ⓜ Assemblée-Nationale ou Invalides. Différentes possibilités de visites : visites guidées quand l'Assemblée siège (sam slt à 10h, 11h, 14h et 15h) ; visites libres quand l'Assemblée ne siège pas (horaires variables, consulter le site internet). Résa par tél ou sur le site internet. Se présenter min 15 mn avt, muni d'une carte d'identité. Tenue correcte exigée. L'accès à l'Assemblée est bien évidemment gratuit, puisque c'est la maison de ts les citoyens ! Les 10 premières pers qui se présentent au début de chaque séance peuvent toutefois assister aux débats sans invitation (sf pour les séances de questions au gouvernement mar-mer à 15h).*

Notre chère Assemblée arbore sa pompeuse colonnade depuis Napoléon, greffée sur un hôtel particulier du XVIIIᵉ s pour faire pendant à la Madeleine.

Depuis 1795, le palais Bourbon héberge la « représentation nationale », à savoir les députés. Au fil des soubresauts de l'histoire, l'hémicycle du Directoire a subi de nombreuses transformations pour pouvoir accueillir les séances de l'Assemblée. C'est une petite ville de 3 000 habitants, avec son bureau de poste, son kiosque à journaux, sa boutique, son coiffeur... Les passionnés de la chose politique auront donc tout intérêt à se présenter aux heures de travail des députés pour assister à une séance publique (en général les mardi, mercredi et jeudi d'octobre à juin). Pour cela, on rappelle qu'il est préférable d'avoir obtenu au préalable une carte d'invitation d'un député, en s'adressant à lui par écrit (la liste des députés est disponible sur le site internet de l'Assemblée nationale). Les séances de questions au gouvernement sont les plus courues, car souvent les plus animées.

🗶 Le 7ᵉ arrondissement possède également quelques superbes exemples d'*Art nouveau* appliqué à l'architecture. L'Art nouveau, né en réaction à l'académisme des formes à la fin du XIXᵉ s, s'inspira largement de l'art japonais. Au

29, avenue Rapp, une porte et son encadrement d'un foisonnement et d'une exubérance proches du délire. Voir la jolie nymphette au sein menu qui provoque les passants... Le monument le plus photographié du 7e après la tour Eiffel est dû à l'architecte Jules Lavirotte. Vous pouvez également aller voir le 3, square Rapp, et le 12, rue Sédillot. Si l'Art nouveau vous intéresse particulièrement, allez voir aussi certains immeubles

LA TÉLÉVISION FRANÇAISE, UNE HISTOIRE ALLEMANDE

Les premiers studios furent installés au 15, rue Cognacq-Jay, dans le 7e. La télévision commença à émettre véritablement en 1943, grâce à l'occupant germanique. Les programmes étaient destinés à distraire les soldats allemands dans les hôpitaux. Ces studios sont toujours utilisés aujourd'hui.

du quartier d'Auteuil, dans le 16e sud, et, surtout, ne ratez pas la superbe visite de la collection Art nouveau de Pierre Cardin chez *Maxim's* (voir dans le 8e arrondissement).

🏃🏃 ♿ *Berges de la Seine piétonnes (plan couleur B-D1) :* Point infos : mar-dim 12h-19h au port de Solférino, à l'ouest de la passerelle Léopold-Sedar-Senghor et sur : ● *lesberges.paris.fr* ●
C'est le long de la rive gauche que 2,3 km de déambulation piétonne au fil de l'eau s'offrent à vous, du *pont de l'Alma* à l'ouest, à la *passerelle Léopold-Sedar-Senghor* (musée d'Orsay) à l'est, avec un accès intermédiaire au niveau du pont Alexandre-III (Invalides).
Des aménagements récents et réussis, d'ailleurs très vite adoptés par Parisiens et touristes : sportifs, familles, flâneurs... chacun y trouve son compte.
Parcours sportif, jardin flottant, mur d'escalade, jeux – dont des jeux d'eaux – tables à jeux... le tout jalonné d'assises diverses, de tables de pique-nique, et de quoi grignoter dans les péniches amarrées, ou dans l'un des cafés côté quai. Également des espaces à louer (tipis ou modules Zzz). Et pas mal d'animations, notamment sportives, gratuites (programme et inscriptions sur le site internet). Toilettes. 2 stations Vélib'.
Tout ne s'anime vraiment qu'à partir de 11h30-12h (ouverture des cafés, prêt de matériel pour les jeux...), et plus ou moins en fonction de la météo, bien sûr.

Et, pour les amateurs, sachez que, dans le 13e arrondissement, du *pont de Tolbiac* au *pont Charles-de-Gaulle,* on peut aussi déambuler tranquillement sur les quais, se poser avec un bouquin ou prendre un verre en observant l'animation sur le fleuve. Des aménagements plus simples que le 7e arrondissemnt, mais tout aussi agréables.

🏃🏃 🚶 *Les égouts de Paris (plan couleur B1) :* pont de l'Alma, rive gauche, face au 93, quai d'Orsay, 75007. ☎ 01-53-68-27-81. ● visite-des-egouts@paris.fr ● Ⓜ *Alma-Marceau ; RER C :* Pont-de-l'Alma. Bus nos 80 et 83. Tlj sf jeu-ven 11h-16h (17h mai-sept). Fermé 1er janv, 2de quinzaine de janv et 25 déc. Entrée : 4,40 € ; tarif réduit : 3,60 €.
Une visite de Paris sous Paris. Le musée retrace l'histoire de l'assainissement parisien, de l'époque de Lutèce au réseau mis en place par l'ingénieur Belgrand sous le Second Empire. Ce dernier posa les bases d'un système atypique à la fois visitable et gravitaire (sa pente suffit à l'écoulement des eaux usées), dans lequel plusieurs centaines de personnes circulent et travaillent quotidiennement (dont plus de 200 égoutiers et ouvriers spécialisés). Les égouts, qui recueillent les eaux pluviales et les eaux usées, abritent les conduites d'eau (potable et non potable) de Paris, mais aussi des réseaux privés téléphoniques ou informatiques et les câbles des feux de signalisation. Chaque rue étant dotée d'un égout, on retrouve à 5 m sous terre un réseau de galeries (soit 2 501 km d'ouvrage) semblable au plan de la surface.

La visite (1h15 environ) permet de découvrir les diverses structures des égouts : bassins de dessablement, déversoirs d'orage, bouches d'égout... Vous apprendrez tout sur le travail des égoutiers et les engins traditionnels de curage. Le parcours commence par une maquette interactive décrivant le cycle de l'eau – depuis les ressources jusqu'au traitement des eaux usées – et se poursuit avec des panneaux didactiques racontant l'histoire de l'eau dans la capitale, une station de mesure de la qualité de l'eau de la Seine, un synoptique sur les stations d'épuration de l'agglomération parisienne et plusieurs vidéos sur le fonctionnement complexe du réseau. Un monde souterrain à découvrir par les amateurs d'écologie urbaine et de protection du milieu naturel.

▶ Pour le plan du 8e arrondissement, voir le cahier couleur.

Cet arrondissement est celui des beaux quartiers : magasins chic, maisons de haute couture, grandes galeries de peinture, restaurants cossus... À la Madeleine, les enterrements sont forcément retransmis à la télévision, et les boutiques sont hors de prix. Sur les Champs-Élysées, le citron pressé est le plus cher du monde ! Tout autour, des pâtés d'immeubles à l'architecture hautaine abritent des bureaux et encore des bureaux, ainsi que le siège de prestigieuses entreprises.

Entre les deux, à la lisière de la place de la Concorde (où, malgré son nom, on a tout de même guillotiné un roi !), des jardins abritent Grand et Petit Palais, des restaurants inabordables, des théâtres, un marché aux timbres, et même un guignol, non loin de la résidence du président de la République et du ministère de l'Intérieur.

Plus au nord, un autre enclos de verdure, dévolu aux enfants sages : le parc Monceau, agréable jardin à l'anglaise, dans ce goût Napoléon III si caractéristique de l'arrondissement. Tout près, le boulevard Haussmann, qui tire un trait depuis le quartier animé de la gare jusqu'à la géométrique et spectaculaire place de l'Étoile.

Où dormir ?

Très bon marché

🏠 **Auberge de jeunesse Adveniat** (plan couleur B3, **1**) **:** 10, rue François-Ier, 75008. ☎ 01-77-45-89-10. ● adveniat@ assomption.org ● adveniat-paris.org ● Ⓜ Champs-Élysées-Clemenceau. 🍴 Ouv tte l'année ; réception fermée 11h-16h. En dortoirs et chambres 2-6 lits, 30-45 €/pers selon taille de la chambre, petit déj compris. Carte (quelle qu'elle soit) de membre d'AJ exigée. 🖥 🛜 Une AJ si près des Champs-Élysées, c'est providentiel ! D'autant plus qu'elle est récente... Cette maison chrétienne d'accueil des jeunes et des moins jeunes, croyants ou non, compte 75 à 90 lits répartis en une trentaine de chambres, toutes pourvues de douche et w-c. Les draps sont inclus, mais pas les serviettes de toilette. Une laverie et une cuisine bien équipée sont à la disposition des hôtes, ainsi qu'une consigne à bagages. On peut se détendre dans le salon avec piano-bar, TV et terrasse donnant sur le jardin, ou en faisant une partie de baby-foot. Diverses activités (comme découvrir Paris différemment, faire du bénévolat, etc.) sont également proposées.

Prix moyens

🏠 **Hôtel d'Argenson** (plan couleur C2, **3**) **:** 15, rue d'Argenson, à

l'angle du bd Haussmann, 75008.
☎ 01-42-65-16-87. ● hoteldargen
son@aol.com ● hotel-argenson.com ●
Ⓜ Saint-Augustin ou Miromesnil. Résa
conseillée. Doubles 106-136 € selon
confort et saison ; petit déj 6 €. 🛜 TV.
Cet hôtel cache de belles chambres
de style haussmannien ancrées dans
leur temps : hauts plafonds à moulures, meubles anciens, tapisseries
vieille école et parfois une cheminée.
Préférez celles donnant sur le boulevard Haussmann, nettement plus
spacieuses, et dont certaines ont un
petit balcon. Pas d'inquiétude à avoir
question bruit : elles ont toutes été
équipées d'une double fenêtre en plus
du double vitrage. Un très bon rapport
qualité-prix. Accueil très sympathique.

Chic

🛏 **Hôtel Bellevue** (plan couleur D2,
2) : 46, rue Pasquier, 75008. ☎ 01-43-
87-50-68. ● info@hotelbellevue-paris8.
fr ● hotelbellevue-paris8.fr ●
Ⓜ Gare-Saint-Lazare. Doubles
105-135 € ; petit déj 6 €. 🛜 TV.
Hôtel très bien situé, à deux pas de
Saint-Lazare et proche de la Madeleine, et récemment rénové dans
un style engageant évoquant les
années 1930. Bien tenu, fonctionnel et
tout confort. Vue agréable du 7ᵉ étage.
Double vitrage et clim. Pour 10 € de
plus, préférez les chambres de la catégorie supérieure, plus spacieuses.
Accueil coopératif.

De chic à plus chic

🛏 **Hôtel Royal Opéra** (plan couleur D2, **5**) : 5, rue de Castel-
lane, 75008. ☎ 01-42-66-14-44.
● reservation@hotelroyalopera.
com ● paris-hotel-royalopera.com ●
Ⓜ Madeleine ou Havre-Caumartin.
Double 180 € ; petit déj 10 €. 🛜 TV.
Câble. Fraîchement rénové, cet établissement convivial dispose de parties
communes pimpantes et de chambres
confortables aux couleurs tendres
(quelques-unes avec poutres apparentes). Une propreté impeccable et
un accueil charmant en font une petite
adresse bien agréable.

🛏 **New Orient Hôtel** (plan couleur C1,
4) : 16, rue de Constantinople, 75008.
☎ 01-45-22-21-64. ● new.orient.
hotel@wanadoo.fr ● hotelneworient.
com ● Ⓜ Villiers, Europe ou Rome.
Parking à proximité. Doubles 148-190 €
selon confort et saison ; petit déj continental 9 € ou petit déj-buffet 13 €.
Promos sur Internet à certaines périodes. 🛜 TV. Canal +. 10 % sur le prix
de la chambre (août) sur présentation
de ce guide. Un très bel hôtel style Art
nouveau, couplé à une atmosphère
« route des Indes », où l'on se sent
comme à la maison. Les chambres,
élégantes, sont personnalisées avec
du mobilier chiné dans les salles des
ventes de province. À noter qu'un
grand nombre d'entre elles possèdent
un petit balcon bien agréable. Une
adresse de bon rapport qualité-prix,
tenue par une équipe charmante, qui
lutte efficacement face aux grosses
chaînes voisines.

🛏 **Timhotel Opéra-Madeleine**
(plan couleur D2, **14**) : 113, rue
Saint-Lazare, 75008. ☎ 01-43-87-
53-53. ● opera-madeleine@timhotel.
fr ● timhotel.fr ● Ⓜ Saint-Lazare.
Pile en face de la gare Saint-Lazare
et à une enjambée des grands magasins. Doubles 139-179 € ; familiales
(très spacieuses) 179-260 € ; petit déj
13,50 €. En fait, les prix varient énormément selon l'affluence, n'hésitez pas
à contacter l'hôtel. 🖥 🛜 TV. Satellite.
Très bien situé, cet hôtel doté d'une
réception contemporaine agréable au
1ᵉʳ étage dispose de chambres de bon
confort. Préférez celles qui viennent
d'être rénovées dans un style actuel
aux tons gris et framboise, car les
anciennes sont datées.

🛏 **Timhotel Opéra-Saint-Lazare** (plan
couleur C1, **8**) : 9, rue de Constantinople, 75008. ☎ 01-40-08-00-14.
● operastlazare@timhotel.fr ● tim
hotel.com ● Ⓜ Europe, Villiers ou
Saint-Lazare. Doubles 100-259 € ; petit
déj 15,50 €. 🛜 TV. Satellite. L'hôtel,
de bon confort, réunit 3 bâtiments
anciens entièrement repensés dans un
style moderne, fonctionnel et conventionnel. Préférez les chambres côté rue
d'Édimbourg si possible, car la rue de
Constantinople peut être très passante.
Accueil pro et sympathique.

🛏 **Hôtel du Rond-Point des Champs-Élysées** (plan couleur B2, **7**) : 10, rue de Ponthieu, 75008. ☎ 01-53-89-14-14. • informations@ hotel-rondpoint-champselysees. com • hotel-rondpoint-champselysees. com • Ⓜ Franklin-D.-Roosevelt. Doubles 160-220 € selon taille ; 6 chambres « prestige » 280 € ; petit déj-buffet 15 €. 🛜 TV. Canal +. Satellite. 10 % sur le prix de la chambre sur présentation de ce guide. Derrière une séduisante façade Art déco se cache un bel hôtel 4 étoiles aux prix encore corrects pour le quartier. Élégante réception, salons cosy, fauteuils club et impressionnante collection de malles Louis Vuitton. Les chambres, décorées avec soin et goût, offrent un confort irréprochable. Celles sur rue sont, comme toujours, plus spacieuses et surtout plus lumineuses. Les autres compensent par un calme parfait. Les amoureux (ayant de gros moyens) s'offriront l'une des 2 chambres « prestige » du 7e étage. On craque pour leur déco, superbe évidemment, mais plus encore pour leur jolie terrasse privative avec vue sur les toits de Paris. Belle atmosphère, chic mais pas guindée, assortie d'un bel accueil.

🛏 **Hôtel d'Albion** (plan couleur C2, **11**) : 15, rue de Penthièvre, 75008. ☎ 01-42-65-84-15. • info@hote lalbion.net • hotelalbion.net • Ⓜ Miromesnil. Résa nécessaire. Doubles 95-240 € selon catégorie et saison ; petit déj 13 €. 🛜 TV. Satellite. Parking payant. Le charme est au rendez-vous dans cette petite adresse discrète. Déco élégante et chaleureuse, à l'image du salon douillet ou des jolies chambres personnalisées. Confort à la hauteur. À noter, l'agréable courette au calme et décorée de refuges pour oiseaux, idéale pour prendre le petit déj dès que le soleil pointe son nez ! Si l'on ajoute un accueil franc, jovial et amical, et un entretien impeccable, on a là un excellent rapport qualité-prix.

🛏 **Hôtel Saint-Augustin** (plan couleur C2, **12**) : 9, rue Roy, 75008. ☎ 01-42-93-32-17. • hotel.stau gustin@astotel.com • astotel.com • Ⓜ Saint-Augustin. À l'angle de la rue Laborde. Doubles 125-280 € ; petit déj 16 €. 🛜 TV. Satellite. Au Saint-Augustin, les lignes sobres et contemporaines des salons annoncent les chambres : mobilier épuré, couleurs au goût du jour, et de jolies idées déco. Très agréables en somme, surtout lorsque ces chambres disposent d'un balcon, qu'elles sont situées à l'angle de l'immeuble et que les fenêtres laissent entrevoir l'église voisine. Accueil pro, à l'image du buffet de boissons non alcoolisées et de gâteaux laissé à la disposition des hôtes dans la salle de petit déjeuner.

🛏 **Arioso Hotel** (plan couleur C2, **6**) : 7, rue d'Argenson, 75008. ☎ 01-53-05-95-00. • info@arioso-hotel.com • arioso-hotel.com • Ⓜ Miromesnil. ♿ Prix très variables selon période et catégorie : env 150-270 € ; petit déj 15 €. Surveiller les promos sur Internet. 🖥 🛜 TV. Satellite. Câble. 2 tickets de bateau-mouche offerts (nov-mars et août hors salons) sur présentation de ce guide. Une jolie maison du XIXe s entièrement relookée et transformée en hôtel de charme. Les amoureux trouveront là un nid douillet, romantique et harmonieux à souhait, avec des parties communes on ne peut plus cosy. Les chambres offrent un confort high-tech (selon la catégorie : TV écran plat, lecteur de DVD, chaîne hifi, minibar, etc.), et leur déco, dans des tons violets et parme (ou rouge !), est un pur ravissement. À la fois actuel et intemporel ! Certaines d'entre elles disposent de balcons.

Très chic... et tendance

🛏 **Hôtel Cervantes** (plan couleur C-D1, **13**) : 19, rue de Berne, 75008. ☎ 01-43-87-55-77. • reservations@ hotelcervantesparis.com • hotelcer vantesparis.com • Ⓜ Rome. Doubles 160-275 € selon confort et saison ; petit déj-buffet 12 €. Grosses promos sur Internet. 🛜 TV. Satellite. Dans une petite rue calme, un hôtel haussmannien entièrement rénové dans un esprit contemporain. Entrée très réussie, avec son comptoir lumineux, tout comme les belles parties communes et les chambres « premium » (les standard sont plus classiques) : des lignes modernes à l'image des excellentes prestations

(TV satellite à écran plat, lecteur DVD, clim, coffre...). Un des bons rapports qualité-prix du quartier, surtout à l'occasion des promos.

🛏 **Hôtel Cristal-Champs-Élysées** (plan couleur A-B2, **15**) : 9, rue Washington, 75008. ☎ 01-45-63-27-33. ● contact@hotel-le-cristal.com ● hotel-le-cristal.com ● Ⓜ George-V. ⚒ Doubles 220-320 € selon saison ; petit déj 18 €. 🛜 TV. Satellite. Cet

hôtel, conçu par Mattia Bonetti, conjugue admirablement les contrastes : la géométrie se fait ludique, les couleurs acidulées épousent la clarté de la roche, la rigueur de l'art devient douceur de vivre... Un cocon chic et cosy (les chambres les plus chères avec balnéo) à 100 m des Champs-Élysées. Accueil charmant pour ne rien gâter. Un coup de cœur.

Où manger ?

Sur le pouce

|●| **Bread & Roses** (plan couleur C2, **31**) : 25, rue Boissy-d'Anglas, 75008. ☎ 01-47-42-40-00. Ⓜ Madeleine. Lun-sam 8h (10h sam)-20h. En plein quartier de bureaux, le meilleur de l'épicerie-pâtisserie-traiteur. Tout y est sélectionné ou cuisiné avec talent, jusqu'aux différents pains. Une pause salée ? Toast de seigle et œufs mimosa de saumon sauvage citronnés, saumon d'Alaska-cream cheese, une poignée de salades composées et tartes salées feront très bien l'affaire. Les gueules sucrées s'offriront l'onctueux chocolat chaud, délicieusement accompagné d'un scone à la crème fouettée ou d'un cannelé. Pour le meilleur... et pour le prix !

|●| **Vivre et Savourer** (plan couleur C1, **28**) : 35, rue du Rocher, 75008. ☎ 01-44-70-00-02. Ⓜ Saint-Lazare ou Europe. Lun-ven 11h-15h30. Congés : août. Menus sandwich 6,70-8,70 € ; menus salade 7,70-12,90 € ; menus plats chauds 9,90-12,90 €. Café offert sur présentation de ce guide. L'herbe a du mal à pousser rue du Rocher, mais la famille de fermiers qui a ouvert ce snack 100 % naturel a apporté tout à la fois de l'air frais dans le quartier, des jus de fruits extra dans les verres et des légumes de saison dans l'assiette. Que des produits frais, labellisés, qu'on choisit en vitrine. Accueil souriant et naturel lui aussi.

|●| **Aubrac Corner** (plan couleur A-B3, **20**) : 37, rue Marbeuf, 75008. ☎ 01-45-61-45-35. Ⓜ Franklin-D.-Roosevelt. Lun-ven 7h45-18h30, sam 11h-18h. Formules 10,55-14,80 € ; plat du jour

9,40 € ; sandwichs 5,70-6,90 €. Depuis que La Maison de l'Aubrac voisine a ouvert ce corner, il ne désemplit pas. Une jolie cave (un peu fraîche) avec de grands rayonnages de flacons en sous-sol, quelques tables hautes en vitrine et une poignée de tables en terrasse aux beaux jours. Pour les autres, c'est dans la rue que ça se passe ! Formules fast-food terroir : sandwichs chauds façon hamburgers avec frites maison (« siouplaît ! ») et généreux steak haché, plus classiques sandwichs baguettes aux rillettes, saucisson ou foie gras. Également des salades (portions plus light dans tous les sens du terme) et quelques desserts maison. Vente à emporter, dont un aligot, célébrité régionale !

De très bon marché à bon marché

|●| **Foyer de la Madeleine** (plan couleur D3, **23**) : 14, rue de Surène, 75008. ☎ 01-47-42-39-84. ● foyerdelama deleine@orange.fr ● Ⓜ Madeleine. ⚒ Dans l'église de la Madeleine (côté Fauchon, derrière les fleuristes). Lun-ven 11h45-14h. Congés : août et Noël-Jour de l'an. Menu complet 8,50 €, 17 € pour les groupes (apéro, vin et café compris !). Carte d'adhérent obligatoire, à partir de 5 €. Savez-vous que, sous l'église de la Madeleine, un foyer de bénévoles propose un repas complet pour une poignée d'euros ? Dans le quartier, ça tient du miracle ! D'ailleurs, l'adresse est courue, et le midi, on se serre les coudes dans une atmosphère à la bonne franquette. Un

cadre simple, une enfilade de petites salles voûtées, et une cuisine de type cantine (poireaux vinaigrette, colin sauce dieppoise et salade de fruits, par exemple). Service charmant, et si vous en ressentez le besoin, un prêtre est à votre écoute au fond de la cafétéria !

I●I *La Cave Beauvau* (plan couleur C2, **24**) : 4, rue des Saussaies, 75008. ☎ 01-42-65-24-90. *Ouv tlj sf sam-dim 7h-20h (23h30 jeu-ven). Congés : août. Carte slt : plats 12-15 €, repas complet 22-25 €.* Dans ce coin de Paris pas comme les autres, à un jet de pierre de l'Élysée, où l'on compte plus de flics statiques que de passants, voici une adresse popu et une tortore du tonnerre ! Pièces de viandes goûteuses servies avec une purée maison comme à la maison. Les crus du Beaujolais sont mis en bouteilles par Stéphane, l'adorable patron. Certains poulets d'en face y viennent, et les clients du *Bristol* voisin, fines gueules, y ont déjà leur rond de serviette.

I●I *Chez Léon* (plan couleur D2, **25**) : 5, rue de l'Isly, 75008. ☎ 01-43-87-42-77. Ⓜ *Saint-Lazare ou Havre-Caumartin. Tlj sf dim ; service continu 6h-21h15 (pas de dîner sam). Congés : août. Carte env 13 € ; entrée env 5 €, plats du jour 8-14 €. CB refusées.* Le panonceau « Relais routier » intrigue... Il faut dire qu'on est à deux pas de la gare Saint-Lazare et non sur la nationale 7. Le menu, les petites dames en tablier blanc, le plastique posé sur les tables pour ne pas salir les nappes, les w-c à la turque, les réfrigérateurs années 1950, les hors-d'œuvre et les plats du jour... Cet unique « routier » parisien doit son panonceau à la Fédération des transports routiers, qui eut jadis son siège en face et dont *Léon* était l'annexe. Évidemment, vu les prix, il ne faut pas être trop exigeant...

I●I *À Toutes Vapeurs* (plan couleur D2, **29**) : 7, rue de l'Isly, 75008. ☎ 01-44-90-95-75. ● *atoutesvapeurs@ yahoo.fr* ● Ⓜ *Havre-Caumartin ou Saint-Lazare. Tlj sf dim 11h-23h. Fermé Noël et Jour de l'an. Paniers salés 6-12 €, paniers desserts à partir de 4 € ; formule déj en sem 12 € ; carte env 17 €. Café offert sur présentation de ce guide.* Les paniers-repas ne sont que prétextes pour faire son marché parmi les petits plats colorés, pour y ajouter un filet d'huile d'olive et pour confier le tout aux bons soins des cuisiniers. Résultat à la hauteur des attentes gustatives : la cuisson à la vapeur n'altère pas les saveurs et laisse les produits frais s'exprimer en toute liberté. Coin salon ou jolie salle saumonée un poil tendance pour les frileux. *Autre enseigne au 2, rue de l'Échelle, dans le 1er.*

Prix moyens

I●I *La Bastide Blanche* (plan couleur C1, **39**) : 1, bd de Courcelles, 75008. ☎ 01-40-08-08-25. ● contact@labas tideblanche.fr ● Ⓜ *Villiers. Tlj sf dim soir 12h-14h45, 18h45-23h30. Fermé 24 et 31 déc. Résa conseillée le soir. Formule déj 17,50 € ; plats 17-28 € ; brunch (buffet) sam-dim et j. fériés 29 €. Chèques refusés.* Cette indétrônable brasserie du carrefour Villiers connaît un vrai renouveau depuis son lifting très réussi. À l'étage, cette inscription de Gonzague Saint-Bris : « Ici Saint-Tropez à Paris... Sous les pavés la plage » rappelle sans aucun doute les origines tropéziennes du jeune et dynamique patron. Alors la clientèle – du soir surtout – aura sans doute un côté bling-bling, mais la carte revisite dignement les grands classiques avec des suggestions italianisantes (pâtes, risotto, *foccacie* – celle à la crème de truffe est fameuse) et d'autres belles surprises originales. En dessert, ne pas manquer l'authentique tarte tropézienne de chez *Micka*. Ambiance bistrot au rez-de-chaussée, plus cosy à l'étage.

I●I *Le Bœuf sur le Toit* (plan couleur B2, **27**) : 34, rue du Colisée, 75008. ☎ 01-53-93-65-55. ● bgayot@grou peflo.fr ● Ⓜ *Franklin-D.-Roosevelt ou Saint-Philippe-du-Roule. Tlj 12h-15h, 19h-23h (minuit ven-sam). Piano-bar ts les soirs et soirées jazz 2 lun par mois. Formules 2 à 3 plats 30-37 € ; carte env 50 €.* On est loin du temps où Cocteau, Picasso, Poulenc, Milhaud et les autres s'y retrouvaient... Reconstituée dans les années 1940 (à quelques pas de la 1re enseigne, comme pour *L'Olympia*), cette brasserie de style Art déco reste un bel hommage aux

8e

années de l'entre-deux-guerres avec son superbe décor d'époque. Carte de brasserie améliorée et bonnes spécialités de fruits de mer, qui régalent la clientèle d'affaires. Service pro et sympathique.

|●| *Misia* *(plan couleur B2,* **32***)* : 5, rue du Commandant-Rivière, 75008. ☎ 01-42-56-38-74. ● misia366@ orange.fr ● Ⓜ *Saint-Philippe-du-Roule. Tlj sf sam-dim 12h-15h, 19h-22h30. Congés : 3-25 avr et 2 sem en août. Formule déj 19 € ; menus 21-36 €. Kir au vin blanc offert sur présentation de ce guide.* Qu'on vienne à 2, en famille ou entre copains, les frères Couppé accueillent chaleureusement leur clientèle dans un cadre cosy. Et contrairement à ce qu'on a coutume de voir dans le quartier, ici, ce n'est pas le coup de matraque. Fameuse cuisine tendance et de saison, qui constitue une belle intro à la gastronomie pour nos chérubins particulièrement bien accueillis.

Chic

|●| *Lazare* *(plan couleur D2,* **22***)* : parvis de la gare Saint-Lazare, rue intérieure, 75008. ☎ 01-44-90-80-80. Ⓜ *Saint-Lazare. Tlj 7h30-minuit ; service 12h-15h30, 19h-23h30. Résa indispensable. Plat du jour 18 € ; menu dim 39 € ; carte env 55 €.* Dans la gare Saint-Lazare, monument historique relooké, le *Lazare,* tout naturellement, est un superbe bistrot chic avec boiseries, mobilier noir et blanc, et jolies mosaïques au sol. Prenez place et saisissez donc la gazette (la carte) : quelle que soit l'heure, du lever du soleil au bout de la nuit, les cuisines tournent à plein régime. Mais on appréciera surtout l'authenticité des recettes de toujours, gourmandes et généreuses, réalisées par Thierry Colas sous la houlette d'Eric Frechon, chef triplement étoilé du *Bristol.* En dessert, ne pas manquer la création maison, le Paris-Deauville... avant de filer vers la Normandie ! *NOUVEAUTÉ.*

|●| *Mini Palais* *(plan couleur C3,* **26***)* : Grand Palais, 3, av. Winston-Churchill, 75008. ☎ 01-42-56-42-42. ● resa@minipalais.com ●

Ⓜ *Champs-Élysées-Clemenceau. Tlj 12h-15h, 19h-23h30. Résa indispensable. Formule déj en sem 28 € ; en-cas à partir de 7 € (15h-19h) ; carte 40-60 €. Vins à partir de 25 € ; 5-8 € au verre.* Encore un resto de la planète Frechon. Ici, le chef triplement étoilé a imaginé une cuisine simple, en parfaite adéquation avec le décor sobre, chic, épuré, de ce *Mini Palais* aux allures d'atelier d'artiste. Dans l'assiette, de bons produits d'un terroir qui ne connaît pas les frontières : ris de veau en croûte de comté au vin jaune, encornets pili-pili, baba géant au rhum (exceptionnel). La carte, suivie par Stéphane d'Aboville, prend, aux beaux jours, des accents plus méditerranéens. Belle carte de glaces servies en pot ou en cornets, à savourer en terrasse de mai à septembre.

|●| *Neva Cuisine* *(plan couleur D1,* **33***)* : 2, rue de Berne, 75008. ☎ 01-45-22-18-91. ● nevacuisineparis@gmail. com ● Ⓜ *Liège ou Europe. Tlj sf sam-dim et j. fériés ; service 12h-14h, 19h30-22h. Congés : 3 sem en août. Résa obligatoire. Formule 41 €.* Dans un lumineux décor contemporain, le tandem formé notamment à *La Grande Cascade* propose une carte courte et bien maîtrisée, avec des plats qui, pour certains, sont déjà devenus des incontournables, dont les ris de veau crousti-fondants et poêlée de champignons, ou la sphère destructurée ananas rôti et crumble. Une escale qui, si elle n'a de russe que le nom, n'en est pas moins un beau voyage dans l'univers bistronomique parisien. Salle climatisée et petite terrasse extérieure.

|●| *La Fermette Marbeuf* *(plan couleur A3,* **21***)* : 5, rue Marbeuf, 75008. ☎ 01-53-23-08-00. ● reservationfer mette@blanc.net ● Ⓜ *Alma-Marceau. Tlj 12h-23h30. Formules déj 24,90-34,90 € ; menu dégustation 51,50 € ; carte env 65 €.* La salle à manger est un chef-d'œuvre de l'Art nouveau, inscrit à l'inventaire des Monuments historiques et redécouvert par hasard en 1978 lors de travaux de rénovation. Un resto-musée où l'on se doit de dîner une fois dans sa vie. Demandez absolument une table dans cette salle, les autres pièces ayant été reconstituées à partir d'éléments de déco d'une autre provenance. Plats traditionnels

classiques de brasserie qui prennent une autre dimension dans ce lieu magique. Et un soufflé au Grand Marnier à hurler de bonheur ! Très bon accueil.

I●I Pomze *(plan couleur C2, 30) : 109, bd Haussmann, 75008.* ☎ *01-42-65-65-83.* ● *contact@pomze.com* ● Ⓜ *Saint-Augustin ou Miromesnil. Tlj sf sam midi et dim, plus sam soir en juil-août ; service 12h-14h30, 19h30-23h. Salon de thé hors horaires de service du resto. Formule déj 29 € ; menu 35 € ; carte env 50 €. Apéritif maison offert sur présentation de ce guide.* Inconditionnels de la pomme, poussez la porte ! Ici, tout tourne autour d'un fruit moins défendu que recommandé, sous toutes ses variétés et toutes ses formes... Le tout est créatif (carte renouvelée à chaque saison), sans verser dans l'audace malvenue : les associations et les saveurs sont raffinées et savamment dosées. Les desserts ne sont pas en reste. Côté gosier, une carte de 30 cidres de producteurs et une intéressante formule dégustation de 3 cidres. Un cadre agréable et lumineux, une équipe sympathique aux commandes. Et pour prolonger le plaisir, un coin épicerie (cidre, chutneys, calvados...).

Bar à vins

I●I ☗ L'Évasion *(plan couleur C2, 34) : 7, pl. Saint-Augustin, 75008.* ☎ *01-45-22-66-20.* ● *restaurantlevasion@orange.fr* ● Ⓜ *Saint-Augustin. Lun-ven 12h-14h30, 19h30-22h30. Congés : 3 sem en août. Carte env 55 €.* Un vrai bar à vins, avec un look sympa d'élégant néobistrot et de confortables banquettes de velours. Le traditionnel tableau noir au mur est réservé aux vins du mois ou de la semaine car, ici, une rigoureuse sélection a permis d'en choisir quelques centaines parmi les meilleurs des meilleurs prix... Nombreux vins au verre. Pour les accompagner, bons plats du terroir préparés avec une touche personnelle affirmée. Certes, ce n'est pas à l'évidence une adresse bon marché, mais elle est au diapason de la sociologie du quartier et des nombreux hommes d'affaires qui s'y pressent au déjeuner. Malgré tout, atmosphère débarrassée de toute pesanteur. Service diligent et accueil affable. Bu et largement approuvé !

Cuisine d'ailleurs

De bon marché à prix moyens

I●I Shin Jung *(plan couleur D1, 36) : 7, rue Clapeyron, 75008.* ☎ *01-45-22-21-06.* ● *printemp0706@hotmail.com* ● Ⓜ *Europe, Rome ou Liège. Tlj sf dim midi et j. fériés ; service 12h-14h30, 19h-22h30. Formules à partir de 9 € le midi, 15-22,70 € le soir ; carte env 25 €.* Un des meilleurs restos coréens de Paris, ce que ne laissent pas présager les prix incroyablement sages. Le cadre est agréable, le service dévoué et souriant. Raviolis, poisson cru, et surtout délicieux barbecues de bœuf ou de porc sont les quelques spécialités dont vous vous régalerez. Palais sensibles, rassurez-vous, les épices sont utilisées avec parcimonie...

I●I Olsen *(plan couleur B2, 35) : 6, rue du Commandant-Rivière, 75008.* ☎ *01-45-61-43-10.* ● *olsen@olsen.fr* ● Ⓜ *Saint-Philippe-du-Roule. Lun-sam 9h (10h sam)-19h (19h30 mar-ven). Fermé j. fériés et sam en juil-août. Formule 16,50 €, comprenant des smørrebrøds (sandwichs ronds et plats), un dessert et un café ; menu 29,50 € avec entrée, plat, dessert et café ; carte également.* Cap vers le Grand Nord et surtout vers le Danemark pour déguster des produits d'excellente qualité, issus de la pêche traditionnelle et préparés selon des méthodes artisanales : saumon sauvage fumé ou mariné, tarama sans colorant artificiel, fameux harengs marinés accommodés de différentes manières... À consommer sur place, dans l'épicerie, juché sur un tabouret haut, ou bien à emporter. C'est pas donné mais bon, frais et fin. Service aimable.

I●I Flora Danica's Butik *(plan couleur A2, 37) : 142, av. des Champs-Élysées, 75008.* ☎ *01-44-13-86-25.* Ⓜ *George-V ; RER A : Charles-de-Gaulle-Étoile.* 🍴 *Tlj*

8h-23h. Formules en sem 19,90-36 €. Terrasse très fréquentée, sur la plus belle avenue du monde. Cette annexe de la Maison du Danemark (à différencier du resto à l'intérieur) propose en terrasse ou à emporter de délicieux sandwichs ou quiches et des viennoiseries comme le *kringle* aux amandes. Belle assiette composée nordique, de qualité irréprochable. Pour accompagner le thé ou le café, jolie tartelette aux airelles ou *romkage* à la pâte d'amandes.

I●I ***Siamin** (plan couleur B3, 38)* : 19, rue Bayard, 75008. ☎ 01-47-20-23-70. Ⓜ *Franklin-D.-Roosevelt. Tlj sf dim 12h-15h, 19h30-23h30. Menus 26 € le midi, 29 € le soir.* Juste en face de RTL, ce resto thaï a vite conquis nos copains de la 1re radio de France. Normal, voilà de l'exotisme à deux pas de chez soi. Raffinement des préparations, délicatesse de la présentation et soupes goûteuses, dont on peut parfaitement se sustenter le midi. Service impeccable, juste comme là-bas. Assure également la livraison à domicile.

≋ ***PDG** (plan couleur B2, 40)* : 20, rue de Ponthieu, 75008. ☎ 01-42-56-19-10. Ⓜ *Franklin-D.-Roosevelt. Tlj 12h-14h30, 19h-22h30 (23h jeu-sam). Résa conseillée. Formule déj en sem 21,40 € ; plats 14,40-17 € ; brunch dim (12h-16h)* 24 €. Avec ses banquettes rouges en moleskine et son petit comptoir à l'américaine, le *PDG* est paraît-il le *big boss* du burger à Paris. C'est vrai, le pain est bon, la viande juteuse, le fromage bien coulant, les frites sont fraîches et les portions généreuses, même si au fond on a toujours un faible pour le traditionnel new-yorkais ! Le *coleslaw* manque de naturel et le pastrami a tout du bacon. Reste que, si près des Champs, le rapport qualité-situation-prix est plus qu'honnête. Attention, c'est tout petit et vite bondé.

De chic à plus chic

I●I ***Orient Extrême Montaigne** (plan couleur B3, 42)* : 21, rue Bayard, 75008. ☎ 01-47-20-91-58. Ⓜ *Franklin-D.-Roosevelt. Voiturier. Tlj sf dim 12h-14h30, 19h-23h. Congés : 12-26 août. Menus 30-39 € le midi, 58-78 € le soir ; carte env 50 €.* Restaurant japonais à la mode. Dans un décor épuré, très zen, les meilleures tables sont le long de la banquette. La clientèle est très *beautiful people,* hommes et femmes d'affaires du quartier. Dans l'assiette, une cuisine japonaise contemporaine, efficace et pleine de saveurs.

Où boire un thé ? Où prendre un bon goûter ?

I●I ≋ ***Bread & Roses** (plan couleur C2, 31)* : 25, rue Boissy-d'Anglas, 75008. ☎ 01-47-42-40-00. Ⓜ *Madeleine. Lun-sam 8h (10h sam)-20h.* Voir plus haut la rubrique « Où manger ? ».

I●I ≋ 🍃 ***Café Jacquemart-André** (plan couleur B2, 45)* : 158, bd Haussmann, 75008. ☎ 01-45-62-04-44. ● *cafe@musee-jacquemart-andre. com* ● Ⓜ *Miromesnil ou Saint-Philippe-du-Roule.* ♿ *Tlj 11h45 (11h sam-dim)-17h30 (18h30 lun et sam ; 15h pour le resto). Salades 14,90-19,90 € ; formule déj 18,30 € ; menu* 23,50 € ; *brunch w-e (11h-15h) 29,30 € ; « L'heure du thé » 11,50 €.* Installé dans la salle à manger d'apparat des anciens maîtres de la maison devenue aujourd'hui le musée Jacquemart-André. La salle vaut à elle seule le détour : plafond de Tiepolo, tapisseries, vasques de lumière en bronze doré et vue sur cour très agréable. Les habitués du quartier ne s'y trompent pas et s'y donnent souvent rendez-vous pour un brunch ou un repas léger. La pâtissière a officié chez *Stohrer* et à *La Petite Marquise.* On se damnerait pour les tartes, exquises.

Où boire un verre ?

🍸 ***The Cricketer Pub** (plan couleur D2, 50)* : 41, rue des Mathurins, 75008. ☎ 01-40-07-01-45. Ⓜ *Saint-Augustin* ou Madeleine. Tlj 12h (17h sam-dim)-2h. Happy hours 17h-19h. Pintes à partir de 7,50 € (6 € pdt l'happy hour) ; demi 4 €.

Les baies vitrées largement ouvertes sur l'extérieur permettent aux passants de voir qui fréquente les lieux, tout en offrant aux buveurs une belle vue d'angle, le pub se situant au carrefour de 2 rues. La clientèle est majoritairement anglo-saxonne (traders, banquiers, cadres des compagnies anglaises...). Également 3 écrans pour diffuser tous les événements sportifs, et un service de restauration la journée (12h-15h) en semaine.

Ⓣ Le Buddha Bar *(plan couleur C3, 51)* : 8, rue Boissy-d'Anglas, 75008. ☎ 01-53-05-90-00. ● buddhabar@buddhabar.com ● Ⓜ Concorde. Tlj 12h-2h. Cocktails à partir de 17 €. Voilà un bar qui ne manque pas d'allure avec son escalier monumental, ses salons dînatoires, son bouddha géant et ses volutes d'encens propres à élever les esprits ! Inutile de rêver cependant, il faudra se résoudre à payer l'addition salée pour boire un verre et admirer les plus jolies filles (ou les plus beaux mâles) du monde au son des compiles *lounge* du même nom signées par DJ Ravin. Tenue « branchic » bon genre exigée à l'entrée.

Ⓣ Le Forum *(plan couleur D2, 52)* : 4, bd Malesherbes, 75008. ☎ 01-42-65-37-86. ● contact@bar-le-forum.com ● Ⓜ Madeleine. ♨ Lun-ven 12h (18h lun)-1h (2h ven), sam et en août 19h-2h ; restauration légère 12h-14h30. Fermé dim. Congés : 2 ou 3 sem autour du 15 août. Cocktails 16-22 €. Formule déj 25 € ; tapas 10-17 € le soir. Voici un bar de luxe dédié aux amateurs de whisky (et il y en a !). Se définissant comme le plus anglais des bars américains, *Le Forum* dispose d'une carte bien fournie (120 références) en breuvages ambrés écossais, canadien et même japonais. Pas loin de 65 cocktails vous sont proposés. Avec son décor d'origine (1930) remis au goût du jour, l'endroit est chic et raffiné.

Ⓣ Le Doobie's *(plan couleur B3, 54)* : 2, rue Robert-Estienne, 75008. ☎ 01-53-76-10-76. Ⓜ Franklin-D.-Roosevelt. ♨ Tlj sf lun-mar 20h (12h dim)-4h (2h mer ; dernier service à 23h15). Congés : fin juil-fin août. Cocktail env 15 €. Repas 35-60 € ; dim, brunch 2 services (à 12h et 14h) 34 €. Difficile d'oublier qu'on arrive dans un lieu fashion du 8e arrondissement ! Pas question d'entrer ici comme dans un moulin : vous sonnez, on ouvre un vous dévisageant, vous êtes prévenu. Cela dit, l'endroit est intime et finalement pas désagréable. DJ du mercredi au samedi.

Où sortir ?

Ⓣ♪♫ Le Showcase *(plan couleur C3, 57)* : sous le pont Alexandre-III, port des Champs-Élysées, 75008. ☎ 01-45-61-25-43. ● showcase.fr ● Ⓜ Champs-Élysées-Clemenceau. Ven-sam 23h30-6h. Entrée : env 15 €. Réservez votre entrée sur Digitick. Consos 5-15 €. Un ancien hangar à bateaux reconverti en immense boîte de nuit de 2 000 m², tout en pierre et arcades voûtées. Repris en main en 2014 par We Love Art et Savoir Faire, 2 agences qui produisent les meilleures soirées électro à Paris, le lieu s'impose désormais comme LA valeur sûre. Tout est donc réuni pour vivre des fêtes dantesques dans ce lieu classé Monument historique, d'où l'on peut admirer la Seine... Classe ! Clientèle assez jeune en général.

♪♫ Le Queen *(plan couleur B2, 60)* : 102, av. des Champs-Élysées, 75008. ☎ 01-53-89-08-90. ● reservation@queen.fr ● queen.fr ● Ⓜ George-V. Tlj 23h30-6h. Entrée (avec une conso) : 20 €. Consos env 10 € (soft)-15 €. La reine des boîtes ne règne plus sur les nuits parisiennes comme à sa grande époque. Elle continue toutefois de programmer ses soirées autrefois glorieuses : disco le lundi (histoire de commencer la semaine avec la pêche) et l'« Over Kitsch » du dimanche (plus kitsch, tu meurs !). Plus classique (voire ringard !), la « Ladies Night », le mercredi, chouchoute les filles. La ligne musicale house ou décalée n'attire plus les branchés ni les homos qui participaient autrefois aux fêtes déjantées. Dommage.

8e

À voir

LE QUARTIER DES CHAMPS-ÉLYSÉES

La place de l'Étoile (plan couleur A2)

🏃🏃 Rebaptisée officiellement *place Charles-de-Gaulle* (Ⓜ et *RER A : Charles-de-Gaulle-Étoile*). Carrefour des 8e, 16e et 17e arrondissements. Avec le rayonnement de ses 12 avenues, son diamètre de 240 m, elle a presque un côté accueillant pour les claustrophobes. Elle doit son nom aux pavés rouges et gris qui dessinent des branches d'étoile. On ne les voit que du haut de l'Arc de Triomphe. Habile transition...

L'Arc de Triomphe

🏃🏃🏃 *Accès par le passage souterrain situé en haut et à droite des Champs, et qui donne sur l'av. de la Grande-Armée ; au milieu du souterrain, caisse sur la gauche.* ☎ 01-55-37-73-77. ⚒ *Ascenseur réservé aux pers prioritaires ; pour les autres... 284 marches à gravir pour accéder au sommet. Tlj 10h-23h (22h30 oct-mars) ; fermeture des caisses 45 mn avt. Fermé 1er janv, 1er mai et 25 déc ; les 8 mai, 14 juil et 11 nov, monument ouv après les cérémonies. Réservez vos billets en accès prioritaire en magasin et sur • fnac.com • Entrée : 9,50 € ; réduc ; gratuit moins de 18 ans accompagnés, et moins de 26 ans ressortissants d'un pays membre de l'UE. Visites-conférences ponctuelles, programme sur : • monuments-nationaux.fr/fr/visites-conferences-ile-de-france • Le parvis de l'Arc est accessible gratuitement.*

Pour les amateurs de chiffres, précisons tout de suite que l'Arc mesure 49,54 m de haut et 44,82 m de large, et que la voûte culmine à 29,19 m du sol.

Bien qu'il ait été prévu pour être élevé à la gloire des armées napoléoniennes, Louis XVIII fit le choix de le dédier aux armées d'Espagne. Après pas mal de tergiversations liées à une époque trouble politiquement, on le dressa finalement en l'honneur des armées de la Révolution et de l'Empire en général.

> ### ÇA PLANE POUR LUI
>
> *En 1919, un aviateur du nom de Charles Godeffroy, bravant les interdits et voulant protester contre la place insuffisante accordée à l'aviation lors des défilés du 14 juillet de cette même année, réussit, sous l'œil fasciné de quelques photographes, à passer sous la voûte avec son aéroplane. Véritable exercice de précision, car il ne restait que 3 m de marge de chaque côté...*

Victor Hugo résuma bien l'Arc : « Morceau de pierre sur un monceau de gloire ». Il est finalement bien à l'image de la grande épopée impériale et mégalo. Napoléon, qui en décida la construction par un décret du 18 avril 1806, ne vit jamais le monument réalisé. Il faut dire que le projet définitif de l'architecte ne fut accepté qu'en 1809. Lors de l'arrivée de l'impératrice Marie-Louise, en 1810, seules les fondations étaient achevées, et on dut dresser à la hâte un arc factice en bois recouvert de toile. L'abdication de l'Empereur stoppa les travaux. Ces fondations restèrent en l'état de 1815 à 1823. La construction fut terminée sous le règne de Louis-Philippe, et l'inauguration eut lieu finalement en 1836. Quatre ans plus tard, les cendres de Napoléon y furent exposées avant leur transfert aux Invalides.

Depuis, l'Arc a été le témoin de tous les grands événements de la vie nationale. Victor Hugo, qui l'avait critiqué parce que le nom de son père ne figurait pas parmi ceux des 660 généraux gravés dans la pierre, y eut droit à des obsèques nationales. En 1919, ce fut le défilé fou de la Victoire et, le 11 novembre 1920, la dépouille d'un soldat inconnu fut déposée sous la voûte. Depuis 1923, une flamme éternelle le veille, ravivée chaque soir à 18h30 par une délégation différente. Et puis, le 11 novembre 1940, c'est ici que manifestèrent les étudiants parisiens contre l'Occupation : ce fut le premier acte de résistance de Paris. Une plaque en haut des Champs rappelle ce fait, durement réprimé par les Allemands. Le 26 août 1944, au lendemain de la libération de Paris, le général de Gaulle vint s'incliner devant la tombe du Soldat inconnu avant

SACRÉES FUNÉRAILLES

À sa mort, en 1885, Victor Hugo eut droit à des funérailles nationales, et quelque 3 millions d'admirateurs vinrent se recueillir devant sa dépouille. Selon sa volonté, son corps fut transporté dans le corbillard des pauvres, tandis qu'il légua 50 000 francs-or aux indigents. Edmond de Goncourt relate que, cette nuit-là, les prostituées s'offrirent gratuitement, en mémoire de l'homme qui aima tant les pauvres et les femmes.

de descendre triomphalement les Champs-Élysées à pied. Un autre visiteur illustre avait parcouru le même chemin, 4 ans auparavant, mais tôt le matin et dans un Paris désert : Adolf Hitler.

Au fil des ans, la sépulture est donc devenue l'un des plus importants symboles de la patrie. Pour l'anecdote, on raconte que des étudiants organisèrent un jour une quête au profit de la famille du Soldat inconnu... L'histoire ne dit pas combien ils ont récolté !

– **Le monument :** sur chacun des piliers, des hauts-reliefs exécutés par Rude, Cortot et Etex entre 1833 et 1836. Le plus connu, et le plus réussi à l'évidence, est le pilier de droite, *La Marseillaise* de Rude, qui évoque le départ des volontaires. C'est le symbole d'un peuple qui s'engage pour la liberté. Noter la ferveur du personnage principal, dont on peut croiser le regard farouche et décidé grâce à une reproduction de son visage, en haut du monument, dans la salle des palmes. Pilier de gauche, le triomphe de Napoléon, plus statique. Le pli du drapé à l'entrejambe semble indiquer que l'Empereur a l'air content. À l'arrière, deux œuvres d'Etex : la *Résistance* (à droite) et la *Paix* (à gauche). Au-dessus des hauts-reliefs, des bas-reliefs en bandeau évoquent les grandes batailles napoléoniennes : Austerlitz, Aboukir, le passage du pont d'Arcole. À l'intérieur des piliers, 660 noms de généraux et maréchaux gravés dans la pierre. Ceux soulignés sont morts au champ de bataille.

– **La terrasse :** une des plus belles vues panoramiques sur la capitale, et tout particulièrement sur l'axe Louvre – Champs-Élysées – la Défense, et sur les plus beaux monuments de la capitale. Par temps clair, on aperçoit même certains groupes dorés (les deux groupes qui surmontent l'Opéra, les statues du pont Alexandre-III et l'éclatant dôme des Invalides). Remarquer, tout au loin, à gauche des Champs, la silhouette bleutée de Beaubourg et, plus au fond encore, l'impressionnante étendue de l'espace boisé occupé par le Père-Lachaise.

Les Champs-Élysées *(plan couleur A-B-C2-3)*

🎬🎬 En 1670, Le Nôtre dessine le jardin des Tuileries et en prolonge l'allée centrale par une trouée dans la forêt. C'est le Grand Cours, ainsi nommé pour le distinguer du Cours-la-Reine, situé le long de la Seine. Les rois de France y cavalent pour aller chasser à Versailles. Ce cours est aussi appelé Champs-Élysées, ce qui, pour les Grecs, désignait le lieu de séjour des héros et des hommes vertueux. En 1770, malgré le nivellement de la butte par le marquis de Marigny, frère de Mme de Pompadour, cette avenue reste « une zone torride ou glaciale, un champ de boue ou de poussière, éreintant les chevaux et anéantissant les piétons ». Les cosaques et les troupes anglaises y campent lors de l'occupation de Paris en 1815 et alimentent leurs feux de camp avec les arbres des jardins... Il faudra 2 ans pour réparer les dégâts. La même année, le rond-point des Champs est aménagé. Sur l'avenue fleurissent cafés et boutiques.

Par son tracé exemplaire, la voie triomphale de la Ville Lumière demeure toujours aussi prestigieuse avec ses 71 m de largeur. C'est, durant le jour, un quartier d'affaires et de boutiques que font oublier le soir des boîtes, des cabarets comme *Le Lido*, avec ses nus bien corrects, des grands cafés comme *Le Fouquet's*, des cinémas – de moins en moins nombreux – et des restaurants... de moins en moins gastronomiques. Aux jours de grands émois nationaux, c'est sur cette voie qu'ont lieu tous les défilés (14 juillet, 11 novembre...). Sur le rond-point à gauche en montant, l'ancien hôtel particulier des Le Hon fut occupé par *Jours de France*, qui lui a ajouté une aile. La comtesse Le Hon, femme d'un ambassadeur, était surtout célèbre pour sa liaison avec son voisin, le duc de Morny. Au n° 25 demeurait la marquise de Païva, célèbre aventurière. Son hôtel, de style Second Empire, assez surprenant, abrite désormais le siège du très masculin et très fermé club *Traveller's*. Au n° 68, l'immeuble *Guerlain*, de 1913, très belle réussite architecturale de l'époque.

Le rond-point avec ses fontaines lumineuses, œuvre de Max Ingrand en 1958, est un carrefour important de la rive droite. Qui imaginerait que l'avenue Montaigne était jadis bordée de bouges et de guinguettes ? On l'appelait « allée des Veuves » : celles qui ne pouvaient se montrer en ville pendant leur deuil avaient coutume de venir, en guise de consolation, chercher ici une aventure galante. Le célèbre *bal Mabille*, ouvert vers 1840, se tenait sur cette allée à la hauteur de l'actuel n° 51. Tous les dandys et les « lionnes » s'y retrouvaient pour danser la polka. Baudelaire, qui s'y connaissait en plaisirs, appréciait beaucoup cet endroit, qui ne survécut pas à la Première Guerre mondiale. En effet, c'est sous Napoléon III que les Champs-Élysées connaissent leur apogée, dans un mélange de luxe et d'élégance. De nombreuses personnalités y élisent domicile, des banquiers et des financiers y font construire de splendides hôtels particuliers. Tout le beau monde de l'époque s'y promène. Et les descriptions de Marcel Proust de ses sorties avec Gilberte Swann donnent une idée des fastes qu'on y déployait.

Mais au tournant du XXe s, le changement s'amorce. Des immeubles commerciaux prennent le relais des hôtels luxueux. Petit à petit, commerçants et restaurateurs s'installent. Et déjà dans les années 1930, on annonçait la mort des Champs. Aux premiers commerces succèdent les salles de cinéma. L'avenue devient le paradis du septième art, et *Le Fouquet's* (jetez un œil à sa surprenante façade arrière, angle Magellan/Quentin-Bauchart) reçoit Raimu, Abel Gance, Guitry, ou encore

> ## ET VLAN ! SACRÉ BORIS VIAN !
>
> *En passant devant le n° 34 de la rue Marbeuf, ayez donc une pensée émue pour cet homme bourré de talents que fut Boris Vian. Le valeureux pataphysicien succomba ici le 23 juin 1959 à un œdème pulmonaire, lors de la première projection de* J'irai cracher sur vos tombes, *inspiré du roman qu'il avait signé sous le nom de Vernon Sullivan. Ce film, à son sens, dénaturait son œuvre ; un véritable arrache-cœur...*

Charlie Chaplin. La seconde partie du siècle est moins glorieuse pour la belle avenue, qui voit s'accélérer le trafic automobile et se développer un urbanisme sauvage. Une certaine fébrilité aussi, faite de frime et de fric. Arrêt sur image : en 1960, Jean Seberg y vend l'*International Herald Tribune*, dans *À bout de souffle*, le meilleur film de Jean-Luc Godard...

En 1994, pour faire à nouveau mériter aux Champs leur réputation, leur aménagement est entièrement repensé. Priorité aux piétons (les voitures sont chassées des contre-allées), un dallage de granit gris est posé sur des trottoirs élargis, où s'installent aux beaux jours des terrasses de cafés qui font le bonheur des touristes. Un nouveau mobilier urbain est implanté, quoique hétéroclite, dû aux plus éminents designers. Des contraintes esthétiques sont imposées aux commerces, pour éviter les devantures trop criardes et maintenir une certaine unité de ton. Et, de ce point de vue, la réussite est certaine.

Mais que sont vraiment les Champs aujourd'hui ? Quelque 300 000 visiteurs chaque jour. Un mètre carré qui vaut davantage côté pair, ce côté étant ensoleillé et pas l'autre...

Mais, en dehors de ces chiffres qui font frémir, que peut-on dire ? L'arrivée, en lieu et place des grands hôtels *(Carlton, Astoria, Claridge...)*, des enseignes de la grande distribution dans les années 1990 a attiré une foule venue avant tout pour consommer (ou rêver qu'elle pouvait le faire) : *Gap, Abercrombie & Fitch* et *Virgin* côtoient aujourd'hui *Vuitton* et *Guerlain...* L'abondance des enseignes textiles est telle qu'elle menace le fragile équilibre de l'avenue, au risque de la banaliser. Le nombre des cinémas est passé de 13 à 7 aujourd'hui. En dépit de ce phénomène, le *Publicis Drugstore* et *Le Lido*, témoins d'une époque, sont toujours là, fidèles au poste. Ainsi, que ce soit en la remontant vers l'Étoile ou en la descendant en direction de la Concorde, il y aura toujours, à 5h, quand Paris s'éveille, ou à minuit, quelque chose à voir sur celle qui reste « la plus belle avenue du monde »...

🍴 **Publicis Drugstore Champs-Élysées** *(plan couleur A2) :* 133, av. des Champs-Élysées, 75008. ☎ 01-44-43-79-00. ● *publicisdrugstore.com* ● Ⓜ *Champs-Élysées-Clemenceau. Tlj 8h (10h w-e et j. fériés)-2h. Resto (☎ 01-44-43-77-64 ; plats 20-40 €) tlj 8h (10h w-e)-2h.* Adresse fétiche des jeunes nantis pendant les Trente Glorieuses, ce drugstore à la française imaginé par Marcel Bleustein-Blanchet en 1958 a rouvert ses portes en grande pompe en 2004. L'architecte américain Michele Saee a présidé à cette renaissance, livrant aux Parisiens un complexe aéré, dont les vagues de métal et de verre dressent leurs rouleaux sur la célèbre avenue. Les boutiques ouvertes tard le soir (pharmacie, librairie, point presse, tabac et impressionnante cave à cigares) font la joie des noctambules.

🍴🍴🍴 **Le Grand Palais et les Galeries nationales du Grand Palais** *(plan couleur C3) :* av. Winston-Churchill, 75008. ☎ 01-44-13-17-17. ● *rmngp.fr* ● Ⓜ *Franklin-D.-Roosevelt ou Champs-Élysées-Clemenceau.* ♿ *Ouv tte l'année selon programmation ; une dizaine de manifestations par an sont organisées. Clôture des caisses 45 mn avt la fermeture. Entrée : env 10 € selon expo ; réduc (possibilité de réserver et d'acheter ses billets en ligne).*

Le Grand Palais fut édifié, en même temps que le magnifique pont Alexandre-III, pour l'Expo universelle de 1900, avec l'ambition de devenir « le monument consacré par la République à la gloire de l'art français ».

Alliance heureuse de la pierre, du fer et du verre, il en impose, tant par ses proportions que par... sa surcharge décorative. Ne pas manquer les quadriges en cuivre martelé du sculpteur Georges Récipon et, à l'intérieur de la nef, le bel escalier Art nouveau à double volée. Lieu chargé d'histoire, dévolu aux arts et à l'industrie, le Grand Palais abrita également des concours hippiques, servit de cantonnement à nos vaillantes troupes coloniales partant au front en 1914-1918, avant d'être transformé en... hôpital militaire. Dans la seconde moitié du XXe s s'y déroulèrent des événements emblématiques de la « modernité » : Salon de l'auto (on y présenta la première DS !), Salon des arts ménagers (qui inspira une chanson à Boris Vian)... Depuis, des Galeries nationales aux prestigieuses expositions temporaires, dues à André Malraux en 1962, on y organisa des manifestations plus culturelles : Salon du livre, FIAC...

De nombreux événements s'y déroulent encore : défilés haute couture et prêt-à-porter, la Force de l'art, une nouvelle foire artistique ayant lieu tous les 3 ans (en mai et juin), la Biennale des antiquaires (en septembre), le retour de la FIAC (fin octobre), etc. Une agitation que les abeilles des ruches installées sur les toits doivent observer avec étonnement...

🍴🍴 🚶 **Le Palais de la découverte** *(plan couleur B3) :* dans la partie ouest du Grand Palais. ☎ 01-56-43-20-21 (accueil) ou 20 (serveur vocal). ● *palais-decouverte.fr* ● Ⓜ *Franklin-D.-Roosevelt ou Champs-Élysées-Clemenceau ; RER C : Invalides. Bus nos 28, 42, 52, 63, 72, 73,*

80, 83 et 93. 👣 *Mar-sam 9h30-18h, dim et certains j. fériés 10h-19h. Fermé lun, 1ᵉʳ janv, 14 juil et 25 déc. Entrée : 9 € ; réduc. Le ticket d'entrée donne accès aux expositions temporaires et aux exposés. Séances au planétarium (à partir de 6 ans) oct-juin à 11h30, 14h, 15h15 et 16h30 ; 3 €.*

Créé en 1937, ce lieu a conservé la conviction que la popularisation de la science passe par sa pratique. Et le public répond toujours présent, enfants comme parents, les seconds retrouvant bien souvent avec émotion quelques manipulations et animations qui ont résisté au temps, comme celles sur l'électrostatique, propre à faire littéralement dresser les cheveux sur la tête.

Le palais présente ainsi une soixantaine d'exposés remarquables, où l'expérience prime sur le discours. Autour d'un thème précis, un médiateur scientifique explique le phénomène en dialoguant avec vous. Expériences spectaculaires à l'appui, il expose, démontre et répond à vos questions. Choisissez, selon votre envie, les sujets qui vous intéressent : par exemple, les phénomènes naturels décrits par la physique, ou bien encore le vivant et les nombreuses démonstrations sur le monde animal (rats, fourmis, poissons, grenouilles, poulpes et araignées), ou la chimie pour tout savoir sur les parfums et la composition des arômes...

– *Rez-de-chaussée :* découverte de la vie animale aquatique et terrestre, comprendre l'électrostatique en s'amusant et l'électricité en révisant les théories sur l'électromagnétisme... Et des expos temporaires (se renseigner).

– *1ᵉʳ étage :* le planétarium (avec un voyage dans l'univers de 45 mn à ne pas manquer), la salle des planètes et ses expos temporaires, la biologie humaine et l'hérédité, l'atome, la chimie, les polymères, les basses températures. Un nouvel espace géoscience décrypte les phénomènes sismiques et telluriques, ainsi que la prévention des risques associée. Dans la zone *Eureka,* vous pourrez même faire vos propres expériences de physique.

🦖🦖🦖 **Le Petit Palais, musée des Beaux-Arts de la Ville de Paris** (plan couleur C3) : *av. Winston-Churchill, 75008.* ☎ *01-53-43-40-00.* ● *petitpalais.paris. fr* Ⓜ *Champs-Élysées-Clemenceau.* 👣 *En face du Grand Palais ; entrée par le grand escalier (public à mobilité réduite par le rdc). Tlj sf lun et j. fériés 10h-18h (20h jeu lors des expos temporaires). GRATUIT (expos temporaires payantes). Audioguide : 5 €. Librairie et cafétéria.*

Une bien riche collection. Impossible d'en citer tous les chefs-d'œuvre, en voici les principaux fleurons.

Rez-de-jardin

– *Salle 1 :* les arts décoratifs, objets d'art, de superbes vases de Gallé et un ravissant portrait de Sarah Bernhardt par Georges Clairin.

– *Salle 2 :* pathétiques saltimbanques de Fernand Pelez. Intitulés *Grimaces et misère,* peints grandeur nature pour mieux nous assimiler aux passants-spectateurs. Louis Carrier-Belleuse traite remarquablement les petits métiers de Paris. Puis la *Vallée de larmes* de Gustave Doré, qui n'était donc pas seulement un graveur exceptionnel. C'est sa dernière œuvre mystique (annonçant le symbolisme). Admirez *La Sieste pendant la saison des foins* et, surtout, *Le Sommeil* dans toute sa sensualité de Gustave Courbet. Portrait de Proudhon, l'un des fondateurs du socialisme français et ami de Courbet.

– *Salle 11 :* l'art sous Louis XV. Toiles de Pater (élève de Watteau), Oudry, Boucher, Fragonard, Nattier, Van Loo... *Berger* de Greuze, la *Mort de Sénèque* de David, Hubert Robert... Belle chaise à porteur du début du XVIIIᵉ s, très richement décorée de grotesques. Porcelaines de Sèvres et de Saxe, grande pendule dite au concert de singe... Au passage, magnifique rampe d'escalier en fer forgé, un véritable chef-d'œuvre.

– *Salle 7 :* de Jongkind, une adorable *Vue de Notre-Dame* et *Clair de lune à Overschie.* Insolite mise en scène d'un chevalet attendant son peintre... Puis des Sisley, Boudin et l'admirable *Soleil couchant sur la Seine à Lavacourt, effet d'hiver,* où Monet s'attache surtout à exprimer le rendu atmosphérique, l'air et l'eau, avec des touches d'une fluidité époustouflante. Et encore Pissarro, Mary Cassatt...

– *Salle 8 :* avec son *Portrait d'Ambroise Vollard,* le marchand de tableaux, Cézanne exprime une modernité annonçant le cubisme. Puis Odilon Redon, Renoir, Denis, Gauguin, Maillol peintre... Construction fort moderne de la *Pénélope* de Bourdelle.

Rez-de-chaussée

– *Rotonde :* Carpeaux, un des sculpteurs les plus doués du XIXᵉ s, un véritable génie, dont le groupe *La Danse* à l'Opéra fit scandale.

– *Salle 18 :* le symbolisme, avec Gustave Moreau bien sûr. Toute l'opposition au naturalisme et à la civilisation industrielle, et le retour à la mythologie, à la Bible et aux légendes orientales. Accompagné d'Henry Cros et de la *Tentation de saint Antoine* de Fantin-Latour, où s'exprime toute une atmosphère légère et poétique. Une vitrine pour objets d'art du sculpteur Carabin, qui résume tous les fantasmes et les obsessions de l'époque 1900.

– *Salle 36 :* tout l'art de l'icône. Non loin des créations du christianisme catholique sont présentées ici les peintures nées de la tradition orthodoxe : les icônes grecques et russes du XVᵉ au XVIIIᵉ s. Grâce à la donation de Roger Cabal en 1998, le Petit Palais possède actuellement le plus important fonds public français en ce domaine.

– *Salle 35 :* attention, éblouissement ! Le Moyen Âge occidental. On admirera de superbes sculptures de bois ou polychromes. *Déploration du Christ* allemande du XVIᵉ s, petit catalogue exhaustif des vêtements d'époque. Belle *Nativité* allemande de 1525 là encore, annonçant la Renaissance par l'emprunt à l'art italien (bâtiments écroulés, perspective maladroite, putti, riche décor des arches, etc.). Délicate *Vierge à l'Enfant* flamande du XVᵉ s (avec ange et donateur) et une intéressante *Sainte Barbe* à la chevelure fort travaillée. Riche section d'enluminures et d'ivoires ciselés. Véritable must : les émaux de Limoges. Notamment des *Crucifixions* et une *Descente de croix* de toute beauté. Ravissante *Adoration des Mages* en grisaille de cuivre également et de petits triptyques en émaux champlevés mosans d'une rare finesse d'exécution *(reliquaire de la Vraie Croix)*...

– *Salles 33 et 34 :* l'Antiquité. Sublimes tanagras dans une muséographie de rêve, ainsi que nombre de cratères, vases à figures rouges superbes (céramique apulienne) et une amphore à figure noire (chars et chevaux) d'une finesse incroyable. Quelques bronzes remarquables. Puis le monde romain : statues et têtes de bronze, intéressante *Isis magicienne* venant d'Alexandrie, à la frontière de l'art grec et romain, avec une touche égyptienne...

– *Salle 32 :* œuvres françaises et italiennes. Entre autres, un *Christ enfant avec Jean-Baptiste* de Mantegna, mais surtout de magnifiques majoliques (Urbino, Faenza...), art raffiné et luxueux, fleuron de la faïence Renaissance italienne. Belle *Vierge à l'Enfant* de Tommaso, coffre à mariage ciselé, tapisserie de Bruxelles, etc. Noter un curieux *Martyre de saint Sébastien* où les archers décochent leurs flèches à moins de 1 m (lâches ou myopes ?).

– *Salles 26 à 30 :* portraits, figures, paysages et natures mortes au XVIIᵉ s. On ne présente plus les Wouwerman, Van de Velde, Ruisdael, Jan Steen, le Lorrain... Remarquable *Femme au miroir* de Gabriel Metsu, mais c'est l'autoportrait de *Rembrandt en costume oriental* qui fascine. C'est le seul en pied qu'on connaisse... sans qu'on le voie d'ailleurs ! On dit qu'insatisfait de son travail sur les jambes Rembrandt les aurait finalement masquées par le chien de chasse. Superbe rendu de l'aspect satiné de la tunique.

– *Salle 25 :* présentation par roulement d'ensembles de dessins et gravures issus d'un superbe fonds riche de 18 000 estampes et de 9 000 dessins.

– *Salle 24 :* l'art troubadour, ou la nostalgie du « bon vieux temps ». Remarquer les tableaux « porcelainés » d'Ingres et les chaises de la comtesse d'Osmond.

– *Salle 23 :* somptueux et flamboyant *Combat du Giaour et du Pacha* de Delacroix. Corps-à-corps d'une grande violence romantique (normal, ils se battent pour la conquête d'une femme).

– *Salle 22 :* l'historicisme. De Jan Van Beers, les *Funérailles de Charles le Bon.* Scène « néomédiévale » mais qui démontre une technique remarquablement maîtrisée. Surtout dans le groupe de chevaliers de l'ordre de Malte (visages particulièrement expressifs). Noter aussi le super dessinateur qu'est Cormon, l'un des chefs de file des pompiers du XIXᵉ s.

– *Salle 21 :* les fameux panneaux peints par Édouard Vuillard pour la bibliothèque du docteur Vaquez (le médecin de Proust). Clin d'œil subtil aux mille-fleurs (tapisseries) du Moyen Âge.

– *Salle 20 :* salle à manger Guimard (le créateur des entrées de métro) qui provient de l'hôtel particulier de l'artiste, avenue Mozart.

– *Salle 30 :* les peintures d'histoire, dont Rubens fut l'un des plus éminents représentants. On remarquera aussi le *Repos de Diane* de Jordaens. En face, le *Cortège de noces* de Brueghel d'Enfer (ou Brueghel le Jeune), où le génial fiston copia un tableau de son père...

– *Salles 15 à 17 :* portraits réalistes. Carpeaux, Manet, Corot, Millet, Courbet, Couture... De Daumier, le *Joueur d'échecs*.

– Enfin, ne manquez pas d'aller vous balader dans le ravissant jardin intérieur avec son élégant péristyle richement ornementé.

🎥 Non loin de là, au bout de l'avenue Montaigne, se trouve le ***pont de l'Alma*** *(plan couleur A3)*. Construit entre 1854 et 1856, il tire son nom de la victoire de l'Angleterre et de la France sur les Russes à Alma, en Crimée. Mais il ne reste rien de l'ouvrage originel, si ce n'est le *Zouave* de 6 m de haut, l'une des statues de Georges Diébolt représentant les combattants de cette bataille. Adossé à une pile du pont, il permettait aux Parisiens de mesurer les caprices de la Seine. Il fut immergé jusqu'aux épaules lors de la crue record

POURQUOI « BATEAU-MOUCHE » ?

Tout simplement parce que les premiers furent construits dans le quartier de la Mouche, à Lyon, dès 1867. Certains de ces bateaux partirent ensuite à Paris, où leur activité fut rapidement interrompue à cause de la concurrence du tout nouveau métropolitain. L'activité fut relancée en 1949 par un certain Bruel, fondateur de la compagnie des Bateaux-Mouches (au pont de l'Alma), la plus ancienne et la plus prospère.

de 1910 qui atteignit 8,62 m ! Il a été réinstallé en 1974, lorsque le nouveau pont a été jeté sur la Seine. Les autres figures sont dispersées en province. Malheureusement, ce pont est aussi devenu tristement célèbre depuis que, le 31 août 1997, Lady Di y trouva la mort dans un accident de voiture dans le tunnel du même nom.

🚢 🚶 ***Bateaux-mouches*** *(plan couleur B3) :* embarcadère pont de l'Alma, rive droite. ☎ 01-42-25-96-10. ● reservations@bateaux-mouches. fr ● bateaux-mouches.fr ● Ⓜ Alma-Marceau ; RER C : Pont-de-l'Alma. Départs ttes les 30 mn à 1h selon saison, tranches horaires et affluence. Le billet se prend 15 mn avt le départ ou sur Internet. Prix : 12,50 € ; réduc ; gratuit moins de 4 ans. Dîner 99-148 € (déj à partir de 55 € ; réduc). Le soir, rien de plus romantique que de dîner sur un bateau-mouche en traversant la Ville Lumière...

LE QUARTIER DU PARC MONCEAU

🎭🎭🎭 🚶 ***Le musée Jacquemart-André*** *(plan couleur B2) :* 158, bd Haussmann, 75008. ☎ 01-45-62-11-59. ● musee-jacquemart-andre.com ● Ⓜ Miromesnil ou Saint-Philippe-du-Roule. ♿ (rdc slt). Tlj 10h-18h (20h30 lun et sam en période d'exposition). Réservez vos billets en accès prioritaire en magasin et sur ● fnac. com ● Entrée (audioguide pour les collections permanentes compris) : 12 € ; tarif réduit : 10 € ; gratuit moins de 7 ans ; tarif famille. Pour les enfants (accompagnés de leurs parents), visite (avec une énigme !) juil-août 14h30-17h30, suivie d'un atelier de création (costume, maquillage...).

Vous vous trouvez dans l'ancienne demeure des époux André (grands collectionneurs devant l'Éternel, qui ont sillonné l'Europe pour acquérir toutes les œuvres que l'on peut voir ici). Cet endroit était déjà considéré, lors de son inauguration en tant que musée (en 1913), comme l'un des hauts lieux de l'art à Paris.

On arrive sur le perron de l'hôtel particulier par une astucieuse rampe d'accès qui permettait aux carrosses et attelages de déposer leurs passagers puis de repartir sans provoquer d'embouteillage dans la cour de l'hôtel. Les salles du rez-de-chaussée sont consacrées successivement à l'art français du XVIIIᵉ s, avec des peintures de Fragonard, Boucher, Chardin, David ou Vigée-Lebrun, des sculptures de Pigalle..., puis aux écoles flamande et hollandaise du XVIIᵉ avec des Van Dyck, Ruysdael, Hals, Rembrandt... sans oublier la collection anglaise avec des œuvres de Reynolds, Lawrence ou encore Hoppner.

La visite est l'occasion rêvée de découvrir les espaces habités d'une grande demeure du XIXᵉ s : salons d'apparat, appartements privés, jardin d'hiver. On notera au passage les astucieuses boiseries coulissantes du salon de réception, permettant d'agrandir l'espace à l'aide de vérins hydrauliques (toujours en fonctionnement) et d'accueillir jusqu'à un millier de personnes. À noter également, la Galerie des musiciens, qui surplombe la salle de bal.

Le double escalier monumental, dominé par une fresque de Tiepolo, permet d'accéder aux salles du 1ᵉʳ étage, le *Musée italien,* avec de magnifiques collections d'œuvres de la Renaissance italienne : peintures de Botticelli, Canaletto, Carpaccio, Ucello, Bellini... et sculptures de Verrocchio et Donatello pour ne citer que ceux-là. Fastueux ! Le tout est meublé en style Louis XV et Louis XVI, excepté quelques meubles plus exotiques dans le fumoir, que Nélie Jacquemart, grande voyageuse, rapporta d'Orient après le décès de son mari. Également de belles expos temporaires qui attirent souvent beaucoup de monde (pensez à acheter un billet coupe-file).

Allez faire un tour au salon de thé, orné d'une fresque de Tiepolo (au plafond) et de tapisseries retraçant l'histoire d'Achille.

❀ *Boutique* très complète à la sortie, pour petits et grands.

🍴 Après cette visite, vous pourrez déjeuner ou prendre le thé au *Café*

Jacquemart-André. Voir « Où boire un thé ? Où prendre un bon goûter ? » plus haut.

🏃🏃🏃 *Les Arts décoratifs – Musée Nissim-de-Camondo* (plan couleur B1) : 63, rue de Monceau, 75008. ☎ 01-53-89-06-50. ● lesartsdecoratifs.fr ● Ⓜ *Villiers ou Monceau. Tlj sf lun-mar et j. fériés 10h-17h30. Entrée : 9 €, audioguide compris ; réduc ; gratuit moins de 26 ans. Visite guidée dim à 11h ; 11 €, 6 € moins de 26 ans. Visite guidée familiale oct-mai, le dernier dim du mois à 11h. Visites théâtralisées : 12 €.*

C'est en 1871 que les frères Abraham et Nissim de Camondo, issus d'une riche famille, s'installèrent en bordure du parc Monceau. En 1911, le comte Moïse, le fils de Nissim, hérite de l'hôtel de ses parents. Le style Second Empire ne convenant pas à ses goûts, il fait reconstruire un nouvel hôtel d'une douzaine de pièces, de style seconde moitié du XVIIIᵉ s, inspiré du Petit Trianon de Versailles, et qui pourra accueillir plus convenablement l'ensemble de sa riche collection d'œuvres d'arts décoratifs de cette période. S'il était passionné du style du XVIIIᵉ s, Moïse, homme de son temps, entendait tout de même profiter des progrès du début du XXᵉ s. Ainsi trouve-t-on dans la demeure toutes les commodités et le confort le plus moderne : salle de bains, toilettes séparées, vastes cuisines, office, laverie... En 1935, il lègue aux Arts décoratifs sa maison et toute sa collection, à la condition de les garder et de les présenter en l'état, afin de perpétuer le souvenir de son fils Nissim, tué lors d'un combat aérien en 1917. Le reste de cette grande famille de banquiers et de généreux mécènes, amoureux des arts, s'éteignit tragiquement dans les camps d'Auschwitz. À travers les superbes salons (dont celui en rotonde, dit des Huet, notre préféré), la splendide bibliothèque entièrement couverte de boiseries, le bureau, les chambres à coucher ou encore les vastes salles de bains, on découvre de remarquables meubles, tableaux, sculptures, bibelots, services en argent... Nous voilà donc replongés

3 siècles en arrière à travers plus de 800 pièces évoquant les plus grands artistes de l'époque comme Vigée-Lebrun, Oudry, Pigalle ou Huet. Citons, entre autres, un bureau à cylindre signé Oeben, des effets personnels de Marie-Antoinette, un joli bonheur-du-jour (petit bureau) ou un service de Sèvres aux oiseaux inspiré des planches de Buffon. Et puis, à la fin de la visite, au rez-de-chaussée, il faut jeter un coup d'œil aux incroyables cuisines. C'est ce qu'on faisait de mieux au début du XXe s : énorme fourneau, passe-plat, rôtissoire électrifiée (digne des plus grands restos)... Et pour ceux qui désireraient en savoir plus sur la famille Camondo, un film lui est consacré en fin de visite.

🏃🏃 *Le musée Cernuschi (plan couleur B1) :* 7, av. Vélasquez, 75008. ☎ 01-53-96-21-50. • *cernuschi.paris.fr* • Ⓜ *Monceau ou Villiers.* ♿ *Tlj sf lun et j. fériés 10h-18h. GRATUIT (expos temporaires payantes – 2/an). Audioguides disponibles. Visite guidée de l'expo temporaire mar et jeu à 14h30, sam à 15h (8 € plein tarif) ; visite guidée de la collection permanente mêmes j. et mêmes horaires (compter 4,50 €) ; visite guidée en langue labiale le 3e sam de chaque mois à 11h.*

Situé en bordure du parc Monceau, dans la magnifique demeure d'Henri Cernuschi, financier d'origine italienne, mais également républicain, humaniste et passionné d'art asiatique. Parti en 1871 pour un voyage de 2 ans à travers l'Asie, il en rapporta une large collection d'objets d'art d'Extrême-Orient (principalement chinois et japonais) qu'il légua en 1896 à la Ville de Paris.

On peut admirer les poteries néolithiques, les vases en bronze archaïques dont un rare chef-d'œuvre de l'art chinois, *La Tigresse,* vase à boisson fermentée en forme de félin, et la statuaire bouddhique dans une muséographie moderne et fluide, structurée selon un parcours chronologique de l'ère néolithique au XIIIe s. Ces objets chinois proviennent bien sûr de l'immense collection de Cernuschi, mais aussi de l'active politique d'acquisition du musée et des dons réguliers d'artistes ou de collectionneurs. Ainsi, le musée s'est récemment enrichi de peintures et de sculptures d'artistes contemporains chinois et japonais exposées à l'entrée des collections au 1er étage et dans une vitrine de la salle Tang.

Au 1er étage, la grande salle Han dominée par l'impressionnant Buddha de Meguro (bronze japonais du XVIIIe s), emblème du musée, qui médite face à une grande verrière s'ouvrant sur le parc Monceau. Les salles Wei, Sui et Tang exposent une série de petits personnages funéraires en terre cuite. Voir les cinq des 12 animaux calendaires. Dans la salle Tang, toujours des terres cuites, mais plus de polychromie comme en témoigne ce délicat orchestre funéraire de huit cavalières musiciennes parfaitement conservé, datant de la fin du VIIe s.

Dommage que les légendes, un peu trop succinctes, soient difficilement lisibles, mais peut-être ce défaut permet-il de se laisser guider par la qualité esthétique des objets et par ses coups de cœur ?

🏃🏃 🚶 *Le parc Monceau (plan couleur B1) :* ouv 7h-20h (22h avr-oct) ; fermeture des portes 15 mn avt.

Constitué par le duc de Chartres sur plusieurs parcelles du château féodal de Mousseaux, qui existait en 1300, ce parc est un bel exemple du goût du Second Empire pour les jardins à l'anglaise, sans parterres rectilignes ni effets géométriques. C'était vers 1780 le parc privé du duc d'Orléans, qui l'avait fait agrémenter d'une pyramide égyptienne, d'un temple grec, de grottes et de cascades artificielles. Certains de ces bâtiments exotiques sont restés, mais le parc, lui, a bien maigri. Amputé

UN SACRÉ TRAIN DE VIE

Pour imaginer le luxe incroyable qu'on pouvait rencontrer dans les hôtels particuliers sous le Second Empire, allez voir le petit palais qui, à l'angle de l'avenue Van Dyck, donne sur le parc. C'était l'hôtel du chocolatier Menier. La cuisine était si loin de la salle à manger qu'un petit chemin de fer apportait les plats sur la table. Quant à la résidence secondaire de M. Menier, c'était, en toute simplicité, le château de Chenonceau !

de moitié, il permit aux banquiers Pereire et à quelques autres de réaliser les plus fructueuses spéculations immobilières. Pas trop de regrets pourtant, puisque c'est l'occasion de découvrir tout autour, dans les rues aux noms de peintres (Murillo, Van Dyck, Ruysdael, Vélasquez), les hôtels qui furent ceux des « cocottes » impériales, des banquiers et des premiers grands industriels.

L'élégante *rotonde*, dite de Chartres, entourée de 16 colonnes et qui ouvre sur le boulevard de Courcelles, n'est autre qu'un des postes de surveillance de l'ancienne enceinte des fermiers généraux dessinée par Ledoux (voir aussi la place Denfert-Rochereau, dans le 14e).

Gounod, Chopin, Guy de Maupassant et Ambroise Thomas, musiciens, ont leur monument à l'ombre des grands arbres où Marcel Proust, enfant, venait pousser son cerceau avant d'aller faire ses études au lycée Condorcet et de se retirer au no 102 du boulevard Haussmann pour y écrire une grande partie de son œuvre. Dans ce pêle-mêle, on voit aussi des tombeaux d'inconnus transportés là pour on ne sait quelle raison, une pyramide dessinée par l'architecte Carmontelle (alors M. Pei, on copie ?) et une lampe mortuaire japonaise, cadeau de la municipalité de Tokyo à celle de Paris. En flânant, on dégustera la savoureuse collection de portraits qu'à presque toute heure offre le parc : enfants sages (pas toujours !) des institutions privées voisines, amoureux sur les bancs, joggers très chic, vieux messieurs dignes lisant *Les Échos* ou *La Tribune de Genève*... tout un monde, quoi !

🏃‍♂️ *La cathédrale Alexandre-Nevsky* (plan couleur A1) : 12, rue Daru, 75008. ☎ 01-42-27-37-34 (gardien). Ⓜ Ternes ou Courcelles. Ouv à la visite mar, ven et dim (sf pdt les offices particuliers) 15h-17h ; offices réguliers : sam à 18h et dim à 10h. Photos interdites à l'intérieur ; 3 petites règles : bras couverts, shorts interdits, et les hommes doivent entrer le chef découvert.

Surprenante cathédrale construite dans le style byzantino-moscovite en 1861 ; ses cinq bulbes dorés dotés de *chatior* (flèches) s'élèvent à près de 50 m dans le ciel parisien. Le nombre de cinq est symbolique : la flèche centrale représente le Christ, et les quatre autres, les évangélistes. L'effet général est celui d'un groupe de cierges, portant les prières vers le Ciel. À l'intérieur, placez-vous sous le dôme central pour bien observer la conception cruciforme de l'édifice, qui rappelle la croix grecque. Les peintures sacrées sont l'œuvre de Sorokine, et les toiles marouflées de Bogoliouboff.

Pour info, Alexandre Nevsky est l'un des plus célèbres saints protecteurs de Russie. Contemporain de Saint Louis, il vainquit les Suédois sur les bords de la Neva. La crypte (*entrée par la droite à l'extérieur ; ouv slt au moment des offices ou lors de visites – en groupe et sur résa*) vaut le coup d'œil !

Chaque samedi soir (pour l'office des Vigiles) et dimanche, on voit se réunir, sous les coupoles ou dans la crypte, les fidèles d'origine russe. Noël est fêté le 7 janvier, et Pâques est célébré avec faste. Alors, on se croit presque à Byzance, l'iconostase et l'encens faisant le reste. Les chœurs liturgiques a capella chantent – seule la voix est digne de louer Dieu –, et la mélodie résonne sous les coupoles ou la voûte.

Et pour les anecdotes people : c'est ici, par exemple, que Picasso se maria, en 1918, avec la danseuse russe Olga Khokhlova ; là aussi que furent célébrées les obsèques de l'écrivain Tourgueniev, puis celles d'Henri Troyat.

SUJET S(L)AVONNEUX...

Jusqu'au Moyen Âge, les offices religieux orthodoxes étaient prononcés dans la langue locale du pays, contrairement aux catholiques qui utilisaient traditionnellement le latin comme langue universelle. L'Église orthodoxe eut donc l'idée de créer une langue codifiée, le slavon. Cette langue reconstituée, psalmodiée par les popes, pioche ses racines dans les langues slaves (bulgare, russe, slovaque, roumain...) de façon à ce que tout orthodoxe puisse non pas comprendre la langue, mais reconnaître certains mots-clés, et ainsi suivre l'office.

LA PLACE DE LA CONCORDE *(plan couleur C3)*

Elle fut réalisée très symétriquement par l'architecte Gabriel, entre 1753 et 1763, à la gloire de Louis XV, pour recevoir sa statue équestre et porter son nom. N'étant pas limité par la place et travaillant sur marécage, il conçut très grand cette sorte d'équivalent en dur du parc de Versailles. Il fit construire sur le côté opposé à la Seine les deux bâtiments à colonnes, inspirés du Louvre et qui abritent aujourd'hui l'état-major de la Marine et l'*Hôtel de Crillon*. En 1792, d'incroyables vols furent commis au ministère de la Marine de l'époque, longtemps garde-meuble de la Couronne. Ainsi, le *Régent*, célèbre diamant de 150 carats, fut retrouvé sous un tas de gravats avenue Montaigne. Il est aujourd'hui au Louvre. Quant aux fontaines, elles ne furent installées qu'entre 1836 et 1846.

Pendant la Révolution, la guillotine était installée sur la place, au début des Champs-Élysées, sur la droite. Rebaptisée alors place de la Révolution, puis place Louis-XVI, la Concorde connut quelques moments historiques : l'exécution de Louis XVI le 21 janvier 1793, puis celle de Robespierre en 1794 (entre les deux dates, plus de 1 100 personnes perdirent la tête, mais celles-ci furent exécutées en majorité place de

LOUIS XVI ET SON BOURREAU
Le bourreau était nommé par le roi et était à son service. Sanson, employé modèle et bourreau de père en fils (sept générations au total !), était responsable de la guillotine. C'est Louis XVI lui-même qui eut l'idée lumineuse de la lame biseautée. Le 21 janvier 1793, le même Sanson prouva au roi l'efficacité du perfectionnement de son invention... en le guillotinant.

la Nation). Au XXe s, elle fut le cadre des émeutes des ligues d'extrême droite le 6 février 1934, des combats de la Libération, de la grande manifestation gaulliste du 30 mai 1968...

🎬🎬🎬 Au milieu s'élève l'*obélisque de Louxor*, qui permet aux automobilistes coincés dans les embouteillages d'apprendre quelques rudiments d'égyptien en déchiffrant les hiéroglyphes racontant les hauts faits du règne de Ramsès II. Son transport ne fut pas une mince affaire et nécessita la construction d'un navire spécial pour acheminer cet encombrant cadeau de 230 t de granit rose, offert par le vice-roi d'Égypte Méhémet-Ali à Louis-Philippe. Il fallut 2 ans et 25 jours au navire (construit avec mâts démontables pour passer sous les ponts) pour atteindre Toulon, et on dut encore attendre 3 années avant de voir se dresser dans le ciel d'Île-de-France ce symbole solaire arraché au temple de Louxor. Le levage fut confié à un ingénieur qui mit au point une machinerie très compliquée, nécessitant l'aide de 240 artilleurs. Enfin, le 25 octobre 1836, ce fut chose faite. On voit d'ailleurs les différentes phases du transport et de l'érection gravées sur le socle. Les Bretons peuvent être fiers : ce bloc de granit de 4 m de haut provient de l'île Melon, dans le Finistère Nord.

🎬 Quant au *Jeu de paume* et au *musée de l'Orangerie*, qui donnent sur la place de la Concorde, ils sont traités avec les jardins des Tuileries dans le 1er arrondissement.

🎬 Tout autour de la place s'élèvent les *statues* de huit grandes villes de France. On dit que Juliette Drouet (la maîtresse de Victor Hugo) posa pour Strasbourg, et que la femme du préfet de police de Lille servit de modèle à celle représentant cette ville. Ces statues furent recouvertes de voiles noirs en mars 1871, lorsque le Kaiser traversa Paris après la signature, dans la galerie des Glaces, de la capitulation française. La place fut éclairée pour la première fois à l'électricité en 1866, à l'occasion de la fête de Napoléon III. Les deux grandes fontaines sont des copies de celles qui ornent la place Saint-Pierre de Rome.

🎭🎭🎭 **La collection 1900 de Pierre Cardin chez Maxim's** (plan couleur C3) : 3, rue Royale, 75008. ☎ 01-42-65-30-47. ● maxims-musee-artnouveau.com ● Ⓜ Concorde. Visite guidée slt, mer-dim à 14h, 15h15 et 16h30 ; sur rdv pour les groupes. Le hic, le prix d'entrée : 15 €/pers sans réduc... mais 10 € sur présentation de ce guide ; gratuit jusqu'à 17 ans.

Une superbe collection européenne d'Art nouveau, patiemment et passionnément constituée par Pierre Cardin – actuel propriétaire de Maxim's – au cours des 60 dernières années, le tout présenté dans un luxueux appartement de courtisane de la Belle Époque reconstitué. Mobilier Majorelle, Gallé, barbotines, bronzes, faïences de Vallauris, lampes Tiffany, lustres de Lunéville... De prestigieuses signatures, et pour beaucoup des modèles uniques. Volutes, arabesques, marqueterie, femmes alanguies... Une visite dépaysante et vivante, au cours de laquelle bons mots et anecdotes sont distillés avec délice !

Incontournable également : l'inénarrable galerie de caricatures de Sem, qui croque sans concession tous ceux et celles qui ont fait la vie mondaine parisienne de la Belle Époque, et de Maxim's en particulier. L'occasion de pousser la porte de cette institution, dont on découvrira au passage l'histoire et les superbes décors école de Nancy réalisés à l'occasion de l'Expo universelle de 1900. Toute une époque !

🎭 Au n° 1 de la **rue Royale,** à côté du légendaire Maxim's, un cadre banal et une vitre sale cachent une étonnante affiche de 1914 : l'appel du maire du 8e à la mobilisation générale. Cet ultime vestige de la première grande boucherie mondiale fut retrouvé à cet endroit après-guerre et protégé par une vitre. Curieusement, il passa même sans encombre l'Occupation allemande (alors que le secteur était plutôt un de leurs bastions).

🎭 Les **Chevaux de Marly,** à l'entrée des Champs-Élysées, complètement rongés par la pollution, ont été remplacés par des copies parfaites, ce qui permit aux originaux d'être à l'abri, dès 1984, au musée du Louvre. Ces groupes équestres de Guillaume Coustou avaient fait, dans les années 1950, l'objet d'une escroquerie montée par un aventurier qui les avait vendus très cher à un collectionneur américain riche mais naïf. Lorsque l'acheteur voulut prendre livraison de ses chevaux, il ne comprit pas l'opposition du gouvernement français et dut repartir avec son acte de vente bidon en guise de souvenir.

🎭 Quant au **pont de la Concorde** (plan couleur C3), il a été construit avec des pierres de la prison de la Bastille. Les chefs de la Révolution voulaient que le peuple puisse piétiner ce symbole royal. Déjà du marketing politique !

LE QUARTIER DE LA MADELEINE (plan couleur D2)

🎭🎭 **L'église de la Madeleine :** ● eglise-lamadeleine.com ● Ⓜ Madeleine. Tlj 9h30-19h. Ascenseur.

Voici donc le grand temple grec aux 52 colonnes corinthiennes qu'on voit de la Concorde. Il ne fallut pas moins de 80 ans pour l'édifier, car elle changea en cours de route plusieurs fois de destination et d'architectes. Commencée en 1763, modifiée 13 ans après, abandonnée sous la Révolution (on avait pensé à en faire une bourse), Napoléon voulut en faire un temple à la gloire de la Grande Armée. Sa chute rendit cependant le monument à sa destination primitive, et l'église fut enfin consacrée en 1845.

Grimper les marches, ne serait-ce que pour admirer les impressionnantes portes illustrant les Dix Commandements. Celle du centre est même plus haute que celles de Saint-Pierre de Rome.

Plaquette explicative à dispo sur la gauche en entrant. Dans le genre imposant, on fait difficilement mieux. La coupole de 18 m de diamètre fit l'admiration des fidèles lorsqu'on la dévoila. Sous la coupole, une immense fresque néobyzantine, à la gloire du christianisme, y fait défiler toutes les figures du catholicisme : l'empereur

Constantin, sainte Catherine, Clovis, Charlemagne, Godefroy de Bouillon, Saint Louis, Jeanne d'Arc, Henri IV, Louis XIII, Richelieu, et bien entendu Napoléon couronné par le pape Pie VII. Tout à droite, saint Denys, qui évangélisa Paris. Au-dessous, le chœur est occupé par un autel monumental où Marie-Madeleine est entourée d'anges aux élégantes ailes déployées. Les mélomanes seront plus sensibles aux accents des orgues, un magnifique instrument de 1846. Les cérémonies de cette église sont d'ailleurs célèbres pour leur faste.

D'un côté, un petit marché aux fleurs, installé là depuis 1832 *(tlj sf lun)*, et, de l'autre, le Kiosque Théâtre (voir « Adresses, téléphones et infos utiles » dans « Paris utile » en début de guide). Sous la Madeleine même, à découvrir côté droit, une petite porte vous mène jusqu'au *Foyer* aménagé dans les caves voûtées, où vous pouvez vous restaurer le midi (voir « Où manger ? »). Au même niveau, des expos temporaires *(entrée côté gauche)*. Concerts gratuits (mais donation bienvenue) deux dimanches par mois à 16h (rens au ☎ 01-44-51-69-00 ; ● concerts-lamadeleine.com ●) et une riche programmation d'autres concerts, payants ceux-là.

🕴 *Le quartier qui entoure la Madeleine* présente plus d'intérêt que son monument. On y trouve pas mal de boutiques de luxe. Par curiosité, jeter un œil aux boutiques *La Maison de la Truffe, Caviar Kaspia, Prunier, Baccarat, Fauchon, Hédiard...*

🕴🕴 À l'angle de la rue Vignon, au n° 28 de la place, expos de très grande qualité à la **Pinacothèque**. ● pinacotheque.com ● *Réservez vos billets en accès prioritaire en magasin et sur* ● fnac.com ●

🕴 *La galerie de la Madeleine :* pl. de la Madeleine, 75008. Ⓜ Madeleine. *Fermé dim et j. fériés.* Percée en 1845, elle joint la place de la Madeleine et la rue Boissy-d'Anglas, où se trouve, à l'angle avec le faubourg Saint-Honoré, le célébrissime magasin *Hermès* et sa vitrine d'angle toujours étonnante.

🕴 Non loin de là, au carrefour des rues d'Anjou et des Mathurins, se trouve le **square Louis-XVI**, situé à l'emplacement de l'ancien cimetière où furent enterrés la Du Barry, Charlotte Corday, Louis XVI, Marie-Antoinette, ainsi que de nombreuses autres personnes guillotinées. La décoration florale du square fait presque uniquement appel au blanc (la couleur royale). Arrivé au pouvoir en 1815, après avoir transféré les restes (supposés) de Louis XVI

UN FEU D'ARTIFICE MORTEL

À l'occasion de son mariage, Louis XVI organisa un splendide feu d'artifice sur la place aujourd'hui appelée la Concorde. La foule était immense. Un incendie se déclara sur un échafaudage, créant une terrible panique. Bilan de ce drame, 133 morts, enterrés près de la chapelle expiatoire, située sur l'actuel boulevard Haussmann. Dès son mariage, les Parisiens détestèrent Marie-Antoinette.

et de son épouse à la basilique Saint-Denis, Louis XVIII fit édifier une **chapelle expiatoire**, dont Chateaubriand, un spécialiste en outre-tombe, disait que c'était « sans doute le monument le plus remarquable de Paris » *(visite jeu-sam 13h30-17h ; entrée : 5,50 €)*.

De part et d'autre de l'allée qui mène à l'édifice, deux rangées de cénotaphes rappellent le dévouement au roi des gardes suisses qui succombèrent en défendant les Tuileries en 1792. Sous le dôme, deux remarquables groupes sculptés : Louis XVI auquel un ange montre le chemin du Ciel, et Marie-Antoinette soutenue par la Religion.

Au coin de la rue Pasquier, remarquable immeuble Art déco avec bas-reliefs d'inspiration coloniale.

9e ARRONDISSEMENT

LES GRANDS BOULEVARDS •
LA « NOUVELLE-ATHÈNES »

▶ Pour le plan du 9e arrondissement, voir le cahier couleur.

Ce 9e arrondissement, c'est avant tout celui des Grands Boulevards et des grands magasins, ces derniers méritant une future majuscule, car ce sont des monuments dans leur genre. Le somptueux Opéra dû à Charles Garnier trône au milieu d'un périmètre dédié au commerce, soumis à une animation qui ne cesse que le dimanche (quoique, au moment des vitrines de Noël...). En revanche, autour de Grévin, des passages ont gardé leur mystère et leur atmosphère si particulière. André Breton est passé là... On trouve aussi, non loin, la salle des ventes de l'hôtel Drouot. Celle-ci draine une population particulière d'amateurs, d'antiquaires et de manutentionnaires qui partagent les mêmes rituels.

Autrement, que ce soit autour de l'église de la Trinité, jusqu'à Pigalle, ou derrière Notre-Dame-de-Lorette, dans le quartier de la « Nouvelle-Athènes », le 9e présente une remarquable unité architecturale, et plutôt élégante. À découvrir aussi dans ce quartier, le musée Gustave-Moreau et le charmant musée de la Vie romantique, qui sont d'agréables buts de promenade. Un autre Paris, donc. Pas vraiment spectaculaire mais plein de jolies surprises.

Où dormir ?

Très bon marché

🏠 **Woodstock Hostel** (plan couleur C1, **1**) : 48, rue Rodier, 75009. ☎ 01-48-78-87-76. ● flowers@woodstock.fr ● woodstock.fr ● Ⓜ Anvers. Couvre-feu à 2h. Nuit (en chambre 2-10 lits superposés) 25-32 €/pers selon chambre et saison, petit déj inclus. 12 % de réduc sur présentation de ce guide (via Internet). 📶 Une auberge de jeunesse privée pour petits budgets, avec des chambres aux couleurs vives, sans confort particulier mais sympas. L'ensemble est bien entretenu. Patio intérieur de poche très agréable l'été

mais qui ferme dès 22h, cuisine à disposition au sous-sol. Douches sur le palier à chaque étage (peu nombreuses – environ une pour 15 personnes – mais récentes). Choisissez d'ailleurs les chambres et dortoirs dans les étages, car ceux qui occupent le bâtiment autour du patio sont bruyants.

🏠 **AJ BVJ Opéra** (plan couleur B2, **16**) : 1, rue de la Tour-des-Dames, 75009. ☎ 01-42-36-88-18. ● bvj@ orange.fr ● bvjhotel.com ● Ⓜ Trinité. Dortoirs 2-8 pers 30 €/pers ; chambre 2 pers 35 €/pers ; petit déj inclus. CB refusées. 🖥 📶 Parking payant. Dans un bel hôtel particulier typique de la Nouvelle-Athènes, bien restauré. Avec ses marbres et ses sculptures, le hall d'entrée tient plus de la salle de bal que de l'antichambre pour étudiants fauchés. Une bonne centaine de lits. État impeccable. La salle de petit déjeuner s'ouvre sur une vaste cour pavée, joliment aménagée. Un palais pour *bagpackers*. Pas mal de groupes mais pas seulement.

De bon marché à prix moyens

≜ *Hôtel Le Rotary (plan couleur A1, 3) :* 4, rue de Vintimille, 75009. ☎ 01-48-74-26-39. ● *hotel. rotary@free.fr* ● *hotel-rotary.fr* ● Ⓜ *Place-de-Clichy ou Liège. Résa recommandée. Doubles avec douche, w-c à l'extérieur, 67-78,50 € ; 2 chambres plus spacieuses, à la déco « recherchée », 94 € ; petit déj 9,50 €. CB refusées.* 🛜 *TV.* Un petit hôtel qui tient plus de la pension de famille. Dix-sept chambres de bonne taille, vieillo-kitsch et toutes différentes, réparties sur 6 étages (pas d'ascenseurs). Plutôt spacieuses dans l'ensemble, et certaines avec 2 fenêtres. Toilettes sur le palier, communes à 3 chambres. Si l'ensemble mériterait un vrai rafraîchissement, en attendant, le tout est tenu avec soin. La chambre « Chinoise » possède une très belle salle de bains (la seule avec baignoire) et un lit à baldaquin sculpté tout à fait original... Celles donnant sur l'arrière – notamment la « Chinoise » – sont sombres. Deux chambres au 5e étage avec balcon-terrasse. Beaucoup d'habitués, qui se sentent ici chez eux. Petit déj servi dans la chambre, d'un bon rapport qualité-prix. Très bon accueil de la propriétaire et de ses 2 chats.

≜ *Perfect Hotel (plan couleur C1, 2) :* 39, rue Rodier, 75009. ☎ 01-42-81-18-86. ● *welcome@paris-hostel. biz* ● *paris-hostel.biz* ● Ⓜ *Anvers. Doubles avec lavabo 60-68 €, avec douche et w-c ou bains 75-84 €, petit déj inclus. Chèques refusés.* 🛜 « Un hôtel pour gens simples qui veulent séjourner à Paris pour pas cher dans une ambiance sympa », lâche un des employés. Et c'est exactement cela.

Alors ce n'est pas super confortable, ni charmant, mais ça reste propre. Accueil inexistant, bien dommage.

De prix moyens à chic

≜ *Hôtel Antin Saint-Georges (plan couleur B2, 17) :* 21, rue Notre-Dame-de-Lorette, 75009. ☎ 01-48-78-60-47. ● *accueil@hotel-antin-saintgeorges.com* ● *hotelantin saintgeorges.com* ● Ⓜ *Saint-Georges. Doubles 95-140 € ; petit déj 12 €. Promos sur le site internet.* 🛜 *TV. Canal +. Satellite.* Cet hôtel est un havre de paix (côté cour du moins) à quelques encablures du noctambule Pigalle. Les 35 chambres sont confortables, toutes dans un style qu'on qualifiera de classique. Bref, une adresse d'un bon rapport qualité-prix.

≜ *Timhotel Saint-Georges (plan couleur B1, 5) :* 21, bd de Clichy, 75009. ☎ 01-48-74-01-12. ● *saint-georges@ timhotel.fr* ● *timhotel.fr* ● Ⓜ *Pigalle. Réception 24h/24. Doubles 70-145 € selon saison ; petit déj-buffet 13,50 €.* 🖵 🛜 *TV. Satellite. Câble.* Un hôtel au pied de la Butte ! À partir du 4e étage, les chambres sur rue ont une vue imprenable sur le Sacré-Cœur. Un hôtel d'un bon rapport qualité-prix. Chambres de petite taille, fonctionnelles. On peut y croiser des musiciens le temps d'une tournée à Paris, ou des écrivains cherchant en été l'inspiration dans le patio, qui ne manque pas de caractère avec son lampadaire parisien typique... Accueil très professionnel.

≜ *Hôtel Palm Opéra (plan couleur C2, 26) :* 30, rue de Maubeuge, 75009. ☎ 01-42-85-07-61. ● *hotel.palm@ astotel.com* ● *hotel-palm-opera.com* ● Ⓜ *Cadet ou Notre-Dame-de-Lorette. Doubles 190-220 € ; petit déj 13 €.* 🛜 *TV. Câble.* Premières impressions : fraîcheur et sérénité du lieu. La palme se décline végétale sur les balcons du joli immeuble haussmannien, mais aussi métallique ou textile. Un parfum d'oasis, accru en contraste par la pierre apparente des murs... Rare : un coin enfant joliment aménagé à côté de la salle de petit déjeuner. Une version light (sauf pour le prix) du « Tout est calme, luxe et volupté ».

⬥ **Hôtel Joséphine** *(plan couleur B1, 13)* : *67, rue Blanche, 75009. ☎ 01-55-31-90-75.* ● *contact@hotel-josephine. com* ● *hotel-josephine.com* ● Ⓜ *Blanche, Place-de-Clichy ou Trinité. Doubles à partir de 110 €.* ☎ *TV. Canal +.* Un hôtel récent d'une quarantaine de chambres, dont le salon-réception donne d'emblée le ton : celui d'un confortable cocon. Les chambres – certaines avec balcon – sont de taille tout à fait raisonnable et dotées d'une confortable literie ; en revanche, la plupart des salles de bains sont vraiment petites. La déco, originale et chamarrée, marie avec succès motifs et imprimés des papiers peints, photos de danseuses de cabaret de temps révolus réveillées par les teintes acidulées des peintures, et un mélange d'aménagements vintage et contemporains, pour un résultat baroque. Dommage toutefois que l'insonorisation ne soit pas au top. Petit déjeuner au sous-sol – une cave voûtée aux pierres apparentes –, comme souvent à Paname. *NOUVEAUTÉ.*

⬥ **Hôtel du Triangle d'Or** *(plan couleur A3, 25)* : *6, rue Godot-de-Mauroy, 75009. ☎ 01-47-42-25-05.* ● *info@ hoteldutriangledor.com* ● *hoteldu triangledor.com* ● Ⓜ *Madeleine.* ♿ *Doubles 209-309 € selon confort et saison ; chambres communicantes ; petit déj 16 €. Intéressantes promos sur Internet.* ☎ *TV. Canal +. Câble.* Un petit déj/pers offert sur présentation de ce guide. Chic, choc et ludique ! La proximité de l'Olympia a inspiré la conception du lieu : chaque étage s'attache au style d'un musicien spécifique. Déco imaginative mais non envahissante, accueil attentif et souriant. Au dernier étage, certaines chambres jouissent d'un balcon avec vue plaisante. Une immersion, un frisson... de plaisir.

⬥ **Hôtel Langlois – Hôtel des Croisés** *(plan couleur B2, 12)* : *63, rue Saint-Lazare, 75009. ☎ 01-48-74-78-24.* ● *info@hotel-langlois.com* ● *hotel-langlois.com* ● Ⓜ *Trinité. Résa obligatoire (slt 27 chambres, donc souvent complet). Doubles 180-190 € (20 % de réduc en juil et 30 % en août) ; petit déj 13 €. Réduc sur le prix du parking public voisin via l'hôtel.* 🖥 ☎ *TV. Satellite.* Superbe réception avec ses boiseries anciennes et sa moquette moelleuse. Chambres climatisées, spacieuses à souhait, d'un charme fou et avec un cachet particulier pour chacune d'elles – meubles d'époque, décoration intérieure avec des boiseries Art déco pour certaines, et cheminée en céramique émaillée. Demandez, aux 5e et 6e étages, les chambres avec alcôve, ou celles qui ont des plafonds moulurés d'époque. Certaines salles de bains sont vraiment grandes ! Rapport qualité-prix exceptionnel, et un coup de cœur pour le charme et l'accueil. Et nous ne sommes pas les seuls à adorer...

⬥ **Hôtel des Arts** *(plan couleur C3, 6)* : *7, cité Bergère, 75009. ☎ 01-42-46-73-30.* ● *contact@hoteldesarts* ● *hoteldesarts.fr* ● Ⓜ *Grands-Boulevards. Doubles 90-110 € selon saison ; petit déj 7 €.* 🖥 ☎ *TV. Canal +. Parking payant.* À deux pas de l'animation du boulevard Montmartre, l'hôtel se niche au calme de la cité. Toutes les chambres donnent dessus. De bonne taille, classiques et soignées, les chambres combleront tout autant les bohèmes au budget serré mais sensibles aux jolies décos que les amoureux en quête d'adresses romantiques... Les plus joueurs pourront essayer d'engager la conversation avec le beau et vieux perroquet gris, Babar, qui trône à la réception : il parle et chante *La Marseillaise*, comme il se doit ! Gérant convivial. Bon rapport qualité-prix.

⬥ **Hôtel Chopin** *(plan couleur C3, 9)* : *46, passage Jouffroy, 75009. ☎ 01-47-70-58-10.* ● *hotelcho pin.fr* ● Ⓜ *Grands-Boulevards ou Richelieu-Drouot. Au niveau du 10, bd Montmartre. Réserver (au moins 2 mois à l'avance). Double avec douche ou bains 102-125 € selon chambre (en principe, pas de variation de prix saisonnière) ; petit déj-buffet 8 €.* 🖥 ☎ *TV.* Un petit déj/chambre offert sur présentation de ce guide. Un hôtel-bijou du XIXe s, situé au fond du passage – le dépaysement opère dès qu'on y entre –, donc une véritable oasis de paix, à deux pas des Grands Boulevards. La façade datant de 1850 vaut le coup d'œil : vieilles boiseries et grande baie vitrée. Dans le hall, un piano Gaveau du plus bel effet. D'emblée, on voyage dans une autre époque ! Les 36 chambres sont plutôt jolies mais très classiques (voire datées), et l'ensemble est très bien tenu. La vue sur les toits du dernier étage rappelle les tableaux impressionnistes ! Les chambres mansardées sont très colorées et lumineuses, car donnant sur la verrière du passage (et les coulisses du Grévin). Évitez, en revanche, celles sur cour, vous auriez une vue imprenable sur un immense... mur ! Une dizaine de salles de bains viennent d'être rénovées. Et petit bonheur du matin : du jus d'orange pressée au buffet du petit déjeuner (exceptionnel à ce prix-là) ; salle mouchoir de poche en revanche. Accueil parfait.

≜ *Hôtel Royal Fromentin (plan couleur B1, 10) :* 11, rue Fromentin, 75009. ☎ 01-48-74-85-93. ● info@ hotelroyalfromentin.com ● hotel royalfromentin.com ● Ⓜ *Blanche ou Pigalle. Doubles 99-179 € selon saison ; petit déj 10 €.* 🖵 🛜 *TV. Canal +. Satellite.* Le salon de l'hôtel s'appelait, dans les années 1930, le *Don Juan* et n'était autre qu'un célèbre cabaret. Meubles d'époque, ascenseur en fer forgé, splendides vitraux Art déco, bar en étain et encadrement monumental de cheminée. Les chambres, quant à elles, ont adopté un style bien sage et très classique. Néanmoins, confort moderne. Celles des derniers étages jouissent d'une vue exceptionnelle sur Montmartre, le dôme des Invalides et la tour Eiffel. Une bonne adresse, à l'accueil particulièrement chaleureux.

≜ *Golden Hôtel (plan couleur D2, 11) :* 5, rue Riboutté, 75009. ☎ 01-47-70-62-36. ● reservation@goldenhotel. fr ● goldenhotelparis.fr ● Ⓜ *Cadet. Doubles 90-145 € selon confort et saison ; petit déj 10 €. Parking public payant à proximité (réduc de 50 % pour les clients de l'hôtel).* 🖵 🛜 *TV. Canal +. 50 % sur le prix du petit déj sur présentation de ce guide.* Un hôtel à la déco coquette et intime – même si ce n'est pas l'impression dégagée par l'entrée. Toutes les chambres sont différentes (celle à baldaquin a du succès), avec des salles de bains aux dimensions parisiennes, c'est-à-dire assez petites... Encore plus valable pour les chambres mansardées du 6ᵉ étage, pourtant très demandées par

les « fidèles ». On sent un souci constant de bonne tenue. En outre, l'accueil est vraiment excellent.

≜ *Hôtel Victor-Massé (plan couleur B1, 8) :* 32 bis, rue Victor-Massé, 75009. ☎ 01-48-74-37-53. ● vic masse@wanadoo.fr ● hotel.victor masse.com ● Ⓜ *Pigalle. Doubles tt confort 105-114 € ; triple 134 € ; petit déj 10 €.* 🖵 🛜 *TV. Satellite.* Un sympathique petit hôtel au confort douillet, où les chambres sont régulièrement rénovées dans un style conventionnel de bon aloi. Réception et salle de petit déj contemporaines. Sa situation, à deux pas de la place Pigalle, ravira les amateurs de nuits parisiennes. Mais pas de panique, les chambres côté rue sont équipées de double vitrage. Accueil sympathique.

≜ *My Hotel in France Opéra Saint-Georges (plan couleur C1, 19) :* 7, rue de Navarin, 75009. ☎ 01-48-78-51-73. ● operast georges@hotel-in-france.com ● hotel-paris-opera-saint-georges. com ● Ⓜ *Saint-Georges ou Pigalle.* ♿ *Doubles 105-180 € selon confort et saison, climatisées (dans les étages supérieurs) pour les plus chères, petit déj inclus. Nouveau : offre All for You pour tte résa sur le site officiel ou par tél : petit déj, 1h d'Internet, verre de bienvenue et panier-repas (sandwich-pomme-bouteille d'eau) offerts.* 🖵 🛜 *TV. Satellite.* À deux pas de la rue des Martyrs et de son animation, dans une petite rue calme, cet hôtel bien tenu présente un bon rapport qualité-prix compte tenu des prestations. Chambres claires, très sobres et fonctionnelles ; certaines avec 2 fenêtres. Minipatio avec une table et quelques plantes. Accueil très agréable.

≜ *Hôtel Corona Rodier (plan couleur C2, 15) :* 4, rue Rodier, 75009. ☎ 01-42-80-53-00. ● hotel.corona. rodier@wanadoo.fr ● hotelcoronaparis. com ● Ⓜ *Notre-Dame-de-Lorette ou Cadet. Doubles 100-160 € avec douche ou bains ; petit déj-buffet 10 €. Possibilité de négocier en basse saison.* 🛜 *TV. Satellite.* Hôtel vaste, à la fois chic et design, avec des éléments de déco très colorés. Les chambres, elles, sont fonctionnelles, bien équipées et décorées avec goût. Petite préférence pour celles du 4e étage, qui disposent d'un balcon. Accueil professionnel et souriant.

🛏 **Hôtel Alba-Opéra** (plan couleur C1-2, **18**) : 34 ter, rue de La Tour-d'Auvergne, 75009. ☎ 01-48-78-80-22. ● albaopera@orange.fr ● albaoperahotel.com ● Ⓜ Notre-Dame-de-Lorette. Doubles 100-180 € ; junior suites 150-300 €. 🖥 🛜 TV. Parking payant. Ce bel immeuble haussmannien caché au fond d'une impasse abrite une grande variété de chambres de 16 à 28 m², et même des *junior suites* de 40 m². La déco, très personnalisée, est un joli mélange de meubles vintage et de créations artistiques pleines de fantaisie ! On ne dort pas tous les jours dans un hôtel où a séjourné Louis Armstrong... et où bien d'autres artistes séjournent aujourd'hui. Accueil adorable.

Plus chic

🛏 **Hôtel Panache** (plan couleur C3, **27**) : 1, rue Geoffroy-Marie, 75009. ☎ 01-47-70-85-87. ● hotelpanache.com ● hotel@hotelpanache.com ● Ⓜ Grands-Boulevards. Doubles à partir de 130 €. 1 petit déj/pers offert sur présentation de ce guide. 🛜 À deux pas des Grands Boulevards, proche du célèbre cabaret des Folies Bergère, du *Bouillon Chartier* et du *Grévin*. Les grands magasins et l'Opéra sont très accessibles à pied. Entièrement rénové en 2014 par l'équipe de l'*Hôtel Paradis*, à côté, dans le 10e. Déco assez unique, et pourtant un excellent rapport qualité-prix. D'ailleurs, le patron est le fils de Philippe Gloaguen, fondateur du *Routard*. Il s'y connaît ! *NOUVEAUTÉ.*

🛏 **Hôtel Lorette Opéra** (plan couleur B2, **7**) : 36, rue Notre-Dame-de-Lorette, 75009. ☎ 01-42-85-18-81. ● hotel.lorette@astotel.com ● astotel.com ● Ⓜ Saint-Georges. Doubles 139-320 € selon confort et saison ; petit déj-buffet 13 €. 🛜 TV. Satellite. Cette belle demeure parisienne, aux murs en pierre de taille et au porche sculpté, abrite un hôtel aux lignes épurées et au mobilier design. Beaux volumes, lumière, chaleur et raffinement sont au menu, et ce dès le pas de la porte franchi. Les chambres sont dans le même esprit, soignées et ultra-confortables ; une poignée vraiment petites toutefois. Espace petit déjeuner au sous-sol, mais très réussi aussi. Pour une folie d'une nuit ou pour une nuit de folie... Agréable petit patio pour profiter des beaux jours. Accueil charmant. Même groupe que le *Joyce Hôtel* (voir plus bas).

🛏 **Hôtel de La Tour d'Auvergne** (plan couleur C2, **14**) : 10, rue de La Tour-d'Auvergne, 75009. ☎ 01-48-78-61-60. ● contact@hoteltourdauvergne.com ● hoteltourdauvergne.com ● Ⓜ Cadet, Poissonnière ou Anvers. ♿ Doubles 120-250 € selon saison ; petit déj 16 €. 🖥 🛜 TV. Satellite. Les chambres, climatisées, ont évidemment tout le confort souhaité. Si vous le pouvez, demandez à en voir plusieurs, car il y a différentes tailles et différentes déco (et donc différents prix). Mobilier assorti et sens du détail (baldaquin pour une chambre, murs envahis par différents cadres vides pour une autre...), photos d'artistes contemporains. Petit déj (aïe, cher depuis peu) servi dans une salle coquette – et de poche –, éclairée par une verrière, attenante à un petit salon cosy. Idéal pour une escapade amoureuse et romantique, notamment dans la chambre n° 55, particulièrement cosy et gentiment coquine. Atmosphère familiale et accueil charmant.

🛏 **Grey Hôtel** (plan couleur A1, **20**) : 12, rue de Parme, 75009. ☎ 01-53-31-93-93. ● contact@legrey-hotel.com ● legrey-hotel.com ● Ⓜ Liège. ♿ Doubles 153-250 € selon confort et saison ; également des suites ; 2 formules petit déj 9-15 €. 🛜 TV. Canal +. Satellite. Au rez-de-chaussée, lumineux et chaleureux espace réception, bar et petit déjeuner donnant sur un petit patio. Quant aux chambres, elles raviront les amateurs de gris... et de noir aussi, de motifs et d'effets de matière. Les moins chères ne sont certes pas bien grandes, mais ce qu'elles dégagent de cosy peut le faire oublier... *NOUVEAUTÉ.*

Très chic... et tendance

🛏 **Best Western Opéra d'Antin** (plan couleur B2, **21**) : 75, rue de Provence, 75009. ☎ 01-48-74-12-99. ● reservation@opera dantin.com ● operadantin.com ● Ⓜ Chaussée-d'Antin-La Fayette. Doubles 115-300 € selon confort et saison ; petit déj-buffet 13 €. ⬚ 🛜 TV. Câble. Côté réception-bar, on vous accueille dans un cadre inspiré de l'Art déco. Mitoyen des Galeries Lafayette, il vous accueille en plein cœur de Paris, à quelques pas de l'Opéra et des théâtres. Bien insonorisé côté rue. Petit déj servi dans une salle aveugle mais bien arrangée. Un bon point de chute pour rayonner dans la capitale. Service aimable et pro.

🛏 **Joyce Hôtel** (plan couleur B2, **23**) : 29, rue La Bruyère, 75009. ☎ 01-55-07-00-01. ● hotel.joyce@astotel.com ● astotel.com ● Ⓜ Saint-Georges. Doubles 149-369 € ; petit déj 15 €. 🛜 TV. Satellite. Cet hôtel d'une quarantaine de chambres adopte la démarche la plus écoresponsable possible en sélectionnant des produits bio pour le petit déj ou l'entretien, en utilisant pour moitié de l'électricité issue d'énergies renouvelables ou en recyclant des sièges de voiture en fauteuils... Un grand soin est d'ailleurs apporté à la déco, très design, élégante, épurée et originale. Les chambres sont très confortables, claires et calmes. Coup de cœur pour la salle du petit déj, sous une verrière avec une belle structure métallique à laquelle est suspendu un superbe luminaire en forme de nuage...

🛏 **Hôtel Design Secret de Paris** (plan couleur A1, **24**) : 2, rue de Parme, 75009. ☎ 01-53-16-33-33. ● hotel@hotelsecretdeparis.com ● hotelsecret deparis.com ● Ⓜ Liège. ♿ Doubles 186 € (chambres « Monuments »)-246 € (chambres « Atelier ») ; petit déj 18 € (15 € sur préréservation). Offres promotionnelles sur Internet. ⬚ 🛜 TV. Canal +. Satellite. Câble. Vous avez toujours rêvé de dormir dans un grand monument parisien, une fois le dernier visiteur parti ? Eh bien c'est ici qu'il vous faut faire escale. La décoration des 29 chambres, véritables petits cocons, s'inspire de plusieurs thématiques au choix : le musée d'Orsay et sa grande horloge, le Moulin-Rouge, la tour Eiffel... et le must : 2 ateliers d'artistes sous les toits (version chic et bohème avec fausses taches de peintures sur la moquette), un poil plus grands et plus chers que les chambres. Les moindres détails ont été pensés pour le confort des hôtes : insonorisation, couleur d'éclairage variable, lecteur DVD, hydromassage dans les douches ou bains. Et même un accès libre au sauna, au hammam et à la salle de fitness. Espace petit déj sur la rue, lumineux. Accueil très aimable.

Où manger ?

👖 Sur le pouce

🍴 **Aux Deux Vaches** (plan couleur B3, **29**) : 17 bis, bd Haussmann, 75009. ☎ 01-44-35-26-42. ● contact@aux2vaches.com ● Ⓜ Opéra, Richelieu-Drouot, Chaussée-d'Antin ou La Fayette. ♿ Lun-ven 8h-18h30. Sandwichs, tartes, soupe du jour, salade de saison, petits plats 4-8,90 €. Une crèmerie à la déco new-yorkaise, avec ses sandwichs à emporter et autres petits plats bien traditionnels à réchauffer, comme la saucisse de Morteau. Que du bio, de saison et local, genre frozen yogourt (côté urbain), fontainebleau bien crémeux (côté terroir) et autres plaisirs onctueux. Quelques tables et journaux du jour. Au sous-sol, bar à fromages, et tapis sur lequel défilent des plats tout aussi savoureux. Miam ! Attention, souvent pris d'assaut.

🍴 **Label Ferme** (plan couleur C2, **39**) : 43, rue Le Peletier, 75009. ☎ 09-81-33-36-49. ● contact@labelferme.fr ● Ⓜ Le Peletier ou Notre-Dame-de-Lorette. Lun-ven 11h30-14h30 ; pour l'épicerie, commande par e-mail. Pour s'asseoir, venir avt 12h30. Fermé Noël-Jour de l'an. Formules sandwich ou salade 10-11 €, avec dessert ou soupe *(en hiver) et/ou boisson (sur place ou à emporter)*. Un restaurant rapide, idéal pour le déjeuner, aux charcuteries et fromages choisis et collectés directement chez les producteurs et les fermiers (de Savoie majoritairement, mais pas seulement). En formule, chacun compose sa salade (plusieurs sauces au choix) ou son sandwich, avant de se poser sur les cagettes-tabourets. Consistant, frais, et l'équipe respire la bonne humeur. Le plus : les délicieux saucissons, jambons et frometons sont aussi en vente ! Attention, pas de places assises en hiver, uniquement 12 places en terrasse.

I●I F Bar *(plan couleur D3, 36)* : 3, *rue Rougemont, 75009. ☎ 01-42-46-23-16.* Ⓜ *Grands-Boulevards. Tlj sf dim 19h-1h30. Compter 5 € la portion de frites au bar.* Blonde, *fit* ou charnue, craquante, croustillante, dorée dans la graisse d'oie ou l'huile d'olive, caramélisée ou épicée... Ici, la – bonne – frite est déclinée en une poignée de versions, dont 3 frites toujours à la carte, et la (ou les) fantaisie(s) du jour : frite de patate douce, d'asperge, de risotto, de polenta... *Finger food* au bar à cocktails (bah oui... on ne vous laisse pas le gosier sec !) ; belle carte de cocktails justement. Mais contentez-vous du rez-de-chaussée, car côté resto – bien bon d'ailleurs –, à l'étage, ça grimpe vite (aucun plat à moins de 23 €) ! *NOUVEAUTÉ.*

De très bon marché à bon marché

I●I Au P'tit Creux du Faubourg *(plan couleur C2, 30)* : 66, *rue du Faubourg-Montmartre, 75009.* ☎ 01-48-78-20-57. Ⓜ *Notre-Dame-de-Lorette ou Cadet. Tlj sf dim 8h-17h ; service 11h-16h. Congés : de mi-juil à mi-août. Plat du jour 11 € ; menus 13-17 €. Apéritif maison offert sur présentation de ce guide.* Ce gentil caboulot joue la carte du menu à prix corseté. Les habitués, après avoir choisi leur entrée en matière (genre céleri rémoulade ou filets de hareng), poursuivent, selon leur goût – viande ou poisson –, avec un sauté de veau-coquillettes ou un filet de

rascasse au basilic. C'est franc et sans prétention.

I●I Hugo *(plan couleur D2, 35)* : 12, *rue Papillon, 75009.* ☎ 01-40-22-01-91. ● hugoparis@hugoparis. com ● Ⓜ *Cadet ou Poissonnière. Tlj sf le midi sam-lun 12h-15h, 19h-22h30. Menus 21-26 €. Parking payant.* Cadre classique et bon accueil. Deux salles, dont l'une a son entrée rue de Montholon. Petits plats bien tournés aux accents du Midi, colorés, parfumés et joliment présentés. Produits rigoureusement sélectionnés. Desserts maison frais et goûteux. Et pour couronner le tout, bons petits crus de récoltants à prix démocratiques et service irréprochable.

I●I Lou Cantou *(plan couleur B2-3, 38)* : 35, *cité d'Antin, 75009.* ☎ 01-48-74-75-15. Ⓜ *Chaussée-d'Antin. Accessible par le 63, rue de Provence. Tlj sf dim et j. fériés 11h30-15h30. Congés : 2 sem en août. Menu unique 16,90 € avec 5 plats différents chaque j. (avec suppléments).* Un resto qui tourne depuis 1920, une déco toute simple, des employés et des secrétaires au coude-à-coude... La formule propose toujours les canons du bouillon traditionnel : salade de betterave, endives au jambon, île flottante, etc. Une cuisine simple mais tout à fait honorable compte tenu des prix, qui a fait du lieu la cantine du quartier.

I●I Faubourg 113 *(plan couleur D2, 47)* : 113, *rue du Faubourg-Poissonnière, 75009.* ☎ 01-48-74-68-56. ● jcm92600@gmail.com ● Ⓜ *Poissonnière. Tlj sf sam midi et dim ; service 12h-14h30, 19h-22h30. Congés : 2 sem en août. Formules 13-16 € le midi, 20-25 € le soir ; repas complet 25-30 €.* Une adresse discrète et sympathique, pour qui rêve de manger simple et bon, sur une base de produits frais. Le chef entend faire plaisir au bouquet de clients venus s'asseoir dans sa salle de poche à la déco moderne. Il jongle avec une grande variété de recettes françaises et module sa carte en permanence. Service décontracté, fort sympathique.

I●I Chartier *(plan couleur C3, 33)* : 7, *rue du Faubourg-Montmartre, 75009.* ☎ 01-47-70-86-29. ● restaurant@bouillon-chartier.com ●

Ⓜ *Grands-Boulevards.* ⚓ *Service tlj 11h30-22h. Pas de résa (sf groupe). Menu suggestion (boisson comprise) env 20 € ; carte env 15 €.* Poussez la grosse porte à tambour pour découvrir cet immense bouillon du XIXᵉ s, avec son décor intact (après un sérieux nettoyage) inscrit à l'inventaire des Monuments historiques. Hauts plafonds, mezzanines, chromes et cuivres, casiers à serviettes des habitués (autrefois !). Toujours bourré de fidèles, d'anciens du quartier, d'étudiants et de touristes. On n'y vient pas tant pour la cuisine que pour se dire qu'on a mangé au moins une fois dans ce lieu mythique et supporté le bruit assourdissant des 325 places, 16 serveurs et 1 200 couverts par jour !

Prix moyens

I●I *Les Canailles (plan couleur B2, 52) : 25, rue La Bruyère, 75009.* ☎ 01-48-74-10-48. Ⓜ *Saint-Georges. Tlj sf sam-dim et j. fériés ; service 12h-14h30, 19h-22h30. Congés : 3 sem en août. Formules 26-34 €.* Deux compères ont délaissé les tables de renom pour proposer chez eux une cuisine plus simple et plus authentique, dans un cadre convivial. Les exigences de Sébastien Guillo sont avant tout les produits de saison et leur qualité. Dans l'assiette, c'est une cuisine généreuse à partir de recettes du terroir subtilement réinterprétées. Pour les vins, Yann Le Pevedic privilégie les naturels sur une carte qui pioche dans toutes les régions de France.

I●I *Le Garde-Temps (plan couleur B1, 46) : 19 bis, rue Pierre-Fontaine, 75009.* ☎ 09-81-48-50-55. ● *legarde temps75009@gmail.com* ● Ⓜ *Pigalle, Blanche ou Saint-Georges. Lun-ven 12h-14h, 19h-22h30 ; sam 19h-22h30. Congés : août. Formule déj 17 € ; carte env 33 € ; sam soir, formule « petites portions ». Vins au verre à partir de 5 €.* Dans un cadre rustique de pierre et de brique, avec ses jolies petites suspensions et son comptoir carrelé façon métro, un bistrot chaleureux, tout en enfilade. On choisit ses plats sur les grands tableaux noirs, avec quelques suggestions du jour, charcuteries

basques ou plats de terroir savamment revisités (tête de veau, soupe de panais, etc.). Les viandes sont goûteuses, les frites maousses. Service aux petits soins, carte des vins succincte mais bien choisie. Une bonne adresse.

I●I *Les Coulisses Vintage (plan couleur B2, 54) : 19, rue Notre-Dame-de-Lorette, 75009.* ☎ 01-45-26-46-46. ● *lescoulissesvin tage@orange.fr* ● Ⓜ *Saint-Georges. Tlj sf sam midi et dim ; service 12h-14h30, 19h-22h30 (23h ven-sam). Formule déj 16 € ; menus 32,50 € (2 plats)-39,50 € ; carte env 50 €.* Avec sa verrière, ses tables de bistrot et sa déco dépareillée, ce resto qu'on se refile volontiers en coulisses a comme un petit air théâtral. La partition annonce une cuisine traditionnelle : le chef, qui a fourbi ses casseroles dans de prestigieuses maisons du Nord, maîtrise ses classiques. Au menu-carte, une blanquette de veau gourmande servie dans son caquelon avec le sourire et une anecdote sur l'histoire du plat, voilà l'esprit de la maison ! La formule déjeuner est une aubaine et inclut l'entrée ou un dessert qui a bercé notre enfance. La mousse au chocolat vaut bien celle de grand-maman !

I●I *Caillebotte (plan couleur C2, 34) : 8, rue Hippolyte-Lebas, 75009.* ☎ 01-53-20-88-70. Ⓜ *Notre-Dame-de-Lorette. Tlj sf sam-dim. Résa conseillée. Formule déj 19 € ; menus-carte le soir 35-49 €.* Bistrot d'angle contemporain (ampoules nues, bois brut et vitres-atelier), qui nous met d'emblée au parfum dès le seuil franchi, d'où l'on découvre une cuisine bien dans l'air du temps, généreusement ouverte sur la poignée de couverts prévus au bar (un poil dans le passage). Huîtres et bouillon de laitue, poitrine de canard fumée chou rouge braisé au xérès et jus de betterave... Des plats enlevés, aux judicieuses associations, et bien présentés. Service pro et sympa. Une bonne escale, en somme. *NOUVEAUTÉ.*

I●I *Les Affranchis (plan couleur B1, 37) : 5, rue Henri-Monnier, 75009.* ☎ 01-45-26-26-30. Ⓜ *Saint-Georges ou Pigalle. Tlj sf sam midi et dim-lun. Congés : dernière sem de juil-dernière sem d'août. Formules déj 19 €*

(plat + café)-26 € (entrée + plat, ou plat + dessert) ; menus 32 € (le soir)-35 € (entrée + plat + dessert). Les affranchis, ce sont eux, Pierre et Arnaud : l'un en cuisine, l'autre en salle. Affranchis de patron pour créer leur propre style bistronomique, décontracté dans l'approche (bonne musique, bouquins pour patienter), sérieux et innovant dans la réalisation. Les plats sont conçus dans l'équilibre des saveurs, à base de produits de qualité. Beaucoup de légèreté aussi. En arrosant le tout d'un vin de producteur rigoureusement sélectionné (on peut même repartir avec sa bouteille non terminée), on obtient une adresse au très bon rapport qualité-prix, au service discret et attentionné. NOUVEAUTÉ.

|●| Buvette (plan couleur B1, **44**) : 28, rue Henri-Monnier, 75009. ☎ 01-44-63-41-71. Ⓜ Pigalle ou Saint-Georges. Tlj 8h30 (10h sam-dim)-minuit. Congés : 2 sem en août et 1 sem en déc. Repas complet 18-25 €. Un établissement raffiné de ce bas Pigalle qui n'en finit plus de se réinventer. Un décor chaleureux country chic, avec quelques résonnances Art déco, où l'on déguste de bons petits plats, fins et savoureux : rillettes de saumon, parmentier fondant, coq au vin comme chez mamie, tatin tentatrice... Petite sœur d'une adresse très branchée de New York, on ne doute pas que cette Buvette sera bien vite une nouvelle référence parisienne. NOUVEAUTÉ.

|●| La Table des Anges (plan couleur C1, **48**) : 66, rue des Martyrs, 75009. ☎ 01-55-32-24-89. ● reservation@latabledesanges.fr ● Ⓜ Pigalle ou Anvers. Mar-sam 12h-14h30, 19h-22h30. Congés : 4 premières sem d'août. Formules déj 16-20 € ; menu-carte 32 €. Café offert sur présentation de ce guide. Murs de pierres apparentes, objets chinés çà et là, voilà le décor ! Dans l'assiette, des plats dans l'air du temps, élaborés au gré des saisons par un cuisinier qui met un point d'honneur à choisir avec soin ses petits producteurs locaux. Idem pour les vins, judicieusement sélectionnés (grand choix de vins au verre). Les produits de la mer ne sont pas en reste, comme les Saint-Jacques rôties à la betterave. Les desserts ? Tout simplement fameux, comme l'excellentissime mousse au chocolat.

|●| Mamou (plan couleur B3, **43**) : 42, rue Taitbout, 75009. ☎ 01-44-63-09-25. ● restaurantmamou@gmail.com ● Ⓜ Opéra. Lun-mar 12h-14h ; mer-ven 12h-14h, 19h30-22h ; sam 19h30-22h. Congés : 3 sem en août. Résa indispensable, même le midi. Formule déj 19 € ; carte env 35 €. C'est en souvenir de sa grand-mère, qu'il appelait « Mamou », que le chef Romain Lalu a baptisé son restaurant. Mais la nostalgie de l'enfance prend ici un sérieux coup de jeune, avec une cuisine inventive, fraîche et pleine de peps. Le tartare de bœuf, grand classique, est ainsi superbement revisité avec œuf poché, sauce au sésame et salade de haricots verts. Quant aux desserts, qui font la part belle aux fruits de saison, ils sont remarquables.

|●| Le Pantruche (plan couleur C1, **32**) : 3, rue Victor-Massé, 75009. ☎ 01-48-78-55-60. Ⓜ Pigalle. Tlj sf sam-dim 12h30-14h, 19h30-22h30. Congés : août et Noël. Formule déj 19 € ; menu 35 € ; carte 35-40 €. Une sympathique petite adresse du bas Pigalle, un brin canaille, qui propose des plats de bistrot tradi-cool dans une ambiance assez animée. Franck Baranger aime mettre en valeur les beaux produits (de saison) et enchante les papilles avec des compositions bien maîtrisées. La carte change régulièrement. Service très attentionné et belle sélection de flacons pas trop ruineux. Pour ceux que ça intrigue, « Pantruche » désigne Paris en argot...

|●| L'Office (plan couleur D3, **66**) : 3, rue Richer, 75009. ☎ 01-47-70-67-31. Ⓜ Poissonnière, Cadet ou Bonne-Nouvelle. Tlj sf sam-dim 12h-14h, 19h30-22h30. Congés : 3 sem en août. Menus 22-27 € le midi, 28-34 € le soir. Il faut chercher ce petit resto discret, à la déco quasi monacale. Mais l'habit ne fait pas le moine, comme nous le prouve ce jeune chef bien formé, qui déploie tout son talent pour exécuter avec minutie une cuisine créative, réalisée avec les produits du marché. Si l'on fait fi de l'attente et de la promiscuité avec les voisins, on apprécie l'apéro prolongé et on oublie les bonnes résolutions pour goûter sans vergogne l'irrésistible pain. Un excellent rapport qualité-prix. Et un de nos meilleurs bons plans.

|●| Georgette (plan couleur B2, 42) : 29, rue Saint-Georges, 75009. ☎ 01-42-80-39-13. Ⓜ Notre-Dame-de-Lorette. Mar-ven 12h-14h45, 19h30-23h. Congés : 1 sem à Pâques, pont du 1er mai et août. Repas complet env 35 €. Georgette, toujours souriante et serviable, est partout : à l'accueil, au service, derrière les fourneaux. En plus, elle sait cuire la viande à la perfection, et ses plats, des entrées aux desserts, rappellent ceux de chez mamie avec ce petit truc en plus. Ça reste simple et bon. Et on aime bien la possibilité de se faire servir en demi-portions certaines entrées et plats. Le cadre, quant à lui, donne plutôt dans le style sixties revendiqué (formica, etc.). Un resto où tout le monde se sent à l'aise et passe une bonne soirée.

|●| Les Saisons (plan couleur C2, 55) : 52, rue Lamartine, 75009. ☎ 01-48-78-15-18. ● contact@restaurant-les-saisons.com ● Ⓜ Cadet, Le Peletier, Notre-Dame-de-Lorette ou Saint-Georges. Tlj sf dim-lun ; service 12h-14h30, 19h15-22h45. Congés : 10 août-1er sept. Menus le midi en sem 16-21 € ; carte env 32 €. Apéritif maison offert (non cumulable avec une autre promotion) sur présentation de ce guide. Un bistrot revisité, ouvert sur la cuisine, avec quelques tables au rez-de-chaussée et une salle plus cosy au 1er étage. Un petit air de campagne à Paname ! Les formules du midi sont parfaites, il n'y a qu'à choisir sur la grande ardoise. Le chef (qui est passé par Le Crillon et L'Alcazar) sait faire la part belle à la cuisine de... saison ! Dans l'assiette : ballotine de pintade farcie aux lentilles du Puy ou filet de bœuf sauce teppanyaki et légumes thaïs... Service enjoué et accueil tout en gentillesse.

|●| J'Go Restaurant (plan couleur C3, 45) : 4, rue Drouot, 75009. ☎ 01-40-22-09-09. ● parisdrouot@lejgo.com ● Ⓜ Richelieu-Drouot. ♿ Tlj sf dim-lun 11h45-minuit. Formules bistrot 16 € (midi)-28 € ; formule « J'Go » 36 €. Pas de doute, à voir la déco des salles, on est bien dans le Sud-Ouest. Ça se sent aussi dans l'assiette et jusque dans la paluche du patron, originaire de Vic-Fezensac, ou dans celle de son associé, le célèbre rugbyman Fabien Galthié. Les spécialités : gigot à la broche et ses haricots tarbais, agneau du Quercy ou le Lou Pastifret, un pâté maison de porc noir de Bigorre servi avec sa salade. La carte décline, selon les saisons, son lot de produits frais et de desserts maison. Jolie sélection de vins du Grand Sud. Essai transformé !

|●| Les Fils à Maman (plan couleur C3, 31) : 7 bis, rue Geoffroy-Marie, 75009. ☎ 01-48-24-59-39. ● kenza@labonbonniere.eu ● Ⓜ Grands-Boulevards. Tlj sf dim 12h-14h (15h sam), 19h-23h. Congés : sem du 15 août et 24 déc-2 janv. Le midi, formules et menus 15-19 € ; carte 30-35 €. Quatre garçons devenus grands ont ouvert cette cantoche aux allures de salle d'école et proposent des recettes d'antan. Les garnements élevés à bonne école affirment encore pouvoir tuer père (mais pas mère !) pour une juteuse côte de bœuf accompagnée d'un gratin dauphinois ou pour une crème brûlée au Carambar. Soirées « comme à la maison » le 1er mardi du mois quand, à tour de rôle, les mamans mettent la main à la pâte pour montrer aux dulcinées de leurs « Tanguy chéri » comment savoir retenir un homme à la maison... Service adorable, ambiance cocon, prix doux, la régression a parfois du bon !

|●| Le Barbe à Papa (plan couleur D1, 56) : 18, rue Condorcet, 75009. ☎ 01-49-95-92-25. Ⓜ Poissonnière. Tlj sf sam midi, dim soir et lun midi ; service 12h-14h30, 19h30-23h. Formules déj 16-20 € ; le soir, carte env 35 € ; brunch dim (12h-16h) 25 €. Pour un peu, on se croirait dans la boutique d'un barbier, quelque part entre Paris et New York ! Un plancher patiné, une déco faite de récup' et de chine, comme les carreaux de métro sur un pan de mur, les chaises de barbier, les lampes industrielles... On joue le jeu avec un cheeseburger costaud et des desserts ludiques, au parfum d'enfance. Service à l'aise, jeune et décontracté.

De prix moyens à chic

|●| **Oka** (plan couleur C2, 93) : 28, rue de la Tour d'Auvergne, 75009. Ⓜ Cadet. ☎ 01-45-23-99-13. Ouv jeu-ven midi, et mar-sam soir. Menu unique et surprise : 20 € le midi et 35 € le soir. Réserver. Un resto de poche, et la cuisine de l'énergique chef brésilien Rafael toute ouverte sur la poignée de tables. Une proximité qui facilite la conversation avec le chef, heureux d'évoquer les produits variés qu'il travaille et les associations qui lui passent par la tête. Une cuisine française ébouriffée par des apports do Brasil : manioc, maté, papaye, fruits de la passion… Le menu est surprise (on vous demande quand même si vous avez des allergies), mais quelques ingrédients-indices, pas tous familiers d'ailleurs, sont couchés sur le tableau noir. Original, fin, et présentation picturale. Un régal pupilles-papilles. NOUVEAUTÉ.

|●| **Le BAT** (plan couleur C3, 51) : 16, bd Montmartre, 75009. ☎ 01-42-46-14-25. ● contact@le-bat.com ● Ⓜ Richelieu-Drouot. Lun-ven 12h-15h, 19h-23h. Résa possible slt le midi. Formule déj 16,50 € ; menus 22-25 € ; tapas (le soir slt) 7-10 €. Un resto qui se définit comme un bar de chef, avec les fourneaux au cœur de la salle. Tables autour ou tabourets hauts au bar, idéal pour admirer le ballet du chef (ex de grandes maisons) et de ses commis. Et ça envoie à l'heure du déj, lorsque les travailleurs des bureaux alentour arrivent en masse. Cuisine particulièrement fine et inventive qui évolue tous les jours au gré du marché et de l'inspiration, assiettes généreuses et présentations soignées. Le soir, pour les clients d'avant ou après spectacle, version tapas à partager : ravioles, croquettes de canard, encornets grillés, tartare de daurade, riz au lait mandarine… Enfin, ne surtout pas manquer les profiteroles maison, une damnation ! T'es OK ? T'es BAT ! NOUVEAUTÉ.

|●| **Les Diables au Thym** (plan couleur C3, 41) : 35, rue Bergère, 75009. ☎ 01-47-70-77-09. ● lesdiablesauthym@orange.fr ● Ⓜ Grands-Boulevards. Tlj sf sam midi et dim 12h-14h, 19h-22h30. Congés : 1 sem en janv et 3 sem en août. Menus 30 € (midi)-37 € ; carte env 54 €. Apéritif maison offert sur présentation de ce guide. Éric Lassauce, formé auprès de grands cuisiniers, a posé un jour ses valises dans ce petit resto de quartier bien sympathique. La carte est courte et bien maîtrisée : pavé de turbot aux cœurs d'artichauts et citron confit, selle d'agneau rôtie aux aubergines et figues fraîches… à déguster sur l'une des tables nappées de blanc. Service attentif et souriant.

|●| **Le Braisenville** (plan couleur C1, 49) : 36, rue Condorcet, 75009. ☎ 09-50-91-21-74. ● philippe.baranes@orange.fr ● Ⓜ Anvers ou Cadet. Tlj sf sam midi et dim ; service 12h-14h30, 19h30-23h30. Congés : 7-14 août. Formules déj 17-21 € ; carte env 45 €. Café offert sur présentation de ce guide. Le concept : une large sélection quotidienne de raciones (assiettes de dégustation) cuites dans un four à braises : turbot, oseille sauvage et navets boules d'or, cabri de veau, épinards et gingembre, émulsion de rattes du Touquet, pleurotes et cresson, à accompagner d'un vin produit par des petits vignerons. Les associations de saveurs sont intéressantes, et les produits sélectionnés avec soin par Philippe Baranes, créateur du lieu, et Romuald Sanfourche, un chef expérimenté, qui travaillent en tandem. Convivial et parfait pour ceux qui aiment picorer dans l'assiette du voisin. Cadre design aux couleurs de la braise, et service attentionné.

|●| **Au Petit Riche** (plan couleur C3, 57) : 25, rue Le Peletier, 75009. ☎ 01-47-70-68-68. ● aupetitriche@wanadoo.fr ● Ⓜ Richelieu-Drouot ou Le Peletier. Tlj sf w-e 17 juil-22 août ; service 12h-14h30, 19h-minuit (22h30 dim). Formule déj 26 € ; menus 31-37 € ; carte env 40 €. Verre de vouvray pétillant offert sur présentation de ce guide. Fondé en 1854, ce Petit Riche a conservé son ambiance et surtout son allure parisienne d'antan, avec son enfilade de salons Belle Époque, ses miroirs gravés, ses nappes blanches bien mises et ses banquettes de velours rouge. Un resto d'atmosphère, que fréquentent les assidus des théâtres des alentours et les hommes d'affaires. À table, une cuisine principalement axée sur le Val de Loire, qui respecte et remet à l'honneur les recettes d'autrefois.

|●| **Bistro des Deux Théâtres** (plan couleur B2, 40) : 18, rue Blanche, 75009. ☎ 01-45-26-41-43. ● 2theatres@bistrocie.fr ● Ⓜ Trinité.

Tlj 12h-14h30, 19h-23h45 (0h30 w-e). Résa conseillée. Formule tt compris (apéro, entrée, plat, dessert, une bouteille de vin pour 2 et café), midi et soir, 39 €. Digestif maison offert sur présentation de ce guide. Dans un cadre classique et cossu, ce bistrot se donne des airs de brasserie non dénuée de charme. La clientèle, déjeuner d'affaires à midi, rassemble plutôt le soir spectateurs et comédiens des théâtres alentour, sans oublier les habitués. Dans l'assiette, une cuisine traditionnelle de belle facture, copieuse et généreuse, à des prix désormais peu courants. Excellent accueil.

De chic à plus chic

●I *La Régalade Conservatoire (plan couleur D3, 58) :* Hôtel de Nell, 7-9, rue du Conservatoire, 75009. ☎ 01-44-83-83-60. • *h.nell@charmandmore.com* • Ⓜ *Bonne-Nouvelle.* ♿ *Tlj sf sam midi et dim 12h-14h30, 19h-22h30. Menu-carte 37 €. Parking payant.* Jamais deux sans trois. Bruno Doucet a été choisi pour créer un bistrot façon *Régalade* au rez-de-chaussée du tout nouvel *Hôtel de Nell,* griffé Wilmotte. Sol en damier, carte bistronomique et ambiance détendue pour ce 3ᵉ opus, où l'on retrouve la terrine en amuse-gueule et le soufflé au dessert. Carte courte mais intéressante, avec des plats qui donnent tout à la fois faim et le sourire, tel le risotto à l'encre de seiche et gambas rôties ail et piment d'Espelette, avec une émulsion de Vache qui rit : drôle, simple, savoureux surtout. Généreux, aussi.

●I *Atelier Rodier (plan couleur C2, 59) :* 17, rue Rodier, 75009. ☎ 01-53-20-94-90. Ⓜ *Cadet, Saint-Georges ou Notre-Dame-de-Lorette. Mar-sam 20h-22h30, plus ven 12h-14h30. Congés : août et 24-30 déc. Menus 29 € le midi, 39 € le soir ; menu découverte en 6 services 59 €.* Dans une petite salle au décor vintage à la fois moderne et chaleureux, avec son mur en pierre, ses photos d'artistes et ses boules de lumière à pampilles. Cuisine de bistrot élaborée, pleine de saveurs heureuses et inventives. Faut dire que le chef, Santiago, colombien et ancien du *Westminster,* s'amuse à titiller nos papilles avec des produits de saison revisités avec talent. La petite merveille du coin !

●I *La Tute 2, Chez Manu (plan couleur C3, 60) :* 7, rue Rossini, 75009. ☎ 01-40-15-65-65. Ⓜ *Richelieu-Drouot. Tlj sf sam midi et dim ; service 12h-14h30, 19h-22h30. Congés : août et 23 déc-3 janv. Carte 35-45 €. Digestif maison offert sur présentation de ce guide.* Rustiques et généreuses, telles sont l'ambiance et la cuisine chez ce Pyrénéen qui accueille sans chichis les amateurs de terroir entre Bigorre et Navarre. Ici, quand on noue sa serviette, c'est pour attaquer avec entrain une planche de charcuterie de Bigorre ou une friture de poulpe, un rognon de veau entier ou un plat de tripes à l'armagnac. À l'atterrissage, les blancs-mangers arrosés de pousse-rapière vous inciteront, le soir, à pousser vous-même la chansonnette. Côté nectars : un pacherenc du vic-bilh pas piqué des hannetons. La transhumance faisant partie des traditions locales, nul doute que vous y reviendrez.

●I *Les Comédiens (plan couleur B2, 50) :* 1, rue de la Trinité (angle 7, rue Blanche), 75009. ☎ 01-40-82-95-95. • *info@lescomediens paris.fr* • Ⓜ *Trinité. Tlj sf sam midi, dim et lun soir ; service 12h-14h30, 19h-minuit. Congés : 3 premières sem d'août. Carte env 50 €.* À proximité du Théâtre de Paris, une adresse d'après-spectacle à la déco comme une loge d'artistes, où dominent le rouge et le noir. Cuisine apparente où s'affairent Gilles et son équipe pour proposer une cuisine de marché inventive, à l'inspiration sans cesse renouvelée, avec un souci constant de qualité. Belle carte de vins proposés au verre. Service attentif et de bon conseil.

●I *Restaurant Pétrelle (plan couleur D1, 53) :* 34, rue Pétrelle, 75009. ☎ 01-42-82-11-02. Ⓜ *Anvers ou Poissonnière. Tlj sf dim-lun ; service 20h-22h. Congés : 1 sem début mai, de mi-juil à mi-août et 1 sem à Noël. Résa obligatoire. Menu 40 € ; carte 55-70 €.*

Engouffrez-vous dans la chaleureuse salle à manger, parsemée d'une dizaine de tables de 6 personnes maximum. En cuisine, le patron ne prépare que des plats à base de produits frais, du marché et du moment. Ici, le respect du client n'est pas un vain mot. Belle carte des vins.

Bars à vins

Iel ʏ Le Rouge et le Verre (plan couleur C2, 65) : 8, rue de Maubeuge, 75009. ☎ 01-48-78-68-43. ● lerougeetleverre.maubeuge@hotmail.fr ● Ⓜ Notre-Dame-de-Lorette ou Cadet. Lun-sam 12h-15h, et pour l'apéro 18h-20h (22h jeu-sam). Congés : août. Formule déj 17,50 € ; planche de charcuterie de Béarn ou planche de fromages à l'apéro 7 €. Entre les rayonnages et les caisses en bois brut de ce caviste prennent place quelques tables et guéridons en bois, dans un esprit table d'hôtes. Adresse sympathique pour une pause déjeuner ou un apéro le soir avec planche de charcuterie ou de fromages. La carte des vins est plus qu'alléchante (allez, chante !), d'autant que le prix sur place est le même qu'à l'achat, sans droit de bouchon. L'occasion de déguster d'excellents crus à prix raisonnables.
Iel ʏ La Muse du Chai (plan couleur A3, 63) : 29, rue Godot-de-Mauroy, 75009. ☎ 01-47-42-60-24. Ⓜ Havre-Caumartin ou Madeleine. Tlj sf w-e 8h30-23h ; service 12h-15h, 19h-22h. Congés : mai et août. Tartine chaude 10 € ; plats du jour 13-14 €.

Cuisine d'ailleurs

Sur le pouce

☎ Big Fernand (plan couleur D2, 67) : 55, rue du Faubourg-Poissonnière, 75009. ☎ 01-73-70-51-52. ● contact@bigfernand.com ● Ⓜ Poissonnière. Tlj sf dim 12h-14h30, 19h30 (19h ven-sam)-23h. Formules 14-16 € ; burgers à partir de 11 €. Halte à la mondialisation de l'alimentation ! Mais, soyons francs, vous avez, vous aussi, une petite (grosse ?) faiblesse pour le burger ? Ces 3 gars-là ont trouvé la parade. Des produits bien de chez nous (mention TB pour les fromages), des recettes à composer soi-même :

14 cl de vin à partir de 5 €. ⌨ ☎ Apéritif maison, digestif maison ou coupe de champagne offert(e) sur présentation de ce guide. Un bistrot rigolo dans ce quartier d'affaires. Deux ou 3 ardoises et de vieilles bouteilles donnent un cachet convivial à cette petite adresse. Le sourire du nouveau patron, le vin qui coule à flots et les commerçants du quartier qui se relaient achèvent de nous ravir pour des après-midi plus arrosés que studieux.
Iel ʏ Le Dit-Vin (plan couleur B1, 64) : 68, rue Blanche, 75009. ☎ 01-45-26-27-37. Ⓜ Blanche. Tlj sf w-e 12h-15h, 19h-22h30. Congés : août et Noël-Nouvel An. Résa conseillée. Assiettes composées « buffet des saveurs » 12-18 € ; formules déj 18-26 € ; le soir, carte 20-25 €. Vins au verre 5-7 €. Une jolie vitrine, une atmosphère agréable et rassurante. On peut choisir sa bouteille pour l'emporter à sa table, avec un droit de bouchon de 8 €. Restauration savoureuse, qu'on apprécie encore plus le soir, en prenant son temps : on déguste, on commente, on en redemande... Terrasse en été.

grisant ! Un succès qui ne se dément pas... à tel point qu'un 2d Big Fernand a ouvert dans le 2e arrondissement (32, rue Saint-Sauveur ; mêmes horaires).
☎ Stanz (plan couleur C2, 61) : 56, rue Lafayette, 75009. ☎ 09-80-88-88-40. Ⓜ Le Peletier. Lun-sam 10h-20h30, dim 11h-17h. Bagels 5,80-8,50 € ; formules 8,80-9,50 € ; brunch dim 16,50 €. Que ce soit à consommer sur place ou à emporter, tout tourne ici autour du petit pain rond, originellement importé en Amérique du Nord par la population juive d'Europe de l'Est. Confectionnés sur place, de façon artisanale, d'un

moelleux incomparable, les bagels sont servis nature ou parfumés (à l'encre de seiche, seigle et éclats de châtaigne, pavot, cacao amer...), et garnis à la commande : viande fumée, saumon, etc. Bon point pour les minis aux garnitures plus variées et qui permettent d'en goûter plusieurs ! Pour faire glisser, quelques salades. Et en dessert, des délices sucrés US : cheese-cake, carrot cake, cake pops. NOUVEAUTÉ.

|●| Le Stube Verdeau (plan couleur C3, **62**) : 23, passage Verdeau, 75009. ☎ 01-47-70-08-18. Ⓜ Le Peletier ou Richelieu-Drouot. Lun-sam 9h30-19h (22h mer-ven, 21h sam). Formules 16,50-17,50 € ; pâtisserie 4,60 €. Coup de cœur pour cette superbe enseigne dédiée à la gastronomie d'outre-Rhin : Sauerkraut (choucroute-saucisse de bœuf), goulasch, Kasseler (rôti de porc fumé), saucisses (étonnante Currywurst), assortiments de pirojki..., à accompagner d'un Fritz-Kola ou d'une Becks ! Pour conclure, ne surtout pas faire l'impasse sur les excellentes pâtisseries maison : strudel aux pommes et aux griottes, Linzer aux noisettes et aux framboises, forêt-noire et toutes sortes de sablés et gourmandises à la pâte d'amandes. Le tout à grignoter sur place, à l'étage, en terrasse couverte – au cœur du passage Verdeau – ou à emporter. NOUVEAUTÉ.

De très bon marché à bon marché

|●| 1 000 & 1 Signes (plan couleur C1-2, **68**) : 42, rue Rodier, 75009. Pas de téléphone (vous allez comprendre pourquoi plus loin !). ● contact@1000et1signes.com ● Ⓜ Anvers, Le Peletier ou Notre-Dame-de-Lorette. Mar-sam 12h-14h30, 19h30-22h30 ; dim brunch 12h-15h. Congés : août. Résa par e-mail ou SMS (☏ 06-83-99-73-11) conseillée. Le midi en sem, formules et menus 15-18 € ; plats « façon tajines » 11-13 €, couscous 15 €. Thé à la menthe offert sur présentation de ce guide. Sid est un personnage ! Il est sourd, ancien instit, et cherche à promouvoir les relations entre les entendants et les sourds grâce à la langue des signes. Il a ouvert sa petit resto,

où le couscous est goûteux et léger, le plat du jour fort bien fait, avec l'objectif de mettre en relation les 2 mondes. Et c'est fou comme avec son sourire généreux et quelques signes (que l'on apprend bien vite), il décloisonne avec brio les espaces et nous met parfaitement à l'aise. Un beau moment culinaire, mais aussi de reconnaissance de la différence, le tout dans une grande convivialité. Régulièrement, des rencontres « Café philo ». Bravo Sid !

|●| Mian Fan (plan couleur B2, **71**) : 40, rue Saint-Georges, 75009. ☎ 01-45-26-22-89. ● sarlhaoyou@hotmail.com ● Ⓜ Notre-Dame-de-Lorette. Tlj 12h-14h30, 18h30-22h30. Soupes 8,50-11,50 € ; plats 10-15 €. Une cantine asian fusion où les gens du quartier viennent se régaler d'une soupe thaïe ou d'un plat d'inspiration sino-vietnamienne. Déco zen, plats copieux et service rapide. Adresse idéale pour le midi. Pour les plus pressés, des plats à emporter.

|●| Yoom (plan couleur C2, **69**) : 20, rue des Martyrs, 75009. ☎ 01-56-92-19-10. Ⓜ Notre-Dame-de-Lorette ou Saint-Georges. Mar-sam 12h-14h30 (15h sam), 20h-22h30 (23h ven-sam). En sem, menu déj « 6 bouchées » + riz aux champignons noirs 15 € ; paniers vapeur « 3 bouchées » à partir de 6 € ; menus 21-26 €. Un vrai resto de dim sum, ces jolies petites bouchées farcies, dans un cadre élégant et raffiné. On a l'impression d'être dans le Hong Kong branché de Lan Kwai Fong. Murs en brique, grandes tablées de bois brun et paniers à étages s'entassant sur votre table. On retrouve toutes les saveurs et textures, sucrées, salées, de ces viandes et poissons parfaitement assaisonnés, avec épices et herbes aromatiques. Un joyeux typhon sous le palais !

|●| Medi Terra Nea (plan couleur C3, **98**) : 13, rue du Faubourg-Montmartre, 75009. ☎ 01-47-70-53-04. ● reservation@medi-terra-nea.fr ● Grands-Boulevards. ♿ Tlj sf dim et lun soir. Tapas froides à partir de 3,50 €, plancha dès 5 €, desserts dès 3,50 € ; menus 25-45 € ; compter 20-30 € selon l'appétit. Un verre de vin coup de cœur du moment offert sur présentation de ce guide. Bonne idée que ce joli bar à tapas où les saveurs de la grande bleue défilent sur un tapis roulant avec des dénominations pleines d'humour (« Tzatzi Ki ? », « Pertuis for ever »). On prend le temps de choisir, et hop, on se sert. Non seulement le principe est amusant, mais les petits plats s'avèrent réussis grâce à des associations qui revisitent les classiques du genre avec des épices ou des mélanges sucrés-salés bienvenus. Pour les plats chauds *a la plancha,* il suffit de commander, et là encore c'est bon, frais et léger. La salle du bas est joliment décorée ; mais si vous êtes en bande, on vous installera en haut. Accueil jeune et souriant.

I●I *Pizzeria da Carmine (plan couleur C1, **70**) :* 61, rue des Martyrs, 75009. ☎ 01-48-78-28-01. Ⓜ *Pigalle. Tlj sf dim midi, lun et mar midi ; service 11h30-15h, 18h-minuit. Résa conseillée pour plus de 3-4 pers. Pizzas 15-20 €, sur place ou à emporter ; spécialités de pâtes maison 14-18 € selon jour. Formule du jour 15 € (pizza ou lasagnes) + entrée ou dessert.* Une trattoria animée qui déborde sur la rue. La vedette, ici, c'est la généreuse pizza, qui explique à elle seule le succès de l'établissement. Bons *antipasti* maison. Bien animé les soirs de matchs ! Bon accueil.

I●I *Les Pâtes Vivantes (plan couleur C2, **74**) :* 46, rue du Faubourg-Montmartre, 75009. ☎ 01-45-23-10-21. ● gerardcoutin@hotmail.com ● Ⓜ *Le Peletier ou Grands-Boulevards. Tlj 12h-15h, 19h-23h. Résa conseillée. Menus 11-14,50 € ; carte env 15 €. Jiao Zi offert sur présentation de ce guide.* Une cantine minuscule où Mme Coutin s'active à fabriquer, au vu de tous, cette spécialité de pâtes du nord de la Chine, des pâtes fraîches, tout simplement succulentes. Et on ne s'y trompe pas en avalant la soupe de nouilles au bœuf Lanzhou ou celle en sauce Zhajiang, les spécialités de la maison. Victime de son succès, c'est toujours plein. Mais qu'à cela ne tienne, une autre enseigne se trouve au 3, rue de Turbigo (1er).

I●I *Fujiyaki (plan couleur B1, **72**) :* 20, rue Henri-Monnier, 75009. ☎ 01-42-81-54-25. Ⓜ *Pigalle. Tlj sf dim midi ; service 12h-15h, 19h-23h.* Formules 7,50 € (midi)-20 € ; carte env 23 €. Petit resto nippon qu'on pourrait louper, vu sa devanture discrète et étroite. Certes, c'est plus la gentillesse de l'accueil et la bonne tenue des menus que l'originalité des préparations qui priment ici, mais les amateurs de cru et de cuit (avec les yakitoris, ces brochettes cuites au feu de bois) s'y retrouveront, compte tenu de la clémence de l'addition.

I●I *Le Lutin (plan couleur C2, **73**) :* 3, rue Bourdaloue, 75009. ☎ 01-48-78-70-94. Ⓜ *Notre-Dame-de-Lorette. Tlj sf dim midi et soir jusqu'à 23h. Congés : août. Couscous et tajines 11,50-15 € ; carte env 25 €. Café ou thé à la menthe offert sur présentation de ce guide.* On vient ici avant tout pour la gentillesse de Mustapha et sa cuisine marocaine hors pair, à des prix très honnêtes. Savoureux hors-d'œuvre, couscous de légende aux viandes super tendres, délicieuses boulettes maison, méchoui (l'agneau est ici un vrai péché), bons légumes parfumés, mon tout servi avec générosité. Ne pas hésiter à redemander semoule et légumes, Mustapha ne sert pas tout et garde le reste au chaud.

De prix moyens à chic

I●I *Kiku (plan couleur C2, **75**) :* 56, rue Richer, 75009. ☎ 01-44-83-02-30. ● restaurant.kiku@gmail.com ● Ⓜ *Grands-Boulevards. Tlj sf sam midi et dim ; le soir, service jusqu'à 22h15. Congés : 3e sem d'août. Formule déj 29 € ; le soir, menu-dégustation 37 € et menu maison 57 €. Café offert sur présentation de ce guide.* La devanture est d'une banalité à reculer, et, pourtant, la petite salle aux tables bien serrées est souvent pleine. L'unique menu du soir propose en 3 services une dégustation de spécialités nipponnes réinterprétées par un chef créatif. Selon l'humeur, les stocks en cuisine et votre heure d'arrivée, on vous glissera une mise en bouche et/ou un plat dégustation supplémentaire. La carte des desserts est un peu plus faible, mais la glace au sésame noir est une curiosité. Juste à côté, le *Simplement Kiku* propose un service traiteur avec bento à emporter ou à manger sur place (9,50-16,50 €).

|●| *Sobane* (plan couleur C2, **76**) : 5, rue de La Tour-d'Auvergne, 75009. ☎ 01-48-78-02-91. Ⓜ Cadet. Tlj sf le midi dim-lun et j. fériés 12h-15h, 19h-22h30. Formules 10,40 € (plat du jour), 12,90-24 € le midi, 21,50-37 € le soir ; carte env 32 €. C'est un véritable aller simple Paris-Séoul qu'on s'offre en entrant dans ce resto grand comme un mouchoir de poche au cadre minimaliste. Une certaine promiscuité, qu'on oublie bien vite devant les assiettes, dépaysantes et bien présentées : côte de bœuf marinée et grillée à la flamme, palette de porc confit aux épices, galettes au thé vert... Pas donné le soir, mais on n'est pas déçu. Accueil et service charmants.

|●| *La Petite Sirène de Copenhague* (plan couleur B1, **77**) : 47, rue Notre-Dame-de-Lorette, 75009. ☎ 01-45-26-66-66. Ⓜ Saint-Georges. Tlj sf sam midi, dim-lun et j. fériés ; service 12h-14h, 19h-23h. Congés : 3 sem en août et Noël-Jour de l'an. Menus-ardoise 35 € le midi, 41 € le soir avec fromage ; carte 50-60 €. Un décor de bistrot agréable, chic, lumineux, et une ambiance légèrement tendance. Cette nouvelle cuisine de la Baltique vaut vraiment le détour. En vedette, bien sûr, le hareng, fumé à froid, parfumé au genièvre et au curry (les épices

étaient connues des Danois dès le XVIIᵉ s). Pour le vin, laissez-vous guider. *Skol !*

|●| ≜ *La Maison Mère* (plan couleur C1, **97**) : 4, rue de Navarin, 75009. ☎ 01-42-81-11-00. Ⓜ Saint-Georges ou Pigalle. Tlj sf dim soir ; service 12h-14h30 (16h sam), 19h30-23h (23h30 ven-sam). Formule déj en sem 15 € ; carte env 35 €. Ambiance café' new-yorkaise avec les murs carrelés et les nappes en papier sur fond sonore jazzy. Pour remplir votre estomac, testez les plats du moment, à défaut d'être de maman, les burgers maison (à accompagner d'un bon *coleslaw*) ou les salades pour faire plaisir à ceux qui savent si bien les vendre dans ce quartier. Sympa et efficace, mais un peu cher. Salle plus calme et plus cosy au 1ᵉʳ.

|●| *I Golosi* (plan couleur C3, **78**) : 6, rue de la Grange-Batelière, 75009. ☎ 01-48-24-18-63. ● i.golosi@ wanadoo.fr ● Ⓜ Richelieu-Drouot ou Grands-Boulevards. Tlj sf sam soir et dim 12h-14h30, 19h30-22h30. Congés : 15 j. en août. Carte slt, 27-35 €. Au rez-de-chaussée, l'épicerie ; à l'étage, le restaurant. Embarquement immédiat pour une escapade en Italie du Nord : avec son atmosphère, son décor, sa carte plus piémontaise, toscane ou vénitienne que sicilienne, ses 500 étiquettes de vin (servis au verre)... et son service attentionné.

Restaurant de nuit

|●| ☾ *À la Cloche d'Or* (plan couleur B1, **99**) : 3, rue Mansart, 75009. ☎ 01-48-74-48-88. Ⓜ Pigalle ou Blanche. Tlj sf sam midi et dim ; service 12h-14h30, 19h-2h30 (0h30 lun, 4h30 ven-sam). Congés : août. Formules 20,90 € le midi, 35 € le soir. Une vieille adresse de la nuit parisienne, créée en 1928 par le père de Jeanne Moreau. Le Tout-Paris s'y est

croisé. Aujourd'hui, la carte est très traditionnelle. Cela dit, la formule déjeuner offre un excellent rapport qualité-prix, et le service tardif attire les noctambules affamés, nombreux dans le quartier. Le tout est concocté exclusivement à base de produits frais et à accompagner de vins rigoureusement sélectionnés auprès des récoltants.

Où boire un thé ?

|●| ☛ *Rose Bakery* (plan couleur C1, **82**) : 46, rue des Martyrs, 75009. ☎ 01-42-82-12-80. ● rosebakery paris@gmail.com ● Ⓜ Pigalle. Tlj sf

lun 9h-18h. Congés : env 10-25 août et Noël-Jour de l'an. Desserts env 5 €. Quiches 6,50 € + 2-2,50 € sur place. Des desserts formidablement bons et frais : scones, cakes aux fruits et tartes à tomber ! C'est parfois suffisant pour faire oublier aux habitués le cadre indigent (du coup, on vous recommande plutôt la vente à emporter) et l'accueil assez distant.

📍☕ **Un Thé dans le Jardin** (plan couleur B1, 80) : musée de la Vie romantique, 16, rue Chaptal, 75009. ☎ 06-15-30-55-48. ● cakestore@hotmail.fr ● Ⓜ Saint-Georges, Liège, Blanche ou Pigalle. Mêmes horaires que le musée. Voir plus loin dans « À voir. La Nouvelle-Athènes » le salon de thé du musée de la Vie romantique.

🍽️☕ **Aux Pipalottes Gourmandes** (plan couleur C-D1-2, 81) : 49, rue de Rochechouart, 75009. ☎ 01-44-53-04-53. ● auxpipalottesgourmandes@gmail.com ● Ⓜ Anvers ou Cadet. Tlj jusqu'à 22h ; service 12h-20h. Formules et menus 13-17 € ; carte env 26 € ; brunch dim (10h-15h) 22 €. Café offert sur présentation de ce guide. Une boutique-traiteur riche en atmosphère, où l'on peut déguster sur place lasagnes, moussaka et autres douceurs, et même une boisson, en prenant son temps. Salon de thé l'après-midi avec de bonnes tartes et un mi-cuit chocolat à la fleur de sel de Guérande. Toute une gamme d'épicerie fine présentée dans des meubles en pin.

Où boire un verre ?

🍷 **Les 36 Corneil** (plan couleur D2, 83) : 36, rue de Rochechouart, 75009. ☎ 09-83-60-42-55. Ⓜ Anvers. Lun-sam 10h (18h sam)-2h. Cocktail 7,50 € ; vins au verre 4-4,50 € ; bouteilles 20-32 €. « Canailles » 4 € ; plat du jour 12 €. Ce bar propose une très belle sélection de vins accompagnés de tapas inventives (servies jusqu'à 0h30 !) qu'on déguste au coude-à-coude, à table ou au comptoir. L'accueil est joyeux, tout comme la clientèle bobo du quartier. L'endroit est idéal pour l'apéro (beaucoup de monde d'ailleurs), dans la salle au joli décor de pierre et boiseries, ou accoudé à de gros tonneaux en guise de terrasse improvisée. L'ambiance tourne au festif les soirs de fin de semaine !

🍷 **Le Mansart** (plan couleur B1, 84) : 1, rue Mansart, 75009. ☎ 01-56-92-05-99. Ⓜ Pigalle ou Blanche. Tlj 9h-2h. Bière 3 € ; plats à partir de 12 €. Le Mansart joue la carte de la brasserie mode et vivante, à toute heure du jour et de la nuit. En terrasse (convoitée !) ou sur une banquette vintage, les habitués et touristes apprécient son ambiance, toujours vibrante. Attention, blindé le week-end !

🍷 **Odette et Aimé** (plan couleur D2, 86) : 46, rue de Maubeuge, 75009. ☎ 01-48-78-47-52. Ⓜ Cadet. ♿ Tlj 7h30 (10h sam-dim)-2h ; service 11h30-23h30. Fermé 24 déc au soir et 25 déc. Bière 3,10 € (pinte 5,10 €) ; verre de vin 3,40 €. Plats 11-16 €. 📶 Un joli bar à la déco rétro qui vous replonge dans les années 1950. Accoudé au comptoir ou tranquillement installé à une table en formica, on disserte et on boit des coups entre copains. Si la faim se fait sentir, on choisit parmi les quelques plats de bistrot bien troussés, qu'on accompagne d'un flacon bio.

🍷 **Au Général La Fayette** (plan couleur C2, 85) : 52, rue La Fayette, 75009. ☎ 01-47-70-59-08. Ⓜ Cadet ou Le Peletier. Tlj 9h-4h ; service continu 11h-3h. Menu 34 €, boissons comprises ; carte env 32 €. Cette brasserie, créée en 1896, est une institution dans ce cœur des affaires du Paris haussmannien : on y a notamment percé l'un des 2 premiers fûts de Guinness de la capitale après guerre (l'autre était celui du Harry's). Sa rénovation a laissé intacts dorures et lambris. Ici, l'écrivain solitaire voisine avec les comédiens des salles des boulevards, le Tout-Drouot côtoie les membres du Grand Orient de la rue Cadet dans une ambiance de grande brasserie chic. On y déguste à toute heure mâchons ou tripoux, accompagnés de vins de propriété.

Où boire un excellent cocktail ?

Y **Dirty Dick** (plan couleur B1, **87**) : 10, rue Frochot, 75009. Ⓜ Pigalle. Tlj 18h-2h. Soft 4 € ; cocktails 7-14 € Hawaii, Los Angeles ou Pigalle ? C'est la question que se posera inévitablement le nouveau venu en entrant au Dirty Dick. Ici, on aime les cocktails de costauds, les breuvages de tatoués. Hemingway n'aurait pas été déçu par la carte : les meilleurs rhums coulent à flots, juste tempérés par les jus exotiques frais et sublimés par les serveurs d'origine américaine (demandez Scott !). Côté déco, on voyage forcément entre Caraïbes et Pacifique. Faites monter la température en prenant place dans le fauteuil en osier, façon Emmanuelle. NOUVEAUTÉ.

Y **Artisan** (plan couleur C1, **92**) : 14, rue Brochard-de-Saron, 75009. ☎ 01-48-74-65-38. Ⓜ Pigalle ou Anvers. Mar-dim 19h-2h. Tapas 5-15 €. Décidément, l'art de la mixologie s'installe durablement à Paris, et Artisan vient renforcer cette tendance lourde. On pénètre avec plaisir dans un joli décor de bois blond, qui oscille entre l'atelier et la boutique d'apothicaire, et où la lumière se fait douce. Les cocktails sont délicieux et changent au fil des saisons. On peut accompagner ces doux breuvages de tapas bien troussées ; l'os à moelle servi sur un toast nous a laissé un souvenir impérissable... NOUVEAUTÉ.

Où sortir ?

Y ♪ **Le Sans-Souci** (plan couleur B1, **89**) : 65, rue Jean-Baptiste-Pigalle, 75009. ☎ 01-53-16-17-04. Ⓜ Pigalle. Tlj sf dim 9h-2h. Bière 2,50 € ; cocktail 7,50 €. Plats 10-15 €, servis 12h-23h. Simple troquet de quartier dans la journée, ce bar est devenu le dernier endroit à la mode pour boire des coups avant de sortir dans les clubs du quartier Pigalle. Des DJs font vibrer les lieux du mercredi au samedi soir, envoyant leurs meilleures trouvailles rock, électro ou disco. Pour reprendre des forces, la maison propose quelques bons plats honnêtes à prix doux, à déguster au fond du bar.

Y ♪ **Le Carmen** (plan couleur B1, **88**) : 34, rue Duperré, 75009. ☎ 01-45-26-50-00. Ⓜ Pigalle. Mar-sam 22h-4h (6h w-e). Cocktails 12-24 € ; bière env 6 €. Tenue correcte requise ; sélection drastique à l'entrée (en particulier le w-e) : arriver tôt ! Ce bar chic et hype possède assurément l'un des plus beaux décors de Paris, celui d'un hôtel particulier du XIXe s, qui servit un temps de maison close de luxe. Moulures, dorures, lustres de cristal, moquette épaisse : on a su ajouter quelques touches décalées qui subliment un peu plus ce décor de rêve. On trouve même une immense cage dans laquelle on peut s'installer pour se la jouer félin (pour l'autre). Les cocktails vous aideront à oublier l'atmosphère un brin snob (en particulier le week-end). Au sous-sol, DJs électro de qualité en fin de semaine.

Y |●| ♪ **Le Limonaire** (plan couleur C3, **90**) : 18, cité Bergère (au niveau du 21, rue Bergère, 75009. ☎ 01-45-23-33-33. ● limonaire@free.fr ● limonaire.free.fr ● Ⓜ Grands-Boulevards ou Bonne-Nouvelle. Tlj ; resto 20h-22h (sf lun) ; spectacle à 22h (et 19h dim). Résa indispensable (généralement 48h avt) pour manger assis. Plats 10,50-13,50 €. Possibilité de prendre juste un verre ; prévoir également une participation pour le spectacle. Apéritif maison ou café offert sur présentation de ce guide. Le Limonaire reçoit des chanteurs, des poètes, de jeunes talents ou des chansonniers. Ici, les propos sont résolument contestataires, l'esprit est communautaire, et l'ambiance conviviale. On mange rustique dans une salle de vieux bistrot parisien, au coude-à-coude avec les autres convives. Le café avalé, le spectacle peut commencer ; à son issue, le chapeau circule et les verres se bousculent. Une vraie belle adresse pleine d'âme qu'il serait dommage de rater. Cinéma muet accompagné par des musiciens le 3ᵉ dimanche du mois, soirée cabaret les autres dimanches.

🍷 **Le Glass** (plan couleur B1, 91) : 7, rue Frochot, 75009. ☎ 09-80-72-98-83. Ⓜ Pigalle. Tlj 19h-2h (4h jeu-sam). Cocktails 10-12 € ; pinte 7 €. Hot dog 7 €. Ce cocktail-bar de Pigalle, établi dans un ancien bar à filles, se la joue *speakeasy* du temps de la prohibition : un décor de taverne boisé, un accueil anglo-saxon et une carte de cocktails bien fournie. Ne manquez pas le « Maison Close », un mélange suave de vodka infusée aux 5 épices, sirop de bière avec fenouil et citron jaune. Côté bière justement, on sert ici l'excellente Brooklyn Beer, dans sa version IPA (plus houblonnée et goûteuse). Essayez les divers *boilermakers,* des accords bières-shots originaux qui pourront s'accompagner d'un délicieux hot dog, histoire de tenir le coup. Des DJs et beaucoup de monde le week-end, ça va sans dire.

Où danser ?

🎵 **Le Bus Palladium** (plan couleur B1, 95) : 6, rue Fontaine, 75009. ☎ 01-45-26-80-35. Ⓜ Pigalle ou Saint-Georges. Clubbing ven-sam minuit-5h, plus certains mar, mer et jeu. Entrée : 6 € les concerts en début de soirée (possibilité de poursuivre la soirée), 20 € (avec conso) plus tard pour le club. Consos 8-14 €. Le w-e, arriver tôt et accompagné : sélection drastique à l'entrée ! Pour l'antre cultissime des seventies-showbiz, c'est la renaissance. Finie l'époque où le meilleur du rock *frenchy* était récompensé chaque année en recevant un Bus d'Acier. Mais la relève est assurée avec la nouvelle déco et le resto à l'étage. Au club, en bas, les sonorités rock sont de retour avec DJ, groupes et même karaoké !

Le week-end, c'est le magazine Le Bonbon qui organise ses soirées très dansantes. Il tient toujours la route, Le Bus Palladium !

🎵 **Chez Moune** (plan couleur B1, 96) : 54, rue Jean-Baptiste-Pigalle, 75009. ☎ 01-45-26-64-64. Ⓜ Pigalle. Mer-sam de 23h à l'aube. Entrée gratuite mais parfois très sélective ; arriver tôt. Consos 5-15 €. À son ouverture en 1936, c'était un cabaret lesbien emblématique de Pigalle, quartier très tolérant pour l'époque. Aujourd'hui, la clientèle n'est plus majoritairement homosexuelle, et tout le monde est bienvenu pour danser sur des mixes de DJs électro branchés, tendance underground. Les aficionados en redemandent !

À voir

LES GRANDS BOULEVARDS

DU BOULEVARD DU CRIME AU BOULEVARD DU KITSCH

De la Bastille à la Madeleine, les Grands Boulevards épousent l'itinéraire des anciens remparts de Charles V, prolongés par ceux de Louis XIII. Quand les fortifications devinrent inutiles, Louis XIV fit aménager les espaces libérés en promenades plantées d'arbres. De riches demeures furent construites avec de vastes jardins. Puis, au XIXᵉ s, les boulevards s'urbanisèrent et se couvrirent de guinguettes et de théâtres où l'on jouait des mélos ahurissants.

Aujourd'hui, on trouve encore par ici cafés, grandes brasseries, restaurants, cinémas et, bien sûr, les derniers théâtres dits « de boulevard ». Ceux-ci étaient spécialisés dans la comédie légère, vaguement polissonne, visant avant tout à divertir un public sans prétentions intellectuelles et ne demandant qu'à rire de choses simples. La grande époque des Boulevards eut lieu dans la seconde moitié du XIXe s. Ils symbolisaient vraiment le haut lieu de l'élégance et de la mode. Puis, vers les années 1950, ils se démocratisèrent doucement. C'est cette période qui fut chantée par Montand, celle du prolo se promenant avec sa famille le

ESSUYER LES PLÂTRES

Cette expression, qui signifie « être le premier à subir les désagréments d'un nouveau service pas encore au point, d'une nouveauté », remonte à Napoléon III, à l'époque des grands travaux dans la capitale. L'humidité du plâtre des nombreux immeubles nouvellement construits était telle qu'on louait les logements neufs et humides aux prostituées, le temps du séchage, pour ne pas « essuyer les plâtres »...

dimanche, faisant de temps à autre quelques cartons dans les baraques foraines ou écoutant les boniments des camelots. On peut y faire des balades un peu hors du temps en... faisant la tournée des passages, par exemple (les passages sont répartis entre les 2e et 9e arrondissements, donc lire aussi plus haut).

¶¶ Le passage Jouffroy (plan couleur C3) : *entrée bd Montmartre ou rue de la Grange-Batelière. Ouv tlj jusqu'à 21h30-22h.* On trouve de tout, comme dans une rue commerçante de province, dans cette galerie construite en 1847. Pourtant, à l'origine, sa vocation était plutôt coquine. Notez qu'à la fin du XIXe s le passage était réputé pour ses nombreuses prostituées, ses restos et son musée Grévin (on y voit l'entrée d'origine). Son système de chauffage par le sol était une appréciable spécificité.

Arrivé au bout, prolongez votre virée en face, dans le **passage Verdeau** (*tlj jusqu'à 21h – 20h30 le w-e*), peut-être un peu moins joli que le passage Jouffroy mais bourré d'échoppes aux richesses incalculables : marchands d'instruments de musique, d'appareils photo anciens, librairies. *La France Ancienne* propose un vaste choix de cartes postales, affiches, vieux journaux, à des prix très raisonnables. Pour une balade plus complète au gré des passages, traverser simplement le boulevard Montmartre et récupérer le *passage des Panoramas* (voir « Balades sous les verrières » dans le 2e arrondissement).

¶¶ La cité Bergère et la cité de Trévise : depuis le faubourg Montmartre, on peut remonter vers le nord de la ville en empruntant quelques chemins de traverse. La *cité Bergère,* ou « cité des hôtels », abrite quelques beaux spécimens du genre. Grande homogénéité dans le style Restauration, avec de belles marquises ouvragées – un peu décaties aujourd'hui – surmontant les portes cochères. Pour rejoindre la charmante *cité de Trévise,* tout près des Folies Bergère, emprunter la rue de Trévise, puis la rue Richer. Bel ensemble architectural néo-Renaissance avec une adorable petite place ronde au centre de laquelle trois nymphes, les pieds dans l'eau, se tiennent par la main. L'un des endroits les plus romantiques de l'arrondissement, calme, vert et reposant, mais malheureusement sans bancs pour s'asseoir.

¶¶ ⚐ Grévin (plan couleur C3) : 10, bd Montmartre, 75009. ☎ 01-47-70-85-05. ● grevin-paris.com ● Ⓜ Grands-Boulevards. ♿ *Lun-ven 10h-18h30, w-e, j. fériés et vac scol 10h (9h vac scol de la Toussaint et de Noël)-19h ; fermeture des caisses 1h avt. Tarifs (prohibitifs !) : 23,50 € ; 16,50 € 6-14 ans ; réduc (via le site internet notamment) ; gratuit moins de 6 ans. 1 entrée enfant offerte pour 2 entrées adultes achetées sur présentation de ce guide (code promo 1431). Visites contées pour les enfants le w-e, hors périodes de vac scol, sur résa (20,50 €).*

Pour info, Grévin est privé et ne reçoit aucune subvention. Soit ! Ce n'est pas le seul musée privé parisien, mais c'est le plus cher, et, au bout du compte, l'addition

– qui grimpe chaque année ! – est devenue vraiment trop salée. Quelques indications à l'attention de ceux qui s'y rendront néanmoins :

Un endroit où plus de 300 célébrités de ce monde sont reproduites en cire. Depuis 1882, les foules s'y pressent. Venez tôt pour profiter de l'émotion d'un instant passé en compagnie de Gainsbourg, d'une pause près d'un Aznavour attendrissant, et de tant d'autres qui arrivent encore à nous surprendre. Certains sont, comme Gabin, « plus petits en cire que vivants », s'il faut en croire les commentaires des passants, qui ne les ont, pourtant, vus qu'à la télé ; d'autres sont plutôt ratés, oui, on peut quand même le dire. Pour un Serrault pathétique, on oublie cette rencontre improbable autour d'une table de Loiseau, Yourcenar et d'Ormesson.

On se laisse porter par les rires des enfants posant auprès de leurs personnages de B.D. préférés, on voyage dans le temps en ronchonnant quand l'histoire se fait trop anecdotique... Un petit film montre Jean Reno – remarquablement réalisé – en train de renaître sous les doigts magiques de l'artiste. « Je me demande s'ils se font payer, ça m'étonnerait qu'ils fassent ça gratuitement », murmure un connaisseur. Eh non, c'est déjà un honneur d'être à Grévin, jeune homme ! On croise en fait tout le gotha des arts, du sport, de la mode et de la télé à travers des scènes et des poses vivantes. Même Bollywood a fait son entrée à Grévin avec le monument du cinéma indien, Shah Rukh Khan. On y croise également Omar Sy, Stromae, Zlatan Ibrahimovic. Le son et lumière du célèbre « Palais des Mirages » accentue l'impression d'un voyage imaginaire dans un monde parallèle au nôtre, par la simple traversée de ces lieux magiques qui poussent les lumières et les moulures rococo à l'infini grâce à des jeux de miroirs. Le tout est organisé comme un show à l'américaine avec la touche made in Paris. Animations le long de la visite.

🍴 *Les grands magasins* (plan couleur A-B3) : Ⓜ *Havre-Caumartin* ou *Chaussée-d'Antin-Lafayette*. Fermé dim, à quelques exceptions près. Qui n'a jamais rêvé devant les vitrines de Noël des grands magasins, en regardant la classe des lapins ou la ronde des ours ? Le plus grand rayon de parfumerie au monde, le plus fort chiffre d'affaires au mètre carré... les grands rivaux accumulent les records ; voilà au moins une invention bien française et partout imitée, des

LE PREMIER AVIATEUR DÉLINQUANT

En 1919, un certain Védrines atterrit sur le toit des Galeries Lafayette. Pour promouvoir son magasin, le directeur avait promis une prime de 25 000 francs à celui qui relèverait le défi, et ce, malgré l'interdiction de la préfecture de police. La piste mesurait... 28 m. Le pilote n'eut guère le temps de profiter de son argent puisqu'il mourut 3 mois plus tard.

États-Unis au Japon ! L'essor de la formule date de 1852, quand Aristide Boucicaut racheta *Le Bon Marché*. Il fut vite imité : en 1864, Jules Laluzot fait construire le *Printemps* ; en 1869, Ernest Cognacq et Louise Jay inaugurent leur *Samaritaine* face au Pont-Neuf ; en 1894, enfin, deux Alsaciens lancent les *Galeries Lafayette*, pour une clientèle d'ouvrières et d'employées. C'est l'époque où le commerce triomphe. Il étale ses façades, se gonfle de statues, de dorures et de stucs, sans peur de la surcharge. Encore aujourd'hui, les *Galeries* restent le plus grand magasin du monde, et dans leurs caisses transitent parfois jusqu'à 6 millions d'euros en une journée ! De malheureuses transformations ont supprimé le splendide escalier central du *Printemps*, puis celui des *Galeries Lafayette*, quelques mois avant son classement comme Monument historique... Mais on peut encore remarquer la pompeuse décoration du *Printemps* depuis le boulevard Haussmann, la verrière de sa grande coupole centrale, tout comme la légèreté du grand hall des *Galeries Lafayette*. La bonne idée, c'est de prendre un verre au café situé sous la coupole Haussmann du *Printemps* : moment magique pour apprécier les tons bleus de la verrière. On peut aussi se retrouver à la terrasse du *Printemps de la Maison* (vue dégagée, très agréable, mais vraiment rien de gastronomique dans l'assiette...) ou encore au *Café Be* (3ᵉ étage). Si les vitrines ne vous suffisent pas, sachez qu'au niveau -1 du *Printemps de la Maison* le célèbre studio photo Harcourt a mis au point un photomaton de luxe, avec l'éclairage si particulier qui fait la « patte » Harcourt. Effet star garanti !

✲ **Au Pullman :** 70, rue d'Amsterdam, 75009. ☎ 01-48-74-56-17. Ⓜ *Liège. Mar-sam 10h-18h30.* ● *aupullman.com* ● *5 % de réduc sur présentation de ce guide.* La plus belle boutique de Paris pour les passionnés de trains électriques. Le leader de la marque Maerklin en France. Cartes de réduction et ventes privées. Un monument pour les grands qui ont su garder leur âme d'enfant.

🍴 Au 14, boulevard des Capucines, on aperçoit une plaque : « Ici, le 28 décembre 1896, eurent lieu les premières projections publiques de photographie animée à l'aide du cinématographe, appareil inventé par les frères Lumière. »

🍴🍴🍴 **Le palais Garnier (Opéra** ; *plan couleur B3) :* entrée sur la pl. Charles-Garnier, au croisement des rues Auber et Scribe. ☎ 01-40-01-17-89 (standard) ou 0892-89-90-90 (0,34 €/mn ; infos et résas). ● *operadeparis.fr* ● Ⓜ *Opéra* ; *RER A : Auber. Visite libre tlj à partir de 10h ; dernier billet à 16h30 en hiver et 17h en été. Fermé 1ᵉʳ janv, 1ᵉʳ mai et j. de représentation en matinée ou en cas de manifestation exceptionnelle. Réservez vos billets en accès prioritaire en magasin et sur* ● *fnac.com* ● *Entrée :* 10 € ; réduc ; gratuit moins de 10 ans. Visites guidées (env 1h30) mer, sam et dim à 11h30 et 15h30 (tlj pdt les vac scol) ; rens : ☎ 0825-05-44-05 (0,15 €/mn) ; tarif : 14 €, réduc.
Les places (5-195 € pour les opéras et 5-110 € pour les ballets) sont mises en vente selon un calendrier préétabli. Les abonnés sont les premiers servis. Deux à trois mois à l'avance, on peut réserver sur Internet, puis par téléphone et, enfin, au guichet. On peut aussi acheter des billets dans les *Fnac* et *Virgin*. Places de dernière minute proposées à des tarifs très intéressants aux moins de 28 ans, retraités et demandeurs d'emploi.
Si vous n'avez pas réussi à avoir de place de spectacle, la visite vaut tout de même le coup. Un conseil : venir entre 13h et 14h pour avoir une chance de voir la salle de spectacle elle-même, dont le plafond peint par Chagall reste le clou de la visite. En effet, il y a souvent des répétitions qui en empêchent l'accès. Si vous arrivez après 14h, faites-vous préciser avant l'achat du ticket si le plafond est visible (et éclairé) ou pas. Mais ne vous attendez pas à croiser le petit rat que vous aviez rêvé d'être, ni à les voir travailler, leur formation n'ayant plus lieu sur place depuis quelques années. Librairie consacrée à la musique et à la danse, bien sûr.
Chef-d'œuvre, en son genre, du Second Empire, le palais Garnier a toujours ses admirateurs. Édifié à partir de 1860 par Charles Garnier, il ne fut inauguré qu'en 1875 par Mac-Mahon comme l'apothéose de l'urbanisme d'Haussmann. Pour la petite histoire, le jour de l'inauguration, Garnier dut acheter sa place et celle de sa femme – le prix à payer pour son attachement à Napoléon III, mort 2 ans

> ## PROTECTION RAPPROCHÉE
>
> *En 1858, Napoléon III échappa à un attentat fomenté par Orsini et les anarchistes. Voilà pourquoi Garnier créa une rampe sécurisée uniquement destinée au fiacre de l'empereur (côté rue Scribe). Quand il mettait pied à terre, il était caché par des murs. Cet accès est toujours là.*

plus tôt sans avoir vu l'achèvement de son théâtre impérial. À la question de l'impératrice Eugénie : « Quel style est-ce ? », Garnier répondit : « Majesté, c'est du Napoléon III ! »
Malgré son volume et ses 11 000 m² de superficie, l'Opéra n'a qu'une capacité de 1 971 places ; la scène peut en revanche accueillir jusqu'à 450 figurants. La façade principale, par endroits polychrome, donne son style à la place, à l'avenue

et au quartier tout entier. Dans l'hétérogénéité néoclassique du XIXᵉ s, allégories et croupes sculptées sont de règle, et des victoires dorées à la feuille en 2001 (dépense qui aurait été mal accueillie à l'époque de la construction) offrent leur éclat à la vue de tous. Le grand escalier (cherchez les deux salamandres en bronze qui symbolisent la perpétuelle renaissance), le grand foyer et la salle révèlent le style parfois pompeux de l'époque ; les caryatides qui jalonnent les espaces dissimulent, dans leur chevelure, les différents systèmes d'éclairage qui se sont succédé : bougie, lampe à huile puis à gaz. Côté architecture, l'ossature métallique traduit l'utilisation de techniques de construction de pointe pour l'époque. Une bonne option puisque, aujourd'hui encore, l'ossature est d'origine. Sous la grande coupole, remarquer les initiales entrelacées de Jean-Charles Garnier. C'est la première fois qu'un bâtiment est signé de son architecte. Par la suite, les architectes signeront systématiquement leurs réalisations sur la façade extérieure.

Autre anecdote pour finir : malgré son côté sérieux, l'Opéra recèle son petit lot de fantaisies. Le fameux lac souterrain – en fait, une retenue d'eau – existe bien (rappelez-vous *La Grande Vadrouille* et *Le Fantôme de l'Opéra* de Gaston Leroux !). Il servit à drainer les eaux sous l'Opéra – qui est installé à l'emplacement d'un ancien bras de la Seine –, à stabiliser le bâtiment et, bien sûr, il serait utile en cas d'incendie (une cinquantaine de pompiers se relaient d'ailleurs pour assurer la sécurité des opéras Garnier et Bastille). Un employé eut l'idée d'y élever des truites. Elles s'épanouirent un peu trop, si bien que les collègues venaient les pêcher. Le malin technicien remplaça les truites à chair tendre par des barbeaux, moins prisés des pêcheurs... Bien sûr, pas de visite. Quant aux abeilles locataires des ruches installées sur les toits, leur activité favorite ne semble pas embarrassée par la vie citadine, les embouteillages et la pollution, puisqu'elles donnent un miel vendu dans... une grande épicerie fine de la capitale.

🏃🏃 *Le musée et la bibliothèque du palais Garnier :* on y accède quand on visite l'Opéra (sf à la salle de lecture de la bibliothèque), excepté lors des Journées du patrimoine. Contrairement au reste du théâtre, ces espaces, jamais totalement aménagés par Garnier, sont complètement dépourvus de stucs et de dorures. Le musée comprend un espace d'expositions temporaires et une galerie permanente (partie haute) où sont exposés pastels et peintures consacrés à la danse et au ballet russe de l'Opéra. Admirer au passage le *Portrait de Wagner* (1893) de Renoir et la fameuse *Danseuse s'exerçant au foyer* de Degas. Voir également la maquette en réduction du plafond originel et original de Lenepveu, caché par celui de Chagall. Enfin, le musée possède plusieurs milliers de maquettes de décors de théâtre miniaturisés du XIXᵉ s (galerie des Guignols), que l'on réalisait toujours ainsi avant de les construire en grand. Elles sont exposées par roulement. Belle bibliothèque, avec de hauts rayonnages tout en bois comprenant des ouvrages généraux sur le théâtre, la danse, et de nombreuses partitions.

🏃🏃 *Paris-Story :* 11 bis, rue Scribe, 75009. ☎ 01-42-66-62-06. ● paris-story. com ● Ⓜ Opéra ; RER A : Auber. Tlj 10h-18h. Une séance ttes les heures. Compter env 2h pour une visite complète. Tarifs : 11 € adulte ; 7 € 6-18 ans et étudiants ; 27,30 € pour 2 adultes et 2 enfants ; gratuit moins de 6 ans. Réduc de 2 € sur présentation de ce guide (et 20 % sur le DVD-Rom). À partir de 6 ans. Un spectacle sur grand écran, *Paris-Story* (durée : 50 mn), retrace l'histoire et l'expansion d'un petit village nommé Lutèce, appelé à devenir la capitale de la France. On voit ainsi la ville se développer, d'anciens villages devenir de nouveaux quartiers, des styles architecturaux s'imposer, sans oublier les grands travaux d'Haussmann, qui achèvent de donner à la capitale les limites géographiques et la physionomie que nous lui connaissons encore aujourd'hui. Hymne d'amour à la Ville Lumière, ce montage de qualité – quoique les images aient vieilli... –, présenté par Victor Hugo en personne grâce à la technique de l'hologramme, intéressera aussi bien les parents que les enfants. Une bonne introduction à une visite de Paris. Découvrir aussi *Paris miniature*, un plan-relief au 1/5 000, avec écrans tactiles pour repérer, grâce à une petite lumière, chaque monument, rue, jardin ou place. Enfin, on découvre *Paris expérience*, avec un écran plat qui permet de voir le relief sans l'aide de lunettes spéciales, et une galerie d'écrans tactiles qui permettent d'accéder à un quiz et à cinq films courts sur un thème particulier.

LA « NOUVELLE-ATHÈNES »

LE CHARME DISCRET DU NÉOCLASSIQUE

C'est le quartier qui s'étend autour des rues Notre-Dame-de-Lorette et des Martyrs. La rue des Martyrs s'appelait *rue des Porcherons* – du nom du village à l'époque, et jusqu'à la fin de l'Ancien Régime. Charme et calme très provinciaux. Nombre d'hôtels particuliers des XVIIIᵉ et XIXᵉ s. L'expression « Nouvelle-Athènes » provient du style néoclassique des

> ## LE 1ᵉʳ STRIP-TEASE AU MONDE
>
> *En 1894, au Divan Japonais, un cabaret au 75, rue des Martyrs (la salle existe toujours), eut lieu un événement fondateur. Une comédienne se déshabilla totalement sur scène avant de se mettre au lit. Ce spectacle fut admiré par Toulouse-Lautrec et Picasso. Il provoqua une telle émotion qu'on en fit un film.*

immeubles construits pendant la Restauration, largement inspiré par la Grèce antique. Une véritable république des arts et des lettres s'y était établie pendant la période du romantisme triomphant, avec George Sand, Dumas, Berlioz, Delacroix, Murger, Chopin...
Quelques lieux significatifs de cette époque :

🚶 *La place Saint-Georges (plan couleur B2) :* Ⓜ *Saint-Georges.* Belle demeure au n° 28, dans le style romantico-gothique, et la maison de Thiers, aujourd'hui fondation. Juste derrière le bâtiment, le charmant petit square Biscarre. En face, un bâtiment néo-Renaissance de caractère et très décoré : l'hôtel Païva, édifié en 1840. À une encablure de la place, un soir de 1928, un individu armé et déchaîné transforma la rue Fontaine en Far West, tirant sur tout ce qui bougeait ; au bout du pistolet, le musicien Sidney Bechet, lequel sera défendu par Aragon. La rue Saint-Georges connut bon nombre de locataires prestigieux... ou tristement célèbres. Ainsi, au n° 50, dans un ancien théâtre transformé en bordel, *Chez Marguerite*, Goering avait « loué » une chambre pendant la Seconde Guerre mondiale.

🚶🚶🚶 *Le musée de la Vie romantique (plan couleur B1) :* hôtel Scheffer-Renan, 16, rue Chaptal, 75009. ☎ 01-55-31-95-67. ● vie-romantique.paris.fr ● Ⓜ *Saint-Georges, Blanche, Liège ou Pigalle.* Tlj sf lun et j. fériés 10h-18h. GRATUIT (expos temporaires : 7 €, réduc). Audioguide : 5 €. Le musée de la Vie romantique n'est pas un musée au sens académique. C'est une maison, c'est un jardin, c'est 150 ans de la vie d'une famille plongée dans le monde des arts et des lettres. En découvrant le passage bordé de robiniers centenaires et les pavés disjoints menant à un pavillon aux allures italiennes, on est tout de suite sous le charme. L'enclos Chaptal fut habité dès 1830 par Ary Scheffer, peintre et sculpteur romantique d'origines hollandaise et allemande, qui y installa deux ateliers, l'un pour travailler et l'autre pour y recevoir ses amis artistes : Delacroix, George Sand et Chopin – venus en voisins –, Liszt, Dickens, Tourgueniev... Voir les deux tableaux qui représentent les ateliers à cette époque. D'intéressantes expositions temporaires sont organisées chaque année autour du romantisme. Le pavillon central abrite les collections permanentes : le rez-de-chaussée du pavillon est consacré à George Sand. Bijoux personnels, bracelet cousu pour sa fille, aquarelles, mobilier provenant du château de Nohant, la propriété familiale de l'écrivain dans le Berry... Dans le salon, reconstitué à l'image de celui de Nohant, le portrait le plus emblématique de George Sand par Auguste Charpentier. Dans le petit salon bleu, quelques dendrites (technique d'aquarelle) de sa main, ainsi que des dessins de ses enfants, Solange et Maurice. L'été, le jardin embaume les roses et le seringa, parfums surannés à l'image de ce lieu rare et séduisant.

🍵 ▸ **Un Thé dans le Jardin** (plan couleur B1, 80) : fin mars-oct, tlj sf lun 10h-17h30. Compter 10 €. Idéal pour un thé romantique, aux beaux jours, au milieu des massifs de dahlias, des rosiers et de la vigne. Dans la serre, on déguste de délicieux gâteaux.

🏃 **L'hôtel des ventes Drouot** (plan couleur C3) : 9, rue Drouot, 75009. ☎ 01-48-00-20-20. ● drouot.com ● Ⓜ Richelieu-Drouot ou Le Peletier. Lun-sam 11h-18h et certains dim. Ventes l'ap-m à partir de 14h en général. Congés : juil.-sept. GRATUIT. Programme dans la Gazette Drouot (sur place, en librairie ou sur Internet : ● gazette-drouot.com ●). Petit fascicule gratuit très clair expliquant le fonctionnement des enchères disponible à l'accueil.

LORETTES ET COCOTTES

Au XIXᵉ s, dans ce quartier, derrière Notre-Dame-de-Lorette, vivaient ces demi-mondaines, ou « lorettes », qui étaient entretenues par plusieurs amants (on disait à l'époque des Arthur !). Les cocottes, quant à elles, exerçaient le même métier, mais dans le haut de gamme, comme Sarah Bernhardt. Elles avaient d'ailleurs les moyens d'abuser de parfums (d'où le verbe « cocotter »).

Une institution depuis sa création en 1852, dont l'activité (ventes aux enchères volontaires et judiciaires) commença en fanfare avec la vente des biens du roi Louis-Philippe. Pas moins de 16 salles composent le temple parisien du négoce, qui voit quotidiennement passer quelque 5 000 visiteurs. Une atmosphère affairée, un univers à la fois sérieux et théâtral. L'occasion de découvrir un drôle de métier, le crieur, d'admirer le commissaire-priseur mener rondement les enchères (en moyenne 60 objets par heure !) et de voir de drôles de vieilles choses susciter toutes les convoitises. Dans le registre « insolite », on a même vu, dans les années 1900, un lot d'une centaine d'oies proposé aux enchères ! Un peu plus récemment, ce fut le tour du passeport d'Arthur Rimbaud, d'un morceau d'escalier de la tour Eiffel, d'une lettre d'amour de Jean-Paul Sartre à Simone de Beauvoir, du pot de chambre de Napoléon Iᵉʳ... de changer d'acquéreur. Les objets sont exposés la veille et le matin de la vente, des expositions à vitrines ouvertes permettent même d'en manipuler certains. Tout le programme et le détail des lots sur le site internet. Sachez que les ventes ne sont pas réservées à une élite d'esthètes fortunés. Un jour de chance, un simple quidam peut repartir avec une caisse de bon vin ou un joli bibelot pour une poignée d'euros.

🏃🏃 **Le musée Gustave-Moreau** (plan couleur B2) : 14, rue de La Rochefoucauld, 75009. ☎ 01-48-74-38-50. ● musee-moreau.fr ● Ⓜ Trinité. Tlj sf mar 10h-17h15 (fermé 12h45-14h lun et mer-jeu). Entrée : 6 € ; réduc ; gratuit jusqu'à 26 ans et pour ts le 1ᵉʳ dim de chaque mois.

Étonnante histoire que celle de ce musée voulu et créé par Gustave Moreau de son vivant. Peintre incompris, dont l'œuvre fut jugée étrange par la plupart de ses contemporains, il laissa le musée à l'État, à condition de ne rien y toucher. Gustave Moreau fit pourtant figure de chef de file pour la jeune génération symboliste et devint le maître de quelques peintres bientôt remarqués, notamment Matisse et Rouault. Né en 1826 et mort en 1898, Gustave Moreau avait élu domicile dans le quartier de la « Nouvelle-Athènes » en 1852.

Rez-de-chaussée

Les salles du rez-de-chaussée présentent plus de 400 peintures, des centaines de copies d'après les maîtres dans des placards à panneaux pivotants, et une collection unique d'aquarelles de Gustave Moreau. Ces espaces ont été réhabilités et restaurés à l'identique (ouverture en nov 2014).

1er étage

Les murs du cabinet de réception et de l'appartement sont couverts de copies de maîtres faites par Moreau lors de son séjour en Italie : petites œuvres intimes, peintures, dessins, aquarelles, gravures d'après Poussin, Rembrandt, David d'Angers, et de quelques œuvres finies de Gustave Moreau.

2e étage

Ici s'ouvre le grand atelier d'où part un magnifique escalier en spirale datant de 1895. Admirer *Le Retour des Argonautes,* vaste peinture inachevée représentant un bateau « chargé de toutes les chimères de la jeunesse », selon un commentaire du peintre lui-même. À l'autre bout de l'atelier, *Les Chimères,* justement, œuvre également inachevée, permettent de se rendre compte du travail minutieux de préparation et de la foule de détails présents dans les tableaux de Moreau (attardez-vous sur le merveilleux dessin du château à gauche). De même, un beau *Léda* avec les deux anges portant la tiare et le foudre. Depuis 1999, les sculptures en cire de l'artiste sont exposées dans une grande vitrine : Gustave Moreau voulait les fondre en bronze pour donner, mieux qu'en peinture, « la mesure de ses qualités et de sa science dans le rythme et l'arabesque des lignes » (!). On peut y admirer ses principaux personnages tels *Prométhée, Jacob et l'Ange, Moïse* ou encore *Salomé* et la tête de Jean Baptiste (extrait de l'*Apparition*). Des panneaux pivotants, conçus par Moreau lui-même, renferment études, esquisses et dessins répertoriés, datés et annotés par le peintre.

3e étage

Dans la première partie de l'atelier, autoportrait de Gustave Moreau dans une belle lumière rembranesque ; on a beaucoup aimé aussi, au-dessus de l'escalier, la belle composition du Christ et des deux larrons. Mais, surtout, voir le chef-d'œuvre du peintre : *Jupiter et Sémélé,* foisonnement de couleurs et exubérance de détails. Un régal pour l'œil. D'autres panneaux coulissants renferment de petits tableaux, ainsi que des cadres pivotants.

Dans la seconde partie de la salle, voir aussi le polyptyque représentant *La Vie de l'humanité* : de l'âge d'or à l'âge de fer, la chute de l'homme transparaît dans une peinture de plus en plus dense et sombre avec, tout en haut, la rédemption. Enfin, le fascinant *Triomphe d'Alexandre* avec son étonnante perspective et la célèbre *Fée aux griffons* qu'André Breton « rêvait de surprendre la nuit ». Au centre de la pièce, il ne faut pas oublier d'ouvrir le meuble tournant qui renferme les aquarelles du peintre – de belles réalisations aux couleurs soutenues.

🎨🎨 *Le musée de la Franc-maçonnerie (plan couleur C2) :* Grand Orient de France, 16, rue Cadet, 75009. ☎ 01-45-23-74-09. ● museefm.org ● Ⓜ Cadet. *Mar-sam 10h-12h30, 14h-18h (19h sam). Visite-conférence sam à 14h30 et 16h. Entrée : 6 € ; réduc ; + 7 € pour la visite-conférence (2h) sam à 14h30 et 16h. Feuillet explicatif à l'entrée. Régulièrement des expos temporaires.*

La franc-maçonnerie – pour le moins le Grand Orient de France, une de ses principales obédiences – entend se débarrasser de sa réputation de société secrète et ouvrir grand les portes de son histoire. L'exposition permanente s'articule autour de trois grands axes thématiques, tous illustrés par une riche collection d'objets authentiques.

De grandes vitrines verticales illustrent, recto verso, son histoire chronologique, depuis sa naissance en Angleterre en 1717. La philosophie est rapidement adoptée en France puisque dès 1728 naît une Grande Loge de France, qui devient le Grand Orient de France en 1773. De nombreux objets, rituels ou non, évoquent les balbutiements de la symbolique, la naissance des loges féminines, les liens de l'organisation avec les Lumières, ou encore l'implication des loges dans la société civile : textes fondateurs, vaisselle (un service complet très rare du XVIIIe s, dit « aux 25 symboles », décoré de tous les symboles du premier grade de franc-maçon), sceaux des loges, tabliers... Celui dit « de Voltaire » usurpe presque son nom : devenu maçon 6 mois à peine avant sa mort, Voltaire ne le porta qu'une fois ! Intéressant aussi, les liens étroits de la bourgeoisie maçonnique avec l'Empire, qu'elle voit comme un rempart à la fois contre le retour à l'Ancien Régime et contre les excès de la Terreur. Enfin, la maçonnerie postnapoléonienne : d'abord foyer, au XIXe s, de l'opposition républicaine, elle résiste cependant mal aux évolutions de la société, voit ses membres se disperser entre plusieurs obédiences et, au XXe s, subit la concurrence du communisme avant d'être durement persécutée durant la Seconde Guerre mondiale.

Autre approche, à parcourir parallèlement à la chronologie : quatre niches, sur le côté de la salle, évoquent la vie spirituelle intime et la progression du franc-maçon au sein de sa loge, depuis l'initiation jusqu'aux tabliers de hauts grades. Une autre série de vitrines replace la franc-maçonnerie dans notre monde contemporain et présente des pièces exceptionnelles (tablier et planches d'Hugo Pratt, etc.), et des tiroirs discrets dévoilent quelques trésors.

N'hésitez pas à suivre les visites-conférences : outre que les cartels sont parfois un poil succincts pour le néophyte, c'est aussi l'occasion de visiter l'un des temples maçonniques du Grand Orient, avec des explications fort intéressantes !

▶ Pour le plan du 10e arrondissement, voir le cahier couleur.

Largement occupé, sur son flanc nord, par l'emprise de deux gares, et ayant eu à souffrir de la mauvaise réputation du périmètre de la porte Saint-Denis, cet arrondissement, dixième du nom, revient de loin. L'intense circulation automobile de ses grands axes n'ayant, bien sûr, au fil des ans, rien arrangé. Et pourtant, il a des atouts cachés aux yeux des amoureux des voyages. Les nombreux passages, de part et d'autre du boulevard de Strasbourg, qui nous transportent en Inde (de même, d'ailleurs, que le nord de la rue du Faubourg-Saint-Denis). Les environs du métro Château-d'Eau, qui nous emmènent en Afrique, et la rue des Petites-Écuries en Turquie. Dans un autre registre, la place de la République reste le point de départ de nombreuses manifestations populaires, lieu de mémoire où se toisent une caserne et la Bourse du travail...

Mais le salut de l'arrondissement est venu du canal Saint-Martin, l'ancien « canal des trépassés », qui a inspiré nombre d'auteurs de polars dans la première moitié du XXe s et qui, depuis, a vu ses rives envahies par des cafés, restaurants, boutiques de fringues, librairies, ateliers d'artistes. Soirées animées en perspective avec le traditionnel cortège de pique-niqueurs nocturnes dès que la belle saison revient. De même, il est devenu un lieu de rendez-vous familial, le dimanche, ses bords étant interdits aux voitures. Agréable également, la place Sainte-Marthe, méridionale en diable aux beaux jours, avec ses terrasses.

Où dormir ?

De très bon marché à bon marché

🏠 **Auberge de jeunesse Generator** (plan couleur C2, **29**) : 9-11, pl. du Colonel-Fabien, 75010. Ⓜ Colonel-Fabien. Ouverture début 2015. Chambre collective 12 €, individuelle 25 €. L'auberge de jeunesse de la chaîne internationale Generator sera la plus grande de la capitale. À deux pas du canal Saint-Martin, elle promet des prix très abordables et défiera la concurrence parisienne. Ouverture fin 2014. NOUVEAUTÉ.

🏠 **Saint-Christopher Inn** (plan couleur B1, **11**) : 5, rue de Dunkerque, 75010.

☎ 01-40-34-34-40. ● st-christophers. co.uk ● Ⓜ Gare-du-Nord. Compter 19-35 €/pers en dortoir ; chambres doubles 70-120 € selon taille. Le midi, repas 12-14 € ; soir un peu plus cher à la carte (25 % de réduc pour les résidents). Parking. Selon une formule désormais bien rodée, la célèbre chaîne britannique a investi cette ancienne banque d'assurance (un majestueux bâtiment Art déco) pour ouvrir sa nouvelle AJ. On retrouve ici tout ce qui fait le succès de leurs hostels à travers le monde. Un bar-resto (le Belushi's) à l'ambiance cosmopolite et musicale, et avec concerts réguliers. Un deuxième bar permet de siroter une bière ou un bon café dans une atmosphère plus *lounge*, plus *after-work*... Et 582 lits répartis en chambres de 2 (avec grand lit ou lits jumeaux, et salle de bains privative) et dortoirs de 4 à 10 lits (lavabo dans chacun mais salles de bains privatives ou communes selon les cas). Une AJ pour *backpackers* de tous âges, flambant neuve et tout confort.

▪ **Smart Place** (*plan couleur A1, 17*) : 28, rue de Dunkerque, 75010. ☎ 01-48-78-25-15. ● *info@smartpla ceparis.com* ● *smartplaceparis.com* ● Ⓜ *Gare-du-Nord. Réception 24h/24. Doubles 69-109 € ; familiales 19-39 €/ pers ; nuitée en dortoir 29,50-39,50 €. Promos sur Internet.* 🛜 *Parking.* Cet *hostel* à priori destiné aux *backpackers* a tout pour séduire le voyageur, même sans sac à dos ! Flambant neuf, un gros effort a été fait sur la déco et le confort. La façade est typiquement parisienne. Les chambres sont assez petites mais vraiment jolies et colorées. Au choix, des doubles (avec un vrai grand lit !), des triples, des quadruples ou des dortoirs ; c'est dire si l'offre est large et si vous êtes assuré de trouver ici votre bonheur. Toutes les chambres sont équipées de salle de bains. Une véritable aubaine !

▪ **Hôtel Liberty** (*plan couleur B2-3, 24*) : 16, rue de Nancy, 75010. ☎ 01-42-08-60-58. ● *libertyhotel@ wanadoo.fr* ● *libertyhotel.net* ● Ⓜ *Château-d'Eau, Gare-de-l'Est ou Jacques-Bonsergent. Doubles 54-73 € ; petit déj 5,50 €.* 🛜 *TV. 5 % sur le prix de la chambre sur présentation de ce guide.* Un bon rapport qualité-prix : les chambres, avec ou sans salle de bains, sont simples mais bien entretenues et confortables. Elles ont toutes une TV, et même les plus basiques (avec sanitaires à chaque palier) restent agréables, ce qui n'est pas souvent le cas dans les hôtels bon marché... En plus, l'accueil est pro et gentil.

▪ **Hôtel de Milan** (*plan couleur B2, 9*) : 17, rue de Saint-Quentin, 75010. ☎ 01-40-37-88-50. ● *hdm@hotel demilan.com* ● *hoteldemilan.com* ● Ⓜ *Gare-de-l'Est ou Gare-du-Nord. Ouv tte l'année. Réception 24h/24. Conseillé de confirmer sa résa par écrit. Doubles 74-76 € selon confort ; petit déj 5 €. Douche sur le palier 4 €. Chèques refusés sf Chèques-Vacances.* 🖥 🛜 *TV. Satellite.* Voici la bonne adresse à mi-chemin entre 2 gares. Les chambres ne sont pas très grandes et pas toujours bien agencées (il faut parfois passer par le cabinet de toilette pour y accéder !). Rien de foncièrement extraordinaire ici, mais au moins, c'est propre (pas toujours évident dans le coin) et au calme. Chambres (avec ou sans douche) agréables et joliment rafraîchies, avec parquet et double vitrage. Préférez celles aux étages, plus lumineuses et desservies par un ascenseur. Bon accueil familial.

▪ **Hôtel du Marché** (*plan couleur B3, 4*) : 6, passage du Marché, 75010. ☎ 01-42-06-44-53. ● *hoteldumarche@ netcourrier.com* ● Ⓜ *Château-d'Eau ou Jacques-Bonsergent. Au niveau du 62, rue du Faubourg-Saint-Martin. Doubles avec ou sans douche et w-c 36-52 € ; petit déj 5 €. Douche sur le palier 3 €.* 🛜 Hôtel bon marché, très calme, dans un petit passage piéton. Petites chambres simples relativement bien entretenues. De plus, l'accueil est agréable et disponible, et peut-être certains trouveront-ils finalement un charme « vieux Paris populaire » à cette petite adresse sans étoile. Bon, d'accord, les dessus-de-lit ne sont pas soyeux, mais à ce prix, on est moins regardant !

▪ **Hôtel Palace** (*plan couleur B3, 2*) : 9, rue Bouchardon, 75010. ☎ 01-40-40-09-45. ● *palace.hotel75010@gmail. com* ● Ⓜ *Strasbourg-Saint-Denis ou Jacques-Bonsergent. Doubles avec lavabo 36 €, avec douche 42 €, avec douche et w-c 50 € ; familiales 65-90 € ; petit déj 5 €.* C'est un repaire de routards étrangers. Quand on entre, la première impression est excellente. Ensuite, c'est plus mitigé... Les chambres sans sanitaires sont sommaires et très vieillottes (w-c à chaque palier et douche généralement payante). Mais d'autres sont rénovées. Si vous avez de bons mollets, choisissez celles du 5e étage (sans ascenseur), refaites, joyeuses et très claires avec leur velux. Passons sur le papier peint plus très frais ou sur certaines salles de bains mal aérées, et retenons que la proprio a le souci constant d'améliorer son « palace » (d'où sans doute l'impression que l'hôtel est en perpétuels travaux). Cet hôtel familial, dans une rue silencieuse, compte parmi les moins chers de Paris. Attention : faites-vous bien confirmer, si vous réservez.

🛏 **Hipotel Paris Belleville** (plan couleur D2, 6) : 21, rue Vicq-d'Azir, 75010. ☎ 01-42-08-06-70. ● hipotelbelleville@orange.fr ● Ⓜ Colonel-Fabien. Selon saison, doubles avec lavabo 36-46 €, avec douche et w-c 46-66 € ; familiale 149 €. Ce n'est pas le grand luxe, à ce prix-là, ça se devine aisément ! Pas franchement glamour non plus. Les chambres sont petites et les salles de douche encore plus, mais cela reste correct et propre si l'on n'est pas trop regardant. Le quartier est en train de monter, avec des endroits sympas où manger et boire un verre.

🛏 **Hôtel du Brabant** (plan couleur B2, 7) : 18, rue des Petits-Hôtels, 75010. ☎ 01-47-70-12-32. ● contact@hoteldubrabant.fr ● hoteldubrabant.fr ● Ⓜ Gare-du-Nord ou Gare-de-l'Est. Selon saison, doubles avec douche et w-c ou bains 65-95 €, familiales 90-135 € ; petit déj 5,50 €. 🛜 TV. Ce petit hôtel à la façade en mosaïque bleue propose des chambres agréables mais petites, distribuées le long de couloirs étroits, avec parquet flottant. Préférez celles sur rue, plus lumineuses, avec salle de bains neuve. Clientèle d'habitués. Tarifs encore abordables. Quelques soucis de propreté signalés et constatés.

10e Prix moyens

🛏 **République Hôtel** (plan couleur C3, 23) : 31, rue Albert-Thomas, 75010. ☎ 01-42-39-19-03. ● info@republiquehotel.com ● republiquehotel.com ● Ⓜ République. Double 107 € ; petit déj 8 €. 🖥 🛜 TV. Ce bel hôtel est décoré par Guirec et Ida, les sympathiques propriétaires passionnés de rock et de cinéma (période classique). Audrey Hepburn et Marilyn Monroe sont à l'honneur, en photo, dans les chambres

lumineuses, originales, joyeuses, spacieuses et confortables. Belles salles de bains. Chaque chambre, personnalisée, a son style propre. Dans les parties communes, fresques et tags artistiques immortalisent – si besoin était – les Stones, les Beatles, Bob Marley et... le Che !

🛏 **Hôtel du Nord – Le Pari Vélo** (plan couleur C3, 15) : 47, rue Albert-Thomas, 75010. ☎ 01-42-01-66-00. ● contact@hoteldunord-leparivelo.com ● hoteldunord-leparivelo.com ● Ⓜ République ou Jacques-Bonsergent. Réception 7h-23h30. Doubles 73-86 € ; petit déj 8 €. 🖥 🛜 TV. Une merveille de petit hôtel, coincé entre la place de la République et le canal Saint-Martin. Une vingtaine de chambres avec bibelots chinés, plantes vertes et fresques colorées, et on obtient une alchimie parfaite. Pas de doute, on est plus dans une maison d'hôtes que dans un hôtel traditionnel. Chaque chambre est différente par son volume, ses couleurs, son inspiration... Le petit déj (avec confiture maison) se prend au sous-sol, dans une cave voûtée. Les patrons, cyclistes convaincus et militants, ont mis gratuitement à la disposition de leurs clients des vélos afin de leur faire découvrir Paris sous un autre angle.

🛏 **Hôtel Albouy** (plan couleur B3, 1) : 4, rue Lucien-Sampaix, 75010. ☎ 01-42-08-20-09. ● info@hotel-paris-albouy.com ● hotel-paris-albouy.com ● Ⓜ Jacques-Bonsergent. ♿ Doubles 79-99 € selon saison ; petit déj 7,50 €. 🛜 TV. Canal +. Satellite. Parking payant. Café offert sur présentation de ce guide. Un hôtel tout neuf à la devanture fuchsia. Tenu par une équipe jeune et sympathique, le lieu est fréquenté par une clientèle internationale ravie de la bonne aubaine. Il a été entièrement rénové au printemps et à l'été 2013.

🛏 **Hôtel d'Amiens** (plan couleur B2, 10) : 11, rue des Deux-Gares, 75010. ☎ 01-40-37-02-20. ● hotel damiens@wanadoo.fr ● hoteldamiens.com ● Ⓜ Gare-du-Nord ou Gare-de-l'Est. Doubles 85-120 € ; petit déj 6 €. 🖥 🛜 TV. Satellite. Hôtel simple mais proposant des chambres impeccables à la déco fraîche et au confort indéniable. Hall tout à la fois kitsch et accueillant avec ses fresques côté petit déjeuner et son salon agrémenté de gros canapés en cuir. Excellent accueil et patronne conciliante, à qui l'on peut demander un bon rabais en basse période.

🛏 **Hôtel Garden Saint-Martin** (plan couleur C3, **13**) : 35, rue Yves-Toudic, 75010. ☎ 01-42-40-17-72. ● garden saintmartin@orange.fr ● hotel-parisgardensaintmartin.com ● Ⓜ République ou Jacques-Bonsergent. Résa conseillée au moins 8 j. à l'avance. Double 120 € ; triple 155 € ; petit déj 8 €. 📶 TV. Un petit déj/pers et par nuit offert (pour un séjour de 3 nuits min) sur présentation de ce guide. 32 chambres réparties sur 6 étages. Récemment rénové. Déco personnalisée, sobre, moderne et élégante avec de très jolies salles de bains coordonnées. Les chambres du rez-de-chaussée donnent sur une courette (on ne saurait vraiment parler de garden !), tout comme la salle du petit déjeuner.

🛏 **Hôtel Parisiana** (plan couleur B2, **12**) : 21, rue de Chabrol, 75010. ☎ 01-47-70-68-33. ● hotel.pari siana@wanadoo.fr ● parisiana-hotel. com ● Ⓜ Gare-de-l'Est ou Poissonnière. Doubles avec douche et w-c ou bains 99-180 € selon saison ; petit déj 9 €. 🖥 📶 TV. Satellite. Hôtel régulièrement rénové. Chambres plutôt spacieuses, au confort moderne (avec double vitrage), même si celles sur cour sont un peu plus petites. Le petit déj se prend dans une salle agréable, ou dans la cour fleurie lorsque le temps le permet. Accueil à la fois pro et charmant.

🛏 **Timhotel Gare du Nord** (plan couleur C1, **19**) : 10, rue Philippe-de-Girard, 75010. ☎ 01-40-35-29-29. ● gare-nord@timhotel.fr ● timhotel. fr ● Ⓜ Gare-du-Nord ou La Chapelle. Réception 24h/24. Doubles 75-140 € ; petit déj 13,50 €. Grosses promos sur Internet (à partir de 60 €). 📶 TV. Grand hôtel qui fait un angle, à l'allure surannée et plongé dans un quartier qui semble ne pas avoir subi l'érosion du temps. Hôtel fonctionnel et moderne. Le prix est à notre avis très surestimé en période « de pointe ». En revanche, les nombreuses promos proposées

sur le Net (notamment des forfaits week-end) rendent l'adresse tout de suite plus intéressante.

🛏 **Nord-Est Hôtel** (plan couleur B2, **16**) : 12, rue des Petits-Hôtels, 75010. ☎ 01-47-70-07-18. ● hotel.nord. est@wanadoo.fr ● Ⓜ Gare-du-Nord ou Gare-de-l'Est. Réserver longtemps à l'avance. Doubles avec douche ou bains 85-105 € ; petit déj 7 €. 🖥 📶 TV. Dans une rue calme. Charme provincial pour ce petit hôtel (rue des Petits-Hôtels oblige) niché derrière un jardinet où il fait bon se détendre quand arrivent les beaux jours. Confort 2-étoiles, sans luxe mais d'un bon rapport qualité-prix. Les chambres ont été rafraîchies avec parquet, cadre bois et murs lie-de-vin. Rien de miraculeux, donc, mais des chambres petites, fonctionnelles et plutôt propres.

🛏 **Hôtel Magenta Paris.com** (plan couleur B3, **14**) : 38, bd Magenta, 75010. ☎ 01-42-38-02-55. ● reservations@hotelmagentaparis. com ● hotelmagentaparis.com ● Ⓜ Gare-de-l'Est. Doubles 70-230 € selon confort, promo et saison ; familiales pouvant accueillir 3-7 pers (!) ; petit déj 12 €. 🖥 📶 TV. Câble. Rénové en 2014, l'hôtel offre de confortables chambres au confort moderne et à un prix finalement abordable. Accueil en revanche assez dilettante.

Chic

🛏 **Hôtel Paradis** (plan couleur A2, **8**) : 41, rue des Petites-Écuries, 75010. ☎ 01-45-23-08-22. ● hotel@hotelpara disparis.com ● hotelparadisparis.com ● Ⓜ Bonne-Nouvelle ou Gare-du-Nord. ♿ Doubles 120-205 € selon confort et saison ; une dizaine de chambres familiales (rare à Paris) 140-230 € ; petit déj 12 €. 📶 TV. Satellite. Câble. Un petit déj/pers offert sur présentation de ce guide. À proximité des grands magasins, de Grévin, des Folies Bergère, de Montmartre, des gares de l'Est et du Nord, dans une rue calme. Une suite dispose d'une vue unique sur le Sacré-Cœur. Une merveille de boutique-hôtel de charme ; de la haute couture au prix du prêt-à-porter !

Difficile de ne pas craquer... Le patron est un connaisseur, puisque c'est le fils de Philippe Gloaguen, cofondateur du *Routard*. Excellents restos à proximité.

🛌 *Faubourg Saint-Martin* (plan couleur B3, 27) : 6, rue Gustave-Goublier, 75010. ☎ 01-40-40-02-02. ● reservation@hotel-faubourg-saint-martin.com ● hotel-faubourg-saint-martin.com ● Ⓜ Château-d'Eau ou Strasbourg-Saint-Denis. Promos le w-e et sur Internet, sinon compter plutôt 109-259 € ; petit déj-buffet 12 €. 🛜 TV. Canal +. Satellite. Dans une ruelle piétonne, légèrement en retrait de l'agitation trépidante de la rue Saint-Denis, un ancien taudis transformé en un magnifique 3-étoiles. À deux pas des restos et des théâtres, voici une escale idéale pour une escapade culturelle à Paris. Tout nous a séduits ici, la gentillesse et la disponibilité de l'accueil, le confort dans les chambres. La déco douce et moderne invite à la sérénité et au repos. Petit déj à dominante biologique, servi dans une agréable salle voûtée.

🛌 *Ibis Style Hôtel* (plan couleur C3, 25) : 9, rue Léon-Jouhaux, 75010. ☎ 01-42-40-40-50. ● h0751@accor.com ● ibisstyle.com ● Ⓜ République. 🍴 Résa slt par Internet, au cours du jour (promos pour les résas anticipées ou de dernière minute). Doubles 75-130 € tt compris. Parking payant à 300 m. 🖥 🛜 TV. Appartenant au groupe Accor, entre la place de la République (desservie par 5 lignes de métro !) et le ravissant canal Saint-Martin, cet hôtel jouit d'une situation vraiment stratégique et privilégiée. Dans un bel immeuble typiquement parisien entièrement rénové, il propose 70 chambres climatisées et absolument nickel (celles à l'angle sont les plus lumineuses). La déco est moderne, sobre et de bon goût.

🛌 *Hôtel d'Enghien* (plan couleur A2-3, 20) : 52, rue d'Enghien, 75010. ☎ 01-47-70-56-49. ● hotelparis10@gmail.com ● hoteldenghien.com ● Ⓜ Bonne-Nouvelle. Réception 24h/24. Doubles 129-150 € selon confort et saison ; petit déj 8 €. Tarifs spéciaux w-e hors salons et grands événements. 🖥 🛜 TV. Canal +. Satellite. Un petit déj/chambre offert sur *présentation de ce guide*. Hôtel de quartier on ne peut plus traditionnel. Jolie façade à l'ancienne, mais on sent tout de suite qu'un coup de frais a soufflé sur l'immeuble. Les chambres, toutes rénovées et insonorisées, bénéficient de tout le confort souhaitable. Parquet, mobilier en bois clair, murs colorés, elles ont toutes une belle salle de bains spacieuse.

🛌 *Hôtel Soft* (plan couleur B2, 21) : 52 bis, rue des Vinaigriers, 75010. ☎ 01-46-07-93-16. ● contact@hotelsoftparis.com ● hotelsoftparis.com ● Ⓜ Gare-de-l'Est. Doubles 75-189 € selon confort, saison et promo ; petit déj-buffet 12 €. 🖥 🛜 TV. Canal +. Parking payant. Café offert sur présentation de ce guide. À proximité du canal Saint-Martin et du parc Villemin (mais décoré sur le thème de la tour Eiffel), le *Soft* fait 3 promesses : une ambiance soft avec un accueil chaleureux au sein d'une atmosphère élégante, design et contemporaine, une nuit soft dans une belle chambre confortable, calme, avec un grand lit douillet, et un prix soft. Les 2 premières promesses sont tenues, pour la 3e, le contrat est rempli si vous bénéficiez des bonnes promotions faites sur Internet.

🛌 *New Hotel* (plan couleur B1, 18) : 40, rue de Saint-Quentin, 75010. ☎ 01-48-78-04-83. ● info@newhotelparis.com ● newhotelparis.com ● Ⓜ Gare-du-Nord. Doubles 85-139 € selon confort et saison ; petit déj-buffet 7,50-8,50 € selon saison. 🖥 🛜 TV. Canal +. Satellite. Câble. Parking payant. Un petit déj/pers offert sur présentation de ce guide. L'atmosphère familiale de cet établissement vénérable et centenaire a tout pour séduire. Il y règne, par ailleurs, un calme qu'il convient de souligner. Les chambres, qui disposent parfois d'un balcon, sont parfaitement fonctionnelles ; la plupart sont climatisées et ont retrouvé leurs moulures au plafond lors de la dernière rénovation. Certaines pèchent cependant par leur petite taille. Les salles de bains ont été refaites à neuf avec de belles douches à l'italienne. Petites salles voûtées aux pierres apparentes, pour déguster un petit déj copieux.

🛌 *Hôtel Paris La Fayette* (plan couleur A2, 26) : 23, rue des Messageries,

75010. ☎ 01-48-00-00-11. ● reservations@hotelparislafayette.com ● hotelparislafayette.com ● Ⓜ Poissonnière. *Doubles 75-200 € selon période et promo (sur Internet) ; petit déj 11 €. 8 apparts avec kitchenette.* ☏ *TV. Câble.* Une jolie façade en carreaux de faïence, et du carrelage type métro qui court le long des murs ; un hôtel moderne et pimpant. Quarante-huit chambres de taille moyenne mais offrant un excellent confort : clim, TV écran plat, couette, excellente literie, sèche-cheveux, etc. Jolie salle de petit déj, avec lumière zénithale, qui se transforme le soir en salle de billard. Bref, une bonne adresse ; surtout en période de promos !

🛏 *Hôtel Taylor (plan couleur B3, 22) :* 6, rue Taylor, 75010. ☎ 01-42-40-11-01. ● contact@paristaylorhotel.com ● paris-hotel-taylor.com ● Ⓜ Jacques-Bonsergent ou République. ♿ *Résa conseillée. Doubles 95-210 € selon confort et saison ; petit déj 15 €.* ▭ ☏ *TV. Satellite.* Un 3-étoiles élégant décoré sur le thème du vieux Paris. quarante-huit chambres plutôt vastes, revisitées dans un style moderne et romantique, avec parquet, murs habillés de tissus aux couleurs douces, tête de lit et mobilier en bois clair et patiné. Celles de l'*Annexe,* juste à côté, sont plus petites mais viennent d'être rénovées. Mieux vaut réserver à

l'avance et bénéficier de tarifs promotionnels très intéressants sur Internet pour résider dans cet hôtel de charme.

Plus chic

🛏 *Le Citizen – Hôtel du Canal (plan couleur C2, 28) :* 96, quai de Jemmapes, 75010. ☎ 01-83-62-55-50. ● contact@lecitizenhotel.com ● lecitizenhotel.com ● Ⓜ Jacques-Bonsergent. ♿ *Doubles 189-269 € ; suites et appartements 299-480 € ; petit déj inclus. Promos sur Internet.* ▭ ☏ *TV. Canal +.* Le nom de cet hôtel, « Citizen », donne tout de suite le ton : zen et écocitoyen. Douze chambres seulement, déclinant le concept dans les moindres détails : meubles intégrés en bois blond, hyper design, hyper fonctionnel ; un style épuré mais cosy et chaleureux ; des produits bio, verts et du commerce équitable dans une optique de développement durable... IPad à disposition dans chaque chambre ! Son principal atout reste malgré tout la vue sur le canal Saint-Martin et son célèbre pont tournant, dont profite chacune des chambres. Les moins chères ne sont pas bien grandes, mais leur confort est optimal, et leur charme indéniable. Accueil pro, excellentes prestations et magnifique petit déj.

Où manger ?

Sur le pouce

🍽 *Au Comptoir de Brice (plan couleur B3, 32) :* marché couvert Saint-Martin, 20, rue Bouchardon, 75010. ● contact@aucomptoirdebrice.com ● Ⓜ Château-d'Eau, Jacques-Bonsergent ou Strasbourg-Saint-Denis. *Tlj en continu 12h-18h (brunch dim 11h-14h). Congés : août. Plats 15-18 € ; carte env 30 €.* Au cœur du marché, un sympathique comptoir et ses tables de bois blanc. Brice est jeune et passionné. Il vous fera déguster des petits plats élaborés à partir des bons produits du marché (ils sont

là tout proches !). Tout est fait maison, avec une réjouissante touche personnelle. À l'image du « burger du Comptoir » ou de ce « croque » tout à fait original et goûteux servi sur un frais mesclun. Toujours 3 hors-d'œuvre, 4 plats, 3 desserts au tableau noir... Ici, pas de routine, ça tourne, et c'est servi avec un bienveillant sourire. Une des cantines des employés et des start-up du quartier... Petite sélection de vins coups de cœur à partir de 19 €. Boutique avec bons produits à emporter également, et même des cours de cuisine...

🥄 *La Pointe du Groin (plan couleur A1, 47) :* 8, rue de Belzunce, 75010.

10e

Ⓜ *Gare-du-Nord ou Poissonnière.* ♿ *Tlj 8h-16h, 18h-minuit. Congés : 3 sem autour du 15 août. Sandwich et hors-d'œuvre 6 € ; repas 6-20 €, boisson comprise ; un poil plus cher le soir avec quelques plats chauds.* Avec ce nouveau lieu, aménagé au-dessus de son fournil et coincé entre son resto *(Chez Michel)* et son bistrot *(Chez Casimir)*, Thierry Breton réinvente le casse-croûte breton et propose des sandwichs préparés dans les règles... du lard ! À emporter ou sur place, sur de grandes tables hautes en bois et fer. On commande, on attrape ses couverts, on tire son eau à la fontaine (une vraie de vraie !) et on va s'asseoir en attendant que le serveur nous fasse signe... Et là, pour le prix d'un McDo, on se régale d'une ficelle croustillante (entière !) ou d'un *bara bihan* (petit pain rond) farcis de bons produits fermiers. Une adresse canaille comme on les aime vraiment.

Bon marché

|●| **The Sunken Chip** *(plan couleur C2, 40)* : 39, rue des Vinaigriers, 75010. ☎ 01-53-26-74-46. ● contact@thesunkenchip.com ● Ⓜ *Jacques-Bonsergent ou Gare-de-l'Est. Tlj sf lun-mar 12h-14h30, 19h30-22h. Menus 14-16 € (pêche du jour).* Enfin un vrai *jolly good fish'n chips.* Murs aux carreaux blancs type métro et espaces bancs en bois un peu étroits, le lieu ne se révélant guère spacieux, et à 12h30, c'est déjà plein ! Ainsi, si vous n'y donnerez guère vos rendez-vous amoureux, en revanche, garantie d'y dévorer du beau poisson frais (du Finistère), cuit à la perfection et finement pané... garni de bonnes frites et surtout d'une véritable purée de pois concassés (les *munchies peas* typiquement british) ! Au tableau noir, les poissons du jour. Bien sûr, vente à emporter, et accueil jeune et souriant. *NOUVEAUTÉ.*

|●| **La Chandelle Verte** *(plan couleur A3, 37)* : 40, rue d'Enghien, 75010. ☎ 01-47-70-25-44. Ⓜ *Bonne-Nouvelle. Lun-ven 12h-14h ; les autres j., ouv slt à partir de 10 pers (sur résa). Formules 15,20-17,20 € ;*

menu-carte 22,10 €. Cuisine artisanale. Grande sélection de salades (au mélange d'épices parfois étonnant mais toujours savoureux) et de plats régionaux. Produits frais garantis, tous issus de l'agriculture biologique. Vins bio servis au verre ou en carafe. Atmosphère familiale dans cette grande salle claire aux murs décorés d'affiches, où résonne le carillon de 2 vieilles horloges. Bref, un endroit où l'on se sent bien.

|●| **Le Bistro des Oies** *(plan couleur C3, 38)* : 2, rue Marie-et-Louise, 75010. ☎ 01-42-08-34-86. ● lebistrodesoies@free.fr ● Ⓜ *Goncourt ou Jacques-Bonsergent. ♿ Tlj sf w-e 12h-14h30, 19h-23h. Congés : août et Noël. Formules déj 13-17 € (2 ou 3 plats) ; menu-carte 25 € le soir. Digestif maison offert sur présentation de ce guide.* Petit resto qui a conservé son caractère bistrot. Des murs décorés d'objets domestiques ou culinaires, et une vraie atmosphère chaleureuse, distillée notamment par le service, où l'on prend toujours le temps de vous donner quelques conseils. Cuisine tendance Sud-Ouest avec de solides plats de bonne femme, simples et francs comme le bon pain. Vins parfaitement raccords, choisis avec intelligence et à prix raisonnables. Terrasse aux beaux jours.

|●| **Le Balbuzard Café** *(plan couleur B3, 39)* : 54, rue René-Boulanger, 75010. ☎ 01-42-08-60-20. Ⓜ *République ou Strasbourg-Saint-Denis. Tlj sf dim soir 11h30-15h, 19h-minuit. Animation musicale le w-e (pas toujours : téléphoner). Menus 13 € (16,50 € sam) le midi, 20 € le soir ; carte env 25 €.* Salle à l'ambiance jeune diablement animée, où trône une machine à café à l'ancienne ; à l'étage nous toise (en peinture) le balbuzard de l'île de Beauté. Nourriture chaleureuse et réussie (charcuterie corse et pommes sautées, cassoulet à la mode corse, penne aux poulpes et bons desserts...), servie avec vivacité. On est serré, on est plutôt bien.

|●| **Le Réveil du Xe** *(plan couleur B3, 35)* : 35, rue du Château-d'Eau, 75010. ☎ 01-42-41-77-59. Ⓜ *Château-d'Eau ou République. Tlj sf dim et j. fériés ; service 8h (10h sam)-23h. Congés :*

août. Plats du jour le midi 9-15 € ; carte 15-25 €. Sympathique bistrot tenu par de vrais amoureux du bon vin. Ils prodiguent un charmant accueil et proposent de savoureux petits plats du terroir : tripoux, *pounti*, aligot-saucisse (le 1er jeudi de chaque mois), succulentes charcuteries et onctueux fromages d'Auvergne. Bravo pour la belle sélection de vins à tout petits prix ! Une de nos vieilles adresses, simple et authentique, qui ne s'endort pas sur la qualité.

I●I *Restaurant de Bourgogne – Chez Céline Maurice* (plan couleur C2, **33**) : 26, rue des Vinaigriers, 75010. ☎ 01-46-07-07-91. ● *cperquin@gmail.com* ● Ⓜ Jacques-Bonsergent ou Gare-de-l'Est. Tlj sf sam midi et dim ; service 12h-14h30, 19h-23h. Congés : dernière sem de juil-3 premières sem d'août. Menus 12,50-17,50 € le midi, 16-21 € le soir. Petit resto de quartier qui n'a pas bougé d'un pouce depuis des décennies. Clientèle semi-bobo, semi-popu qui vient se remplir la panse à moindres frais. Maurice, après 40 ans de bons et loyaux services, a passé le flambeau à Céline, qui maintient l'esprit authentique du lieu. Les prix restent modestes ; toutefois, ne vous attendez pas à vous taper la cloche ! Des plats roboratifs qui évoquent davantage la cuisine de cantoche que la gastronomie régionale. Reste l'ambiance, vraiment conviviale certains soirs, et une sélection de p'tits vins à prix doux.

Prix moyens

I●I *La Cantine de Quentin* (plan couleur C2, **36**) : 52, rue Bichat, 75010. ☎ 01-42-02-40-32. ● *lacantinedequentin@hotmail.fr* ● Ⓜ République ou Jacques-Bonsergent. Tlj sf lun ; service 12h-15h30. Congés : août. Formule 16 € en sem ; carte env 30 € ; brunch dim 20 €. Apéritif maison offert sur présentation de ce guide. On y déguste de bons plats du terroir accompagnés d'une sélection de vins très abordables. Fait d'ailleurs bar à vins de 15h30 à 19h. Desserts maison à se damner, notamment le cheese-cake. Petit salon aux lumières tamisées, bien agréable pour prendre le café en fin de repas, et terrasse au calme et au soleil. À l'épicerie (10h-20h), on peut acheter vins, foies gras, pâtés, terrines, plats cuisinés... Lauréat du label « Maître Restaurateur ». Un concept qui sent bon la France qu'on aime !

I●I *Philou* (plan couleur C3, **30**) : 12, av. Richerand, 75010. ☎ 01-42-38-00-13. ● *damasfifi@yahoo.fr* ● Ⓜ République ou Goncourt. Tlj sf dim-lun 12h-14h30, 20h-22h30. Congés : août. Formule déj 19 € ; menus 27-34 € ; verres de vin à partir de 4 €. C'est juste à un pâté de maisons du canal Saint-Martin que Philippe Damas (le chef qui nous faisait autrefois saliver au *Square Trousseau*) s'est installé. Ce *Philou* qui revient inopinément est bien le signe d'une connivence avec ses clients, qui s'y pressent sans se lasser. La combinaison gagnante ? La carte qui se renouvelle en permanence, avec des plats séduisants mais pas sophistiqués, et le service enjoué, sans se la jouer pour autant. Terrasse.

I●I *Playtime* (plan couleur B2, **31**) : 5, rue des Petits-Hôtels, 75010. ☎ 01-44-79-03-98. ● *viveka@hotmail.fr* ● Ⓜ Gare-du-Nord ou Poissonnière. Tlj sf sam-dim et lun soir ; service 12h-14h30, 20h-22h30. Congés : août et Noël-Jour de l'an. Menus 22-30 € le midi, 36-45 € le soir. Avec un nom pareil, le décor est forcément années 1960. Jean-Michel Rassinoux est un chef instinctif et inventif, parfaitement décomplexé, qui parvient à dompter ses désirs créatifs pour inventer de solides réalités culinaires. Ses idées viennent du Japon, d'Inde et sans doute de plus loin encore. Puis il juxtapose les cuissons, superpose le craquant et le moelleux, mélange les herbes d'ici avec les légumes d'ailleurs. Un plaisir pour les yeux d'abord, pour les papilles ensuite.

I●I *Chez Casimir* (plan couleur A1, **47**) : 6, rue de Belzunce, 75010. ☎ 01-48-78-28-80. Ⓜ Poissonnière ou Gare-du-Nord. En sem, formules déj 24-32 €, menu complet le soir 32 € ; le w-e, formule 28 €. Dans un cadre bistrotier tout simple, une cuisine franche, entièrement préparée maison (fondante joue de bœuf braisée et ses carottes, pain perdu aux poires) avec de bons produits du marché, et des prix fort raisonnables. Comme ceux des vins, d'ailleurs, sélectionnés chez de petits propriétaires-récoltants et facturés à prix caviste le week-end. Toujours le week-end, incroyable formule casse-croûte à volonté, avec dégustation de vins. Également vente et paniers pique-nique à emporter.

|●| Bistrot Urbain *(plan B2, 57)* : 103, rue du Faubourg-Saint-Denis, 75010. ☎ 01-42-46-32-49. Ⓜ Gare-de-L'Est ou Château-d'Eau. Ouv tlj midi et soir sf dim. Formules déj à 13, 17 et 21 € plus verre de vin à partir de 4,50 €. Le soir, formules à 25, 31 et 36 €. À deux pas de la gare de l'Est, voici un bien sympathique petit bistrot avec sa terrasse ! L'accueil de Samuel et l'imagination du chef, Quentin Domange, qui propose une très bonne cuisine de marché, font le reste. La carte est courte, mais l'assiette vaut un petit détour. Large choix de vins au verre. Le petit plus pour les pressés, l'omelette salade à 6 € servie au comptoir le midi ! *NOUVEAUTÉ.*

|●| La Marine *(plan couleur C3, 46)* : 55 bis, quai de Valmy, 75010. ☎ 01-42-39-69-81. Ⓜ Jacques-Bonsergent ou République. Tlj 12h-23h30 (minuit ven-sam). Fermé 1er janv, 24, 25 et 31 déc. Formules déj 15 € lun-ven, 18 € w-e et j. fériés ; carte env 30 € le soir. Une vraie gueule d'atmosphère, ce resto, sorte de *Flore* de l'Est parisien, avec la gouaille en plus. Souvent bondé. Tables et chaises sont prises d'assaut dans la salle aux moulures emplafonnées enfumées. Cuisine de bistrot de bon aloi. Une petite sélection de bons vins au pichet et quelques desserts maison pour accompagner le tout. Belle terrasse au bord du canal. Accueil agréable et service efficace.

|●| Le Petit Café *(plan couleur B3, 50)* : 14, bd de Strasbourg, 75010. ☎ 01-42-01-81-61. Ⓜ Château-d'Eau ou Strasbourg-Saint-Denis. Tlj sf sam midi, dim et lun soir ; service 12h-14h30, 19h-minuit. Congés : août. Menu le midi 12,50 € (entrée, plat, dessert ou café) ; le soir, carte slt, 25-30 €. Petite sélection de vins basques au verre, env 4 €. Bistrot attenant au théâtre Antoine, dont il est une annexe. Sur les murs, des affiches de pièces d'antan et des photos de comédiens. Le chef, originaire de Bayonne, mitonne une cuisine à forte tendance régionale. Bon menu du midi. On apprécie le cadre chaleureux et l'atmosphère conviviale. À partir du jeudi soir, *Le Petit Café* se transforme en QG des rugbymen du Grand Sud-Ouest qui jouent dans les clubs parisiens, et les retrouvailles sont animées !

|●| Le Chansonnier *(plan couleur C1, 43)* : 14, rue Eugène-Varlin, 75010. ☎ 01-42-09-40-58. ● jc.lamouroux@ wanadoo.fr ● Ⓜ Château-Landon. Tlj 12h-15h, 19h-23h. Congés : 4 j. autour du 15 août. Formules 12,20 € (midi en sem)-26 € ; carte env 25 €. Kir au cassis offert sur présentation de ce guide. « Buvons, buvons à l'indépendance du monde ! » C'est au coin de la rue Pierre-Dupont (chansonnier et auteur de ces mémorables paroles) et de la rue Eugène-Varlin (chapeau bas : la Commune n'est pas morte !) que Jean-Claude Lamouroux nous fait partager un vrai moment de bonheur. L'atmosphère chaleureuse, dans un cadre préservé, le service efficace, les plats traditionnels, les pichets de vins sélectionnés par le patron, tout inciterait à monter sur la table, le verre à la main... Bon, on se calme ! Mais c'est vraiment bien.

|●| Delaville Café *(plan couleur A3, 51)* : 34, bd de Bonne-Nouvelle, 75010. ☎ 01-48-24-48-09. ● reservationdela ville@gmail.com ● Ⓜ Bonne-Nouvelle ou Strasbourg-Saint-Denis. Tlj 8h-2h (1h dim) ; service continu. Carte 30-35 € ; (bon) brunch dim et j. fériés (11h-18h) 23 €. Proche du *Rex*, le *Delaville Café* est une référence branchée dans le quartier. Une maison de plaisirs aux allures de loft déglingué. Mosaïques, colonnes en marbre dans la salle de restaurant au décor envoûtant, où l'on peut dîner enfoncé dans les canapés en osier. Carte oscillant entre parisianisme et terroir. En fait, quelle que soit l'heure, on trouve toujours une dose de plaisir dans ce lieu décalé (voir plus loin la rubrique « Où boire un verre ? »). En été, la terrasse s'ouvre sur le boulevard.

|●| Flo *(plan couleur A3, 52)* : 7, cour des Petites-Écuries (entrée par le 63, rue du Faubourg-Saint-Denis), 75010.

☎ 01-47-70-13-59. Ⓜ Château-d'Eau. ♿ Tlj 12h-15h, 19h-23h (minuit ven-sam). Menus 28,50-34,50 € ; carte env 49 €. Apéritif maison offert sur présentation de ce guide. Un grand classique de la nuit pour la choucroute. La vieille brasserie de l'Allemand Flœderer, qui date de 1886, n'a pas pris une ride. Les acteurs des théâtres des Boulevards tout proches se faisaient livrer des plats dans leur loge, notamment Sarah Bernhardt quand elle jouait à La Renaissance. Superbe déco 1900, vitraux séparant les pièces, plafonds richement décorés, banquettes de cuir, piano mécanique, porte-chapeaux en cuivre. Clientèle jeune, moins jeune, toujours gaie.

|◉| **Aux Deux Canards – Chez Catherine** (plan couleur A3, **49**) : 8, rue du Faubourg-Poissonnière, 75010. ☎ 01-47-70-03-23. Ⓜ Bonne-Nouvelle. Face au parking du Rex. Tlj sf sam midi, dim et lun midi ; service 12h-14h30, 19h-22h30. Congés : 1re sem de janv et fin juil-fin août. Résa conseillée. Menus 20-25 € ; plat du jour 15 € ; carte env 35 €. De Catherine, la fondatrice (née en 1901), il reste... le nom, cette ambiance d'auberge de campagne (les cuivres brillent et le Paris montmartrois n'est pas loin) et 2 spécialités : le canard, bien sûr, du foie au magret, apprêté aux myrtilles, au café (si, si !) ou à l'orange, et justement l'orange et ses zestes confits. Belle carte des vins, à tous les prix.

Chic

|◉| **Chez Michel** (plan couleur A1, **66**) : 10, rue de Belzunce, 75010. ☎ 01-44-53-06-20. ● chezmichel@hotmail.com ● Ⓜ Gare-du-Nord. Tlj sf sam, dim et lun midi ; service 11h45-14h30, 18h45-minuit. Congés : août. Menu 32 €. Parking payant. Après le Ritz et le Crillon, Thierry Breton vous régale ici d'une cuisine qui assume pleinement ses origines... bretonnes. Surtout, en misant d'abord sur le produit, il colle aux saisons et offre le meilleur de sa région : Saint-Jacques, ormeaux exceptionnels et rares (en saison), légumes « oubliés », pêche de petits bateaux, gibier (sa grande spécialité !)... Ici, le terroir se fait incroyablement subtil et acquiert ses lettres de noblesse. On sort de chez lui heureux, ravi, rassasié, jamais déçu. En dessert, paris-brest et kouign aman du pays servi tiède valent bien leur pesant de beurre. NOUVEAUTÉ.

|◉| **Le Galopin** (plan couleur D2, **55**) : 34, rue Sainte-Marthe (sur la place), 75010. ☎ 01-42-06-05-03. Ⓜ Belleville ou Colonel-Fabien. Tlj sf dim-lun, le soir slt. Menu 46 €. Romain et Maxime font partie de cette jeune génération de chefs qui n'ont pas peur de se lancer. Après 3 ans auprès de William Ledeuil (Ze Kitchen Galerie), les voici chez eux dans cet ancien bistrot de quartier. Déco juste rajeunie et cave transformée en salle à manger pour les amis. Dans l'assiette, cuisine de l'instant, jeune, créative et ambitieuse. Cuissons extra, associations judicieuses. Un coup de cœur !

|◉| **Abri** (plan couleur A2, **44**) : 92, rue du Faubourg-Poissonnière, 75010. ☎ 01-83-97-00-00. Ⓜ Poissonnière. Tlj sf dim et lun soir ; service 12h-14h30, 20h-21h30. Menu sandwich 13 € le midi lun et sam ; menus 25 € le midi mar-ven, 43 € le soir mar-sam. Sacré dépaysement que cette adresse de poche, tenue à la baguette par une équipe nipponne tout sourire. Imperturbable au brouhaha, concentré, le chef, qui a fait ses gammes à L'Agapé et chez Taillevent, exprime sa fantaisie et son talent à travers ses 2 entrées surprise (3 au dîner, et qui peuvent varier d'une table à l'autre !) et des assaisonnements merveilleux : poissons crus, en carpaccio ou en marinade, vraiment bluffants ; en plat, une viande ou un poisson au choix, juste parfaits, et un dessert éblouissant, dont on se serait volontiers resservi !

|◉| **Paradis** (plan couleur B2, **58**) : 14, rue de Paradis, 75010. ☎ 01-45-23-57-98. Ⓜ Gare-de-L'Est ou Château-d'Eau. Ouv tlj midi et soir sf sam midi et dim tte la journée. Menu 16 € le midi ; à la carte le soir, env 30-45 €. Ouvert par 3 associés, ce petit bout de paradis est une belle surprise. Le chef, Nicolas Gauduin (ancien de Racines 2) et son second (Ethan,

10e

ancien chez de *Frenchie*), proposent une cuisine de brasserie revisitée et sublimée, généreusement servie. La carte change tous les jours en fonction du marché. Gardez une place pour les fabuleux desserts, comme la ganache et mousse de chocolat noir servie avec un sorbet de myrtille sauvage... une tuerie ! Pour la déco, inspirée des années 1930, c'est l'ancien escalier du *France* qui relie le rez-de-chaussée à l'étage. Ambiance quelque peu branchée, qui n'altère en rien la qualité de la cuisine... mais la musique est un peu forte ! *NOUVEAUTÉ*.

|●| *Vivant* (plan couleur A2, **41**) : 43, rue des Petites-Écuries, 75010. ☎ 01-42-46-43-55. ● resavivant@ gmail.com ● **Ⓜ** Bonne-Nouvelle. Juste à côté de l'Hôtel Paradis. *Lun-ven 12h-14h30, 19h-22h30 (le soir, slt sur résa 8 j. à l'avance, succès oblige). Menu 65 € le soir.* Voici un amoureux des produits sans concession, dans un lieu recouvert de magnifiques carrelages d'oiseaux (1903, total respect !). Poularde du Sud-Ouest, canard de Challans ou poisson en direct de Saint-Jean-de-Luz, ici, tout est juste : provenance, cuisson, accompagnement. Produits de terroir au sens large mis en œuvre par une chef mexicaine. Quant au vin, n'allez pas énerver le patron avec vos envies de vins naturels. Ici, le vin est « vivant », bon vivant, lui aussi. Également un bar à vins à côté, un peu moins cher.

|●| *Haï Kaï* (plan couleur C2, **42**) : 104, quai de Jemmapes, 75010. ☎ 09-81-99-98-88. ● contact@haikai.fr ● **Ⓜ** Goncourt ou Jacques-Bonsergent. *Mar-sam 12h-15h, 19h-23h ; dim 12h-16h. Formules déj 17-22 € ; carte env 40 €.* La façade aux graffitis donne l'impression d'un joyeux bazar. L'intérieur est épuré et lumineux, le style éclectique pour que chacun se sente à l'aise. Cuisine ouverte où œuvre la jeune chef, qui concocte des plats légers, aux saveurs bien dosées. Elle connaît les producteurs et ne travaille qu'avec des ingrédients de qualité et d'une grande fraîcheur : pour preuve, la carte change tous les jours. Pas de pousse-à-la-conso : des petites assiettes à 10-15 € proposées midi... et soir, vin au verre ou en fillette. *NOUVEAUTÉ*.

|●| *Bistro Bellet* (plan couleur B2, **48**) : 84, rue du Faubourg-Saint-Denis, 75010. ☎ 01-45-23-42-06. **Ⓜ** Château-d'Eau ou Gare-de-l'Est. *Tlj sf dim-lun 18h30-minuit. Menus 32-36 € ; plat 18 € (slt au bar).* Le nom du resto trahit les origines niçoises du jeune patron ! Si le menu fait quelques clins d'œil au Sud, c'est pourtant la tradition française dans son ensemble qu'il honore, sur une carte courte, renouvelée régulièrement. Quatre atouts : cuisine soignée, déco bistrot-chic, horaires élargis et accueil personnalisé. Ainsi on inscrit sans complexe le *Bellet* sur la *short-list* des tables de référence du quartier. Mention spéciale pour la terrine maison (particulièrement goûteuse) et la fondante joue de cochon. C'est simple, net et sans bavure. Seul bémol : les quelques suppléments qui se trimbalent ici et là. Bonne sélection de vins au verre. *NOUVEAUTÉ*.

|●| *Youpi et voilà* (plan couleur C2, **45**) : 8, rue Vicq-d'Azir, 75010. ☎ 01-83-89-12-63. ● youpietvoila@ gmail.com ● **Ⓜ** Colonel-Fabien. *Tlj dim-lun 12h30-14h, 20h-22h. Congés : 1ᵉʳ-15 janv et août. Le midi, formules et menus 20-25 € ; le soir, menu à l'aveugle (5 plats) 43 €. Vins naturels à partir de 19 €.* Dans une belle salle aux murs de pierre et de brique, le talentueux Patrice Gelbard propose une courte carte de plats alliant des produits frais et savoureux, intelligemment travaillés et joliment présentés. En provenance directe des producteurs mis à l'honneur, goûtez un poulpe de Saint-Jean-de-Luz et son fenouil, un carré de veau de lait et ses betteraves rôties, et finissez par un dessert tout aussi prometteur. Le tout servi avec le sourire dans une ambiance conviviale... Et voilà !

|●| *Terminus Nord* (plan couleur B1, **53**) : 23, rue de Dunkerque, 75010. ☎ 01-42-85-05-15. **Ⓜ** Gare-du-Nord. *Tlj 11h-minuit (23h dim). Menus 28-34,50 € ; carte env 50 €.* Face à la gare du Nord, une des plus belles brasseries parisiennes, au style Art déco 1925 (voir, entre autres, le beau carrelage à fleurs). Atmosphère animée, excellents plats de brasserie, service professionnel. Spécialités :

fruits de mer, choucroute, ris de veau aux morilles, grillades sauce béarnaise, bouillabaisse. Du grand classique.

|●| Julien (*plan couleur B3, 54*) : 16, rue du Faubourg-Saint-Denis, 75010. ☎ 01-47-70-12-06. Ⓜ Strasbourg-Saint-Denis. *Tlj ; service 12h-15h, 19h-minuit (22h dim-lun). Congés : 1er-15 août. Menus 34 € (midi ou après 22h en sem)-44,50 € ; carte env 40 €. Apéritif maison offert sur présentation de ce guide.* L'un des plus vieux bouillons parisiens (1903). Ce sont toujours les mêmes ingrédients qui fonctionnent admirablement : un éblouissant décor Art nouveau aux lignes courbes, aux stucs baroques et aux boiseries chantournées, et de jolies femmes (une pour chaque saison !) peintes sur pâte de verre d'après les dessins de Mucha. Le service est aussi véloce qu'efficace, et les plats traditionnels sont d'honnête facture. Beaucoup de touristes étrangers en goguette. Idéal pour une soirée avant ou après le théâtre.

Bars à vins

|●| 🍷 L'Enchotte (*plan couleur B2, 34*) : 11, rue de Chabrol, 75010. ☎ 01-48-00-05-25. ● lenchotte@orange.fr ● Ⓜ Gare-de-l'Est. *Tlj sf sam midi, dim et j. fériés ; service 12h-14h30, 19h30-22h30. Congés : env 1 mois à partir de fin juil. Formule déj 16 € ; menu-carte 25 € ; carte env 35 €.* Dans ce vieux bistrot-bar à vins récemment relooké, on mange une savoureuse cuisine de marché, aux portions copieuses, dont les sauces sont vineuses à souhait. La carte des vins, bien sûr, est à la hauteur : essayez ceux du Sud-Ouest (ceux qui montent...). Bonne musique. Au fait, l'enchotte est un récipient à vin bourguignon (15 l !).

|●| 🍷 Vivant-Cave (*plan couleur A2, 41*) : 43, rue des Petites-Écuries, 75010. ☎ 01-42-46-43-55. ● pierrejancou@gmail.com ● Ⓜ Bonne-Nouvelle. Voir la rubrique « Où manger ? ».

Cuisine d'ailleurs

Sur le pouce

|●| ➭ Les snacks du marché Saint-Quentin (*plan couleur B2, 60*) : 75010. *Mar-sam 8h-20h, dim 8h30-13h30.* Un peu comme à la Boquería de Barcelone, le marché couvert de Saint-Quentin propose toutes sortes de stands où l'on peut grignoter à toute heure. Ça n'a évidemment pas le charme catalan, il n'empêche que l'on peut voyager en quelques bouchées et se restaurer à bon prix (gaffe quand même, beaucoup de prix ne sont pas affichés et semblent tarifés à la tête du client !). Couscous, charcuterie, portugais, italien... On trouve de tout, à tous les prix, pour tous les goûts. Beaucoup de monde le week-end, plus calme en semaine.

|●| ➭ Le Daily Syrien (*plan couleur B3, 61*) : 55, rue du Faubourg-Saint-Denis, 75010. ☎ 09-54-11-75-35. Ⓜ Château-d'Eau ou Strasbourg-Saint-Denis. *Tlj 9h-22h (19h dim-mar). Formule max 9,80 €.* De l'extérieur, un simple marchand de journaux. Au fond, passée la surprise, on découvre la cuisine de ce petit traiteur syrien et une grande table d'hôtes où déguster son butin. Sur place ou à emporter donc, des sandwichs aux falafels confectionnés à la demande pour plus de saveurs ! Particulièrement frais et goûteux, houmous, caviar d'aubergine, feuilles de vignes, *mohamarra*... Les pâtisseries sont également d'une grande finesse. Un snack gourmand et dépaysant.

|●| Le Salon Indien (*plan couleur C1, 76*) : 42, rue Louis-Blanc, 75010. ☎ 09-53-95-73-70. Ⓜ Louis-Blanc. *Lun-ven 11h30-18h. Formule 6,50-8 €, lassi 3 €.* C'est l'Inde en version snack élégant que propose ce salon, aux murs blancs égayés d'expos. Chaque jour, préparés le matin même, 2 viandes, 2 riz et 3-4 légumes différents, à marier dans une assiette ou à draper d'un naan façon sandwich. Pratique et rapide, en

10e

salle, sur la terrassette, ou à emporter. Quelques salades aussi entre Orient et Occident, de bons lassi, et des pâtisseries indiennes qui partent très vite ! *NOUVEAUTÉ.*

Très bon marché

|●| *Chez Fafa (plan couleur B2, 63)* : 44, rue des Vinaigriers, 75010. ☎ 01-42-09-90-50. Ⓜ *Jacques-Bonsergent ou Gare-de-l'Est. Tlj sf sam-dim, midi et soir jusqu'au dernier client. Menu complet 12 €. Tajine le jeu, couscous le ven.* Un des derniers authentiques bistrots de quartier qu'on connaisse : décor un peu foutraque, des livres en piles hasardeuses et quelques objets hagards, un poêle à bois d'un autre temps, et Fafa, le jeune patron, adorable, généreux, toujours un bon mot ou une parole gentille à la bouche et qui a instauré le « café suspendu » (vous payez un café d'avance qui sera offert à un SDF de passage)... Petite cuisine toute simple de famille, plat du jour et, en fin de semaine, délicieux tajine et couscous qu'apprécient les voisins et les employés du coin. Lieu pas encore trop colonisé par les bobos et les *hipsters,* sachez en profiter ! *NOUVEAUTÉ.*

|●| *Krishna Bhavan (plan couleur B1, 70)* : 24, rue Cail, 75010. ☎ 01-42-05-78-43. Ⓜ *La Chapelle ou Gare-du-Nord. Tlj 11h30-23h. Plat 8 € ; thali 10 € ; menu (lassi compris) 15 €.* Au cœur du quartier indien, cette maison de Krishna se distingue de ses voisins par la qualité de sa cuisine exclusivement végétarienne... et par l'énorme Ganesh qui trône au fond de la salle. Tous les classiques de la gastronomie d'Inde du Sud : *dosaï* ou *idli* accompagnés des traditionnels *sambar* et chutney coco, bon *thali* servi sur son plateau métallique à compartiments. C'est goûteux, préparé avec des produits frais, et bien mais modérément épicé. Lassi un peu cher quand même. Annexe juste en face *(au n° 23 ; ouv tlj),* plutôt pour les snacks : beignets, *rolls,* samoussas, etc.

|●| *Le Petit Cambodge (plan couleur C3, 56)* : 20, rue Alibert, 75010. ☎ 01-42-45-80-88. Ⓜ *Goncourt ou Jacques-Bonsergent.* ♿ *Lun-dim en continu 12h-23h. Congés : Noël-Nouvel An. Menu 10 € ; plats env 11-13 € ; carte 16-17 €.* Les adeptes du canal connaissent bien *Le Cambodge,* cantine familiale qui régale son monde de *bo buns* et plats vietnamo-cambodgiens. *Le Petit* a changé de registre côté déco, résolument moderne, mais la carte reste au diapason. On retrouve les fameux *bo buns,* quelques spécialités, salades fraîches et soupes bien parfumées. Carte des boissons tendance, avec de l'*aqua chiara* (eau filtrée) et une sélection de vins naturels. Ce petit temple du « bobo bun » offre une halte agréable dans le quartier et ce, tous les jours de la semaine.

|●| *Piccoli Cugini (plan couleur B2, 62)* : 34, rue des Vinaigriers, 75010. ☎ 09-50-57-79-25. Ⓜ *Bonsergent ou Gare-de-l'Est. Lun-ven 12h-14h30, 19h30-minuit ; sam-dim 12h-23h. Menus 20-25 € ; plats 9-17 € ; repas autour de 20 €.* Voici un resto italien avec une déco orginale, à mi-chemin entre la salle à manger de mamie et une trattoria new-yorkaise ! La cuisine n'est pas en reste avec un bon point pour les *fritti misti* (légumes frits) et les *pizze* blanches ! Accueil jeune et charmant. Pas de réservation possible et, vu le succès, mieux vaut s'armer de patience... ou préférer le grand frère à deux pas, *I Cugini,* 33, rue du Paradis, tout aussi bon !

|●| *La Taverne de Zhao (plan couleur B2, 64)* : 49, rue des Vinaigriers, 75010. ☎ 01-40-37-16-21. Ⓜ *Jacques-Bonsergent, Gare-de-l'Est ou Château-d'Eau. Tlj sf lun 12h-14h30, 19h-22h30. Congés : courant août. Pas de résa. Compter 9-10,50 €.* Une devanture rose bonbon, une salle minuscule au décor minimaliste, pour une cuisine chinoise du Shaanxi, multimillénaire, plutôt inhabituelle à Paris. On ne sait où donner des baguettes entre petits pains croquants fourrés à la viande, oreilles de Judas (champignons noirs sautés), succulents raviolis dorés à la poêle, *liang pi* (nouilles translucides tièdes avec julienne de concombres)... Ne ratez pas la glace pilée aux pois d'amour et le thé au lait à siroter avec une paille. Service jeune et rapide. Original, pas cher et plutôt bon.

I●I **Dishny** *(plan couleur B1, 67) :* 25, rue Cail et 212, rue du Faubourg-Saint-Denis, 75010. ☎ 01-42-05-44-04. ● info@dishny. fr ● Ⓜ La Chapelle ou Gare-du-Nord. Ⓚ Tlj 11h30-23h30. Menus 9 € (en sem)-16 € ; carte env 15 €. Apéritif maison ou café offert sur présentation de ce guide. Au cœur du quartier indien, difficile de ne pas remarquer ce resto à la devanture d'un marron spiritueux qui, victime de son succès, a ouvert une 2e adresse. On y vient pour son excellent rapport qualité-prix, son large choix de plats (végétariens ou non) et ses délicieux naans au fromage. Cuisine indienne traditionnelle, copieuse, servie à la bonne franquette.

I●I **Le Dellys** *(plan couleur B2, 66) :* 5, rue des Deux-Gares, 75010. ☎ 01-40-34-90-74. Ⓜ Gare-du-Nord ou Gare-de-l'Est. Tlj sf dim 10h-2h. Congés : 3 sem en août et Noël-Jour de l'an. Formule déj 12,50 € ; carte 10-15 €. Dans ce sympathique couscous, repaire accueillant et militant défenseur de la cause berbère (« Hommage à Matoub Lounès », nous rappelle justement une affiche), le raï est à l'honneur. Le brick au fromage est plutôt bon, le verre de cahors se laisse boire. L'atmosphère, chaleureuse, est en prime. Certains soirs (souvent le samedi), il y a des concerts de chanson française.

I●I **Barak** *(plan couleur D2, 68) :* 29, rue de Sambre-et-Meuse, 75010. ☎ 01-42-40-49-15. Ⓜ Belleville ou Colonel-Fabien. Tlj sf sam midi et dim ; service 12h-14h30, 19h30-23h30. Congés : août. Menu 12 € le midi ; pikilia (assortiment de hors-d'œuvre) 12 €, « Carnaval d'Antioche » (grillades) 13,50 €. Café ou digestif maison offert sur présentation de ce guide. Les prix de la carte savent rester raisonnables dans cette taverne gréco-turque aux voûtes et murs de pierre ornés d'objets et de tableaux, ainsi que de photos de clients réjouis. La recette idéale pour s'offrir un voyage au soleil : excellente assiette de mezze, puis moussaka, daurade grillée au raki, ou délicieux ali nazik (agneau, aubergines et yaourt aillé).

De bon marché à prix moyens

☎ **Paris-New York** *(plan couleur B3, 78) :* 50, rue du Faubourg-Saint-Denis, 75010. ☎ 01-47-70-15-24. Ⓜ Château-d'Eau ou Strasbourg-Saint-Denis. Tlj 12h-15h, 19h-23h30. Fermé 1er janv et 25 déc. Compter env 15 €. Café offert sur présentation de ce guide. Un petit local dans les tons noirs, gris et alu sans grande originalité, mais pour de vrais hamburgers, ça mérite peut-être d'être mentionné ! D'autant plus que ce qu'on déguste entre 2 tranches de pain croustillant et de goûteux ingrédients, c'est la petite pie noire bretonne. Une race peu connue pour son lait (c'est pas une grande laitière !), mais plutôt pour la qualité de sa viande. Une poignée de variétés de burgers (dont un veggie) qu'on peut compléter d'une petite salade ou de frites allumettes. Avec l'onctueux cheese-cake de chez Rachel, voilà un repas sain et frais à bon prix ! Petite terrasse aux beaux jours.

I●I **Café Zerda** *(plan couleur B3, 65) :* 15, rue René-Boulanger, 75010. ☎ 01-42-00-25-15. ● zerdaresto@hotmail.fr ● Ⓜ République, Strasbourg-Saint-Denis ou Jacques-Bonsergent. Tlj sf sam midi, dim et lun midi ; service 10h-15h, 19h-minuit. Formule déj 16,90 € ; menu 19,90 € ; carte env 30 €. Parking payant. La lourde porte franchie, on enjambe aussitôt la Méditerranée pour se retrouver propulsé entre Alger et la Kabylie ! Une belle fresque en zelliges, des banquettes rouges, l'atmosphère est intime le soir, sans trop forcer la note orientale. Pour les cuistots qui connaissent par cœur les recettes ancestrales, inutile de déployer une palette d'artifices. La cuisine est extra, la graine légère, et l'agneau fondant ! Osez l'amakful, la version berbère du couscous, c'est délicieux, comme le reste. Quelques bonnes bouteilles de vin.

I●I **Fils du Soleil** *(plan couleur B3, 69) :* 5, rue René-Boulanger, 75010. ☎ 01-44-52-01-21. ● chakma40@yahoo.com ● Ⓜ République ou Strasbourg-Saint-Denis. Tlj sf sam midi

10e

et dim 12h-14h30, 19h-23h. Menu le midi 10,50 € ; carte env 25 €. Ancien mexicain, aujourd'hui également colombien, comme l'accueillante patronne, ce resto tient ses promesses de cuisine ensoleillée. Les plats (le traditionnel chili ou le risotto colombien, goûteux à souhait) et les desserts (délicieuse confiture de lait aux figues au sirop), dépaysants, sont prétexte à conversation. Les cocktails, eux aussi, font se délier les langues...

|●| Les Voisins (plan couleur C3, **74**) : 27, rue Yves-Toudic, 75010. ☎ 01-42-49-36-58. Ⓜ Jacques-Bonsergent ou République. Tlj sf dim 12h-2h (dernier service à 23h). Carte env 25 € ; tapas env 6 €. Verre de vin env 4 €. Pourquoi Les Voisins ? Parce que lors de l'ouverture, un photographe du quartier a tiré la bobine des autochtones en noir et blanc, afin d'habiller les murs du bar. Depuis, ça ne désemplit pas. Des voisins, mais aussi des intellos de tout poil, des artistes, des bobos, des discrets, des nonchalants. Côté bande-son, une musique ensoleillée. En clair, toute la petite comédie humaine de Valmy se coule douce en piochant des tapas popu (patatas bravas, tortilla) et des petits plats comme a la casa (filet de porc mariné, pulpo a la gallega...).

|●| Procopio Angelo (plan couleur C2, **80**) : 21, rue Juliette-Dodu, 75010. ☎ 01-42-02-99-71. Ⓜ Colonel-Fabien. ♿ Tlj sf mer et dim 12h-14h30, 19h30-23h. Congés : août et autour de Noël. Formule déj 17 € ; carte env 35 €. Un lieu accueillant et coloré. On retrouve à la carte les indéboulonnables de la cuisine italienne (fritto misto, burrata con prosciutto e pomodoro, crostini, tiramisù, panna cotta). On se délectera des pâtes maison (taglioni à la sauge, rigatoni aux cèpes) cuites al dente. Et pour accompagner, grand choix de vins toscans au verre, région natale d'Angelo. Et même si le caractère bien trempé du chef peut parfois surprendre, le service, quant à lui, est adorable...

|●| SOL Semilla (plan couleur C2, **59**) : 23, rue des Vinaigriers, 75010. ☎ 01-42-01-03-44. ● boutique@sol-semilla.fr ● Ⓜ Jacques-Bonsergent ou Gare-de-l'Est. Tlj sf lun 12h-19h (22h30 ven-sam et 18h dim). Congés : 28 juil-18 août. Formules 18,50-22,50 €. Seulement quelques tables et des bidons en guise de sièges. Cette cantine bio végétalienne nous invite à voyager dans le monde méconnu des supers aliments amérindiens (plantes, fruits, algues ou légumes), d'une richesse exceptionnelle en nutriments. Les curieux et amateurs de biodiversité seront enchantés par les soupes (énergie, detox...), assiettes, douceurs et boissons aux plantes. Une cuisine saine et surprenante, dont les ingrédients sont aussi proposés à la vente (sur place ou en ligne).

|●| Le Cambodge (plan couleur C3, **71**) : 10, av. Richerand, 75010. ☎ 01-44-84-37-70. ● lecambodge@lecambodge.fr ● Ⓜ République ou Goncourt. Tlj sf dim ; service 12h-14h30, 19h-23h (23h30 ven-sam). Congés : vac scol, août, Noël et Jour de l'an. Carte env 28 €. Une sympathique famille cuisine des petits plats khmers toujours parfumés et savoureux. Soupe « Phnom Penh », natin (velouté de porc chaud au saté et lait de coco accompagné de croustillantes chips aux crevettes), bo bun... Assurément, la cuisinière n'a pas perdu la main, et sa fille, qui l'assiste, a hérité de son savoir-faire. Très prisé dans le quartier, donc s'armer de patience pour dégoter une table.

|●| Maria Luisa (plan couleur C3, **73**) : 2, rue Marie-et-Louise, 75010. ☎ 01-44-84-04-01. Ⓜ Jacques-Bonsergent ou Goncourt. Tlj 12h-14h30, 19h30-23h30 ; service continu sam-dim (dim 22h30). Plat du jour 14 € ; carte 30-35 €. Limoncello offert sur présentation de ce guide. Belle salle lumineuse aux murs de pierre. Un cadre moderne et convivial à la fois. À la carte, sélection d'antipasti savoureux, suggestions du jour, mais surtout large choix de pizze à la pâte fine et croustillante. Gardez une place pour le tiramisù maison ou pour la panna cotta aux fruits rouges ! Service efficace et plaisant. Carte des vins à prix raisonnables, et grande terrasse pour trinquer en profitant des beaux jours. Le patron, Giovanni, tient aussi La Madonnina (voir ci-après), trattoria napolitaine à quelques pas de là, et L'Altra, une pizzeria dans le 11ᵉ (52, rue Saint-Maur).

|●| **Tesoro d'Italia** (plan couleur A2, **75**) : 41, rue de Paradis, 75010. ☎ 01-53-34-00-64. Ⓜ Poissonnière. Tlj ; service 12h-15h, 18h30-23h. Plats 9,50-18 € ; carte 25-30 €. Un Sri-Lankais roi de la pasta ! M. Bala vous surprendra. Huit années de pratique dans un restaurant italien, 1 an à se perfectionner, et il vous fera redécouvrir les pâtes : penne, rigatoni, fusilli, etc. Escalopes, raviolis et lasagnes délicieux et copieux se bousculent aussi sur la carte. Une adresse toujours pleine, au service souriant, qui finalement porte bien son nom.

|●| **Nanashi** (plan couleur A2, **72**) : 31, rue de Paradis, 75010. ☎ 01-40-22-05-55. ● mail@nanashi.fr ● Ⓜ Poissonnière. Tlj sf dim soir ; service lun-ven 12h-15h, 19h-23h, sam 12h-16h, 19h30-23h, dim 12h-16h. Résa conseillée. Carte 21-30 €. Une adresse hyper hype et branchouille ; le genre d'endroit qu'on adore ou qu'on déteste ! La déco, savamment insignifiante, rappellera à certains les cantines bobos de Soho. Le service est nonchalant, mais ça fait partie du concept... Ici règne l'informel ! Cela dit, ne vous avisez pas de pointer le bout de votre nez sans avoir réservé, surtout le samedi midi ! À la carte, des bentos qui changent tous les jours et qui déçoivent parfois. Même irrégularité côté desserts... Qu'on se rassure, quelques plats méritent assurément le détour : les onigiris, le rouleau de printemps au poulet et le succulent chirashi au saumon... Prix honnêtes.

Chic

|●| **Da Mimmo** (plan couleur B3, **77**) : 39, bd de Magenta, 75010. ☎ 01-42-06-44-47. ● trattoria-damimmo@orange.fr ● Ⓜ Jacques-Bonsergent. ♿ Tlj sf dim 12h-14h30, 19h30-minuit. Congés : août. Résa indispensable. Formule déj en sem 19 € ; pizza env 13 € ; carte 30-40 €. Digestif maison offert sur présentation de ce guide. À priori, un décor de trattoria napolitaine, limite kitsch avec ses photos de ciné et ses fresques peintes. L'accueil est chaleureux, et le buffet d'antipasti irrésistible de fraîcheur et de finesse. On embraie sur des pâtes cuites al dente comme les linguine aux scampi géants. Le risotto à la truffe blanche est un monument aussi fumant que le Vésuve, et le tiramisù est à tomber de bonheur. Il faudra mettre le prix pour s'accorder ces plaisirs. Un plan plus économique : les pizze au feu de bois.

Où boire un thé ?

|●| ☕ **Couleurs Canal** (plan couleur C3, **79**) : 56, rue de Lancry, 75010. ☎ 01-42-40-60-52. Ⓜ Jacques-Bonsergent. Tlj sf sam-dim, le midi slt ; service 12h-15h. Congés : 14 juil-15 août. Formules 8,50-9,50 € autour d'une tartine chaude ou d'une tarte du jour ; potages en hiver. Un salon de thé miniature, avec de petites tables pour grignoter tranquille, dans un décor maison revu et corrigé par un artiste qui n'est autre que le mari de la patronne, d'où les expos au mur. Gentil, discret et pas trop cher compte tenu du fait que tout est fait maison... et bio.

Où prendre un bon goûter ?

🍴 ☕ **Helmut Newcake** (plan couleur C3, **93**) : 36, rue Bichat, 75010. ☎ 09-82-59-00-39. ● helmutnewcake@gmail.com ● Ⓜ Goncourt ou République. Mer-sam 12h-20h, dim 10h-18h (brunch sur résa). Carte env 10 € ; brunch 24 €. Poussez sans hésitation la porte de ce « deli-pâtisserie » sans gluten. Juste une poignée de tables, sinon 2 petits comptoirs et chaises hautes qui courent le long de la vitrine et du mur en pierres apparentes. Dans la vitrine justement, réfrigérée, ils sont là, les gâteaux de la première pâtisserie sans gluten de l'Hexagone. Marie, pâtissière passée par Lenôtre

– elle-même intolérante au gluten –, utilise toutes sortes de farines bio (quinoa, riz, maïs, châtaigne...). Un défi d'obtenir si bon en bannissant le gluten. Résultat, intolérant ou pas, on y fait une escale avec plaisir pour planter sa cuillère dans une tarte au citron meringuée ou un cheese-cake, pour un cookie... Et, pour le déjeuner, un plat du jour (crevettes coco citronnelle...), une tarte et quelques salades. Quelques produits d'épicerie, sans gluten *of course* !

🍞 🍷 **Du Pain et des Idées** (plan couleur C3, *78*) : 34, rue Yves-Toudic, 75010. ☎ 01-42-40-44-52. Ⓜ *Jacques-Bonsergent. À l'angle de la rue de Marseille. Lun-ven 6h45-20h. Compter 1,45-6 €.* Christophe Vasseur a rendu son tablier d'homme d'affaires et appris le métier de boulanger. Reconversion plus que réussie, dans cette enseigne classée Monument historique ! Quelques tables en terrasse, et du pain, des idées, certes, et aussi plein de viennoiseries divines : la brioche Rabelais, au miel, au safran et aux noix du Périgord, des chaussons aux pommes avec de vraies pommes, des tartes fines aux fruits de saison... N'en jetez plus ! L'idéal pour un pique-nique au bord du canal Saint-Martin ou avant d'aller s'encanailler à *L'Alhambra* sur le trottoir d'en face.

🍞 **Boulangerie-pâtisserie Liberté** (plan couleur B2, *94*) : 39, rue des Vinaigriers, 75010. ☎ 01-42-05-51-76. ● contact@liberte-patisserie-boulangerie.com ● Ⓜ *Jacques-Bonsergent.* 🍴 *Lun-sam 7h30 (8h30 sam)-20h15. Formules déj 8,30-10 €.* Une spacieuse boulangerie-pâtisserie à la déco très brute façon chantier en cours par endroits, et à la cuisine ouverte, bien dans l'air du temps. Merveilleux cheese-cake, financier moelleux à souhait, tarte à la crème, far breton, « miel addict » – un croquant fondant de la famille du florentin –, à accompagner du jus pomme-carotte-gingembre fraîchement pressés. On ne s'est privé de rien... et on n'a pas regretté ! De quoi grignoter salé aussi, et tout aussi bon. Des « mange-debout » pour qui voudrait vraiment manger sur place ; mais le canal est à deux pas. *NOUVEAUTÉ.*

Où boire un verre ?

🍸 🍴 **Le Floréal** (plan couleur D3, *92*) : 73, rue du Faubourg-du-Temple, 75010. ☎ 01-40-18-46-79. Ⓜ *Goncourt. Tlj 8h (9h w-e)-2h. Bière 4 € ; cocktails 8-12 €. Plats à partir de 12 € servis 12h-1h. Le Floréal* se pose désormais en repère incontournable du bas Belleville. Avec son magnifique décor pop qui donne envie de revivre l'époque du Drugstore, il propose à toute heure une belle carte pour boire, manger (fruits de mer, plats de brasserie, snacks...) et s'amuser. Un classique.

🍸 **Le Café Bonnie** (plan couleur C2, *84*) : 9, rue des Récollets, 75010. ☎ 01-40-35-54-51. ● cafe.bonnie@gmail.com ● Ⓜ *Gare-de-l'Est. Tlj 17h30-2h. Happy hours 18h-20h30. Bière 3,50 € ; cocktails 8-14 € (6-12 € pdt l'happy hour).* 📶 « Vous avez lu l'histoire de Jesse James... Clyde a une petite amie, elle est belle et son prénom, c'est Bonnie. » On se surprend à fredonner la chanson de Gainsbourg dans ce petit bar tout frais, tout neuf des alentours du canal, avec ses couleurs acidulées et ses portraits pop art de stars des sixties. Cocktails simples et variés (essayez le « Bonnie & Clyde », un délicieux mélange aux fruits rouges et vodka).

🍴 🍸 **Café A** (plan couleur B2, *90*) : 148, rue du Faubourg-Saint-Martin, 75010. ☎ 09-81-29-83-38. ● cafea.curtis@gmail.com ● Ⓜ *Gare-de-l'Est. Tlj 8h-minuit (fermé dim-lun en hiver). Plat du jour env 14 €, bruschetta 7 €. Compter env 20 € pour 1 repas.* « A » comme « Archi tranquille ». Le couvent des Récollets cache un jardin clos, épargné du brouhaha de la rue. Qu'il fait bon y flemmarder sur un transat coloré, au soleil ou à l'ombre des arbres, on se croirait à la campagne ! L'intérieur, avec ses pierres et poutres métalliques, s'apparente à un immense relooké où les plus studieux viennent bûcher, sur fond de *Radio Nova*. Service (pas franchement aimable) au comptoir. *NOUVEAUTÉ.*

🍸♪ ***Delaville Café*** *(plan couleur A3, 51)* : 34, bd de Bonne-Nouvelle, 75010. ☎ 01-48-24-48-09. ● reservationdelaville@gmail.com● ⓜ Bonne-Nouvelle ou Strasbourg-Saint-Denis. Tlj 8h-2h (1h dim). Demis à partir de 3,80 € ; cocktails à partir de 8 €. Déjà cité plus haut dans notre rubrique « Où manger ? », le *Delaville Café* est aussi et avant tout un lieu chaleureux où il fait bon passer un moment, en journée comme en soirée. Carte des cocktails bien fournie pour varier des tournées de mousse, à descendre jusqu'au creux de la nuit. Au fond, le *lounge* est un zeste décalé mais toujours branché avec ses tabourets en skaï rouge. Le soir, excellente programmation musicale.

🍸 **La Patache** *(plan couleur C3, 101)* : 60, rue de Lancry, 75010. ☎ 01-42-08-14-35. ⓜ Jacques-Bonsergent. Tlj 16h30 (14h30 sam-dim)-2h. Demi env 3,50 €. CB refusées. Un bougnat début XXᵉ s, au papier peint made in grand-mère et aux murs jaunis par le temps et la nicotine. Le vieux poêle fonctionne encore au charbon, le prix des consos est plus que démocratique, les tartines sont gourmandes à souhait (terrines de thon, de sardine, de gibier), et les murs racontent des histoires du temps jadis. La clientèle titi parisienne se fond dans le décor avec les bobos parisiens.

🍸 **Le Cinquante** *(plan couleur C3, 88)* : 50, rue de Lancry, 75010. ☎ 01-42-02-36-83. ● patrick@lecinquante.fr ● ⓜ Jacques-Bonsergent. Tlj 17h30-2h. Congés : août. Bière 3 € ; verres de vin 3,50-5 € ; cocktail 8 € ; shot 3 €. Planche 15 € ; 6 huîtres 9 € ; plat du soir 15 €. 🛜 Digestif maison offert sur présentation de ce guide. Côté rue, le comptoir vintage prédomine, avec les habitués qui s'encaillent sur une musique classico-rock. Au fond, 2 arrière-salles cosy qui confèrent au lieu une atmosphère « comme à la maison ». Qu'on soit entre amis dans le petit coin salon ou en tête à tête à la lueur des bougies, on se sent bien dans cette déco sixties, avec tables en formica colorées, affiches de rock et même un piano ! Concerts 1 jour sur 3 (annoncés sur leur page Facebook).

🍸 ***L'Atmosphère*** *(plan couleur C2, 81)* : 49, rue Lucien-Sampaix, 75010. ☎ 01-40-38-09-21. ⓜ Gare-de-l'Est. Tlj 9h30-1h45 ; service 12h-15h30, 19h30-23h. Congés : Noël-Jour de l'an. Demi 3,10 € ; café 2,10 € (1 € au comptoir). Un bout de café tout simple, en angle de rue, avec de faux airs « parigo-champêtre » et une petite terrasse, très agréable aux beaux jours pour lézarder au bord du canal Saint-Martin. Pour les petits creux, fait aussi resto.

🍸 ●❚● **Le Comptoir Général** *(plan couleur C3, 89)* : 80, quai de Jemmapes, 75010. ☎ 01-44-88-24-46. ● contact@lecomptoirgeneral.com ● ⓜ République ou Goncourt. Lun-ven 18h-2h, sam-dim 11h-1h ou 2h. Bière bio 3,50 € ; jus de fruits bio 3,50 € ; cocktails env 7-8 €. Un superbe lieu associatif installé dans un atelier typique de cette partie longtemps ouvrière de Paris, au fond d'une cour donnant sur le canal Saint-Martin. Dans ce vaste espace composé de plusieurs pièces, la déco foutraque fait la part belle à la récup' dans le plus pur style Africa Remix (on y trouve un salon de coiffure africain, un cabinet de sorcellerie). On y sert de bonnes bières bio, des jus de fruits et quelques grignotes du monde (*dumplings*, plats africains...). Chaque week-end, de nombreux événements entre brocante, vente de produits équitables, cinéma et conférences (et beaucoup de monde). Idéal aussi pour passer en journée avec sa marmaille (animations). Attention, la queue s'allonge en fin de semaine !

🍸 ●❚● ♪ **Point Éphémère** *(plan couleur C1, 87)* : 200, quai de Valmy, 75010. ☎ 01-40-34-02-48. ● info@pointephemere.org ● ⓜ Jaurès ou Louis-Blanc. ♿ Entrée côté canal. Bar tlj 12h-2h (21h dim). Restauration légère et gourmande tlj 12h-23h. Fermé 25 déc. Demi 2,80 € en journée, 3,50 € le soir. 🛜 Même sur le canal Saint-Martin, il est difficile de faire plus « boboïssime » que ce bar-expo-débat-conférence-concert-atelier d'artistes installé dans un ancien dépôt de matériaux de construction. Dans un dépouillement industriel façon palais de Tokyo, 4 ou 5 concerts par semaine (pop, rock, électro...), des spectacles de danse, des expositions... Terrasse

10ᵉ

au bord de l'eau, très prisée l'été. Clubbing régulier (minuit-5h) et accueil de festivals tout au long de l'année.

Le Fantôme *(plan couleur A2, 85)* : *36, rue de Paradis, 75010.* ☎ *09-66-87-11-20.* Ⓜ *Château-d'Eau ou Poissonnière. Lun-ven 11h-2h, sam 18h-2h. Bière 4 € ; alcools 8-10 € ; cocktails 10-14 €.* Retour vers le futur ! Ici, on fait un saut dans les années 1990, entre bornes d'arcades, flippers et déco de cafet' AB Productions. Deux parties de *street fighter* plus tard, on prend un verre entre potes ou on fait connaissance avec les habitués, un peu *nerds* sur les bords. Ensuite direction le soussol et sa piste de danse où les miniboums s'enchaînent presque aussi vite que les rencontres. Quelques grignotes bienvenues pour les petites faims (pizzas, etc.). *NOUVEAUTÉ.*

Chez Jeannette *(plan couleur B3, 82)* : *47, rue du Faubourg-Saint-Denis, 75010.* ☎ *01-47-70-30-89.* Ⓜ *Château-d'Eau ou Strasbourg-Saint-Denis. Tlj 8h (9h dim)-2h ; service jusqu'à minuit. Demis 2,80 € au bar, 3,10-3,70 € en salle ; cocktails 6,50-8 € au bar, 7-12 € en salle. Plat du jour 12 € ; brunch dim.* Tables en formica, canapé en cuir rouge, carrelage et grand zinc d'époque, tout a été conservé depuis les seventies. Mais son aspect dégingandé et son agitation euphorisante lui donnent des airs de cantine des faubourgs du XXIᵉ s. Profitez au passage des excellentes assiettes de fromages et de charcuterie du marché. Passé 22h30, le volume de la musique monte d'un cran, surtout avec les sets de DJs le week-end ; la lumière se fait plus tamisée, les habitués débarquent, et l'ambiance devient très enivrante.

Chez Prune *(plan couleur C3, 86)* : *36, rue Beaurepaire, 75010.* ☎ *01-42-41-30-47.* Ⓜ *Jacques-Bonsergent. Tlj 8h (10h dim et j. fériés)-2h. Demi 3 € en salle et 2 € au bar (3 € à partir de 20h). Le midi, plusieurs plats du jour 13-14 € ; le soir, assiettes froides (charcuterie, fromages, etc.) 13-15 € ; brunch dim (12h-16h) 21 €.* Un café branché Paname du canal Saint-Martin situé pile poil entre *La Patache* et *La Marine*. Un ancien bar-tabac retapé vite fait bien fait, ouvert dans l'urgence d'un Mondial 1998 qui s'annonçait déshydratant... et devenu un lieu de rendez-vous incontournable dans le quartier. Que l'on choisisse une vieille prune ou un petit ballon de rouge, *Chez Prune*, on en a toujours pour son argent !

Où boire un verre en picorant des tapas ?

Farago Pintxo Bar *(plan couleur A2, 100)* : *11, cour des Petites-Écuries, 75010. Pas de téléphone.* Ⓜ *Château-d'Eau, Strasbourg-Saint-Denis ou Bonne-Nouvelle. Tlj sf dim 19h-1h. Bière 3 €, pinte 5 € ; vin au verre 5 € ; soft 4 € ; cocktail 10 € ; pintxos env 4 €.* Un bar à *pintxos*, les fameuses tapas basques servies sur des cure-dents, qui vous transportera instantanément à Bilbao. On a particulièrement apprécié le jambon ibérique, les chipirons *a la plancha* ou les *croquetas* servies bien fondantes. Pour accompagner ces saveurs ensoleillées, optez pour un bon rioja ou un puissant *penedès* catalan. Enfin, en guise de digestif, craquez pour les dynamisants gins tonics, qui vous amèneront au bout de la nuit. Arrivez tôt, l'endroit ne désemplit pas. *NOUVEAUTÉ.*

Où boire un excellent cocktail ?

L'Ours Bar *(plan couleur B2, 83)* : *8, rue de Paradis, 75010.* ☎ *01-45-23-40-06.* Ⓜ *Château-d'Eau. Tlj sf dim 17h-2h. Happy hour 18h-21h. Bière 3 € ; cocktails 6-11 €.* Démocratiser les cocktails de qualité, c'est la mission que se sont fixée les jeunes oursons qui ont lancé cet *Ours Bar.* Et le pari est réussi ! On choisit parmi les cocktails classiques ou ceux plus inventifs : pas de doute, ils sont tous très bien balancés. Les prix sont doux, et pendant l'*happy hour*, ils deviennent carrément imbattables ! Une excellente adresse pour commencer la soirée au faubourg Saint-Denis. NOUVEAUTÉ.

♟ *Le Coq (plan couleur B3, 96)* : 12, rue du Château-d'Eau, 75010. ☎ 01-42-40-85-68. Ⓜ République ou Jacques-Bonsergent. Lun-sam 18h-2h. Cocktail 11 €. Un bar à cocktails vintage où les mixologistes vous attendent en costume rétro pour distiller leurs créations (quelle maîtrise !)

sur fond de vieux funk ou de rock six-ties. Le cadre sombre invite au recueillement et incite à profiter des breuvages en toute intimité : commandez un « Lipstick Rose » à votre belle pour son arrivée (champagne, vodka rose, sirop de framboise et violette) avant de vous offrir un « Fleurs du Mal » et de succomber un peu plus à la tentation (absinthe, vodka rose, jus de citron, blanc d'œuf).

Où sortir ? Où écouter de la musique ?

♪ *Le New Morning (plan couleur B2, 91)* : 7-9, rue des Petites-Écuries, 75010. ☎ 01-45-23-51-41. ● newmorning.com ● newmorning@orange.fr ● Ⓜ Château-d'Eau. Achat des places dans les Fnac, Virgin et agences, ou sur le site internet. Ouverture des portes

20h, concerts 21h. Tarifs : souvent à partir de 18,50 €. Conso env 6,50 €. Une petite salle de concerts qui vieillit plus que bien. Programmation éclectique et brillante (Archie Shepp, Ravi Coltrane...), du jazz à la world music en passant par le rock ou le funk.

Où danser ?

♫ *La Java (plan couleur D3, 95)* : 105, rue du Faubourg-du-Temple, 75010. ☎ 01-42-02-20-52. ● administration@la-java.fr ● Ⓜ Belleville. Presque tlj 20h (ou minuit)-2h (ou 5h). Congés : août. Entrée : 5-10 € (sans conso). Consos 3-10 €. Au fond d'une galerie donnant sur la rue, un lieu comme on n'en fait plus. Dancing ouvert dès 1923, Piaf y a fait ses débuts, et l'endroit a vu

défiler tout ce que Paname a compté de fêtards pas bégueules. Dans un décor ancien, touchant et kitsch à la fois (oh ! le curieux trompe-l'œil !), on assiste à des concerts éclectiques en semaine et on vient danser jusqu'à l'aube le week-end sur des rythmes électro-underground. De mythiques soirées *queer* ont lieu ici régulièrement, comme la « Trou aux biches ».

À voir

DE LA PLACE DE LA RÉPUBLIQUE À LA GARE DE L'EST

🚶 *La place de la République (plan couleur C3)* : on la doit au baron Haussmann, qui lui adjoignit, bien sûr, une caserne. De la place partent en étoile toutes les voies (Magenta, République, Voltaire, Turbigo) qui, dans l'esprit du baron, devaient casser les traditionnels foyers d'insurrection populaire. Au milieu trône la statue de la République, ornée d'une frise en bronze. Elle retrace toute l'histoire de la République sur un siècle. À l'angle avec le boulevard Magenta et la rue Léon-Jouhaux se trouvait le laboratoire où Daguerre conçut son célèbre daguerréotype, l'ancêtre de notre appareil photo.

🚶 *La rue du Château-d'Eau (plan couleur B2-3)* : elle relie le boulevard Magenta à la rue du Faubourg-Saint-Denis. Tout au début, la Bourse du travail, construite en 1892. Au n° 39, la plus petite maison de Paris : 1,10 m de façade, un seul étage, 5 m de haut. En 1905, elle abritait une cordonnerie. À l'angle avec la rue Bouchardon, le discret petit marché Saint-Martin *(tlj sf lun)*, avec ses produits frais, faisant face au passage du Marché qui rejoint l'artère du faubourg Saint-Martin.

🎎 Au débouché des rues du même nom, les portes Saint-Martin et Saint-Denis furent construites à la gloire des victoires de Louis XIV. La **porte Saint-Denis** *(plan couleur A3)*, plus importante, commémore la prise d'une quarantaine de villes pendant la bataille sur le Rhin. Bas et hauts-reliefs assez remarquables. Une anecdote : Napo-

ON A VOLÉ *LA JOCONDE* !

1911. Coup de tonnerre. Le tableau le plus célèbre au monde est dérobé. La Mona Lisa est retouvée rue Vertbois, près de la République, revêtue de la signature de l'artiste. Les enquêteurs mettront du temps à savoir que Léonard de Vinci n'avait jamais signé son tableau. On retrouva l'original en 1913, dans un hôtel de Florence, volé par un vitrier italien qui travailla au Louvre. Depuis, l'hôtel s'appelle Gioconda.

léon fit rénover la porte, mais il en profita aussi pour « bronzer » le « Ludovicus Magnus », dont les lettres d'or brillaient, pour ses yeux fragiles, d'un trop vif éclat !

🎎 **Le musée de l'Éventail – Hervé-Hoguet** *(plan couleur B3)* : 2, bd de Strasbourg, 75010. ☎ 01-42-08-90-20. Ⓜ *Strasbourg-Saint-Denis. Lun-mer 14h-18h. Fermé j. fériés et en août. Entrée : 6,50 € ; 4,50 € sur présentation de ce guide ; réduc. Ateliers enfants sur résa.* Un étonnant petit musée de trois salles créé par Mme Hoguet, elle-même éventailliste Maître d'art. D'abord, une présentation des montures et de leur travail, avec matériaux (corne, bois, nacre, os, ivoire) et outils traditionnels. Puis la salle des feuilles et des moules à plisser. Enfin, un salon d'exposition, celui des éventaillistes Lepault et Deberghe, créé en 1893 et classé Monument historique (donc conservé en l'état). Grands meubles à tiroirs en noyer et vitrines qui présentent près de 100 des 2 000 pièces de la collection Hoguet, du XVIIᵉ s à nos jours, selon un thème annuel. Aussi bien des modèles en soie et nacre du XVIIIᵉ s que des exemplaires en plexiglas contemporain. Noter les éventails publicitaires des années 1920-1930, en papier, souvent humoristiques, un éventail de poupée (de 4 cm !), ou encore l'éventail de bal (sorte de carnet de bal, on pouvait écrire dessus). Et puis, pour les passionnés, une boutique avec des objets, des livres et... des éventails, et les créations ou restaurations que propose Mme Hoguet, puisque son atelier est toujours vivant (elle est d'ailleurs sollicitée pour créer des éventails pour les défilés de prestigieuses maisons de haute couture).

🎎 **La gare de l'Est** *(plan couleur B2)* **:** *pl. du 11-Novembre-1918, 75010.* Ⓜ *Gare-de-l'Est.* La dernière-née des grandes gares parisiennes. Achevée en 1850, elle est agrandie plusieurs fois entre 1895 et 1931, ce qui fait d'elle la plus grande gare de Paris en superficie (pour le trafic et la quantité de voyageurs, c'est Saint-Lazare qui domine). Tout en haut du boulevard de Strasbourg,

UN BUNKER SOUS LA GARE

En 1939, les militaires français creusèrent un abri souterrain pour protéger le poste de commandement de la gare en cas de bombardement. Portes blindées, dynamo électrique... L'installation sous la voie 3 était parfaite. Un inconvénient : l'endroit fut uniquement utilisé par l'armée... allemande, dès 1940.

on l'aperçoit longtemps avant d'y arriver, avec ses deux ailes et ses verrières. Il ne reste de l'édifice d'origine que la façade de l'aile gauche, juste dans le prolongement du boulevard, avec une statue symbolisant Strasbourg et une autre Verdun. Traditionnellement, c'était la gare d'arrivée des Alsaciens et des Lorrains à la capitale, comme en témoignent les nombreuses brasseries du coin.

🎎 **Le couvent des Récollets** *(plan couleur B2)* **:** *150-154, rue du Faubourg-Saint-Martin, 75010.* ☎ *01-53-26-21-00.* Ⓜ *Gare-de-l'Est. Visite du*

cloître possible lun-ven 10h-18h.
Ce bel ensemble de constructions aujourd'hui hétéroclites fut au XVIIe s le couvent d'un ordre mendiant, une caserne pendant la Révolution, puis un hospice pour « incurables », et enfin, sous Napoléon III, un hôpital militaire, et ce jusqu'en 1968. Rénové, il abrite un centre pour artistes et, dans l'ancienne chapelle, une association d'architectes. Le cloître est accessible au public, et on aura une vue de l'harmonieuse façade arrière depuis le jardin donnant sur le canal.

☿ Sur place, le *Café A* fait profiter de sa belle cour arborée en été *(lire plus haut la rubrique « Où boire un verre ? »).*

UN TRAIN PEUT EN CACHER UN AUTRE...

Ceux qui sont dans le secteur un samedi après-midi pourront découvrir, dans le sous-sol de la gare, un immense circuit de train électrique miniature, commencé en 1946. Aujourd'hui, l'ensemble compte quelque 480 m de voies, locomotives, wagons-marchandises, gares, lampadaires, décor de montagnes, voyageurs, et animaux qui regardent passer les trains (jusqu'à sept peuvent circuler simultanément)... Le tout bichonné par une association de passionnés. Un rêve de gosse en somme. Accès porte n° 9, en bas de la rampe de parking ; ensuite il faudra vous faire guider.

🚶 *La rue du Faubourg-Saint-Martin et le boulevard de Strasbourg* (plan couleur B2-3) : ces deux axes parallèles relient le cœur de Paris avec la gare de l'Est et, plus haut, la place de Stalingrad. Ils traversent différents quartiers aux atmosphères évoquant aussi bien l'Afrique et l'Inde que le Moyen-Orient... Prise entre les deux axes, près de la gare de l'Est, l'*église Saint-Laurent,* à la composition éclectique : clocher du XIIe s, chœur du XVe, chapelle du XVIIIe, et, au-dessus du portail, une fresque sur lave émaillée du XIXe, retraçant la vie du saint. Un petit square borde l'église, offrant

UN CAMP NAZI EN PLEIN PARIS

Les Allemands réquisitionnèrent le magasin Lévitan du 85, rue du Faubourg-Saint-Martin pour entreposer les biens volés aux familles juives. Le pillage fut considérable, et les gradés venaient se servir. La main-d'œuvre servile provenait du camp de Drancy, et il arrivait que certains reconnaissent des biens qu'on leur avait volés.

une jolie vue sur l'édifice. Au n° 89 de la rue du Faubourg-Saint-Martin, le *passage du Désir,* passage privé, rarement ouvert. Le métro Château-d'Eau est le point de rendez-vous de la *Petite Afrique,* où l'on trouvera un nombre incalculable de coiffeurs, vendeurs de perruques et faiseurs de tresses, qui communiquent en peul, bouthou ou bassa. Au n° 63 de la rue du Faubourg-Saint-Denis, la *cour* et le *passage des Petites-Écuries,* beaucoup plus calmes. Ressortir de l'autre côté par la rue d'Enghien, un peu glauque. Prendre à gauche pour retrouver la rue du Faubourg-Saint-Denis, où, oh magie !, une fois de plus, le charme de Paris va opérer pour nous transporter vers une nouvelle destination : l'Inde ! Bienvenue au passage Brady !

🚶 *Le passage Brady* (plan couleur B3) est devenu le *Little India* de Paris. Le charme est là, ça sent bon les épices, et on aime croiser le sourire de ces Indiens qui tiennent les restaurants et épiceries où trônent sacs de riz basmati et étalages de fruits exotiques. Le passage est surmonté d'une longue et grande verrière. Il se poursuit à l'extérieur, de l'autre côté du boulevard de Strasbourg, mais dans un autre registre puisque c'est dans cette tranquille partie qu'on trouvera les boutiques qui louent des costumes de fêtes.
En sortant sur la rue du Faubourg-Saint-Martin, vous tomberez nez à nez avec le théâtre du Splendid, qui consacra la non moins célèbre troupe (Gérard Jugnot, Thierry Lhermite, Josiane Balasko...). Sur la droite, on retrouve la porte

Saint-Martin, qui représente la limite avec le 3ᵉ arrondissement et qui, autrefois, marquait l'entrée de la ville, et donc le passage de l'octroi (taxe supprimée en 1943).

🏃 **Le marché Saint-Quentin** (plan couleur B2) **:** juste à côté de la gare de l'Est, à l'angle de la rue de Chabrol et du bd de Magenta. Tlj sf lun. Sur 2 500 m², le marché couvert le plus grand de Paris, construit en 1865 dans le style Baltard. Franchir les grandes portes à glissière vitrées pour pénétrer dans ce brin de campagne au cœur de la ville, où l'on flâne au petit bonheur entre les étals de produits frais, surtout le dimanche matin (jusqu'à 13h). Il y a même un petit bistrot au milieu, pour faire une pause.

🏃🏃 🏃 **Le Manoir de Paris** (plan couleur B2) **:** 18, rue de Paradis, 75010. ● manoirdeparis.fr ● Ⓜ Poissonnière ou Gare-de-l'Est. ♿ Ven 18h-22h, sam-dim et certains j. fériés 15h-19h. Entrée : 25 € ; 18,50 € enfant. 1 entrée enfant offerte pour 1 entrée adulte achetée sur présentation de ce guide. À partir de 10 ans. Dommage que les tarifs soient si élevés, même si on sait que le circuit nécessite la présence de comédiens tout au long du parcours. Vingt-trois légendes et faits divers parisiens ressuscités par des comédiens dans une atmosphère obscure... On déambule dans les décors reconstitués de chaque événement : le fantôme de l'Opéra, Quasimodo et Notre-Dame, l'identité du Masque de fer... Et une nouvelle attraction, Asylum, une clinique aux traitements peu conventionnels... Effets spéciaux, sonorisation, tous les sens sont sollicités au cours de cette balade de l'autre côté du miroir, qui fait froid dans le dos, aménagée dans un superbe immeuble classé, siège d'une ancienne faïencerie ; l'exubérance des superbes céramiques du frontispice, véritable catalogue du savoir-faire des artisans, est la meilleure publicité que l'entreprise pouvait s'offrir !

🏃 Télescopage des noms : le **passage du Désir** (entre le bd de Strasbourg et le fg Saint-Martin ; fermé le w-e) nargue la **rue de la Fidélité** à deux pas, qui elle-même prétend mener au... Paradis. Plus haut, la **rue des Petits-Hôtels** ne convie-t-elle pas à cacher les tentations adultérines ?

AUTOUR DU CANAL SAINT-MARTIN

Le canal Saint-Martin, long de 4,5 km, imaginé à l'époque de Louis XIV, commencé sous Napoléon et terminé en 1825, reste l'un des paysages urbains les plus pittoresques de Paris et l'un des moins connus. Il a de tout temps inspiré poètes, écrivains et artistes. Ses berges ont longtemps été le cadre d'une intense activité. Plusieurs dizaines de péniches transportaient sable et charbon chaque jour. Les neuf écluses étaient actionnées à la main. Bordé au XIXᵉ s d'entrepôts et de fabriques, il servait alors souvent de dépotoir et charriait une eau épaisse et malodorante. La plupart de ces constructions ont aujourd'hui été remplacées par des immeubles de standing. On trouve encore un bel exemple de ces hangars au 132, **quai de Jemmapes** (plan couleur C2), qui, jusqu'en 1898, abritait l'usine électrique de la Compagnie parisienne de l'air comprimé. On peut encore en voir la haute façade en brique et pans de fer vitrés. L'édifice était autrefois hérissé de hautes cheminées et abritait les salles des machines destinées à la production de l'électricité du quartier. Plus au nord, aux nᵒˢ 174-178, s'élève l'imposante façade de granit rose de la cité Clémentel. À l'image des cités ouvrières, cette cité d'artisans, propriété collective des différents corps de métiers, accueillait plus de 400 ateliers et des logements pour 2 000 artisans dans les années 1930.

Aujourd'hui, tué par le transport routier, le canal, qui est en partie souterrain (sur 2 km, de la Bastille au faubourg du Temple), ne voit plus que deux ou trois chalands par jour glisser sous ses passerelles et faire jouer ses ponts tournants. En 1990, le classement des berges fut **décidé**. Du coup, les Parisiens redécouvrirent le canal, ses neuf écluses, ses rives **plantées d'arbres** et ses ponts métalliques à la vénitienne ou tournants. Et depuis peu, une douzaine de panneaux ponctuent son tracé et relatent son histoire.

Cafés avec terrasse, petites brocantes, boutiques de fringues, galeries d'artistes s'ouvrent régulièrement tout au long. Très bobo tout ça ! Plaisant pour une balade à deux le soir en été ou le dimanche en famille, le canal devait aussi inspirer de nombreux auteurs de romans policiers, comme Simenon (*Maigret et le corps sans tête*) et Léo Malet (*M'as-tu vu en cadavre ?*), mais aussi le cinéma. Souvenirs d'un temps que les moins de 40 ans (au moins !) ne risquent plus de connaître : c'est là qu'on avait coutume de repêcher des cadavres, ceux des prostituées, des clochards, des mauvais garçons de l'époque.

À proximité de l'*Hôtel du Nord*, une passerelle permet de franchir le canal. D'en haut, regardez vers l'écluse... ça ne vous rappelle rien ? Des ricochets, un autre grand film populaire, un joli minois ? C'est d'ici qu'Amélie Poulain aime s'adonner au lancer de galets, son passe-temps favori.

De l'autre côté, deux rues qui bougent bien ces derniers temps, celles des Récollets et des Vinaigriers, et, tout aussi agréable, le

DES GUEULES D'ATMOSPHÈRE

Difficile de ne pas évoquer l'Hôtel du Nord et sa passerelle, lieu immortalisé par Marcel Carné en 1938 grâce à Arletty et Louis Jouvet. « Atmosphère, atmosphère ! » Oui, bien sûr... Mais savez-vous que la scène fut tournée dans un décor reconstitué aux studios de Boulogne-Billancourt ? Un décor gigantesque de 70 m de profondeur, avec un vrai canal.

parc Villemin (plan couleur B-C2), avec son kiosque, ses pelouses autorisées et ses installations pour les enfants. Le parc permet de rejoindre tranquillement la gare de l'Est.

🛶 🚶 Possibilité d'effectuer une **balade de 2h30 au rythme des écluses**, sur des bateaux qui ne font pas bateaux-mouches pour touristes. *La Guêpe Buissonnière* et *Le Canotier* partent du quai Anatole-France (près du pont de la Concorde). ☎ 01-42-40-96-97. ● pariscanal.com ● Ⓜ Solférino ; RER C : Musée-d'Orsay. Départ du musée d'Orsay à 9h45 (rdv 9h30) tlj de fin mars à mi-nov ; arrivée vers 12h15 dans le parc de la Villette. On peut également choisir de descendre le canal ; départ du parc de la Villette à 14h45 (rdv 14h30) à la même période, devant le centre « La folie des visites du parc » (Ⓜ Porte-de-Pantin), arrivée quai Anatole-France. Résa indispensable par tél. Prix : 19 € ; réduc. En plus de la balade sur le canal Saint-Martin, vous vous en offrez une du même coup sur la Seine. Après le franchissement des écluses du bassin de l'Arsenal, vous passez sous la colonne de la Bastille (voir l'historique du quartier de la Bastille dans le 11e arrondissement), puis sous une voûte souterraine de 2 km. Des puits de lumière tous les 50 m laissent les rayons du soleil percer la pénombre et l'eau glauque, amplifiant l'impression de mystère et d'insolite de la balade (prévoir une petite laine). Certains trouveront le passage des écluses un peu long et répétitif. En tout cas, le verbe « écluser » leur apparaîtra plus clair en songeant aux mariniers qui avaient largement le temps de se boire un petit verre en attendant que l'écluse se remplisse.

LE « BAS DE BELLEVILLE » (plan couleur D2-3)

C'est un vieux quartier populaire, dont le cœur se situe au sud du boulevard de Belleville, entre les *rues Sainte-Marthe* et *Saint-Maur*. L'autre versant du faubourg du Temple, côté 11e, fit aussi partie de Belleville jusqu'à la construction du mur des fermiers généraux (dans les années 1780), qui coupa le territoire en deux. Division entérinée en 1860, lors de l'annexion de tous les villages à Paris et de la création des arrondissements.

10e

Le quartier n'est pas touristique au sens qu'on lui donne habituellement. C'est avant tout une atmosphère et un rythme de vie qui en font, avec l'extrême variété de sa population, un coin très vivant qui offre une bonne occasion de faire une halte dans l'un de ses nombreux et excellents restos ethniques.

Petite balade basse-bellevilloise
(1h ; plan couleur C-D2-3)

➤ Sortez au métro Belleville et commencez à descendre la vivante *rue du Faubourg-du-Temple,* qui fait la frontière entre les 10ᵉ et 11ᵉ arrondissements. Dans cette succession de bazars, épiceries et friperies très cosmopolites, on suit, au fil des trottoirs bondés, les traces du Belleville d'autrefois. À droite, au nº 129, la *cour de la Grâce-de-Dieu* vous offre le calme de ses vieux pavés ; à gauche, au nº 108, la vieille enseigne *Aux Cent Culottes,* qui surmonte aujourd'hui une boucherie, rappelle les traditions commerciales et révolutionnaires du quartier. Au niveau du nº 94, une petite incursion dans le *passage Piver,* pour la belle façade bleue du théâtre du Tambour-Royal. Au nº 105, la *galerie du Commerce,* dotée d'une architecture très rétro des années 1920 ; ce grand vaisseau était garni d'étalages sur ses trois niveaux, aujourd'hui remplacés par des commerces et bureaux ; de beaux vitraux subsistent au fond de la cour, ainsi que *La Java,* l'un des 200 bals musettes d'avant-guerre, toujours ouvert. Au nº 99, on pousse la grille de la *cour de Bretagne* pour découvrir comment le quartier est réinvesti massivement par les bobos et les ateliers de haute couture.

➤ Tournez *rue Saint-Maur* pour aller rejoindre la tranquille place Sainte-Marthe, via la rue Sainte-Marthe (hmm... les huiles de *La Tête dans les Olives* !).
S'il fait beau, profitez de la tranquille *place Sainte-Marthe* – et de ses terrasses –, qui reste toujours agréable avec ses petits cafés, son linge qui sèche aux fenêtres et ses magasins d'artisanat qui longent la rue.

➤ Ressortez par la rue de Sambre-et-Meuse pour redescendre vers l'*hôpital Saint-Louis* par la rue Jean-Moinon, au même esprit populaire que sa voisine Sainte-Marthe mais dont les vieilles devantures décrépites qui rappellent l'activité des années 1950 perdent petit à petit leurs couleurs au profit de ravalements aux teintes plus neutres faisant monter le prix des loyers. Entrez dans l'enceinte de l'hôpital par l'avenue Claude-Vellefaux et son allée piétonne pavée. Sur votre droite, le nouvel hôpital et, en face, l'ancien, qui vient de fêter ses 400 ans, avec son reposant parc-jardin, le *carré Saint-Louis,* sorte de miniplace des Vosges construite sous Henri IV. Tout près de la porte nº 7, à l'ouest, la *chapelle de l'hôpital,* magnifiquement restaurée, vaut le coup d'œil *(lun-ven 14h30-17h).* Située au XVIIᵉ s à la limite de la ville et utilisée principalement lors des grandes épidémies, elle avait pour avantage de pouvoir accueillir les malades venant d'un côté (depuis l'hôpital) et les familles de l'autre (depuis la ville) lors de visites ou de funérailles. Ainsi, on évitait trop de croisements et on limitait les risques de contamination.

➤ Sortez et remontez par la *rue de la Grange-aux-Belles,* de triste mémoire. C'est à peu près au niveau du nº 53 que se trouvait le célèbre gibet de Montfaucon, où furent pendus les condamnés à compter du règne de Saint Louis. On y accédait par un sentier tortueux, et l'odeur de la chair humaine qui empestait l'atmosphère attirait les oiseaux de proie. Constitué de 16 gros piliers de pierre, mesurant chacun 10 m de hauteur et réunis par deux étages de poutres supportant les instruments de la potence, on était pendu à l'étage supérieur pour les nobles ou inférieur pour les personnes ordinaires. Le gibet pouvait « contenir » jusqu'à 60 suppliciés. Quant aux femmes condamnées, on les enterrait vives au pied du gibet... Ironie du sort, Enguerrand de Marigny, trésorier des finances de Charles IV le Bel et initiateur du gibet, fut l'un des premiers à en faire les frais !

➤ Notre balade se termine *place du Colonel-Fabien.* Les fans d'Oscar Niemeyer (architecte de la ville de Brasilia) ou du drapeau rouge y découvriront l'architecture ondoyante du siège du parti communiste.

N'EN FAISONS PAS TOUT UN CIRQUE !

Avant de se nommer « Colonel-Fabien » en mémoire de l'honorable résistant communiste français, la place s'appelait « Combat », et ce, en raison des combats d'animaux en tout genre qui s'y déroulaient : vache contre lévrier, mulet contre lion... Le préfet mit un terme en 1843 à tout ce bazar, il est vrai, un peu bizarre...

11ᵉ ARRONDISSEMENT
LA BASTILLE ● LE FAUBOURG SAINT-ANTOINE

> ▶ Pour le plan du 11ᵉ arrondissement, voir le cahier couleur.

Intéressant ce 11ᵉ arrondissement, encore populaire par endroits, à la branchitude toujours en pleine effervescence à d'autres. République, Bastille, Nation : cela sonne comme un parcours de manifestation. Et c'en est un : celui des rendez-vous avec l'histoire. On y prit la Bastille, on y défendit la République, on y invoqua l'unité de la Nation... Voltaire, Ledru-Rollin, Alexandre Dumas, Léon Blum : le 11ᵉ s'est toujours agité avant les autres.

Ses passages et ses cours industrielles abritent encore quelques activités artisanales, que n'ont toujours pas remplacées les lofts des citadins branchés. On y trouve aussi un cirque (d'hiver) pas vilain du tout ; un canal – souterrain – recouvert d'un jardin public qui fait le lien entre ses parties à ciel ouvert ; une rue de Lappe – autrefois très mal famée et aujourd'hui investie par les fêtards du week-end ; une rue de la Roquette (la prison pour femmes, pas la salade...) qui nous emmène au cimetière du Père-Lachaise ; une rue Oberkampf qui ne cesse de bouger ; et toujours des passages, des cours, des impasses, des cités. Pas de monuments majeurs, mais une atmosphère, un climat. Et des restaurants, des cafés, des bars, des boîtes, des boutiques.

LA BASTILLE ET LA BASTOCHE

L'erreur est classique de confondre la Bastille de la Révolution et du 14 juillet 1789 avec, tout autour, le quartier de la Bastille, la Bastoche. Quand on disait la Bastille, c'était à la Bastoche, au plaisir, aux bals, à un univers attrayant, canaille, interlope, que l'on pensait. La Révolution, les Trois Glorieuses, personne ne s'en souciait. Derrière la Bastille

IL Y A 14 JUILLET ET 14 JUILLET !

La fête du 14 juillet, instituée en 1880, n'est en rien la commémoration de la prise de la Bastille en 1789, mais celle de la fête de la Fédération organisée 1 an plus tard au Champ-de-Mars, en présence de Louis XVI, dans le dessein de réconcilier tous les Français.

s'étendait le faubourg du bois, le fameux faubourg Saint-Antoine dont la tradition révolutionnaire n'est plus à vanter. Lire et relire *Les Misérables* de Victor Hugo ! À côté, rue de Lappe, passages Thiéré et des Taillandiers, le quartier de la ferraille, implanté en ces lieux dès Louis XV par les Auvergnats. Au XIXᵉ s, après l'aménagement de la prison éponyme aux abords du cimetière du Père-Lachaise, la rue de la Roquette est devenue la voie sinistre par laquelle passaient les convois des condamnés à mort, et aussi les chars funèbres de ceux qu'on menait en leur dernière demeure au Père-Lachaise. Comparée à la rue de Lappe, elle est longtemps demeurée hors du circuit festif. Comme si elle gardait les stigmates de son rôle quasi macabre.

Les Auvergnats sont à l'origine du développement de la danse et de la musique dans ce quartier. Ils ont toujours été fiers de leurs traditions. Aujourd'hui encore, les meilleurs groupes folkloriques d'Auvergne sont à Paris. Rue de Lappe et alentour, tout au long du XIXe s, on a dansé, d'abord au son de la musette en français – sorte de cornemuse –, puis au son de l'accordéon, introduit en France par les Italiens.

La Bastoche était à la fois laborieuse et dangereuse... Avant guerre, la presse évoquait souvent le monde très spécial qui évoluait entre la place de la Bastille et Saint-Paul. On était là dans le quartier des bordels, donc des macs... Dès cette époque, ceux de la haute venaient y respirer la sueur des pauvres ou celle des apaches. Cependant, c'est surtout après l'armistice de 1918 que la Bastoche prit son envol dans la géographie parisienne du plaisir.

À la Bastille, le populo a toujours été et continue d'être très mêlé. La rue de Lappe, elle, a longtemps été, on le sait, une « espèce de ghetto auvergnat ». Dans le faubourg Saint-Antoine, en 1886, sur plus de 46 000 ouvriers du bois, près de 8 000 sont étrangers : Belges, Allemands, Italiens, et aussi Russes et Luxembourgeois. Du côté des rues Sedaine et de la Popinque, on rencontre les derniers survivants de la Petite Turquie de Paris. Il s'agit de la communauté judéo-espagnole, bien spécifique à l'intérieur de la communauté juive. Des juifs venus, entre 1914 et 1940, de l'ancien Empire ottoman et originaires de l'Espagne, qu'ils avaient fuie au XVe s lors de l'Inquisition. Rue de Charonne, rue Daval, rue de Lappe, rue Keller, les galeries pullulent, autre chose est né, « un nouveau quartier de l'art ».

C'est plus loin qu'il faut chercher les restes de ce qui fit Saint-Antoine, dans les cours pavées et les ruelles adjacentes, où les jeunes stylistes font leur mode, où les artistes organisent la résistance et des journées portes ouvertes. Car c'est aussi ça qui fait l'âme de la Bastoche : la cohabitation du popu et du bourgeois, de l'uniforme et de l'unique, certains disent même que le faubourg Saint-Antoine n'est que le reflet de ce qui se passe dans les arrière-cours...

La nuit, le paysage change radicalement, les noctambules investissent les lieux aussi vite que les promoteurs immobiliers l'ont fait. Que ce soit dans les boîtes latinos de la rue du Faubourg-Saint-Antoine ou les bistrots branchouilles de la rue de Lappe, la jeunesse proprette s'acoquine avec celle des banlieues, tandis que les nostalgiques du Bastille-qui-n'était-pas-à-la-mode poussent leurs pérégrinations dans les ruelles alentour pour y retrouver la convivialité.

UN PEU D'HISTOIRE

La Bastille, c'est bien sûr d'abord la fameuse prison, symbole de l'absolutisme royal. Elle connut nombre de prisonniers célèbres : Nicolas Fouquet, surintendant des Finances, coupable d'être plus riche que Louis XIV, et le mystérieux Masque de fer, un « faux frère » en somme. Le marquis de Sade bénéficia d'un régime de faveur puisqu'il pouvait se faire livrer les grands crus que le sommelier de la prison ne possédait pas, ainsi que les confiseries dont il raffolait. Voltaire y fit deux séjours (un de 1 an, l'autre de 1 mois). Les victimes des fameuses lettres de cachet ne pouvaient espérer ressortir de la prison qu'avec une nouvelle lettre indiquant qu'elles étaient libérées. Il arrivait parfois que des « pensionnaires » soient oubliés ! Le paradoxe de la prise de la Bastille fut que cette prison n'était presque plus utilisée vers la fin de la monarchie. Louis XVI envisageait même de la démolir, car elle gênait le développement de la ville. C'est bien évidemment au symbole que la population parisienne s'attaqua. En 1789, on n'y retrouva d'ailleurs que sept prisonniers ; il fallut d'urgence ré-emprisonner la plupart d'entre eux, car ils étaient devenus fous !

L'occasion fut trop belle pour un escroc, Palloy, qui avait envoyé quatre de ses ouvriers conquérir, parmi les premiers, la forteresse. Il prit sur lui d'en commencer la démolition, gratuitement, « par amour de la nation et de la liberté »... et aussi pour récupérer les pierres ! Les unes servirent à achever le pont de la Concorde ; d'autres furent sculptées en maquettes de la Bastille et portées en grande pompe dans tous les départements de la République. Les municipalités qui hésitaient à s'offrir ce coûteux et encombrant trophée étaient aussitôt désignées comme antirépublicaines par l'astucieux Palloy. Ce racket révolutionnaire aurait fait sa fortune s'il ne s'était piqué d'ambitions politiques ; Palloy le patriote, désavoué par le Directoire, suspect sous l'Empire, finit sa vie à Sceaux, ruiné, ne survivant que grâce à une pension généreusement accordée par... Louis XVIII !

De la Bastille ne restent plus que quelques vestiges que l'on aperçoit dans le métro, ligne Bobigny – Place-d'Italie (direction Bobigny), quelques blocs dans le square Galli, à Sully-Morland, ainsi qu'une Bastille-souvenir taillée dans une pierre (au musée Carnavalet) et l'ancien carillon de la Bastille dans une salle du resto *Hippopotamus,* sur la place. Puis on érigea la colonne de la Bastille actuelle, en hommage aux victimes de la révolution de 1830, dite des Trois Glorieuses. Les corps des victimes furent ensuite inhumés sous la colonne. C'est là que se situe un gag, digne d'une B.D. de Tardi, lui qui aime autant les momies que les victimes des révolutions avortées (voir encadré).

Puis la vieille place de la Bastille devint un symbole. Avec la République, elle se partagea le point de départ des manifs syndicales et politiques. À la fin, de façon presque répétitive même, on parlait de la « Bastille-République » avec un soupir. Comme d'une formalité, d'un rituel un peu trop connu ! Avec le temps, les cortèges s'amenuisèrent de plus en plus. Le 11 mai 1981 bouscula quelque peu la routine

LA (SUR)PRISE DE LA BASTILLE

Palloy, entrepreneur en bâtiments, racheta les pierres de la forteresse, à bas prix. Il en grava un certain nombre, les transforma en presse-papier et en revendit en grande quantité. Durant cette époque troublée et incertaine, il était prudent d'en acheter... Il fit fortune. Avec le retour des Bourbons en 1814, Palloy fut certainement pris de remords et devint... royaliste.

LES MOMIES DE LA BASTILLE

Les corps des victimes de 1830, qui devaient être enfouis sous la colonne de la Bastille, furent initialement enterrés au Louvre. Dans le même temps, un conservateur du musée possédait dans ses galeries deux momies de pharaon qui se décomposaient. Comment obtenir un permis d'inhumer pour un pharaon ? Trop compliqué tout ça ! D'autant plus que les momies étaient déclarées, sur le bordereau de douane, comme poisson séché ! Lors du transfert à la Bastille, on embarqua donc tout le monde. C'est ainsi que, au cours de la cérémonie solennelle d'inhumation, les deux pharaons reçurent, au même titre que les autres, les honneurs militaires comme héros de la Révolution !

avec la victoire de François Mitterrand à l'élection présidentielle. François Hollande reprit la tradition. La Bastille reprit du rose aux joues et connut une fête énorme. De nombreuses personnalités du spectacle, des arts et des lettres s'étaient réunies chez *Bofinger* pour célébrer l'événement. Depuis, il y eut d'autres rendez-vous, d'autres marches, d'autres énormes fêtes, celles des Beurs, des étudiants en 1986, de SOS Racisme... La Bastille est toujours aujourd'hui le point de départ ou d'arrivée de manifs en tout genre.

L'ouverture de l'Opéra-Bastille allait consacrer définitivement le renouveau du quartier, ainsi que son bouleversement sociologique. Fatalement, l'image du faubourg Saint-Antoine ouvrier et révolutionnaire a reçu le coup de grâce. Un paradoxe pas si paradoxal finalement, qui pourrait bien lui donner une nouvelle âme si tout ce petit monde réussit sa cohabitation.

Où dormir ?

Très bon marché

⌂ Auberge de jeunesse Jules Ferry (plan couleur B1, **1**) : 8, bd Jules-Ferry, 75011. ☎ 01-43-57-55-60. ● auberge@

noos.fr ● fuaj.org ● Ⓜ *République.* Compter 26,50 €/pers en chambre multiple, petit déj compris. AJ officielle, donc carte obligatoire ; possibilité de l'acheter en arrivant. ⌨ 🛜 Une centaine de lits en chambres de 2, 4 et 6 personnes. Atmosphère décontractée et gros efforts sur la déco comme sur la propreté. Pour le reste, c'est tout simple : aménagements classiques (frigo et micro-ondes à disposition) et douches et w-c en commun. Les chambres donnant sur le square sont très lumineuses. L'accès aux chambres est libre dans la journée, mais on doit quitter celles-ci avant 10h30. Coffre pour les inquiets (prévoir un cadenas).

🛏 *Auberge internationale des jeunes et Bastille Hostel (plan couleur B3, 3) :* 10, rue Trousseau, 75011. ☎ 01-47-00-62-00. ● aijparis. com ● aijparis.com ● Ⓜ Bastille ou Ledru-Rollin. Ouv 24h/24 ; accès aux chambres limité 11h-15h en raison du ménage. Compter 14-24 €/pers la nuitée en dortoir, 22-32 €/pers en chambre double avec petit déj ; loc de serviettes et draps supplémentaires 2-3 € pour tt le séjour. 🖳 📶 Officiellement, l'âge maximal est de 25 ans à l'auberge, 30 ans à l'hostel. L'auberge est la moins chère de toutes les AJ, et sympathique de surcroît, à deux pas du marché d'Aligre et de la place de la Bastille. Chambres de 2 à 4 lits, dont quelques-unes en duplex, disposant de leurs propres douches et w-c, et d'un coffre-fort. Pour les autres, les sanitaires sont dans le couloir. Chambres sombres mais au calme dans le bâtiment de plain-pied côté courette. Côté *Bastille Hostel,* dans l'immeuble mitoyen (même réception), chambres simples et doubles, avec ascenseur.

De bon marché à prix moyens

🛏 *Le Métropolitain (plan couleur C1, 6) :* 158, rue Oberkampf, 75011. ☎ 01-43-57-43-27. ● reservation@hotel-metropolitain.com ● hotel-metropolitain.com ● Ⓜ Ménilmontant. Doubles env 85-105 €. 📶 TV. Une dizaine de chambres seulement, toutes pimpantes, et un accueil du tonnerre ! Certes, il n'y a pas d'ascenseur, mais pour un prix très raisonnable pour Paris on obtient des chambres contemporaines confortables, dotées de salles de bains actuelles... le tout au cœur de l'animation du quartier Oberkampf !

🛏 *Hôtel Printania (plan couleur A1, 7) :* 16, bd du Temple, 75011. ☎ 01-47-00-33-46. Fax : 01-49-23-05-19. Ⓜ République ou Filles-du-Calvaire. Ouv 24h/24. Doubles 65-70 € selon confort ; tarif intéressant pour 3, 4 ou 5 pers 100-145 € ; petit déj 6,50 €. 📶 TV. Avec ses chambres toutes habillées de couleurs fraîches et les fresques pop qui décorent la cage d'escalier (6 étages, mais il y a un ascenseur), l'adresse devient presque tendance ! Les prix restent délibérément sages pour préserver l'atmosphère populaire. Un rapport qualité-prix incontestable, d'autant que l'accueil est très sympa et arrangeant (d'où le grand nombre d'habitués).

🛏 *Cosmos Hôtel (plan couleur B1, 5) :* 35, rue Jean-Pierre-Timbaud, 75011. ☎ 01-43-57-25-88. ● info@cosmos-hotel-paris.com ● cosmos-hotel-paris.com ● Ⓜ Parmentier. Ouv 24h/24. Doubles 68-75 € ; petit déj 8 €. 🖳 📶 TV. Un hôtel de quartier au hall accueillant, redécoré au goût du jour. Les chambres sont modernes et impeccables. Le confort tout à fait satisfaisant : sèche-cheveux, coffre-fort, double vitrage... Quelques triples et quadruples pour les familles. Un excellent rapport qualité-prix.

Chic

🛏 *Hôtel Ibis Styles Voltaire République (plan couleur B1, 11) :* 39, rue Jean-Pierre-Timbaud, 75011. ☎ 01-48-06-64-97. ● H7119@accor.com ● accorhotels.com ● Ⓜ Parmentier ou République. ♿ Doubles 110-160 € selon confort et saison, petit déj inclus. 🖳 📶 TV. Canal +. Satellite. Câble. Voici un petit hôtel qui a tout d'un grand. Déco contemporaine et confort moderne à chaque étage. Dans les chambres, coloris chauds et poudrés, et bons équipements (salles de bains revues dans un style actuel). Les plus grandes disposent même d'un petit coin salon. Accueil pro et souriant.

🛏 *Hôtel Daval (plan couleur B3, 14) :* 21, rue Daval, 75011. ☎ 01-47-00-51-23. ● hoteldaval@wanadoo.fr ● hoteldaval.com ● Ⓜ Bastille. Doubles

11ᵉ

avec douche 99-119 €. 🛜 *TV. Canal +.
Satellite.* Au cœur de l'animation de la
Bastille, un 2-étoiles simple et sympathique, au décor et au confort modernes, sans mauvaise surprise : salle de
bains « cabine », double vitrage, clim,
minicoffre. Préférez les chambres sur
cour et dans les étages, pour éviter le
bruit des sorties de bar animées et tar-
dives le week-end. Personnel efficace
et souriant.

🏠 *Hôtel de Nemours (plan couleur B1, 10) :* 8, rue de Nemours, 75011.
☎ 01-47-00-21-08. • *hotel.nemours@
orange.fr* • *paris-hotelnemours.com* •
Ⓜ *Parmentier. Ouv 24h/24. Double
100 € ; triple 140 €.* 🛜 *TV. Satellite.
Câble. Parking payant.* Dans une rue
très calme. Cet hôtel compense le
manque de place de certaines chambres en jouant les cartes sobriété et
efficacité... à défaut du charme. Un
honnête rapport qualité-prix, notamment par sa bonne situation.

🏠 *Hôtel Beaumarchais (plan couleur
A2, 15) :* 3, rue Oberkampf, 75011.
☎ 01-53-36-86-86. • *reservation@
hotelbeaumarchais.com* • *hotelbeau
marchais.com* • Ⓜ *Filles-du-Calvaire
ou Oberkampf. Doubles 130-145 € ;
simples 75-100 € ; petit déj 10 €.
Promos fréquentes.* 🛜 *TV. Canal +.
Satellite.* Un hôtel ayant résolument
opté pour la couleur. Chambres à la
déco originale. Agréable cour intérieure
pour prendre son petit déj. Bref, le rapport qualité-prix est valable surtout à
l'occasion des promotions. Accueil
sympathique.

Plus chic

🏠 *Hôtel Original Paris (plan couleur
B3, 20) :* 8, bd Beaumarchais, 75011.
☎ 01-47-00-91-50. • *hoteloriginal
paris.com* • Ⓜ *Bastille. Nuit à partir de 169 €.* Vous aimez sa mode et
son univers décalé, délicieusement
poétiques ? Stella Cadente vient de
décorer un hôtel de 38 chambres entre
la place des Vosges et la Bastille. Selon
le confort et les étages, on découvre
le chat d'*Alice au pays des merveilles*
perdu dans un échiquier, des lampes
aux éclats de lumière féeriques, des
baignoires avec vue, des apparitions
au plafond pour le moins étranges... Un

hôtel très original et fidèle à la poésie
loufoque et très élégante de la créatrice
déjà reconnue pour ses lingeries, ses
bijoux et autres tapis. Les chambres
sous le toit sont autant d'invitations
tentatrices : elles reprennent le thème
des 7 péchés capitaux !

🏠 *Le Patio Saint-Antoine (plan
couleur C3, 12) :* 289 bis, rue du
Faubourg-Saint-Antoine, 75011.
☎ 01-40-09-40-00. • *reception@
lepatiosaintantoine.com* • *lepatiosain
tantoine.com* • Ⓜ *Faidherbe-Chaligny
ou Nation.* ♿ *Doubles autour
de 150-190 € ; familiale avec kitchenette env 190 € ; petit déj 18 € (formule
express 7 €). Promos très intéressantes
sur Internet.* 🛜 *TV. Canal +. Parking
payant.* Hôtel bien situé, à la déco classique, sans charme particulier, mais
d'un calme exceptionnel, toutes les
chambres donnant sur le fameux patio
isolé de la rue. Autre avantage : certaines chambres ont des kitchenettes.
Minibalcons pour profiter de la douceur
de l'air.

🏠 *Hôtel Bastille de Launay (plan
couleur B2, 13) :* 42, rue Amelot,
75011. ☎ 01-47-00-88-11. • *info@
bastilledelaunay-hotel-paris.com* •
bastilledelaunay-hotel-paris.com •
Ⓜ *Chemin-Vert. Doubles 120-200 €
selon confort et saison ; petit déj-buffet
12 €.* 🖥 🛜 *TV. Satellite. 10 % sur le prix
de la chambre sur présentation de ce
guide.* Une bien jolie adresse que cet
hôtel à taille humaine, qui se distingue
par une atmosphère conviviale et un
accueil personnalisé vraiment charmant. Quant aux chambres, modernes,
impeccables et tout confort, elles donnent pour la plupart sur une courette
(fleurie l'été !) et sont, par conséquent,
fort calmes. Petit déj servi dans une
belle cave voûtée en pierres apparentes. Très agréable.

🏠 *Hôtel Gabriel (plan couleur A1,
16) :* 25, rue du Grand-Prieuré, 75011.
☎ 01-47-00-13-38. • *gabrielparis
marais.com* • *Doubles 169-450 € (pour
la plus grande) ; promos régulières
sur Internet et réduc jusqu'à plus de
50 % en saison creuse (août et mois
d'hiver).* 🛜 Derrière une façade Art
déco sobre et joliment rénovée, un
boutique-hôtel d'une quarantaine de
chambres qui mêle judicieusement

les thèmes chers à cette époque (la silhouette de danseuse se retrouve à tous les étages), un style volontairement épuré, des lignes géométriques, un papier peint à décor de mosaïque ou façon galuchat et des trouvailles bien contemporaines. Matériaux, port *Night-cove* (sauf dans les standard) pour un endormissement et un réveil en douceur, jeux de lumière et rétro-éclairages ; le blanc – encore immaculé – domine et illumine les chambres toutes meublées de la même façon. Quelques-unes avec balcon et transats. Excellent petit déj bio et accueil chaleureux. Vaut le coup, surtout en saison creuse...

🛏 **Hôtel Angely** (*plan couleur A-B1, 18*) : 22, rue du Grand-Prieuré, 75011. ☎ 01-48-07-55-25. • contact@ange lyhotelparis.com • angelyhotelparis. com • Ⓜ République ou Oberkampf. Double à partir de 149 € ; petit déj 12 €. Promos régulières sur Internet et réduc jusqu'à plus de 50 % en saison creuse (août et mois d'hiver). 🛜 TV. Canal +. *Un petit déj/pers offert sur présentation de ce guide.* Plus petit que l'*Hôtel Gabriel*, juste en face et du même propriétaire, avec moitié moins de chambres. Plus confidentiel aussi, avec une déco cosy signée et différente dans chaque catégorie de chambre. « Velvet » (chambres standard), « Céleste » (cieux différents : coucher de soleil, nuages, orage), « Dahlia » (aux tapisseries évoquant cette fleur, superbe et *girly* en diable quand elle est de couleur rose), « Gold » (côté baroque et effets somptueux pour le rouge et la noire), et le clou, au top, la suite « Diamond Lover » (toute ronde... à découvrir). Toutes ont leur charme et un excellent niveau de confort. Évidemment, plus on monte en gamme, plus on gagne d'espace... Très bon point : un excellent petit déj avec viennoiseries sortant du four, dont l'odeur monte jusque dans les chambres. Et ça tombe bien, comme la salle des petits déj n'est pas bien grande, il peut être servi en chambre sans supplément. *Honesty bar* à la réception et accueil adorable.

Très chic... et tendance

🛏 **Boutique-hôtel Les Jardins du Marais** (*plan couleur A2, 17*) : 74, rue Amelot, 75011. ☎ 01-40-21-20-00. • info@homeplazza. com • lesjardinsdumarais.com • Ⓜ Saint-Sébastien-Froissart. *Doubles à partir de 350 €, mais offres jusqu'à 50 % de réduc sur Internet ; chambres communicantes, familiales ; petit déj 20 €. TV. Canal +. Satellite. Câble. Parking payant.* Hôtel de luxe à la décoration dans le style des années 1920, chambres spacieuses, mais surtout un superbe extérieur accueillant les moments de détente... À Paris, un espace quasi de la taille d'un terrain de foot, vierge de toute construction, en retrait d'une rue déjà calme, est une exception qui justifie des prix élevés.

🛏 **Hôtel Marais-Bastille** (*plan couleur B2, 19*) : 36, bd Richard-Lenoir, 75011. ☎ 01-48-05-75-00. • hotel@ maraisbastille.com • maraisbastille. com • Ⓜ Bréguet-Sabin. ✂ Double 240 € ; petit déj 15 €. Promos sur Internet. 🖥 🛜 TV. Canal +. Satellite. À deux pas de la Bastille, ce charmant immeuble parisien de taille moyenne renferme des chambres soignées et tout confort (bons équipements, jolies salles de bains), rénovées dans un style contemporain sobre et de bon goût. Un point de chute élégant et agréable, à l'image des parties communes chaleureuses, où il fait bon se poser entre 2 escapades.

🛏 **Le Général** (*plan couleur A1, 21*) : 5-7, rue Rampon, 75011. ☎ 01-47-00-41-57. • info@legene ralhotel.com • legeneralhotel.com • Ⓜ Oberkampf ou République. ✂ Ouv 24h/24. Doubles 205-275 € selon saison ; 3 suites familiales ; petit déj 18 €. 🖥 🛜 TV. Satellite. *Un petit déj/pers offert sur présentation de ce guide.* Cet hôtel a été entièrement repensé par l'architecte-décorateur J.-P. Nuel. Le blanc, le bois et le fuchsia dominent et donnent son rythme à une belle déco moderne et chaleureuse. Esprit *lounge* au bar et réception plutôt minimaliste. Chambres douillettes, spacieuses et évidemment tout confort (TV écran plat... il y a même la machine à Nespresso !). Au sous-sol, salle de fitness et sauna. Accueil souriant et personnalisé.

11ᵉ

DU CÔTÉ DE BASTILLE

Où manger ?

Sur le pouce

|●| *Le Bar à Soupes* (plan couleur B3, **30**) : 33, rue de Charonne, 75011. ☎ 01-43-57-53-79. ● info@lebarasoupes.com ● ● Bastille ou Ledru-Rollin. Tlj sf dim et j. fériés 12h-15h, 18h30-22h30 (23h jeu-sam). Congés : fin juil-fin août. Soupes 5-6 € sur place ; formule déj 11,30 € ; le soir, dégustation de 3 petites soupes 7,80 €. Un vrai bar à soupes où l'on choisit parmi les 6 soupes de légumes, chaudes ou froides selon la saison. Sur une centaine de recettes, renouvelées tous les jours, vous devriez tomber sur une qui vous étonnera... Assiettes de fromages (AOC), salades et desserts maison pour compléter. Portions un peu juste selon les appétits, pas de bol !

🥪 *CheZ Aline* (plan couleur B2, **31**) : 85, rue de la Roquette, 75011. ☎ 01-43-71-90-75. ● Voltaire. Lun-ven 11h30-17h30. Sandwichs 4,50-9 € ; plats du jour 8,50-11 €, dessert 5 €. La boucherie chevaline a échangé son v contre un z pour devenir le comptoir à sandwichs en vogue du quartier, à la déco jaune et rouge dans son jus. Bon pain et une poignée de compositions du jour pour le garnir, de la terrine de porc et ses pickles à l'escalope milanaise, ou au jambon classique pour les puristes ! Si l'un des 4 tabourets est libre, le plat du jour, chaud, vaut la peine aussi. Autrement, on emballe et on emporte ! Seul regret : les p'tits desserts maison, s'ils sont réussis, doublent quasiment la note.

Très bon marché

|●| *La Cour du Faubourg* (plan couleur B3, **32**) : 29, rue du Faubourg-Saint-Antoine, 75011. ☎ 01-53-17-13-50. ● catbastille@spasm.fr ● ● Bastille. ♿ Lun-ven 12h-14h. Menu du jour 9,20 € ; menu suggestion 12 €. Au fond d'une cour d'immeuble, le Centre d'aide par le travail vous accueille dans sa cantine, littéralement. De longues tablées, des plats simples comme à la maison (genre poulet grillé ou filet de colin), et un service souriant et présent. Miniterrasse dans la cour (chauffée en hiver), classée Monument historique (ateliers Eiffel 1911). Un endroit à découvrir !

|●| *Le Dallery* (plan couleur B3, **33**) : 6, passage Charles-Dallery, 75011. ☎ 01-47-00-11-72. ● Ledru-Rollin. Tlj sf dim 8h30-minuit (2h le w-e) ; service 12h-15h. Congés : août. Plat du jour 9,50 € ; formule café compris 12 €. Bon, d'accord, cette grande pièce jonchée de tables bistrot et présidée par son zinc ne présente aucun charme particulier. Et pourtant, difficile de trouver meilleur rapport qualité-prix aussi proche de la Bastille. La viande est tendre à souhait, les légumes croquants (même s'ils ne sont pas du marché), la cuisine d'une simplicité à toute épreuve et le patron conciliant sur le menu. L'accueil sympathique ne gâte rien. Couscous le vendredi.

|●| *Chez Gladines* (plan couleur B3, **34**) : 64-66, rue de Charonne, 75011. ● chezgladines@gmail.com ● ● Ledru-Rollin. ♿ Tlj 12h-15h, 19h-23h (23h30 ven-sam) ; service continu sam-dim. Compter 10-15 €. On ne s'en lasse pas. Gladines fait des petits à travers tout Paris. De quoi goûter une cuisine du Sud-Ouest simple et roborative. Grosses salades (patates, fromage, jambon) à un prix défiant toute concurrence ! Parfait pour un brunch en famille ou pour casser une croûte entre amis, et plus si affinités ! La bonne étape avant de partir à l'assaut des folles nuits de l'Est parisien. Déco toujours aussi rétro, et accueil au diapason. *NOUVEAUTÉ.*

|●| *Le Café Divan* (plan couleur B3, **35**) : 60, rue de la Roquette, 75011. ☎ 01-48-05-72-36. ● Bastille. ♿ Tlj 8h-2h ; service continu 12h-23h30. Plats du jour 11-13 € ; brunchs dim (11h-16h) 18-22 €. Cocktails 6,50-9 € ; demis à partir de 3,40 € en salle. Un long bar en cuivre qui serpente,

quelques objets hétéroclites, une grande horloge en entrant et de lourdes tentures de velours rouge... Une formule éprouvée pour les bars à la mode de Bastille, et si ça marche, c'est aussi qu'on y est bien, autour d'un plat chaud ou d'un cocktail, bercé par le brouhaha des assiettes et des conversations.

|●| Mamie Tevennec (plan couleur C3, **36**) : 41, rue Faidherbe, 75011. ☎ 01-44-93-92-42. ● contact@mamie-tevennec.fr ● Ⓜ Charonne. Tlj sf lun-mar 12h-14h15 (16h dim), 19h-22h30 (23h ven-sam). Galettes 6-13,50 €, planches de charcuterie ou de fromages 9-16 €. Quand un Breton de Fougères rencontre une adorable Corse, cela donne... une crêperie corse ! Pour les amateurs de planches, charcuterie de chez Ceccaldi, beurre et fromages affinés de Bordier. Accueil et service adorables. Et petits vins de Loire gouleyants (le Poivre et Sel d'Olivier Lemasson est extra). Une bonne adresse entre amis ou en famille. Et si celle-ci est bondée, vous pourrez toujours tenter votre chance dans l'annexe (119, av. Parmentier).

|●| La Ravigote (plan couleur C3, **37**) : 41, rue de Montreuil, 75011. ☎ 01-43-72-96-22. Ⓜ Faidherbe-Chaligny ou Rue-des-Boulets. Tlj sf dim et lun soir 12h-14h30, 19h-22h30. Menus 13,50 € le midi, 17,50-21,60 € le soir. Vins à partir de 15,50 €. Café offert sur présentation de ce guide. Une trentaine de places dans un petit resto de quartier et d'habitués, avec son incontournable menu à l'ardoise. Pas de chichis : laissez-vous tenter par une tête de veau ravigote, un confit de canard maison ou des pieds de porc panés. Ambiance parigote.

Bon marché

|●| Les Planches de Sabin (plan couleur B3, **38**) : 21, rue Saint-Sabin, 75011. ☎ 01-43-14-07-46. Ⓜ Bréguet-Sabin. Tlj sf dim 12h-14h30, 19h-23h. Formules déj 12-18 € ; planches de charcuterie 8-24 €. Néobistrot offrant un cadre assez sobre (pour mieux mettre en valeur les belles photos en noir et blanc ?). Comptoir original en mosaïque de petits carreaux, plancher en bois, tables bien séparées, pour une bonne et fraîche cuisine de marché à prix modérés. Le midi, on est plutôt « formules », tandis que le soir, les planches de charcuterie dominent (2 tailles). Portions généreuses. À la carte aussi, bien sûr : bacon cheeseburger, bavette d'Angus échalotes, parmentier de canard... Petits plats simples mais goûteux... Courte carte des vins à prix doux démarrant avec un gouleyant minervois à 18 € ! Accueil souriant, service diligent, que demander de mieux ? NOUVEAUTÉ.

|●| Chez Mamy (plan couleur C3, **51**) : 3, rue Jules-Vallès, 75011. ☎ 01-43-48-74-68. Ⓜ Faidherbe-Chaligny. Tlj midi et soir (jusqu'à 23h). Formule midi à 14,50 € ; le soir, compter 25-30 € à la carte. Mamy a laissé la place à des jeunes qui portent haut la tradition bistrotière : atmosphère animée, cuisine franche, petits plats élaborés, hors d'œuvres d'une belle fraîcheur (rare, on y trouve des couteaux avec une sauce parfumée). Le charme du bon vieux 11e, pas un hasard si les profs de l'école de photo d'à côté s'y retrouvent ! NOUVEAUTÉ.

|●| Café de l'Industrie (plan couleur B3, **39**) : 15-17, rue Saint-Sabin, 75011. ☎ 01-47-00-13-53. Ⓜ Bréguet-Sabin ou Bastille. Tlj 9h-2h ; service 12h-0h30 non-stop. Congés : 14 juil, 15 août, Noël et Jour de l'an. Formule déj en sem 11 € ; plats 8-15 € ; carte env 22 € ; brunch w-e 17 €. Ce grand bistrot Bastoche, aussi couru en journée qu'en soirée, a su s'imposer au cœur des circuits néopopu-bobos de la capitale tout en restant convivial et décontracté. On vient à L'Industrie pour son chaleureux cadre « art décolonial » et sa cuisine de bistrot maligne. Forts de leur succès, les propriétaires ont racheté petit à petit leur bout de rue, ouvrant de nouvelles salles à côté et juste en face : même registre, même carte.

|●| Pause Café (plan couleur B3, **40**) : 41, rue de Charonne, 75011. ☎ 01-48-06-80-33. Ⓜ Bastille ou Ledru-Rollin. Lun-sam 7h (7h30 sam)-2h, dim 9h-20h ; service 12h-15h30, 19h30-minuit (17h dim). Fermé à Noël. Brunch dim 19,50 € ; carte 15-20 €. Le Pause Café a été immortalisé dans le film de Cédric Klapisch Chacun cherche

11e

son chat, qui peignait la vie du quartier. Beaucoup de monde, mais on apprécie la grande terrasse abritée, l'accueil souriant et les assiettes bien garnies d'une cuisine elle aussi dans l'air du temps. À l'intérieur, grande salle mode, aux beaux volumes mais assez bruyante. Attention au prix du vin.

De prix moyens à chic

|●| *Bistrot Paul-Bert* (plan couleur C3, **41**) : 18, rue Paul-Bert, 75011. ☎ 01-43-72-24-01. Ⓜ Faidherbe-Chaligny. Tlj sf dim-lun ; service 12h-14h, 19h30-23h. Fermé 24-25 déc. Congés : août. Menus 19 € le midi, 38 € le soir. Dans la catégorie « tronches de vie », on vote toujours *Paul-Bert*. Un vrai et beau troquet baignant dans son jus. À côté de la carte des vins qui vaut largement le détour, celle des mets, comme on dit, ne pourra que vous donner envie d'aimer. La carte change constamment. Dans le genre terroir revisité, il n'y a pratiquement rien à redire du tartare de thon ou de la méga entrecôte. En plus, la maison fait ses propres glaces : ne sautez pas le dessert ! Accueil très parisien, là aussi.

|●| *Au Vieux Chêne* (plan couleur C3, **42**) : 7, rue du Dahomey, 75011. ☎ 01-43-71-67-69. Ⓜ Faidherbe-Chaligny. Lun-ven 12h-14h, 20h-22h30. Congés : 1 sem à Pâques, 25 juil-15 août et Noël-Jour de l'an. Résa conseillée. Formules déj 15-19 € ; menus 28-33 € ; carte env 42 €. Un sympathique bistrot rescapé de l'époque des menuisiers, qui a conservé son authentique et chaleureux décor. Excellente cuisine de saison bien tournée, avec des produits frais. Quelques classiques à la carte et de bons plats du jour le midi ; le soir, faites confiance au chef pour changer d'horizon et découvrir de nouvelles saveurs. Formidable carte des vins avec plus de 150 références. Accueil chaleureux.

|●| *L'Écailler du Bistrot* (plan couleur C3, **43**) : 22, rue Paul-Bert, 75011. ☎ 01-43-72-76-77. Ⓜ Charonne. ♿ Tlj sf dim-lun ; service 12h-14h30, 19h30-22h30 (service continu pour les dégustations). Congés : août. Plateau de fruits de mer 40 € et quelques plats de poisson 24-40 € ; formule déj 19 € ; menu homard 65 € ; carte 65-70 €. Pour les fruits de mer, c'est vraiment top. Fraîcheur et qualité garanties. Pas étonnant, on est ici dans une famille d'ostréiculteurs. Les embruns iodés de ce lieu arrangé façon bistrot de la mer, petit comme la cabine d'un chalut, viennent jusque dans l'assiette. Sans prendre le menu homard, on peut se contenter d'une halte gourmande en compagnie de belles bretonnes ! Également vente à emporter.

|●| *Paris Main d'Or* (plan couleur B3, **44**) : 133, rue du Faubourg-Saint-Antoine, 75011. ☎ 01-44-68-04-68. ● raffiani.jean.jacques@noos.fr ● Ⓜ Ledru-Rollin. Tlj sf dim ; service 12h-15h, 20h-23h. Le midi, menu entrée + plat + dessert 13 € ; le soir, carte 30-35 €. Café offert sur présentation de ce guide. Demandez la carte et faites votre choix : omelette au *brocciu*, cabri rôti, charcuterie, fromages, vins... C'est toute l'île de Beauté qui s'invite à votre table. Le midi, c'est archicomble, mais le menu est continental. Le soir, l'établissement retrouve sa corsitude. À toute heure, casse-croûte à la corse.

|●| *Cocotte & Canou*, (plan couleur C3, **45**) : 3, cité de Phalsbourg, 75011. ☎ 01-43-70-81-77. ● cocotte canou@yahoo.fr ● Ⓜ Charonne. Tlj sf sam-dim 12h-14h, 19h-22h (22h30 ven). Congés : 1re sem de janv et 3 ou 4 sem en août. Formules 14-20 € (midi), puis 24-29,50 € ; plat du jour 13,50 € ; carte 25-30 €. On se sent bien dans ce petit bistrot récemment repris par 2 amis, et l'ambiance est chaleureuse autour du vieux bar en zinc qui trône dans la salle. À l'ardoise, une cuisine de ménage simple et joliment tournée, à base de produits frais, qui varie au gré du marché. Également des salades et des assiettes de charcuterie pour accompagner un verre de vin. Un bon plan le midi, mais attention, ça grimpe un peu le soir.

Plus chic

|●| *Septime* (plan couleur C3, **46**) : 80, rue de Charonne, 75011. ☎ 01-43-67-38-29. Ⓜ Charonne. Tlj sf sam-dim

et lun midi. Le midi, menus 26-55 € ; le soir, menu « Carte blanche » 55 €. Septime, le tyrannique et caractériel patron du *Grand Restaurant,* a donné son nom à pas mal d'enseignes, ici ou là. Celui-ci ne fait pas de cinéma. Service élégant et souriant, menu très court, livré dans sa plus simple expression et dans un énoncé télégraphique : du style saint-pierre-artichaut-jus de jambon. Trois suggestions par plat, c'est peu ; un poisson et une viande, c'est tout. Mais la surprise vient du travail des fruits et légumes, résultat (heureux) du passage du chef, Bertrand Grébaud, chez Passard. Jolis assemblages, assiettes légères et colorées, compositions fondantes. La même équipe tient *Clamato* juste à côté, entièrement dédié aux poissons et fruits de mer (voir plus bas).

|●| **Bones** *(plan couleur C2, 47)* : 43, rue Godefroy-Cavaignac, 75011. ☎ 09-80-75-32-08. ● *contact@bones paris.com* ● Ⓜ *Voltaire. Tlj sf dim-lun à partir de 19h (résa quasi obligatoire 14h-19h). Menu unique 55 € (slt choix de la viande).* Cadre néobistrot plutôt « rough », sans glamour, matériaux bruts... N'apportez pas de bouquin à lire, trop sombre... Personne à séduire non plus, assez bruyant, et tables à touche-touche... En revanche, découvrez une cuisine personnalisée et réalisée par un chef de talent. Tartare de bœuf comme vous n'en avez jamais mangé, poisson frais, parfumé et cuit parfaitement, fins desserts. Certes, tout ça assez cher, parce que vraiment copieux, mais ça ne semble pas troubler les bandes de *hipsters* (25-35 ans), créateurs de start-up et autres gens des médias et de l'édition qui envahissent les lieux. Si trop plein, on peut se noyer au bar dans de subtils nectars d'une carte pléthorique (remarquable sélection). *NOUVEAUTÉ.*

|●| **Clamato** *(plan couleur C3, 46)* : 80, rue de Charonne, 75011. ☎ 01-43-72-74-53. Ⓜ *Faidherbe-Chaligny, Voltaire ou Charonne. Mer-ven 19h-23h, sam-dim 12h-23h. Pas de résa. Carte 40-50 €.* Une adresse de la sphère des créateurs de *Septime.* On y mange un genre de tapas, exclusivement consacrées aux poissons et crustacés. Couteaux, praires, huîtres ou

sardines sont rehaussés d'accompagnements originaux et d'assaisonnements qui réveillent les papilles. Mais gare à la note (iodée) en fin de repas ! Compter au minimum 3-4 plats pour vous rassasier. Belle sélection de vins. Service simple, et cadre sobre. *NOUVEAUTÉ.*

|●| **Auberge Flora** *(plan couleur B2, 48)* : 44, bd Richard-Lenoir, 75011. ☎ 01-47-00-52-77. ● *restaurant@ aubergeflora.fr* ● Ⓜ *Bréguet-Sabin ou Richard-Lenoir.* ♿ *Tlj 7h-23h ; service 12h-15h, 19h-23h. Fermé 24 déc au soir et 25 déc. Formules déj en sem 19-23 € ; le soir, menu tapas 45 € ; carte env 40 €.* Une auberge de « campagne » dans un style « urbain décalé ». Flora Mikula, chef atypique, a réussi son pari : faire partager son plaisir du goût et des saveurs dans ce lieu très singulier. Autour d'une cuisine sincère aux accents méridionaux, forcément (pour ne pas oublier ses origines), teintée d'allusions aux saveurs exotiques et de mariages sucrés-salés, où la qualité du produit prime toujours.

|●| **Le Sot-l'y-laisse** *(plan couleur D3, 49)* : 70, rue Alexandre-Dumas, 75011. ☎ 01-40-09-79-20. Ⓜ *Alexandre-Dumas ou Avron. Tlj sf sam midi, dim et lun midi ; service 12h-14h, 19h30-21h30. Résa conseillée. Formules déj 19-25 € ; carte env 50 €.* Un vieux rade qui ne paie pas de mine : petite salle sans apprêt, mobilier de récup', tableau noir et bouteilles alignées sur des étagères. Derrière le passe-plats s'active Eiji Doihara, transfuge de Bocuse à Tokyo et formé aux subtilités des classiques de notre terroir. Résultat, une cuisine revisitée par de subtiles touches asiatiques, épurée dans l'esprit zen. Service tout en délicatesse souriante. Un peu cher à la carte le soir mais parfait au déjeuner.

|●| **Manger** *(plan couleur B3, 50)* : 24, rue Keller, 75011. ☎ 01-43-38-69-15. ● *resa@manger-leresto.com* ● Ⓜ *Voltaire, Bastille ou Bréguet-Sabin. Tlj sf dim soir. Formules déj 25-32 € ; menu le soir 57 €.* Un resto original : ici, une partie du personnel est en réinsertion, et une partie de l'addition revient à Toques et Partages. Quant à l'assiette, elle s'anime des plats imaginés par des chefs invités, comme Y. Camdeborde,

P. Gagnaire ou B. Akrame. De la gastronomie à prix modérés ! Joli cadre noir et blanc de bistrot néo-industriel, avec papiers peints à ramages, grande cuisine ouverte, comptoir pour manger vite fait bien fait. Des produits simples, bien cuisinés, bien présentés, pleins de goût et de saveurs. Ambiance conviviale, due notamment à un service aux petits oignons. *NOUVEAUTÉ*.

Bar à vins

|●| ♟ *Les Domaines qui montent* (plan couleur C2, **80**) : 136, bd Voltaire, 75011. ☎ 01-43-56-89-15. Ⓜ Voltaire ou Charonne. Lun-ven 10h-20h, sam 10h30-20h ; service slt au déj (12h-13h45). Congés : 1er-4 mai et 1er-15 août. Résa recommandée, surtout sam. « Formule du caviste » 15,50 € ; carte env 22 €. En terrasse ou en salle, laissez-vous conseiller par la souriante équipe, experte en vins, qui a transformé cette ancienne quincaillerie en l'une des bonnes tables d'hôtes de la capitale. Trois cents vins vendus à table à prix coûtant, sans droit de bouchon, 50 fontaines à vin aux prix imbattables. Côté assiettes, charcuterie artisanale, petits plats de saison et fromages fermiers. Une autre maison dans le 17ᵉ (22, rue Cardinet ; ☎ 01-42-27-63-96).

Cuisine d'ailleurs

Sur le pouce

|●| *Clasico Argentino* (plan couleur C3, **90**) : 217, rue du Faubourg-Saint-Antoine, 75011. ☎ 01-56-06-95-14. ● contact@clasico-argentino.com ● Ⓜ Faidherbe-Chaligny. Tlj sf dim midi 12h-23h. Formule déj en sem 12,50 € ; menus 25-39 € ; apéro 9,50 € (bière et 2 empanadas) ; empanada 4 € pièce sur place (16 € les 6 à emporter). Un de ces p'tits restos monomaniaques, qui propose ici des *empanadas*, ces merveilles de petits chaussons fourrés, à se damner... La pâte maison dorée au four renferme de généreuses garnitures : fromage et oignons, viande hachée, saucisse de bœuf, épinards, etc. Côté épicerie, on trouve, entre autres bons produits de là-bas, l'incontournable *dulce de leche*. Autres adresses au 56, rue de Saintonge et 8, rue du Pas-de-la-Mule, dans le 3ᵉ ; une autre, 46, rue Madame, dans le 6ᵉ.

|●| *Blues Bar B-Q* (plan couleur B3, **91**) : 1, rue Sedaine, 75011. ☎ 01-48-06-79-53. ● diana.bluesbarbq@gmail.com ● Ⓜ Bréguet-Sabin. Mar-ven 12h-15h, 18h-22h ; sam 12h-23h ; dim 13h-20h. Sandwichs 7,50 €, ou 12,90 € avec accompagnement et boisson ; plats 15,90-21,90 €. Ambiance typiquement américaine dans ce petit *diner* tenu par une Texane pure souche, adepte des cuissons lentes au bois naturel. Poitrine de bœuf, saucisse fumée, travers de porc ont ainsi un parfum inimitable. Accompagnements traditionnels américains, sauce barbecue et cheese-cake maison. Mais attention, qui dit cuisson lente dit clients patients...

De bon marché à prix moyens

|●| *Caffè dei Cioppi* (plan couleur C3, **92**) : 159, rue du Faubourg-Saint-Antoine, 75011. ☎ 01-43-46-10-14. ● caffedeicioppi@yahoo.fr ● Ⓜ Ledru-Rollin ou Faidherbe-Chaligny. Tlj sf sam-lun et j. fériés 12h-14h, 19h30-22h. Résa conseillée. Congés : Pâques, août et Noël-Jour de l'an. Plats 14-20 €, desserts 5,50-7 € ; repas 25-35 €. C'est dans ce passage paisible que Federica et Fabrizio, Italiens pur jus, ont installé leurs fourneaux. L'équipe s'affaire en cuisine et, sous vos yeux, prépare un savoureux risotto *ai fonghi*, des *penne all' amatriciana* ou des *linguine* aux gambas. De bons petits plats ficelés comme là-bas et qui changent toutes les semaines. Salle de 15 couverts qui ne désemplit pas. Une petite cantine idéale le midi. Service alerte et *caloroso*. Fabrizio a ouvert, à deux pas au 44, rue Trousseau, un local dédié aux pizzas, toutes à emporter. Foncez, elles sont fameuses ! *(Fermé dim-lun.)*

|●| *Paris-Hanoï* (plan couleur C3,

93) : 74, rue de Charonne, 75011. ☎ 01-47-00-47-59. ● parishanoi@ hotmail.fr ● Ⓜ Charonne. Tlj ; service 12h-14h30, 19h-22h30. Congés : 15 j. en août. Repas complet 15-17 € ; plat 10 €. CB refusées. Derrière cette façade jaune se cache un vietnamien de poche, cool et décontracté, qui vous transporte directement du faubourg de la Bastoche au quartier Hoa Kiem. Offrez-vous sans hésitation l'une des bonnes soupes maison, ou encore des nouilles sautées aux crevettes. C'est bon, simple et vraiment pas cher. Voilà pourquoi on s'y presse midi et soir. Également une annexe, Little Hanoï, au 9, rue de Mont-Louis (Ⓜ Philippe-Auguste).

|●| Mosaïk Sud (plan couleur B3, **94) :** 24, rue des Taillandiers, 75011. ☎ 01-47-00-20-42. Ⓜ Bastille ou Voltaire. ♿ Tlj sf sam midi et dim 12h-14h30, 19h30-23h. Congés : 5-18 août. Formules déj 9,80-12,80 € ; carte env 20 €. Thé à la menthe ou café offert sur présentation de ce guide. Déco tendance et actuelle pour cette bonne table marocaine. Pour le palais, les grands classiques marocains : bricks, briouats, tajines et couscous, pastillas, et une carte gourmande de desserts. Accueil décontracté et chaleureux.

|●| Le Menekse (plan couleur B3, **95) :** 7, passage de la Main-d'Or, 75011. ☎ 01-40-21-84-81. Ⓜ Ledru-Rollin. Tlj sf sam midi et dim ; service 11h30-23h30. Menus 12-13,50 € le midi, 24 € le soir ; vins à partir de 10 €. C'est une bonne petite adresse turque d'origine kurde. Outre les mezze classiques et les boulettes de viande, on déguste de bons patlican (au yaourt et à l'ail) ou des plats cuits à l'étouffée. Le midi, le calme, malgré les nombreux convives, est propice aux déjeuners de travail. La qualité de la nourriture, les prix très doux et la gentillesse de l'accueil font le reste.

|●| À la Banane Ivoirienne (plan couleur C3, **96) :** 10, rue de la Forge-Royale, 75011. ☎ 01-43-70-49-90. Ⓜ Faidherbe-Chaligny. Tlj sf dim-lun à partir de 19h. Congés : août. Menus 21-28,50 € (le dernier étant vin compris) ; carte env 22 €. 1 entrée et 1 dessert offerts en sem au 5e membre d'un même groupe sur présentation de ce guide. Mafé, attieke, foutou banane (sur commande) et la Flag, la bière nationale ivoirienne, sont au rendez-vous. Petites tables en teck, fausse paillote, faux palmiers et fond musical de zouglou, mapouka, tout est fait pour recréer l'ambiance des quartiers de Cocody, la température en moins. Spectacle au sous-sol le vendredi soir.

|●| La Barcarola (plan couleur B2, **97) :** 51, rue Basfroi, 75011. ☎ 01-43-48-19-88. Ⓜ Voltaire. Tlj sf dim et le soir lun-mar 12h-14h30, 19h-22h30. Le midi, plats du jour 9-10 € ; carte 30-35 €. Cadre d'une certaine sobriété mais confortable, et tout le soleil de l'Italie dans les sourires et l'accueil. Dans l'assiette, de délicieux plats inspirés de Toscane et des Pouilles. Petites entrées originales, pâtes cuites exactement (succulentes lasagnes aux 3 viandes), risotto crémeux et beaux desserts. Pour arroser le tout, un gouleyant selice salentino à prix fort modéré ! NOUVEAUTÉ.

|●| Amici Miei (plan couleur B2, **98) :** 44, rue Saint-Sabin, 75011. ☎ 01-42-71-82-62. Ⓜ Bréguet-Sabin. Tlj sf dim-lun ; service 12h-14h30, 19h30-23h. Congés : août et 1 sem à Noël. Pizzas 10-20 €, plats 15-30 € ; carte env 35 €. Quelques tables sur le trottoir sous un auvent, salle simplissime, tables de bois serrées, cuisine apparente et une statue d'évêque enchâssée, qui semble ne pas se formaliser du brouhaha ambiant et de l'incessant va-et-vient des serveurs. Le pizzaiolo est un vrai maestro : fine pâte légèrement croustillante, délicieuses garnitures. Sans oublier les pâtes et les plats traditionnels. Belle palette de vins italiens, un peu chérots au verre. Pas de résa possible, évitez donc de venir à 6 : risque d'attente au bar assuré.

|●| Waly Fay (plan couleur C3, **99) :** 6, rue Godefroy-Cavaignac, 75011. ☎ 01-40-24-17-79. ● olivier@walyfay. com ● Ⓜ Charonne ou Voltaire. Tlj 19h-2h (dernière commande à 0h30). Résa conseillée. Carte env 28 €. Ce resto « afro-soul-antillais » vous plonge, le temps d'une soirée, dans un univers ethno-urbain. La cuisine afro-antillaise tous azimuts (boudin créole, acras, thiéboudienne, mafé de légumes, poulet braisé *alloco*, daurade sauce yassa...) réalisée par Fatou Sylla, la cuisinière, fait bien les choses. Ambiance tamisée.

I●I *Cefalù (plan couleur D3, **100**) :* 43, av. Philippe-Auguste, 75011. ☎ 01-43-71-29-34. **Ⓜ** Nation. À 10 mn du Père-Lachaise et à 5 mn de la pl. de la Nation. Tlj sf sam midi, dim et lun soir ; service 12h-13h15, 19h30-21h30. Congés : août. Résa très conseillée le soir et le w-e. Menu 32 € (entrée, plat de pâtes, viande ou poisson et dessert) ; carte env 36 €. Apéritif maison ou café offert sur présentation de ce guide. M. Cala rend hommage à sa terre natale : *antipasti* à la sicilienne, sole au caviar d'aubergine, *spaghetti cartoccio, cannolo,* dessert typiquement sicilien. Un petit resto très accueillant.

Chic

I●I *Unico (plan couleur C3, **101**) :* 15, rue Paul-Bert, 75011. ☎ 01-43-67-68-08. ● unico@resto-unico. com ● **Ⓜ** Faidherbe-Chaligny. Tlj sf dim et lun midi 12h-14h, 20h-22h45. Fermé 15 août, 24 et 31 déc. Résa indispensable jusqu'à 20h30. Formule déj 17 € ; carte env 50 €. Dans un cadre orangé résolument seventies, *Unico* nous propulse à l'autre bout du monde, en Argentine, *che !* Viande hyper tendre et goûteuse, copieuse, ça va de soi. À arroser d'un petit vin de Mendoza. Pour les aficionados, ouverture juste en face d'*El Galpon* (« la quincaillerie ») : vente de vins argentins et dégustations (à prix cave, moyennant un simple droit de bouchon) autour d'une grande table d'hôtes *(17h-21h).* Pour accompagner, assiettes de dégustation.

I●I *Mansouria (plan couleur C3, **102**) :* 11, rue Faidherbe, 75011. ☎ 01-43-71-00-16. ● lemansouria@yahoo.fr ● **Ⓜ** Faidherbe-Chaligny. Tlj sf dim et lun midi 12h-14h, 19h30-22h45 (23h ven-sam). Résa conseillée. Menus 28-36 € ; carte env 40 €. Un des grands restos marocains de Paris. Déco raffinée, lumière tamisée. On roucoule devant les tajines et le couscous. Avec raison, il est vrai. Le *mourouzia* (agneau mijoté dans le ras el-hanout, un mélange de 27 épices, servi avec une sauce au miel) récolte des suffrages amplement mérités. Service discret et souriant.

Où boire un thé ?

I●I 🍵 *La Bague de Kenza (plan couleur C3, **130**) :* 173, rue du Faubourg-Saint-Antoine, 75011. ☎ 01-43-41-47-02. **Ⓜ** Faidherbe-Chaligny. Tlj 9h (13h30 ven)-20h (21h ven). Pâtisseries 1,90-3,20 € ; formules 10,50-11,50 €. Un lieu idéalement placé pour qui cherche à se refaire une santé, face à l'hôpital Saint-Antoine. On boit un thé à la menthe avec une pâtisserie livrée par la maison mère, rue Saint-Maur. Où l'on s'arrange pour venir tôt si l'on veut avoir une chance de goûter une des assiettes du jour...

Où prendre un bon goûter ?

🍰 *La Pâtisserie by Cyril Lignac (plan couleur C3, **135**) :* 24, rue Paul-Bert, 75011. ☎ 01-43-72-74-88. **Ⓜ** Charonne ou Faidherbe-Chaligny. Tlj sf lun 7h-20h. L'entreprenant jeune chef (en collaboration avec Benoît Couvrand, un ex-*Fauchon*) s'essaie à la pâtisserie, qu'il a voulue (faussement ?) simple... Des pâtisseries traditionnelles, donc, joliment revisitées, comme le paris-brest (3 choux étonnamment alignés), la tarte au citron, le baba ou l'éclair au chocolat (au craquant praliné bien pensé). Bons gâteaux aux fruits de saison. Côté boulangerie, des pains classiques et de (bons) sandwichs pour la fringale du midi...

11ᵉ

Où boire un verre ?

♙♪ Le Réservoir (plan couleur C3, **140**) : 16, rue de la Forge-Royale, 75011. ☎ 01-43-56-39-60. • lereservoir@wanadoo.fr • Ⓜ Ledru-Rollin. ♿ Resto sur résa slt mar-sam 20h-22h30, sam-dim 11h30-16h30 (17h dim ; jazz brunch de mi-sept à mi-juin). Bar ouv dim-lun à partir de 22h (attention, il est parfois privatisé). Repas à la carte 40-50 € (menus pour les groupes 47-87 €) ; jazz brunch 24-27 €. Un antique réservoir au-dessus du bar, des tables en bois, des chandeliers en fer forgé confèrent à l'ensemble une note *middle age* quelque peu baroque. La cuisine est à l'image du lieu : originale, créative et branchée. Tous les jours, soirées thématiques (pop-rock, funk, world) et spectacles.

♙♪ Le Motel (plan couleur B3, **141**) : 8, passage Josset, 75011. ☎ 01-58-30-84-68. • contact@lemotel.fr • Ⓜ Ledru-Rollin. Tlj sf lun 18h-2h ; happy hours 18h-21h. Concerts mar-mer et dim, DJs jeu-sam. Quiz 1 dim sur 2. Demi 3 € ; pinte 5,50 € ; cocktail 7 € ; verre de vin 3,50 €. Planchette 5 €. 📶 Dans la pure tradition des bars rock, *Le Motel* est en place ! Deux salles à la déco sombre un brin destroy, un même esprit : rock'n'roll ! Le bar est pris d'assaut dès l'apéro par une clientèle de musiciens et d'amateurs de pop. On passe ensuite « au salon », s'affaler sous de vieilles affiches dans les canapés déglingués et se délecter d'un son vinyle pop-rock.

♙ Bottle Shop (plan couleur B3, **142**) : 5, rue Trousseau, 75011. ☎ 01-43-14-28-04. • eva@cheapblonde.com • Ⓜ Ledru-Rollin. ♿ Tlj 11h30-2h ; service 12h-15h (16h dim). Congés : 3 j. à Noël et pour le Jour de l'an. Demis à partir de 3 € ; cocktail env 8 € ; happy hours 17h-20h : pinte et cocktail 5 €. Le midi, plats 9-11 € ; salade env 10 € ; formules déj 12-16 € ; brunch dim 22 €. Un bar-pub à l'ambiance franco-anglaise. Pas mal de clients du quartier – notamment intermittents et expats – qui font bien vivre l'endroit, même en semaine. Une déco chaleureuse et une atmosphère conviviale qu'on aimerait trouver partout. DJs les jeudi, vendredi et samedi.

Où boire un excellent cocktail ?

♙ Moonshiner (plan couleur B3, **143**) : 5, rue Sedaine, 75011. ☎ 09-50-73-12-99. Ⓜ Bréguet-Sabin. Tlj 18h-2h (minuit dim). Pinte 5 € ; cocktails 6-14 €. Pizzas 9-14 €. Ils sont sympas au *Routard*, ils t'envoient dans un bar à cocktails et tu te retrouves dans une pizzeria... Eh bien non, on ne s'est pas trompés ! Poussez donc la porte du frigo au fond de la pizzeria *Da Vito*. Oh surprise, vous découvrez un *speakeasy* époque Gatsby le Magnifique, lumière tamisée et motifs Art déco de rigueur. Les délicieux cocktails jouent la carte de la tradition, avec un penchant pour les whiskeys, ryes et bourbons américains, prohibition oblige... Au fait, la pizza est excellente aussi, n'hésitez pas à faire étape dans ce morceau de Little Italy avant... ou après. *NOUVEAUTÉ.*

Où danser ?

♫ Le Balajo (plan couleur B3, **180**) : 9, rue de Lappe, 75011. ☎ 01-47-00-07-87. • balajo@balajo.fr • Ⓜ Bastille. Mar-mer 20h-2h ; jeu 14h-4h ; ven-sam 23h-5h30 ; dim 15h-19h, 23h-4h. Entrée gratuite ou jusqu'à 20 € avec conso. Consos 5-12 €. L'établissement représente l'exemple le plus somptueux qui soit du dancing musette, apparu dans les années 1930. Il a vraiment une gueule d'atmosphère. La déco délirante (d'époque) est signée Henri Mahé, qui a aussi looké le *Moulin-Rouge* ou le *Rex*. Ouvert en 1936, le *Bal à Jo*, du nom du taulier Jo France, a été repris en 1982 par

Jacques Lageat, champion de catch. Programmation très variée : salsa les mardi et jeudi (avec cours) ; rock le mercredi (avec cours aussi en début de soirée) ; généraliste le vendredi ; disco, funk, R'n'B, etc. le samedi ; et rétro musette le jeudi 14h-20h.

DU CÔTÉ D'OBERKAMPF

Où manger ?

Sur le pouce

➤ **Épicerie du Verre Volé** (plan couleur B1-2, **60**) : 54 bis, rue de la Folie-Méricourt, 75011. ☎ 01-48-05-36-55. ● leverrevole@wooz.com ● Ⓜ Oberkampf. Lun-sam 11h-20h30 (20h lun) ; dim 10h-13h. Sandwichs 1 ingrédient 4,90 €, 2 ingrédients 6,90 € ; sandwich du jour 6,90 €. Juste derrière la vitrine de charcuterie et fromages à la coupe s'élaborent des sandwichs maison à base de produits de saison, composés à la commande. Difficile de faire plus frais ! Square tout proche pour déguster ce bon pain drôlement bien fourré.

De très bon marché à bon marché

|●| La Crêpitante (plan couleur B1, **61**) : 63, rue Jean-Pierre-Timbaud, 75011. ☎ 01-43-14-47-28. ● lacrepitante@hotmail.fr ● Ⓜ Parmentier. Tlj sf dim-lun ; dernière commande à 23h30 ven-sam. Congés : 5-26 août. Formule déj 11,20 € ; galettes 3,50-11,50 €. Kir breton offert sur présentation de ce guide. Dans cette enclave bretonne, le fait maison est de rigueur : chantilly, caramel au beurre salé, crème de citron, fondue de poireaux... Résultat des courses : des galettes fines, dorées et croustillantes. Côté sucré, pas mal de crêpes avec des glaces originales (palet breton, pain d'épice...). Du simple, du bien parfois et du bon toujours. Accueil et service souriants.

|●| West Country Girl (plan couleur B2, **62**) : 6, passage Saint-Ambroise, 75011. ☎ 01-47-00-72-54. Ⓜ Rue-Saint-Maur ou Saint-Ambroise. Mar-sam 12h-14h, 19h30-22h. Congés : août. Résa recommandée. Menus 10,50-12,80 € le midi en sem ; galettes et crêpes 2,80-10,20 €. Des crêpes dentelle ultrafines et croustillantes, garnies de produits frais, voilà ce qu'on vient savourer chez la « fille de l'Ouest », Sophie, un verre de cidre bio à la main. Une clientèle d'habitués et d'anglophones anime cette jolie petite adresse. Ne manquez pas le caramel au beurre salé maison, un délice !

Bon marché

|●| Les Petits Papiers (plan couleur B2, **63**) : 18, rue Oberkampf, 75011. ☎ 01-48-05-32-92. ● info@les-petits-papiers.com ● Ⓜ Oberkampf. Tlj sf dim et lun midi 12h-14h30, 19h-23h. Formule déj en sem 14,50 € ; carte 23-30 €. Petit resto tenu par une jeune restauratrice qui s'est associée en cuisine avec un ancien du Meurice (entre autres). Dans l'assiette, une cuisine élaborée avec des produits frais. Des recettes traditionnelles légèrement revisitées, à des prix vraiment démocratiques. La déco s'articule autour du thème du papier, et des expos temporaires d'artistes y sont organisées. Une bonne petite adresse.

|●| La Vache Acrobate (plan couleur A2, **64**) : 77, rue Amelot, 75011. ☎ 01-47-00-49-42. Ⓜ Saint-Sébastien-Froissart ou Chemin-Vert. Tlj sf dim ; service 12h-15h, 19h-22h30. Formules déj 15-18 € ; carte env 25 €. Un petit troquet coloré, où de fidèles habitués aiment se retrouver pour une soirée conviviale, autour de petits plats bien troussés. Les assiettes sont plutôt copieuses. Le cadre est chaleureux, mais mieux vaut savoir se faufiler et aimer le coude-à-coude ! La carte des vins privilégie petits crus et vignobles méconnus. Accueil très sympa.

11ᵉ

De bon marché à prix moyens

I●I *Les Quilles* (plan couleur C1, **66**) : 123, bd de Ménilmontant, 75011. ☎ 01-47-00-03-66. Ⓜ Ménilmontant ou Père-Lachaise. Tlj sf sam midi et dim-lun ; service 12h-14h, 19h30-23h. Plat du jour 11,50 € ; menus 13,50-35 € le midi, 29-35 € le soir. Vins au verre 5-7 €. Un cadre simple et chaleureux, une atmosphère conviviale, et cet art de dépoussiérer de bonnes vieilles recettes de bistrot tout en inventant de nouvelles saveurs. Carte suivant fidèlement le fil des saisons. Choix rigoureux des produits. Belle sélection de petits flacons de propriété à prix doux. Terrasse aux beaux jours. Accueil souriant et pro de Jean-Luc et Vincent. L'adresse qui monte à Ménilmuche.

I●I *Au Passage* (plan couleur A2, **65**) : 1 bis, passage Saint-Sébastien, 75011. ☎ 01-43-55-07-52. Ⓜ Saint-Sébastien-Froissart. Ouv le soir lun-sam, plus le midi jeu-ven. Compter 18 € le midi, 30 € le soir. Un bistrot qui cache bien son jeu, au bout d'un passage peu fréquenté, derrière sa façade de petits carreaux et ses tags de Miss.Tic. Déco de bric et de broc, clientèle branchée et cuisine inspirée. Le midi, produits du marché aux saveurs revisitées ; le soir, tapas à choisir sur le grand tableau noir (attention, l'addition peut vite grimper). C'est frais, bon et tout simple. Parfait entre amis, dans les fauteuils clubs.

I●I *La Cave de l'Insolite* (plan couleur B2, **67**) : 30, rue de la Folie-Méricourt, 75011. ☎ 01-53-36-08-33. Ⓜ Saint-Ambroise. Tlj sf dim soir et lun, midi et soir jusqu'au dernier client ; service 12h-14h30 (15h dim), 19h-22h30. Congés : 3 sem en août. Formules déj 14-20 € ; carte 25-35 € ; brunch dim 20 €. Un ancien atelier au cadre adorablement foutraque : mobilier de récup', grosses tables rustiques, vieilles banquettes de moleskine, sous le regard d'un bel escalier à hélice et de l'antédiluvienne gazinière... Beaucoup de vins naturels et de bières bio. Au niveau nourritures terrestres, petits plats de bistrot qui collent avec le cadre. En prime, une atmosphère déliée, authentique, sans chichis !

Prix moyens

I●I *Muxu* (plan couleur B1, **68**) : 16, rue Deguerry (et Saint-Maur), 75011. ☎ 01-48-07-44-43. ● contact@muxu-paris.com ● Ⓜ Goncourt. Tlj sf dim-lun ; service 12h-14h30, 19h30-22h30. Congés : août. Plats du jour 11-13 € ; menus le midi 17-22 € ; carte 30-35 €. Resto spacieux, décor contemporain assez sobre pour une cuisine de bistrot habilement réactualisée. Ses atouts : des produits bien choisis, concoctés avec une petite touche perso et servis généreusement. Ainsi ce burger au pur bœuf d'Aubrac, cuit exactement à la demande et qui réconcilie, avec un genre dévoyé ailleurs, ces côtes d'agneau épaisses et savoureuses, ces accompagnements originaux et ce dessert diabolique et corrupteur : le « tiramuxu », doux, suave comme un baiser trop affectueux... Accueil jeune et affable, service efficace. *NOUVEAUTÉ.*

I●I *Le Marsangy* (plan couleur B1, **69**) : 73, av. Parmentier, 75011. ☎ 01-47-00-94-25. Ⓜ Parmentier. Tlj sf w-e ; service 12h-14h, 20h-22h30. Congés : 15 j. en mai, 10 j. en août et 10 j. avt Noël. Menu 27 € ; carte env 35 €. Comme tout le monde n'a pas la chance d'être bourguignon, précisons que ce resto porte le nom du village dans l'Yonne dont est originaire le patron. Des vues anciennes ornent les murs de ce resto élégant, tout en bois, des tables aux chaises. Les plats jouent la qualité et le terroir, et vous incitent à vous pencher sur les vins de l'Yonne, si bons et parfois si méconnus.

I●I *Les Fernandises* (plan couleur B1, **70**) : 19, rue de la Fontaine-au-Roi, 75011. ☎ 01-48-06-16-96. Ⓜ Goncourt ou République. Tlj sf sam midi et dim ; service 12h-15h, 19h-23h. Menus 2 ou 3 plats 14,50-17,50 € ; carte env 22 €. Digestif maison offert sur présentation de ce guide. Sympathique bistrot de quartier qui fait le plein d'habitués tous les midis. On est au coude-à-coude avec son voisin, l'ambiance est bourdonnante, mais on y apprécie la formule 3 plats du déjeuner, bien attrayante. Cuisine tradi mâtinée de Sud-Ouest et de quelques élans « nouvelle cuisine ».

11ᵉ

Vins de producteurs à prix doux. Le soir, c'est plus calme, mais aussi un peu plus cher.

|●| *Aux 3 Passages (plan couleur C2, 71) :* 11 bis, rue Saint-Maur, 75011. ☎ 01-43-56-20-78. ● aux3passages@ orange.fr ● Ⓜ *Voltaire. Tlj 12h-15h, 19h30-23h30. Menus 13-16 € le midi en sem, 20 € le soir ; carte env 30 € ; brunch env 20 €. Vins en revanche pas trop bon marché (pot de 50 cl de rouge ordinaire 10 € !).* Vieux rade repris par une équipe jeune et dynamique. Cuisine de bistrot assez classique mais bien troussée. Pas d'envolée lyrique, donc, mais la garantie d'un tartare de bœuf assaisonné juste comme il faut, de viandes cuites comme à la demande et d'une salade de roquette toute fraîche. De même, ici, le hamburger maison retrouve-t-il ses lettres de noblesse et quitte-t-il le banc infâmant de l'opprobre ! Atmosphère déliée, bon accueil.

De chic à plus chic

|●| *Square Gardette (plan couleur B2, 72) :* 24, rue Saint-Ambroise, 75011. ☎ 01-43-55-63-07. ● squaregardette@ gmail.com ● Ⓜ *Rue-Saint-Maur. Tlj 12h-14h30 (15h dim), 19h-22h30 (23h sam, 22h dim). Menus 16,50-21 € le midi, 42 € le soir ; tapas 7 € ; brunch dim 33 €.* Le décor volontairement vieillot et chaleureux dégage une véritable atmosphère. Mais la vraie surprise est dans l'assiette ! Au piano, le talentueux jeune chef, Aimeric, élabore une cuisine tout à la fois créative et moderne, fraîche et goûteuse. Des cuissons parfaites, une carte originale qui change tous les 15 jours, des produits frais et de saison, pour un résultat qui flatte très largement vos papilles !

|●| *Restaurant Pierre Sang Boyer (plan couleur B1, 73) :* 55, rue Oberkampf, 75011. Pas de téléphone. ● pierresangboyer.com ● Ⓜ *Oberkampf ou Parmentier. Tlj sf dim-lun 12h-14h, 19h-22h. Congés : août et 21 déc-7 janv. Fomules déj 20-35 € ; le soir, menu 35 €.* Ici, pas de téléphone, pas de carte, pas de stress. Et c'est justement ce qui contribue en fin de compte au plaisir. Surtout que le service est souriant, attentif, rassurant. Dans un décor minéral blanc et noir (assez austère), on savoure l'unique formule : 6 plats en version dégustation, de l'entrée au dessert en passant par le fromage (fameux). Surprise toujours de mise ! Après 21h, formule simplifiée en 3 plats plus copieusement garnis. Quant au chef actif devant ses fourneaux, vous l'aurez peut-être reconnu comme ancien finaliste de *Top Chef* (saison 2).

|●| *Le Dauphin (plan couleur B1, 74) :* 131, av. Parmentier, 75011. ☎ 01-55-28-78-88. Ⓜ *Goncourt. Tlj sf sam midi et dim-lun ; service 12h-14h, 19h30-23h. Fermé à Noël. Résa obligatoire. Formules déj 23-27 € ; le soir, carte 40-45 €.* Le dernier bistrot d'Iñaki Aizpitarte, chef inspiré du *Châteaubriand* (au n° 129 de la même avenue). Le chef concocte ici une cuisine d'une grande finesse, sans cesse renouvelée, aux alliances osées et parfaitement maîtrisées, aux saveurs qui se fondent et se superposent délicatement. Le midi, menu « classique » ; le soir, carte façon tapas. Le service bistrot un peu brouillon et le brouhaha permanent de la salle habillée de marbre froid peuvent en revanche troubler la sérénité de la dégustation. Les branchés s'en fichent. Ils ont raison.

|●| *Le Villaret (plan couleur B1, 75) :* 13, rue Ternaux, 75011. ☎ 01-43-57-89-76. ● restlevillaret@wanadoo. fr ● Ⓜ *Parmentier ou Oberkampf. Tlj sf sam midi et dim ; service 12h15-14h15, 19h30-23h30 (minuit ven-sam). Congés : 2 sem début août. Formules déj 20-25 € ; menu du marché 32 € ; le soir, menu dégustation 55 € ; carte env 45 €.* Les plats choisis selon le marché et une longue carte de grands crus font de ce resto de quartier une table épatante. Un grand bravo à Olivier, qui tient avec constance les rênes de la cuisine depuis 20 ans ! Bonne cuisine bistrotière servie dans un cadre rénové bien sympa. Attention toutefois, l'addition grimpe vite !

|●| *Le Grand Méricourt (plan couleur B2, 76) :* 22, rue de la Folie-Méricourt, 75011. ☎ 01-43-38-94-04. ● post master@legrandmericourt.fr ● Ⓜ *Saint-Ambroise ou Richard-Lenoir. Tlj sf sam midi, dim et lun midi 12h15-14h, 19h30-22h. Congés : 10 j.*

en janv et 3 sem en août. Formules déj 19-21 € ; menu dégustation 50 € ; carte env 55 €. Un chef tout droit sorti des cuisines du *Plaza Athénée,* de l'hôtel *Crillon* et du *Pré Catelan* a repris ce petit resto de quartier auquel il a su donner un second souffle en proposant une cuisine raffinée, dans l'air du temps. Sa carte est variée juste ce qu'il faut et change avec le marché et les saisons : poêlée de Saint-Jacques, chantilly persil... Bel accueil, franc et souriant.

Bar à vins

🍽️ 🍷 *La Buvette (plan couleur B2, 81) :* 67, rue Saint-Maur, 75011. ☎ 09-83-56-94-11. Ⓜ *Rue-Saint-Maur ou Parmentier. Mar-jeu 17h-22h ; ven 11h-15h, 17h-22h ; sam-dim 11h-22h. Tapas 2-15 € ; verres de vin à partir de 4,50 €.* Camille s'est lancée seule dans une aventure qu'on a tout de suite beaucoup aimée. Pensez donc : une cave à manger savoureuse et rétro qui fait toute la vitalité du Paris d'aujourd'hui. On en redemande ! Autour de flacons savamment sélectionnés, principalement de vins nature, on peut grignoter de bien belles choses : charcuterie fondante, fromages délicatement affinés ou poissons fumés (hmm les délicieuses Saint-Jacques aux zestes de cédrat !). Une adresse attachante. *NOUVEAUTÉ.*

Cuisine d'ailleurs

Sur le pouce

🥪 *Freddie's Deli (plan couleur C1, 111) :* 22, rue Crespin-du-Gast, 75011. ☎ 01-84-16-33-75. ● contact@freddiesdeli.com ● Ⓜ *Ménilmontant ou Saint-Maur. Tlj sf lun 12h-22h (17h mar, 23h ven-sam). Sandwichs 7-11 € (2 tailles), + 2 € en formule menu.* Roulant sur le succès de son *Camion qui fume* (le 1er *food-truck* à burgers de la capitale), Kristin Frederick a ouvert une sandwicherie gourmet dans le même esprit. Bons produits maison (chips comprises) et recettes traditionnelles US revisitées avec le petit twist d'aujourd'hui : Philly *cheesesteak,* Reuben pastrami-choucroute, porc croustillant piment-coriandre... Les desserts sont signés Rachel, la grande prêtresse du cheese-cake. Pour s'asseoir, quelques chaises et bancs d'école sur la placette arborée. *NOUVEAUTÉ.*

🍽️ *Al Taglio (plan couleur B1, 113) :* 2 bis, rue Neuve-Popincourt, 75011. ☎ 01-43-38-12-00. Ⓜ *Parmentier. Tlj 12h-23h (minuit ven-sam). Prix au poids : env 7-14 € pour une grignotte, 15-20 € pour un vrai repas.* Des pizzas proposées *al taglio,* à la taille (au poids et à la coupe, donc), à manger sur place ou à emporter. Choisissez au comptoir, on vous repasse le tout au four quelques instants avant de vous l'apporter à table sur une planchette de bois. Si le concept est italien, le cadre, lui, a quelque chose de new-yorkais. Attention juste à ne pas avoir les yeux plus gros que le ventre, car l'addition monte vite. *Autre adresse : 27, rue de Saintonge, 75003.*

Très bon marché

🍽️ *L'Alicheur (plan couleur B1, 110) :* 96, rue Saint-Maur, 75011. ☎ 01-43-38-61-38. Ⓜ *Rue-Saint-Maur. Tlj sf sam-dim ; service 12h15-15h30, 19h30-23h30. Formules 9-13,10 € ; nouilles 6,70-8,80 € ; rolls 1,30-1,80 €. CB refusées.* Rethori et son frère Rethoni préparent une cuisine rapide, légère, sans friture, aux parfums du monde. Une cuisine que leur a apprise leur mère, Rosine, qui fut l'une des reines de la cuisine khmère. Dans leur minisnack, on avale sur le pouce des soupes parfumées, des salades malignes, et ces délicieux *rolls,* minirouleaux aux légumes et à la viande. Simple, sain, bon, pas cher, gentil comme tout. Et pour les curieux, il y a toujours l'énigme du jour, inscrite au tableau, qui permet à qui la découvre de gagner un

11e

roll d'honneur. Autant vous prévenir, ce n'est pas si facile !

Bon marché

|●| *Numéro Cinq (plan couleur A1, 117)* : 5, rue de la Fontaine-au-Roi, 75011. ☎ 09-84-59-96-10. Ⓜ République. *Ouv mar-sam, plus dim sur résa. Formule déj 15 € (entrée + plat ou plat + dessert) ; le soir, carte slt (plats 12-15 €).* Quelques tables sur la rue par beau temps. Émilie est franco-vietnamienne et propose les plats traditionnels que sa grand-mère lui a transmis : *banh cuon, banh khot, bo bun,* porc au caramel... Vous nous en direz des nouvelles. Et tout est fabriqué devant vous ! Accueil souriant à la hauteur de ce que l'on trouve dans l'assiette. *NOUVEAUTÉ.*

|●| *Restaurant Reuan Thaï (plan couleur B1, 114)* : 36, rue de l'Orillon, 75011. ☎ 01-43-55-15-82. Ⓜ Belleville. *Tlj 12h-14h30, 19h-23h15. Buffet 10 € le midi ; carte à partir de 25 €.* « La Maison Thaïe » propose une authentique cuisine thaïlandaise, un peu moins pimentée que l'originale, où coriandre, citronnelle, safran blanc et coco dispensent toujours leur délicieux bouquet de saveurs. À la carte, les plats sont assez travaillés, notamment les produits de la mer. Cependant, ne pas arriver trop tard pour le buffet, plats souvent manquants ou petitement renouvelés ! Service efficace et souriant.

|●| *Sizin (plan couleur B1, 112)* : 36, rue du Faubourg-du-Temple, 75011. ☎ 01-48-06-54-03. Ⓜ Goncourt ou République. ♿ *Tlj sf dim midi ; service 12h-15h, 19h-23h. Menus le midi en sem 11,50-14,50 € ; carte env 20 €. Café ou thé offert sur présentation de ce guide.* Face au *Palais des Glaces,* au fond d'un préau, cette cantine de quartier propose depuis près de 30 ans, à la carte, toute la panoplie de la cuisine turque : pizzas au feu de bois, *böreks, kanarya* (aubergine et poivron au yaourt) et autres mezze, plats à base de viande hachée et d'agneau, sans oublier les onctueux yaourts maison et les baklavas au miel et aux pistaches. Tout est fait maison, y compris le pain.

≞ *B & M (plan couleur B1, 115)* : 82, av. Parmentier, 75011. ☎ 01-43-57-26-11. Ⓜ Parmentier. *Tlj sf dim soir ; service 12h-15h (16h sam-dim), 19h-23h. Burger-frites env 10-13 €. B & M,* c'est un fast-food créé par Benjamin et Michael, 2 cousins fondus de burgers, version traditionnelle mais avec des produits ultra-frais. Viande sélectionnée par Desnoyer, hâchée sur place et juteuse à souhait même si servie d'office à point, petit pain *(bun)* moelleux et léger, frites et bacon bien croustillants. À croquer dans une salle au décor industriel ou sur la microterrasse. *NOUVEAUTÉ.*

Prix moyens

|●| *L'Homme Bleu (plan couleur B1, 118)* : 55 bis, rue Jean-Pierre-Timbaud, 75011. ☎ 01-48-07-05-63. Ⓜ Couronnes ou Parmentier. *Tlj 10h (16h dim-lun)-minuit. Toujours plein le soir après 20h. Carte env 32 €.* Depuis une vingtaine d'années, les clients se rassemblent chaque soir sous la grande tente, à l'abri des tempêtes de sable, pour goûter keftas, couscous, tajines mijotés et petits farcis *(böreks,* bricks...) préparés sous leurs yeux, au coin de la cheminée, par d'heureuses *tilawins.*

Chic

|●| *Sept'n (plan couleur A1, 119)* : 6, rue Rampon, 75011. ☎ 01-43-55-62-32. ● septnresto@gmail.com ● Ⓜ République ou Oberkampf. ♿ *Tlj sf dim-lun 12h-14h, 19h30-22h. Congés : 1 sem en fév et août. Formules déj 15,50-19,90 € ; carte 35-50 €.* Après de nombreuses années passées dans de très grandes maisons, Yasuo s'est installé ici, seul en cuisine, avec son fils en salle. *Sept'n* signifie « point de rencontre » en japonais et, ici, c'est bien d'une rencontre réussie entre cuisines japonaise et française qu'il s'agit. La carte des vins, plutôt bien équilibrée, est accessible.

Où boire un thé ?

|●| ☕ *Thé Troc (plan couleur B1, 131)* : 52, rue Jean-Pierre-Timbaud, 75011. ☎ 01-43-55-54-80. ● the. troc@free.fr ● Ⓜ Parmentier.

Lun-sam 9h30 (10h sam)-12h, 14h-20h. Thés 3-6,50 €. 📶 À la fois maison de thé, librairie (de B.D., entre autres), maison d'édition, disquaire, boutique d'artisanat du monde, ainsi que brocante et dépôt-vente, cette drôle d'adresse régale. Reposant, avec ses banquettes en bois, ses coussins laotiens et ses boîtes à sucre en métal, le lieu incite à la lecture (revues à disposition) ou à une discussion tranquille. Entre zen, exotisme, saveurs et B.D., ici, on sait prendre le temps de vivre.

Où boire un verre ?

🍸 **Aux Deux Amis** (plan couleur B1-2, **150**) : 45, rue Oberkampf, 75011. ☎ 01-58-30-38-13. Ⓜ Parmentier. Tlj sf dim-lun 10h-2h ; service 12h-14h30, 19h30-22h30. Vin au verre 4,50 €. Formules déj 18-22 € ; tapas 3,50-14 €. À l'heure de l'apéro, on se mêle au joyeux brouhaha de ce bistrot de quartier pour goûter sur le pouce à un choix impressionnant de copieuses tapas de haut vol aux saveurs inventives. Dans une déco seventies aux néons roses et aux murs-miroirs, ça parle fort, on se presse autour du zinc, dans une ambiance bon enfant. Un brin victime de son succès ; optez donc pour un apéro dînatoire dès 19h ou pour un déjeuner précoce, car ici chaque centimètre est pris d'assaut !

🍸 **Joséphine Caves Parisiennes** (plan couleur B1, **151**) : 25, rue Moret, 75011. ☎ 01-48-07-16-70. Ⓜ Ménilmontant ou Couronnes. Tlj 18h-2h. Cocktail 10 € ; verres de vin à partir de 4 €. Un établissement raffiné du quartier d'Oberkampf (ce qui n'est pas si fréquent), un peu bar à cocktails, un peu bar à vins. Le décor est particulièrement réussi, avec ses mosaïques au sol, son grand bar boisé, son arrière-salle en forme de club pour gentlemen. Les cocktails sont d'une grande finesse, et la carte des vins est bien sentie. Pour accompagner ces élixirs, des assiettes mi-tapas, mi-planches, qui jouent sur les saveurs et les accords. DJs fréquemment. Un coup de cœur.

🍸 **L'Orange Mécanique** (plan couleur B1, **152**) : 72 bis, rue Jean-Pierre-Timbaud, 75011. ☎ 09-54-43-55-02. ● lorangemeca@gmail.com ● Ⓜ Parmentier. Tlj 18h-2h. Bière env 2,50 € ; cocktails 4-6 € ; happy hours jusqu'à 20h : pinte de blonde 2,50 €. 📶 Un petit bar qui joue à fond la tendance psychédélique (avec un nom pareil...) : murs orange, tables en formica jaune, sièges en cuir vert, affiches du film éponyme... Côté ambiance, pas de violence mais un DJ résolument rock garage plutôt que Beethoven. Le tout dynamité par un happy hour parmi les moins chers de la capitale !

🍸 **L'Assassin** (plan couleur C1, **153**) : 99, rue Jean-Pierre-Timbaud, 75011. ☎ 01-49-23-08-96. ● contact@lassassin.com ● Ⓜ Couronnes. Tlj 9h30-2h ; service 12h-22h30 (23h30 ven-sam). Happy hours 18h-21h : pinte de bière 3,50 €, cocktail 4 € ; dim-mer, pintes de Stella et de bière 3 € tte la journée. Formules déj en sem 9-12,50 € ; carte env 20 €. Un bar-resto parigot où l'on vient tranquillement voir la vie s'écouler, dans la vaste salle ou en terrasse, loin des flots d'Oberkampf. Pour éponger, cheeseburger avec frites maison, qui ne vous tuera pas. Accueil sympa, à l'image des lieux. Apéro-concert le samedi 19h30-21h30. Un Assassin à fréquenter sans peur ni modération !

🍸 **Le Café Charbon** (plan couleur B1, **154**) : 109, rue Oberkampf, 75011. ☎ 01-43-57-55-13. Ⓜ Parmentier, Rue-Saint-Maur ou Ménilmontant. ♿ Tlj 9h-2h (4h jeu-sam) ; dernier service à 23h. Happy hours 17h-20h. Ouv slt le soir en août ; fermé 1er janv et 25 déc. À midi, formule 15,80 € et plat du jour 13,50 € ; brunch dim 19,50 €. Fréquenté par les anciens branchés de la Bastoche et les nouveaux nuiteux parigots, puisque communiquant avec le Nouveau Casino, ce troquet de quartier est devenu l'un des incontournables de la capitale. Les fresques 1900 et la savante lumière tamisée recréent une atmosphère bistrot début XXe s. Allez, on peut le dire, ce bar a une âme. Et on y mange pas mal. Tout pour plaire !

11e

♀ *Udo Bar* (plan couleur B1-2, **155**) : 4, rue Neuve-Popincourt, 75011. ☎ 01-49-29-06-36. Ⓜ *Parmentier*. Mar-sam 18h30-2h. Happy hours 18h30-20h30. Bières à partir de 2,50 € ; cocktails 5-7 €. Voici un véritable ovni dans le monde des bars parisiano-branchés : il semble s'être littéralement téléporté depuis Berlin ! Au milieu d'une décoration hétéroclite qui hésite entre sobriété et lyrisme romantique (oh ! la curieuse peinture), on vous servira de généreuses bières allemandes ainsi que des cocktails et autres *Apfelschorle*. Pour les petites faims, *Bratwurst* ou *Currywurst*, comme il se doit ! Tout ce petit monde s'agite sur de l'électro à l'allemande ou sur quelque rock teuton (mais pas que !). Souvent plein à craquer le week-end.

Où boire un verre en jouant au ping-pong ?

♀ *Gossima Ping Pong Bar* (plan couleur C1, **160**) : 4, rue Victor-Gelez, 75011. ☎ 09-67-29-75-79. Ⓜ *Ménilmontant*. Tlj 12h-2h (minuit lun, 20h dim). Bière 3,50 €, pinte 6,50 € ; cocktails 8-10 €. Partie de ping-pong 6 € les 30 mn. Un grand bar original, installé un peu à l'écart d'Oberkampf, au pied d'un immeuble des années 1930. Le concept ? À toute heure, on peut y jouer au ping-pong sur la dizaine de tables dispersées dans cet ancien garage. Entre 2 parties, on se déhanche sur la piste de danse ou on boit quelques coups pour se donner de l'énergie avant de se remettre dans la peau de Jean-Philippe Gatien. Un lieu original s'il en est ! *NOUVEAUTÉ*.

Où boire une bonne mousse ?

♀ *La Fine Mousse* (plan couleur C1, **162**) : 6, av. Jean-Aicard, 75011. ☎ 09-80-45-94-64. ● info@ lafinemousse.fr ● Ⓜ Ménilmontant ou Rue-Saint-Maur. Tlj 7h-2h. Bières 3-7 €. Planches charcuterie-fromages 10-12 €. 📶 La boisson à fine mousse revient en odeur de sainteté (tchin !) : ce bar nouvelle génération est l'un de ses missionnaires les plus convaincants. Décor sobre et confortable, fait de pierre brute et de murs immaculés. Un choix énorme à la pression (20 pompes, pas moins), 150 références bouteille et rien que des bières artisanales, locales ou du bout du monde. N'hésitez pas à demander conseil, les barmens exercent leur mission comme un sacerdoce. Une belle découverte !

Où sortir ?

♀ ♪ *U.F.O.* (plan couleur B1, **165**) : 49, rue Jean-Pierre-Timbaud, 75011. ☎ 09-53-41-19-18. Ⓜ *Parmentier*. Tlj 18h-2h. Happy hours 18h-20h. Bières 2,50-4,50 € ; cocktails 5-7 €. Ce sympathique bar du quartier Oberkampf tire son épingle du jeu grâce à son ambiance survoltée. Presque tous les soirs, jeunes du coin ou nouveaux venus se relaient au bar ou dans le petit salon aux canapés vintage, enchaînant bières belges ou caïpi, avant de descendre dans la cave pour danser sur quelques rengaines rock, garage ou soul (le week-end). Excellente ambiance et prix très raisonnables.

♀ ♪ *L'International* (plan couleur B1, **166**) : 5-7, rue Moret, 75011. ☎ 01-49-29-76-45. ● linternational. fr ● Ⓜ *Parmentier* ou *Ménilmontant*. Tlj 18h-2h. Happy hours jusqu'à 21h, sf cocktails. Bière 3,50 € ; cocktail 7,50 €. 📶 Un bar-concert alternatif du quartier Oberkampf qui programme chaque soir, dans la grande salle du sous-sol, des groupes de qualité en devenir ou confirmés. L'entrée est gratuite, l'ambiance jeune et sympa, et les tarifs sont raisonnables. Plein à craquer le week-end. Un bon plan.

♀ ♪ *Le Cannibale Café* (plan couleur B1, **167**) : 93, rue Jean-Pierre-Timbaud, 75011. ☎ 01-49-29-95-59. ● canni balekf@gmail.com ● cannibalecafe.

com ● Ⓜ Couronnes. Tlj 8h (9h w-e)-2h ; service continu 12h-minuit. Congés : Noël-Jour de l'an. Résa indispensable le soir jeu-dim pour se restaurer. Demi 2,20 € au bar ; pinte 4 €. Menus 9,90-25 €. ☏ Perdu dans Belleville, *Le Cannibale*, bien connu pour ses brunchs gargantuesques, ses burgers saignants et son bloody mary plus rouge qu'ailleurs, ne désemplit pas et tient son nom d'un tableau de Goya. Les vendredi, samedi et dimanche, *Le Cannibale* vous accueille pour des live ou des mix d'enfer.

Ⓨ ♪ ***L'Alimentation Générale*** (plan couleur B1, **168**) : 64, rue Jean-Pierre-Timbaud, 75011. ☎ 01-43-55-42-50. ● alimentation-generale.net ● Ⓜ Parmentier. Mer-dim 17h-2h (4h jeu, 5h ven-sam et minuit dim). Happy hours jusqu'à 21h : pinte et caïpirinha 4 €, kir 2 €. Concert mer-jeu et dim. Entrée gratuite en sem (ou 3-5 € selon programmation) et 10 € (avec une conso) le w-e après 22h. L'ALG nous régale avec ses programmations éclectiques et de qualité. Punk-musette, jazz, rock, chanson française, musique tzigane, concerts ou DJ... la sauce prend et on en redemande. Rayon déco, une grande salle au mobilier hétéroclite avec, au fond, une petite scène devant laquelle on se trémousse nombreux certains soirs.

Ⓨ ♪ ***Au Chat Noir*** (plan couleur B1, **169**) : 76, rue Jean-Pierre-Timbaud, 75011. ☎ 01-46-06-94-28. Ⓜ Parmentier. Tlj 9h (12h sam-dim)-2h. Bière 3,50 € ; cocktail 7 €. Voici l'adresse jazz d'Oberkampf ! *Au Chat Noir* mise sur une programmation de qualité de jazz contemporain, le tout dans un décor jaune aux murs jaune, rouge et vert décorés de photos noir et blanc, aéré, plein de sobriété, où il fait bon prendre un verre. L'accueil amical fidélise les passants du quartier. Concerts jazz et jazz manouche tous les soirs.

Ⓨ ♪ ***Pop In*** (plan couleur A2, **170**) : 105, rue Amelot, 75011. ☎ 01-48-05-56-11. ● denis@popin.fr ● popin.

fr ● Ⓜ Saint-Sébastien-Froissart. Tlj 18h30-1h30. Congés : 3 sem en août et Noël-1er janv. Demi 2,90 €, 1,50 € pdt l'happy hour (18h30-21h) ; pinte 5,70 € (3 € pdt l'happy hour). On se sent ici comme dans un vieux *flat* de la banlieue londonienne. Gays et hétéros s'y retrouvent pour commencer la soirée. Pas mal de groupes confirmés (indie pop ou pop folk) se sont fait les dents ici, lors des concerts (du lundi au jeudi). Les fins de semaine, on se déhanche devant les platines des DJs ou on vient tenter sa chance aux soirées « open mic » (le dimanche).

Ⓨ ♪ ***Le Panic Room*** (plan couleur A2, **171**) : 101, rue Amelot, 75011. ☎ 01-58-30-93-43. ● panic.room.bar@gmail.com ● lepanicroom.blogspot.com ● Ⓜ Saint-Sébastien-Froissard. Mar-sam 18h30-2h. Congés : 1er-15 août. Bière 3 € ; cocktail et coupe de champagne 9 € ; cocktail spécial « No Panic » (gin infusé au thé Mariage Frères et sucre de canne) 4 €. Happy hours 18h30-20h30 : bière et verre de vin 2,50 €, cocktail et coupe de champagne 5 €. ☏ Ce bar-club branché, à la lisière de Bastille, propose de bons cocktails maison dans un cadre moderne et épuré. La fête bat son plein dans la soirée, quand la fine fleur des DJs ou groupes parisiens y distille ses hits soul, rock ou électro. Un lieu mode.

Ⓨ ♪ ***Le Baron Samedi*** (plan couleur B1, **172**) : 12, rue des Goncourt, 75011. ☎ 01-43-57-31-58. ● aubaronsamedi.fr ● Ⓜ Goncourt. Tlj sf dim 17h-2h. Happy hours 18h-21h. Demi 2,50 € ; cocktail env 6,50 €. Planche fromages-charcuterie 10 €. C'est un petit troquet convivial, de brique et de bois, où l'on aime s'accouder au bar, se lover dans les fauteuils en cuir, écouter la bonne musique afro-américaine des fifties aux seventies ou danser sur la piste en fin de semaine au rythme de la soul, du R'n'B et du funk. Au-dessus des platines veille l'emblème du *Baron Samedi*, divinité vaudou « spécialisée » dans la transe...

Où danser ?

Ⓨ |●| ♫ ***Favela Chic*** (plan couleur A1, **181**) : 18, rue du Faubourg-du-Temple, 75011. ☎ 01-40-21-38-14. ● rosane@favelachic.com ● Ⓜ République.

11e

♨ Mar-sam 19h30-2h (5h ven-sam). Cocktail env 10 € ; bière thaïe 6 €. Plats 12-24 €. LE bar-club brésilien de Paris, qui n'a aucun concurrent à sa mesure. Dans une ambiance de carnaval carioca, au milieu d'un décor de cabane tropicale et branchée, on descend quelques doucereuses caïpirinhas avant de goûter à la *feijoada* et autres spécialités maison. La programmation fait la part belle aux rythmes venus du Brésil, mais comme on n'y est pas sectaire, on s'autorise quelques incursions vers le rock ou l'électro. Le week-end, l'ambiance est totalement survoltée, et on y danse fiévreusement jusqu'au matin. Une galerie et un miniclub à l'étage complètent ce tableau bariolé. *Todo bem !*

♫ **Le Nouveau Casino** *(plan couleur B1, 182)* : 109, rue Oberkampf, 75011. ☎ 01-43-57-57-40. ● presse@ nouveaucasino.net ● Ⓜ *Parmentier, Rue-Saint-Maur ou Ménilmontant.* Ouv presque tlj 19h30-2h (ou 6h). Entrée : 5-20 € selon affiche ; places en prévente (Fnac et Virgin). Consos 5-10 €. Oberkampf mise sur cette salle de concerts, avec mezzanine, qui peut accueillir 380 amateurs de pop-rock et d'électro pointue. Ce cadre futuriste se présente comme une grotte kaléidoscopique où sont projetés sur les parois des sons et des images. L'ambiance se veut imaginative et la déco polymorphe, en contraste avec le café *Belle Époque* situé juste devant. Autrefois ancien lavoir, puis fabrique de boucles de ceintures, le lieu a emprunté son nom au théâtre situé ici au début du XXe s.

♫ **Bar Les 4 Éléments** *(plan couleur A1, 183)* : 149, rue Amelot, 75011. ☎ 01-47-00-34-11. ● contact@bar4e lements.com ● Ⓜ *Oberkampf, République ou Filles-du-Calvaire.* ♨ *Mer 18h-2h, jeu 18h-4h, ven-sam 22h-4h ; juil-août, jeu-sam 22h-4h.* Happy hour 18h-21h. Bière 4 € (+ 0,50 € à partir de 2h) ; cocktails 9-12 € (+ 1 € à partir de 2h). 🛜 Un bar animé des nuits parisiennes. Son décor permet de cheminer à travers 4 éléments. Le bar, élément le plus chaud (le feu), surmonté d'une cabine de DJ, est le centre du lieu : on mixe ici de la musique électronique de qualité (techno, house, minimal...). Un jardin futuriste (la terre) permet de se poser et de discuter plus au calme, tranquillement installé dans un canapé aux formes organiques. Le fumoir (l'air) facilite la vie des danseurs... et des riverains. On vous laisse découvrir à quoi ressemble l'espace associé à l'eau.

À voir

AUTOUR DE LA PLACE DE LA BASTILLE

👀 **La place de la Bastille** *(plan couleur A-B3)* : aménagée dès 1803, elle ne prit sa forme définitive qu'avec la percée, 60 ans plus tard, du boulevard Henri-IV, et la construction de la caserne des Célestins et de la gare de la Bastille. Bien que celle-ci ait été démolie, il n'est pas du tout question d'en faire autant avec la caserne, qui abrite la Garde républicaine ! Napoléon avait fait le projet

MAIS OÙ ÉTAIT LA BASTILLE ?

On remarque le tracé des tours sur le sol au début de la rue – et non du faubourg – Saint-Antoine. La forteresse mesurait 66 m sur 30 m et était entourée de douves qu'on assécha (pour faciliter l'entrée des révolutionnaires ?) plus tard. Chacune des huit tours était haute de 24 m, et on les disait imprenables.

d'édifier à cet endroit une fontaine surmontée d'un éléphant colossal. Seuls les infrastructures, le bassin et le socle de cette fontaine furent réalisés. Encore visibles de nos jours, ils servent de base à la colonne de Juillet. Le fût porte le nom des victimes des journées révolutionnaires de juillet 1830. La colonne ne se visite plus, mais admirez, de loin, l'élégante balustrade (à 47 m de haut), les belles têtes de lion et le génie de la Liberté qui, en équilibre sur une seule jambe, tout en haut, paraît s'envoler.

🎬🚶 *L'Opéra-Bastille* est traité dans le 12e arrondissement.

🎬🚶 **La rue de Lappe** *(plan couleur B3)* avait mauvaise réputation à la fin du XIXe s, lorsque les apaches (les voyous de l'époque) y faisaient la loi. On y trouvait aussi des bals populaires où le bourgeois venait s'encanailler. Aujourd'hui, les façades sont ravalées, et de nombreux troquets et restaurants latinos, sympathiques et bruyants, l'ont envahie. Le week-end, y a de l'ambiance. À deux pas de l'animation de la Bastille, la rue cache des cours anciennes du vieux Paris qui ne manquent pas de charme, avec leur verdure campagnarde ; malheureusement, les digicodes en rendent l'accès difficile. Au n° 9, le fameux *Balajo,* inauguré en 1936 en présence de Mistinguett. Au n° 21, vieux passage Louis-Philippe (on y trouve le *Café de la Danse*).

🚶 **La rue de la Roquette** *(plan couleur B2-3) :* très longue puisqu'elle va jusqu'au Père-Lachaise. Maisons anciennes, restos, boutiques, passages se succèdent tout du long. Au n° 70, un dais abrite une fontaine de 1846 où l'eau coule de la bouche d'un grotesque ; au n° 84, une synagogue à la façade moderne constituée d'étoiles de David entrecroisées. Autre curiosité du quartier : sur le chemin du Père-Lachaise, au-delà de la

SISLEY TROUVE UN SPONSOR !

Eugène Murer, pâtissier boulevard Voltaire, nourrissait ses amis impressionnistes tous les mercredis. Un jour, il acheta un tableau à Sisley, sans le sou, et organisa une tombola dans sa boutique. La gagnante, voyant le tableau impressionniste, demanda à l'échanger contre deux religieuses (les gâteaux !). Ses héritiers doivent encore s'en mordre les doigts...

place Voltaire, deux prisons se faisaient autrefois face, la Petite Roquette et la Grande Roquette. Côté gauche, très mignon jardin public (square de la Roquette) sur l'emplacement de l'ancienne prison de la Petite Roquette, désaffectée en 1974 et dont demeure le porche. La Petite Roquette accueillit les enfants et jeunes de 6 à 20 ans, puis les femmes à partir de 1934. De 1940 à 1944, quelque 4 000 résistantes y furent détenues, une plaque le rappelle. La Grande Roquette en face, démolie en 1900, recevait les bagnards en attente de déportation, ainsi que les condamnés à mort. Subsistent encore, sur le sol, enchâssées à l'entrée de la rue de la Croix-Faubin, cinq dalles plates de granit destinées à accueillir les pieds de l'échafaud. Les exécutions étaient publiques, rue de la Roquette. De 1851 à 1900, 200 personnes y furent raccourcies, dont l'anarchiste Auguste Vaillant.

LE FAUBOURG SAINT-ANTOINE

🎬🚶 **Les passages parigots du faubourg Saint-Antoine** *(plan couleur B-C-D3) :* longue, longue, la rue du Faubourg-Saint-Antoine vous mènera jusqu'à la place de la Nation. Colonne vertébrale d'un important quartier d'artisans et de petites industries. Grâce à Louis XI, qui lui accorda une franchise totale pour l'installation de tous métiers et corporations, ceux du bois et de l'ameublement s'y établirent. Ailleurs, les compagnons menuisiers, membres

LA RÉVOLUTION A COMMENCÉ ICI

Au 31 bis, rue de Montreuil se trouvait la manufacture Réveillon, qui fabriquait du papier peint. Le 28 avril 1789, le patron eut la folle idée de baisser les salaires. Aussitôt, les ouvrières manifestèrent et la troupe chargea. Au total, 12 morts. La Révolution était en marche.

11e

des corporations, étaient obligés de perpétuer les modèles et les techniques enseignés et codifiés. Au faubourg Saint-Antoine, au contraire, d'habiles artisans, libérés de ces contraintes, donnèrent libre cours à leur créativité. C'est là que furent réalisées les premières décorations en bronze, les premières marqueteries, là encore que naquirent les plus beaux meubles Louis XIV, Louis XV ou Louis XVI, qui, tels ceux du célèbre style Boulle, allaient orner Versailles ou les palais de l'aristocratie. Il est difficile aujourd'hui d'imaginer la rigueur des règles imposées aux artisans. Ainsi, la plupart devaient travailler à boutique ouverte pour que les passants puissent constater la qualité des matériaux utilisés, et le travail de nuit était très sévèrement puni, car il aurait pu permettre des malfaçons !

Entretenant une énorme classe ouvrière, le faubourg fournit les plus gros bataillons de toutes les révoltes populaires : prise de la Bastille, Trois Glorieuses de 1830, émeutes anti-Louis-Philippe de 1832, révolution de 1848, résistance au coup d'État du futur Napoléon III en 1851 et la Commune, bien sûr. Rien d'étonnant, donc, que les manifestations ouvrières empruntent traditionnellement l'itinéraire Nation-Bastille-République ! À propos, savez-vous pourquoi le canal Saint-Martin est couvert sur 2 km à partir de la Bastille ? Tout simplement pour permettre aux troupes de le franchir plus vite en cas d'émeute (c'était au XIXᵉ s, bien sûr !). Élémentaire, non ?

De part et d'autre de cet axe, des passages et ruelles étroites où l'on peut encore voir travailler quelques ébénistes, tapissiers, doreurs... souvent dans de superbes cours. Comme partout, le commerce prend le pas sur l'artisanat... En un demi-siècle, le nombre d'artisans travaillant pour le meuble s'est réduit à une peau de chagrin.

🕴 **Musée Édith-Piaf :** *Voir texte « À voir » dans le 20ᵉ arrondissement.*

> ▶ Pour le plan du 12e arrondissement, voir le cahier couleur.

Le 12e arrondissement allie des centres d'intérêt aussi divers que remarquables, des quartiers populaires et d'autres totalement branchés. Dans la première catégorie, l'Opéra-Bastille ; la gare de Lyon, qui abrite une brasserie classée, *Le Train Bleu,* particulièrement spectaculaire ; la Promenade plantée, qui relie la Bastille au bois de Vincennes par une ancienne voie de chemin de fer ; l'aquarium de l'ancien musée des Colonies, la Cité nationale de l'histoire de l'immigration. Survivance du Paris qu'on aime, le marché d'Aligre, où urbains branchés et ménagères maghrébines font leurs courses dans une sympathique cohue, le dimanche en fin de matinée. Branchés, une partie du faubourg Saint-Antoine et de la rue de Charenton, vers la Bastille ; les arcades et le large trottoir de l'avenue Daumesnil, avec leurs artisans chic et leurs promeneurs à rollers qui envahissent les terrasses aux premiers rayons de soleil. Provincial et populaire, le périmètre de la place Félix-Éboué, dont les lions de bronze ne manquent pas de classe. Enfin, incontestables réussites, le parc de Bercy, qui abrite le palais omnisports, et le cour Saint-Émilion, reconversion des anciens chais. L'animation y est garantie le week-end.

Où dormir ?

De très bon marché à bon marché

🛏 *Hostel Blue Planet* (plan couleur A1, **1**) : 5, rue Hector-Malot, 75012. ☎ 01-43-42-06-18. ● contact@ blueplanethostel.com ● blueplane thostel.com ● Ⓜ Gare-de-Lyon. Attention, pas de résa l'été : arriver tôt le mat. Dortoir 3-5 pers 25 €/pers et par nuit, petit déj compris. CB refusées. 🖥 Petite AJ privée. Si le prix est bon, la qualité ne l'est pas forcément. Les dortoirs sont pourvus de lits superposés hors d'âge, et les sanitaires (en nombre insuffisant) ont vu du passage ! On regrette par ailleurs l'absence de cuisine à disposition (il faut se contenter d'un micro-ondes). Mais en attendant, l'adresse reste prisée des routards à budget serré. Obligation de quitter les chambrées de 11h à 15h30 pour le ménage (aléatoire...).

🛏 *Lux Hôtel Picpus* (plan couleur C1, **3**) : 74, bd de Picpus, 75012. ☎ 01-43-43-08-46. ● lux.hotel@wanadoo.fr ● parisluxhotel.com ● Ⓜ Picpus ou Nation. Doubles 64-79 € ; familiales 89-148 € ; petit déj 9 €. 📶 TV. Satellite. Parking payant. À quelques foulées de la place de la Nation, bien pratique. Chambres modernes et agréables, très bien entretenues et rénovées. Sur le boulevard, double vitrage. Petit déj copieux. Accueil chaleureux.

🛏 *Hôtel L'Aveyron* (plan couleur A1, **2**) : 5, rue d'Austerlitz, 75012. ☎ 01-43-07-86-86. ● hotelaveyron@gmail.com ● hotelaveyron.com ● Ⓜ Gare-de-Lyon ou Quai-de-la-Rapée. *Double 72 € ; petit déj 5 €.* 🖥 📶 *TV. Un petit 1-étoile basique mais bien situé. Chambres simples, salles de bains exiguës, mais l'ensemble est acceptable compte tenu des tarifs pratiqués dans le secteur.*

Prix moyens

🏠 **Hôtel du Printemps** *(plan couleur C1, 5) :* 80, bd de Picpus, 75012. ☎ 01-43-43-62-31. ● contact@ hotel-paris-printemps.com ● hotel-paris-printemps.com ● Ⓜ Picpus ou Nation. ♿ *Selon saison, doubles 90-140 €, familiales 120-160 € ; petit déj-buffet 10 €.* 🖥 📶 *TV. Canal +. Satellite. On se sent vite à l'aise dans cet hôtel convivial au charme discret et soigné, situé sur un boulevard tranquille proche des transports en commun. Les parties communes donnent envie de s'attarder (beau salon et salle de petit déj rustico-chic avec poutres et pierres apparentes, petit patio pour prendre l'air), tandis que les chambres, impeccables, ne déçoivent pas (couleurs taupe et blanc reposantes, meubles élégants, salles de bains exiguës mais bien conçues...). Une adresse cosy à prix d'ami, compte tenu des prestations.*

Chic

🏠 **Nouvel Hôtel** *(plan couleur C1, 6) :* 24, av. du Bel-Air, 75012. ☎ 01-43-43-01-81. ● nouvelhotel@wanadoo.fr ● nouvel-hotel-paris.com ● Ⓜ et RER A : Nation. *Doubles 104-145 € selon confort et saison ; chambres communicantes à prix attractif 175-200 € ; petit déj 12 €.* 📶 *TV. Un morceau de campagne à Paris. On débouche sur une belle terrasse dans une courette, prolongée par un adorable jardin très fleuri. Aux beaux jours, on y prend son petit déj. Les chambres, personnalisées de façon très élégante, donnent pour la plupart sur cet îlot de verdure improbable (la nº 109 y offre un accès de plain-pied). Pour ne rien gâcher, l'accueil et le service sont tout à fait charmants. Vous l'aurez compris, à ce prix à Paris, et même si l'on peut trouver moins cher, c'est l'une de nos adresses préférées.*

🏠 **Hôtel de la Porte Dorée** *(plan couleur D2, 8) :* 273, av. Daumesnil, 75012. ☎ 01-43-07-56-97. ● hotel-porte-doree@wanadoo. fr ● hoteldelaportedoree.com ● Ⓜ Porte-Dorée. *Doubles 80-165 € selon taille du lit et saison ; triples et suites familiales 105-210 € ; petit déj (bio) 12 €. Offres très intéressantes sur Internet.* 📶 *TV. Satellite. 10 % sur le prix de la chambre sur présentation de ce guide. Un hôtel familial très bien tenu, rénové avec beaucoup de goût dans un esprit déco et rétro très élégant. Certaines chambres ont même encore un poêle, une cheminée, voire une petite terrasse privative. Atmosphère intime et feutrée. L'adorable patronne met un point d'honneur à recevoir les couples avec enfants. Tout a été pensé pour qu'ils soient le plus à l'aise possible, jusqu'au Parc floral et au bois de Vincennes qui se trouvent tout près ! Une belle adresse de charme à prix raisonnables.*

🏠 **My Open Paris** *(plan couleur A1, 4) :* 35, rue de Lyon, 75012. ☎ 01-75-57-32-56. ● contact@myopenparis. com ● myopenparis.com ● Ⓜ Bastille ou Gare-de-Lyon. *Double env 150 €.* 📶 *TV. Satellite. Étonnant, pour ne pas dire insolite, cet îlot de sérénité au cœur d'un quartier des plus trépidant ! Poussez donc la porte d'un immeuble classique pour découvrir, au fond d'une cour, un beau jardin zen s'étendant devant la belle maison de la sympathique propriétaire Eanjo. Après avoir jeté un œil aux carpes koï qui barbotent dans les bassins, on découvre avec ravissement des studios et appartements soignés, joliment aménagés dans un style contemporain, et d'un excellent niveau de confort (TV satellite, clim, coin cuisine, et même le téléphone en illimité !). Une adresse rare.*

🏠 **Hôtel des Trois Gares** *(plan couleur A1, 7) :* 1, rue Jules-César, 75012. ☎ 01-43-43-01-70. ● h3g@ wanadoo.fr ● hotel-des-trois-gares. com ● Ⓜ Gare-de-Lyon ou Bastille. *Doubles 105-135 € selon saison. Réduc conséquentes sur le site de l'hôtel.* 📶 *TV. Satellite. À deux pas du port de l'Arsenal, un établissement pimpant tenu en famille. Les chambres sont fonctionnelles et propres (w-c et salle* de bains séparés dans les supérieures). Pour la petite histoire, ne cherchez pas la 3e gare, il s'agissait de celle de la Bastille détruite en 1971. Jetez un œil aux photos d'époque dans la salle du petit déjeuner. Accueil adorable.

■ **Grand Hôtel du Bel Air** (plan couleur C1, **9**) : 102, bd de Picpus, 75012. ☎ 01-43-45-30-51. ● resa@grandho telbelair.com ● grandhotelbelair.com ● Ⓜ Nation. Doubles 105-120 € ; familiales 120-170 € ; petit déj 8 €. Offres très intéressantes sur Internet. TV. Satellite. Câble. Parking payant. Chambres confortables à la déco plutôt chargée (des angelots par-ci, des émaux, des miroirs à moulures par-là...). Salles de bains ou de douche parfois toutes petites, mais certaines chambres sont dotées de baignoire ou de douche balnéo. Quant aux duplex, ils sont impeccables pour des familles. Un bon petit hôtel de quartier avec un brin d'originalité, tenu par une équipe sympathique.

Plus chic

■ **Le Quartier Hôtel – Bercy Square** (plan couleur C2, **12**) : 33, bd de Reuilly, 75012. ☎ 01-44-87-09-09. ● resa@ lequartierhotelbs.com ● lequartier hotelbs.com ● Ⓜ Daumesnil. Doubles 125-175 € selon saison ; petit déj-buffet 13 €. TV. Satellite. 10 % sur le prix de la chambre sur présentation de ce guide. Depuis le boulevard, difficile d'imaginer ce qui se cache au-delà de la lourde porte cochère et de la 1re cour. Dans un bel hôtel particulier, un hôtel hyper moderne, hyper design, parfaitement équipé, et doté d'un charme certain. Petit déj très complet. Patio séduisant et reposant, où l'on oublie vite l'agitation parisienne. En revanche, les chambres ne sont pas bien grandes. En réservant par Internet, vous bénéficierez sans doute d'une belle promo et vous aurez là un remarquable rapport qualité-prix.

■ **Hôtel Albe Bastille** (plan couleur zoom, **11**) : 66, rue de Charenton, 75012. ☎ 01-43-44-06-66. ● contact@ hotelalbebastille.com ● hotelalbebas tille.com ● Ⓜ Ledru-Rollin. ⚒ Ouv tte l'année. Doubles 155-180 € selon saison et type de chambre ; petit déj-buffet 13 €. TV. Canal +. Satellite. Câble. Hôtel de charme entièrement rénové dans un style néoclassique de bon ton et de bon goût : pierres apparentes dans les parties communes, beau dallage, mobilier élégant. Un ascenseur mène à des chambres impeccables et d'un confort irréprochable mais de tailles variables. La plupart donnent sur le patio arboré. Accueil disponible et excellentes prestations.

■ **Hôtel Claret** (plan couleur B2, **10**) : 44, bd de Bercy, 75012. ☎ 01-46-28-41-31. ● reservation@hotel-claret. com ● hotel-claret.com ● Ⓜ Bercy. ⚒ Doubles 145-160 € selon saison ; petit déj-buffet 12 €. TV. Canal +. Satellite. Parking payant. Café ou un petit déj/pers et par nuit en chambre double offert sur présentation de ce guide. Cet ancien relais de poste rompt quelque peu avec l'architecture du quartier. Transformé en 3-étoiles de charme, il concilie hôtellerie traditionnelle et confort moderne. Les 52 chambres douillettes offrent une déco sobrement contemporaine avec des poutres ou un plafond mansardé. Tout ça alors que la modernissime ligne 14 vous conduit à Châtelet en 4 mn et à Saint-Lazare en 8 mn. Autant dire que vous êtes en plein centre !

Spécial... demande en mariage !

■ ❙●❙ **Yacht Hôtel VIP Paris** (plan couleur A2, **13**) : port de la Rapée, 75012. ☎ 01-48-84-45-30. ● info@ le-vip-paris.com ● le-vip-paris.com ● Ⓜ Gare-de-Lyon ou Gare-d'Austerlitz. Jeu-dim, nuit avec dîner à bord et croisière env 222-280 €/pers ; grosses réduc sur Internet. TV. Satellite. Si près de la gare de Lyon et déjà tellement loin du brouhaha parisien ! Passer une nuit à bord face aux tubes futuristes de la Cité de la Mode et du Design est une parenthèse enchantée. Une vingtaine de petites cabines boisées, bien organisées, avec une literie confortable, un joli bureau devant les flots, et une salle de bains avec douche. Dîner à bord. Que c'est beau, Paris, et comme on aime se faire mener en bateau dans ces conditions !

Où manger ?

Sur le pouce

🍽 ●| **Bercy Village** (plan couleur B3, 23) : cour Saint-Émilion, 75012. Ⓜ Cour-Saint-Émilion. Tlj 11h-23h ; service continu. Sur les anciens chais et entrepôts de Bercy, un vaste complexe de plein air, au décor bien léché façon « Disney », où prennent place, le long d'une rue pavée et animée, des restos plutôt concept et branchés. Parmi les bonnes enseignes, la **Maison Kayser** avec, d'un côté, la boulangerie et la vente à emporter (sandwichs, salades, desserts, et même chocolats vendus au poids en libre-service) ou à consommer sur place ; de l'autre, le restaurant et sa carte de plats de saison exécutée par Taleb Daher, grand gagnant de Top Chef 2012. À côté, **Boco,** dont la maison mère est née dans le 1ᵉʳ et a fait des petits... Des recettes salées et sucrées signées de grands chefs et conditionnées en bocaux. Portions peut-être un poil justes, mais formules repas complètes très abordables. Pour finir, **Adam's,** qui a redonné à l'éclair ses lettres de noblesse quand il œuvrait chez Fauchon. Ici, pas (encore) d'éclair, mais des étincelles avec l'étonnant millefeuille décomposé, la barrette au chocolat et tant d'autres douceurs concoctées sur place, uniquement à base d'ingrédients naturels. Décor minimaliste, mais bonnes formules tartines et sandwichs pour un snacking sans faute ! Bref, des plans bons et pratiques avant ou après le ciné (juste en dessous !), et en terrasse aux beaux jours.

Bon marché

●| **Les Crocs** (plan couleur zoom, 20) : 14, rue de Cotte, 75012. ☎ 01-43-46-63-63. ● lescrocs@gmail.com ● Ⓜ Ledru-Rollin. Ven-dim 12h-14h30, ainsi que ven-sam 20h-22h30 ; les autres soirs, sur résa à partir de 12 pers. Carte env 25 €. CB refusées. Verre de vin blanc ou café offert sur présentation de ce guide. Un minuscule resto de quartier à la déco simple et chaleureuse, comme la cuisine. Le chef, Lulu, ne se fournit que chez de bons producteurs, tant pour les vins (bio) que pour les spécialités landaises ou les fromages et salaisons d'Auvergne, et à Aligre, le marché couvert voisin, pour les produits frais et la viande. Un rapport qualité-prix franchement correct, y compris pour la vente à emporter.

●| **Lolo et les Lauréats** (plan couleur B2, 24) : 68 bis, rue de Reuilly, 75012. ☎ 01-40-02-07-12. Ⓜ Montgallet. 🍴 À l'angle de la rue Montgallet. Tlj sf dim 7h-20h ; service 11h30-16h30. Formule 16,90 € ; plats du jour 12,90-15,90 € ; sandwich 3,60 € ; carte env 19 €. Ce bistrot au long comptoir de bois est la bonne affaire du quartier. Les vins sélectionnés et vendus au verre (pas cher), dont plusieurs sont médaillés du concours agricole, se boivent avec plaisir. Bonne cuisine de ménage et grande terrasse plein sud bien ensoleillée (chauffée en hiver).

Prix moyens

●| **Le Cotte Rôti** (plan couleur zoom, 36) : 1, rue de Cotte, 75012. ☎ 01-43-45-06-37. ● bistrot.lecotteroti@yahoo.fr ● Ⓜ Ledru-Rollin. Tlj sf sam midi et dim-lun ; service 12h-14h, 20h-22h30 (23h sam). Congés : 1 sem en mai, 3 sem en août et Noël-Jour de l'an. Formules déj 19-22 € ; menu 39 €. Le marché d'Aligre tout proche alimente sans doute, au gré des saisons, l'inspiration de ce jeune chef doué et créatif. Le midi, la formule laisse littéralement pantois, tant par la qualité de la sélection que par la générosité des assiettes. Le soir, l'ardoise est plus élaborée, mais elle ne fait pas pour autant rougir la carte bleue. Belle petite sélection de vins. Il a la cote, notre petit bistrot !

●| **Les Zygomates** (plan couleur C2, 32) : 7, rue de Capri, 75012. ☎ 01-40-19-93-04. ● info@leszygomates.fr ● Ⓜ Michel-Bizot ou Daumesnil. Tlj sf dim-lun ; service 12h-14h, 19h30-22h30. Congés : août. Résa conseillée. Formules et menus 16-18,50 € (le midi, café compris), puis 26-33,50 €. Café offert sur présentation de ce guide. Rien n'a changé dans cette charcuterie début XXᵉ s, reconvertie depuis en bistrot traditionnel plébiscité par les habitués du quartier, qui se précipitent sur le menu du déjeuner. Eh oui, la clientèle est satisfaite et ne s'en cache pas, ce qui a parfois des conséquences fâcheuses sur le niveau sonore ! Cette jovialité communicative ne nous a cependant pas fait perdre de vue que, le soir, le menu-carte a quelques euros de trop.

|●| **L'Ébauchoir** (plan couleur zoom, 35) : 43-45, rue de Cîteaux, 75012. ☎ 01-43-42-49-31. ● lebauchoir@orange.fr ● Ⓜ Faidherbe-Chaligny. Tlj sf dim et mar midi 12h-14h30, 20h (19h30 ven-sam)-23h. Congés : 11-18 août. Le midi, menus 13,50-15,50 € (lun-ven) et 24-27 € (lun-sam) ; le soir, carte slt, env 35 €. Belle carte des vins démarrant à 19 € avec des conseils pros ; vin au verre ou au compteur. La cantine des artisans, cols blancs et bobos du coin. Cuisine traditionnelle fort honnête. Le midi, c'est plein comme un œuf. Atmosphère bourdonnante, voire rugissante. Les serveurs virevoltent entre les tables et livrent de copieux plats du jour, comme le carré d'agneau irlandais aux épices ou le mignon de cochon sauce au miel.

|●| **Gentle Gourmet Café** (plan couleur A1, 31) : 24, bd de la Bastille, 75012. ☎ 01-43-43-48-49. ● gentlegourmetcafe@gmail.com ● Ⓜ Quai-de-la-Rapée ou Bastille. Tlj sf lun 11h-15h et 18h-23h. Formules déj 15-19 € ; carte 25-30 € ; brunch dim (11h30-13h) 19 €. Situé à deux pas de la Seine, près de l'Arsenal, voilà un bistrot dans la mouvance gastro-bio végétale. Animé par une équipe jeune et dynamique, on y retrouve bien sûr les ingrédients chers à la cuisine végétarienne comme le tofu et le seitan. Une grande place est accordée aussi aux légumes et fruits de saison. Le tout garanti (ou presque !) sans gluten. Plats et grosses salades le midi, joliment présentés, dans une ambiance tranquille et raffinée. Également des plats à emporter et une boutique-épicerie. NOUVEAUTÉ.

|●| **Tarmac** (plan couleur A1, 30) : 33, rue de Lyon, 75012. ☎ 01-43-41-97-70. ● brasserietarmac12@gmail.com ● Ⓜ Bastille ou Gare-de-Lyon. Tlj 7h30-1h ; service 11h30-23h30. Tapas à tte heure env 5 € ; formules sf dim 15,90-19,50 €, servies jusqu'à 21h ; le soir, carte env 30 € et menu ven-dim 26 € ; brunch w-e 19,90 €. Kir maison offert sur présentation de ce guide. Ce Tarmac nous a plus fait planer qu'atterrir ! Ce bistrot contemporain séduit par son cadre moderne et tendance, avec miroir, zinc, teintes blanches, et poétiques inscriptions aux murs. La carte est une invitation au voyage avec des tapas et des plats renouvelés, associant saveurs du monde, herbes et épices. Service diligent, carte des vins appropriée aux plats, et agréable terrasse.

|●| **Entre les Vignes** (plan couleur A1, 37) : 27 ter, bd Diderot, 75012. ☎ 01-43-43-62-84. ● foodies@hotmail.fr ● Ⓜ Gare-de-Lyon. Tlj sf sam midi et dim 12h-14h30, 19h30-21h30. Formules 25-30 €. Le patron, affable, concocte une cuisine savoureuse, égayée d'une touche de nouveauté. Le décor de la terrasse couverte ou de la petite salle est un cadre bien agréable pour apprécier, selon les saisons, le saucisson pistaché et ses pommes de terre tièdes, le risotto au vin rouge et effiloché de canard confit, ou l'entrecôte de Salers aux échalotes confites servie avec des frites à l'ancienne. Desserts simples et réussis, vins judicieusement choisis.

|●| **À la Biche au Bois** (plan couleur A1, 39) : 45, av. Ledru-Rollin, 75012. ☎ 01-43-43-34-38. Ⓜ Gare-de-Lyon. ♿ Tlj sf w-e et lun midi ; service 12h-14h30, 19h-22h45. Congés : de mi-juil à mi-août et 23 déc-2 janv. Résa conseillée. Menus 19-24,50 € (midi), puis 29,90 € ; carte env 32 €. Digestif maison offert sur présentation de ce guide. Cette bonne halte, à deux pas de la gare de Lyon, est la providence des voyageurs. D'ailleurs, ça ne désemplit pas. Certes, le décor est franchement quelconque, et les tables trop rapprochées n'invitent pas aux confidences amoureuses, mais la carte bistrotière est un vrai bonheur (fameux coq au vin servi toute l'année). Beau plateau de fromages bien affinés, pâtisseries maison et vins à prix raisonnables. On en sort repu !

12ᵉ

l●l *Les Bombis (plan couleur B1, 21) :* 22, rue Chaligny, 75012. ☎ 01-43-45-36-32. ● info@lesbombis.com ● Ⓜ Reuilly-Diderot. Tlj sf dim soir et j. fériés ; service 12h-15h, 19h30-23h. Formules déj 14,90-17,50 € ; le soir, menus 23,50-29,50 € et carte env 35 € ; brunch dim 18,50-24 €. Charmant, ce bistrot, avec ses éléments anciens conservés (comptoir en bois, carrelage géométrique gris et noir), sa belle hauteur sous plafond et ses éclairages tamisés. La carte est bistrotière comme il se doit, plutôt classique mais variant au gré des saisons, et les vins sont à prix doux. Accueil discret mais prévenant.

Chic

l●l *Café Barge Restaurant (plan couleur A2, 38) :* 5, port de la Rapée, 75012. ☎ 01-40-02-09-09. ● resa@cafebarge.com ● Ⓜ Gare-de-Lyon, Quai-de-la-Rapée ou Bercy. Le resto se trouve rive droite, entre le pont Charles-de-Gaulle et le pont de Bercy. Tlj sf sam midi et dim-lun 9h30-2h (dernière commande à 23h – minuit sam). Formules déj 15-30 € ; le soir, menus 29-43 €. Parking. Cette ancienne barge pétrolière sert de décor à un resto et à une cuisine d'inspiration méditerranéenne. Après 23h, le DJ assure le spectacle. On peut se contenter de boire un verre, une occasion d'admirer (ou non) les tables dessinées par des copains peintres qui exposent à tour de rôle. *And last but not least*, ne pas manquer d'aller faire un tour aux w-c, le design céramiques et hublot avec vue sur la Seine a son charme... Terrasse sur les quais, prise d'assaut aux beaux jours.

Bars à vins

l●l ♆ *Le Baron Bouge (plan couleur zoom, 45) :* 1, rue Théophile-Roussel, 75012. ☎ 01-43-43-14-32. Ⓜ Ledru-Rollin. Tlj sf dim soir et lun 10h-14h, 17h-22h (sam en continu 10h-22h). Assiettes composées 6-14 € ; oct-mars, le w-e, huîtres. Verres de vin à partir de 1,50 €. Ici, on commande au bar, puis on chipe, dans une conviviale promiscuité, un petit ballon, debout autour du fût ou sur un bout de trottoir. Une centaine de références en vente à emporter, dont 80 à boire sur place, venant de producteurs indépendants issus de tout l'Hexagone. Très agréable l'été en début de soirée ou le week-end pour profiter de l'animation du marché d'Aligre, tout proche, en dégustant des huîtres normandes et bretonnes (le week-end d'octobre à mars).

l●l ♆ *Le Siffleur de Ballons (plan couleur zoom, 44) :* 34, rue de Cîteaux, 75012. ☎ 01-58-51-14-04. Ⓜ Faidherbe-Chaligny. Mar-ven 10h30-15h, 17h30-23h ; sam 10h30-23h. Formules déj 14-15 € (soupe ou dessert, tartine du jour et verre de vin) ; petite planche de charcuterie ou de fromages 7 €, grande planche 14 €. Vins au verre 3,50-7 €. Les proprios de L'Ébauchoir (presque en face) ont ouvert ce sympathique petit bar à vins proposant une judicieuse sélection de flacons à prix doux, certains servis au verre. Mais comme le lieu n'a pas la licence de bar, il vous faudra mettre un peu de solide dans le liquide. Qu'à cela ne tienne, une petite planche de charcut' ou de fromages ne fera pas de mal, car en plus, c'est rien qu'du bon !

Cuisine d'ailleurs

Bon marché

l●l *Cappadoce (plan couleur C2, 53) :* 12, rue de Capri, 75012. ☎ 01-43-46-17-20. Ⓜ Michel-Bizot ou Daumesnil. Tlj sf sam midi et dim ; service 12h-14h30, 19h-23h30. Congés : août. Résa conseillée le soir. Formules déj 13-15 € ; menus 20-26 € ; carte env 25 €. Digestif maison offert sur présentation de ce guide. L'hospitalité turque empreinte de gentillesse et de discrétion, ainsi qu'une cuisine bien élaborée ont assis la réputation de *Cappadoce* bien au-delà du quartier. Salle intime sans être étriquée, éclairage tamisé. Menus bien pensés, végétarien, diététique et gastronomique. Service exquis et attentionné.

|●| **Jardins de Mandchourie** (plan couleur C2, **50**) : 34, allée Vivaldi, 75012. ☎ 01-43-45-58-88. ● resto-mandchourie@hotmail.com ● Ⓜ Montgallet ou Dugommier. ❖ Tlj sf lun ; service 12h-14h30, 19h-22h30. Formules 12-15 € (le midi), puis 20 € ; carte env 20 €. Vins à prix modérés. Dans cette salle un peu surdimensionnée, l'accueil est particulièrement sympathique, et la patronne saura vous expliquer toutes les richesses de cette délicieuse cuisine du nord-est de la Chine : salade d'algues (un goût vraiment venu d'ailleurs), rouleaux de canard rôti et grands classiques soigneusement mijotés (sauté de poisson croustillant).

|●| **Casa de España** (plan couleur zoom, **59**) : 72, av. Ledru-Rollin, 75012. ☎ 01-43-41-58-11. 📱 06-24-52-85-05. ● vartinmathias@gmail.com ● Ⓜ Ledru-Rollin ou Gare-de-Lyon. Tlj 12h-15h30, 18h30-1h. Formule déj 12 € ; assortiment de tapas 9,90 € le midi, 13,50 € le soir ; menus 18-25 € ; carte 15-20 €. Verre de sangria maison offert sur présentation de ce guide. À 5 mn à pied de la gare de Lyon, une escale bien pratique en terre ibérique (jusque sur les murs !) : assortiments de tapas classiques, paella (également à emporter) ou poissons a la plancha à prix plancher. Une cuisine honnête et copieusement servie. NOUVEAUTÉ.

Prix moyens

|●| **Assaporare** (plan couleur zoom, **58**) : 7, rue Saint-Nicolas, 75012. ☎ 01-44-67-75-77. ● assaporare@gmail.com ● Ⓜ Ledru-Rollin. Lun-ven 12h-15h, plus mer-sam 19h-22h. Congés : août. Formule déj 2 plats 16 € ; le soir, carte 26-35 €. Dans un cadre bobo-arty, le grand Giuseppe, napolitain, mitonne ses petits plats dans sa cuisine ouverte sur la salle. Il prend aussi le temps de commenter à ses clients chaque plat : des recettes du Sud essentiellement, juste simples et

bonnes. Deux ou 3 desserts, pas plus, mais en provenance directe de la meilleure pâtisserie de la côte amalfitaine. Belle carte de vins de producteurs à prix étudiés. Et l'accueil, extra, est tout en bonne humeur, comme là-bas.

|●| **Swann et Vincent** (plan couleur zoom, **54**) : 7, rue Saint-Nicolas, 75012. ☎ 01-43-43-49-40. Ⓜ Ledru-Rollin. Tlj 12h-14h30, 19h30-23h (23h30 ven-sam). Fermé 1er janv, 24 déc au soir, 25 déc et 31 déc au soir. Congés : 4-18 août. Résa indispensable. Formule déj 17,50 € ; carte env 35 €. Kir offert sur présentation de ce guide. Pâtes, fines escalopes de veau au citron, anchois frais marinés... Cuisine classique italienne servie dans un décor de bistrot rétro bien patiné avec grandes tablées idéales pour les bandes de copains ! Assez bruyant dans la grande salle et tables plutôt serrées.

|●| **Le Janissaire** (plan couleur C2, **55**) : 22-24, allée Vivaldi, 75012. ☎ 01-43-40-37-37. ● lejanissaire paris@gmail.com ● Ⓜ Daumesnil ou Montgallet. Tlj sf sam midi et dim 12h-14h30, 19h-23h30. Fermé 1er janv, 24 déc au soir et 25 déc. Résa conseillée. Menus 14,50-23 € (midi), puis 26-46 € ; carte env 30 €. Dans le prolongement de la Coulée verte, une délicieuse cuisine turque. Le choix sera difficile entre les mezze et les incontournables *böreks* (roulés au fromage). Les viandes sont grillées, cuisinées en papillote ou marinées dans un onctueux yaourt épicé. Belle carte de vins de Turquie. Décor agréable et résolument moderne, où se marient des œuvres de peintres turcs contemporains, des tapis anciens et de vieux documents officiels de l'Empire ottoman. Service discret et efficace. Aux beaux jours, agréable terrasse.

|●| **Jodhpur Palace** (plan couleur B2, **51**) : 42, allée Vivaldi, 75012. ☎ 01-43-40-72-46. ● jodhpurpalace@gmail.com ● Ⓜ Montgallet. Tlj 12h-14h30, 19h-23h. Menus 12-14,50 € (midi en sem), puis 26-30,50 € ; carte env 36 €. Thé indien offert sur présentation de ce guide. Un restaurant de cuisine du nord de l'Inde au décor enchanteur : soieries aux murs, paravents peints, gravures de princes moghols, éléphants sculptés, un vrai palais de radjah ! Toute la gamme

des plats penjabis et rajasthanis cuits au *tandoor* (four). Bel éventail de spécialités : samosas, *biryanis*, etc. Vins à prix doux et bières indiennes.

Chic

|●| *Les Amis des Messina* (plan couleur B1, 57) : 204, rue du Faubourg-Saint-Antoine, 75012. ☎ 01-43-67-96-01. ● contact@lesamis desmessina.com ● Ⓜ Faidherbe-Chaligny. Tlj sf sam midi et dim 12h-14h30, 19h30-23h (23h30 w-e). Congés : 2 sem en août et autour de Noël (aléatoires). Formules déj 15-19 € (entrée + plat ou plat + dessert) ; carte env 45 €. Dans l'assiette, du bon, du frais et une authentique cuisine sicilienne. *Antipasti* fignolés, pâtes al dente comme il se doit, poissons et crustacés irréprochables, viandes savoureuses et desserts à tomber. Vin sicilien en pichet. Service gentiment familier. Le chef, Ignazio, donne des cours pour qui veut s'initier aux secrets culinaires de sa terre natale.

Plus chic

|●| *La Gazzetta* (plan couleur zoom, 52) : 29, rue de Cotte, 75012.

☎ 01-43-47-47-05. ● Ⓜ *Ledru-Rollin*. Tlj sf lun 12h-14h30, 19h30-23h. Congés : août. Menus 19-21 € le midi, 39 € le soir. Luigi Nastri, chef romain, prend la succession du Suédois Petter Nilsson, et nous propose une balade dans le monde des goûts, des saveurs et des couleurs méditerranéennes. Une cuisine inspirée dans un décor néobistrot, noir et céladon, discret et élégant à la fois. Autant dire que la résa y est indispensable !

|●| *Sardegna a Tavola* (plan couleur zoom, 56) : 1, rue de Cotte, 75012. ☎ 01-44-75-03-28. ● Ⓜ *Ledru-Rollin* ou Gare-de-Lyon. Tlj sf dim et lun midi ; service 12h-14h30, 19h30-22h30. Congés : août et fêtes de fin d'année. Carte env 65 €. Sympathique auberge sarde, située à deux pas du marché d'Aligre. Cuisine familiale, pas franchement légère mais haute en couleur et en saveur. Belles charcuteries (celles qui pendent au-dessus de vos têtes), superbes *bruschette*, délicieuses suggestions de poisson ou de fruits de mer (renseignez-vous sur leur prix, car elles peuvent doper l'addition). En lisant bien la carte, on peut réussir à s'en sortir pour un prix encore raisonnable, d'autant que les portions sont très copieuses.

Où déguster et boire un chocolat ?

|●| 🍫 *Puerto Cacao* (plan couleur zoom, 82) : 2, rue Théophile-Roussel, 75012. ☎ 01-43-47-58-60. ● contact@ puerto-cacao.fr ● Ⓜ Ledru-Rollin. Mar-ven 11h-14h, 15h-19h ; sam-dim 9h-19h. Petit déj 5,10 €, brunchs 11,90-20,90 €. 🍴 Chocolat chaud traditionnel offert sur présentation de ce guide. Ce n'est pas tous les jours qu'on peut goûter un bon chocolat chaud

(4,50 €) et tomber sur du chocolat du Venezuela dans tous ses états : à boire, à manger, à consommer sur place ou à emporter ; à la lavande, aux baies roses ou au chocolat blanc aux fruits confits... Le chocolat est acheté dans le respect des règles du commerce équitable. Le week-end, petits déjeuners et brunchs. À consommer sans modération...

Où prendre un bon goûter ?

|●| 🍰 *She's Cake* (plan couleur A1, 83) : 20, av. Ledru-Rollin, 75012. ☎ 01-53-46-93-16. ● contact@shes cake.com ● Ⓜ Quai-de-la-Rapée ou Gare-de-Lyon. Mar-sam 10h30-20h. Formules déj env 8,50-12 € ;

cheese-cakes env 4-5 € 🍴 La toque vissée sur la tête et le tablier bien ajusté, Séphora n'a pas son pareil pour revisiter la vieille recette du cheese-cake. Sucrées ou salées, classiques ou franchement ludiques, ses créations aussi belles que bonnes se déclinent au gré de son humeur et de sa fantaisie. On se délecte d'un cheese-cake roquefort et noix, on poursuit avec une composition légère autour d'un fruit de saison, bref, on se régale... et on se promet de revenir très vite !

Où manger une glace ?

🍦 *Raimo Glacier (plan couleur C2, 59) : 59-61, bd de Reuilly, 75012.* ☎ 01-43-43-70-17. • contact@raimo. fr • Ⓜ Daumesnil. ♿ *Tlj sf lun 10h-22h (minuit ven-sam). Glace simple à emporter 3,50 € (5,70 € sur place), double 5 €, le 1/2 litre 15 € ; bombe glacée 16 € pour 4 pers.* 📶 *Créé en 1947, Raimo est le plus ancien glacier atrisanal de Paris ! Plus de 40 parfums à* damner un saint, classiques comme le marron glacé, le melon et la vanille, fleurons de la maison, ou plus inédits avec une glace au lait d'amande ou un sorbet citron basilic. Dégustation au salon de thé ou à la boutique. La maison a ouvert 2 nouvelles annexes, dans le *4e (17, rue des Archives)* et dans le *5e (65, bd Saint-Germain)*.

Où boire un verre ?

🍸 *Café La Liberté (plan couleur B1, 60) : 196, rue du Faubourg-Saint-Antoine, 75012.* ☎ 01-43-72-11-18. Ⓜ *Faidherbe-Chaligny. Tlj 9h (11h w-e)-2h ; resto le midi en sem slt, 12h-15h30 ou 16h. Pression 2,50 € ; ti-punch 5 € ; thé à la menthe et café 1 €. Plat du jour 10 €.* « Liberté, égalité, fraternité... et convivialité », tel pourrait être le slogan de ce café atypique : tranquille en journée avec ses habitués et sa cuisine tradi sans mauvaise surprise, il devient plus festif le soir avec concerts de chansons françaises les mardi et jeudi *(19h30-22h)*, fanfare, rock manouche ou musique latino. Déco minimaliste largement compensée par l'ambiance. Clientèle cosmopolite et popu, pour des prix démocratiques, rares dans le quartier. Certes, certains soirs, ambiance assez chaude si le degré d'alcool monte, mais ça reste un des derniers lieux authentiquement libertaires à Paris. Expos fréquentes.

🍸 *Le Barrio Latino (plan couleur A1, 61) : 46-48, rue du Faubourg-Saint-Antoine, 75012.* ☎ 01-55-78-84-75. • barriolatino@buddhabar. com • Ⓜ *Bastille.* ♿ *Tlj en continu jusqu'à 2h (2h30 ven, 3h sam) ; service 12h-15h, 19h30-0h45. Formules 16-19 € le midi, 29 € (sf sam)-40 € le soir ; brunch dim 34 €. Entrée payante le soir ven-sam et veilles de j. fériés (20 € avec 1 conso).* Un magasin de meubles a laissé place à cet immense endroit tendance latino et déco néobaroque soft. Sur plusieurs étages, 2 bars, un restaurant, un bar cubain et un espace VIP accessible par ascenseur. Attendez-vous à faire la queue les soirs de week-end. Un DJ chauffe l'ambiance tous les jours à partir de 23h30 ; salsa le dimanche 14h-19h30 *(12 €)*.

Où boire une bonne mousse ?

🍸 *Le Troll Café (plan couleur zoom, 62) : 27, rue de Cotte, 75012.* ☎ 01-43-42-10-75. • cafconc3@ yahoo.fr • Ⓜ *Ledru-Rollin. Tlj sf dim 17h-2h. Pressions 2,50-4 €, bières bouteille 5-7 €. Hot dog 3 € à tte heure.* Dans une rue jusqu'ici restée un peu confidentielle, un « ch'ti » bar à bières *(120 sortes en bouteille : belge, allemande, bretonne...)* où l'on sirote une Troll en toute simplicité, entre habitués et oiseaux de nuit fuyant l'agitation de Bastille, et on se surprend à penser : « C'est troll la vie quand même ! » Concerts en fin de semaine, et mardi dédié aux joueurs de go.

12e

Où boire un excellent cocktail ?

¶ ǀ⊙ǀ Le China (plan couleur zoom, **65**) : 50, rue de Charenton, 75012. ☎ 01-43-46-08-09. Ⓜ Ledru-Rollin ou Bastille. Tlj 12h-2h ; service 12h-15h, 19h-minuit. Happy hours 17h-20h. Cocktail env 12 € (7 € pdt l'happy hour). Formule déj 16 € ; brunch à volonté dim 31 €. Excellente nouvelle pour les dandys amateurs de cocktails : Le China a rouvert ses portes. Le somptueux décor chinois années 1930 reste inchangé (on s'y croirait !), et les cocktails sont toujours aussi fameux. Un lieu chic et choc. Petit tuyau : c'est un vrai plan en or pendant l'happy hour... Mais chut ! Possibilité de dîner (cuisine asiatique plutôt chère).

À voir

AUTOUR DE L'OPÉRA-BASTILLE

✹✹ L'Opéra-Bastille (plan couleur A1) : 120, rue de Lyon, 75012. Rens et résas : ☎ 0892-89-90-90 (0,34 €/mn). ● operadeparis.fr ● Ⓜ Bastille. Pour la loc des places de spectacle, rens et résas sur Internet ou par tél. Places 15-180 € selon spectacle. Également des places à 5 € (debout) en vente 1h30 avt chaque représentation, ainsi que des places de dernière minute à tarifs préférentiels pour les moins de 28 ans, retraités et demandeurs d'emploi. Concerts jeu à 13h (5 €) ou rencontres. Visite commentée de la scène et des ateliers (12 € ; réduc) ; programme et rens au ☎ 01-40-01-19-70 ; achat à la billetterie de l'opéra 10 mn avt la visite.

Si l'idée d'un opéra populaire n'était pas nouvelle (un rapport officiel de 1976 précisait : « L'art lyrique trouve au palais Garnier toutes les conditions pour cumuler la démocratisation minimale et la dépense maximale » !), c'est le président Mitterrand qui eut vraiment la volonté de le réaliser. L'emplacement de la Bastille, aux marches d'un quartier populaire, cette fusion de l'art et de l'industrie, lui plaisait énormément. Six projets furent sélectionnés. On attendait l'Américain Richard Meier, architecte de renom international ; ce fut le quasi inconnu Canadien-Uruguayen Carlos Ott qu'on sortit du chapeau. Son projet apparut pour beaucoup plutôt modéré, peu imaginatif. En tout cas, il réjouit les frileux qui redoutaient quelque chose de trop audacieux. Ça ne serait ni un palais ni un grandiose monument, mais un simple bâtiment ! Il sera finalement inauguré le 13 juillet 1989.

Quelques éléments techniques quand même : la grande salle propose 2 700 places et est dotée d'une machinerie complexe (immense scène avec nombreux plateaux mobiles pour permettre l'alternance des spectacles) ; également une scène de répétition de même dimension. La salle est élégante, tout en granit, poirier et verre. Le confort et la visibilité y sont meilleurs qu'à Garnier (plus de places en fond de loge) ; en revanche, sensation de vertige assurée dans les hauteurs ! Avant les représentations et lors de l'entracte, le foyer panoramique du 7ᵉ étage offre une vue extraordinaire sur la place de la Bastille et sur Paris à l'arrière-plan.

✹✹✹ Le marché d'Aligre (plan couleur zoom) : pl. d'Aligre, 75012. Ⓜ Ledru-Rollin. Ts les mat sf lun ; sam-dim sont les j. les plus intéressants. L'un des marchés parisiens les plus denses, les plus vivants. À midi, entre la place et la rue Crozatier, c'est la folie, on fait du sur-place. L'un des moins chers aussi. Au printemps, la place prend des allures de marché de Provence ou d'Afrique. Les cafés autour de la place sont bondés, animés et chaleureux, mais aucun ne vaut Le Baron Bouge (ou Rouge, c'est selon !). C'est l'abbé prieur de l'abbaye voisine qui autorisa les marchands d'habits et les riverains à vendre aux nécessiteux, à condition que ce soit très bon marché. D'autres grands seigneurs eurent le bon geste. Jusqu'aux reliefs des festins du Louvre qui venaient échouer chaque matin sur la place. On pouvait ainsi se vêtir et grignoter en seconde main, jusqu'en 1914. L'esprit est resté le même. Mais c'est la fripe qui tient le haut du pavé. Côté brocante pure, les exposants actuels sont des « volants », installés le week-end aux puces de Montreuil ou de Vanves.

– Amoureux de Gervaise, allez donc jeter un œil sur la façade d'un des derniers lavoirs parisiens, au 9, rue de Cotte. Sans sa cheminée de brique, on le prendrait pour une mairie de village.

☆☆☆ La Promenade plantée (*surnommée aussi* **viaduc des Arts** *; plan couleur A-B1-2) : nombreux accès (ts les 250 m env). Ouv de 8h (9h w-e et j. fériés) jusqu'au coucher du soleil.*

Excellente idée que d'avoir repris le tracé de l'ancienne ligne de chemin de fer Bastille – Saint-Maur (4,5 km) pour y aménager, depuis la gare de Lyon (croisement avenue Daumesnil-boulevard Diderot) jusqu'au boulevard périphérique, entre porte de Vincennes et porte Dorée, cette promenade pédestre traversant tout le 12e arrondissement.

Deux parties distinctes : l'axe longeant l'avenue Daumesnil, perché sur l'ancien viaduc transformé en jardin, puis l'axe Vivaldi (cyclo-pédestre, celui-ci), à niveau de rue ou en tranchée, avec quelques tunnels. Et, jalonnant ce parcours toujours agrémenté d'arbustes, de cerisiers, de massifs fleuris et d'« amoureux qui s'bécotent sur les bancs publics », trois ou quatre jardins spacieux, notamment le jardin de Reuilly, jolie cuvette où lézarder aux beaux jours.

Notons l'originalité du viaduc, qui permet d'observer les parties hautes des bâtiments de part et d'autre, les toits zingués et les détails d'architecture : immeubles tendance bourgeoise fin XIXe et début XXe s côté gare de Lyon, à dômes et frontons d'angle, balustres sculptés, et, côté nord, les ensembles plus populaires, de brique, des années 1920 ou 1930, avec leurs courettes, leurs réseaux de tuyaux-cheminées. Remarquable, le commissariat au croisement de la rue de Rambouillet : un look pas possible avec ses trois derniers niveaux comme des ponts de paquebot, ceints de cariatides colossales ! Sous vos pieds, tout au long du viaduc, plus de 50 boutiques et galeries d'art, logées dans les anciennes voûtes.

On arrive au jardin de Reuilly, que l'on enjambe par une longue passerelle. Ensuite, tronçon moins charmant entre immeubles modernes quelconques, mais très vite on descend 7 m en contrebas de tout, et là, c'est charmant. Verdure, oiseaux, et nous sommes à Paris ! Pour finir, on longe la calme rue du Sahel, pour arriver au périphérique. On passe dessous et hop, on atteint le bois de Vincennes.

☆ La gare de Lyon et Le Train Bleu (*plan couleur A1-2*) : bd Diderot, 75012. ☎ 01-43-43-09-06. ● le-train-bleu.com ● Ⓜ *et RER A : Gare-de-Lyon.* ☆ *Resto ouv tlj 11h30-15h, 19h-23h. Cher mais on peut se rabattre sur le menu « Réjane » à 60 €, demi-bouteille de vin comprise, servi midi et soir ; carte 65-80 €.*

Avec son somptueux *Train Bleu*, en bonne partie classé Monument historique, la gare mérite de figurer sur votre itinéraire. Le président de la République Émile Loubet inaugura lui-même au début du XXe s ce resto, chef-d'œuvre de l'art pompier et kitsch. Ce n'est que profusion de dorures, moulures, peintures représentant toutes les grandes villes traversées par le train, d'une richesse invraisemblable. L'endroit évoque irrésistiblement les madones des sleepings. Avant vous, Coco Chanel, Sarah Bernhardt, Edmond Rostand, Colette, Dalí, Jean Gabin et tant d'autres apprécièrent l'endroit. Luc Besson utilisa le cadre pour une scène forte de son film *Nikita*. On peut aussi se contenter, à défaut d'un repas, d'y boire un thé ou un chocolat sur les Chesterfield du bar à partir de 7h30. L'idéal pour lire journaux ou romans, entre deux trains...

Dans la gare, admirez le trompe-l'œil qui surmonte les guichets grandes lignes. Et, puisque vous êtes là, jetez donc un œil, devant la gare, à l'horloge, la plus grande de la capitale, construite en même temps que la gare à l'occasion de l'Expo universelle. La grande aiguille pèse à elle seule 38 kg !

✘ *La rue Crémieux* *(plan couleur A1)* : entre la rue de Bercy et la rue de Lyon (au niveau du nº 19), un intéressant modèle de cité ouvrière livré en 1865 clés en main. Une quarantaine de pavillons de deux étages d'une belle homogénéité bordent la voie pavée. En 1897, la rue prit le nom d'Isaac Moïse Crémieux, homme politique qui passa à la postérité pour avoir été à l'origine d'une loi donnant aux juifs d'Algérie la pleine nationalité française.

AUTOUR DE LA PLACE DE LA NATION

✘ *La place de la Nation* *(plan couleur C1)* : anciennement place du Trône, de 1660 à 1880, parce que c'est là que Louis XIV fit son entrée triomphale à Paris. Rebaptisée place du Trône-Renversé sous la Révolution. On y installa la guillotine, après que les habitants de la rue Saint-Honoré se sont plaints que les charrettes des condamnés passaient toujours sous leurs fenêtres. Si la « Veuve » fit un peu plus de 1 000 victimes en 13 mois à la Concorde, en revanche, place du Trône-Renversé, la lame chauffa à blanc, avec 1 300 exécutions en 43 jours ! Les deux pavillons et les colonnes de part et d'autre de la place sont des vestiges de la barrière du Trône de l'enceinte des fermiers généraux.

De là, vous pouvez faire un crochet par le méconnu cimetière privé de Picpus *(rue de Picpus ;* ☎ *01-43-44-18-54 ; lun-sam 14h-17h).* On y enterra les 1 306 guillotinés de la Nation. C'est entouré de ces beaux et vastes jardins que le 17 juin 1794, le tristement célèbre bourreau Sanson exécuta 54 personnes en... 24 mn !

PIQUE, PUCE...

Ce serait à une étrange épidémie de boutons (dus aux puces !) qui toucha une bonne partie des habitants du secteur au XVIᵉ s qu'on doit cet étrange nom propre qu'est Picpus, aujourd'hui attribué à un cimetière, une rue et un boulevard.

LE QUARTIER DE BERCY

Il s'agit de toute la partie comprise entre la gare de Lyon et la porte de Bercy, avec deux pôles principaux : le ministère des Finances et l'aménagement des anciens chais de Bercy, aérés par le bel espace du parc de Bercy.

Au 8, rue de Bercy, jetez un coup d'œil au bizarre tumulus recouvert de gazon et d'une structure métallique : il s'agit du *palais omnisports de Paris-Bercy,* le temple parisien du sport. Les constructions les plus récentes, du côté des chais Saint-Émilion et Lheureux, plus fantaisistes, sont la preuve que béton ne rime pas toujours avec grognon.

DES BULLES AU ROBINET

Dans le jardin de Reuilly (plan couleur B2), on découvre une fontaine originale, puisque l'eau qui en sort est... pétillante ! Ce résultat insolite est obtenu grâce à un procédé de gazéification. Alors, tournée de bulles gratuites pour tous ! Et désormais, on en trouve deux autres dans la capitale (13ᵉ et 15ᵉ).

✘ *Le ministère des Finances*
(plan couleur A-B2) : face au palais omnisports. Ⓜ *Bercy.*
Un produit du double septennat de François Mitterrand, qui avait déclaré en 1981 : « Il faut rendre le Louvre à l'histoire de France » et annoncé le transfert du ministère, qui occupait une aile du palais du Louvre depuis 110 ans.
À Bercy, l'« immeuble-pont ». Œuvre de Paul Chemetov et Borja Huidabro. Côté palais omnisports, la façade du ministère reprend (en plus démesuré) le rythme architectural du métro aérien. Côté Seine, le portique a les pieds dans l'eau et se termine en loggia à l'italienne. Un bateau rapide conduit les ministres à la Chambre

des députés en 11 minutes... et sans perdre de points ! Tout le long du ministère court un mail agrémenté d'arbres et d'œuvres d'art. Survivance du passé, les deux bâtiments de l'octroi bâtis sous Napoléon Ier et situés à côté de chaque portique.

🚶 Les anciens entrepôts de Bercy (Bercy-Village ; plan couleur B2-3) : Ⓜ Cour-Saint-Émilion.

Pendant des siècles, ce quartier (situé à l'est du palais omnisports et s'étendant de part et d'autre de la rue de Dijon) fut dévolu au commerce du vin. Le bourgogne arrivait en péniche en descendant la Seine, le porto, lui, la remontait. Ce qui fut la capitale du vin depuis 1860 est devenu un grand parc de 800 m de long (plus de 13 ha), baptisé *jardin de la Mémoire* (voir, plus bas, « Le parc de Bercy »). Tout le long ont été construits des logements (plutôt réussis) et des bureaux. Noter les formes démentes, expressionnistes en diable, de l'ex-*American Center,* signé Frank O. Gehry. Prémonitoire, en quelque sorte, de son actuelle affectation : la Cinémathèque (voir ci-dessous).

Quelques entrepôts et chais, notamment la cour Saint-Émilion et les pavillons Lheureux, ont été conservés et rénovés, témoignages d'une architecture industrielle retouchée par Viollet-le-Duc. Ils abritent, entre autres, le merveilleux musée des Arts forains (voir plus loin), des commerces pour la table ou la maison, et des restaurants. Des architectes y ont adjoint, non sans talent, de nouveaux bâtiments et un complexe cinématographique. Le week-end, aux beaux jours, les terrasses y sont prises d'assaut. À côté s'élève Zeus, un important (et imposant) centre d'affaires. Comme on le voit, l'Est parisien s'est réveillé ! La passerelle Simone-de-Beauvoir relie le jardin de Bercy au secteur Tolbiac, de l'autre côté de la Seine, là où s'élèvent la Bibliothèque nationale de France, la nouvelle université parisienne, un cinéma, et désormais la Cité de la Mode et du Design. Complétés par la piscine flottante Joséphine-Baker, qui a pris la relève de la regrettée piscine Deligny.

🎬🎬🎬 👫 La Cinémathèque française – Musée du Cinéma (plan couleur B2) :
51, rue de Bercy, 75012. ☎ 01-71-19-33-33. • cinematheque.fr • Ⓜ Bercy. ♿ Tlj sf mar, 1er janv, 1er mai, août et 25 déc. Réservez vos billets en accès prioritaire en magasin et sur • fnac.com • Projections à partir de 14h30 (6,50 € ; réduc). Expo permanente tlj 12h (10h dim)-19h (6 € ; réduc ; gratuit dim 10h-13h) ; expos temporaires (10 € ; réduc). Médiathèque ouv lun et mer-ven 10h-19h, sam 13h-18h30 (3,50 € ; formules d'abonnement). Visite architecturale le 1er dim de chaque mois à 14h (8 €). Durée : 2h.

Dans l'ancien *American Center,* conçu par l'architecte Frank O. Gehry – un édifice suffisamment intéressant en lui-même pour faire l'objet de visites guidées régulières –, on trouve une exposition permanente dédiée à l'histoire du cinéma, quatre salles de projection, la BiFi (Bibliothèque du film), une galerie qui accueille deux expositions temporaires chaque année, une médiathèque, une librairie et un restaurant.

L'exposition des collections permanentes présente des objets qui illustrent la naissance et l'essor de cette invention qui allait révolutionner le XXe s. Chronophotographies, lanternes magiques, boîtes d'optique, projecteur de Louis Lumière, maquettes de décors, caméra Mitchell, indissociable de la légende hollywoodienne : la collection doit beaucoup au fondateur de la Cinémathèque, Henri Langlois, qui, non content d'amasser les films (depuis 1936 jusqu'à sa mort, en 1977), de les sauver

UNE MATINÉE COMME UNE AUTRE À LA CINÉMATHÈQUE...

... Jusqu'à ce que le facteur dépose un mystérieux colis. La secrétaire d'Henri Langlois ouvre la boîte et tombe illico dans les pommes... Langlois accourt, sort l'objet et, stupéfait, s'aperçoit que c'est encore un tour de sir Alfred Hitchcock. À l'intérieur, la tête de Mme Bates, terrifiante héroïne de Psychose ! Cet objet mythique est toujours l'un des objets cultes des collections de la Cinémathèque française.

12e

(allant jusqu'à les stocker dans sa baignoire !) et de les montrer à plusieurs générations de cinéphiles, sut voir la magie, la poésie de ces premiers témoignages.

Au fil des vitrines, les amoureux du septième art reconnaîtront avec émotion un Sélénite du *Voyage dans la Lune* de Georges Méliès, la femme-robot de *Metropolis* de Fritz Lang ou trois roues dentées de la machine qui engloutit Charlot dans *Les Temps modernes*. Affiches rares, costumes célèbres et spectaculaires, portés par Erich von Stroheim, Marlene Dietrich ou Isabelle Adjani, éléments de décor, extraits de films : que des merveilles, qui sont renouvelées, la place manquant pour pouvoir tout montrer.

La Galerie des donateurs, située sur la mezzanine du musée, présente les nouvelles acquisitions autour de thèmes : Jean Cocteau et le cinéma, Langlois et les arts…

Les quatre salles de projection sont dotées des dernières avancées techniques et d'un excellent confort. Parfait donc pour assister aux différentes rétrospectives autour d'un cinéaste, d'un acteur, d'un thème, ainsi qu'aux programmations régulières (« Histoire permanente du cinéma », « Cinéma d'avant-garde », etc.). Également des conférences et des rencontres avec des cinéastes.

La galerie d'exposition temporaire, de 600 m², vient compléter la programmation cinéma. Ces expos présentent l'œuvre d'un cinéaste ou un courant cinématographique, et parfois mettent en dialogue le septième art avec d'autres expressions artistiques.

Ateliers et séances « Jeune public » ou « Cinéma en famille ».

➢ **Promenade des vignobles de Bercy :** *3,5 km balisés, un peu plus de 1h sans les arrêts, du métro Bercy au métro Porte-Dorée. Possibilité de raccourcir de 20 mn en s'arrêtant au métro Porte-de-Charenton. Réf. : topoguide Paris à pied, avec cartes, éd. FFRP.* Traversez, du métro Bercy, la rue de Bercy pour entrer dans le parc, à l'est du palais omnisports (POPB). Des tulipiers de Virginie environnent le *Canyoneaustrate,* bassin sculpté par Gérard Singer. Suivez l'allée dallée marquée d'un trait en granit poli. Dépassant un rideau de chênes, vous atteignez les grandes pelouses marquées encore du cheminement des entrepôts et des rails de la voirie.

Le parc de Bercy – Yitzhak-Rabin (plan couleur B2-3) : ● parcsetjardins. equipement.paris.fr/parc_de_bercy ● Tlj 8h (9h dim-lun)-19h (et jusqu'à 21h30 selon saison).

Avec ses presque 14 ha, l'un des plus grands parcs aménagés de Paris depuis les travaux d'Haussmann. L'endroit évoque l'activité vinicole florissante du XIXe s, avec ses rues pavées et ses rails restés en l'état. En effet, le vin était acheminé par la Seine en bateaux-citernes, puis en wagonnets jusqu'aux entrepôts. Ouvert en 1994 et aménagé à l'emplacement des anciens entrepôts à vin, il abrite des arbres centenaires, d'anciennes allées pavées, ainsi que quatre chais rénovés. D'ouest en est, une prairie (où l'on peut musarder), neuf parterres thématiques parsemés de treilles et de vignes. Puis vient le Jardin romantique, de part et d'autre de la rue Joseph-Kessel, avec son lac et son jardin du Philosophe (dont les arches en pierre proviennent de l'ancien marché Saint-Germain). Une terrasse de 8 m de haut, bordée de tilleuls et agrémentée de « sculptures du monde » (les enfants adorent !), sépare le parc de la voie Georges-Pompidou, et trois passerelles relient les deux côtés du jardin sans que l'on ait à poser le pied sur l'asphalte. Au détour d'une allée, au milieu des nénuphars, sculpture en bronze d'Étienne-Martin, *La Demeure x,* genre œuvre d'art d'aire d'autoroute…

Au cœur du parc, une **Maison du jardinage** (☎ 01-53-46-19-19 ; au rdc ; tlj sf lun 13h30-17h30 – 17h en hiver, 18h30 oct et mars ; GRATUIT ; dans la salle d'actualité) a été installée dans une construction de la fin du XVIIIe s. Ses 130 m² sur deux étages abritaient auparavant le service des taxes sur les vins et spiritueux. Cet espace entouré de parterres permet de s'initier aux secrets du jardinage. Avis à ceux qui ont la main verte : petites salles d'exposition sur ce thème, ainsi qu'une bibliothèque centrée sur… l'horticulture !

Dans la partie est du parc, la *maison du Lac,* ancien poste des gardes de l'entrepôt, propose des conférences sur l'écologie urbaine et l'histoire des jardins, des expositions temporaires autour du thème des jardins : affiches publicitaires, bande dessinée...

➤ Ressortez rue François-Truffaut, à côté de la station de métro Cour-Saint-Émilion. Là, en deux pas vous rejoignez les chais et entrepôts restaurés. D'abord, la jolie *cour Saint-Émilion,* qui accueille librairie, restaurants, bars à vins et boutiques bobo-tendance. Sur votre droite, en bord de Seine, le complexe de cinéma, hyper moderne comme le reste du quartier. Si vous préférez retrouver l'ambiance « vieux chais », tournez plutôt le dos à la Seine et poussez jusqu'aux pavillons Lheureux, superbe carré encadré par la rue du même nom, l'avenue des Terroirs-de-France, la rue des Pirogues-de-Bercy et celle du Baron-Le-Roy (ah ! tous ces noms évocateurs...). Cette ville dans la ville, classée à l'Inventaire supplémentaire des Monuments historiques, traversée par deux rues, un patio, ponctuée de platanes centenaires et dallée de plus de 17 000 pavés, se nomme maintenant les *pavillons de Bercy,* et, honte à l'État, c'est une société privée qui a financé la majeure partie des rénovations et restaurations. Vous y trouverez le beau musée des Arts forains.

🎭🎨🤸 *Le musée des Arts forains (plan couleur B3) :* 53, av. des Terroirs-de-France, 75012. ☎ 01-43-40-16-15. • *pavillons-de-bercy.com* • *arts-forains.com* • Ⓜ Cour-Saint-Émilion. ♿ *Visites organisées tte l'année, slt sur résa pour des groupes de 25 pers min, ou, pour les individuels, possibilité de se raccorder à un groupe constitué ; appeler pour réserver à l'avance. Ouvertures ponctuelles (Journées du patrimoine, 10 j. à Noël). Tarifs : 16 € ; 8 € 4-11 ans. Les tarifs ont bien augmenté, dommage...*

La fête foraine connut son apogée vers 1900. Féerie des manèges, baraques et attractions aux décors uniques, monumentaux parfois, toujours très travaillés, lumineux, naïfs et fantastiques. On se prend alors à rêver à ces colossales fêtes itinérantes qui comptaient jusqu'à 1 000 métiers et dont on retrouve la merveilleuse atmosphère. D'autant que ce musée est en fait un musée-spectacle : ici, on a le droit de manipuler et même de monter sur certains manèges (qui fonctionnent !). D'où ce système spécifique de visite, toujours encadrée.

Manège de vélos (que l'on fait avancer en pédalant !), course de garçons de café, balançoire allemande à petits bateaux baptisés *Fritz* ou *Elke,* jeu de massacre des Pieds Nickelés, stand de tir renvoi-nougat, tout enchante, et mille détails retiennent l'attention. S'y ajoutent trois autres espaces, les Salons vénitiens, le Théâtre du Merveilleux et le Théâtre de Verdure, toujours motivés par le même esprit festif et superbement décorés. Et dans les Salons vénitiens, un spectacle son et lumière « De Monteverdi à Verdi », qui propose des airs d'opéra chantés par des automates.

La mise en scène de ce palais de l'illusion est extraordinaire : automates, éclairage, projections d'images vidéo, effets d'optique, perspectives et jeux de miroirs jouent avec les décors forains et végétaux pour créer une atmosphère totalement insolite. Le tout, bien évidemment, tourbillonne et carillonne à qui mieux mieux. Jean-Paul Favand, à qui l'on doit cette remarquable collection, a créé un lieu-mémoire de l'esprit festif du début du XXe s.

LE BOIS DE VINCENNES *(plan couleur D3)*

Ⓜ *Château-de-Vincennes, Porte-Dorée ou Porte-de-Charenton ; RER A : Joinville-le-Pont, Fontenay-sous-Bois ou Nogent-sur-Marne. Procurez-vous le topoguide Paris à pied, éd. FFRP (avec cartes) : une petite balade (7 km, 2h sans les arrêts) qui contourne le Parc floral et le lac des Minimes, depuis le métro Château-de-Vincennes.*

Situé au-delà du périphérique, le bois de Vincennes appartient pourtant à la Ville de Paris, plus précisément au 12e arrondissement, depuis 1926. C'est même la

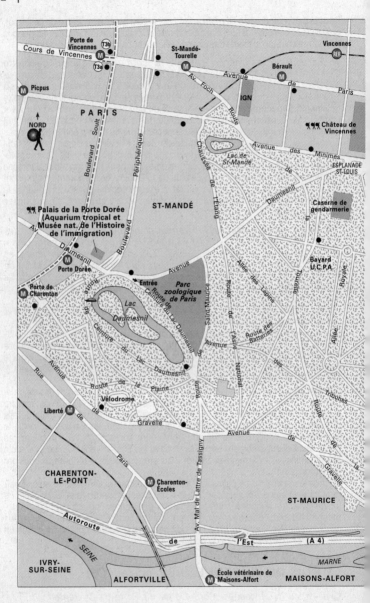

Cours de Vincennes

Porte de
Vincennes T3b
M
T3a

St-Mandé-
Tourelle

Vincennes
RER

M Picpus

Av. Foch

Avenue

Bérault
M

de

Paris

IGN

P A R I S

NORD

Boulevard Soult

Périphérique

Château de
Vincennes

Avenue des Minimes

Lac de
St-Mandé

Chaussée de l'Etang

de

Daumesnil

ESPLANADE
ST-LOUIS

ST-MANDÉ

Palais de la Porte Dorée
(Aquarium tropical et
Musée nat. de l'Histoire
de l'immigration)

Av. Daumesnil

Boulevard

M
Porte Dorée

Porte de
Charenton M

Route

des

Entrée

Route Ceinture du Lac Daumesnil

Avenue

Parc
zoologique
de Paris

Caserne de
gendarmerie

Route de l'Asile National

Allée des Lapins

Bayard
U.C.P.A.

Tourelle

Allée

Royale

Lac
Daumesnil

Ceinture du Lac

Daumesnil

Route de Saint-Maurice

Route des Batteries

des

Avenue

Rue

Avenue

de

Route de la Plaine

Vélodrome

Gravelle

National

Tribunes

Route

de

la

Gravelle

Liberté M

de

Paris

Avenue

de

CHARENTON-
LE-PONT

M Charenton-
Écoles

Av. Mal de Lattre de Tassigny

ST-MAURICE

Autoroute

de

l'Est

(A 4)

SEINE

MARNE

IVRY-
SUR-SEINE

ALFORTVILLE

École vétérinaire de
M Maisons-Alfort

MAISONS-ALFORT

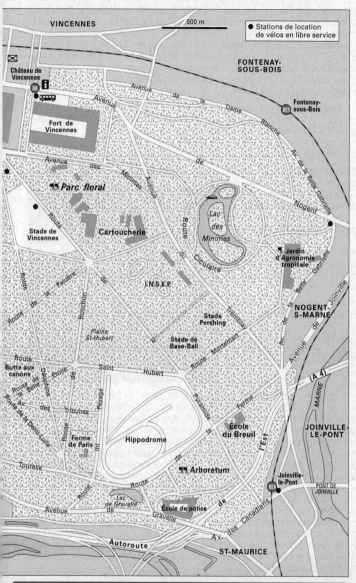

VINCENNES

500 m

● Stations de location
de vélos en libre service

FONTENAY-
SOUS-BOIS

Château de
Vincennes

Avenue   de   la   Dame   Blanche

Fontenay-
sous-Bois

Avenue

Fort de
Vincennes

Avenue   des   Minimes

de

Nogent

Parc floral

Avenue

Route

Lac
des
Minimes

Stade de
Vincennes

Route

Cartoucherie

Route du Circulaire

Jardin
d'Agronomie
tropicale

Belle Gabrielle

de Joinville

Route   de la   Faufère

Bourbon

de

I.N.S.E.P.

Tremblay

NOGENT-
S-MARNE

Avenue

de

Route
Butte aux
canons

Dauphine

Route de
la Belle

Étoile

Plaine
St-Hubert

Saint

Stade
Pershing

Stade de
Base-Ball

Route Mortemart

(A 4)

MARNE

Av. des   Tribunes

Pesage

Hubert

de

la

ferme

JOINVILLE-
LE-PONT

Route de la Demi-Lune

Ferme
de Paris

Hippodrome

École
du Breuil

Pyramide

l'Est

Tourelle

Route

Arboretum

de

Joinville-
le-Pont

PONT DE
JOINVILLE

Avenue

Lac
de Gravelle
de

École de police

Gravelle

de

Av. des Canadiens

Autoroute

ST-MAURICE

LE BOIS DE VINCENNES

plus grande promenade parisienne. Comme au bois de Boulogne, le chêne y est l'espèce dominante, les érables et les pins sont également bien représentés. Lors de la tempête de décembre 1999, 50 000 arbres sont tombés ou ont dû être abattus. 80 ha se sont régénérés naturellement et 130 autres ont été replantés. Il faut maintenant laisser Dame Nature agir, et éviter de piétiner les jeunes pousses en pleine croissance. Certains vieux arbres, fragilisés par l'ouragan ou la canicule de 2003, ont malgré tout été conservés sur pied, en guise de nichoirs et de garde-manger pour la faune.

– 🚣 **Barques :** mars-nov, au lac Daumesnil ou au lac des Minimes, plus enfoncé dans les bois (un poil moins cher que le 1ᵉʳ et plus sympa car moins fréquenté). ● paris.fr ● Lac Daumesnil : ☎ 01-43-28-19-20 ou 01-43-65-21-58 ; tlj 10h-19h ; 12 €/h pour 1-2 pers, 13 €/h pour 3-4 pers ; caution de 10 €. Lac des Minimes : ▤ 06-86-08-01-12 ; 10 €/h pour 1-2 pers, 12 €/h pour 3-5 pers.

– **Et de nombreuses autres activités :** on trouve tout au bois de Vincennes ! Un temple de l'amour et sa romantique grotte au lac Daumesnil, des clubs équestres, des circuits de cyclotourisme, des aires de jeux, des terrains de boules, des parcs aménagés pour les enfants (aux squares de la Croix-Rouge et de Saint-Mandé)...

🎭 🚶 **Les jardins et l'arboretum de l'école Du Breuil :** route de la Pyramide, bois de Vincennes (près de l'hippodrome), 75012. ☎ 01-53-66-14-00. ● ecoledubreuil.fr ● RER A : Joinville-le-Pont. Tlj 9h-17h (jusqu'à 19h selon saison). GRA-

LE SAVIEZ-VOUS ?

Des centaines de familles se mobilisent bénévolement chaque année afin d'accueillir des chiots sélectionnés pour devenir chiens-guides d'aveugles. Leur rôle est d'éduquer le chien avant son entrée à l'école des chiens-guides, située au 105, avenue de Saint-Maurice, dans le bois (obéir aux ordres, être propre...). Un précieux bénévolat qui permet à la Fédération française des associations de chiens-guides d'aveugles (FFAC) d'offrir gratuitement quelque 150 chiens-guides par an à des personnes aveugles ou malvoyantes. Journées portes ouvertes régulières. Plus d'infos sur ● paris.chiensguides.fr ●

TUIT. EcoJardin et Jardin remarquable, le domaine de l'école Du Breuil offre 23 ha de diversité paysagère : roseraie contemporaine, rocaille, vivaces, jardin paysager, collection d'arbustes et plantes saisonnières (bulbes et bisannuelles au printemps, et plus de 1 000 variétés l'été). Et différents milieux qui permettent de découvrir 654 essences de feuillus et de conifères : oranger des Osages, pin faiseur de veuves, et de nombreux autres arbres remarquables à découvrir de part et d'autre de deux charmantes rivières. Quant aux serres, pépinière, potager et verger, on peut les visiter lors des journées portes ouvertes (en mai). L'arboretum déroule ses bosquets de chaque côté d'une belle allée centrale. Au milieu des 300 espèces et variétés, on découvrira le chicot du Canada, les épicéas, le prunus de Pissard, les pommiers à fleurs, etc. On peut voir et revoir sans s'en lasser, aux différentes époques de l'année, plus de 2 000 arbres. Pour les fleurs, venir en avril, et pour la coloration automnale des feuilles à collectionner, en octobre, par exemple. Désormais, on a accès à tous les jardins de l'école ; à vous la roseraie, le jardin de rocaille, le jardin anglais, le *fructicetum*...

🌿 **Le Jardin d'agronomie tropicale :** 45 bis, av. de la Belle-Gabrielle, 75012. ● paris.fr ● RER A : Nogent-sur-Marne. Tlj 9h30-17h (jusqu'à 20h selon saison). GRATUIT. Jardin créé en 1899 pour soutenir le commerce des plantes exotiques ; une exposition coloniale s'y est ensuite tenue, qui explique qu'on y découvre statues, stupas, petit pont khmer, pavillon à l'architecture tunisienne, monuments aux morts des soldats d'Afrique ou d'Indochine, sans oublier les expositions temporaires. On se laisse gagner par la poésie dégagée par ce lieu.

👫👫 🕴 **Le Parc floral de Paris :** situé sur l'esplanade du Château-de-Vincennes, 75012. ☎ 39-75 (Mairie de Paris). ● paris.fr ● Ⓜ Château-de-Vincennes ; RER A : Vincennes. Accès par le bus nº 112 de Château-de-Vincennes et par le nº 46 de Porte-Dorée. Ouv tte l'année : en hiver 9h30-17h, mars et oct 9h30-18h30, avr-sept 9h30-20h. Entrée gratuite, sf juin-sept mer, w-e et j. d'animations et de concerts : 5,50 €, ½ tarif 7-26 ans, gratuit moins de 7 ans.

Promenade à travers 35 ha de verdure et de fleurs. À voir : la vallée des Fleurs, la pinède, le jardin des Quatre-Saisons (où l'on peut voir des fleurs toute l'année), les bonsaïs, etc. Aire de jeux toute l'année, avec plus de 50 activités gratuites. Espace fitness en plein air. Attractions payantes (mars-Toussaint : tlj pdt vac scol, slt mer, sam-dim et j. fériés le reste du temps) : quatre parcours acrobatiques dans les arbres (à partir de 6 ans), circuit des taxis-brousse, location de rosalies, minigolf, ping-pong et un jeu de piste, « Les Trésors du parc ». Informations : ● parcfloralde parisjeux.com ●

Concerts gratuits de juin à septembre le week-end sous le Delta (espace concert de 1 500 places) : en juin et juillet, Paris Jazz Festival à 15h ; en août et septembre, Classique au vert à 16h. Et pour les enfants, Pestacles de juin à septembre tous les mercredis à 14h30, dans le cadre du Festival Jeune Public.

👫👫 🕴 **Le Parc zoologique** (plan couleur D3) : angle av. Daumesnil et rue de la Ceinture-du-Lac, 75012. Ⓜ ou tram : (T3) Porte-Dorée. ☎ 0811-224-122. ● parc zoologiquedeparis.fr ● De mi-mars à mi-oct, 10h-18h en sem et 9h30-19h w-e, vac scol et j. fériés ; de mi-oct à mi-mars, 10h-17h. Tarif 22 €, 16,50 € 12-25 ans, 14 € 3-11 ans. Billets coupe-file (env + 1 €). Consultez le programme des animations du jour (nourrissage...) en arrivant.

À savoir : se garer (parking le plus proche à 10 mn à pied) peut être compliqué selon l'affluence des visiteurs au zoo et des promeneurs au bois.

Près d'un siècle après sa création, le zoo, qui s'offre un nouveau départ, est bien loin de celui imaginé par les concepteurs des années 1930... Si elles pouvaient parler, les 16 girafes, seules à n'avoir pas été déplacées pendant les travaux, pourraient évoquer cette métamorphose. Des enclos plus vastes, moins de barrières entre visiteurs et animaux au profit de fosses ou de grandes surfaces vitrées, qui – malgré quelques reflets – permettent un bon sentiment de proximité. Les hôtes ont aujourd'hui gagné en espace... au risque, parfois, de pouvoir se dissimuler aux yeux des visiteurs. Alors, même si ce n'est pas dans l'air du temps, il faudra apprendre à patienter ; c'est le prix du bien-être des animaux !

Et à propos de bien-être justement, celui des ours et des éléphants, trop gourmands en espace, n'étant pas assuré, ils ne participent plus à cette nouvelle aventure. Un cheminement en ruban – que de béton ! – de 4 km permet de découvrir cinq biozones... Quant à la flore, choisie pour illustrer chaque biozone, elle se développe doucement. Spectaculaire, la serre tropicale abrite faune (lémuriens, reptiles, oiseaux) et flore luxuriante de Guyane et de Madagascar. Belle grande volière. Après avoir essuyé quelques critiques (une ouverture prématurée compte tenu du calendrier d'arrivée des animaux, des tarifs élevés, etc.), la nouvelle arche de Noé qui a embarqué près d'un millier d'animaux – dont de nombreuses espèces menacées – devrait pouvoir prendre sa vitesse de croisière.

👫👫👫 🕴 **Le château de Vincennes :** av. de Paris, 75012. ☎ 01-48-08-31-20. ● vincennes.monuments-nationaux.fr ● Ⓜ Château-de-Vincennes ; RER A : Vincennes. ⚓ Tlj 10h-17h (18h avr-sept). Fermé 1ᵉʳ janv, 1ᵉʳ mai, 1ᵉʳ et 11 nov, et 25 déc. Entrée : 8,50 € ; réduc ; gratuit moins de 26 ans. Visite libre, commentée (en fonction de l'affluence et de la disponibilité du personnel ; téléphoner le mat) ou avec audioguide (4,50 € l'appareil, 6 € pour 2, 3 € moins de 18 ans ; durée : 2h30, mais on peut choisir entre 2 parcours : la période royale ou la période militaire). Livret jeux pour les enfants. Boutique.

Le château fort fut érigé au XIVᵉ s à proximité d'une résidence de chasse construite au XIIᵉ s par les Capétiens, qui aimaient chasser dans les forêts alentour.

Vincennes sert de siège au gouvernement royal pendant 20 ans, avant d'être remplacé par le Louvre, puis Versailles. Mazarin, alors gouverneur de la place, y fait édifier deux pavillons par Le Vau, l'un pour le jeune Louis XIV et l'autre pour sa mère la régente Anne d'Autriche, afin d'avoir un « lieu sûr pour lui et la famille royale en cas d'émeute » ! Les jardins sont bien sûr dessinés par Le Nôtre. Les deux pavillons, dits du Roi et de la Reine *(ouv slt lors des Journées du patrimoine ; bibliothèque militaire ouv en sem 9h-17h),* abritent de nos jours les archives de l'Armée.

Abandonné en tant que résidence royale, Vincennes va servir successivement de prison, de manufacture de porcelaine (sous Louis XVI, qui a besoin d'argent et loue les bâtiments), puis de manufacture d'armes et, enfin, de forteresse militaire sous Napoléon Iᵉʳ, qui y installe des casemates et fait araser les tours pour adapter le site à la guerre d'artillerie. En 1944, le château est transformé en dépôt de poudre, pour faire sauter Paris, que les SS font exploser en représailles à la libération de la capitale dans la nuit du 24 au 25 août. Quelques jours plus tôt, le château a été le théâtre de l'exécution de 30 otages, comme le rappelle une plaque dans le métro. Enfin, dans les années 1960, de Gaulle envisage un moment d'y installer le siège du gouvernement à la place de l'Élysée.

L'ensemble, conservé, restauré et ouvert à la visite par le Centre des monuments nationaux, est un des plus grands châteaux du Moyen Âge en Europe. Commencé sous Philippe VI de Valois, il est achevé par son petit-fils Charles V, à qui l'on doit l'enceinte fortifiée de neuf tours et le majestueux donjon de cinq étages, faisant ainsi de Vincennes une véritable cité fortifiée. Il commence par ailleurs la Sainte-Chapelle, qui ne sera achevée que sous Henri II (milieu du XVIᵉ s).

Après avoir franchi le fossé, on pénètre dans le donjon par le châtelet, entrée principale imbriquée dans l'enceinte surmontée d'un chemin de ronde, d'où l'on bénéficie d'une vue panoramique sur les toits de Vincennes et sur Paris. C'est aussi de là que l'on peut observer le mieux les fenêtres carcérales du donjon proprement dit et sa structure, une grosse tour carrée flanquée de quatre tourelles d'angle. Avant d'accéder à la passerelle menant au donjon, et si cela est possible, demander à jeter un œil au cabinet de travail de Charles V (une dizaine de mètres carrés à peine ; de quoi rester concentré sur son travail !), où l'innovant principe de réalité augmentée mobile permet de découvrir les lieux tels qu'ils étaient à l'époque de Charles V. De là, possibilité de monter à la terrasse sous le campanile et d'admirer la Sainte-Chapelle.

Dans la basse cour du donjon, on emprunte un escalier ajouré pour accéder à la passerelle, alors seul accès possible au Moyen Âge. À l'intérieur, chaque salle importante repose sur une unique et élégante colonne centrale, avec les symboles des évangélistes dans chaque angle. On entre par la chapelle qui précède la salle du conseil, puis, en gravissant encore un étage, on découvre la chambre du roi avec sa belle cheminée. Partout, des restes de polychromie du XIVᵉ s, lambris, figures sculptées... Pour la petite histoire, le donjon dispose d'un

UNE ROYALE RECETTE

En août 1422, Henri V, le vainqueur anglais d'Azincourt, meurt à Vincennes de la dysenterie. Pour rapatrier sa dépouille à Londres, on décide de faire bouillir le corps, vidé de ses entrailles, dans un bouillon de vin et d'épices (la recette se trouve d'ailleurs au Louvre). Ainsi les reliques sont plus facilement récupérées (bagues...), et les os sont rapatriés dans un coffre en plomb vers l'Angleterre. Henri V (ou ce qu'il en reste !) repose désormais à l'abbaye de Westminster.

système de latrine assez sophistiqué pour l'époque, puisque les conduits sont décalés d'un étage à l'autre. Enfin, dans la plupart des pièces, pas mal de références à la fonction carcérale du donjon avec des graffitis réalisés par les détenus, certains ayant gravé dans la pierre leur date d'entrée et de sortie : émouvant, d'autant que quelques dessins sont très bien conservés. Voir aussi la « belle »

cellule décorée dans les tons bleus par un abbé. Il n'y avait généralement qu'une personne par cellule, ce qui laisserait songeurs nombre de détenus actuels... Il s'agissait en effet de VIP de l'époque, enfermés là ou à la Bastille sur lettre de cachet : Fouquet, Diderot, Mirabeau, ou encore le marquis de Sade. La cellule de ce dernier, au rez-de-chaussée, ne comporte malheureusement aucun graffiti...
Voir aussi au rez-de-chaussée, dans les cuisines, le puits et l'imposante porte de prison derrière laquelle était enfermée Marie-Antoinette à la prison du Temple.
Les plus courageux peuvent poursuivre leur visite jusqu'à la terrasse du donjon *(slt sur résa : en été, mer à 15h30 et dim à 11h ; en basse saison, slt dim).*
Avant de partir, n'oubliez surtout pas de jeter un œil à la Sainte-Chapelle *(attention, horaires restreints en basse saison),* vaste vaisseau de pierre de style gothique flamboyant. Commencée sous Charles V sur le modèle de celle de Paris, elle n'est achevée que sous les règnes de François Ier et de son fils Henri II, qui y ont imposé leurs emblèmes (la salamandre pour l'un, le croissant de lune pour l'autre). Dans l'oratoire à gauche du chœur, le tombeau du duc d'Enghien, exécuté dans les fossés du château en 1804. Mais ce sont surtout les vitraux, dont la majorité date du XVIe s, et plus particulièrement ceux du chœur illustrant l'Apocalypse selon saint Jean, qui doivent retenir votre attention. Deux maquettes très intéressantes permettent de comparer le château à la fin du Moyen Âge et au XVIIe s à la suite des travaux entrepris par Le Vau.

Le palais de la Porte Dorée *(plan couleur D2)*

293, av. Daumesnil, 75012. ● *palais-portedoree.fr* ● Ⓜ *Porte-Dorée. Bus n° 46 ou PC.*
Chef-d'œuvre Art déco construit pour l'Exposition coloniale de 1931 par l'architecte Albert Laprade, le bâtiment deviendra le musée de la France d'outre-mer, puis le plus consensuel musée des Arts africains et océaniens, dont les collections ont intégré le musée du quai Branly. Aujourd'hui, le palais de la Porte Dorée abrite l'Aquarium tropical et le musée de l'Histoire de l'immigration. Certains espaces sont accessibles librement, comme le grand hall décoré de magnifiques fresques et les bureaux respectifs du maréchal Lyautey, commissaire de l'expo, et de Paul Reynaud, ministre des Colonies. Mobilier Art déco pur jus griffé Ruhlmann : fauteuil-éléphant en ébène de Macassar et bureau à plateau de galuchat. Aujourd'hui, le palais abrite l'Aquarium tropical et le musée de l'Histoire de l'immigration.

🦐🐟🚶‍♂️🚶 *L'Aquarium tropical :* ☎ *01-53-59-58-60.* ● *aquarium-portedoree.fr* ● ♿ *Tlj sf lun 10h-17h30 (19h w-e). Entrée : 5 € (majoration pdt les expos) ; billet jumelé aquarium + musée de l'Histoire de l'immigration : 8-10 € selon expos temporaires.* Plus authentique que celui du Trocadéro... et bien moins cher ! L'aquarium a été édifié et ouvert à l'occasion de l'Exposition coloniale de 1931. Quelque 300 espèces, 5 000 poissons, 300 000 l d'eau et, tenez-vous bien, une rare collection de poissons primitifs, inchangés depuis 300 millions d'années et dotés d'ébauches de poumons et de nageoires permettant la reptation. Et l'on descendrait de ces oiseaux-là ! Riche variété donc, dont certaines espèces étonnantes, comme le curieux *Melanochromis auratus,* qui garde les œufs dans la bouche pour les incuber et qui peut même, quand les alevins sont en danger, les avaler pour les protéger, puis les recracher. Énormes poissons-chats, magnifiques poissons tropicaux (poisson-clown, poisson-ballon, poisson-demoiselle, ange flamboyant, poisson-chirurgien, petits requins...). Fosse à crocodiles (dont deux alligators albinos !) en prime.

🦐🐟🚶‍♂️🚶 *Le musée de l'Histoire de l'immigration :* ☎ *01-53-59-58-60.* ● *histoire-immigration.fr* ● ♿ *Tlj sf lun 10h-17h30 (19h w-e). Entrée : 6 €, expo temporaire incluse (4,50 € si pas d'expo) ; réduc ; gratuit moins de 26 ans et pour ts le 1er dim de chaque mois ; billet jumelé aquarium + musée : 8-10 € selon expos temporaires. Livret parcours-jeu pour enfants gratuit.* Le musée de l'Histoire de l'immigration se propose de faire reconnaître l'apport des immigrés dans la construction de la France depuis deux siècles. Pour réfléchir, comprendre et se souvenir qu'un Français sur quatre (on l'oublie trop souvent) a au moins un aïeul ou bisaïeul né étranger ! La France a accueilli plusieurs vagues d'immigration, qui l'ont enrichie, diversifiée, qui ont contribué à sa prospérité, ou l'ont défendue et libérée aussi. Mineurs polonais, maçons italiens, Juifs d'Europe centrale, républicains espagnols, Maghrébins recrutés au bled pour travailler dans l'industrie, Africains affectés à l'entretien, boat people réfugiés des guerres d'Indochine : autant de destins collectifs et d'histoires individuelles, tragiques parfois, émouvantes souvent, drôles quelquefois.

C'est cela qu'aborde le musée dans son exposition permanente (2ᵉ étage). Celle-ci s'organise en neuf thèmes : « Émigrer », « Face à l'État », « Terre d'accueil, France hostile », « Ici et là-bas », « Lieux de vie », « Au travail », « Enracinement », « Sportifs » et « Diversités ». Chacun est décliné autant du point de vue historique qu'au travers de destins personnels : objets personnels et récits singuliers relaient la grande Histoire. Quelques œuvres d'art contemporain viennent apporter un autre éclairage sur certains thèmes, tout comme la « galerie des dons » et les expos temporaires.

▶ Pour le plan du 13e arrondissement, voir le cahier couleur.

Si elle est dépourvue de charme, la place d'Italie nous conduit vers les principaux centres d'intérêt de l'arrondissement. C'est dans un hôpital, celui de la Salpêtrière, véritable ville dans la ville, qu'on découvre le plus remarquable ensemble architectural ancien du quartier. Du pur Louis XIV, avec son immense chapelle si caractéristique. La manu-

SE MARIER À LA MAIRIE DU 13e

Jusqu'en 1860, il n'y avait que 12 arrondissements. À l'époque, dire d'un couple qu'il s'était marié à la mairie du 13e arrondissement était donc une façon ironique de dire qu'il vivait en concubinage. Napoléon III créa ensuite huit nouveaux arrondissements, et l'expression disparut.

facture des Gobelins et son parc nous rappellent l'existence d'une rivière aujourd'hui souterraine, la Bièvre, jadis bordée de tanneries. Véritable maquis de ruelles au charme intact, ayant résisté aux Versaillais lors de la Commune et aux promoteurs depuis, la Butte-aux-Cailles a perdu ses moulins mais a toujours fière allure.

Entre l'avenue d'Italie et l'avenue d'Ivry, c'est le Chinatown parisien, avec ses supermarchés et ses restaurants asiatiques (où le très ordinaire côtoie le suave et le parfumé). Enfin, à l'est, le récent quartier de la Bibliothèque nationale de France, qui a fini par s'inscrire dans un étonnant paysage urbain, et dont le chantier va bientôt prendre fin. Entre la Cité de la Mode et du Design, les nouveaux bâtiments universitaires, le complexe cinématographique *MK2*, l'ambiance presque balnéaire du quai, avec son bateau-phare et sa piscine flottante, on est transporté dans un étonnant futur immédiat.

Où dormir ?

Très bon marché

🛏 *Centre international de séjour de Paris (CISP Kellermann ; plan couleur B3, 11) :* 17, bd Kellermann, 75013. ☎ 01-43-58-96-00. ● reservation@cisp.fr ● cisp.fr ● Ⓜ Porte-d'Italie. ♿ Ouv tlj, 24h/24. Compter 22,80-63,80 €/pers et par nuit, petit déj compris (moins cher pour les groupes). Repas complet au self 12-13 €. 📶 Parking. Grand bâtiment de près de 150 chambres, le *CISP* accueille les groupes aussi bien que les voyageurs individuels. Chambres individuelles, doubles et de 3-8 lits, très propres et fonctionnelles, possédant pour certaines douche et w.-c. Draps et linge de toilette fournis. Le seul hic, la situation assez excentrée et la proximité du périphérique. Heureusement, le coin est bien desservi par le métro et le tram, et le grand parc qui l'entoure vous isole de l'environnement urbain. Accueil sympathique.

Bon marché

🛏 **Hôtel des Beaux-Arts** (plan couleur B2, **13**) : 2, rue Toussaint-Féron, 75013. ☎ 01-44-24-22-60. • info@hotel-beaux-arts.fr • hotel-beaux-arts.fr • Ⓜ Place-d'Italie. Réception ouv tlj 8h-23h. Doubles avec lavabo 59 €, avec douche 69 €, avec douche et w-c 75-82 € ; petit déj 8 €. 🛜 TV. Câble. Un petit déj/chambre offert sur présentation de ce guide. On est reçu avec le sourire dans ce petit hôtel lui-même très plaisant, avec sa façade en brique et sa petite cour fleurie, où est servi le petit déj en été. La vingtaine de chambres est à l'avenant : impeccables, un peu petites mais rénovées et agréables. Située dans un joli coin du 13ᵉ, à deux pas du parc de Choisy, c'est l'une des adresses les plus sympas du quartier.

🛏 **Arian Hôtel** (plan couleur B3, **10**) : 102, av. de Choisy, 75013. ☎ 01-45-70-76-00. • arianhotel@wanadoo.fr • arianhotel.new.fr • Ⓜ Tolbiac, Place-d'Italie ou Olympiades. Doubles avec douche et w-c ou bains 65-75 € ; petit déj 7 €. 🛜 TV. Si vous cherchez une adresse à prix abordable en plein quartier chinois, on ne saurait que vous recommander ce petit hôtel. Chambres rénovées, simples et propres, desservies par un ascenseur. Accueil simple et agréable, on se croirait au village à Paris !

🛏 **Hôtel Tolbiac** (plan couleur B2, **12**) : 122, rue de Tolbiac, 75013. ☎ 01-44-24-25-54. • info@hotel-tolbiac.com • hotel-tolbiac.com • Ⓜ Tolbiac ou Place-d'Italie. Ouv tte l'année. Réception ouv 7h-21h. Doubles avec lavabo 50-70 €, avec douche et w-c 60-90 € ; petit déj 7,50 €. 🛜 TV. Câble. Un petit déj/chambre par nuit offert (sf Pâques, Ascension et Pentecôte) sur présentation de ce guide. Un bon coup de peinture et de neuf a permis de transformer ce modeste hôtel, qui reste bon marché, en lieu moderne, des chambres petites mais bien agencées, et au décor multicolore et joyeux

qui fait oublier le papier peint en mauvais état des escaliers. Seuls bémols, les douches communes ne sont installées qu'à 2 étages (mais w-c à chaque palier), et il y a du double vitrage aux 1ᵉʳ et 2ᵉ étages seulement ; or, la rue est passante... En revanche, l'accueil est fort aimable.

De prix moyens à chic

🛏 **Hôtel des Écrivains** (plan couleur B2, **2**) : 8, rue Coypel, 75013. ☎ 01-47-07-76-32. • hotel@hotelecrivains.com • hotelecrivains.com • Ⓜ Place-d'Italie. Doubles 80-145 € selon saison ; petit déj 10 €. 🛜 TV. Un petit hôtel de 38 chambres plein sud, entièrement refait à neuf, dans une rue très calme ! Et idéalement situé, juste derrière la mairie, à côté des Gobelins, du marché Mouffetard et du Quartier latin, à 5 mn du Jardin des Plantes et à quelques pas de Chinatown !

🛏 **Oops !** (plan couleur B2, **1**) : 50, av. des Gobelins, 75013. ☎ 01-47-07-47-00. • bonjour@oops-paris.com • oops-paris.com • Ⓜ Gobelins ou Place-d'Italie. ♿ Attention, chambres non accessibles 11h-16h. Lits en dortoir de 4-6 pers 23-42 € ; doubles 70-100 € ; petit déj inclus. AC. CB refusées. 🖥 🛜 C'est dans un petit hôtel de quartier qu'une équipe d'archi-allumés a posé ses couleurs. Le résultat n'est pas triste : papiers peints et peintures flashy, meubles design... Toutes les chambres sont impeccables, équipées de douche et w-c, et parfaitement conçues. Deux petites salles communes, avec TV écran plat et une cuisine, viennent compléter l'équipement de cette adresse coup de cœur. Cinémas à proximité. Une bonne adresse, petit budget mais branchée.

🛏 **Résidence Les Gobelins** (plan couleur A1, **5**) : 9, rue des Gobelins, 75013. ☎ 01-47-07-26-90. • hotelgobelins@noos.fr • hotelgobelins.com • Ⓜ Les Gobelins. Doubles 108-128 € ; petit déj 10 €. 🖥 🛜 TV. Hôtel d'un très bon rapport qualité-prix, idéalement niché dans une rue calme, au tracé médiéval qui fait tout le charme discret du 13ᵉ. Chambres très confortables et refaites à neuf, clim, et salles de bains à l'italienne d'une propreté irréprochable. En prime, un joli petit patio fleuri et un accueil charmant.

🛏 *Hôtel Coypel (plan couleur B2, 4) :* 2, rue Coypel, 75013. ☎ 01-43-31-18-08. ● coypel@wanadoo.fr ● hotelcoypel.com ● Ⓜ Place-d'Italie. Doubles 85-115 € selon saison ; petit déj 8 €. 🖥 🛜 TV. Canal +. Déco sympa tendance design à l'accueil (chaleureux), un peu moins recherchée dans les chambres, qui restent fonctionnelles et propres, avec tout le confort nécessaire (double vitrage). Préférez celles au dernier étage, pour la vue.

🛏 *Hôtel du Roussillon (plan couleur zoom, 9) :* 23, rue Paulin-Méry, 75013. ☎ 01-45-80-27-99. ● hoteldurousssillon@wanadoo.fr ● hotelduroussillonparis.com ● Ⓜ Place-d'Italie ou Corvisart. Doubles avec douche et w-c 70-90 €. 🛜 Au calme dans une rue piétonne de la Butte-aux-Cailles, cet établissement est la simplicité même : quelques chambres, petites mais toutes rénovées, donnant sur la cour intérieure pour les « classiques ». Les « supérieures » sont équipées de la TV. L'accueil est sympathique et familial, la déco sans histoire.

🛏 *Hôtel Le Vert Galant (plan couleur A2, 6) :* 43, rue de Croulebarbe, 75013. ☎ 01-44-08-83-50. ● contact@vertgalant.com ● vertgalant.com ● Ⓜ Les Gobelins ou Corvisart. Doubles 90-110 € selon saison ; familiale 220 € ; studios avec kitchenette 130-140 € ; petit déj 10 €. 🖥 🛜 TV. Câble. Parking payant. Apéritif maison offert sur présentation de ce guide. Un coin de campagne perdu en plein 13e, face au square René-Le-Gall. Chambres tout juste rénovées, à la déco soignée et unique pour chacune. Salles de bains avec douche à l'italienne ou baignoire pour les plus chic. Les chambres les plus chères sont dotées d'un coin kitchenette, très pratique. Toutes donnent, pour certaines même de plain-pied, sur un jardin aménagé, avec une pelouse sur laquelle poussent quelques plants de vigne de jurançon : clin d'œil au restaurant basque mitoyen, l'auberge *Etchegorry*, appartenant à la même famille (voir « Où manger ? »). Bon petit déj (gâteau maison et orange

pressée) servi sous la véranda. Un endroit rare à Paris.

🛏 *Timhotel Place d'Italie Butte-aux-Cailles (plan couleur zoom, 3) :* 22, rue Barrault, 75013. ☎ 01-45-80-67-67. ● italie@timhotel.fr ● timhotel.com ● Ⓜ Corvisart. Doubles 79-130 € selon saison ; petit déj 11 €. 🖥 🛜 TV. Satellite. Câble. Parking payant. Sur la Butte-aux-Cailles, cet hôtel possède quelques chambres donnant sur la Petite Russie, sorte d'enfilade de maisons individuelles dont le rez-de-chaussée est en étage ! En plus, les chambres, assez grandes, bien équipées mais banales, sont très calmes et offrent une vue très sympathique sur Paris. Zappez le petit déj-buffet copieux mais sans saveur.

🛏 *Hôtel Saint-Charles (plan couleur zoom, 7) :* 6, rue de l'Espérance, 75013. ☎ 01-45-89-56-54. ● resa.hotel@wanadoo.fr ● hotel-saint-charles.com ● Ⓜ Corvisart. ♿ Doubles avec douche et w-c ou bains 110-140 € ; suites familiales 200-260 € ; petit déj-buffet 14 €. 🛜 TV. Canal +. Satellite. Boisson non alcoolisée offerte sur présentation de ce guide. Au cœur de la Butte-aux-Cailles, un de nos quartiers préférés à Paris ! Dans cet hôtel, des chambres pas très grandes mais refaites à neuf, de standing et climatisées. Prix un peu élevés mais justifiés, surtout si vous avez pu obtenir une chambre côté cour. Mais rassurez-vous, la Butte est calme désormais... Copieux petit déj-buffet à prendre dans la salle à manger et, dès les beaux jours, dans le patio joliment fleuri ou sur la terrasse en teck. Mention spéciale pour l'accueil : aux petits soins.

🛏 *Quality Suites Bercy-Bibliothèque (plan couleur C2, 15) :* 15, rue de Tolbiac, 75013. ☎ 01-53-61-62-00. ● hotel@qualitybercy.com ● hotel-paris-bercy.com ● Ⓜ Bibliothèque-François-Mitterrand. ♿ Doubles 110-200 € ; familiales 115-240 € ; petit déj-buffet 14 €. AC. 🖥 🛜 TV. Satellite. Câble. Parking payant. Une adresse d'un bon rapport qualité-prix, alliant confort et côté pratique. Ici, on a pensé à tout pour vous : 70 mini-apparts avec kitchenette, bien équipés, et décorés avec classe, une laverie et, pour ne rien gâcher, sourire

13e

et prévoyance à la réception. En plus, avec la ligne 14, vous atteignez rapidement le centre de Paris. Qui dit mieux ?

Plus chic

⛵ *Hôtel La Demeure (plan couleur B1, 18)* : 51, bd Saint-Marcel, 75013. ☎ 01-43-37-81-25. • *info@ hotel-paris-lademeure.com* • *hotel-paris-lademeure.com* • ⓜ *Les Gobelins ou Saint-Marcel. Doubles à partir de 140 €.* ☏ Quarante-trois chambres climatisées, dont 6 suites au charme bien parisien. À deux pas du quartier Mouffetard et des Gobelins, la manufacture de tapisseries (galerie sublime à visiter). Tenu par le papa et ses 2 fistons. La déco a été imaginée par le duo de designers Flavie+-Paul. *NOUVEAUTÉ.*

⛵ *La Villa Paris (plan couleur A3, 14)* : 33, rue de la Fontaine-à-Mulard, 75013. ☎ 01-43-47-15-66. • *contact@ la-villa-paris.com* • *la-villa-paris.com* • ⓜ *Tolbiac.* ⓣ *Stade-Charléty. Doubles avec douche et w-c ou bains 120-195 € selon taille et saison, petit déj (frais !) inclus.* ▱ ☏ *TV. Cadeau de bienvenue offert sur présentation de ce guide.* Bienvenue dans l'intimité d'une maison parisienne ! Avec ses 4 chambres d'hôtes, *La Villa Paris* vous accueille chaleureusement. D'ailleurs, les propriétaires, fort aimables, vivent au dernier étage de cette bâtisse construite en 1925, qui a gardé des touches Art déco, comme sa belle porte d'entrée à vitraux. Les chambres aux lits douillets offrent un cadre épuré et confortable. Pour un séjour en amoureux, choisissez la plus grande, équipée d'un jacuzzi. Convivialité aussi dans la salle à manger avec sa cheminée ou sur la petite terrasse, où l'on peut prendre un petit

déjeuner maison et savoureux. Dans la cuisine, frigo et bouilloire à disposition. Comme chez vous... mais en mieux !

⛵ *Hôtel La Manufacture (plan couleur B2, 8)* : 8, rue Philippe-de-Champagne, 75013. ☎ 01-45-35-45-25. • *reservation@hotel-la-manufacture. com* • *hotel-la-manufacture.com* • ⓜ *Place-d'Italie. Doubles 125-195 € ; au top floor (avec vue sur le Panthéon et la tour Eiffel) 250 € ; petit déj-buffet 13 €. Promos sur Internet.* ▱ ☏ *TV. Câble.* Coup de cœur pour ce 3-étoiles d'une sobre élégance. Pas de tapisseries d'un autre temps ici, mais une pureté de ligne, une déco design tout en brun, orange et beige. Très belle entrée avec un plancher de bateau et un coin salon-bar où il fait bon prendre son petit déj ou un verre le soir. Un hôtel d'affaires, certes, mais qui s'adresse aussi à tous ceux qui veulent vivre le 13ᵉ autrement. Chambres climatisées, pas très grandes mais agréables pour un court séjour. On vous conseille les « Clubs », à peine plus chères et dotées d'un joli balcon. Accueil très gentil et attentionné.

⛵ *Grand Hôtel des Gobelins (plan couleur B1, 19)* : 57, bd Saint-Marcel, 75013. ☎ 01-43-31-79-89. • *hotel-des-gobelins.com* • ⓜ *Les Gobelins. Chambres standard 130-235 € (!), supérieures 155-255 € ; petit déj 15 €. TV. Canal +. Satellite.* Un établissement à l'ancienne, dans le bon sens du terme. L'accueil est très pro, et la déco, modernisée avec goût, a eu le bonheur de conserver quelques jolis détails d'époque, dont de ravissants vitraux Art déco. Les chambres sont assez petites mais très confortables et bien aménagées. Gros bémol : des prix qui augmentent dangereusement en période de salons. *NOUVEAUTÉ.*

Où manger ?

Sur le pouce

🍴 *Fil'o'Fromage (plan couleur C2, 20)* : 12, rue Neuve-Tolbiac, 75013. ☎ 01-53-79-13-35. • *filofromage@free.fr* • ⓜ *Bibliothèque-François-Mitterrand. Lun-mer 11h-19h30, jeu-sam 11h-22h30. Congés : 15 j. en août et*

1 sem à Noël. Formule déj express en sem 11 € ; assiette de charcuterie et fromages 16,50 €, dessert env 7 €. Épicerie-fromagerie-charcuterie-bar à vins, dont les produits sont littéralement à tomber par terre. On peut les emporter mais aussi les déguster sur place, sous forme d'assiettes généreuses, au milieu des caisses de vin ou à l'étage, où ont lieu de petites expositions, l'oreille bercée par le meilleur du jazz.

➤ |●| **Green Pizz** (plan couleur B2, **23**) : 136, bd Vincent-Auriol, 75013. ☎ 09-83-88-38-23. Ⓜ Nationale. Mar-sam 12h-14h30, 19h-22h45. Menus 11,50-17,50 € ; pizzas 12-15 €. Sur place ou à emporter. Également un service de livraison « vert » avec des pétrolettes électriques. Un concept bien dans l'air du temps : des pizzas « à la française », bio, à base de farines de son et d'épeautre, garnies de façon originale et avec des fonds de sauce maison. De forme ovale, la pâte est croustillante et légère. Également des salades bien fraîches et des soupes de saison. Large sélection de jus et limonades. Service jeune et sympathique en prime. NOUVEAUTÉ.

Très bon marché

|●| **Canteen Bus** (plan couleur A-B2, **25**) : 52, av. des Gobelins, 75013. ☎ 01-45-87-03-15. ● canteenbus. gobelins@gmail.com ● Ⓜ Gobelins ou Place-d'Italie. Tlj 12h-15h, 19h-23h. Formule déj 11 € (sf dim et j. fériés) ; carte env 17 €. Câble. Apéritif maison offert sur présentation de ce guide. Derrière le store rouge, une salle carrelée au look années 1980 avec ses lambris aux murs. Ici, les formules sont simples, et les intitulés éloquents, en mesure de rassasier les appétits les plus voraces. Ambiance chaleureuse quand les esprits joueurs se mettent à faire tourner la roulette.

|●| **Chez Gladines** (plan couleur zoom, **29**) : 30, rue des Cinq-Diamants, 75013. ☎ 01-45-80-70-10. Ⓜ Corvisart (sortie gauche, puis passer sous l'immeuble). Tlj ; service 12h-15h (16h w-e et j. fériés), 19h-minuit (1h mer-sam). Carte 12-15 € ; en sem, plat du jour 8 €. CB refusées. Cantine de quartier incontournable de la Butte-aux-Cailles, avec ses nappes à carreaux rouges et blancs et sa clientèle néobab mêlant étudiants et habitués. En cuisine, gentille tambouille du Sud-Ouest, genre salades copieuses et cassoulet maison. Service à la bonne franquette, mais attention, ici, ça défile (le soir, c'est souvent bondé).

Bon marché

|●| **Virgule** (plan couleur B2, **22**) : 9, rue Véronèse, 75013. ☎ 01-43-37-01-14. Ⓜ Place-d'Italie. Tlj sf mer ; service 12h-14h30, 19h30-23h. Congés : 2 sem en fév et 2 sem en août. Menu le midi 13 € ; formules 27-33 € ; plusieurs menus le soir à partir de 16 €. À deux pas de la place d'Italie, cette adresse au décor banal ne désemplit pas. Le 1er menu offre un excellent rapport quantité-qualité-prix et suffisamment de choix pour que chacun y trouve son compte. Cuisine franchouillarde de très bonne tenue, bien que les patrons soient d'origine... cambodgienne. Sans prétention et avec le sourire !

|●| **La Bonne Heure** (plan couleur zoom, **40**) : 72, rue du Moulin-des-Prés, 75013. ☎ 01-45-89-77-00. Ⓜ Corvisart, Tolbiac ou Place-d'Italie. Tlj 12h-14h30, 19h-22h30. Fermé le soir des 24 et 31 déc. Résa conseillée. Menu 18,50 € ; carte 22-25 € avec entrée ou dessert, et plat (suffisant). Café offert sur présentation de ce guide. Petit resto de poche végétarien qui sert tous les jours de savoureuses assiettes complètes concoctées par le patron et son fils. On conseille les suggestions du jour, particulièrement les gratins de légumes et les crumbles. Pour arroser le tout, une petite bière ou un verre de vin bio, ou, plus sobrement, un cocktail maison (fruits et/ou légumes). Beaucoup d'habitués.

|●| **Le Restaurant du Batofar** (plan couleur C2, **90**) : face au 11, quai François-Mauriac (BnF), 75013. ☎ 01-53-60-17-00. ● restaurant@ batofar.org ● Ⓜ Bibliothèque-François-Mitterrand ou Quai-de-la-Gare. Tlj sf sam midi et dim-lun 12h-14h, 19h30-22h. Formule déj 15 € ; carte 30-40 €. On connaissait le bar spécialisé musiques urbaines, voici le resto, sa terrasse et sa rôtisserie l'été, et sa cuisine ouverte sur le bateau le reste de l'année. L'espace d'un beau repas (bon chef aux commandes), dans la jolie salle rouge pimpante, on se croirait loin de Paris, prêt à larguer les amarres. Service jeune et sympa, et très bonne insonorisation.

|●| **Le Temps des Cerises** (plan couleur zoom, **26**) : 18, rue de la Butte-aux-Cailles, 75013. ☎ 01-45-

89-69-48. Ⓜ *Corvisart. Tlj sf dim ; service 11h45-14h25, 19h30-23h45. Fermé le midi les j. fériés et aux réveillons de Noël et du Jour de l'an. Formule déj en sem 13 € ; menus 20-24,50 € ; carte env 20 €.* Voici l'un des derniers – si ce n'est le dernier – vieux bistrots de la Butte. Monté en coopérative en 1976 par une bande de potes, très anar' dans l'âme, il a toujours résisté à l'invasion des bistrots néobranchés. Et ça se ressent jusque dans l'ambiance au coude-à-coude, le décor d'un autre âge et le service plutôt bourru. Quant à votre portable, n'espérez même pas le sortir, ça dérange ! Cuisine correcte. Mais en fait, on vient ici surtout pour cette survivance d'une époque où l'on croyait dur comme fer qu'on ne se battait pas pour des queues de cerises !

|●| La Butte Aveyronnaise *(plan couleur zoom, 24) :* 12, rue de la Butte-aux-Cailles, 75013. ☎ 01-45-89-52-51. ● labutteaveyronnaise@live. fr ● Ⓜ *Corvisart. Tlj sf dim 12h-14h30, 19h-23h30. Formule déj 19,90 € ; menus 21,80-25,20 € ; carte env 30 €.* Grande salle joyeuse où les petits carreaux rouges et blancs style Lustucru (même dans les toilettes !) sautent aux yeux. Qui dit Aveyron dit saucisse sèche, aligot, tripoux naucellois, boudin, bœuf d'Aubrac, veau du Ségala, vieille prune de Gayral, vin de noix... Le tout servi en assiettes copieuses et fumantes. Vins de Marcillac pour faire passer tout ça. Nombreux suppléments et accueil bien rude, c'est dommage !

|●| Les Papilles en Folie *(plan couleur C2, 32) :* 2, rue Duchefdelaville, 75013. ☎ 01-53-79-72-10. Ⓜ *Chevaleret. Lun-ven 12h-14h30, 19h15-21h. Formules 17-23 €.* C'est avant tout un resto pour déjeuner, fréquenté par les employés du quartier. Celui-ci offre une cuisine traditionnelle de qualité dans un cadre contemporain classique. Terrasse aux beaux jours.

Prix moyens

|●| La Touraine *(plan couleur A2, 30) :* 39, rue de Croulebarbe, 75013. ☎ 01-47-07-69-35. Ⓜ *Corvisart ou Les Gobelins. ☘ Tlj sf dim ;* service midi et soir jusqu'à 22h30. Résa conseillée, surtout pour les tables en terrasse. Beau choix de menus 12 € (jusqu'à 20h)-38 € ; carte env 40 €. Apéritif maison offert sur présentation de ce guide. Deux grandes salles au discret décor rustique. Accueil tout à fait charmant. Cuisine roborative mais savoureuse : ris d'agneau flambé aux morilles, salade de rillons, poires et pruneaux confits... Plein de menus copieux et un menu gastronomique (le plus cher, bien sûr). Pour faire quelques pas et digérer, un joli jardin de l'autre côté de la rue.

|●| Chez Trassoudaine *(plan couleur B2, 36) :* 3, pl. Nationale, 75013. ☎ 01-45-83-06-45. ● cheztrassou daine@aol.com ● Ⓜ *Nationale. ☘ Tlj sf sam midi, dim et j. fériés ; service 12h-15h, 19h30-22h. Entrées 7-12 €, poissons, crustacés ou viandes à partir de 18 €.* Arakel et Haigo, 2 frères mariés l'un à une Mexicaine et l'autre à une Hollandaise, tiennent ce resto bizarrement fichu avec la bonne humeur de ceux qui ont vu d'autres horizons... Grosses crevettes roses du Sénégal sautées à l'ail et au poivre de Cayenne, superbe filet de bœuf d'Écosse sauté aux cèpes et à l'ail. Petit clin d'œil hommage aux origines de maman Astrig avec l'assiette arménienne proposée en entrée. Une qualité dans les produits et une gentillesse dans l'accueil toujours de mise. Parfois, une belle fête thématique le samedi soir.

|●| Tempero *(plan couleur C2, 27) :* 5, rue Clisson, 75013. ☎ 09-54-17-48-88. ● contact@tempero.fr ● Ⓜ *Chevaleret ou Bibliothèque-François-Mitterrand. Lun-ven 12h-14h30, plus le soir jeu-ven jusqu'à 22h. Congés : août. Menus 15-20 € le midi ; carte env 30 €.* Un petit resto d'une dizaine de tables, avec atelier-cuisine ouvert sur la salle. Les casiers à pommes font office d'étagères sur les murs. Au piano se joue une partition à 4 mains d'un couple autodidacte, passionné et talentueux. Dans l'assiette, cuisine du marché spontanée, avec d'excellents produits (entre autres, légumes de chez Joël Thiébault), créative et voyageuse – Alessandra est brésilienne, Olivier parisien. Une étonnante découverte. *NOUVEAUTÉ.*

|●| **La Butte aux Piafs** (plan couleur zoom, **28**) : 31, bd Auguste-Blanqui, 75013. Ⓜ Corvisart. ☎ 09-83-51-07-50. Fermé dim. Carte : env 25-30 €. En bas de la Butte, un cadre agréablement rétro, une terrasse sympathique et une carte alléchante qui sait coller aux goûts du moment. Voilà une bonne équation ! Burgers déjà fameux, lasagnes végétariennes et des plats du jour qu'on choisit à l'ardoise. NOUVEAUTÉ.

|●| **L'Hydrophobe** (plan couleur A2, **31**) : 53 bis, bd Arago, 75013. ☎ 01-45-35-53-42. ● hydrophobe@orange.fr ● Ⓜ Glacière ou Les Gobelins. Tlj sf dim-lun 12h-14h30, 19h-22h30. Congés : août. Formule déj 18 € ; menu 22 € (sf le soir ven-sam) ; menu-carte 36 €. Café offert sur présentation de ce guide. Belle salle aux tons clairs, et surtout excellentes préparations. Le chef s'éclate sur une cuisine traditionnelle légèrement métissée : de beaux produits frais, du poisson au canard en passant par l'agneau de 7 heures, relevés d'épices, de chutney ou d'agrumes confits. Et comme L'Hydrophobe porte bien son nom, la carte des vins tient ses promesses, à prix variés. Service très agréable et de bon conseil.

|●| **L'Ourcine** (plan couleur A1, **33**) : 92, rue Broca, 75013. ☎ 01-47-07-13-65. ● rest.lourcine@gmail.com ● Ⓜ Les Gobelins ou Glacière. Tlj sf dim-lun. Congés : début août. Menus 26 € le midi en sem et 34 € le soir. Café offert sur présentation de ce guide. Sylvain Danière a fait ses classes à La Régalade, avec Camdeborde. Plutôt doué, il interprète aujourd'hui, avec sa propre personnalité, les leçons bien apprises. La couleur est annoncée sur la vitrine : « une cuisine de cuisinier, des vins de vignerons ». Poussez la porte, et vous vous sentirez vite à l'aise dans ce joli petit troquet. Amusante, l'armoire percée qui fait office de passe-plat. On retrouve un goût prononcé pour les produits du marché. La carte change tous les jours. Accueil sympa.

|●| **Le Petit Pascal** (plan couleur A1, **21**) : 33, rue Pascal, 75013. ☎ 01-45-35-33-87. Ⓜ Les Gobelins. Tlj sf w-e 12h-14h30, 20h-22h. Congés : août.

Repas 20-30 €. En contrebas du boulevard de Port-Royal, dans une rue qui change d'arrondissement comme ça, sans prévenir, ce bistrot à vins sympathique propose une honnête cuisine de terroir. Vin au verre, en carafe, en pot ou en bouteille, assiettes de fromages fermiers ou de charcuterie, plats roboratifs accompagnés de pommes de terre fondantes, dont la liste s'égrène sur les nombreuses ardoises.

|●| **Etchegorry** (plan couleur A2, **41**) : 41, rue Croulebarbe, 75013. ☎ 01-44-08-83-51. Ⓜ Corvisart ou Les Gobelins. Tlj sf dim-lun ; service 12h-14h, 19h30-22h15. Congés : 3 sem en août. Formule déj 18 € ; menus 31-34 € ; carte env 35 €. Parking payant. Apéritif maison offert sur présentation de ce guide. Sous la jolie façade fleurie, juste à côté de l'Hôtel Le Vert Galant, on lit une vieille inscription : « Cabaret de Mme Grégoire ». Il y a près de 2 siècles se restauraient ici Victor Hugo, Béranger, Chateaubriand et bien d'autres. Charme d'antan quasi intact, décor rustique et chaleureux, on se croirait en province... Depuis 30 ans, l'Etchegorry (« maison rouge » en basque) régale dans la grande tradition du Sud-Ouest : piperade, cassoulet, gibier (en saison), escalope de foie gras poêlé... Accueil très agréable. Une adresse immuable !

|●| **Les Escapades** (plan couleur C2, **35**) : 1, rue Xaintrailles, 75013. ☎ 01-45-83-32-30. Ⓜ Bibliothèque-François-Mitterrand. Tlj sf dim-lun et j. fériés 12h-14h, 19h-22h (dernière commande). Formule déj 14,90 € ; menu 28 € ; carte env 33 €. Un bistrot agréable et lumineux, tenu par un sympathique duo père/fille qui fait preuve des meilleures intentions. Copieux menu à prix serré (au déj), à accompagner d'un verre de vin. Cuisine correcte dans l'ensemble. En dessert, on a eu le béguin pour la crème brûlée au chocolat.

Chic

|●| **L'Avant-Goût** (plan couleur zoom, **42**) : 26, rue Bobillot, 75013. ☎ 01-53-80-24-00. ● restlavantgout@gmail.com ● Ⓜ Place-d'Italie. Tlj sf dim-lun 12h-14h, 19h30-22h. Fermé 1er janv, 1er mai et 25 déc. Résa indispensable.

13e

Formule déj autour d'une soupe 15 € ; menu-carte 35 € ; carte env 47 €. La spécialité de L'Avant-Goût, le pot-au-feu de cochon, allie rusticité et finesse. Un plat épatant ! Autre option, le menu-carte, renouvelé tous les mois, qui offre le choix entre 5 entrées, 6 plats et 5 desserts. Savant, brillant, gourmand. Le midi, également une formule autour d'une soupe. Rayon flacons, le vouvray pétillant de Champalou ou les fiefs-vendéens sont de bons compagnons de table ; sans oublier le vin du mois.

|●| Variations (plan couleur B1, **34**) : 18, rue des Wallons, 75013. ☎ 01-43-31-36-04. Ⓜ Saint-Marcel. ♿ Tlj sf sam midi et dim 12h-14h, 19h30-21h30. Congés : août. Plat du jour 14 €, café compris ; menu 19 € le midi ; carte env 44 €. Ce néobistrot revisite le terroir avec malice. Pierre Tondetta, un amoureux des bons produits, nous régale d'une cuisine gourmande, qui mêle entrées plutôt créatives et plats plus classiques. Excellentes pâtes, concoctées sous

vos yeux dans la meule de parmesan. Des cuissons justes, des plats copieusement servis, tout simplement une bonne adresse. Terrasse.

|●| Le Petit Marguery (plan couleur A1, **43**) : 9, bd de Port-Royal, 75013. ☎ 01-43-31-58-59. ● contact@ petitmarguery-rivegauche.com ● Ⓜ Les Gobelins. Tlj 12h-14h15, 19h-22h15. Menus 24-29 € (midi), puis 31-39,50 €. Apéritif maison ou coupe de champagne offert(e) sur présentation de ce guide. Institution des Gobelins. Le décor 1900 n'a pas changé, le service brasserie parisienne maintient la tradition, et la cuisine bourgeoise est toujours à l'honneur. Gibier en saison (lièvre à la royale, entre autres), sans oublier la vedette incontournable de la maison : le soufflé au Grand Marnier. Un bémol toutefois : les nombreux plats à supplément qui alourdissent l'addition... À côté, Le Comptoir affiche une ardoise bistrotière. Et, en sortant, jetez donc un œil à L'Escurial, un de nos cinémas parisiens préférés.

Restos asiatiques

Très bon marché

|●| Long Hoa (plan couleur B3, **60**) : 11, rue Philibert-Lucot, 75013. ☎ 01-45-85-78-44. Ⓜ Maison-Blanche. Tlj sf lun 12h-14h30, 19h-22h30. Congés : 3 sem en mars et 3 sem en sept. Pas de menu ; carte 8-15 €. La déco soignée de ce resto chinois le démarque de ses voisins souvent plus impersonnels. La carte propose de bons plats traditionnels comme le phó, particulièrement parfumé, et des plats de fruits de mer. Service attentionné.

|●| Dong Tam (plan couleur B3, **58**) : 12 bis, rue Caillaux, 75013. ☎ 01-45-84-87-18. Ⓜ Maison-Blanche. Tlj sf mer ; service 12h-15h, 18h30-22h. Congés : juil. Soupe énorme env 8,20 € ; menus 11,10-14,10 €. Dans une petite salle proprette et accueillante, on déguste une authentique cuisine vietnamienne, servie avec le sourire. De grands classiques comme le bo bun et les grillades, mais aussi des plats plus rares comme la soupe

aux vermicelles et aux bulots ou encore la salade de fleur de bananier au poulet. Comme toujours dans cette cuisine vietnamienne, beaucoup d'herbes fraîches et de saveurs subtiles.

|●| Fleurs de Mai (plan couleur B3, **62**) : 61, av. de Choisy, 75013. ☎ 01-44-24-37-71. Ⓜ Maison-Blanche ou Porte-de-Choisy. Tlj sf mer 11h30-23h. Repas bien copieux env 15 €. Un petit resto chinois ni trop engageant ni trop accueillant... alors pourquoi en parler ? Tout simplement parce qu'on y mange un poulet fermier à la vapeur, à l'ail et au gingembre succulent, et des soupes au canard laqué ou aux raviolis de crevettes remarquables. À part ces spécialités maison très réussies, une foultitude d'autres plats, avec une large sélection de préparations à base de tofu (pâte de soja).

|●| Ny Hav (plan couleur B3, **51**) : 101, av. de Choisy, 75013. ☎ 01-45-85-88-88. Ⓜ Tolbiac. Tlj sf mer 11h30-22h30. Formules 9,50-12,90 €. Ambiance familiale, et carte très courte de spécialités vietnamiennes et cambodgiennes réalisées à la minute par le patron qui fait lui-même ses feuilles de riz (celles qui entourent notamment les savoureux rouleaux de printemps), ce qui explique qu'elles soient moins fines... en épaisseur mais pas en goût ! Fraîcheur garantie, donc, et service chaleureux de son épouse qui énonce avec fierté le contenu et l'origine des plats.

IOI *Tricotin 1 (plan couleur B3,* **66**) : *15, av. de Choisy, 75013.* ☎ *01-45-84-74-44.* Ⓜ *Porte-de-Choisy. Tlj ; service 9h30-23h. Carte 10-15 €.* Une de ces institutions où l'on fait patiemment la queue le week-end. Vaste salle, genre cantoche, assez bruyante, serveurs affairés, service pas forcément aimable. Mais on trouve ici tous les plats possibles et imaginables : les délicieux *dim sum* (petits plats à la vapeur et parfois frits), les *bo bun* assaisonnés d'une pointe de lait de coco, mais aussi les nouilles sautées, les soupes... Juste en face, une autre salle, *Tricotin 2,* où sont servies des spécialités thaïlandaises.

De bon marché à prix moyens

IOI *Comme au Vietnam (plan couleur B2,* **56**) : *195, av. de Choisy, 75013.* ☎ *09-80-33-17-93.* Ⓜ *Place-d'Italie. Tlj sf lun 11h30-15h, 18h30-23h. Menu 11 € le midi ; plats 8-15 €. Café offert sur présentation de ce guide.* Ce n'est pas un boui-boui de plus dans le Chinatown, mais un vrai resto vietnamien nouvelle génération, c'est-à-dire dans un décor de bistrot colonial élégant et sobre, avec un service jeune et un accueil remarquable. La cuisine, sincère, fine et naturelle, n'utilise que des produits frais, sans ajout de glutamate. On y sert les classiques vietnamiens : *bo bun* (poulet, crevettes, porc), nouilles sautées, soupes *phó*, brochettes... C'est souvent plein à midi. Notre coup de cœur vietnamien dans ce quartier en 2014 ! *NOUVEAUTÉ.*

IOI *Pho Tai Tai (plan couleur B3,* **67**) : *18, rue Philibert-Lucot, 75013.* ☎ *01-45-86-25-82.* Ⓜ *Maison-Blanche. Tlj sf jeu ; service 12h-14h30, 19h-22h30 (continu ven-dim). Congés : 3 sem en*

déc. Phó 8,80 € ; compter 15-20 € max. Le patron a fréquenté les grandes maisons et leurs chefs toqués, mais c'est dans cette petite rue du quartier chinois qu'il régale sa clientèle de délicieux plats vietnamiens, dont le *phó,* un savoureux bouillon fin et parfumé, agrémenté de nouilles de riz et de viande ; un plat complet, en somme. Sinon, grands classiques asiatiques (rouleaux de printemps au bœuf formidables) à la carte. Produits frais, accueil souriant et attentif, jolie petite salle coquette et aérée... Une perle !

IOI *La Maison des Frigos (plan couleur C2,* **70**) : *19, rue des Frigos, 75013.* ☎ *01-44-23-76-20.* Ⓜ *Bibliothèque-François-Mitterrand. En sem slt 12h15-14h45. Formules 19-24 €.* Le temps semble s'être figé dans cette petite cantoche colorée, faite de bric et de broc, sise dans l'ancienne gare frigorifique de la compagnie ferroviaire Paris-Orléans, où convergeaient toutes les denrées alimentaires... Aujourd'hui lieu d'expression et de création artistiques, elle abrite au rez-de-chaussée un resto japonisant. La propriétaire y concocte une délicieuse cuisine du jour (choix restreint) à base de produits frais exclusivement, et de la mer essentiellement. Sa terrasse aux beaux jours et son accueil si chaleureux contribuent au succès de ce petit resto atypique.

IOI *Chez Yong (plan couleur A3,* **52**) : *72, rue de la Colonie, 75013.* ☎ *01-45-65-17-88.* Ⓜ *Tolbiac. Tlj sf lun 11h45-14h30, 18h45-22h30. Menus 8,50-10,80 € (midi en sem), puis 14,50-28,80 € ; carte env 20 €.* Un restaurant qui propose une authentique cuisine de la Chine du Nord (Sichuan et Shandong). Cadre traditionnel sans tape-à-l'œil, grandes salles aérées, accueil aimable, service efficace. Bons produits et recettes originales. Un grand choix de viandes (pour les amateurs, beaucoup d'abats et de tripes à toutes les sauces), une belle « fondue » pour 2, des marmites de bœuf ou de poisson bien servies, et nombre de plats plus classiques.

IOI *Le Lao Thaï (plan couleur B2,* **55**) : *128, rue de Tolbiac, 75013.* ☎ *01-44-24-28-10.* Ⓜ *Tolbiac. Tlj sf mer ; service 12h-14h30, 19h-23h. Menu le midi* *en sem 9,50 € ; carte 15-20 €.* La maison est très connue pour son délicieux bœuf séché caramélisé, mais la carte décline encore quelques spécialités franchement remarquables, type poulet épicé au lait de coco ou *rouam mit* (vermicelles verts avec des fruits de palmier au lait de coco).

|●| *Bangkok-Thaïland (plan couleur zoom, 69) : 35, bd Auguste-Blanqui, 75013.* ● *01-45-80-76-59.* ● *tonton. bangkok@hotmail.fr* ● **Ⓜ** *Place-d'Italie ou Corvisart. Tlj sf dim-lun midi et soir jusqu'à 23h. Congés : nov. Menus 12 € le midi (sf sam et j. fériés), 23 € le soir ; carte env 25 €. Parking payant.* C'est d'abord un décor original d'objets d'art, de statuettes, marionnettes, gravures, photos, dans un joyeux et romantique désordre... et des tas de recoins comme autant de boudoirs pour amoureux. Patron chaleureux et patronne discrète et souriante pour une belle cuisine thaïe pleine de saveurs et de parfums. Goûtez notamment au savoureux *tom yam*, à la salade de bœuf séché ou au riz rouge maison.

|●| *Lao Lanexang (plan couleur B2-3, 61) : 105, av. d'Ivry, 75013.* ☎ *01-45-85-19-23.* **Ⓜ** *Tolbiac. Tlj sf lun 12h-15h, 19h-22h (22h30 dim). Congés : 1 sem en août et 1 sem fin déc. Menu le midi en sem 10,80 € ; carte env 30 €.* Ce resto sobre et agréable, avec des panneaux japonais diffusant une lumière douce, propose des spécialités laotiennes et vietnamiennes absolument délicieuses. Saveurs délicates, mariages heureux d'herbes aromatiques et d'épices savamment dosées. Les brochettes *Isan* sont particulièrement réussies, grillées et accompagnées d'une délicieuse petite sauce sucrée-salée. Une des meilleures adresses de notre Chinatown parisien. Terrasse en été. Plats à emporter.

|●| *Lao Lanexang 2 (plan couleur B2, 63) : 102, av. d'Ivry, 75013.* ☎ *01-58-89-00-00.* **Ⓜ** *Tolbiac. Tlj sf mer et jeu midi ; service 12h-15h, 19h-23h. Plateau-repas 12,80 € le midi en sem, avec verre de vin, café ou eau ; carte env 25 €.* Le cadre moderne et boisé distingue l'adresse des cantines de quartier, tandis que les prix, eux, restent ultra-raisonnables. Intéressante formule du déjeuner, présentée élégamment, qui

permet de picorer 3 petits plats, et que les néophytes peu enclins à une cuisine relevée demanderont sans piment. À l'étage, les tables sur la gauche, sous la verrière, sont particulièrement agréables. Une adresse au-dessus du panier.

|●| *Restaurant Sinorama (plan couleur B2, 64) : 23, rue du Docteur-Magnan, 75013.* ☎ *01-53-82-09-51.* **Ⓜ** *Tolbiac.* ♿ *Tlj 12h-15h, 19h-2h. Menus 12 € (en sem)-48 € (pour 2) ; carte env 20 €.* Un énième resto chinois ? En quelque sorte, mais celui-ci se distingue en proposant, à la carte, des plats moins aseptisés et parfois inhabituels. Nombreuses marmites, comme le canard aux fleurs de lys. N'hésitez pas à choisir une des salades de méduse, particulièrement réussies. Les végétariens apprécieront le large choix de plats à base de tofu. Plusieurs grandes tables rondes, bien sympa en famille ou entre copains. Beaucoup de monde le week-end.

|●| *Noodle Bar (plan couleur C3, 53) : 31, rue Nationale, 75013.* ☎ *01-44-23-85-74.* **Ⓜ** *Olympiades. Tlj sf mar 11h30-15h, 19h-22h30. Congés : janv et août. Menus 12-28 € ; carte env 15 €.* Au fin fond du quartier chinois ! Les grands classiques asiatiques, du nem au riz cantonnais, figurent à la carte, normal... Mais on vient là pour la spécialité du chef : les nouilles de Shanghai. Ces pâtes jaunes et épaisses, longues comme des spaghettis, sont servies en soupe, froides en salade ou sautées assorties de légumes, de viande ou de poisson. Préparations délicieuses, parfumées et copieuses, qui valent bien l'attente certains jours.

|●| *La Mer de Chine (plan couleur B2, 65) : 159, rue du Château-des-Rentiers, 75013.* ☎ *01-45-84-22-49.* **Ⓜ** *Place-d'Italie ou Nationale. Tlj ; service 12h-14h30, 19h-0h30. Congés : août. Menus 15 € le midi en sem, 25 € le soir et le w-e ; carte env 30 €.* Les intitulés, au début, peuvent rebuter : « crabes en mue à l'ail », « langues de canard sautées au sel et au poivre », « beignets de tripes », « salade de méduse au poulet émincé ». Mais pour peu qu'on ait envie de voir plus loin que le bœuf aux oignons et le poulet à l'ananas, *La Mer de Chine* est l'une de ces adresses immanquables, sincères et authentiques, bien loin des usines asiatiques qui pullulent dans le quartier. Pour les vrais voyageurs.

l●l *Le Nouveau Village Tao Tao* (plan couleur B2, 54) : 159, bd Vincent-Auriol, 75013. ☎ 01-45-86-40-08. Ⓜ Nationale. Tlj 12h-14h30, 19h-23h. Formule déj 13,50 € ; carte env 25 €. Un asiatique réputé pour son célèbre canard pékinois, mais aussi pour ses spécialités de bœuf, agneau ou crevettes sautés sur plaques chauffantes, ou encore pour ses crevettes flambées (devant vous !). Petit bémol cependant pour l'accueil assez distant.

l●l *Basilic & Spice* (plan couleur B3, 71) : 88, av. de Choisy, 75013. ☎ 01-45-85-19-30. Ⓜ Tolbiac ou Maison-Blanche. Tlj 12h-15h, 19h-22h30. Menus 12,90 € (midi en sem), puis 18,90-36 € ; carte env 30 €. Apéritif maison offert sur présentation de ce guide. Cadre contemporain, élégant et chaleureux tout à la fois, à découvrir le soir de préférence. D'origine cambodgienne, la propriétaire propose ici une cuisine d'aujourd'hui qui plonge ses racines dans les plats khmers d'antan (le côté basilic) tout autant que thaïs (gare au piment !). Des alliances harmonieuses d'herbes et de saveurs, à tester avec le beau « plateau découverte » (pour 2) en entrée et une des 100 façons d'accommoder le poisson du chef, à la vapeur ou non. Excellent accueil.

l●l *Suave* (plan couleur zoom, 68) : 20, rue de la Providence, 75013. ☎ 01-45-89-99-27. Ⓜ Corvisart ou Tolbiac. À l'angle de la rue de l'Espérance. Tlj sf dim ; service 12h-15h, 19h-23h. Congés : août et 1 sem fin déc. Formules déj 14 € (entrée + plat)-17 € (entrée + plat + dessert) ; carte 25-30 €. Digestif maison offert sur présentation de ce guide. Ici, pas de carte en 3 tomes mais des spécialités vietnamiennes finement préparées, et servies avec courtoisie par la famille. Le soin particulier apporté à la préparation des plats justifie le prix. De la salade de poisson, citron vert et gingembre, au crabe en sauce fines herbes, la cuisine est fraîche, à l'image de la petite salle prisée par une clientèle qui y a ses repères.

l●l *Sukhothaï* (plan couleur B2, 59) : 12, rue du Père-Guérin, 75013. ☎ 01-45-81-55-88. Ⓜ Place-d'Italie. Tlj sf dim et lun midi 12h-14h15, 19h-22h15. Congés : 3 sem en août. Résa indispensable. Menus 12,90-16,50 € le midi, 24-26,50 € le soir ; carte env 28 €. Le resto, bien que tout petit, est soigné avec ses jolies statuettes, gravures et peintures. Et la cuisine thaïe agrémentée de citronnelle, piment et autres épices exotiques alliés aux viandes, poissons et crustacés est fine et parfumée. Il suffit de goûter à la soupe de fruits de mer au lait de coco (servie dans la noix entière) ou aux pâtes de riz sautées pour se laisser transporter le long du Mékong... et oublier l'accueil vraiment distant.

Cuisine d'ailleurs

Très bon marché

l●l *Chez Mamane* (plan couleur zoom, 74) : 27, rue des Cinq-Diamants, 75013. ☎ 01-45-89-58-87. Ⓜ Corvisart ou Place-d'Italie. Tlj 16h-2h ; service 19h30-22h30. Venir tôt. Congés : août. Plats 11-16 € ; carte 10-18 €. Digestif maison offert sur présentation de ce guide. Une petite cantine de la Butte-aux-Cailles bien connue des habitués. Cadre banal, tables serrées, fresques humoristiques et comptoir pour s'accouder entre potes. Carte mono-plat : couscous des familles en 5 versions (nature, merguez, brochette, gigot ou royal). Portions généreuses, semoule fine, légumes croquants et viande juteuse, un régal parfumé ! On termine par de fondantes petites douceurs algériennes et un thé à la menthe. Vins algériens et hexagonaux, très corrects, au verre. Service bonne humeur.

l●l *Au Banquier* (plan couleur B1, 72) : 7, rue du Banquier, 75013. ☎ 01-43-36-73-46. Ⓜ Campo-Formio. Tlj sf lun soir 12h-14h30, 19h30-22h30. Congés : août et 1 sem à Noël. En sem, menus 12 € le midi, 13 € le soir ; carte 15-20 € ; paella mer 14,60 €, couscous ven-dim 11,50-15,80 €. Ce petit resto aurait pu passer inaperçu... un décor de vieux bistrot, simple et rien de plus. En semaine, la carte propose crudités, charcuterie et grillades. Puis le week-end, le couscous sort des marmites et le resto fait le plein. Bien cuisiné, copieux et pas cher : voilà la recette du *Banquier* ! Et s'il vous reste une petite place, goûtez les pâtisseries orientales, elles sont divines. Pour les amateurs, paella le mercredi. On pardonne le service parfois désinvolte !

|●| *Cocagne* *(plan couleur B1, 73)* : 180, rue Jeanne-d'Arc, 75013. ☎ 01-45-35-88-52. Ⓜ *Les Gobelins.* ♿ *Tlj sf dim 12h-15h, 19h-minuit. Congés : août. Menus à partir de 10 € le midi, 13-18 € le soir. Dessert offert sur présentation de ce guide.* Les adorables propriétaires représentent leur pays, le Liban, avec discrétion, gentillesse et talent. Le cadre est banal, et seule une fresque du fort de Saïda rappelle cet Orient, si proche, si lointain. Mezze du patron, taboulé et autres spécialités sont un vrai régal. En dessert, demander s'il y a des *kellages Ramadan* (sortes de crêpes en feuilles de brick fourrées à la crème parfumée à la fleur d'oranger), toute une poésie. Plats à emporter. Bref, un excellent rapport qualité-prix.

De bon marché à prix moyens

|●| *Entoto* *(plan couleur A2, 81)* : 143-145, rue Léon-Maurice-Nordmann, 75013. ☎ 01-45-87-08-51. ● entoto@ orange.fr ● Ⓜ *Glacière.* ♿ *Ouv ts les soirs (service 19h-minuit), plus le midi lun-ven sur résa. Formules déj (entrée + plat ou plat + dessert) 12,50-20 € ; le soir, assiette-dégustation 16,50 € ; carte 22-28 €.* Un bon resto éthiopien de Paris (le plus ancien), digne des fastes de la reine de Saba. De la mousse d'avocat jusqu'aux viandes crues ou cuites, vous nous direz des nouvelles de ces *indjera*, galettes dont on garnit le fond de l'assiette afin qu'elles s'imprègnent des sauces parfumées. Ragoûts de viande accompagnés de délicieux légumes variés, tartares à l'éthiopienne appelés aussi *ketfo*, poule *berbéré* (poule confite aux épices).

|●| *Cacio e... Peppe* *(plan couleur A2, 76)* : 16, rue Vulpian, 75013. ☎ 01-45-87-37-00. ● antichisapori@wanadoo. fr ● Ⓜ *Glacière. Tlj sf dim-lun 12h-14h, 19h30-22h. Congés : août et période de Noël. Formule déj 14,50 € ; carte env 30 €. Café offert sur présentation de ce guide.* Il flotte un accent méridional dans ce coin du 13e où les bonnes tables sont plutôt clairsemées. Même la Sarde de patron ne roule pas les *r*, on reconnaît chez lui le sympathique bagout transalpin et, dans la cuisine, d'irréprochables saveurs ensoleillées, servies sans chichis. On ne se lasse ni de l'impeccable formule du déjeuner, qui propose tous les jours un plat de pâtes différent (délicieusement al dente), ni de la *burrata* ou du risotto, servi le soir. Les journalistes du *Monde*, en bons voisins, accaparent les tables. Réservez vite !

|●| *Les Cailloux* *(plan couleur zoom, 78)* : 58, rue des Cinq-Diamants, 75013. ☎ 01-45-80-15-08. ● lescailloux@slj cohen.fr ● Ⓜ *Corvisart. Tlj 12h-14h30 (12h30-15h w-e), 19h30-23h. Congés : 1 sem en août et 1 sem fin déc. Résa conseillée. Formules déj 13,50-17,50 € ; carte env 35 €. Chèques refusés.* Derrière une très jolie devanture, un resto tout dédié à l'Italie, avec des menus souvent renouvelés et une belle carte des vins. Les pâtes, évidemment, sont à l'honneur et al dente (si vous ne les aimez pas trop fermes, mieux vaut le préciser !). Service particulièrement actif au déjeuner et bon point pour le verre de vin compris. Reste que les quantités servies sont malheureusement toujours trop justes ! Dommage. L'après-midi, fait café-bar.

|●| *Kamukera* *(plan couleur C2, 82)* : 113, rue du Chevaleret, 75013. ☎ 01-53-61-25-05. ● ketty@kamukera.com ● Ⓜ *Bibliothèque-François-Mitterrand ou Chevaleret. Tlj sf sam midi et dim-lun ; service 12h-15h, 19h-minuit. Résa conseillée ven-sam. Menu 15 € le midi ; carte env 30 €.* Si vous aimez la cuisine africaine et antillaise peu pimentée ainsi que Claude François, cette adresse est pour vous ! Ketty, la propriétaire, est une ancienne Clodette, visiblement encore très imprégnée, à en croire les nombreuses photos du célèbre yé-yé. Cuisine généreuse et roborative : poulet yassa,

colombo de porc, mafé, *n'dolet* mixte (plat camerounais) et quelques desserts agréables comme le blanc-manger coco. On peut aussi grignoter sur le pouce une

assiette d'assortiments accompagnée d'un ti-punch ou d'un planteur maison. Ambiance chaleureuse le samedi soir.

Où boire un verre ?

La Dame de Canton *(plan couleur C2, 86)* : *port de la Gare (au pied de la BnF), 75013.* ☎ *01-53-61-08-49.* ● *restaudamedecanton@yahoo.fr* ● Ⓜ *Bibliothèque-François-Mitterrand ou Quai-de-la-Gare. Bar ouv non-stop 20h-minuit (et plus le w-e). Resto tlj sf dim-lun ; service 20h-minuit. Congés : août (sf terrasse). Entrée : env 5-10 € selon programmation. Verres à partir de 3 €. Côté resto, formules dîner-concert 29-55 €. Apéritif maison offert sur présentation de ce guide.* Cette *Dame de Canton* est une véritable jonque traditionnelle construite en Chine à l'aube des années 1980. Autant dire que le lieu est magique ! Cocktails et quelques petits plats goûteux. La jonque est aussi bien ancrée dans la fête et fait entendre ses sirènes : concerts de jazz, fusion, rock ou soul... Une programmation musicale qui mise généralement sur le métissage des cultures.

Le Sputnik *(plan couleur zoom, 89)* : *14-16, rue de la Butte-aux-Cailles, 75013.* ☎ *01-45-65-19-82.* ● *contact@ sputnik.fr* ● Ⓜ *Corvisart ou Place-d'Italie. Avr-août, tlj 11h-2h ; le reste de l'année, à partir de 17h. Bières pression 3,50-5 € ; happy*

hours 18h-20h : cocktail 5 €. Petite restauration le midi, plats 10-14 € max. 🖥 📶 Un cybercafé à l'ambiance culturo-déjantée certains soirs. Une dizaine de portables au compteur pour surfer dans l'arrière-salle. Parfois, c'est très calme, limite studieux. Sinon, c'est, pêle-mêle, foot sur écran géant, expo de photo ou de peinture, concerts acoustiques, etc. Terrasse sur le trottoir.

Wanderlust *(plan couleur C1, 92)* : *dans la Cité de la Mode et du Design, 32, quai d'Austerlitz, 75013.* Ⓜ *Austerlitz. Mer 12h-2h, jeu-sam 12h-6h, dim brunch 11h-2h. Entrée gratuite. Consos à partir de 7 €. Carte env 20 €.* La plus grande terrasse de Paris : 1 600 m² surplombant la Seine, au beau milieu de la Cité de la Mode et du Design, vaisseau de béton corseté de vert. Mais pas que. Le *Wanderlust*, c'est le mariage réussi entre un *rooftop*-bar new-yorkais, un café de musée et un club branché à la programmation très pointue. Véritable centre multidisciplinaire, il propose aussi performances, restauration, activités pour enfants, cours de yoga ou projections. Bref, un lieu à fréquenter à toute heure, et encore plus l'été.

Où sortir ?

Le Nüba *(plan couleur C1, 92)* : *entrée par le 36, quai d'Austerlitz, puis prendre l'escalier qui grimpe tt en haut, 75013.* ☎ *01-76-77-34-85.* Ⓜ *Quai-de-la-Gare. Tlj sf lun 12h-5h (minuit mar et dim). Club mer-sam 23h-5h, entrée gratuite. Restauration tlj sf dim soir et lun 12h-14h30, 19h-23h. Bière 5 € ; cocktail 12 €. Plats 15-20 €.* Le *Nüba* flotte littéralement au-dessus de la Seine. Installée sur le toit de la Cité de la Mode et du Design, cette nouvelle terrasse-bar-resto-club branchée s'offre aux amateurs de belles

vues : on y domine tout le Sud-Est parisien, c'est superbe ! À toute heure du jour ou de la nuit, on s'installe sur le gigantesque pont-terrasse au mobilier coloré et convivial ou dans la salle design, où l'on peut grignoter bentos, grillades ou salades. Et la nuit, ce sont les meilleurs DJs internationaux qui se relaient aux platines, entre funk discoïde, électro tapageuse ou house généreuse. Idéal pour faire la *nuba*.

Le Batofar *(plan couleur C2, 90)* : *11, quai François-Mauriac, 75013.* Ⓜ *Quai-de-la-Gare ou*

Bibliothèque-François-Mitterrand. Tlj sf lun. Concerts 8-15 €. Entrée club : 10-15 €. Formule w-e entrée club + 1 plat 20 €. Entrée gratuite sur la terrasse. Mar-sam 18h-20h 1 conso achetée, 1 conso gratuite. Ce superbe bateau-phare rouge, amarré au pied de la grande bibliothèque, a rouvert ses écoutilles après un lifting bien mérité. La cale accueille toujours concerts et soirées électro, où la fine fleur de la musique actuelle se donne régulièrement rendez-vous. Un restaurant-terrasse a été aménagé sur le pont supérieur. Un lieu incontournable de la nuit parisienne.

♪ 🎵 **Petit Bain** *(plan couleur C2, 91) :* quai de la Gare, 75013. ● contact@petitbain.org ● petitbain. org ● Ⓜ *Quai-de-la-Gare. Mer-sam 18h-2h, dim 12h-17h30. Entrée : env 10-15 €.* La barge amarrée au pied de la BnF propose des concerts dans sa cale et un bar-resto sur le pont. La « pop indigène » est à l'honneur, avec des concerts de musiques actuelles et du monde plusieurs fois par semaine, et surtout le week-end, dans une ambiance conviviale. Paré à l'abordage ?

À voir

LA BUTTE-AUX-CAILLES *(plan couleur zoom)*

Cernée par les tours du secteur Italie et de la Glacière, elle occupe une place à part à Paris. Un « village » qui n'est plus, et depuis bien longtemps, un repaire de malfrats. On y trouve des bistrots dans l'air du temps, pas chers, ouverts à la fête jusque tard dans la nuit. Les difficultés que l'on éprouve pour accéder aux passages étroits et aux ruelles des hauteurs contribuent à maintenir la Butte à l'écart des itinéraires touristiques. Qui s'en plaindrait ?

UN PEU D'HISTOIRE

La rue du Moulin-des-Prés indique que, de Gentilly aux Gobelins, des moulins à eau jalonnaient le cours de la Bièvre. Jean-Jacques Rousseau aimait aller herboriser le long de ses rives et admirer la petite rivière qui borde la Butte. Benjamin Franklin vint lui-même assister à l'atterrissage de la montgolfière de Pilâtre de Rozier en 1783. On recouvrit progressivement la Bièvre. Elle n'avait plus très bonne réputation à cause des tanneries qui y lavaient les cuirs et laissaient une odeur nauséabonde. Aujourd'hui, la Bièvre est, d'une certaine manière, remontée à la surface, puisqu'un marquage au sol sur les trottoirs (de gros clous de bronze) jalonne désormais son tracé (trois bras différents), de la Poterne des Peupliers (13ᵉ) au pont d'Austerlitz.
On doit à la pauvreté du quartier le début de la consommation de viande de cheval. La première boucherie chevaline ouvrit à Paris, place d'Italie, en 1866.
Contrairement à d'autres quartiers du 13ᵉ, la Butte ne subira pas par la suite trop d'attentats architecturaux (son sous-sol fragilisé par l'exploitation de carrières rendit impossible la construction de hauts immeubles). Il suffit pour s'en convaincre de se promener dans la rue de la Butte-aux-Cailles et les rues adjacentes, ou place de l'Abbé-Georges-Hénocque (ex-place des Peupliers).

Les secrets de la Butte

Oh ! pas de monuments grandioses, de boutiques prestigieuses, non ! Plutôt une atmosphère indéfinissable. En tout cas, une promenade architecturale à travers tous les styles : des pavillons Art déco, des exemples intéressants d'architecture sociale, des cités-jardins, des rues villageoises, des passages aux pavés disjoints...

🎯 Dans le petit jardin du dispensaire, près du métro Corvisart, à l'angle de la rue Barrault, une émouvante *statue* rappelle que des centaines d'enfants vivaient alors dehors. Hector Malot fait d'ailleurs traverser la Butte-aux-Cailles à Rémi dans *Sans famille.*

🎯 La rue des Cinq-Diamants (du nom d'une ancienne taverne) mène à la **rue de la Butte-aux-Cailles** (le centre historique de la Butte, qui doit son nom à d'anciens propriétaires). Au n° 58 de la **rue des Cinq-Diamants,** à l'angle, on trouve un immeuble baptisé « la tour de Pise ». Il peine en effet à se tenir droit, bâti qu'il fut sur un sous-sol percé de carrières. Aujourd'hui, on a élargi les trottoirs, planté des pommiers, pour faire un carrefour de village. De part et d'autre, des voies paisibles, bordées de maisons basses : rue Alphand, passage Boiton, rues Buot, Michal...

🎯 Un peu à l'écart, **rue Vergniaud,** à l'angle de la rue Daviel, curieuse église campagnarde des antoinistes, une toute petite secte fondée en 1913 par Louis Antoine, un Belge pétri de spiritisme.

🎯 Ne manquez pas, au passage, rue Daviel, au n° 10, l'ensemble architectural à colombages, sortes de constructions de style anglo-normand. Appelée aussi la **Petite Alsace,** cette cité ouvrière ouverte en 1913 comporte 40 pavillons à la disposition de cité-jardin. Tout un mythe dû à Walter et à l'abbé Viollet. En face, une série de coquettes villas peintes et fleuries vous dépaysent totalement : Irlande, Angleterre ou Paris enchanté ?

🎯 À l'opposé de la butte, jeter un œil à la **piscine de la Butte-aux-Cailles.** Dans un style presque anglais de brique rouge et de béton, cette piscine Art déco, l'une des plus vieilles de Paris (mais toute rénovée, que

LES RUSSES BLANCS VOIENT ROUGE !

*Au-dessus de la Petite Alsace se découpe la silhouette en dents de scie de la **Petite Russie,** une dizaine de pavillons identiques. À l'origine, des logements fournis à ses chauffeurs par une compagnie de taxis. Pourquoi la Petite Russie ? Parce qu'une majorité d'entre eux étaient des Russes blancs qui avaient fui la révolution d'Octobre. Ruinés, leur seule richesse était leur permis de conduire. N'espérez pas trop y pénétrer, les pavillons donnent sur une vaste terrasse inaccessible pour cause de digicode. On aperçoit les maisons perchées sur le toit d'un garage, en regardant par la rue Daviel.*

les nageurs se rassurent !), ne manque pas de cachet et est encore alimentée par un puits artésien (l'eau en jaillit spontanément à 28 °C). Également un bassin extérieur.

🎯🎯 **La Cité florale** *(plan couleur A3) :* un bijou méconnu, derrière la place de Rungis, au-delà de la rue de Tolbiac. Construite en forme de triangle en 1928 sur des prés anciennement inondés par la Bièvre, toujours elle. Des noms de rues qui nous chantent allègrement aux oreilles. La *rue des Orchidées* et ses beaux pavillons Art déco, la tranquille *rue des Glycines* (avec une placette plantée d'un cerisier), celle *des Liserons,* couverte de lierre, les *rues des Volubilis, des Iris,* le *square des Mimosas...* Un havre de paix exubérant de verdure, comme une enclave de résistance au cœur d'un quartier bétonné. Les maisons sont le plus souvent en brique de tons différents, et leurs toits en tuiles mécaniques plus ou moins orangées, ce qui confère à ces ruelles une diversité chromatique assez originale.

🎯 **La place de l'Abbé-Georges-Hénocque** *(ex-place des Peupliers ; plan couleur A-B3)* est entourée de rues paisibles mélangeant plusieurs styles architecturaux : la *rue des Peupliers* et ses pavillons ouvriers en pierre meulière, la *rue Dieulafoy,* bordée de charmantes maisons aux curieux toits pointus (construites en 1912 par l'Association fraternelle des employés et ouvriers du Chemin de fer français), belle façade à colombages à l'angle de la rue du Docteur-Leray.

LES GOBELINS

Quartier agréable aux frontières de Mouffetard et du Quartier latin. Deux rues du 13e (Broca et Pascal) y vont même faire une escapade de curieuse façon : elles plongent et se glissent presque souterraines sous le boulevard de Port-Royal.

Toute la vie du quartier tournera autour de la Bièvre jusqu'au début du XXe s. Celle-ci coulera longtemps à découvert, et nombre de tanneries et mégisseries s'installeront sur ses bords (une rue des Tanneries en témoigne encore). Notons que, déjà au XVIe s, des « écologistes » se plaignaient de la pollution de la Bièvre. De 1671 à 1906, il n'y eut pas moins de 35 ordonnances et décrets visant à la réduire. En 1896, l'école d'imprimerie et d'arts graphiques Estienne s'installa au coin de la rue Abel-Hovelacque et du boulevard Auguste-Blanqui. En 1910, tous les tanneurs, teinturiers, fabricants de papier furent expropriés, et la Bièvre définitivement couverte. Par la suite, de nombreuses rénovations transformèrent le visage du quartier.

🎥🎥 **La Manufacture nationale et la galerie des Gobelins (les Gobelins** ; plan couleur A2) : 42, av. des Gobelins, 75013. ☎ 01-44-08-53-49. ● mobiliernational. fr ● Ⓜ Les Gobelins. Bus nos 27, 47, 83 et 91. Lors des expos temporaires, galerie ouv tlj sf lun 11h-18h. Résa conseillée auprès de la Fnac 48h à l'avance. Entrée : 6 € ; réduc ; gratuit pour ts le dernier dim de chaque mois. Visite guidée (incluant la visite historique des cours) sam à 14h30 et 16h ; tarif : 10 €, réduc. Visite des ateliers mar-jeu à 13h ; tarif : 9 €, réduc. Billet combiné manufacture + galerie : 11 € ; réduc.

À la Manufacture royale des Gobelins (du nom d'une famille de « taincturiers en escarlate » (teinte extraite de la cochenille)), créée par Colbert en 1662, sont venues s'ajouter celle de la Savonnerie en 1825, puis celle de Beauvais après la dernière guerre. Trois ateliers d'excellence qui, à travers les péripéties de l'histoire, n'ont jamais cessé de produire de magnifiques tapisseries et tapis, servant tour à tour la royauté, la Révolution, l'Empire et aujourd'hui la République. Ces

HISTOIRE DE CROTTES

Les déjections d'animaux carnivores contenant un acide dissolvant bien la graisse des peaux travaillées par les tanneurs, les ateliers des Gobelins firent appel, à la fin du XIXe s, à des ramasseurs de crottes de chien, mais aussi de celles d'animaux du jardin d'Acclimatation, et notamment des crottes de fauve, elles faisaient merveille pour le traitement de certaines peaux de chèvre.

ateliers étaient implantés le long de la Bièvre, aujourd'hui recouverte.

La visite, assez technique, débute par l'atelier des Gobelins et ses métiers à tisser verticaux (en haute lice). Vous saurez tout sur les étapes de confection : échantillonnage, kilotage, ourdissage, encrage et, bien sûr, tissage. Une tapisserie prend en général plusieurs années pour être achevée. À noter que les manufactures produisent exclusivement en vue d'enrichir le Patrimoine national. Les artistes cartonniers (créateurs des motifs) sont toujours contemporains, ce qui finit par constituer une exceptionnelle mémoire de l'art moderne.

La galerie des Gobelins est d'une architecture caractéristique du début du XXe s. Dès sa construction, elle fut destinée à l'exposition des collections du Mobilier national et des créations des manufactures. La galerie présente aujourd'hui des expos temporaires d'art ancien et contemporain en rapport avec le Mobilier national, les manufactures et les métiers d'art.

🎥🎥 **La Cité fleurie** (plan couleur A2) : 65, bd Arago, 75013. Ⓜ Glacière. Digicode (mais comme la chance n'arrive pas qu'aux autres...). L'un des derniers poumons d'air du quartier, aujourd'hui classé. La Cité est composée d'une trentaine d'ateliers construits dans les années 1870-1880 avec les matériaux de l'Exposition universelle. C'est un jardin extraordinaire, une jungle d'arbustes, de rosiers, de tilleuls centenaires, qui descend en pente douce vers la rue Léon-Maurice-Nordmann. Au fond, des taillis, des pelouses, une vieille maison basse aux tuiles patinées. De prestigieux occupants – Gauguin, Modigliani, Rodin, Bourdelle, Maillol – fréquentèrent assidûment les lieux.

🚶 **La Cité verte** *(plan couleur A2)* **:** *147, rue Léon-Maurice-Nordmann, 75013.* Ⓜ *Glacière.* Ici encore, un digicode a malheureusement eu raison des curieux. Une vieille ruelle pavée tout en longueur, bordée d'ateliers d'artistes bâtis de bric et de broc et noyés dans la verdure. L'un d'eux possède même un escalier extérieur en colimaçon. Le célèbre sculpteur Henry Moore (1898-1986) travailla un temps ici. C'est en cherchant la fusion parfaite entre la pierre et le décor naturel que le « sculpteur de plein air » révolutionnera l'art anglais au milieu du XXᵉ s. L'ensemble, un peu sauvage et désordonné, possède beaucoup de charme. Le site est classé. En face, au nº 152, petite cité des Vignes, charmante, mais elle aussi fermée. La rue Léon-Maurice-Nordmann s'achève ensuite à la sinistre prison de la Santé.

🚶 Enfin, dans un registre nettement plus contemporain, passez donc devant l'*immeuble du journal* **Le Monde** *(plan couleur A2)*, au 80, boulevard Auguste-Blanqui. La façade est recouverte d'une étonnante « peau » de verre reproduisant la une du quotidien (en fait une citation de Victor Hugo), illustrée par le dessinateur Plantu. Celle-ci est bien visible de jour – fugacement certes – depuis le métro (ligne 6), entre les stations Corvisart et Glacière...

UN QUARTIER OÙ L'ON NE SUCE PAS QUE DES GLAÇONS !

Ce quartier n'est pas le plus froid de Paris, comme on pourrait le croire. En fait, il s'appelait déjà la Glacière au début du XXᵉ s, car c'est ici, dans les prés inondés par la Bièvre, que les entrepôts et châteaux parisiens recueillaient en hiver la glace qu'ils stockaient ensuite dans des glacières pour les jours chauds. Tout simplement.

Pour la petite histoire, et à propos de lignes de métro justement, ce sont les deux lignes partiellement aériennes (lignes 2 et 6) qui reprennent le tracé de l'enceinte des fermiers généraux.

LE NOUVEAU 13ᵉ

Compris dans le quadrilatère formé par les avenues d'Italie et des Gobelins, les boulevards Saint-Marcel et de l'Hôpital, la Seine et le boulevard Masséna, c'est le quartier du 13ᵉ qui a subi le plus de bouleversements, notamment avec l'aménagement de la ZAC (zone d'aménagement concertée) Rive Gauche créée en 1991, sise entre la Seine et la récente avenue de France, qui en est l'arête dorsale. Le secteur, modelé de toutes pièces, reconquiert d'anciens terrains industriels sur le déclin, où cohabitent désormais des milliers d'étudiants, riverains, chercheurs, commerçants, curieux et touristes. Depuis les travaux d'Haussmann, c'est l'un des chantiers les plus ambitieux que Paris ait connus, articulé autour de la BnF, figure de proue de ce nouveau quartier encore en pleine mutation. Le « nouveau Quartier latin », comme certains le nomment déjà, manque néanmoins encore un peu de vie le week-end et pendant les vacances scolaires, une fois les étudiants envolés. Paris Rive Gauche se divise d'ailleurs en trois quartiers : Austerlitz, Tolbiac et Masséna, qui seront harmonieusement reliés au reste de l'arrondissement quand les travaux de recouvrement des voies ferrées seront achevés. Dans cet Est parisien qui, à coups de marteau-piqueur, s'est ouvert sur la Seine, les flâneries urbaines sont inexorablement tournées vers le fleuve et ses trois ports (port de Tolbiac, de la Gare et d'Austerlitz, en cours de réhabilitation). Ici, le béton et les espaces verts jouent l'alternance, et la piscine flottante Joséphine-Baker, amarrée quai de la Gare, donne un avant-goût d'été. En 20 ans, cette partie du 13e s'est métamorphosée, et les immeubles ultramodernes jouxtent des vestiges industriels : ex-entrepôts frigorifiques convertis en ateliers, ancienne minoterie des Grands-Moulins transformée en campus, Magasins généraux (Docks en Seine) devenus Cité de la Mode et du Design... Un terrain de jeux formidable pour les architectes et les urbanistes associés à ce titanesque chantier.

C'est cet univers, déjà en pleine mutation en 1978, qui taraudait Léo Malet : « Y trouverait-on encore la trace de ceux qui ont constitué la matière vivante du quartier : ouvriers et artisans, modestes marginaux à la gomme et petites putains à fleur dans les cheveux, un tas de types pas très futés sans doute, mais humains... » Mais la vie continue. Maintenant, pour le prix d'un ticket de métro, on peut découvrir les dernières tendances de l'architecture contemporaine ou faire un voyage en Extrême-Orient du côté de l'avenue d'Ivry.

Pour l'anecdote, sachez que le célèbre studio photo *Harcourt* a mis au point un photomaton, avec l'éclairage si particulier qui fait la « patte » Harcourt. Une façon de mettre ses pas dans ceux des plus grandes stars.... À découvrir au cinéma *MK2 Bibliothèque*.

– Pour plus d'informations sur le quartier, se renseigner au **centre d'information de Paris Rive Gauche** (av. de France ; ☎ 01-45-82-27-45 ; mar-dim 13h-18h). Distribue gratuitement la brochure « Parcours Paris Rive Gauche », qui propose trois itinéraires de balade dans le quartier.

🎭🎭🎭 *La chapelle Saint-Louis et l'hôpital de La Pitié-Salpêtrière* (plan couleur B-C1) : 47, bd de l'Hôpital, 75013. Ⓜ Place-d'Italie.

Dôme octogonal surmonté d'un lanternon. Qui ne connaît à Paris cette silhouette massive et si caractéristique ? Un peu le symbole architectural de l'hôpital. On arrive par la cour d'honneur abondamment fleurie.

La *chapelle* présente un plan très original : quatre nefs et, entre chacune d'elles, quatre immenses chapelles. Le tout entourant le chœur dans une symétrie parfaite. Cette construction inédite révèle à l'évidence la volonté de bien séparer les catégories de malades (par classes, par degrés de contagion...). L'intérieur est quasiment nu. Seules pièces exposées : un baptistère sculpté et un lutrin en fer forgé du XVIIe s.

Pendant qu'on y est, allons faire quelques pas dans cet hôpital. Ancienne poudrière sous Louis XIII (d'où son nom, puisque la poudre est, entre autres, composée de salpêtre), il devint sous Louis XIV le premier hôpital « pour le renfermement des pauvres », auquel on ajouta plus tard une maison de force pour les femmes. C'est de là que partirent Manon Lescaut (l'héroïne du roman de l'abbé Prévost) et les fameuses « filles du Roy », prostituées, orphelines, femmes dans la misère qui s'en allaient peupler les colonies.

Au XIXe s, la Salpêtrière devint institution psychiatrique. Dans l'ancien « quartier des folles », on tombe, au détour d'un couloir, sur une petite rangée de sièges en demi-lune. On y attachait les femmes quelques heures pour les sortir un peu de leur cellule... Les incurables furent enfermés et maintenus par des chaînes ; les autres, entassés dans des salles communes dénuées de toute hygiène. Moyennant une obole, le grand scoop pour les familles

FREUD STAGIAIRE

C'est à la Salpêtrière qu'on ouvrit en 1882 la plus grande clinique neurologique d'Europe. Pendant 6 mois, elle eut un jeune stagiaire promis à la postérité : Sigmund Freud. Ici, ce dernier concevra la théorie de l'inconscient psychanalytique en observant les résultats obtenus par Charcot et en utilisant l'hypnose dans le traitement des hystériques.

était de venir assister, derrière les vitres, aux contorsions des malades. Évoquons, à ce propos, le médecin aliéniste Philippe Pinel, qui a sa statue sur le boulevard et dont le mérite est d'avoir supprimé les chaînes pour les malades et d'avoir tenté d'humaniser leurs conditions de vie.

La Salpêtrière est une véritable ville dans la ville, mélangeant les vestiges du passé aux constructions les plus modernes.

🎭 Surplombant la Seine, les fameux Docks en Seine abritent la **Cité de la Mode et du Design** (plan couleur C1) **:** 26-32, quai d'Austerlitz, 75013. Ⓜ Gare-d'Austerlitz. Bâtiment spectaculaire dû à l'imagination talentueuse du cabinet Jakob + MacFarlane, ses pieds reposent sur l'eau alors que sa terrasse, ondulante, évoque le règne végétal. C'est sur la structure existante des Magasins généraux (1907) que les architectes ont installé une charpente tubulaire garnie de panneaux de verre sérigraphiés. Résultat saisissant, donc, pour un lieu infiniment branché, dédié à la formation (l'Institut français de la mode) et à une poignée de boutiques design et de restos. Et depuis peu, un *musée d'Art ludique (collection permanente à venir bientôt ; pour l'heure, des expos temporaires ; programmation sur ● citemodedesign.fr ●).*

🎭 Ouverte aux « circulations douces » (vélos et piétons), la **passerelle Simone-de-Beauvoir** est le 37ᵉ pont de Paris ! Elle allie élégance architecturale et prouesse technique (180 m de portée libre pour une longueur totale de 270 m), reliant la BnF au parc de Bercy, trait d'union entre le 13ᵉ et le 12ᵉ arrondissement. Construite en Alsace, elle a été acheminée par la mer du Nord et la Manche, puis montée en pleine nuit en 2h seulement. Les Parisiens l'ont adoptée en la surnommant « la lentille » en raison de ses deux courbes contraires se croisant pour former un œil.
– Jetez justement un œil à la *piscine flottante* – et découverte en été ! – **Joséphine-Baker.**

La Bibliothèque nationale de France, site François-Mitterrand *(plan couleur C1-2)*

🎭🎭🎭 *Quai François-Mauriac, 75013.* ☎ *01-53-79-59-59.* ● *bnf.fr* ● Ⓜ *Quai-de-la-Gare ou Bibliothèque-François-Mitterrand. Bus nᵒˢ 62 et 89. Fermé les j. fériés.*

Un peu d'histoire

En août 1989, Dominique Perrault gagne, à 36 ans, le concours d'architecture pour la réalisation du vaste projet mitterrandien. Les problèmes ne tardent cependant pas à apparaître : amertume de la BnF Richelieu, écartée du projet, divergences sur son accessibilité ou non au grand public... Autre problème, la question du transfert des collections de Richelieu à Tolbiac. Le choix est vite fait : on ne divise pas la culture. À part les manuscrits, plans et médailles, tout sera transféré à Tolbiac. Enfin, le choix du jury en faveur du concept architectural de Dominique Perrault reçoit son flot de critiques, à juste titre d'ailleurs : ces quatre tours en forme de livre ouvert ne vont-elles pas poser des problèmes de stockage, de climatisation, de circulation des livres ? L'idée de Dominique Perrault avait été d'élever des genres de « silos à livres » translucides, dont on aurait pu suivre le niveau de stockage. Pour éviter la polémique sur les bouquins qui allaient griller au soleil, l'architecte imagina un système élaboré : une épaisseur de verre, 7 cm d'air, une autre épaisseur de verre, puis des volets de bois d'okoumé double face. À l'intérieur, une énorme machinerie assure une température constante de 18 °C et 55 % d'humidité. Les étages ont été isolés pour éviter la hantise des conservateurs : la prolifération des champignons et autres moisissures, et le feu. Tout a été pensé pour éviter la liquidation de la mémoire du monde : espaces cloisonnés et munis de portes coupe-feu.

Visite

Visite de la bibliothèque pour individuels mar-ven à 14h30, sam-dim à 15h ; rdv devant la maquette hall est ; durée : 1h30 ; 3 €. Le w-e, il est parfois possible d'accéder au belvédère pour découvrir l'organisation du quartier, et, le 1er sam de chaque mois, la visite permet d'accéder à la bibliothèque de recherche en rez-de-jardin. Plusieurs dépliants sont à la disposition des visiteurs : programmes des expos et des conférences, explications techniques, accompagnement du public, etc. Ateliers enfants/adultes, programme sur • bnf.fr • ; compter 5 €/pers.

À défaut de pouvoir suivre une des visites guidées, n'hésitez pas à pénétrer dans la bibliothèque (accès hall est) ; un espace découverte présente l'histoire de la BnF, ses différents sites, ainsi que la diversité de ses missions (collecter, cataloguer, conserver, enrichir dans tous les champs de la connaissance le patrimoine national, en particulier celui de la langue française, et assurer l'accès du plus grand nombre aux collections).

Toujours hall est, vous pourrez visiter le **Labo de la BnF** *(lun 14h-19h, mar-sam 10h-19h, dim 13h-19h ; fermé j. fériés ; GRATUIT)*. Il a pour vocation de sensibiliser le public aux nouveaux usages et aux supports numériques : mur de sélection, sciences cognitives, réseau très haut débit.

L'ENFER DE LA BIBLIOTHÈQUE NATIONALE

Parmi les trésors conservés à la Réserve des livres rares, une section a été créée au XIXe s pour distinguer les ouvrages jugés obscènes, et donc à conserver à l'abri des regards. C'est Apollinaire qui réalise en 1913 un premier inventaire bibliographique de ces ouvrages, jusque-là non consultables, puisque n'apparaissant dans aucun catalogue de la BnF. À la fin du XXe s viendront s'y ajouter les journaux et tracts clandestins des périodes sombres de l'histoire de France, et, plus récemment, des livres interdits de publication, comme celui du docteur Gubler sur un patient nommé François Mitterrand.

Les globes de Louis XIV

Accès libre hall ouest de la BnF. Animation lun-sam à 16h (durée : 1h ; 3 €).

La BnF expose les objets les plus spectaculaires de ses collections. À noter, un espace tactile et sonore est accessible aux déficients visuels.

À la fois instruments scientifiques et œuvres d'art, ces sphères magnifiques ont été commandées par le cardinal d'Estrée au géographe franciscain d'origine vénitienne Vincenzo Coronelli pour le compte de Louis XIV, à la fin du XVIIe s. À l'origine, les globes devaient être exposés à Versailles, mais victimes de leur démesure, ils ont été souvent déplacés. Aujourd'hui, les deux globes sont placés au centre d'une scénographie originale qui rend justice à la splendeur des peintures réalisées pour leur décor. Ils sont fixés sur un axe, légèrement décalés l'un par rapport à l'autre, de manière que l'on puisse voir une partie du « globe céleste » derrière le « globe terrestre ». Pièces exceptionnelles (pas moins de 2,3 t chacune, 4 m de diamètre, soit 50 m² à peindre à chaque fois !) conçues à la gloire de Louis XIV (le globe céleste est une représentation du ciel le jour de la naissance du Roi-Soleil le 5 septembre 1638), les deux globes illustrent l'état des connaissances scientifiques dans les domaines géographique et astronomique au XVIIe s. Le globe terrestre met en scène les connaissances alors diffusées sur le monde dans de nombreux domaines : cartographique avec le tracé des terres (plus flou lorsqu'elles sont inconnues), maritime (32 roses des vents donnent des indications aux navigateurs), ethnographique (représentations des différents types d'embarcations et d'habitations selon les continents). De nombreux médaillons viennent compléter ces indications. Difficile de ne pas remarquer le plus important d'entre eux, la dédicace à la gloire de Louis XIV dont le buste est entouré par les muses symbolisant les sciences. Noter également sur le continent africain le médaillon avec une pyramide, évoquant les sources du Nil dont on ne connaissait pas encore l'emplacement exact à l'époque, d'où la taille du cartouche qui recouvre ainsi une zone à peu près inconnue. Peut-être aurez-vous remarqué que notre vieux continent n'est pas représenté ? Et pour cause, l'idée étant de présenter au roi le monde dans un objectif de conquête des mers afin de développer le commerce extérieur français. L'enjeu politique l'emporte là sur le souci d'une représentation réelle de la planète. Le globe céleste est quant à lui, avec son camaïeu bleu, une magnifique invitation au rêve. Laissez-vous aller à la contemplation de ses 72 constellations figurées par des personnages et des animaux mythologiques. Mais, au-delà de son aspect esthétique, le globe est un hommage aux découvertes des astronomes avec ses 1 880 étoiles et ses différentes comètes. De plus, Coronelli y a fait figurer les noms des constellations en quatre langues : le français, le grec, le latin et l'arabe.

Une exposition très intéressante sur l'histoire et la fabrication des globes ainsi que sur leur signification et l'évolution de la cartographie côtoie des images contemporaines de l'univers grâce au Centre national d'études spatiales (CNES).

Activités de la BnF

Outre la consultation des ouvrages, la bibliothèque propose de multiples manifestations ouvertes au grand public : trois grandes expositions thématiques par an, ainsi que des expositions de photographies, d'estampes... *(rens : ☎ 01-53-79-59-59 ; mar-sam 10h-19h, dim 13h-19h ; entrée : 9 €, tarif réduit 7 € ; certaines expos sont gratuites)*. Dans les auditoriums du hall, cycles de conférences, colloques, et même concerts en accès libre et gratuit *(rens : ☎ 01-53-79-49-49 ; programmation sur ● bnf.fr ●)*.

À signaler aussi, *Gallica,* la bibliothèque numérique de la BnF, accessible sur le site ● gallica.bnf.fr ● qui permet l'accès à 3 millions de documents, livres, presse, mais aussi photographies, manuscrits, estampes consultables et téléchargeables gratuitement.

🗽 **Les Frigos** *(plan couleur C2) :* anciennement 91, quai de la Gare, aujourd'hui rue... des Frigos, 75013. ● les-frigos.com ● Les ex-entrepôts frigorifiques de la capitale ont une histoire exemplaire. Il faut imaginer cet édifice étonnant au temps de sa première activité, quand, entre 1920 et 1975, y étaient stockées toutes les denrées périssables acheminées en train à Paris. Pour tirer profit de ces espaces, la SNCF, devenue propriétaire, les met en location à partir de 1980. En même temps que l'aventure commence pour 120 locataires de tout poil, les Frigos entament leur deuxième vie et sont convertis en ateliers : des fenêtres sont ouvertes, les chambres froides viabilisées, l'électricité installée. Ce qui n'empêche pas le massif bâtiment d'architecture industrielle d'être promis à la démolition en 1990 pour laisser place à un quartier d'affaires. Les locataires ne l'entendent pas de cette oreille et, grâce à la mobilisation associative et à celle des Parisiens, le site est sauvé. La particularité des Frigos, c'est de regrouper près de 90 ateliers très différents : artisans, petits industriels, éditeur, théâtre, artistes, *webmasters*... qui contribuent au rayonnement intellectuel et économique des Frigos. Unique à Paris, lieu innovant et farfelu où l'on crée et où l'on produit, ces Frigos, animés et colorés, ne sont pas fermés au public. En faisant traîner ses yeux dans les charnières des lourdes portes, l'une d'elle s'ouvrira peut-être sur un atelier de couture, sur une salle de répétition... Mais c'est sans garantie aucune. Une fois par an, fin mai, journées portes ouvertes avec visite des ateliers d'artistes.

CHINATOWN (plan couleur B2-3)

🗽🗽🗽 On aborde maintenant le quartier asiatique annoncé par les magasins en forme de pagode sur la terrasse des Olympiades. Ne pas croire, loin de là, que réside ici une communauté homogène. Celle-ci se compose de Vietnamiens, de Laotiens, de Cambodgiens, de Chinois, qui ont au moins autant de différences entre eux que les peuples d'Europe (la plupart des pancartes sont en trois langues : chinois, vietnamien et thaï). Les Chinois, qui forment environ 80 % de cette communauté, sont eux-mêmes divisés, ceux du Cambodge ne se reconnaissant pas dans ceux de Canton ou de Hong Kong (et vice versa). Ceux de Taïwan sont considérés comme des snobs et des frimeurs par les autres.

La communauté chinoise de Paris est non seulement la plus importante d'Europe, mais aussi la plus ancienne. En effet, ses premiers membres étaient des coolies venus prêter main-forte en 1916 (le manque de main-d'œuvre dû à la guerre !). À ces pionniers succédèrent, un demi-siècle plus tard, des réfugiés des guerres d'Indochine et des régimes communistes. Les Asiatiques représentent maintenant plus de 13 % de la population du 13e. Ils ont sans doute surpris les Français en détruisant le cliché du réfugié désespéré, du boat people martyr, en imposant l'image d'une communauté dynamique et organisée. La force de leurs valeurs familiales et sociales a fait qu'ils ont pu occuper en surnombre les appartements très chers du 13e sans tensions. La solidité des structures familiales a aussi fait qu'il y a eu longtemps peu de problèmes de délinquance, les Asiatiques aspirant avant tout à la tranquillité de leur existence après tant de tribulations.

Répartie sur trois secteurs, Masséna, Baudricourt et Dunois, l'implantation de la communauté asiatique est maintenant étendue et durable, puisque celle-ci gère de nombreuses boutiques et entreprises : restaurants, supermarchés, bijouteries, assurances, agences de voyages, cabinets médicaux, etc. Près de 90 % des commerces des Olympiades sont tenus par des Asiatiques. Ils possèdent plus de 150 restos dans le seul 13e. Quant aux coutumes traditionnelles, elles sont toujours présentes. Vous serez ainsi surpris de voir de nombreuses fenêtres ouvertes, alors qu'il fait froid dehors. L'explication : les esprits des ancêtres doivent pouvoir entrer ou sortir librement...

Pour l'argent, les Asiatiques ont recours à une sorte de tontine, ou *hui*. Pour acheter une boutique, on peut obtenir des prêts importants de la part d'amis ou connaissances. Pas de papiers signés : les relations sont basées sur une totale confiance.

Très souvent, le marché du travail étant saturé, beaucoup d'Asiatiques ont accepté un déclassement social à leur arrivée dans le pays, ce que peu de Français feraient. Des profs deviennent plongeurs ; des cadres commerciaux ou des ingénieurs se transforment en employés de bureau ou en coursiers...

Leur seul gros péché mignon, c'est le jeu. Si vous constatez sans raison apparente une baisse de qualité de votre resto chinois favori, dites-vous bien qu'il a peut-être changé de mains en une nuit !

Venez donc dans cette partie du 13e voir comment les Asiatiques ont subtilement détourné l'horreur du béton en y insufflant une vie et une activité démentes.

Depuis la place d'Italie, empruntez l'**avenue de Choisy,** sur la droite. Déjà, entre les restaurants, chinois ou vietnamiens, on dénombre une officine d'avocats, un comptoir « électric » (sic) ou un coiffeur qui arborent une plaque ou une enseigne comportant des idéogrammes. Avancez jusqu'au carrefour avec la rue de Tolbiac, où la densité des établissements asiatiques est très forte. Plus bas, à la hauteur de l'église Saint-Hippolyte, jetez un œil à la grande fresque

RÉSISTANTS MAIS SALAUDS

En septembre 1944, à l'Institut dentaire du 158, avenue de Choisy, des atrocités, tortures et crimes furent commis sur des collabos et miliciens par des résistants, parfois de la dernière heure. Sans procès ni défense, comme à l'époque de la Gestapo. Comme quoi, ces tortures oubliées prouvent que l'Histoire est toujours écrite par les vainqueurs. L'instigateur, le capitaine Bernard, sera amnistié !

murale qui décore le coin de l'avenue, du côté droit, avec l'inscription toute de circonstance : « De tous pays viendront tes enfants » et allez voir la récente église **Notre-Dame-de-Chine,** édifiée sur le site de l'ancien patronage de Saint-Hippo et inaugurée en 2005 pour la communauté chinoise de Paris. Des lignes pures et zen, les bancs qui s'ordonnent en arc de cercle face à l'autel, des matériaux bruts (du bois, du ciment, des galets sur les murs et le sol), elle s'insère parfaitement dans cet environnement urbain. Assidûment fréquentée par les fidèles, elle s'enorgueillit d'être la première église chinoise de France et de pouvoir accueillir jusqu'à 200 personnes assises ! Messe en chinois le dimanche de 11h30 à 12h30. Même le *McDo,* avenue de la Porte-de-Choisy, s'est adapté au décor et revêt une forme de pagode.

Dehors, **avenue d'Ivry,** la proximité des tours donne un petit côté Hong Kong ; un peu plus loin sur la gauche, une kitschissime boutique de décoration (avec d'improbables *Vénus de Milo* en pure imitation plastique)... Marquée par deux dragons (fabrication en série ?), l'entrée du supermarché **Paris Store.** Au rez-de-chaussée, alimentation exotique, produits rares ou inconnus, fruits étonnants, épices de toutes sortes. Au 1er étage, véritable caverne de Marco Polo : objets « décoratifs », ustensiles de cuisine, bâtonnets d'encens... il y en a pour tous les goûts. Sortez par les caisses, au 1er étage, ou empruntez l'escalator, depuis l'avenue.

Après la pharmacie, on pénètre dans les *galeries marchandes des Olympiades.* La dalle de béton des Olympiades recouvre l'ancienne gare des marchandises des Gobelins, ainsi que d'anciens dépôts de charbon destinés à alimenter les usines du quartier. Et là, c'est le dépaysement assuré. Prenez à droite, jusqu'au bout de la galerie, et revenez. Succession d'étonnantes boutiques de CD, derniers imports DVD, karaokés, librairie, vêtements élégants pour femmes, tissus, et même des machines à coudre (y aurait-il des ateliers clandestins alentour ?). Revenir sur ses pas, dépasser la banque, prendre la galerie à droite. Tout au fond, après un relieur d'art, sortez à gauche.

Sur la dalle, dos à la galerie marchande (entrée Oslo), on voit les toits en pagode des boutiques et restaurants. Ceux-ci, curieuse prémonition, ont été conçus bien avant l'arrivée des premiers Asiatiques ! À gauche, sur la dalle, la première galerie, à forte odeur de piscine, vous mène (à côté du *PMU,* très fréquenté : les Chinois adorent les paris) au siège de l'**Association des résidents en France d'origine indochinoise.** Au sous-sol, musique certains jours, jeux, atmosphère enfumée : une vraie ambiance. Au bout de la galerie, sortez à gauche sur l'avenue d'Ivry. Dans le parking attenant, large banderole « Autel du culte de Bouddha », signalant la présence d'un temple (voir plus bas).

Remontez à gauche jusqu'au **supermarché des frères Tang.** Boutique-traiteur animée en permanence à l'entrée. Supermarché de produits alimentaires littéralement extraordinaires : pâtes, formes diverses de riz, légumes inconnus des tables européennes, fruits aux noms évocateurs (rambutans, lychees, longans, mangoustans, durians...), gâteaux de lune, conserves de coquillages, sauces exotiques... N'hésitez pas à vous y attarder : le magasin justifie à lui seul la balade. Beaucoup de fruits et légumes sont désormais cultivés en France. Ainsi, des paysans bretons produisent-ils des petits choux chinois. Et le soja pousse par tonnes dans... de nombreuses caves du 13e !

Il est temps de regagner la place d'Italie, par le côté droit de l'**avenue de Choisy,** où les commerces alimentaires (annexes de *Tang Frères* et autres) ou de bimbeloterie et les restaurants sino-vietnamiens ne manquent pas : les fauchés trouveront assurément, avec les grands bols de *phó,* de quoi survivre...

– Possibilité de visiter deux **temples bouddhiques.** Le premier se trouve rue du Disque, une des rues souterraines de la terrasse des Olympiades *(entrée au niveau du 70, av. d'Ivry ; tlj 9h-18h).* Grande inscription « Autel du culte de Bouddha ». S'y pratiquent les trois grandes religions chinoises (confucianisme, taoïsme et bouddhisme), mais l'empreinte taoïste est nettement plus marquée dans ce temple que dans l'autre. Musique traditionnelle les lundi, mercredi et vendredi après-midi. Il est d'usage de laisser une obole dans le tronc de l'autel (en formulant un vœu). L'autre temple se situe sur la terrasse même, un peu plus loin que le resto *Asia Palace*. C'est l'*amicale des Teochew (prononcer « chao chou » ; tlj 9h-12h, 14h-16h)* en France, une communauté de la région de Canton. Ici, on enlève ses chaussures à l'entrée. Fresques sculptées dans un marbre gris. Tous les après-midi a lieu un rituel bouddhique.

▶ Pour le plan du 14e arrondissement, voir le cahier couleur.

Ce 14e arrondissement, fort étendu, compte de nombreux hôpitaux (dont Sainte-Anne, avec ses beaux espaces de repos) ; une prison, celle de la Santé, véritable monument historique ; un observatoire du XVIIe s encore en activité ; un cimetière, celui du Montparnasse, où l'on peut aller saluer Jean-Paul Sartre et Serge Gainsbourg ; un grand espace vert vallonné, entouré de villas fort bien loties, le parc Montsouris ; une cité universitaire, avec ses étonnants pavillons étrangers années 1930 disséminés dans un cadre de verdure et une riche programmation culturelle. Mais le 14e, c'est bien sûr aussi Montparnasse, ses beaux immeubles Art déco, le souvenir de sa vie nocturne, ses cinémas, ses restaurants, la célèbre *Coupole,* les théâtres de la rue de la Gaîté... C'est également le *Lion de Belfort,* place Denfert-Rochereau (sous laquelle se ramifient les catacombes), la Fondation Cartier, due à Jean Nouvel, et la rue Daguerre, commerçante et animée, chère à la réalisatrice Agnès Varda. Et si les abords de la gare Montparnasse n'ont rien d'aguichant, on peut en revanche partir à la découverte des passages et villas un peu hors du temps du quartier Plaisance-Pernety.

Où dormir ?

Très bon marché

🏠 *FIAP Jean Monnet (plan couleur D2, 5) :* 30, rue Cabanis, 75014. ☎ 01-43-13-17-00. ● fiap@fiap-paris. org ● fiap-paris.org ● Ⓜ Glacière. ♿ Porte fermée dès 2h. Congés : sem de Noël. Résa impérative sur Internet. Pas de limite d'âge. Consigne. Self. Compter 32 €/pers en dortoir de 6 lits, 40 € en chambre de 3-4 lits, 45 € en twin et 70 € en chambre individuelle, petit déj, draps et serviettes inclus. Repas self-service 15 €. 🖥 📶 Réservé à l'origine aux étudiants européens comme lieu d'échanges culturels, le *FIAP Jean Monnet* offre 200 belles chambres, toutes avec salle de bains et w-c, bien propres. Avec un hall qui respire le clair et l'aéré, un espace

bar aux chaises design et à la déco « melting-pot », cet endroit inspire la bonne ambiance. En été, la terrasse extérieure prolonge l'envie d'échanger, au milieu d'animations telles que concerts et projections de films.

De bon marché à prix moyens

🏠 *Solar Hôtel (plan couleur zoom, 3) :* 22, rue Boulard, 75014. ☎ 01-43-21-08-20. ● contact@solarhotel. fr ● solarhotel.fr ● Ⓜ et RER B : Denfert-Rochereau. ♿ Résa conseillée. Double avec douche et w-c 79 € tt compris : « vrai » petit déj 100 % bio, boissons chaudes, vélos, etc. Clim. 🖥 TV. Canal +. Satellite. Câble. Situé à deux pas de la très commerçante rue Daguerre, et avec un jardin, cet hôtel nous a séduits par son concept écolo et militant à bas prix (un pionnier en France !) : façade photovoltaïque, mur végétal, système de récupération des eaux, et produits d'entretien bio. Les chambres simples mais fonctionnelles sont impeccablement tenues. Pas de wifi dans les chambres (seulement dans la salle de petit déj) parce que les ondes, c'est mauvais pour le sommeil ! La direction affiche un dynamisme à toute épreuve avec l'organisation d'expos de peinture, de « bœufs » de chanson française, où tout le monde se mélange !

🛏 **Hôtel du Parc** (plan couleur zoom, **13**) : 6, rue Jolivet, 75014. ☎ 01-43-20-95-54. ● mail@hotelduparc-paris. com ● hotelduparc-paris.com ● Ⓜ Edgar-Quinet ou Montparnasse-Bienvenüe. Doubles 70-260 € avec douche et w-c ou bains selon saison ; triples 100-300 € ; petit déj-buffet 12 €. 🖥 🛜 TV. Satellite. Câble. Au calme, à l'écart sur une jolie placette, cet hôtel, climatisé et entièrement rénové, est un excellent point de chute pour séjourner à Paris. La réception se trouve à l'étage, où vous attend un accueil très agréable (ainsi qu'un ascenseur). Les chambres, calmes, climatisées et confortables, ont été rénovées au goût du jour dans un esprit déco et design. Agréable salle de petit déj, avec vue surplombant le square. Un peu cher en très haute saison. Excellent accueil.

🛏 **Hôtel de Blois** (plan couleur C2, **17**) : 5, rue des Plantes, 75014. ☎ 01-45-40-99-48. ● hoteldeblois. paris@yahoo.fr ● hoteldeblois.com ● Ⓜ Alésia ou Mouton-Duvernet. Doubles 78-125 € selon confort et saison ; petit déj 8,80 €. 🖥 🛜 TV. Satellite. Discret, l'Hôtel de Blois présente un agréable niveau de prestations, compte tenu des prix. Le hall joliment décoré, chaleureux et élégant, annonce la mutation qu'est en train de connaître l'hôtel. Les chambres nouvellement rénovées sont un tantinet plus chères. Ensemble bien tenu. Petit déjeuner copieux. Pas d'ascenseur. Accueil souriant et serviable.

🛏 **Hôtel Mistral** (plan couleur zoom, **9**) : 24, rue Cels, 75014. ☎ 01-43-20-25-43. ● mistral.hotel@ wanadoo.fr ● mistralhotel.fr ● Ⓜ Gaîté. Selon saison, doubles 105-145 €, petit déj 10-12 €. 🖥 🛜 TV. Satellite. Café (tte l'année) ou un petit déj/chambre par nuit (août) offert sur présentation de ce guide. Installée dans une rue isolée, derrière le cimetière du Montparnasse, cette adresse reste un bon plan. Sartre et Simone de Beauvoir y vécurent quelque temps. Bien entendu, liberté mutuelle oblige, ils y habitaient des chambres séparées ! Aujourd'hui, on apprécie tout particulièrement cet hôtel familial rénové de fond en comble en 2013. Les chambres d'un doux blanc immaculé sont particulièrement belles, calmes et lumineuses. Et le petit déj se prend dans une jolie salle, elle aussi relookée et donnant sur une petite cour intérieure. Ambiance bucolique et accueil charmant. On adore !

🛏 **Hôtel Terminus Orléans** (plan couleur C3, **18**) : 197, bd Brune, 75014. ☎ 01-45-39-71-44. ● htoparis@gmail. com ● paris-hotel-terminus-orleans. com ● Ⓜ Porte-d'Orléans. Doubles 99-140 € selon confort et saison ; petit déj 8-10 € selon saison. Promos sur Internet. 🛜 TV. Canal +. Parking payant. Un petit déj/chambre offert sur présentation de ce guide. Propre, très standard et pratique, car à côté du métro. On apprécie la gentillesse de l'accueil. Les prix restent assez économiques, puisque l'établissement travaille régulièrement avec les administrations publiques et ne cherche pas à « assommer » le client. Chambres fonctionnelles et salles de bains refaites à neuf. Préférer les chambres à l'arrière pour plus de calme. Le proprio tient avec le même sérieux l'Hôtel Acropole à côté (☎ 01-45-39-64-17 ; ● acropole-paris-hotel.com ●) : belle déco et excellentes prestations, un peu plus cher du fait de ses 3 étoiles.

🛏 **Hôtel de la Tour** (plan couleur zoom, **8**) : 19, bd Edgar-Quinet, 75014. ☎ 01-43-20-67-09. ● contact@hotel delatourparis.fr ● hoteldelatourparis. fr ● Ⓜ Montparnasse-Bienvenüe ou Edgar-Quinet. Double 79 €, petit déj inclus. 🖥 TV. Canal +. Il faut monter l'escalier pour trouver ce tout petit hôtel dépourvu du moindre superflu, mais aux prix aussi sobres – selon des critères parisiens – que sa décoration. Rénové au printemps 2013, propre et très bien situé : à quelques pas de la gare Montparnasse pour les voyageurs en transit, en face du marché Edgar-Quinet (les mercredi et samedi) pour s'alimenter sans se ruiner, près de la rue de la Gaieté pour se distraire. Souvent complet : réservez longtemps à l'avance.

◾ **Hôtel du Parc Montsouris** (plan couleur D3, **6**) **:** 4, rue du Parc-Montsouris, 75014. ☎ 01-45-89-09-72. ● hotel-parc-montsouris@wanadoo.fr ● hotel-parc-montsouris.com ● Ⓜ Porte-d'Orléans ; RER B : Cité-Universitaire. Ⓖ Résa conseillée. Double 95 € ; familiales 130-140 € ; petit déj 10 €. 🛜 TV. Situé dans un charmant quartier résidentiel, cet hôtel à la façade Art déco ravit les cœurs et les nuits tant par son confort que par les vues qu'il propose depuis les chambres les plus haut perchées (rassurez-vous, il y a un ascenseur !). Chambres simples, petites, claires et fonctionnelles, et salles de bains propres et équipées. La 3e étoile est sans doute excessive, tout comme les prix en haute saison.

◾ **Cecil Hôtel** (plan couleur C3, **10**) **:** 47, rue Beaunier, 75014. ☎ 01-45-40-93-53. ● cecil-hotel@wanadoo.fr ● cecilhotel-paris.com ● Ⓜ Porte-d'Orléans. Résa conseillée. Doubles 90-118 € selon saison ; copieux petit déj-buffet 9 €. 🖥 🛜 TV. Câble. Un petit déj/chambre offert sur présentation de ce guide. Un hôtel aux chambres toutes simples mais confortables et pratiques. Le petit luxe de la maison : une terrasse, appropriée aux petits déj ensoleillés. Valeur sûre, même si l'on trouve les prix un tantinet exagérés.

Chic

◾ **Hôtel de la Paix** (plan couleur zoom, **14**) **:** 225, bd Raspail, 75014. ☎ 01-43-20-35-82. ● resa@hoteldelapaix.com ● hoteldelapaix.com ● Ⓜ Raspail. Doubles 120-260 € selon confort et saison ; suites 200-260 € ; petit déj 11 €. 🖥 🛜 TV. Canal +. Ce petit hôtel affiche une belle modernité. Le salon et la salle de petit déj dégagent une ambiance intimiste « anglo-coloniale » tout à fait chaleureuse avec ses fauteuils en tweed et ses objets dénichés en brocante. Les 39 chambres, desservies par un ascenseur, ont elles aussi été agrémentées de tissus à fleurs et de bois lazuré ; il s'en dégage un doux charme bucolique. Un coup de cœur !

◾ **La Maison Montparnasse** (plan couleur B2, **7**) **:** 53, rue de Gergovie, 75014. ☎ 01-45-42-11-39. ● contact@lamaisonmontparnasse.com ● lamaisonmontparnasse.com ● Ⓜ Pernety ou Plaisance. Doubles 125-135 € ; familiales 145-210 € selon taille, jour et saison ; petit déj-buffet 12 €. 🖥 🛜 TV. Satellite. Un petit déj/chambre offert sur présentation de ce guide. Une agréable découverte dans un quartier résidentiel et commerçant. Cet hôtel de charme à la déco réussie, à la fois colorée et chic, attire l'œil des passants. Et il conquiert par son accueil jeune et décontracté, son ambiance conviviale et familiale, ses chambres confortables, et le petit déj dans la jolie cour fleurie, aux beaux jours. Seul petit bémol : la taille des chambres, avec des rangements limités, comme souvent à Paris.

◾ **Hôtel Atelier Montparnasse** (plan couleur B2, **15**) **:** 84, rue Raymond-Losserand, 75014. ☎ 01-45-42-16-03. ● contact@ateliermontparnasse.com ● ateliermontparnasse.com ● Ⓜ Pernety. Doubles et suites 100-250 € ; petit déj-buffet 12 €. Promos sur Internet. 🛜 TV. Canal +. Satellite. Parking payant. Cet hôtel, entièrement rénové, est tout ce qu'il y a de plus cosy et accueillant avec son salon et sa cheminée design. La déco industrielle joue la carte de l'élégance, du charme et de l'humour. Les 40 chambres, modernes, belles et douillettes, offrent un confort optimal. Les suites sont évidemment plus spacieuses. Un vrai bon plan en période de promo !

◾ **Fred Hôtel** (plan couleur B2, **22**) **:** 11, av. Villemain, 75014. ☎ 01-45-43-24-18. ● contact@fred-hotel.com ● fred-hotel.com ● Ⓜ Plaisance ou Pernety. Ⓖ Doubles 112-190 € ; familiales 154-220 € ; petit déj 12 €.

14e

Super promos sur le Net ! Accord avec le parking voisin (15 €/j.). 🖥 🛜 TV. Canal +. Satellite. Fans de design, voici votre nouveau havre. Des structures épurées, mais réchauffées par des couleurs terre, un salon *lounge* avec cheminée, des lithos à tendance abstraite, une terrasse raccord avec la déco intérieure : chaque détail est étudié. Dans le même ordre, des produits de bain de marque connue, des œufs bio au petit déjeuner... Partie de terrasse privative dans la nº 11. Accueil pro et chaleureux à la fois. On se réjouit, du coup, de l'ouverture toute récente et dans la même veine de l'hôtel Max au 34, rue d'Alésia (☎ 01-43-27-60-80 ; ● hôtel-max.fr ●)

🛏 **Hôtel des Bains** (*plan couleur zoom, 11*) : 33, rue Delambre, 75014. ☎ 01-43-20-85-27. ● des.bains.hotel@orange.fr ● hotel-des-bains-montparnasse. com ● Ⓜ Vavin, Edgar-Quinet ou Montparnasse-Bienvenüe. Double 104 € ; suites 140-180 € selon nombre de pers ; petit déj 11 €. AC. 🛜 TV. Canal +. Parking payant. 10 % sur le prix de la chambre (w-e ven-dim) et juil-août) sur présentation de ce guide. Les chambres, sur rue ou sur cour, sont petites mais décorées avec soin et parfaitement tenues. Suites calmes et confortables, surtout celles situées dans une dépendance au fond de la cour. Un excellent rapport qualité-prix, à l'accueil serviable et authentique.

🛏 **Hôtel Virgina** (*plan couleur C3, 2*) : 66, rue du Père-Corentin, 75014. ☎ 01-45-40-70-90. ● hotelvirgina@ orange.fr ● hotel-virgina.com ● Ⓜ Porte-d'Orléans. Doubles 90-160 € selon confort et saison ; familiales 149-265 € selon saison ; petit déj-buffet 10 €. 🖥 🛜 TV. Satellite. Câble. Parking payant. Un petit déj/ chambre par nuit offert (w-e et pdt vac scol) sur présentation de ce guide. Le *Virgina* a su allier les matériaux modernes et une structure classique (vieil ascenseur en bois et grille Art déco). Chambres assez distinctes les unes des autres par les couleurs, le style, qui reste assez classique, et la taille. Nous avons une préférence pour celles rénovées (mais plus chères), et pour celles donnant sur la Petite Ceinture,

très calmes. Accueil pro et agréable.

🛏 **Hôtel Apollon Montparnasse** (*plan couleur B2, 4*) : 91, rue de l'Ouest, 75014. ☎ 01-43-95-62-00. ● info@apollon-montparnasse.com ● apollon-montparnasse.com ● Ⓜ Pernety. Doubles 110-170 € selon confort et saison ; familiales 210-330 € ; petit déj 10-12 € selon saison. 🖥 🛜 TV. Canal +. Satellite. Parking payant. Un petit déj/chambre offert sur présentation de ce guide. Cet hôtel allie classe et confort. Les chambres, quoique petites et pas toujours bien insonorisées, ont été redécorées dans un style actuel et de bon goût. Elles sont surtout très bien équipées, avec clim et minibar. Le copieux petit déj se prend dans une belle salle voûtée, au sous-sol. Accueil souriant et dévoué.

🛏 **Hôtel Istria** (*plan couleur zoom, 20*) : 29, rue Campagne-Première, 75014. ☎ 01-43-20-91-82. ● reservation@hotel-istria-paris.com ● hotel-istria-paris.com ● Ⓜ Raspail. Doubles 100-150 € selon confort et saison ; petit déj 12 €. 🖥 🛜 TV. Un petit déj/chambre offert sur présentation de ce guide. Voici un endroit chargé d'histoire, qui a hébergé, dans les années 1920, de nombreux artistes : Picabia, Duchamp, Man Ray, Satie, Elsa Triolet et Aragon, qui cite même l'hôtel dans l'un de ses poèmes. Aujourd'hui, vous serez accueilli avec autant de considération par une équipe aux petits soins tant pour ses hôtes que pour les lieux. La vingtaine de chambres rénovées (avec clim et minibar), à la déco classique, sont desservies par un ascenseur, et certaines, plus sombres, donnent sur le joli petit patio fleuri.

Plus chic

🛏 **Lenox Montparnasse** (*plan couleur zoom, 16*) : 15, rue Delambre, 75014. ☎ 01-43-35-34-50. ● hotel@ lenoxmontparnasse.com ● lenox montparnasse.com ● Ⓜ Vavin ou Edgar-Quinet. Doubles 109-300 € selon confort et saison ; suites 181-400 € ; petit déj-buffet 17 €. AC. 🖥 🛜 TV. Canal +. Satellite. Parking payant. Une bâtisse raffinée aussi bien à l'extérieur

14e

qu'à l'intérieur. Ambiance feutrée, cosy et moderne, qui rappelle le Montparnasse littéraire avec ses portraits d'écrivains. Pour les chambres, tissus soyeux et colorés, et jolie vue dégagée pour les numéros en 9 (petit tuyau !). Chacune possède son propre charme, mais on touche au summum du confort dans les suites, qui, petit détail, sont toutes munies d'une machine à expresso et d'une cheminée. Classe, on vous dit !

🏠 **Le Fabe Hôtel** *(plan couleur B2, 21)* : 113 bis, rue de l'Ouest, 75014. ☎ 01-40-44-09-63. ● *info@lefabe hotel.fr ● lefabehotel.fr ●* Ⓜ *Pernety. Doubles 110-200 € selon confort et saison ; petit déj 10 €. Promos sur Internet.* 🖥 🛜 *TV. Satellite. Parking payant.* Un 3-étoiles rénové et relooké dans un esprit design très coloré. Les chambres ne sont pas bien grandes, mais le confort proposé et la jolie déco, à la fois sobre et décalée, compensent largement. D'autant qu'elles sont parfaitement équipées : clim, minibar, écran plat, coffre, etc. Excellent accueil. En prime, accès gratuit au sauna et au *fitness center*.

🏠 **Hôtel Raspail Montparnasse** *(plan couleur zoom, 12)* : 203, bd Raspail, 75014. ☎ 01-43-20-62-86. ● *raspailm@wanadoo.fr ● hotelras pailmontparnasse.com ●* Ⓜ *Vavin. Doubles 140-300 € ; petit déj 12 €.* 🖥 🛜 *TV. Câble.* Cet hôtel date des années 1920 et reste un véritable témoignage Art déco. Avec des chambres parfaitement rénovées portant le nom de grands artistes et décorées de copies de leurs œuvres, il rend hommage à l'art pictural, qui a fait la réputation de ce quartier. Beaux tissus, et salles de bains propres et lumineuses (clim, minibar...). On conseille les chambres d'angle, comme les nos 47 et 57, avec 3 fenêtres et vue sur la tour Eiffel ! Mais ce luxe a évidemment un prix... Accueil très attentionné.

🏠 **Hôtel Aiglon** *(plan couleur zoom, 1)* : 232, bd Raspail, 75014. ☎ 01-43-20-82-42. ● *aiglon@espritdefrance. com ● espritdefrance.com ●* Ⓜ *Raspail ou Vavin. Doubles 141-360 € selon saison ; suites 221-485 € ; petit déj-buffet 17 €. AC.* 🖥 🛜 *TV. Satellite. Parking payant. Apéritif maison offert sur présentation de ce guide.* Ce bel hôtel 4 étoiles reprend la tradition artistique de ce quartier. Le ton se veut *arty*, avec son salon mi-design, mi-feutré, son hall paré d'une suspension Ingo Maurer et sa chic salle de petit déjeuner. Les salles de bains s'habillent de mosaïques avec élégance et modernité. Sans parler des suites ! Au choix donc, des chambres nickel à la déco sobre et classe, ou d'un style résolument contemporain rendant hommage aux Années folles. Certaines offrent une vue imprenable sur le cimetière du Montparnasse. Service irréprochable.

Où manger ?

Sur le pouce

🥖 🍴 **Dominique Saibron** *(plan couleur C2, 28)* : 77, av. du Général-Leclerc, 75014. ☎ 01-43-35-01-07. Ⓜ *Alésia. Tlj sf lun 7h-20h30 (déj jusqu'à 15h, après c'est salon de thé). Formules 15,70-20,40 € ; casse-croûte 12,10 €.* Beaucoup de monde en terrasse, au comptoir ou sur les quelques tables à l'intérieur, dans un cadre contemporain classique. Dominique Saibron, boulanger-pâtissier talentueux, a le chic pour élaborer salades, plats du jour, pâtisseries bouleversantes (célèbre millefeuille aromatisé, paris-tokyo, éclair à la rose...) à déguster au déjeuner, sur le pouce, à l'heure du thé ou en sortie de ciné.

Très bon marché

🍴 **Ti Jos** *(plan couleur zoom, 23)* : 30, rue Delambre, 75014. ☎ 01-43-22-57-69. ● *ti.jos@noos. fr ●* Ⓜ *Montparnasse-Bienvenüe, Vavin ou Edgar-Quinet. Tlj sf mar soir et le midi sam-dim ; service 11h45-14h30, 19h-23h30. Pub breton dès 19h (sf mar et dim). Congés : sem du 15 août, 24-25 déc et 31 déc-1er janv. Carte env 20 €.* Une des plus anciennes crêperies de Paris. Joli cadre fait de panneaux sculptés de lits bretons. Ici, la pâte à crêpes est confectionnée à partir des meilleures farines. Grande variété de garnitures faites avec de bons produits. Quelques plats chauds. Cidre et lait ribot pour arroser ces bonnes agapes armoricaines. Service alerte.

|●| **Les Pipelettes** (plan couleur C2, **25**) : 31, rue Brézin, 75014. ☎ 09-81-29-27-32. ● les-pipelettes@hotmail.fr ● Ⓜ Mouton-Duvernet. Tlj sf dim-lun 11h-19h ; service mar-ven petit déj 8h-11h, déj 12h-14h30, sam brunch 11h30 et 13h30. Congés : août. Formules 13,90-18,50 € ; brunch sam 23,50-24,50 € (16 € pour les moins de 12 ans). Deux copines, Aline, ancienne de l'école Ferrandi, et Agnès, exploratrice de nouveaux goûts, ont créé cet adorable resto-épicerie (belle sélection de produits fins à la vente) où elles peuvent donner libre cours à leur passion culinaire. Résultat, on se régale de goûteuses « dînettes » de saison concoctées avec une créativité et un savoir-faire confondants. Une grande partie faite maison, le reste butiné chez d'excellents petits producteurs. Gâteaux pas en reste, et intéressantes variétés de thés. Accueil alerte et souriant, mais ça, on s'en doutait !

|●| **Aux Produits du Sud-Ouest** (plan couleur zoom, **36**) : 21-23, rue d'Odessa, 75014. ☎ 01-43-20-34-07. ● auxproduitsdusudouest@micouleau-beaumont.fr ● Ⓜ Edgar-Quinet ou Montparnasse-Bienvenüe. Tlj sf dim-lun et j. fériés ; service 12h-14h30, 19h-23h (23h30 ven-sam). Congés : 20 juil-25 août. Le midi, plat du jour 9,50 € et formule 13,50 € ; menus 17,50-29,90 € ; carte env 22 €. Apéritif maison offert sur présentation de ce guide. Ce resto-boutique propose des conserves artisanales de la maison Micouleau à prix très corrects, et des plats traditionnels du Sud-Ouest à déguster sur place : confit, cassoulet, et un foie gras de canard mi-cuit médaillé d'or au concours général agricole de Paris en 2014.

|●| **Le Vaudésir** (plan couleur D2, **35**) : 41, rue Dareau, 75014. ☎ 01-43-22-03-93. Ⓜ Saint-Jacques. ♿ Lun-ven ; service 12h-14h. Congés : août. Plat du jour 8 € ; repas complet env 15 €. CB refusées. Café offert

sur présentation de ce guide. Le p'tit caboulot de quartier comme on les aime, avec ses cols blancs et ses habitués, saupoudrés de quelques cols bleus survivants. Dans ses 2 petites salles, on déguste une vraie cuisine familiale concoctée avec de bons légumes par l'adorable Michèle. Un plat de ménage servi généreusement et qui part vite. Ainsi, il arrive qu'à 13h15-13h30 il faille se contenter d'une quiche-salade... Atmosphère chaleureuse et conviviale, comme il sied en ces lieux hors du temps.

|●| **Le Daudet** (plan couleur C2, **38**) : 16, rue Alphonse-Daudet, 75014. ☎ 01-45-40-82-33. ● philippe.boitel3@wanadoo.fr ● Ⓜ Alésia. ♿ Tlj sf dim 12h-15h, plus le soir jeu-ven. Congés : août. Plat du jour 13 €, sandwichs 3,30-5 €, salade env 9,50 €, tarte salée env 8 € ; carte env 20 €. Le midi, beaucoup de monde – travailleurs du quartier pour l'essentiel – dans cette brasserie aveyronnaise bruissante et bourdonnante. Aux murs, fresques sur Les Lettres de mon moulin, ça va de soi. Cuisine d'Auvergne et d'Aveyron, choux farcis, tripoux, confits, tout ça servi copieusement. Excellent tartare maison avec frites bien craquantes, et desserts maison. Et le vendredi, cuisine autour du poisson frais. Belle carte de vins de propriétaires.

Bon marché

|●| **L'Essentiel** (plan couleur B2, **29**) : 168, rue d'Alésia, 75014. ☎ 01-45-42-64-80. Ⓜ Plaisance. Tlj 12h-14h30, 19h-22h30. Fermé Noël-Jour de l'an. Formules déj 14,50-17,50 € ; carte env 27 €. Ouvert dès potron-minet pour avaler un petit noir serré, ce néobistrot aux murs de brique nue est une véritable ode au « bien-manger-pour-pas-cher », si rare de nos jours. Les habitués s'y pressent au déjeuner en tables serrées ou, au fond, sur les bancs autour de la table commune, pour décrypter les offres du jour sur tableau noir. Cuisine de brasserie typique : que du frais, garanti fait maison, du simple et revigorant, servi sans délai et dans la bonne humeur. Honnêtes vins au verre ou en pichet.

|●| Le Petit Baigneur (plan couleur C2, **31**) : 10, rue de la Sablière, 75014. ☎ 01-45-45-47-12. Ⓜ Mouton-Duvernet. Tlj sf sam midi, dim et j. fériés ; service 12h-14h15, 19h-22h. Congés : 1 mois sur juil-août. Formule déj 15,50 € (plat + entrée ou dessert) ; menu-carte 24,30 € le soir. Bouteilles de vin 12-24 € max. Un p'tit resto installé dans une ancienne épicerie, décoré d'objets chinés et tenu par un couple. Cuisine de famille, simple et sans prétention : hareng pommes à l'huile, pâté de campagne, et du bœuf (de l'excellent même, car le patron est un ancien boucher) décliné sous toutes les formes et à toutes les sauces. Ne pas manquer l'excellent tartare. Une adresse qui fait le plein au déjeuner.

|●| Au P'tit Zinc (plan couleur C2, **57**) : 2, rue des Plantes, 75014. ☎ 01-45-40-45-50. Ⓜ Alésia ou Denfert-Rochereau. Lun-ven 12h-16h, 19h-22h30 ; sam 12h-16h. Congés : 2 sem autour du 15 août. Grandes salades 11-13,50 €, plats 14,50-20 €. Café offert sur présentation de ce guide. En passant la porte de ce bistrot, on est d'emblée séduit par l'accueil affable et chaleureux. L'ardoise est classique : bavette à l'échalote, tartare façon P'tit Zinc, confit de canard et pommes sautées ou souris d'agneau de 7 heures. Le chou farci est un délice. Une adresse qui ne ment ni sur la qualité des produits ni sur le service. Avec ce genre d'adresses, Paris tiendra toujours le haut du pavé (de bœuf). NOUVEAUTÉ.

|●| Les Sourires de Dante (plan couleur C2, **37**) : 37, rue du Couëdic, 75014. ☎ 01-43-21-51-07. ● lessouriresdedante@gmail.com ● Ⓜ Mouton-Duvernet. Tlj sf dim-lun 12h-14h30, 19h45-22h30. Le midi, plat du jour 13,50 € et menu 15,75 € ; carte env 30 €. Café offert sur présentation de ce guide. L'authentique bistrot comme on les aime : chaleureux, intime, sans prétention. La devise de Francis, le patron, membre de Slow Food (une référence !) : Bien manger, c'est un acte culturel ! Il offre ainsi une cuisine de bistrot finement élaborée, avec des produits soigneusement sélectionnés, de belles viandes (ah, le tartare au couteau et l'andouillette AAAAA !), des p'tits légumes bien

mijotés, de beaux fromages et surtout un remarquable choix de vins naturels et de propriété. En prime, une agréable terrasse sur une placette qui rend hommage au grand Michel Audiard...

|●| Aquarius (plan couleur B2, **33**) : 40, rue de Gergovie, 75014. ☎ 01-45-41-36-88. ● nadeau.richard@orange.fr ● Ⓜ Plaisance. Tlj sf dim 12h-14h15, 19h-22h30. Formules 13 € le midi en sem, 17 € le soir ; carte env 20 €. Apéritif maison offert sur présentation de ce guide. Qui a dit que restaurant végétarien était forcément synonyme de tristesse ? Pas nous, en tout cas, et encore moins la clientèle du quartier, nombreuse ! Goûtez aux bonnes salades, quenelles de soja, croquettes de tofu, feuilleté aux pleurotes, rôti aux noix, arrosés d'un bordeaux bio ! Assiettes copieuses, gaies et savoureuses. Bon accueil.

|●| Le Verre Siffleur (plan couleur C2, **45**) : 73, rue d'Alésia, 75014. ☎ 01-40-47-08-34. Ⓜ Alésia. Tlj 8h-2h ; service continu 12h-23h30. Plat du jour 11,50 € ; carte env 25 €. Café offert sur présentation de ce guide. Un café-resto qui a su conserver quelques vestiges du passé et qui maintient la tradition : le carrelage typique des années 1950, les banquettes de moleskine, le comptoir de marbre en U... Vraie cuisine de bistrot, un tantinet imaginative dans les goûts et la présentation, et servie généreusement. Clientèle d'employés et de travailleurs du coin le midi, et un poil « branchouille » le soir (niveau sonore élevé !)... Belle carte des vins. Service jeune et efficace. Terrasse.

|●| La Table de Bezout (plan couleur C2, **46**) : 31, rue Bezout, 75014. ☎ 01-43-27-55-17. ● airone92@yahoo.fr ● Ⓜ Alésia. Tlj sf dim-lun ; service 12h-14h30, 19h-22h30. Congés : fév et août. Plat du jour 11,50 € ; formules et menus 16,50-18,90 € le midi, 18,90-21,50 € le soir ; carte 25-30 € ; brunch-buffet à volonté dim en été 26,90 €. Digestif maison offert sur présentation de ce guide. La recette du succès est simple : de bons producteurs, des prix fort raisonnables, un accueil chaleureux, une bonne dose d'humour du patron (qui est breton) et un service efficace... Bon calcul, ça marche (d'ailleurs, Bezout

14ᵉ

était mathématicien) : cuisine de bistrot enlevée et servie généreusement, accompagnée de vins bien sélectionnés. Dégustation mensuelle de petits crus gouleyants et concert de temps à autre.

I●I *Chez Félicie* (plan couleur C2, *47*) : 174, av. du Maine, 75014. ☎ 01-45-41-05-75. ● cafe.felicie@gmail.com ● Ⓜ Mouton-Duvernet ou Alésia. Tlj jusqu'à 2h ; service 11h30-0h30. Formules déj 14-20 € ; repas 15-22 € ; brunch 14,90 €. *Apéritif maison offert sur présentation de ce guide.* Non loin de la mairie, une terrasse couverte pour les fumeurs et une grande salle où se retrouvent les jeunes du quartier. C'est l'adresse la plus animée d'Alésia. On y sert une savoureuse cuisine classique à base de produits frais. La spécialité reste le tartare de bœuf juste poêlé, un régal.

Prix moyens

I●I *Au Bistrot* (plan couleur zoom, *30*) : 18, rue Lalande, 75014. ☎ 01-43-20-00-28. Ⓜ Denfert-Rochereau. Tlj sf dim 12h-15h, 19h-23h15. Formule 25 € ; à la carte, compter 35 €. Un bistrot, tout simplement, pour se retrouver entre amis autour d'une cuisine de terroir, consistante et bien ficelée : superbe entrecôte de Salers, classique andouillette, tripoux goûteux ou bons petits plats mijotés en cocotte... Toujours d'excellents produits et, surtout, de gouleyants vins de propriété. Le *Bistrot*, celui qu'on souhaiterait avoir dans sa propre rue !

I●I *La Cantine du Troquet* (plan couleur B2, *39*) : 101, rue de l'Ouest, 75014. ● lacantinedutroquet@ orange.fr ● Ⓜ Pernety. Tlj sf dim-lun 11h45-14h15, 19h-22h45. Fermé 1er janv, 24, 25 et 31 déc. Congés : 2 sem en août. Menu 32 € ; carte env 30 €. Pas de téléphone, pas de réservation, une poignée de tables – dont une grande table d'hôtes – prises d'assaut, de grandes ardoises, et les cuisines au fond. Mais les flux sont bien gérés. La formule se veut rapide mais pas bâclée : tout le savoir-faire de Christian Etchebest se retrouve dans l'assiette. Le Sud-Ouest est à l'honneur, avec des produits de belle qualité

(boudin, poitrine de porc et oreilles de cochon à se damner) et des frites extra. Pour les fans, une autre *Cantine* à Dupleix (voir le 15ᵉ arrondissement).

I●I *Bistrotters* (plan couleur B2, *34*) : 9, rue Decrès, 75014. ☎ 01-45-45-58-59. Ⓜ Plaisance. Tlj sf dim-lun 12h-14h, 19h-22h. Résa indispensable, possible via le site internet ● bistrotters.com ● Menus-carte 30-37 €. Vins 24 € (petit languedoc rouge)-120 € (hermitage). Dans cette rue assez improbable, 2 jeunes hardis et optimistes, François au service et Erwan au piano, imposent avec brio leur cuisine créative dans un cadre sobre. Produits du marché livrés chaque matin, mise en valeur subtile des saveurs, carte qui bouge pas mal... Avec cependant quelques vedettes plébiscitées comme le croustillant de poitrine de cochon, sauce sauge et cidre... Poisson frais cuit à la perfection. Beaux desserts. Carte des vins bien fournie, notamment en biodynamie. Globalement, un excellent rapport qualité-prix...

I●I *Les Fils de la Ferme* (plan couleur C2, *44*) : 5, rue Mouton-Duvernet, 75014. ☎ 01-45-39-39-61. ● jc.dut ter@yahoo.fr ● Ⓜ Mouton-Duvernet. Tlj sf dim-lun ; service 12h15-14h30, 19h15-22h30. Congés : 1re sem de janv et août. Formule déj (entrée + plat ou plat + dessert) 23 € ; menu-carte 33 €. Le père tenait *La Ferme du Périgord*, dans le 5ᵉ, et les fils ont dû faire leurs devoirs sur un coin du fourneau, ça se sent. Car les 2 frangins sont à l'aise aussi bien avec le poisson qu'avec la viande. Ils travaillent une cuisine de marché revisitée avec allégresse, finesse et précision, tout en goûts et saveurs. Carte qui tourne comme un manège. Atmosphère tranquille et classique, loin de la branchitude.

I●I *Les Petites Assiettes* (plan couleur zoom, *49*) : 147, av. du Maine, 75014. ☎ 01-40-44-00-87. ● lespeti tesassiettes@bbox.fr ● Ⓜ Gaîté. Tlj sf sam midi et dim ; service 12h-14h30, 19h30-22h30. Congés : pont du 15 août. Formules 16,50-20,90 € (4 ou 5 petites assiettes) le midi, 29,90 € (5 petites assiettes) le soir ; vins de petits proprios à partir de 27 €. Cadre frais et coloré pour de sympathiques formules « petites assiettes » qui permettent de goûter à 4 ou 5 mets d'une belle cuisine créative, aux bons effluves de Provence et du Sud-Ouest. Ici, garantie permanente de recettes inspirées et d'associations habiles de saveurs, de produits frais et de beaux légumes. Et toujours présent : un tartare d'anthologie...

IOI L'Ordonnance (plan couleur C2, **24**) : 51, rue Hallé, 75014. ☎ 01-43-27-55-85. Ⓜ Mouton-Duvernet. Tlj sf sam midi et dim ; service 12h-14h30, 19h45-21h45. Congés : août. Résa conseillée le soir. Formule déj en sem 18 € ; menus 25-34 €. Vins à partir de 18 €. Décor néobistrot réussi. Aux murs, une belle affiche du regretté Reiser, un hommage aux films de Michel Audiard et les habituelles plaques publicitaires anciennes pour apporter un peu de couleur à un cadre sobre. Remarquable cuisine, pleine de fraîcheur et de bonnes idées. Fort bon choix à la carte, poisson cuit à la perfection, goûteux plats en cocotte (délicieux pieds paquets !) et, surtout, un sublime pot de chocolat à la crème, à damner tous les saints.

IOI Les Vendanges (plan couleur C3, **55**) : 40, rue Friant, 75014. ☎ 01-45-39-59-98. ● tardif18@orange.fr ● Ⓜ Porte-d'Orléans. Tlj sf sam midi et dim ; service 12h-15h, 19h30-22h30. Congés : août, et 23 déc-2 janv. Menus-carte 29-39 € (2 ou 3 plats). Parking payant à proximité. Ceps, grappes, peintures de vignes et de châteaux au pochoir servent de plaisante toile de fond à cette auberge un peu hors du temps. Accueil et service très professionnels, bonne cuisine de tradition et de saison, sérieuse et plaisante à la fois. Enfin – « vendanges » oblige –, ne passez pas à côté de la pléthorique carte des vins ; nombreuses demi-bouteilles de très bons crus et vins au verre intelligemment sélectionnés.

IOI À Mi-Chemin (plan couleur C2, **27**) : 31, rue Boulard, 75014. ☎ 01-45-39-56-45. ● amichemin@wanadoo.fr ● Ⓜ Denfert-Rochereau ou Mouton-Duvernet. Tlj sf dim-lun ; service 12h-14h30, 19h30-23h30. Congés : 3 sem en août. Formules déj en sem 24-28 € ; menus 30-35 € le soir ; carte 30-35 €. Apéritif maison offert sur présentation de ce guide.

Cadre simple de bistrot pour une cuisine pleine d'une réjouissante créativité : millefeuille à la mousse de chèvre et figue au coulis de thé vert, pastilla de cochon au foie gras et orange. La carte évolue sans cesse au gré du marché et des saisons. Viande tendre, poisson cuit parfaitement. Service diligent. Resto à la hauteur de son excellente réputation ! Terrasse aux beaux jours.

IOI Au Bretzel (plan couleur zoom, **41**) : 1, rue Léopold-Robert, 75014. ☎ 01-40-47-82-37. ● aubretzel@free.fr ● Ⓜ Vavin ; RER B : Port-Royal. Tlj sf dim et lun midi 12h-14h30, 19h-22h30. Congés : 3 sem en août. Formule déj 15 € ; le soir, menus 21-26 € ; carte env 30 €. Loin des grandes brasseries alsaciennes, une petite Winstub calme et proprette. Deux associés, l'un alsacien, l'autre égyptien, et voilà un cocktail réussi de savoir-faire et de gentillesse. Les plats sont savoureux, comme les flammekueches, le baeckeoffe (sur commande) ou, bien sûr, l'incontournable choucroute. Le tout servi avec le sourire. On en redemande !

IOI Le 14 Juillet (plan couleur B2, **42**) : 99, rue Didot, 75014. ☎ 01-40-44-91-19. ● le14juillet@orange.fr ● Ⓜ Plaisance. Ⓣ Didot. Tlj ; service 12h-14h30, 19h30-22h30. Résa conseillée le w-e. Menu 15,50 € le midi en sem ; carte env 35 €. Atmosphère déliée et chaleureuse, cadre rustique pour une cuisine classique mais bien tournée et servie généreusement. Quelques vedettes indétrônables : la côte de bœuf, ses frites maison, la savoureuse épaule d'agneau, le pot de terrine, la profiterole... Belle sélection de petits vins de propriété. En prime, un service décontracté à la discrète familiarité et un digestif offert à la fin si tout va bien !

IOI Le Plomb du Cantal (plan couleur zoom, **43**) : 3, rue de la Gaîté, 75014. ☎ 01-43-35-16-92. Ⓜ Edgar-Quinet ou Gaîté. ♿ Tlj 7h-minuit ; service à partir de 12h. Congés : août et Noël. Salade 12 €, plats 17-22 €. Une petite envie de plats auvergnats ou une grosse faim tardive ? Deux bonnes raisons de venir au Plomb. Ici, on ne lésine pas sur les salades, les viandes et les pommes de terre, cuisinées en truffade ou aligot (et présentées dans un poêlon en cuivre), la charcuterie et la saucisse sèche

14ᵉ

artisanales. Beaucoup de monde, surtout en fin de spectacles (nombreuses salles alentour). Les affamés attendent parfois leur tour jusque sur le trottoir !

Chic

|●| La Cerisaie (plan couleur zoom, **40**) : 70, bd Edgar-Quinet, 75014. ☎ 01-43-20-98-98. Ⓜ Edgar-Quinet ou Montparnasse-Bienvenüe. Tlj sf w-e 12h-14h, 19h-22h30. Congés : 14 juil-15 août. Résa indispensable. Formule déj 25 € ; menus-carte 34-37 € (attention, nombreux plats avec supplément). Un bistrot de poche de 20 couverts au plus : pas question de venir là pour jouer les fiers-à-bras ! Habillez-vous léger, laissez le casque de moto à l'entrée et régalez-vous de savoureux plats du Sud-Ouest, simplement préparés : magret d'oie des Landes et poires rôties aux épices, poêlée de chipirons... Un seul regret : les nombreux suppléments à la carte ! La cerise sur le gâteau : la gentillesse de l'accueil.

|●| Le Cornichon (plan couleur zoom, **48**) : 34, rue Gassendi, 75014. ☎ 01-43-20-40-19. Ⓜ Alésia, Mouton-Duvernet ou Denfert-Rochereau. Tlj sf sam-dim 12h-14h, 19h-22h30. Congés : août et Noël-Jour de l'an. Menu 35 €. Ne cherchez pas, il n'y a ni terrine ni cornichons sur les tables. Et en guise de plats bistrotiers, le chef donne plutôt dans le bistronomique ! Produits de prime fraîcheur et de belle qualité (excellentes viandes), pour une cuisine de marché sans fanfaronnade mais bien troussée, servie dans un élégant cadre contemporain (coup de cœur pour les toilettes rose fuchsia !). Compte tenu de l'absence de formule déj, une adresse à privilégier le soir.

|●| Bistrot du Dôme (plan couleur zoom, **53**) : 1, rue Delambre, 75014. ☎ 01-43-35-32-00. Ⓜ Vavin. Tlj 12h-14h15, 19h-22h30 (23h ven-sam). Carte slt : repas complet à partir de 45 €. L'annexe bistrotière de la célèbre brasserie de Montparnasse. La marée y est en pleine forme, la carte des vins sans houle. Le service, qui ne sort pas de la flibuste, vous laisse le temps de respirer avant de monter à l'abordage, carte en main. Au fil des arrivages, poissons et fruits de mer expriment la même franchise savoureuse que celle qui nous émeut tant à la table d'un cabanon des bords de mer.

|●| Les Petits Plats (plan couleur C2, **32**) : 39, rue des Plantes, 75014. ☎ 01-45-42-50-52. Ⓜ Alésia. ♿ Tlj sf dim 12h-14h30, 19h30-22h30. Congés : 3 sem en août, Noël et Jour de l'an. Résa conseillée. Formule déj 17 € ; menu 45 € ; carte env 40 €. Un bistrot très convivial, au décor rétro, et tenu par une équipe qui mise sur la qualité. Une ardoise met à l'honneur la viande d'Aubrac, une autre s'inspire des produits de saison et offre une cuisine savoureuse et généreuse. N'hésitez pas à opter pour les plats en « demi-portion », une version plus douce pour l'estomac, comme pour le portefeuille. Large gamme de bons vins, avec quelques grands crus, pour accompagner.

|●| Les Petites Sorcières (plan couleur zoom, **26**) : 12, rue Liancourt, 75014. ☎ 01-43-21-95-68. ● ghislainearabian@hotmail.fr ● Ⓜ Denfert-Rochereau. Tlj sf dim-lun 12h-14h30, 19h-23h. Congés : 2-3 sem en août. Résa conseillée bien à l'avance. Formules déj 21-26 € ; menu 39 € le soir ; carte env 55 €. Ghislaine Arabian, très connue des épicuriens fortunés à l'époque où elle œuvrait chez Ledoyen, tient là un p'tit bistrot moderne et lumineux où il est permis de goûter à la cuisine d'une grande à prix doux... le midi. Pas de fioritures ni de falbala : la cuisine se veut simple et rappelle parfois le Nord (pas la peine de fuir !).

Plus chic

|●| La Régalade (plan couleur B3, **51**) : 49, av. Jean-Moulin, 75014. ☎ 01-45-45-68-58. ● la-regalade@yahoo.fr ● Ⓜ Alésia ou Porte-d'Orléans. ♿ Tlj sf sam-dim et lun midi ; service 12h-14h, 19h-23h (23h30 ven). Congés : 1 sem en janv et 3 sem en août. Résa fortement conseillée. Menu-carte 37 €. Café offert sur présentation de ce guide. Aux marches du 14ᵉ, près des Maréchaux et de la ligne de tram, dans un cadre de bistrot rétro, on ne présente plus cette Régalade, bistrot... nomique rendu célèbre par le médiatique Yves Camdeborde. Depuis, Bruno Doucet y a largement imprimé sa patte, et avec une constance jamais démentie : les classiques béarnais côtoient une cuisine de marché généreuse et créative, à base de produits de saison (gibiers, champignons...). Étonnante carte des vins à prix d'ami. Le succès est au rendez-vous, ici comme dans les annexes *Régalade Saint-Honoré* (1er) et *Régalade Conservatoire* (9e).

|●| *La Cagouille* (plan couleur zoom, 56) : 10, pl. Constantin-Brancusi, 75014. ☎ 01-43-22-09-01. ● la-cagouille@wanadoo.fr ● Ⓜ Gaîté. ♿ Service tlj 12h-14h30, 19h-23h. Résa conseillée. Formule 26 € ; menu 42 € (avec une bouteille de vin pour 2) ; carte env 55 €. Une *cagouille* est un escargot, chez les Charentais. Pourtant, ici, on ne mange que du poisson et, en principe, du bon : calamars frits ail et oignon, pavé de cabillaud crème d'ail doux... Tout ça à déguster en salle ou sur la terrasse bien tranquille, quand le temps le permet. La carte change midi et soir, selon les arrivages et la saison. Ici, on ne plaisante pas avec la fraîcheur. En revanche, on note une certaine routine dans la cuisine (cuisson hasardeuse) et un accueil peu chaleureux... Attention à ne pas vivre sur sa réputation !

|●| *La Coupole* (plan couleur zoom, 54) : 102, bd du Montparnasse, 75014. ☎ 01-43-20-14-20. Ⓜ Vavin. Tlj 8h-11h pour le petit déj ; pour la brasserie, commande à la carte 12h-minuit (23h dim-lun). Menus 29,90 € (entrée + plat ou plat + dessert, dim soir-ven midi)- 36,50 € (entrée + plat + dessert) ; carte 50-55 €. C'est l'un des derniers dinosaures de Montparnasse. Gigantesque « hall de gare » : c'est le plus grand resto, en surface, de France. *La Coupole* a vu le jour en 1927 dans un dépôt de bois et charbon. Dès sa naissance, l'endroit était fréquenté par les artistes : Chagall, Man Ray, Soutine, Joséphine Baker et son lionceau. C'est là qu'Aragon rencontra Elsa, que le modèle Youki quitta Foujita pour Robert Desnos, lui-même en rupture avec Breton sur le surréalisme... Impossible d'établir une liste exhaustive de tous ceux qui fréquentèrent *La Coupole* : Hemingway, Lawrence Durrell, Henry Miller, Buñuel, Dalí, Picasso, Artaud, Colette, Simone de Beauvoir, Sartre, Giacometti... Un lieu mythique donc, qui a plus de 80 ans d'existence, mais le décor, lui, n'a pas changé : style Art déco original, colonnes surmontées de fresques, carrelage cubiste. En cuisine, continuité et innovation avec le savoir-faire et les recettes du groupe *Flo*. Huîtres et crustacés en direct du banc à huîtres. Très bon accueil.

Bar à vins

|●| ♟ *Le Repaire de Bacchus* (plan couleur zoom, 60) : 18, rue Daguerre, 75014. ☎ 01-72-63-67-11. ● daguerre@lerepairedebacchus.com ● Ⓜ Denfert-Rochereau. Tlj sf dim soir et lun midi. Tartinades 6,90-12,90 €. Vins au verre 4-7 €. De toutes les boutiques de cette chaîne sérieuse (pas de franchise, un seul patron), c'est la seule qui propose de se restaurer... et avec d'excellents produits ! Cadre d'une rigoureuse sobriété, bouteilles rangées comme à la parade... Une touche de couleur avec ces tableaux originaux d'animaux aux tronches de personnalités connues (on adore Danton !). Choix énorme de petits et grands crus, à tous les prix. Dégustation de vin aux prix affichés (pas de droit de bouchon). Pour l'accompagner, une fine charcuterie corse et, surtout, les succulentes verrines de la Paimpolaise (ah ! celle d'huître !)... En prime, accueil pro et conseils judicieux, mais ça on s'en doutait ! *NOUVEAUTÉ*.

Cuisine d'ailleurs

Très bon marché

|●| *Enzo* (plan couleur zoom, 66) : 72, rue Daguerre, 75014. ☎ 01-43-21-66-66. Ⓜ Denfert-Rochereau ou Gaîté. Tlj sf sam soir, dim, lun midi et j. fériés ; service 12h-14h30, 19h-22h30. Congés : août. Carte 12-16 € ; pizzas 10,50-14,50 €.

14e

Tables et chaises hautes, comme au snack, mais paradoxalement, chaleureuse atmosphère et accueil affable. Décor réjouissant de scènes de cinéma italien sur la bouffe (en noir et blanc, bien sûr). Belles assiettes d'*antipasti*. Goûter aux onctueuses lasagnes, aux pizzas à pâte fine et craquante, et au tiramisù d'anthologie.

I●I *Chez Joy (plan couleur zoom, 77)* : *84, rue Daguerre, 75014.* ☎ *01-43-20-01-68.* Ⓜ *Gaîté ou Denfert-Rochereau. Tlj sf dim ; service 11h30-15h, 18h-22h. Menus 9,50 € le midi, 12,50-25 € le soir ; carte 10-15 €.* Un resto vietnamien discret, pas plus grand qu'un mouchoir de poche, avec quelques tables en alu. Mais Joy assure, avec un sourire constant, un service traiteur pour régaler les malchanceux qui n'auraient pas eu de place. Délicieux nems, croustillants et légers, salades fraîches, aux saveurs baladeuses (citronnelle, aromates et parfums inspirés de la cuisine thaïlandaise), incontournables *phó* (la soupe traditionnelle vietnamienne), et menu déjeuner impeccable. Le porc au caramel est un délice...

Bon marché

I●I *Le Jardin de Montsouris (plan couleur D3, 76)* : *1, rue de la Cité-Universitaire, 75014.* ☎ *01-45-88-36-66. RER B : Cité-Universitaire. Tlj sf dim-lun ; service 12h-15h, 19h-22h. Carte 20-25 €.* Un petit resto d'angle discret, où il vaut mieux réserver pour espérer avoir une place, car les tables sont comptées. Un resto de femmes, où l'on travaille en famille, dans un rythme soutenu qui n'empêche ni le sourire ni la répartie. Carte qui ne cherche pas à faire dans l'originalité mais qui entend faire honneur à la grande tradition vietnamienne. La qualité, la fraîcheur, la saveur des produits en font une des tables les plus intéressantes du quartier. *NOUVEAUTÉ.*

I●I *Indian House (plan couleur zoom, 75)* : *27, rue Gassendi, 75014.* ☎ *01-43-20-07-64.* ● *coffee.india@ neuf.fr* ● Ⓜ *Denfert-Rochereau, Mouton-Duvernet ou Gaîté. Tlj 12h-*

14h30, 18h30-23h30 (minuit w-e). Fermé 24-25 déc. Formule déj sf dim 12 € ; formule le soir lun-jeu 20 € (entrée + plat ou plat + dessert) ; carte 25-30 € ; brunch dim (12h-15h) 20 €. Apéritif maison, café ou digestif maison offert sur présentation de ce guide. Une adresse solide question cuisine indienne, dans un cadre chaleureux où sont servis tous les classiques : bœuf *vindaloo, mix gril tandoori, chicken...* et bien sûr le traditionnel *thali* végétarien (assortiment de 5 légumes avec des chutneys). À noter, ici, pas de tyrannie des piments. Délicieux lassi aux différents parfums sucrés (rose, mangue...) ou salés. Sinon, petits vins de propriété sur la carte.

I●I *Krua Thaï (plan couleur zoom, 69)* : *41, rue du Montparnasse, 75014.* ☎ *01-43-35-38-67.* Ⓜ *Edgar-Quinet, Vavin ou Montparnasse-Bienvenüe. Tlj sf dim 12h-14h30, 19h-23h. Menus 9,90-11,50 € le midi, 16 € le soir ; carte env 20 €.* Dans cette rue des crêpes d'une banale désespérance, ce thaï aux saveurs franches a conquis le cœur des Montparnos, qui s'y précipitent pour goûter la soupe de crevettes à la citronnelle, le poulet au lait de coco et curry, la salade de papaye verte à la thaïe, ou encore les moules sautées au basilic. Accueil souriant et service efficace.

I●I *La Baraka (plan couleur zoom, 67)* : *70, rue Daguerre, 75014.* ☎ *01-43-27-28-20.* Ⓜ *Denfert-Rochereau ou Gaîté.* ♿ *Tlj sf dim soir et lun ; service 12h-14h30, 19h-23h30. Congés : 3 sem en août. Formule déj sf dim 14 € ; carte env 30 €. Thé à la menthe offert sur présentation de ce guide.* Un resto nord-africain qui a le bon goût de ne pas jouer la carte du folklore. La déco, moderne, donne dans le « zen méditerranéen » à grand renfort de coussins ! Selon la saison, la salle est prolongée par la cour intérieure ou le jardin d'hiver chauffé. Rare à Paris ! La cuisine est bonne, servie sans fioritures. Semoule légère et savoureuse. Côté prix aussi, la modestie est de mise. Service discret.

I●I *La Comedia (plan couleur C2, 68)* : *51, rue Boulard, 75014.* ☎ *01-45-39-38-00.* ● *j.gouveia@hotmail.fr* ● Ⓜ *Mouton-Duvernet.* ♿ *Tlj sf dim 7h-minuit ; service 11h-15h, 19h-23h.*

Formule déj 15,50 € (entrée + plat ou plat + dessert) ; carte à partir de 25 € le soir (boisson comprise). Les chaises en bois de couleur et les expos de peintres du quartier font de cette petite salle un lieu bien convivial. De plus, la cuisine, d'inspiration latine (italienne, portugaise), est copieuse et réussie. Un verre de *vinho verde* pour accompagner la morue au four, par exemple, un peu de musique non commerciale *(obrigado !)*, une chaleureuse ambiance : voilà une adresse bien sympathique.

|●| Aux Petits Chandeliers (plan couleur zoom, **65**) : 62, rue Daguerre, 75014. ☎ 01-43-20-25-87. ● aux-petits-chandeliers@orange.fr ● Ⓜ Denfert-Rochereau ou Gaîté. Tlj 11h30-15h, 18h30-23h30. Formule 10,70 € en sem ; plat du jour 13 € ; carte env 25 € ; brunch dim (11h30-14h30) 19,50 €. Deux salles à la décoration exotique, sobre, et charmant patio fleuri. Vous voilà dans l'un des plus anciens réunionnais de Paris. « Rougails » et « massalé », « bichiques » et « samoussas » : ces mots mettent l'eau à la bouche. Cuisine parfumée et goûteuse, préparations relevées d'aromates (anis, coriandre, safran...). Et pour unique garniture : riz et haricots rouges. Prix raisonnables pour la qualité, mais les portions mériteraient d'être moins chiches...

Prix moyens

|●| Swann et Vincent (plan couleur zoom, **73**) : 22, pl. Denfert-Rochereau, 75014. ☎ 01-43-21-22-59. Ⓜ et RER B : Denfert-Rochereau. Lun-jeu 12h-14h30, 19h15-22h30 ; ven 12h-14h30, 19h-22h45 ; sam-dim 12h-15h, 19h-23h (22h30 dim). Résa recommandée. Formule déj 16,50 € ; carte 25-30 €. Cet établissement s'inscrit dans la lignée du *Swann et Vincent* du 12e : les parfums d'huile d'olive nous envoient directement les papilles en Italie. Tout est bon, frais et copieux. Intéressante formule déjeuner. Service sympathique. Que vous faut-il de plus ?

|●| Soura (plan couleur C2, **71**) : 7, rue Ernest-Cresson, 75014. ☎ 01-45-41-71-55. Ⓜ Mouton-Duvernet ou Denfert-Rochereau. Tlj sf dim 12h-14h30, 19h-23h30. Congés : 2 sem en août. Formules déj 12-19 € ; menus 21-32 € le soir. Apéritif maison offert sur présentation de ce guide. Découvrez un remarquable resto gastronomique coréen à prix étonnamment abordables. Cadre et décor épurés, tables bien séparées et cuisine particulièrement élaborée. Quelques succulentes spécialités bien parfumées : beignets de poulet à l'ail, soupe glacée de nouilles au sarrasin et coquelet mijoté au ginseng, et, surtout, *shabushabu* aux fruits de mer (pour 2). Service feutré et discret.

|●| O Corcovado (plan couleur zoom, **78**) : 152, rue du Château, 75014. ☎ 01-43-27-50-87. ● info@ocorcovado.com ● Ⓜ Pernety. Tlj sf lun à partir de 19h. Carte env 30 €. Discrètement implanté dans le quartier, ce petit restaurant aux couleurs du Brésil a la cote auprès des Brésiliens nostalgiques et des Parisiens grisés par la chaleur de l'accueil, et par l'excellente caïpirinha (qui se décline avec des fruits) ! Assis au coude-à-coude, on embarque pour un voyage culinaire à travers le pays : *pão de queijo, feijoada, moqueca de camarão...* Tout est délicieux ! NOUVEAUTÉ.

|●| Le Flamboyant (plan couleur B2, **72**) : 11, rue Boyer-Barret, 75014. ☎ 01-45-41-00-22. ● contact@leflamboyant-paris.com ● Ⓜ Pernety ou Plaisance. ♿ Tlj sf sam midi et dim-lun ; service 12h-15h, 19h30-23h (dernière commande). Congés : août. Résa conseillée le soir. Le midi en sem, plat 8 € et menu 12 € ; le soir, formule 20 € ; autres menus 25-30 € ; carte 25-30 €. Acras de morue offerts sur présentation de ce guide. L'un des meilleurs restos antillais de Paris. Le midi, un menu avec quart de vin compris (pas totalement antillais). À la carte, choix important. Bons acras de morue. Pour les plats, crabe farci, colombo de porc. En dessert, blanc-manger ou glace au gingembre, entre autres. Pour les amateurs, le punch, bien sûr ; pour les autres,

14e

l'eau Didier, importée de Martinique (pas plus chère pour autant). Agréable musique caraïbe. Service d'une extrême gentillesse.

Chic

|●| **L'Auberge de Venise** (plan couleur zoom, **74**) : 10, rue Delambre, 75014. ☎ 01-43-35-43-09. Ⓜ Vavin. Tlj 11h30-14h45, 18h-23h45 (service continu midi). Menus 14,90 € (midi sf dim et j. fériés), puis 29,90-39,90 € ; carte env 40 €. Si Montparnasse n'offre plus les attraits d'antan, n'oubliez pas qu'ici siégeait le *Dingo's Bar,* le bistrot préféré d'Hemingway. Ses cinémas ainsi qu'une poignée de bonnes tables font qu'on peut encore, avec plaisir, s'amuser à y jouer les Montparnos d'un soir. Parmi celles-ci, cette auberge italienne où règne Enzo, bonhomme jovial, plein de malice, qui a l'art et la manière de vous mettre immédiatement à l'aise, sans oublier Massimo, son fiston. Accueil formidable. Éditeurs et gens du spectacle y viennent en amis plus qu'en voisins. Bonne nouvelle, une annexe a ouvert dans le 4ᵉ arrondissement *(2, rue de la Bastille).*

Où boire un thé ? Où prendre un bon goûter ?

|●| ☛ **Dominique Saibron** (plan couleur C2, **28**) : 77, av. du Général-Leclerc, 75014. ☎ 01-43-35-01-07. Ⓜ Alésia. Tlj sf lun 7h-20h30. Voir plus haut « Où manger ? ».
|●| ☛ **La Bonbonnière** (plan couleur D3, **79**) : face au lac du parc Montsouris, 75014. 🖀 06-14-34-99-12. ● stephanebilly@orange.fr ● RER B : Cité-Universitaire. Mars-oct, tlj sf j. de pluie 10h-19h ; le reste de l'année, mer, w-e, j. fériés et vac scol. Menu 11 € avec galette, crêpe sucrée et boisson au choix. N'hésitez pas à soulever le couvercle de cette *Bonbonnière*-là, nichée au cœur du parc Montsouris. Chaises de jardin et couverts jetables sont de mise pour un pique-nique amélioré. Le chef crêpier propose régulièrement de délicieux assortiments maison pour les galettes (crème d'artichaut, crème de courgette...) et les crêpes sucrées. Néanmoins, les garnitures pourraient être plus généreuses... Mais l'accueil chaleureux nous le fait vite oublier. Un petit coin de paradis en plein cœur de Paris.

Où boire un verre ?

🍸 |●| **L'Entrepôt** (plan couleur B2, **80**) : 7-9, rue Francis-de-Pressensé, 75014. ☎ 01-45-40-07-50. ● lentrepot@lentrepot.fr ● Ⓜ Pernety. ♿ Service tlj 12h-14h30, 19h-23h ; bar ouv jusqu'à 2h. Congés : 8-22 août. Résa conseillée. Plats 15-20 € ; menu complet 30 € ; brunch dim 26 €. L'endroit, créé par Frédéric Mitterrand il y a plus d'un quart de siècle, reste parfait pour terminer une soirée après une séance dans la salle de ciné attenante ou après un concert (le week-end), d'autant qu'on vous propose même des formules adaptées ! N'hésitez pas non plus à pousser la porte pour bavarder au bar ou, pourquoi pas, pour vous installer dans la salle de resto, aux couleurs vives et chaleureuses, ouverte sur la cuisine et sur la cour arborée (extra aux beaux jours). Cuisine correcte, mais surtout bonne ambiance et service relax.
🍸 ♪ **Le Moulin à Café** (plan couleur B2, **85**) : 8, rue Sainte-Léonie, 75014. ☎ 01-40-44-87-55. ● gestion@moulin-cafe.org ● Ⓜ Pernety. ♿ Derrière le Château Ouvrier. Tlj sf dim-lun 12h-14h, 19h-20h30. CB refusées. 📶 Chaleureux café associatif pour boire un verre, déjeuner légèrement ou goûter. Riche programmation culturelle (soirées festives, concerts, conférences, débats, ateliers divers...). Terrasse aux beaux jours.
🍸 **Au Magique** (plan couleur B2, **81**) : 42, rue de Gergovie, 75014.

14ᵉ

☎ 01-45-42-26-10. Ⓜ *Pernety ou Plaisance. Tlj sf lun-mar 20h-2h. Congés : août. Consos à partir de 3 €. CB refusées.* Voici plusieurs années déjà que Marc Havet interprète ses chansons dans ce café-concert à l'ambiance chaleureuse. Bouteilles et verres traînent sur le piano autour duquel le public, la trentaine bien dans sa peau, papote gentiment. Spectacle à 21h. D'autres auteurs-compositeurs-interprètes se produisent ici.

♟ **Le Rosebud** *(plan couleur zoom, 83) : 11 bis, rue Delambre, 75014.* ☎ *01-43-35-38-54.* Ⓜ *Vavin ou Edgar-Quinet. Tlj 19h-2h. Congés : août. Cocktail 13 €. Resto à la carte slt, env 30 €.* Dans les années 1950, Jean-Paul Sartre et la bande de Montparnasse venaient souvent y prendre un verre. Ce bar, au joli cadre 1930, accueille aujourd'hui une clientèle d'artistes peintres, d'écrivains et de journalistes. Les tables, de style bistrot, baignent dans une douce pénombre, propice aux confidences. Les serveurs n'ont pas leur pareil pour concocter d'excellents cocktails : commandez un bloody mary, et vous comprendrez ! Et n'oubliez pas le steak tartare, mythique lui aussi.

♟ **Le Dôme** *(plan couleur zoom, 84) : 108, bd du Montparnasse, 75014.* ☎ *01-43-35-25-81.* Ⓜ *Vavin. Tlj sf dim-lun de mi-juil à fin août ; service 12h-15h, 19h-23h30. Demi 5,10 €. Repas complet 90 € avec les boissons ! Un verre suffira donc... Parking payant.* Terrasse agréable, lampes Tiffany, chaises en osier, plantes vertes. Décor signé Slavik à tous les coups. Aux murs, intéressante collection de photos rappelant la grande époque et sa faune d'alors. C'est le plus touristique et le plus chicos des grands cafés de Montparnasse. Jean-Paul Sartre (toujours lui !) aimait y venir l'après-midi. Dans l'assiette, poisson et fruits de mer (mais il faut y mettre le prix !).

À voir

MONTPARNASSE

Voir aussi « Autour de la tour et de la gare Montparnasse » dans le 15e arrondissement, qui est limitrophe.

Mais d'où vient le nom de Montparnasse ? Dès le XVIIIe s, les étudiants déclamaient des poèmes devant les remblais formés par les gravats issus du creusement des catacombes. Cette butte aujourd'hui disparue, située à l'angle du boulevard du Montparnasse et du boulevard Raspail, prit un nom célébré par les poètes grecs : le mont Parnasse.

À partir de 1900, c'est l'âge d'or de la bohème : poètes, écrivains, artistes, réfugiés politiques y débarquent en masse – Modigliani et Utrillo, qui émigrent de Montmartre, Max Jacob, Apollinaire, Paul Fort, Cendrars... Lénine, qui y prépare le Grand Soir, et Trotski, qui phosphore (déjà) sur les moyens d'empêcher Staline de dévoyer la révolution russe. C'est vrai que Montparnasse, alors, est un village. Les ateliers d'artistes se nichent dans les impasses fleuries. Après la Grande Guerre, le quartier attire de plus en plus de monde. Beaucoup viennent de très loin. Hemingway, Foujita, Soutine, Zadkine, Braque, Chagall, Picasso, Rouault, Klee fréquentent les grands cafés populaires. C'est l'apogée de l'école de Paris, époque où Paname était la capitale intellectuelle du monde.

Montparnasse continuera cependant à vivre sur sa réputation et à attirer les foules. Son aura intellectuelle aurait pu poursuivre sans dommage sa lente dilution dans l'alcool de ses bistrots, mais les rois du béton en décidèrent autrement. Exit la vieille gare Montparnasse d'où, une fois, une locomotive décida toute seule d'aller boire un verre en face.

Quant au boulevard du Montparnasse, de la place du 18-Juin-1940 au boulevard Raspail, reste animé tard dans la nuit et aligne bon nombre d'usines à films, de restos et grands cafés pour tous les goûts.

LES BRETONS DE MONTPARNASSE

Montparnasse ! Tout le monde descend. Et tous les Bretons descendirent sur les quais avant de jeter l'ancre dans le quartier de la gare. C'est comme ça que l'histoire commence : celle de migrants pauvres chassés par l'exode rural. Les Bretons du début du XXe s formèrent des clans, ouvrirent des cafés au nom de leur ville d'attache, se lancèrent dans les crêpes, fondèrent des

SPÉCIALITÉ BRETONNE ?

Jusqu'en 1965, dans l'ancienne gare Montparnasse, on pouvait déguster des krapfen, délicieux beignets prétendument bretons mais introuvables en pays celte. On sait aujourd'hui que ces douceurs sucrées étaient d'origine allemande et destinées aux soldats d'occupation. On mit 20 ans à s'en rendre compte...

cercles et des associations folkloriques – aujourd'hui culturelles –, maintinrent en vie les traditions du pays. C'est à Montparnasse que les aventuriers se lançaient dans l'aventure de Paris. Ici aussi que des jeunes Bretonnes aux joues roses se faisaient accoster par des proxénètes à l'œil torve, moins reluisants que les vrais maquereaux des côtes de Bretagne. Montparnasse : terminus !
L'itinéraire de la celtitude en exil est fait de cafés aux noms révélateurs : *À la Ville de Guingamp, de Morlaix, de Pont-l'Abbé, de Brest, de Saint-Malo...* On dépense là ce que l'on stocke ici, c'est-à-dire à la *Banque de Bretagne,* tenue par un Breton évidemment. Rue d'Odessa et rue du Montparnasse, les crêperies se succèdent. Plus loin, rue Delambre, le *Ti Jos* (voir plus haut « Où manger ? »). Après les bars, la mission bretonne *Ti ar Vretoned* reste l'une des grandes institutions de Paris. Elle est au bout de la rue Delambre, au no 22 (voir ci-dessous). Rue du Maine, c'est la *Librairie Breizh.*

■ **Mission bretonne Ti ar Vretoned** *(plan couleur zoom) :* 22, rue Delambre, 75014. ☎ 01-43-35-26-41 *(pdt les heures d'ouverture)* ou 01-43-21-99-86 *(répondeur).* • contact@ missionbretonne.org • missionbretonne.org • Ⓜ *Vavin ou Edgar-Quinet.* Nombreuses activités culturelles bretonnes et celtiques. Bar associatif très sympa.

LES AMÉRICAINS À MONTPARNASSE

Dans les années 1920, Paris devint la terre d'adoption de nombreux Américains. À cela plusieurs raisons : beaucoup fuyaient l'Amérique puritaine imposant la prohibition de l'alcool, d'autres profitaient du taux élevé du dollar à l'époque. Henry Miller avait calculé que les prix demandés par les prostituées de Montparnasse correspondaient à ceux de quelques paquets de cigarettes américaines.
Les artistes, quant à eux, appréciaient le bouillonnement artistique et littéraire de l'époque. Man Ray, ami de Marcel Duchamp, avait transformé sa chambre d'hôtel de la rue Delambre en labo photo ; Calder s'était installé d'abord rue Daguerre avant d'émigrer villa Brune, pour confectionner ses drôles de petits mobiles. En juillet 1923, Malcolm Cowley, un critique littéraire, alla faire le coup de poing avec Aragon contre le patron du café *La Rotonde* parce qu'ils le soupçonnaient d'être un indic. Hemingway habita au 113, rue Notre-Dame-des-Champs et laissa

beaucoup d'argent à *La Closerie des Lilas*, tout à côté (lire *Paris est une fête*, « Folio »).

Les Américains marquèrent vraiment les années 1920-1930. La crise de 1929, la guerre d'Espagne puis la Seconde Guerre mondiale mirent fin à cette belle histoire d'amour.

⚔ La tour Montparnasse : patience, vous ne perdez rien pour attendre. Comme elle est géographiquement située dans le 15ᵉ arrondissement, vous la retrouverez à ce chapitre.

HEMINGWAY K.-O. !

En 1929, on installa un ring de boxe au Falstaff, bar à bières qui existe toujours au 42, rue du Montparnasse. Hemingway y combattit aux poings le journaliste, très baraqué, Callaghan. Scott Fitzgerald était l'arbitre. Ivre mort, il oublia de sonner la fin du combat ! Très amoché, Hemingway lui en voudra longtemps.

14ᵉ

Le cimetière du Montparnasse
(plan couleur zoom et plan du cimetière)

⚔⚔⚔ Ⓜ *Edgar-Quinet* ou *Raspail. Tlj 8h (8h30 sam, 9h dim et j. fériés)-17h30 (18h 16 mars-5 nov). Petit plan gratuit à la disposition des visiteurs à l'entrée située bd Edgar-Quinet. Visites guidées organisées par la Mairie de Paris (☎ 01-40-33-85-85).*

– Conseil : pour composer votre propre parcours ou retrouver à coup sûr une tombe particulière, n'hésitez pas à demander aux gardiens le petit plan gratuit où figure un index des célébrités.

Après avoir pris de la hauteur, une petite visite au boulevard des allongés. Créé en 1824, c'est le troisième de la capitale en superficie, mais l'un des plus intéressants du point de vue de la qualité des occupants. C'est fou le nombre de gens connus qui ont choisi de vivre leur éternité à l'ombre de la tour.

Au repos en ces lieux, on compte notamment Baudelaire, Serge Gainsbourg, les sculpteurs **Rude, Houdon** et **Bourdelle,** l'amiral **Dumont d'Urville, Robert Desnos, Camille Saint-Saëns, Proudhon** (« La propriété, c'est le vol »), **Sainte-Beuve,** l'actrice **Maria Montez,** Jean-Paul Sartre et Simone de Beauvoir, **Guy de Maupassant, Eugène Ionesco, Joseph Kessel, Dreyfus** (de l'Affaire), **Bartholdi** (le *Lion de Belfort* de la place Denfert-Rochereau), Soutine, **Tzara, Man Ray, Yves Mourousi, Maurice Pialat, Alex Métayer, Philippe Noiret, Alain Resnais...** Une quantité de gens dont on connaît souvent les noms que grâce au métro : **Jussieu,** naturaliste ; **Edgar Quinet,** philosophe ; **Boucicaut** (propriétaire du magasin *Le Bon Marché*)... et on ne parle pas des noms de rues ! Beaucoup d'éditeurs : **Plon, Larousse** et notre très ancien patron, **Louis Hachette.** Et puis, pourquoi pas, la tombe de **Stirbois,** ex-chef adjoint du Front national, qui a pour seul mérite d'être cernée par plusieurs tombeaux juifs. Dieu est dur, parfois !

Si vous ne voulez pas partir à la recherche de tous ces gens, allez néanmoins jeter un œil sur les tombes les plus curieuses et insolites, ça vaut le déplacement. Ainsi, celle surmontée d'un étonnant chat polychrome, signé Niki de Saint Phalle, ou d'un homme-oiseau posé sur une dalle, dont le sculpteur Tinguely serait l'auteur. À deux rangées de

LA DOUBLE MORT DE LAVAL

Chef du gouvernement sous Pétain de 1942 à 1944, Pierre Laval est fusillé à Fresnes le 15 octobre 1945. On raconte qu'il tenta de se suicider au cyanure le matin de l'exécution, qu'on lui fit un lavage d'estomac et que c'est agonisant, assis sur une chaise, qu'on le fusilla symboliquement ! Il repose dans la tombe des Chambrun, la famille de son gendre.

là, une réplique du palais de Chaillot abrite la dernière demeure d'**Henri Langlois,** fondateur de la Cinémathèque au palais de Chaillot. Si vous pénétrez par la porte Maine-Froidevaux, prenez l'avenue de l'Ouest, qui suit le mur. À gauche s'étend la 15ᵉ division, et à droite les 9ᵉ, 8ᵉ, 7ᵉ, 6ᵉ et 5ᵉ divisions. Vous rencontrerez à gauche, au bout d'une quinzaine de mètres, la grande dalle de marbre noir de **Pierre Laval.** Presque en face, 7ᵉ division, superbe statue moderne symbolisant la douleur sur la tombe d'**Henri Laurens** (ami de Braque). Tout en bas à gauche, avant de prendre le virage, repose **Soutine.** Suivant le mur qui longe le boulevard Edgar-Quinet (20ᵉ division), 10 m avant le grand portail, tombe de **Jean-Paul Sartre et de Simone de Beauvoir.** À la mort de Sartre, sa compagne et muse écrit cette belle phrase : « Sa mort nous sépare. La mienne ne nous réunira pas. Mais il est déjà beau que nos vies aient pu s'accorder aussi longtemps. » Au sud du cimetière, la grosse *tour du moulin* datant du XVᵉ s, dernier vestige de la ferme et des terres sur lesquelles le jeune Voltaire, alors élève à Louis-le-Grand, venait se promener. Au XVIIᵉ s, dit-on, ce moulin servait autant de moulin à farine que de cabaret.

Revenez au rond-point et, dans l'avenue Transversale (1ʳᵉ division) sur la droite, vous trouverez la tombe de **Serge Gainsbourg,** qui est venu nous dire qu'il s'en est allé. Non loin de là, dans la 13ᵉ division, repose le regretté **Reiser.** Tout droit encore, adossé au mur de la rue Émile-Richard, le cénotaphe de **Baudelaire.** Le buste du poète contemple son corps gisant sur le sol.

Le cimetière du Montparnasse est divisé en deux parties séparées par la rue Émile-Richard, la seule rue de Paris sans habitants vivants, sans boutiques, sans maisons... Le *petit cimetière,* secteur situé à l'est, abrite de nombreuses tombes de la communauté juive de Paris. Parmi eux, l'écrivain et grand reporter **Joseph Kessel** (1898-1979).

Après le célébrissime *Baiser* de Brancusi, le petit cimetière présente la tombe la plus fascinante de Montparnasse. En venant par la porte côté Raspail, allez tout droit, puis tournez à droite, vous ne pouvez manquer **M. Pigeon,** l'inventeur de la lampe du même nom. Arrivez sur la pointe des pieds pour ne pas déranger. Dans un lit monumental et baroque, M. Pigeon lit tranquillement un livre à la lumière de sa fameuse lampe. À côté de lui, sa femme dort paisiblement. Le tout en bronze. S'il vous reste quelques forces, allez dire ensuite bonjour à **Bartholdi** (le sculpteur de la statue de la Liberté à New York). Ce n'est pas loin : quelques dizaines de mètres après la tombe des Pigeon, empruntez l'avenue Thierry. Au passage, à gauche, tous ceux qui ont possédé une bonne vieille deuche salueront **André Citroën.** La tombe de Bartholdi est surmontée d'un ange montant au ciel.

Parmi les occupants récents, vous pourrez rencontrer les tombes du sculpteur **César,** des acteurs **Jean Carmet** et **Jean Poiret,** des écrivains **Lucien Bodart, Alphonse Boudard** et **Samuel Beckett,** des cinéastes **Joris Ivens, Jacques Demy** et **Maurice Pialat,** de l'artiste bon vivant **Topor,** du non moins bon vivant **Philippe Léotard,** de la regrettée **Jean Seberg** ou de la troublante **Delphine Seyrig,** de **Marguerite Duras** et, plus récemment, d'**Éric Rohmer.**

🔖 *La rue Delambre (plan couleur zoom) :* c'est la rue du bar *Le Rosebud,* où Hemingway avait ses habitudes. Au n° 33, l'*Hôtel des Bains* fut le lieu de séjour de Simone de Beauvoir au printemps 1937. Elle y écrivit son premier roman, *Primauté du spirituel,* qui ne sera publié qu'en 1979 sous le titre *Quand prime le spirituel.* Au n° 35, l'*Hôtel Delambre* (autrefois *Hôtel des Écoles*) a reçu des hôtes célèbres par le passé. Le peintre Gauguin y a vécu en 1891. L'hôtel existait déjà à cette époque.

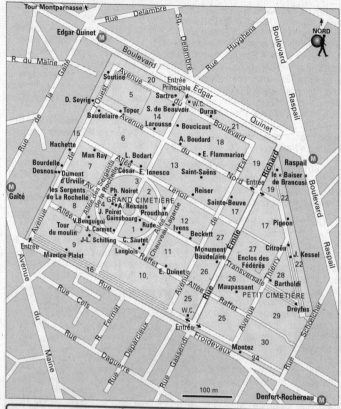

LE CIMETIÈRE DU MONTPARNASSE

Le père du surréalisme, André Breton, y séjourna aussi d'octobre 1920 à 1921. Au n° 15 de la rue Delambre toujours, l'**Hôtel Lenox** (autrefois *Grand Hôtel des Écoles*) hébergea Tristan Tzara et Man Ray (en 1921), grands habitués de Montparnasse à cette époque.

🚶 **Le boulevard Edgar-Quinet** *(plan couleur zoom)* : il longe le cimetière du Montparnasse, au nord de celui-ci. L'artiste Chaïm Soutine y avait son atelier au n° 9. Il y logea en 1913 puis en 1926. À la Belle Époque se trouvait la maison close la plus célèbre de Paris : *Le Sphinx*, au n° 31. Fermé en 1946, l'établissement a été détruit par des promoteurs en 1962.

🚶 **La rue de la Gaîté** *(plan couleur zoom)* : rue qui débute boulevard Edgar-Quinet et se termine avenue du Maine. On l'emprunte presque obligatoirement quand on rejoint Plaisance-Pernety. Elle rappelle que Montparnasse fut un quartier de plaisirs très couru au XIXe s avec ses cabarets, guinguettes, théâtres, bals, cafés, etc. Une jolie fresque murale à la brasserie *La Liberté* (angle Gaîté et Edgar-Quinet) en témoigne encore (Jean-Paul Sartre, qui habitait à côté, venait y tremper son croissant). Fast-foods et sex-shops l'ont aujourd'hui considérablement défiguré. Mais il reste toujours *Bobino*,

14e

la salle de spectacle la plus célèbre de la rive gauche, et tous les théâtres et cafés-théâtres à la mode, où l'on peut croiser des artistes.

La rue a aujourd'hui perdu de son animation, même s'il y a encore de nombreux petits restos, crêperies, hôtels pas chers et boutiques dans les ruelles alentour. Vestiges de la Belle Époque : le *théâtre du Montparnasse*, avec sa belle façade sculptée et ses cariatides. Au rez-de-chaussée, un bistrot assez fréquenté. En face, au n° 26, le bon vieux *théâtre de la Gaîté-Montparnasse*, enserré dans un immeuble à la façade également ouvragée, classé à l'Inventaire des Monuments historiques. À côté du théâtre, un bar plus populaire, furieusement animé certains soirs, avant et après le spectacle.

Au n° 11 bis, l'actuel *Timhotel Tour Montparnasse* fut autrefois l'**Hôtel Royal Bretagne.** Sartre et Beauvoir y séjournèrent entre 1936 et 1937. Sartre y termina d'écrire *La Nausée,* qui fut publié en 1938 par Gallimard.

– Au 10, rue du Maine, *Coop Breizh* et *Roi de Bretagne,* deux des boutiques les plus sympas du quartier (☎ 01-43-20-84-60 ; Ⓜ *Edgar-Quinet* ou *Gaîté* ; tlj sf dim 10h-13h, 14h-18h45). Tous les livres, journaux, disques, cadeaux, etc. sur la Bretagne et les pays celtes. Beaucoup de choix et beaucoup de gentillesse dans l'accueil.

🕺 **L'Observatoire de Paris** *(plan couleur D1) :* 61, av. de l'Observatoire, 75014. ● obspm.fr ● RER B : Port-Royal.

Le plus ancien établissement astronomique du monde encore en activité, créé sous Louis XIV en 1667. C'est le seul édifice qui, à l'époque de sa construction au XIVe s, ne comprenait dans sa construction, dit-on, ni bois ni fer : pas de bois de peur du feu, pas de fer qui puisse jouer avec les aiguilles aimantées.

On y a découvert, entre autres, la division de l'anneau de Saturne, la planète Neptune, et élaboré la première carte moderne de la Lune... La coupole date de Louis-Philippe, et la lunette de Napoléon III.

En 1884, une convention internationale choisit le méridien de Greenwich comme référence plutôt que celui de Paris. Ce dernier est aujourd'hui matérialisé sous la forme d'une série de 135 médaillons en bronze, incrustés dans l'asphalte en 1994, marqués du nom « Arago », en hommage à l'un

LA HUITIÈME PLANÈTE

Au XIXe s, Urbain Le Verrier démontre l'existence d'une huitième planète dans notre système solaire : Neptune. Mais ce sont les Allemands qui l'avaient observée les premiers, en 1846. Branle-bas de combat chez les astronomes français, qui trépignent de s'être fait devancer par l'ennemi juré du moment. Ils comprennent, mais trop tard, que leurs observations sont perturbées par la forte luminosité nocturne (déjà !) de Paris... pourtant nombril de l'Univers, non ?

des directeurs de l'Observatoire. À travers la ville, vous pourrez les repérer le long d'un axe qui va de Montsouris à l'avenue de la Porte-Montmartre, et plus précisément à l'Observatoire même, rue de Seine, ou encore au 81, rue du Faubourg-Saint-Jacques, par exemple. Même Dan Brown en parle dans *Da Vinci Code.* Pour vous dire...

Petit itinéraire architectural

Si Montparnasse n'est plus le quartier d'artistes qu'il fut naguère, il reste cependant de superbes traces de ce passé artistique. Rendez-vous métro Vavin, devant le fantastique *Balzac* de Rodin.

➤ D'abord, une petite incursion dans le 6e ; ici, c'est encore Montparnasse. Au 26, **rue Vavin,** un édifice assez fascinant, construit en 1912 par l'architecte Henri Sauvage. Immeuble à gradins, totalement recouvert de céramiques blanches avec une abondante végétation à tous les niveaux. Ce Sauvage était en fait l'un des architectes les plus civilisés et humains qui soient, puisqu'il créa au début du XXe s la Société anonyme des logements hygiéniques à bon marché, visant à fournir aux classes populaires des logements décents, sans pour autant qu'ils soient tristes et bâclés.

14e

LA SCANDALEUSE STATUE !

Sur le boulevard Raspail, entre le boulevard du Montparnasse et la rue Vavin, admirez cette fabuleuse statue de Balzac. Elle fut commandée à Rodin par Zola, président de la Société des gens de lettres. Il l'habilla en robe de chambre. Scandale ! Il fallut attendre 48 ans pour qu'on l'installât. Un bien moindre mal puisque Rodin l'avait aussi sculpté... complètement nu !

➤ Au n° 31 bis de la **rue Campagne-Première**, à l'angle avec le boulevard Raspail, une magnifique façade ouvragée en céramique, chef-d'œuvre de l'Art nouveau (1911). Masques et guirlandes de roses. L'immeuble abritait une vingtaine d'ateliers dont celui de Man Ray, qui s'y installe en juillet 1922 avec sa compagne et égérie, la fameuse Kiki de Montparnasse. Il arrivait à Man Ray de dormir à côté, à l'**Hôtel Istria,** au n° 29. Voici un hôtel légendaire de Montparnasse, qui a reçu à la Belle Époque une kyrielle d'artistes de génie : Elsa Triolet et Aragon y logent de 1924 à 1929 ; Marcel Duchamp y habite de 1923 à 1926, à son retour des États-Unis ; Erik Satie, Rainer Maria Rilke, Tristan Tzara, Maïakovski comptent parmi les clients célèbres de cet hôtel aujourd'hui toujours debout, pratiquant des prix raisonnables, et tenu par une femme très accueillante. Anecdote cinématographique : c'est devant l'*Hôtel Istria* et l'immeuble du n° 31 bis que Belmondo se fait tuer d'un coup de revolver dans le dos à la fin du film *À bout de souffle* de Godard. Une scène bien connue et aimée des cinéphiles.

➤ Descendre un peu le boulevard Raspail. Au n° 261, on change d'époque. Ce lieu abrite la **Fondation Cartier pour l'art contemporain** (plan couleur C1) : ☎ 01-42-18-56-50. ● fondation.cartier.com ● Ⓜ Denfert-Rochereau ou Raspail. Bus n°s 38, 68, 88 et 91. ♿ Tlj sf lun 11h-20h (nocturne mar jusqu'à 22h). Fermé 1er janv et 25 déc. Réservez vos billets en accès prioritaire dans les magasins Fnac et sur ● fnac.com ● Entrée : 10,50 € ; tarif réduit : 7 €, accordé sur présentation de ce guide ; gratuit moins de 13 ans, et moins de 18 ans mer, laissez-passer et ICOM. Achevé en 1994 par Jean Nouvel, l'architecte de l'Institut du monde arabe et du musée du quai Branly, cet édifice de verre et de métal, incontestable réussite esthétique, abrite toujours au sein de son jardin le mythique cèdre du Liban que Chateaubriand y planta en 1823.

La Fondation Cartier a pour vocation de révéler des artistes contemporains du monde entier, dans tous les domaines de la création, du design à la photographie, de la peinture à la vidéo, de la mode au spectacle vivant. Elle s'engage auprès des artistes, soutenant la création à travers la commande et la production d'œuvres.

➤ Reprendre le boulevard Raspail et emprunter à droite la **rue Schœlcher** (plan couleur zoom). Au n° 5, admirer la très belle façade : tous les balcons et fenêtres présentent une forme différente. Œil-de-bœuf formant balcon encadré d'une frise de fruits dégringolant en cascade. **Simone de Beauvoir** vécut au n° 11 bis de cette rue, de 1955 à 1986, non loin de chez son compagnon **Jean-Paul Sartre,** qui habitait boulevard Raspail. Le 11 bis affiche une architecture des années 1930, et abrite des appartements et des ateliers avec avancées ou décrochements de fenêtres. Au n° 5 bis, une grande baie vitrée annonce un atelier d'artiste : celui, lumineux, de **Pablo Picasso,** qui y aménagea en septembre 1913 en compagnie d'Eva, sa muse. C'est l'époque des sculptures-assemblages comme la *Construction au joueur de guitare*, qui enchantera André Breton. Picasso y resta pendant la Première Guerre mondiale, attristé par la mort d'Eva (le 14 décembre 1915). L'atelier lui semblait maudit, mais il s'acharnait à produire ses œuvres.

➢ À quelques mètres de là, au n° 138 de la **rue du Faubourg-Saint-Jacques,** jeter un œil sur l'*hôtel de Massa,* construit en 1784. À l'époque, il s'élevait sur les Champs-Élysées, à l'angle de la rue La Boétie. Le propriétaire, Théophile Bader, président des *Galeries Lafayette,* voulait le remplacer par un immeuble moderne. Comme le bâtiment était classé Monument historique, on décida, en 1928, de le déplacer pierre à pierre jusqu'à la rue du Faubourg-Saint-Jacques. Il abrite aujourd'hui la Société des gens de lettres.

Et si vous poussez jusqu'au n° 81 de la rue du Faubourg-Saint-Jacques, vous tomberez sur l'un des médaillons de bronze qui matérialisent ce qui fut le méridien de Paris (lire plus haut le texte de l'Observatoire).

➢ Au 126, **boulevard du Montparnasse,** passer sous un porche monumental ; au fond de la deuxième cour, splendide maison avec ateliers d'artistes. Au n° 120 bis, décor de mosaïque à fleurs sur la façade.

PLAISANCE, PERNETY

Vieux quartier populaire rattaché à Paris depuis un siècle et demi. Grosso modo circonscrit dans le triangle formé par la rue Vercingétorix et l'avenue du Maine. Longtemps un village. Les noms des rues en témoignent : rue du Moulin-Vert, rue du Moulin-de-Beurre (aujourd'hui disparue). La population ouvrière chassée par les grands travaux d'Haussmann vint s'y entasser. Malgré de difficiles conditions d'existence, une vie de quartier extrêmement riche unissait l'ensemble des habitants. Commerces et nombreux services permettaient au quartier de vivre pratiquement en autarcie. Fuyant les logements trop exigus, les habitants se retrouvaient dans les cafés et la rue, assurant une vie sociale animée.

Avec un peu de curiosité, on découvre encore plein de choses, des rues et des maisons insolites, une accumulation de petits détails et toujours des sourires chaleureux.

Petite balade dans le quartier Plaisance-Pernety *(plan couleur B1-2)*

À partir de l'avenue du Maine et de la rue de l'Ouest, le quartier dévoile son nouveau visage. Révision déchirante des aberrations architecturales traditionnelles ou simple compromis provisoire, les formes des bâtiments se font plus humaines, leur hauteur devient raisonnable.

➢ Au centre de l'imposante **place de Catalogne** *(plan couleur B1),* œuvre de l'architecte catalan Ricardo Bofill, une étrange *fontaine,* dessinée par Shamaï Haber. Quand elle fonctionne, ça produit un curieux plan d'eau incliné (malheureusement jamais éclairé, or il était supposé l'être).

➢ Après sa cité montpelliéraine (Antigone), Ricardo Bofill a fait surgir du coin des rues de l'Ouest et du Château un temple grec pompeusement appelé les **Colonnes,** place de Séoul *(plan couleur B1).* Dans cette cour ronde, ces surprenantes colonnades vitrées réconcilient harmonieusement le classicisme grec et l'architecture la plus futuriste.

➢ Juste derrière les Colonnes s'élève l'**église Notre-Dame-du-Travail** *(plan couleur B1 ; ☎ 01-44-10-72-92 ; tlj 7h30 [9h sam]-19h30 ; visite guidée le 1er dim de chaque mois à 15h).* Élevée pour accueillir les ouvriers venus travailler à l'Expo universelle de 1900, c'est une curieuse église avec une structure métallique, comme les anciens pavillons de Baltard, dont les fermes (pièces qui supportent la toiture) proviennent du palais de l'Industrie de l'Exposition universelle de 1855. Ample volume créé par les trois hautes nefs. Sur les côtés, quelques fresques peintes dans le style Puvis de Chavannes. On y donne des concerts, et l'orgue, de style Art nouveau, est spectaculaire.

➤ **La rue Vercingétorix** (plan couleur B-C1) a quasiment perdu toutes ses maisons, mais elle y a gagné un beau square bordé d'ateliers d'artistes. En face du n° 133, un menhir vient rappeler l'importante implantation bretonne dans le quartier. Une curiosité : au n° 105, datant de 1906, une boulangerie à l'ancienne avec une décoration en émail sur la devanture et un superbe plafond intérieur. Classée, la boulangerie a sauvé la maison qui la coiffe. Ne pas manquer d'y acheter sa fougasse aux anchois et aux olives. Vraiment délicieuse !

L'AVENUE DU MAINE, PISTE D'ATTERRISSAGE

L'aviateur brésilien Sévero (1864-1902), contemporain de Santos-Dumont, fut victime d'une panne d'avion au-dessus de l'avenue du Maine. Il fut contraint de poser son avion sur la chaussée. Une rue porte son nom dans le quartier d'Alésia. C'était l'époque où les routes servaient aussi de pistes d'atterrissage !

14ᵉ

➤ La rue Raymond-Losserand a conservé un côté encore populaire, surtout autour du métro Pernety. Au niveau du n° 71 débute l'*allée du Château-Ouvrier*, bordée de charmants ateliers d'artistes. Au fond, une lourde bâtisse, le **Château ouvrier**, qui tient une place importante dans la mémoire locale. Construit en 1891 par un architecte qui s'appelait Louis Gauche (ça ne s'invente pas !) pour loger des familles ouvrières. Huit appartements de deux pièces par étage, avec – chose exceptionnelle pour l'époque – leurs propres toilettes. Menacé dans les années 1990 par la spéculation immobilière, il fut sauvé grâce à une forte mobilisation populaire et réhabilité en 2004. Il ne possède pas l'élégance des châteaux de la Loire, à l'évidence, mais il en impose avec ses deux côtés en saillie, comme l'amorce de deux tours. Partir sur sa gauche pour découvrir le **jardin du Lapin ouvrier**, où une trentaine de parcelles sont cultivées par les enfants des écoles et des gens du voisinage... En face, le sympathique *Moulin à Café*, troquet associatif, pour se reposer les gambettes...

➤ Pour finir, rue d'Alésia, à 200 m du métro Plaisance, à gauche en marchant vers Alésia, coincée derrière une station-service *BP*, une curieuse et étroite ruelle semble vouloir fuir en biais. Peut-être à la recherche du soleil qu'on lui refuse ? C'est la minuscule **impasse Florimont** (plan couleur B2). Il y a longtemps, le jeune Georges Brassens débarqua chez une certaine Mme Jeanne. Un grand sourire sous une grosse moustache, un regard franc, de jolis mots et des rêves plein la tête. Il y resta de 1944 à 1966, goûtant la chaleur et l'amitié des habitants de l'impasse. Au fond de l'impasse, sur la gauche, au n° 9, une plaque et deux chats sculptés en terre cuite rappellent son séjour ici. Puis le petit jeune grandit et fit chanter pendant près de 30 ans tous les cœurs de France. Il mourut en 1981, laissant une centaine de chansons immortelles.

🎋 **La rue des Thermopyles** (plan couleur B2) : au niveau du 80, rue Raymond-Losserand, on trouve la rue des Thermopyles, qui forme un des passages les plus charmants du 14ᵉ. Petites maisons, jardins paisibles, ateliers d'artistes bordant une chaussée pavée sans voitures, beaucoup de gens ont planté un arbre devant leur porte... on est loin de l'agitation de Montparnasse. Elle débouche dans la **cité Bauer**, également bordée de maisons basses et de jardinets. Au n° 19, un charmant portail en bois ciselé en forme de cœur, rappelant ceux des fermes des Maramures, en Roumanie.

🎋 **L'atelier de Giacometti** (plan couleur B-C2) : 46 ter, rue Hippolyte-Maindron, 75014. À 50 m sur la gauche en venant de la rue d'Alésia. On voit l'extérieur ; l'intérieur ne se visite pas. Une plaque rappelle que le grand sculpteur Alberto Giacometti vécut dans cette maison de 1926 à sa mort (en 1966), soit 40 ans ! Un livre de Jean Genet évoque l'atelier de ce génie tourmenté. Ses sculptures sont aujourd'hui parmi les plus chères du monde.

🔏 *L'immeuble de Jean Moulin, le grand résistant* (plan couleur B-C2) **:** au 26, rue des Plantes, à moins de 250 m sur la gauche en venant de la rue d'Alésia, se dresse le grand immeuble Art déco (1928-1930) où habita Jean Moulin, chef du Conseil national de la Résistance pendant l'Occupation. Quand les nazis débarquaient à sa recherche, il pouvait fuir par les caves souterraines. Mais un jour, Jean Moulin fut pris par la Gestapo, et on connaît la suite...

🔏 *Les puces de Vanves* (plan couleur A-B2-3) **:** av. Georges-Lafenestre et av. Marc-Sangnier. Ⓜ Porte-de-Vanves. Av. Georges-Lafenestre, le w-e de l'aube à 17h ; av. Marc-Sangnier, déballage 7h-13h30 slt. On peut y faire de très bonnes affaires, à condition d'être patient et de se lever tôt. Environ 140 marchands légaux sont installés le long de l'avenue Georges-Lafenestre.

DENFERT-ROCHEREAU

Au sud de Montparnasse, vieux quartier là aussi avec un certain charme. Peu atteint par la rénovation. Un coin intéressant pour loger, afin d'apprécier son côté provincial et son calme. Sa position assez centrale dans l'arrondissement, à mi-chemin entre Montparnasse et Montsouris, permet en outre d'atteindre à pied tous les points d'intérêt.

DUR D'ÊTRE COMMUNISTE

Le colonel Rol-Tanguy, chef des FFI et communiste, fut l'instigateur de la libération de Paris. Et pourtant, l'avenue qui porte son nom est certainement la plus courte de la capitale (moins de 30 m !). D'ailleurs, de Gaulle pesta en apprenant que la reddition des Allemands, le 25 août 1944, fut contresignée aussi par Rol-Tanguy.

🔏🔏 *Les villas :* une jolie balade, tout à fait insolite. Bien peu de Parisiens connaissent cette partie du 14e et ses îlots de verdure et de charme. Descendre, de Denfert-Rochereau, l'avenue du Général-Leclerc sur le trottoir de gauche. Peu après l'hospice, au n° 19, une grande grille de fer forgé (... et un digicode ; mais avec un peu de chance...) annonce la **villa Adrienne.** À l'origine, en 1880, ce n'était qu'un grand square pris sur d'anciennes carrières, avant que des constructions ne voient le jour 15 ans plus tard. Elles étaient sans doute destinées à un usage communautaire, sorte de cité-jardin édifiée par un industriel un peu humain. Un côté Chelsea avec son grand jardin ouvert au milieu et ses maisons de brique à deux ou trois étages, la plupart croulant sous le lierre, avec des jardinets sauvages. Au lieu d'un numéro, chacune d'entre elles porte un nom de peintre, de musicien, de savant ou d'auteur : Watteau, Poussin, Lavoisier, Lulli, Molière, Racine. Devinez comment s'appelle celle de la concierge ? Corneille ! Ça ne s'invente pas ! Ne pas y pique-niquer, c'est privé.
Au niveau du n° 30 de la rue Hallé, une adorable placette en forme de demi-lune rappelle les tentatives d'urbanisation humaniste du quartier jadis. L'architecte de l'époque ne put mener à terme son plan, mais il subsiste quelques carrefours avec immeubles à la façade convexe, ce qui leur donne une allure plus ronde, plus harmonieuse. Ainsi, la **place Michel-Audiard,** qui rend hommage à l'immortel auteur des dialogues des *Tontons flingueurs.*
La rue du Couëdic, vers l'avenue du Général-Leclerc, présente une longue série de maisons et petits immeubles, typiques de l'architecture populaire louis-philipparde. Quelques autres coins campagnards du quartier : *villa Hallé, villa Boulard* (rue Boulard).
Avenue René-Coty, entre Denfert et la rue Hallé (à droite en descendant), une curieuse petite construction sur une butte herbeuse. C'est le regard d'un aqueduc souterrain du XVIIe s passant sous les maisons du quartier (ancien aqueduc d'Arcueil, celui-là même qui a été démoli en grande partie à la ZAC Montsouris et qui aboutissait à la maison du Fontainier).

14e

🏃🏃 **Les catacombes** (plan couleur C2) : 1, av. Colonel-Henri-Rol-Tanguy, 75014. ☎ 01-43-22-47-63. ● catacombes.paris.fr ● Ⓜ et RER B : Denfert-Rochereau. Bus nos 38, 68 et 88. Tlj sf lun, j. fériés, dim de Pâques et dim de Pentecôte 10h-16h (dernière entrée). Durée du parcours : env 45 mn. Attention, bien souvent 2h d'attente. Ne pas venir après 14h : parfois on ne peut pas entrer. L'idéal est de venir en début de matinée. Prévoir une petite lampe de poche, des tennis, et éventuellement un pull (température à 14 °C). Entrée : 10 € ; tarif réduit : 8 € ; gratuit jusqu'à 13 ans. Audioguide : 3 €. Pas de toilettes (en prime, 130 marches à descendre et 83 à remonter !). Visite guidée (en principe à 10h) ; téléphoner pour les j. et horaires, ou se renseigner sur le site internet.

Les catacombes de Paris ne remontent pas aux premiers chrétiens mais à la fin du XVIIIe s. Dans un souci d'assainissement de la capitale, on déplaça les restes de quelque 6 millions de Parisiens dans les galeries des anciennes carrières souterraines de calcaire qui avaient servi à la construction de Paris. Les premiers transferts eurent lieu en 1786 depuis le cimetière des Innocents et devaient continuer jusque dans les années 1860,

PARIS SERA TOUJOURS PARIS

Depuis Louis XIV, les champignons de Paris prospéraient dans les carrières et les catacombes de la capitale. Avec la création du métro, ils devinrent indésirables (la moisissure entraînant la pourriture du bois). Voilà pourquoi on continua leur culture, en province, dans la région de Saumur... et surtout ailleurs en Europe ! En revanche, on les appelle toujours... « de Paris ».

durant les travaux d'urbanisme du baron Haussmann. Dès l'Empire, on eut l'idée de rendre les catacombes visitables. Les ossements furent alors empilés en façade, regroupés par « genres », et un parcours fut organisé, jalonné de sentences et de maximes destinées à rappeler la solennité des lieux. Les catacombes virent passer de nombreux visiteurs, dont le futur Charles X, Napoléon III, mais aussi le chancelier Bismarck. Nadar, le célèbre photographe, y réalisa même une série de photos exceptionnelles. Les carrières de Paris accueillent le commandement de la Résistance durant la Seconde Guerre mondiale.

On peut en visiter une petite partie : 1,7 km sur les 300 km de galeries que renferme le sous-sol parisien. On y accède par un escalier en colimaçon conduisant à une vingtaine de mètres sous terre. Après un trajet de 20 mn dans les galeries (claustrophobes et talons hauts, s'abstenir), on parvient à l'ossuaire proprement dit. Sur le linteau de la porte, une inscription avertit : « Arrête, c'est ici l'empire de la mort. » Commence alors une promenade macabre entre les fémurs empilés, les frises de crânes... au cours de laquelle vous croiserez quelques monuments et repères historiques pour ressortir enfin à l'air libre rue Rémy-Dumoncel.

Le circuit de visite inclut la galerie Port-Mahon. On n'y trouve pas d'os, mais des sculptures miniatures de forteresses, dont on découvre la provenance au cours de la visite...

🏃 **La place Denfert-Rochereau** (plan couleur C1-2) : le **Lion de Belfort,** œuvre de Bartholdi (oui, celui de la statue de la Liberté), propre et reluisant, contemple les embouteillages quotidiens d'un des carrefours les plus importants de Paris. Les deux pavillons de la place furent érigés par Claude-Nicolas Ledoux, l'architecte le plus génial du règne de Louis XVI, et témoignent de l'existence de la « barrière d'Enfer » percée dans le mur des fermiers généraux en 1785. Là, les marchands devaient payer l'octroi pour entrer dans Paris. Peu de gens savent aujourd'hui que cette taxe fut supprimée en... 1943 par Pétain. Sur la place également, la gare qui était le point de départ de la ligne de Sceaux en 1846.

🏃 **La rue Daguerre** (plan couleur zoom) : la rue-marché la plus célèbre du 14e. La réalisatrice Agnès Varda l'a filmée avec amour il y a près d'une quarantaine d'années dans *Daguerréotypes,* et plus récemment dans son documentaire

14e

Les Plages d'Agnès (2008). La rue a cependant subi depuis un sacré lifting et s'est fait ravaler la chaussée. Plus de bordures de trottoir, plus de marchandes des quatre saisons, mais toujours une certaine animation. Trotski, qui habita un temps la rue, s'y promenait avec son cabas. Calder eut son premier atelier au n° 22, et celui de César n'était pas très loin, rue Roger. Antonin Artaud, habitué du quartier de Montparnasse, y serait passé. On dit qu'il mendiait dans la rue, refusant toute aide...

Le nord du quartier est bordé par la rue Froidevaux. Juste en face du cimetière, froids dévots, faut le faire, non ? Au n° 37 se trouvait l'atelier de Marcel Duchamp. Il s'y installa en juillet 1924. Dans le même immeuble, le photographe Robert Capa loua un studio en 1937 avant de partir en 1938 pour couvrir le conflit en Chine et au Japon, puis en Espagne. Hemingway habita au n° 69 après sa séparation d'avec sa femme Hadley.

🏃 **Le cloître de Port-Royal** *(plan couleur D1)* : 123, bd Port-Royal et 2, rue du Faubourg-Saint-Jacques, 75014. RER B : Port-Royal. Bus nos 38 et 91. Il reste peu de cloîtres à Paris, et celui-ci, en outre, est fort peu connu, même des Parisiens. Couvent construit par mère Angélique Arnauld au début du XVIIe s et qui devint très lié par la suite à l'histoire du jansénisme et à Pascal. À la Révolution, il fut transformé en prison, puis en maternité (qui existe toujours aujourd'hui). Balade paisible dans de beaux jardins. Possibilité également de visiter la chapelle de la même époque.

🏃 **La prison de la Santé** *(plan couleur D2)* : 42, rue de la Santé, 75014. Ⓜ Glacière ; RER B : Port-Royal. Ne se visite qu'à des moments exceptionnels de l'existence. Construite en 1861 par un certain Émile Vaudremer (école de Baltard) à l'emplacement d'un ancien marché au charbon, elle comprend près de 1 350 cellules, réparties dans cinq ailes rayonnant autour d'un noyau central et dans un bâtiment de quatre étages construit le long de la rue Messier. Lors de son ouverture, elle avait la particularité d'offrir

PASSER UNE NUIT AU VIOLON ?

Dès Louis XI, on demandait aux luthiers de la capitale de fournir un violon aux prisonniers afin de rendre leur détention moins pénible. À l'époque, on enfermait quelques heures les troubadours ou laquais qui chahutaient dans les rues, suite à des bagarres ou à un peu trop d'ébriété. Il ne fallait pas, toutefois, que leur emprisonnement soit trop dur...

l'eau courante dans les cellules, alors que les habitations du quartier n'en étaient pas encore pourvues ! Ce n'est pas une centrale mais une maison d'arrêt ne gardant que des prévenus en instance de jugement ou des condamnés à des peines légères. Elle connut des détenus célèbres, tous gardés dans les mêmes conditions que les autres détenus, de Ben Bella à Paul Touvier en passant par Michel Garetta ou Jacques Mesrine. Ce dernier, peut-être excédé par la médiocrité de la nourriture, se fit un jour la belle de manière très spectaculaire. L'évasion, en mai 1986, de Michel Vaujour par hélicoptère n'était pas mal non plus.
– Côté boulevard Arago, l'une des dernières vespasiennes à Paris.

MONTSOURIS, ALÉSIA

Au sud de la rue d'Alésia, bordée par l'avenue du Général-Leclerc et la rue de l'Amiral-Mouchez, un quartier offrant de superbes balades architecturales et bucoliques.

➤ **Petite balade architecturale** : sur la *rue de la Tombe-Issoire*, on trouve à gauche, au n° 83, une tranquille cité d'artistes dans la verdure. Si le cœur vous en dit, faites un détour par la *rue du Couédic* (en passant par la rue d'Alembert), vous aurez peut-être la chance de croiser un des géants de papier mâché de Corinne Béourt, animant une façade ou suspendu dans les airs. Empruntant la provinciale rue de l'Aude, vous atteignez la *rue des Artistes* (accessible également par un escalier de l'avenue René-Coty). Au n° 1 de la *rue de l'Aude*, un cabinet d'architectes occupe l'ancien atelier d'un peintre. Ça faisait 40 ans que le terrain était en vente mais ne trouvait pas preneur, du fait de sa configuration difficile. Le peintre réussit à élever cette curieuse habitation sur quatre niveaux dans un style original. Aux 3, 5 et 7, *rue Gauguet*, trois ateliers d'artistes des années 1930. Le peintre Nicolas de Staël occupa l'un d'eux. Au 13, *rue Saint-Yves*, la *cité du Souvenir*, groupe de logements populaires édifié en 1934 pour honorer les morts de la guerre 1914-1918 par « une œuvre de vie ». Lire l'étrange épitaphe au-dessus du porche.

🎥🎥 *La villa Seurat :* *à la hauteur du n° 101 de la rue de la Tombe-Issoire.* Impasse bordée de jolies maisons des années 1925, qui connurent de prestigieux locataires. Henry Miller séjourna au n° 18 de 1934 à 1938 et y écrivit *Tropique du Cancer.* Miller, interdit pour littérature obscène dans tous les pays anglophones, en était réduit à éditer ses livres à Paris et à les vendre sous le manteau. Anaïs Nin et Lawrence Durrell vivaient avec lui. Son voisin du dessus était Soutine. Gromaire travailla également dans la villa.

🎥 *Le réservoir de Montsouris (réservoir de la Vanne ; plan couleur C-D2-3) :* *à l'angle de la rue de la Tombe-Issoire et de l'av. Reille. Visite interdite.* « Montsouris » ? Le nom était « Moquesouris », qui désignait un moulin à vent sans doute si pauvre que même les souris n'y trouvaient pas leur pitance. Ce fut, au moment de sa construction, le plus grand réservoir du monde (235 m de long et 135 m de large, avec des murs extérieurs de plus de 2 m d'épaisseur). Comme les grands vins, les « crus » d'eau sont millésimés : « clos » Loing-Lunain 1900 et « château » Vanne-Voulzie 1874-1925 ! Léo Malet y place une fameuse scène dans *Les Rats de Montsouris.* À 80 m au-dessus du niveau de la mer, le réservoir domine tous les immeubles de la rive gauche faisant dix ou sept étages. Du fait de la différence d'altitude, la pression de l'eau au dernier étage des immeubles est donc toujours suffisante. Oui, mais en ce qui concerne la tour Montparnasse ?... On vous en pose, nous, des questions ?

➤ *Balade chez les « artistes » :* *au n° 53 de l'avenue Reille* débute une petite rue, probablement l'une des plus coquettes de Paname, le *square Montsouris.* Tout au début, l'atelier du peintre Ozenfant, la première œuvre de Le Corbusier à Paris en 1922. Il a perdu son toit en dents de scie et un peu de son intérêt architectural. Enchantement ensuite que de fouler les gros pavés de la rue, entre les deux rangées d'ateliers et de pavillons bourgeois hibernant sous leur abondante végétation. Tout au bout, au n° 14 de la rue Nansouty, admirez les lignes très pures et l'élégance de la *villa Guggenbühl. Rue Georges-Braque,* au n° 6, résidence-atelier de l'artiste. Au n° 7, villa-atelier Reist en brique, avec une grande verrière qui date des années 1920. La *rue du Parc-Montsouris* et la villa du même nom alignent également de grandes demeures bourgeoises croulant sous les glycines et le chèvrefeuille. Un décor de rêve ! Le regretté Coluche habitait *rue Gazan.*

🎥🎥 *La Cité internationale universitaire de Paris (plan couleur D3) :* *17, bd Jourdan, 75014.* ☎ *01-44-16-64-00.* ● *ciup.fr* ● *(programme des activités : théâtre, concerts, conférences...).* Ⓜ *Porte-d'Orléans ; RER B et* Ⓣ *Cité-Universitaire (T3). Plan de la Cité à demander aux accueils (pavillon administratif et Maison internationale). Visite libre 7h-22h. Visite guidée le 1er dim de chaque mois à 14h30 (env 2h) : 4 € étudiants extérieurs ; 10 € autres visiteurs ; réduc. Le circuit, différent à chaque fois, propose une lecture architecturale des pavillons. Rens :* ☎ *01-40-78-50-06. Résas :* ● *valorisationdupatrimoine@ciup.fr* ●

Cette cité U pas comme les autres accueille 12 000 étudiants, chercheurs et artistes en provenance de 140 pays, dont 25 % de Français. Ils sont logés, selon un principe de brassage, dans la maison de l'Asie du Sud-Est, le collège d'Espagne, la maison de l'Inde, etc. Construites entre 1923 et 1969, chacune des 40 maisons possède une architecture originale, avec à l'intérieur des salles de vie communes, une bibliothèque, des cuisines, parfois un restaurant.

Ouverte au public toute la journée, la Cité est pour le promeneur une ville-jardin installée sur une trentaine d'hectares de verdure, constituée de quartiers typiques et proposant une offre culturelle très riche. Le cœur de la Cité se situe à la Maison internationale, où tout le monde se retrouve au resto U pour déjeuner *(3,15-4,70 € pour les étudiants, 6-7 € pour les autres)*, ou à la cafétéria pour prendre un café, assister à une pièce de théâtre, une conférence, ou étudier dans la belle bibliothèque centrale. La salle de lecture, avec fauteuils cosy et lampes design, est coiffée d'un plafond à caissons en pâte de verre à la mode du XVIᵉ s, rappelant le château de Fontainebleau. Elle vaut le coup d'œil.

La Cité a compté quelques locataires célèbres comme Raymond Barre, le couturier Pierre Balmain, Habib Bourguiba, Léopold Sédar Senghor, Hissène Habré, Abdou Diouf (ancien président du Sénégal)... Toujours dans la rubrique people, elle accueille également de nombreux tournages : *Mesrine, Trésor, Gainsbourg (vie héroïque)*. La Cité est aussi sportive : du tennis à la piscine, une cinquantaine d'activités sont proposées.

On peut profiter du parc en s'installant au soleil ou à l'ombre des arbres, ou encore regarder de plus près la petite quarantaine de pavillons, bâtis généralement dans le style du pays, ce qui donne un kaléidoscope pittoresque de toutes les architectures. Ainsi, la maison d'Italie possède un vrai charme méditerranéen avec ses arcades et son grand fronton. Le pavillon de la Suisse, par Le Corbusier, est un prototype des Cités radieuses que l'architecte construira après la guerre. Pilotis qui dégagent le rez-de-chaussée, grande baie vitrée, toit-jardin... un chef-d'œuvre architectural de la Cité. La Fondation Biermans-Lapôtre, où l'on trouve plus de Belges et de Luxembourgeois qu'ailleurs, présente une façade d'inspiration flamande. Une bonne idée pour faire un tour du monde sans aller trop loin. Enfin, le théâtre de la Cité internationale offre des spectacles de grande qualité (● theatre delacite.com ●).

☆☆ Le parc Montsouris (plan couleur D3) : *visites guidées possibles (rens auprès de la division des Parcs et Jardins : ☎ 01-40-71-75-60).* Deuxième parc parisien créé sous le Second Empire (après celui des Buttes-Chaumont). Ce fut un des cadeaux du baron Haussmann aux Parisiens, car il ne savait que faire de ce terrain troué comme du gruyère. Le parc a en effet été aménagé sur le site d'anciennes carrières, repaires de brigands au XVIIᵉ s. Outre l'Observatoire météorologique, installé en 1873, le parc abrite la Mire de l'Observatoire, repère – datant de Napoléon – du méridien de Paris, dont la création remonte à 1667 (voir plus haut le texte sur l'Observatoire pour plus de détails). Délicieusement vallonné avec de grandes pelouses, des bosquets touffus, des arbres rares, le parc est malheureusement traversé par le RER. Oh, une blessure discrète ! Sur le petit pont qui l'enjambe, on emmène d'ailleurs les enfants voir « le petit train ».

En bas du jardin, un grand lac artificiel. Une anecdote : le jour de l'inauguration, le lac se vida tout à coup, sans explication. L'ingénieur ne supporta pas cet échec et se suicida. Pour les enfants, ça tourne mieux, avec un beau manège.

➢ Sur les pas de Lénine : pour évoquer le parc Montsouris, Lénine aimait dire « mon jardin privé ». C'est ici que les nostalgiques de la période bolchevique peuvent commencer à marcher sur les pas de Vladimir Ilitch Oulianov, qui appréciait avec raison le 14ᵉ.

Lénine possédait un compte en banque dans une agence du *Crédit lyonnais* de l'avenue d'Orléans. Après un hold-up réussi par ses amis en Russie, l'agence enregistra sans faire d'histoires une somme fabuleuse en roubles-or qu'il y déposa.

En contournant la place Denfert-Rochereau par la droite, on peut aussi boire un verre au *Denfert Café*, 58, boulevard Saint-Jacques. Le lieu ne paie pas de mine. Lénine enchaînait ici les parties d'échecs, entre deux virées aux caf'conc' de la rue de la Gaîté.

UN SECRET BIEN GARDÉ

Pendant 70 ans, les Soviétiques passèrent sous silence l'existence de la maîtresse de Lénine, Inès Armand, une Française ayant vécu en Russie dans une famille de riches industriels. Elle rencontra Lénine en 1910, alors qu'il habitait avec sa femme au 4, rue Marie-Rose. Lénine installa sa maîtresse... au n° 2.

14ᵉ

Il allait aussi souvent écouter les discours de Jean Jaurès dans les meetings socialistes. Lénine quitta Paris en 1912.

> ▶ Pour le plan du 15e arrondissement, voir le cahier couleur.

Le plus vaste et le plus peuplé de Paris ! Mais ce 15e arrondissement n'est pas vraiment touristique, hormis dans le périmètre de la peu esthétique tour Montparnasse (on ne la voit pas quand on est là-haut...) et des élégants immeubles de l'avenue de Suffren (d'où, en passant, la vue sur la tour Eiffel voisine n'est pas vilaine). Les arpenteurs de bitume y trouveront néanmoins quelques curiosités, à commencer par le musée Bourdelle, le musée Pasteur et celui de la Poste ; le surprenant bâtiment en Y de l'Unesco, riche en œuvres d'art et flanqué d'un jardin japonais ; le Village suisse et ses antiquaires hors de prix (mais regarder ne coûte rien) ; l'élégante Maison de la culture du Japon à la riche programmation ; le pont de Bir-Hakeim et son métro aérien, qui ne s'attarde pas et file vers le 16e ; le pont Mirabeau, sous lequel coule la Seine et d'où l'on aperçoit – mais est-ce un mirage ? – la statue de la Liberté en même temps que la tour Eiffel... Créations plus récentes, deux jardins réussis, les parcs Georges-Brassens et André-Citroën. Entre les deux, le parc des Expositions (qui accueille le Salon de l'agriculture et le Salon nautique, entre autres).

Où dormir ?

Très bon marché

🏠 **Aloha Hostel** (plan couleur C2, **1**): 1, rue Borromée, 75015. ☎ 01-42-73-03-03. ● friends@aloha.fr ● aloha.fr ● Ⓜ Volontaires. En face du 243, rue de Vaugirard. Nécessité de quitter la chambre 11h-16h. Fermeture des portes à 2h. Compter 32 €/pers en chambre 2-6 lits, 35 €/pers en chambre double, petit déj compris. Loc de serviettes 2 €. CB refusées. 📶 Canal +. Cette AJ a été rénovée, retapée et adaptée au goût actuel : lumière d'ambiance, stores en bois et couleurs bien dans l'air du temps. Les prix sont toujours aussi séduisants, dans une ambiance toujours aussi sympathique. Les drapeaux américain et australien, et les 3 horloges donnant l'heure de Paris, New York et Tokyo trônent toujours à la réception : pas d'erreur, vous rencontrerez ici plus d'Anglo-Saxons que de Français. Chambre de 2 à 6 lits (86 lits en tout). Deux petites douches et w-c par étage. Cuisine à disposition, aménagée dans une jolie * cave voûtée.

Prix moyens

🏠 **Hôtel Home Moderne** (plan couleur C3, **20**) : 61 rue Brancion, 75015. ☎ 01-53-68-03-00. ● homemoderne@wanadoo.fr ● homemo derne.com ● Ⓜ *Porte-de-Vanves ou Convention.* Ⓣ *Brancion (T3).* ♿ *Selon saison, doubles 60-120 €, familiales 110-180 € ; petit déj 10 €.* 🛜 *TV. Satellite. Un petit déj/ chambre offert la 1ʳᵉ nuit sur présentation de ce guide.* Un peu excentré, cet hôtel est tout proche de la porte de Versailles et de son parc des Expositions (enfin, ne rêvez pas, il affiche déjà complet pour les prochains salons !). Il est également situé à deux pas du beau parc Georges-Brassens. Surtout, il est entièrement rénové. Doté de tout le confort moderne, la déco sobre, évoquant l'Art déco et les années 1940, est tout à fait plaisante. Les chambres, plus ou moins vastes, sont d'une surface honnête pour Paris.

🛏 *Pacific Hôtel (plan couleur B1, 6) :* 11, rue Fondary, 75015. ☎ 01-45-75-20-49. ● *pacifichotel@wanadoo.fr* ● *pacifichotelparis.com* ● Ⓜ *Émile-Zola ou Dupleix. Ouv tte l'année. Selon saison, doubles avec douche ou bains 82-89 €, familiales 145-160 € ; petit-buffet 8,25 €, servi en salle slt et gratuit pour les moins de 12 ans.* 💻🛜 *TV. Satellite. Un petit déj/pers offert (le w-e) sur présentation de ce guide.* Voilà un petit hôtel bien au calme ; accueil souriant et simplicité des chambres somme toute fonctionnelles et, surtout, fraîchement rénovées (ou en cours). Pour les familles, des chambres communicantes. C'est propre, bien tenu, et il y a un double vitrage. Pour les séjours d'au moins 4 nuits, on trouve, dans une annexe de l'hôtel à quelques numéros, des studettes permettant une grande autonomie (68 € par nuit).

🛏 *Hôtel Delos Vaugirard (plan couleur C2, 17) :* 7, rue du Général-Beuret, 75015. ☎ 01-56-56-63-90. ● *hoteldelos@wanadoo.fr* ● *delosvaugirard-parishotel.com* ● Ⓜ *Vaugirard. Doubles 135-165 € selon confort ; petit déj-buffet 10 €.* 🛜 *TV. Canal +. Satellite. Parking payant. 10 % sur le prix de la chambre sur présentation de ce guide.* Une adresse pleine de charme où l'accent est mis sur le confort de ses hôtes. Des chambres et parties communes entièrement rénovées avec goût. Salon Art déco dans le hall, fer forgé pour le petit déjeuner et esprit cosy dans les chambres – demandez celles avec vue sur le jardin.

🛏 *Timhotel Montparnasse (plan couleur D2, 18) :* 22, rue de l'Arrivée, 75015. ☎ 01-45-48-96-62. ● *montparnasse@timhotel.fr* ● *timhotel.fr* ● Ⓜ *Montparnasse-Bienvenüe. En face de la gare. Doubles 70-145 € selon saison ; petit déj 13,50 € (gratuit pour les moins de 12 ans)* 🛜 *TV. Satellite.* Un des rares hôtels à Paris faits de 3 bâtiments non mitoyens (réception au nº 22). L'un des bâtiments s'appelle, sans raison connue, le *George VI* : eh oui, celui-ci a bien existé, c'était le prédécesseur d'Elizabeth. Au gré des couloirs, on peut voir les photos de l'ancienne gare et du quartier, qui a tellement changé, ainsi que celles de l'hôtel (autrefois *Hôtel de l'Arrivée*).

🛏 *Aberôtel Montparnasse (plan couleur C2, 15) :* 24, rue Blomet, 75015. ☎ 01-40-61-70-50. ● *aberotel@wanadoo.fr* ● *aberotel.com* ● Ⓜ *Volontaires ou Sèvres-Lecourbe. Doubles 80-173 € selon confort et saison ; petit déj-buffet 12 €.* 💻🛜 *TV. Satellite.* Hôtel 3 étoiles au charme discret. Les chambres, sagement modernes et climatisées, ont un léger parfum d'Extrême-Orient grâce à quelques détails de décoration, et on appréciera l'espace offert par les chambres nᵒˢ 402 et 403. Agréable patio fleuri. Atmosphère feutrée et couleurs apaisantes, prolongement d'un accueil courtois.

🛏 *Hôtel Lilas Blanc Grenelle (plan couleur C1, 11) :* 5, rue de l'Avre, 75015. ☎ 01-45-75-30-07. ● *desk@hotellilasblanc.com* ● *hotellilasblanc.com* ● Ⓜ *La Motte-Picquet-Grenelle. Congés : août et 1 sem à Noël. Doubles 85-110 € selon confort et saison ; petit déj 8 €. Chèques refusés.* 🛜 *TV. Canal +.* Un hôtel simple mais tout en bonne humeur ! Les chambres sont confortables et sans chichis, les salles de bains propres et bien équipées, et l'accueil toujours souriant. Les chambres de la série 3 sont plus grandes... Et pour le petit déj, soleil dans le patio.

15ᵉ

Chic

⛴ **Hôtel de l'Avre** (plan couleur C1, 13): 21, rue de l'Avre, 75015. ☎ 01-45-75-31-03. • hotel.delavre@wanadoo.fr • hoteldelavre.com • Ⓜ La Motte-Picquet-Grenelle. ⚒ 2 parkings à moins de 5 mn de l'hôtel. Ouv tte l'année. Doubles 100-120 € selon confort et saison ; petit déj 10,50 €. ≋ TV. Canal +. Satellite. Un vrai coup de cœur pour cet hôtel de charme à prix relativement doux. Son heureux propriétaire accueille avec chaleur chacun de ses hôtes dans une ambiance qu'il qualifie de « maison de campagne » : chambres personnalisées à l'atmosphère champêtre, où la déco a été pensée avec goût dans les moindres détails. Celles donnant sur le jardin sont particulièrement agréables et possèdent une grande salle de bains. Belle chambre familiale. Toutes les chambres ont été rénovées.

⛴ **Hôtel Sublim Eiffel** (plan couleur C2, 3): 94, bd Garibaldi, 75015. ☎ 01-40-65-95-95. • info@sublimeiffel.com • sublimeiffel.com • Ⓜ Sèvres-Lecourbe. Doubles 159-245 € ; petit déj 14 € ; taxe de séjour 1 €. ≋ TV. Satellite. Nostalgiques de l'époque disco et friands du Paris des cartes postales, voici votre port d'attache ! La déco déchaînée (malgré ou avec les chaînes métalliques) de cet hôtel conjugue les 2 : quelques lumières de boîtes de nuit éclairent à peine des tapisseries imitant pavés et bouches d'égout, les monuments de Paname se déploient à pleins murs sur des ciels colorisés. Certaines parois de douche transparentes promettent des soirées où l'on ne sortira finalement jamais de la chambre... Parfait pour les amateurs d'underground urbain (le métro aérien qui passe devant les fenêtres accentue encore cette tendance), au risque du kitsch pour d'autres. L'accueil chaleureux réconciliera tout le monde. Une expérience !

⛴ **Platine Hôtel** (plan couleur B1, 21): 20, rue de l'Ingénieur-Robert-Keller, 75015.
☎ 01-45-71-15-15. • info@platinehotel.fr • platinehotel.fr • Ⓜ Charles-Michels. ⚒ Doubles 150-315 € selon saison ; petit déj 15 €. Parking payant à proximité. ≋ TV. Canal +. Satellite. Un petit déj/pers offert sur présentation de ce guide. Vous préférez les blondes, le rouge à lèvres bien rouge et les fifties ? Des chaises de réalisateur aux extraits de film dans l'ascenseur, rien ici qui n'évoque l'univers de Marylin Monroe. Dans certaines chambres (plus chères), un lit de forme ronde, un balcon – mais on ne vient pas ici pour la vue – ou une baignoire balnéo promettent de doux moments de cocooning, à prolonger au spa-hamam-sauna (privatisable). Pour cinéphiles et amoureux.

⛴ **Hôtel de l'Exposition-Tour Eiffel** (plan couleur B1, 14): 42 bis, rue du Théâtre, 75015. ☎ 01-45-77-59-65. • hotel@hotelexposition.com • expositionhotel.com • Ⓜ Charles-Michels ou Dupleix. Doubles 95-175 € selon confort et saison ; petit déj-buffet américain 12 €. ⬛ ≋ TV. Canal +. Parking payant. Dès l'entrée, l'ambiance feutrée du comptoir et du bar vous plonge dans un climat des années 1950 sauce contemporaine. Des chambres cosy et très confortables avec salles de bains aux lignes épurées (jolies vasques en bol). Pierre de taille dans la salle du petit déj. Bref, un mélange subtil d'actualité tout en rendant hommage au vieux Paris.

⛴ **Hôtel Amiral-Fondary** (plan couleur B1, 10): 30, rue Fondary, 75015. ☎ 01-45-75-14-75. • lefondary@wanadoo.fr • amiral-fondary.com • Ⓜ Émile-Zola ou La Motte-Picquet-Grenelle. ⚒ Ouv tte l'année. Résa conseillée. Doubles 99-149 € selon confort et saison ; petit déj 9,50 €. ⬛ ≋ TV. Canal +. Bien situé entre la rue du Commerce et La Motte-Picquet-Grenelle, coins les plus sympas du 15e. Les chambres, climatisées, avec téléphone direct et double vitrage, sont agréables, meublées avec du hêtre clair. Joli patio bien aménagé avec des meubles en teck et un puits très fleuri, très agréable pour prendre son petit déj. Prix très honnêtes pour la qualité du service.

🛏 **Villa Toscane** *(plan couleur C2, 4)* : 36-38, rue des Volontaires, 75015. ☎ 01-43-06-82-92. ● villatoscane@yahoo.fr ● hotelvillatoscane.fr ● Ⓜ Volontaires. Resto 20h-22h30 sf dim. Congés : 3 premières sem d'août. Doubles 119-129 € selon saison. 🛜 TV. 10 % sur le prix de la chambre sur présentation de ce guide. La *Villa Toscane* est selon nous une adresse unique dans Paris. Sept chambres qui nous projettent dans une ambiance baroque moyenâgeuse où tout est antistandard : murs drapés de tissus fleuris, lits en fer forgé... Il n'y a qu'à voir l'atypique meuble utilisé pour la réception ! Brocante romantique dans les chambres, saveurs authentiques dans l'assiette et petite galerie de peinture pour couronner le tout.

🛏 **Carladez Cambronne** *(plan couleur C2, 12)* : 3, pl. du Général-Beuret, 75015. ☎ 01-47-34-07-12. ● carladez@sfr.fr ● hotelcarladez.com ● Ⓜ Vaugirard. Parking à proximité. Ouv tte l'année. Doubles 101-160 € selon confort et saison ; petit déj-buffet 10 €. 🛜 TV. Canal +. Satellite. 10 % sur le prix de la chambre sur présentation de ce guide. Pour les curieux, sachez que Carladez est la région d'Auvergne d'où les premiers propriétaires étaient originaires. Dans le coin ultra-commerçant du carrefour Lecourbe-Cambronne, un hôtel charmant situé sur une petite place où trône une jolie fontaine Wallace. Toutes les chambres, qui ont été rénovées, sont insonorisées et de bon confort, de même que les parties communes. Ajoutons que l'accueil est fort courtois.

🛏 **Hôtel Amiral** *(plan couleur C2, 7)* : 90, rue de l'Amiral-Roussin, 75015. ☎ 01-48-28-53-89. ● amiral.hotel@wanadoo.fr ● hotelamiral.com ● Ⓜ Vaugirard. 🦮 Congés : août. Doubles avec douche et w-c ou bains 109-129 € ; familiales 129-139 € ; petit déj 9,50 €. 🖥 🛜 TV. Canal +. Satellite. 10 % sur le prix de la chambre (janv et 15 juil-31 août hors période de salon) sur présentation de ce guide. Ah, le bon *Amiral* que voilà ! Précisons que

l'amiral Roussin a été ministre de la Marine. Petit hôtel 2 étoiles, si discret derrière la mairie du 15ᵉ et pourtant doté de nombreuses qualités : accueil plein d'entrain, chambres plutôt sympas, prix honnêtes. Les chambres nᵒˢ 7, 25, 26, 31 et 32 ont un balcon et une vue très parisienne, avec la tour Eiffel au loin. Toutes ont été rénovées, ainsi que les parties communes, avec une déco tendance marine. Copieux petit déj.

🛏 **Hôtel Baldi Eiffel** *(plan couleur C2, 9)* : 42, bd Garibaldi, 75015. ☎ 01-47-83-20-10. ● hotel.baldi@wanadoo.fr ● baldi-paris-hotel.com ● Ⓜ Cambronne ou Ségur. Ouv tte l'année. Doubles 100-160 € selon confort et saison ; petit déj 12 €. Clim. 🖥 🛜 TV. Canal +. Satellite. Parking payant. 10 % sur le prix de la chambre ou café offert(s) sur présentation de ce guide. Un hall clair et aéré au joli mobilier racé est le 1ᵉʳ indice de la qualité de cet établissement. Des chambres vraiment agréables avec tout le confort possible. Des salles de bains spacieuses, un petit déjeuner qu'on prend dans une petite salle calme ou dans le patio quand le soleil est de la partie !

🛏 **Hôtel-résidence Quintinie' Square** *(plan couleur C2, 2)* : 5, rue La Quintinie, 75015. ☎ 01-47-83-94-34. ● quintinie15@wanadoo.fr ● paris-hotel-quintinie.com ● Ⓜ Volontaires. Réception ouv 8h30-12h30, 14h30-19h30. Chambres-studios 99-160 € selon saison. AC. TV. Parking payant. Fenêtres qui donnent sur un délicieux petit square, pierre à nu, déco à l'ancienne, patio fleuri et confort contemporain : l'alliance est réussie pour cette adresse pleine de charme. Dans chaque studio, une kitchenette aménagée permet d'être à l'hôtel comme chez soi. Possibilité d'ajouter un lit – idéal donc pour une petite famille. Et en prime, un large sourire à l'accueil.

🛏 **Hôtel de la Paix** *(plan couleur B2, 5)* : 43, rue Duranton, 75015. ☎ 01-45-57-14-70. ● hoteldelapaixparis@wanadoo.fr ● paix-paris-hotel.com ● Ⓜ Boucicaut ou Convention. Ouv tte l'année. Doubles avec douche et w-c ou bains 70-200 € selon saison ; petit déj (servi 7h-12h) 9,80 € (gratuit moins de 11 ans). 🖥 📶 TV. Canal +. Satellite. Parking payant. Très confortable et situé dans une rue très calme. Salle de petit déj avec tables en fer forgé et petite fontaine. Chambres toutes équipées d'AC, joliment décorées dans des tons chauds et vifs, à l'ambiance feutrée. Les salles de bains sont particulièrement soignées. Accueil familial. Excellent rapport qualité-prix.

🛏 *Timhotel Tour Eiffel (plan couleur B1, 19) :* 11, rue Juge, 75015. ☎ 01-45-78-29-29. ● tour-eiffel@timhotel.fr ● timhotel.fr ● Ⓜ Dupleix. Doubles 90-170 € ; petit déj 13,50 €. 🖥 📶 TV. Satellite. Câble. L'avantage de cet hôtel, en dehors de son charme, est qu'il est situé dans une rue calme, à deux pas du boulevard et des quartiers très animés, et à proximité des marchés typiques de la rue de la Convention et de la rue du Commerce. Vue sur la Dame de fer depuis les chambres nᵒˢ 63 et 67 (single). Accueil très pro.

Plus chic

🛏 *Hôtel Vice Versa (plan couleur B2, 22) :* 213, rue de la Croix-Nivert, 75015. ☎ 01-55-76-55-55. ● info@viceversahotel.com ● viceversahotel.com ● Ⓜ Convention. ♿ Doubles 149-299 €, petit déj compris. Tarifs extrêmement fluctuants, selon dispo. 🖥 📶 TV. Attention, la porte de Versailles n'est pas loin : souvent

complet, malheureusement, en périodes de salons. Un concept-hôtel entièrement décoré par Chantal Thomass avec le côté glamour et *girly* qu'on lui connaît. Les 7 péchés capitaux ont ici été déclinés sur les 7 étages avec, pour commencer, la réception qui n'en est pas une, puisqu'on arrive d'emblée dans un vaste salon d'un blanc immaculé représentant le paradis. Le 1ᵉʳ péché n'est pas loin, le minuscule espace petit déj rose bonbon symbolise déjà la gourmandise... Viennent ensuite l'avarice, la luxure, l'égoïsme... avec une foule de détails bien vus, et ce dès les (petites) chambres classiques. Humour, esprit décalé, belles trouvailles et originalité. Ici, pécher a du bon...

🛏 *Hôtel du Parc Saint-Charles (plan couleur A2, 16) :* 243, rue Saint-Charles, 75015. ☎ 01-45-57-83-86. ● reception@hotelduparcstcharles.com ● hotelduparcstcharles.com ● Ⓜ Balard ; RER C : Boulevard-Victor. À l'angle de la rue Leblanc. Ouv tte l'année. Doubles 87-187 € selon confort et saison ; petit déj 12 €. 📶 TV. Professionnalisme et amabilité sont les maîtres mots de cette maison récemment rénovée, tenue par une jeune hôtelière. Chambres très calmes aux couleurs zen, moquette chaleureuse et mobilier aux lignes épurées. Décoration contemporaine sans aucune faute de goût. Possibilité de *room service* chaud jusqu'à 22h15. Une belle adresse.

Où manger ?

Sur le pouce

🍴 *La Cabane à Huîtres (plan couleur D2, 30) :* 4, rue Antoine-Bourdelle, 75015. ☎ 01-45-49-47-27. Ⓜ Montparnasse-Bienvenüe. Mer-sam midi et soir. Congés : de mi-juil à fin août. Menu 21,90 € ; douzaine 17 €. Si cette *Cabane*-là n'ouvre pas 4 jours par semaine, c'est pour laisser le temps au propriétaire de se ravitailler directement dans son bassin natal, à Arcachon, dans la dernière exploitation d'huîtres « sur le sable » et non en sac. À goûter

également : le fromage basque artisanal et les cannelés. La formule est simple mais efficace et apporte une vraie bouffée d'air marin.

🍴 *Le Vingt 2 (plan couleur B2-3, 24) :* 22, rue Desnouettes, 75015. ☎ 01-45-33-22-22. Ⓜ Convention. Tlj 12h-14h30, 19h30-22h30 (23h30 ven-sam). Congés : août et Noël-31 déc. Plat du jour le midi 12 € ; carte env 35 € le soir ; brunchs dim (12h-15h) 16-24 €. Mobilier métallique, hauts tabourets de bistrot, murs de briques apparentes et éclairage tamisé façon loft. L'ardoise se prête bien à ces rendez-vous de copains qui vont ou sortent des cinés tout proches : *burrata* « Juste comme ça » pour 2 personnes, salade de lentilles, gambas et mangue, tarte fine aux légumes de saison de Joël Thiebault... Et bonne sélection de vins au verre pour rester sage. Service jeune et sympa.

De très bon marché à bon marché

|●| **Green Pizz** (plan couleur C3, **27**) : 32, rue de Dantzig, 75015. ☎ 09-66-94-37-48. ● potager@greenpizz.com ● Ⓜ Convention. Tlj sf dim-lun 12h-14h30, 19h-22h30. Résa conseillée, surtout le soir. Formules déj 11,50-17,50 € ; pizzas 12-15 €. Des « pizzas vertes » confectionnées à base de farines bio (subtil – et secret – mélange d'épeautre, de son et de semoule), dont la pâte légèrement grise à la fois croquante et moelleuse, de forme ovale, est garnie de produits sérieusement sélectionnés, en partie bio. Telle est la recette du succès ! Quelques grands classiques revus sauce *Green Pizz* (fameuse « Reine d'un jour » aux tomates mijotées) et des créations qui donnent un sacré coup de fouet à la traditionnelle pizza : « Chevrotine » généreuse et fondante au miel d'acacia et noisettes concassées, ou encore « Euskadi » à l'ossau iraty et chorizo de chez *Ospital*. Quelques salades originales, délicieux desserts maison, choix intéressant de jus de fruits et service jeune bien sympa. Autre maison dans le 13e.

|●| *La Cantine des Tontons* (plan couleur C3, **37**) : 36, rue de Dantzig, 75015. ☎ 01-48-28-23-66. Ⓜ Convention. Tlj sf dim soir 12h-15h, 19h-23h. Fermé 1er janv, 24, 25 et 31 déc. Congés : 2 sem en août. Menus 12,90 € le midi, 19 € le soir. Les Tontons remettent le couvert : cette 3e ode à la France d'Audiard a pris cette fois les couleurs et l'apparence d'une pension de famille, où l'on se serre autour des tables et où l'on se sert, aussi, sur le buffet d'époque (terrines maison, céleri rémoulade, poireaux vinaigrette, mais si !). Plats d'antan sur un coin de la cuisinière (poule au pot, pot-au-feu,

etc.), le tout dans un décor très cinéma, avec des bouteilles à choisir dans les casiers. Ici, on ne fait pas que (bien) manger, on se parle.

|●| *Aux Artistes* (plan couleur D2, **25**) : 63, rue Falguière, 75015. ☎ 01-43-22-05-39. Ⓜ Pasteur ou Falguière. Tlj sf sam midi et dim ; service 12h-14h30, 19h30-23h30. Congés : août et fêtes de fin d'année. Formule déj 12 € (entrée + plat ou plat + dessert ou café) ; menu 15 €. Café offert sur présentation de ce guide. Ce resto est un cas. Modigliani et Foujita y venaient au temps de la Cité des artistes. L'atmosphère et le décor sont toujours les mêmes aujourd'hui. Affiches et objets colorés partout. Clientèle très mélangée mangeant dans une ambiance bruyante, au coude-à-coude. Des plats bien franchouillards et de bonne facture, comme le bourguignon, le tartare ou les tripes à la mode de Caen. Les soirs de week-end, aux heures cruciales, pas mal d'attente, mais le kir est bien bon au comptoir. Service efficace et à la bonne franquette (on note soi-même la commande).

|●| *Le Cap* (plan couleur C2, **56**) : 30, rue Péclet, 75015. ☎ 01-40-43-02-18. Ⓜ Vaugirard. Tlj 12h-15h30, 19h30-23h30. Formules déj 18,50-22 € ; menu 25,50 € ; carte 18-25 €. Idéalement situé sur la place piétonne de la mairie du 15e. Une terrasse avancée confortable et bien arrangée, sans bling-bling. On est bien assis, et la déco du Grand Sud, renouvelée 2 fois par an, est agréable, tout comme le service souriant et cordial. Une longue carte ensoleillée et lumineuse, aux couleurs du Sud lointain, avec des plats à base d'huile d'olive et d'aromates. Excellentes (et copieuses !) salades, viandes et poissons choisis, et notre coup de cœur va à la morue à l'aïoli, fraîche, légère et si goûteuse !

|●| *Le P'tit Gavroche* (plan couleur C2, **45**) : 88, rue Blomet, 75015. ☎ 01-45-31-09-38. Ⓜ Vaugirard. À l'angle de la rue de l'Amiral-Roussin. Tlj jusqu'à 1h30 (19h dim). Congés : 3 sem en août. Formule déj en sem 13,50 € ; plats à la carte 11-13 € ; carte 25-30 €. Derrière la mairie du 15e, voilà un petit resto-bistrot refait à l'ancienne, avec tables en bois massif, carrelage au sol et beau bar. Accueil cordial et

attentionné de Momo, qui va à Rungis la nuit se fournir en produits frais (viande, légumes...). La carte suit le rythme du marché : tartare haché minute, saumon aux épinards, canard au miel et au thym. Excellentes tarte Tatin maison et profiteroles. Vins de propriété bien choisis. Service souriant.

Prix moyens

I●I *La Table d'Hubert* (plan couleur A2, **29**) **:** 148, av. Félix-Faure, 75015. ☎ 01-45-54-12-26. • table dhubert@orange.fr • Ⓜ Balard. Tlj sf sam midi, dim et lun soir ; service 12h-14h30, 20h-22h30. Formules déj 15-18 € ; carte env 32 €. Apéritif maison ou café offert sur présentation de ce guide. À proximité de la place Balard, Hubert, le frère de Philippe Gloaguen, cofondateur du *Routard*, propose une carte de plats du terroir authentiques, accompagnés de vins d'artisans-vignerons. La carte est renouvelée tous les jours. Le patron connaît personnellement les producteurs et les exploitants. Il les a choisis pour leur amour du métier. Viandes excellentes. Une formule qui sent bon le terroir.

I●I *L'Épicuriste* (plan couleur D2, **40**) **:** 41, bd Pasteur, 75015. ☎ 01-47-34-15-50. Ⓜ Pasteur. Tlj sf dim-lun 12h-14h, 19h-22h. Congés : 3 sem en août et Noël. Résa conseillée. Formules (2 ou 3 plats) 26-30 € le midi, 33-38 € le soir. Une merveille de bistrot chic bon teint, comme le 15ᵉ en a le secret, au cadre élégant et géré par un duo de choc (comprenez sacrément pro) au service comme aux fourneaux. Cuisine de marché, plutôt traditionnelle mais inspirée et réinterprétée au goût du jour. Assiettes généreuses, et, pour conclure, un riz au lait aux fruits secs avec sa sauce caramel absolument divin. Une de nos adresses préférées dans le Sud parisien !

I●I *Le Pario* (plan couleur B2, **36**) **:** 54, av. Émile-Zola, 75015. ☎ 01-45-77-28-82. • restaurantlepario@gmail.com • Ⓜ Charles-Michels. Tlj sf dim soir 12h-15h, 19h-23h. Formules déj en sem 18-23 € ; carte env 35 €. Eduardo Jacinto est parisien d'adoption, mais

brésilien, d'où le nom de son bistrot, contraction de « Paris » et de « Rio ». Formé à l'école « Constant » auprès duquel il a appris le métier, il réalise une cuisine traditionnelle fine, légère et bien dans l'air du temps, avec une prédilection pour les plats en sauce et les produits de saison travaillés avec précision. L'accueil se veut aussi bien rodé et sympathique. De plus, on y apprécie la petite sélection de vins au verre aux tarifs sans prétention. Une bonne pioche dans ce coin pas très glamour du 15ᵉ. *NOUVEAUTÉ.*

I●I *Le Casse-Noix* (plan couleur B1, **16**) **:** 56, rue de la Fédération, 75015. ☎ 01-45-66-09-01. Ⓜ Dupleix ou Bir-Hakeim. Lun-ven 12h-14h30, 19h-22h30. Formules déj 21-26 € ; menu 33 € ; carte env 38 €. Pas plus de 4 choix d'entrées, plats et desserts dans le menu, une poignée de suggestions du jour avec supplément sur l'ardoise. Au moins, on ne se casse pas la noix pour choisir... Quoique, tout y est alléchant : les grands classiques bistrotiers sont travaillés avec malice par un chef sorti des cuisines de *La Régalade*, avec des produits de prime qualité. Pour arroser, quelques bons flacons du Beaujolais. Cadre bistrot d'antan qui rassure. *Le Casse-Noix* a tout compris !

I●I *La Cantine du Troquet Dupleix* (plan couleur B1, **41**) **:** 53, bd de Grenelle, 75015. ☎ 01-45-75-98-00. Ⓜ Dupleix. Tlj 7h-22h45 ; service 12h-16h30, 19h-22h45. Attention, ne prennent aucune résa par tél : 1ᵉʳ arrivé, 1ᵉʳ servi ! Carte env 30 €. La dernière cantine de Christian Etchebest (voir aussi dans le 14ᵉ arrondissement), au décor chic parisien. Ambiance animée, et clientèle d'ici et d'ailleurs qui vient surtout pour le contenu de son assiette : produits de qualité et recettes du Sud-Ouest généreuses, servies avec le sourire. Frites maison, taillées au couteau, absolument divines. Un troquet moderne et bien racé, comme certains flacons de la carte des vins. Belle terrasse.

I●I *Le Petit Pan* (plan couleur C3, **38**) **:** 18, rue Rosenwald, 75015. ☎ 01-42-50-04-04. • legrandpan@gmail.com • Ⓜ Plaisance ou Porte-de-Vanves. Tlj sf dim-lun ; service 12h-14h30,

15e

19h-23h. *Congés : 1 sem fin avr, 3 sem en août et 1 sem en déc. Le midi, menus 15-20 € en sem, 22 € sam ; carte env 20 €.* Boosté par le franc succès du *Grand Pan*, le chef Benoît Gauthier a remis le couvert juste en face, dans le même esprit de franche convivialité, avec une formule et des prix dégraissés. Ambiance bistrot au déjeuner, atmosphère bar à vins le soir. À l'ardoise, délicieuses tapas chaudes ou froides, charcuterie de premier choix, comme l'ensemble des produits. Ambiance chaleureuse. *NOUVEAUTÉ.*

|●| **Atelier Aubrac** *(plan couleur C1, 32)* **:** 51, bd Garibaldi, 75015. ☎ 01-45-66-96-78. Ⓜ *Sèvres-Lecourbe ou Cambronne. Tlj sf sam midi, dim et j. fériés 12h-14h30, 19h30-22h30. Congés : août. Formules déj 16-19 € ; menus 23,50-27,50 € le soir ; carte env 30 €.* Une petite devanture rouge pimpante qui tranche dans ce quartier déserté la nuit tombée, un intérieur soigné aussi rassurant que l'accueil et une carte de spécialités régionales à tarifs démocratiques, même le soir ! Planche de charcuterie, *piccata* de veau au bleu d'Auvergne, salade de gésiers confits ou bol d'aligot... Belles viandes et intéressante sélection de vins au compteur.

|●| **Le Volant** *(plan couleur B1, 35)* **:** 13, rue Béatrix-Dussane, 75015. ☎ 01-45-75-27-67. Ⓜ *Dupleix. Tlj sf dim ; service 12h-14h30, 19h-23h. Congés : 3 sem en août. Menus-carte 24-32 € ; carte env 40 €.* Cet ancien bistrot de quartier a conservé son nom, donné par son précédent propriétaire, ancien pilote automobile. Il a aussi conservé sa déco, son ambiance, sa cuisine et ses habitués ! C'est donc au coude-à-coude qu'on goûte à une cuisine bistrotière familiale et ancrée dans le Sud-Ouest. Normal, le patron a roulé sa bosse dans quasi tous les bistrots basques de Paris (*La Régalade, L'Ami Jean...*). Beaux morceaux de viande et accompagnements généreux. Service naturel et enjoué.

|●| **Le Troquet** *(plan couleur C2, 59)* **:** 21, rue François-Bonvin, 75015. ☎ 01-45-66-89-00. Ⓜ *Sèvres-Lecourbe, Cambronne ou Volontaires. Tlj sf dim-lun ; service 12h-14h, 19h30-22h30. Congés : 1 sem en mai, 3 sem en août et 1 sem à Noël. Résa indispensable. Menus (entrée + plat + dessert) 32 € le midi, 34 € le soir ; menu dégustation 40 €. Vins à partir de 22 €.* Une rue perdue dans le 15e, un décor de bistrot avec dessins satiriques de *L'Assiette au beurre* et une salle aux tables en bois à touche-touche, avec leurs serviettes rouge et blanc. Les plats ont du nez et du goût : tout est imaginatif, exquis, fréquemment renouvelé et copieux. *Qualité, simplicité et convivialité,* voilà la belle devise du *Troquet.*

|●| **L'Antre-Amis** *(plan couleur D2, 43)* **:** 9, rue Bouchut, 75015. ☎ 01-45-67-15-65. Ⓜ *Sèvres-Lecourbe. Tlj sf sam-dim ; service 12h15-13h45, 19h30-21h45. Congés : 1re sem de janv et 3 sem en août. Résa recommandée. Menu 35 €.* Étonnant jeu de mots pour un lieu qui évoque tout sauf une caverne... Teintes contemporaines et baie vitrée qui ouvre sur une agréable petite terrasse, sur le trottoir, dès l'été. Cuisine fraîcheur qui se renouvelle au rythme des saisons et du marché, et qui montre l'habileté du chef à travailler de beaux produits. Bon point pour les desserts, délicieux et créatifs. Portions sans doute un poil légères pour les gros appétits, mais compensées par un délicat amuse-bouche et par l'accueil si doux de madame...

|●| **L'Atelier du Parc** *(plan couleur B3, 48)* **:** 35, bd Lefèbvre, 75015. ☎ 01-42-50-68-85. Ⓜ *Porte-de-Versailles.* Ⓣ *Georges-Brassens. En face du parc des expos. Tlj sf dim et lun midi ; service 12h-14h30, 19h30-22h30. Congés : 1 sem en janv et 3 sem en août. Formules 22-27 € (midi), puis 31-35 € ; menus 45-53 €, puis 85 €.* Précédé d'une terrasse sous verrière, un espace design et feutré où le bar lumineux et flashy donne le ton. Petite salle intime au sous-sol. Vraie cuisine d'artisan, à cheval sur la tradition et respectueuse des saisons mais bourrée d'idées novatrices et mise à la portée de tous (ou presque) grâce à un large éventail de formules. Desserts confondants et plateau de fromages labellisés ; vins au verre bien conseillés. Service courtois et attentif.

|●| **L'Épopée** *(plan couleur B2, 63)* **:** 89, av. Émile-Zola, 75015. ☎ 01-45-77-71-37. ● lepopee@hotmail.fr ●

Ⓜ *Charles-Michels. Tlj sf sam midi et dim soir ; service 12h-13h45, 19h30-21h45. Congés : 2e-3e sem d'août et 24 déc-3 janv. Formule déj 19,90 € ; menus-carte 33,90 € (entrée + plat ou plat + fromage ou dessert)-39,90 € (menu complet). Café offert sur présentation de ce guide. Ici,* le cadre est élégant, et on a apprécié l'espacement des tables. Le chef concocte une cuisine de saison, assez traditionnelle dans l'ensemble mais sans aucune fausse note. Parmi les classiques, les ravioles de langoustine au *saté*, légèrement relevées, et le filet de bar grillé, fleur de courgette et jus de moule-basilic sont exquis. Une qualité irréprochable et des assiettes généreuses. Service pro et très bon accueil.

|●| *La Petite Auberge (plan couleur B3, 47) : 13, rue du Hameau, 75015.* ☎ 01-45-32-75-71. Ⓜ *Porte-de-Versailles. Tlj sf dim et j. fériés ; service 12h-14h, 19h-22h. Congés : 1 sem à Pâques, 3 sem en août et la dernière sem de déc. Résa impérative le soir. Plats du jour env 11-17 € ; carte 25-28 €. Café offert sur présentation de ce guide.* Siège social des supporters de l'équipe de rugby du Racing, ce resto est un lieu d'humeur et surtout une adresse de quartier, avec ses fidèles habitués. Rien d'extravagant mais de la bonne bidoche accompagnée de frites. À préférer au déjeuner. Toutefois, quand c'est bondé, l'attente peut être assez longue... C'est la rançon du succès.

|●| *L'Étape (plan couleur B2, 53) : 89, rue de la Convention, 75015.* ☎ 01-45-54-73-49. Ⓜ *Boucicaut. Tlj sf sam midi et dim ; service 12h-14h30, 19h-22h30. Congés : août. Menu 22 € ; menu-carte 30 €.* Tout semble tranquille et apaisant dans cette maison. La table met à l'honneur une cuisine authentique et de saison, assaisonnée d'une pointe d'exotisme : filet de daurade au paprika, carré d'agneau au poivre et safran... Les idées et le talent sont là, et la fraîcheur des produits est incontestable. Un conseil : gardez de la place pour le dessert. Accueil exquis. Une de nos valeurs sûres dans le 15e.

|●| *Le Café du Commerce (plan couleur C2, 33) : 51, rue du Commerce, 75015.* ☎ 01-45-75-03-27. ● *commercial@lecafeducommerce.com* ●

Ⓜ *Avenue-Émile-Zola ou Commerce.* ♿ *Tlj 12h-15h, 19h-minuit. Fermé 1er janv, 1er mai, 24 et 25 déc au soir. Formule déj en sem 16,50 € ; carte env 30 €. Ce Café du Commerce,* contemporain des bouillons du XIXe s, a de nombreux atouts, à commencer par son spectaculaire intérieur sur plusieurs niveaux, avec sa décoration fleurie et son toit ouvrant aux beaux jours. Une brasserie historique, qui propose des plats tradis, de bonnes viandes à prix démocratiques et un tartare qui se défend bien. L'ambiance est là, bourdonnante le midi, conviviale le soir après un ciné.

Chic

|●| *Le Grand Pan (plan couleur C3, 58) : 20, rue Rosenwald, 75015.* ☎ 01-42-50-02-50. ● *legrandpan@gmail.com* ● Ⓜ *Plaisance ou Convention. Tlj sf sam-dim 12h-14h, 19h30-23h. Congés : 1 sem en mai, 3 sem en août et 1 sem fin déc. Menus 22-30 € le midi ; carte env 30 €.* « Du temps que régnait le Grand Pan, les dieux protégeaient les ivrognes » : Georges Brassens. C'est la devise accrochée aux murs de ce bistrot. Le chef, Benoît Gauthier, excelle dans l'art de la bistronomie, avec juste ce qu'il faut de créativité. Sa cuisine du Sud-Ouest est élaborée à partir de produits frais de saison. Magnifiques côtes de veau ou de bœuf de Mauléon ou Limousine. Belle carte des vins... Et pour prendre l'apéro, *Le Petit Pan* est juste en face !

|●| *Jadis (plan couleur B2, 31) : 208, rue de la Croix-Nivert, 75015.* ☎ 01-45-57-73-20. ● *delagejadis@gmail.com* ● *Porte-de-Versailles, Convention ou Boucicaut. Tlj sf w-e 12h-14h30, 19h-23h. Congés : 2-3 sem en août et 1 sem à Noël. Résa indispensable. Le midi, menus-carte 26,50 € (entrée + plat)-31 € (entrée + plat + dessert) ; le soir, menu-carte 38 € et menus 43-56 € ; carte env 60 €. Vins au verre 5-11 €.* Tenue par un élève de Pierre Gagnaire, l'adresse ne déçoit pas, bien au contraire. Dans ses assiettes, du classique, rien que du classique, mais astucieusement remis au goût du jour :

gâteau de foies blonds, langoustines et bisque de crustacés, vol-au-vent, riz au lait à l'impératrice, aux intitulés si désuets, prennent, sous la patte de Guillaume Delage, un sacré coup de jeune teinté d'un soupçon de créativité et doublé d'une grande maîtrise de la technique. Un succès qui ne se dément pas depuis l'ouverture.

|●| **Le Beurre Noisette** (plan couleur B3, **64**) : 68, rue Vasco-de-Gama, 75015. ☎ 01-48-56-82-49. ● lebeurrenoisette@orange.fr ● Ⓜ Lourmel, Balard ou Porte-de-Versailles. Tlj sf dim-lun ; service 12h-14h15, 19h15-23h. Congés : 1 sem en janv et 3 sem en août. Résa indispensable. Formule déj 23 € ; menus 31-35 € ; le soir, menu dégustation 55 € ; carte env 35 €. Le jeune chef auvergnat, formé notamment chez Ledoyen, concocte une cuisine assez classique, mais qu'il revisite au gré du marché et de son inspiration. Pas de fausse note, ni dans l'assiette ni dans l'addition. Il n'y a qu'à voir la mine réjouie des habitués qui aiment savourer cette cuisine dans les salles bistrotières ou entre potes sur la grande table d'hôtes. Très belle sélection de vins. Une maison sérieuse...

|●| **Le Cristal de Sel** (plan couleur B2, **52**) : 13, rue Mademoiselle, 75015. ☎ 01-42-50-35-29. ● restaurant@lecristaldesel.fr ● Ⓜ Commerce. Tlj sf dim-lun 12h15-14h, 19h30-22h. Congés : 1 sem fin avr (1er mai inclus), 3 premières sem d'août et 1 sem à Noël. Formule déj 18 € ; carte env 46 €. Un vieux rade, relooké et repris par une jeune équipe formée dans les palaces. Une attention méticuleuse est portée au choix des produits, livrés dans leur plus simple expression, celle qui n'autorise pas l'esbroufe. Le beurre vient de chez Bordier, le bar de ligne est servi a la plancha, et les œufs au plat... Sauf qu'il y a la patte d'un chef inventif, de celles qui donnent forcément envie de revenir car, chaque fois, l'ardoise affiche de nouvelles créations. Accueil franchement aimable et souriant.

|●| **Afaria** (plan couleur B3, **39**) : 15, rue Desnouettes, 75015. ☎ 01-48-42-95-90. Ⓜ Convention. Tlj sf dim-lun 12h-14h, 19h-23h. Congés : août. Résa indispensable. Formules déj en sem 23-27 € ; menu dégustation 45 € ; carte env 38 €. Initié par un chef landais, Afaria est désormais une affaire de filles, puisqu'il a été repris par la chef et la responsable de salle. La tradition culinaire landaise qui a fait le succès de cette adresse demeure, réalisée avec toujours autant d'idées et de brio. Les produits du cru (magret, boudin...) sont parfaitement mis en valeur. Le service sait rester souriant, même en heure de pointe. Une adresse bonne mine dans ce coin peu glamour du 15e.

|●| **Le Bélisaire** (plan couleur C2, **42**) : 2, rue Marmontel, 75015. ☎ 01-48-28-62-24. Ⓜ Convention ou Vaugirard. Tlj sf sam midi et dim ; service 12h-14h, 20h-22h30. Congés : 3 sem en août et 1 sem pour les fêtes de fin d'année. Formule déj 26 € ; le soir, menu-carte 35 € ; sam soir, menu découverte slt 38 €. Matthieu Garrel a fait ses classes chez un double étoilé (Gérard Besson) et se démène pour maintenir ses prix, tout en continuant à faire évoluer sa cuisine, de plus en plus fine et aboutie. Si l'on ajoute à cela le décor d'authentique bistrot, on voit que tous les ingrédients sont réunis pour savourer un repas sans fausse note.

|●| **La Gauloise** (plan couleur C1, **34**) : 59, av. de La Motte-Picquet, 75015. ☎ 01-47-34-11-64. ● bagroupegauloise@yahoo.fr ● Ⓜ La Motte-Picquet-Grenelle. Tlj 12h-14h30, 19h-23h. Fermé 25 déc. Formules 24,50-29,50 € ; repas complet 40-45 €. La clientèle huppée a fait de cette brasserie centenaire sa cantine chic. Il n'y a qu'à voir la série de photos de célébrités encadrées, à la mine réjouie, au-dessus des banquettes. Elle n'a pas tort : cuisine traditionnelle servie avec esprit, viandes d'Aubrac et prix raisonnables malgré tout pour cette qualité. Service pro et vaste terrasse isolée par d'imposants pots de fleurs.

|●| **Restaurant Stéphane Martin** (plan couleur B2, **60**) : 67, rue des Entrepreneurs, 75015. ☎ 01-45-79-03-31. ● resto.stephanemartin@free.fr ● Ⓜ Félix-Faure, Charles-Michels ou Commerce. Tlj sf dim-lun ; service 12h-14h30, 19h30-22h30. Fermé Noël et Jour de l'an. Congés : 1 sem à Pâques et 3 sem en août. Formules déj en sem 19-24 € ; menu 38 € ; carte env

45 €. Cuisine bourgeoise, fine et talentueuse, qui suit le marché, les tendances et les saisons. Les vedettes sont servies toute l'année : éminencé de foie gras de canard cru aux herbes folles, jarret de porc braisé au miel d'épices et embeurrée de chou rouge, moelleux au chocolat et caramel d'orange. Le tout agrémenté d'une ronde de pains maison (au thym, au sésame, nature...). Extrêmement copieux. Le cadre est classieux, et les teintes sont chaleureuses.

⏹️ *Je Thé...me* *(plan couleur C2, 51)* : 4, rue d'Alleray, 75015. ☎ 01-48-42-48-30. ● dlarsonneur@gmail.com ● Ⓜ *Vaugirard. Tlj sf dim-lun ; service 12h-14h30, 19h15-22h. Congés : août. Menu 35 €. Café offert sur présentation de ce guide.* C'est avec délice qu'on franchit la porte de cette ancienne épicerie de la fin du XIXe s aux allures de maison de poupée, avec son carrelage d'époque et son joyeux bric-à-brac. En prime, les amoureux apprécieront l'atmosphère intimiste. Les plats, qu'on choisit à l'ardoise, sont d'une grande fraîcheur côté mer. On se régale aussi de viandes traditionnelles harmonieusement relevées, comme la joue de bœuf aux carottes. Côté douceurs, savoureux baba au rhum ou tarte au chocolat et sarrasin... Le tout servi avec une grande gentillesse.

⏹️ *Le Concert de Cuisine* *(plan couleur B1, 26)* : 14, rue Nélaton, 75015. ☎ 01-40-58-10-15. Ⓜ *Bir-Hakeim. Tlj sf dim ainsi que le midi lun-mar ; service 12h-15h, 19h30-21h30. Résa conseillée le midi. Menus 27-33 € le midi ; le soir, 46-63 €.* Dans un cadre gris épuré avec cuisine ouverte sur la salle, le chef Naoto Matsumoto donne libre cours à son talent sur son *tepannyaki* (plaques chauffantes), composant de merveilleux petits plats inspirés et pleins de saveurs étonnantes. Attention, à notre avis, surtout un établissement pour déjeuner. Le soir, c'est quand même pas donné pour un quartier fort peu séduisant, et la salle manque singulièrement de convivialité...

Cuisine d'ailleurs

Bon marché

⏹️ *Chez Eusebio* *(plan couleur C2, 83)* : 14, rue Miollis, 75015. ☎ 09-50-33-04-03. Ⓜ *Cambronne ou Duroc.* ♿ *Tlj sf dim. Congés : août. Formules déj 14,50-15,50 € ; tapas 8,50-15 €, plats 14,50-17,50 €. Apéritif maison offert sur présentation de ce guide.* Eusebio, notre Galicien préféré, est revenu poser ses marmites dans le 15e, après une incursion dans le 18e et, surtout, un bref temps d'arrêt. Les ingrédients sont toujours les mêmes : tapas et *vino tinto* à prix démocratiques, assiettes de charcuterie et fromages au top, et une paella maison bien garnie et roborative ! Quant aux plats, ils sont tous très copieux. L'ambiance est populaire, l'accueil familial, ce qui sied bien au cadre « bistrot de quartier » où tout le monde se retrouve avec un verre de sangria maison (fameuse, celle-là) à la main. Une cantine au sens noble du terme. *NOUVEAUTÉ.*

⏹️ *La Mousson* *(plan couleur B2, 80)* : 45, av. Émile-Zola, 75015. ☎ 01-45-79-98-52. ● contact@lamousson.fr ● Ⓜ *Charles-Michels ou Javel. Tlj sf dim 12h-14h30, 19h-22h30. Congés : 2 sem en août. Menus 12,65 € (midi), puis 17,65-23,85 € ; carte env 27 €. Apéritif maison ou café offert sur présentation de ce guide.* Un resto cambodgien où l'on trouve les succulents *amoks* de poisson ou les tiges de nénuphar, avec la finesse du sucré-salé. Demandez donc ces plats dont le souvenir a disparu de la mémoire collective, tel le *nataing*, une entrée subtile. Essayez aussi la salade angkorienne servie au Palais royal de Phnom Penh.

⏹️ *Croccante* *(plan couleur D2, 81)* : 138, rue de Vaugirard, 75015. ☎ 01-47-83-37-28. ● croccantevaugirard@yahoo.fr ● Ⓜ *Falguière. Tlj sf dim et lun soir 11h30-15h, 19h-23h30. Résa obligatoire. Carte env 30 €.* Massimo (sicilien de son état) et Déborah (toscane) ont poussé les murs de leur épicerie et posé quelques tables. Dans les assiettes, rien d'extravagant ni de compliqué. De la bonne et généreuse cuisine des familles italiennes : pâtes à la fleur de courgette si basiques mais si goûteuses, belles assiettes d'*anti-pasti*, lasagnes et délicieuses *pizze* sur commande (attente parfois longue). Accueil franc et naturel. Une adresse authentique, bourrée d'habitués.

|●| *Feyrouz* (plan couleur B1, 82) : 8, rue de Lourmel, 75015. ☎ 01-45-78-07-02. ● feyrouz@mail.com ● Ⓜ Dupleix. Tlj 8h-2h. Sandwichs 5-5,50 € et formules à emporter 6,50-8,50 € ; formules déj en sem 13,50-16,90 € ; menu 27,50 € ; carte env 30 €. On va dans ce resto libanais pour sa partie traiteur et pour ses sandwichs (poulet, bœuf, foie de veau...) qui sont peu chers, comme on dit à Marseille, et si délicieux, comme on dit dans le 15e. Si vous avez un creux, c'est le moment... Et vous allez aussi craquer pour les mezze étalés devant vos yeux. Vins du pays et arak. Juste à côté (au n° 10), la maison décline le poisson sous toutes ses formes.

|●| *La Dînée Plancha* (plan couleur A2, 90) : 85, rue Leblanc, 75015. ☎ 01-45-54-54-04. ● contact@restaurant-ladinee.com ● Ⓜ Balard. ♿ Tlj sf sam-dim 12h-14h30, 19h-22h30. Congés : août. Formules 23-26 €. Café offert sur présentation de ce guide. *Dînée Plancha*, plutôt olé olé, avec des plats *a la plancha* (ou pas) aux accents ibériques et basques, que l'on arrose volontiers d'un saumur-champigny, servi au pichet. Ce n'est pas le décor qui prime, mais l'efficacité dans l'assiette et dans le service, même si ça ne suit pas toujours en cuisine aux heures d'affluence. Mais les desserts vous retiennent... comme cet inoubliable millefeuille !

De prix moyens à chic

|●| *Lin pour l'Hôte* (plan couleur C3, 91) : 49, rue Olivier-de-Serres, 75015. ☎ 01-56-08-20-54. ● normann.lin@orange.fr ● Ⓜ Convention. Tlj sf sam midi et dim soir (dim midi sur résa) 12h-15h, 19h30-22h30. Carte env 40 €. Juste quelques tables dans ce qui pourrait n'être qu'un caboulot de quartier s'il n'y avait ces effluves tropicaux et la pâte d'un cuistot inspiré. Ses recettes, il les extirpe de son île, La Réunion, et travaille épices et rougail en nuance, sans

trop forcer sur la note exotique. Tant mieux, d'autant plus que les poissons sont beaux et les cuissons justes. Pour se ragaillardir, sympathiques rhums arrangés. Accueil charmant, qui n'a pas été touché par le speed de la métropole.

|●| *Banani* (plan couleur B2, 92) : 148, rue de la Croix-Nivert, 75015. ☎ 01-48-28-73-92. Ⓜ Félix-Faure ou Boucicaut. Tlj sf dim et lun soir ; service 12h-14h30, 19h30-23h. Menus 10-16 € (midi en sem), puis 26 € ; carte env 30 €. À l'entrée, un Ganesh en or plante le décor : belle fresque de temple hindou, boiseries chaudes, lumières en demi-teintes et alcôves contribuent largement au charme de l'endroit. Dans l'assiette, les grands classiques indiens : *massala, byrianis,* tandooris. La carte ne se renouvelle pas beaucoup, mais elle plaît toujours aux nombreux habitués. Goûtez la bière blonde indienne, elle se défend pas mal ! Service professionnel, sous l'œil attentif des patrons.

|●| *Swann et Vincent* (plan couleur C2, 87) : 32, bd Garibaldi, 75015. ☎ 01-42-73-30-44. Ⓜ Sèvres-Lecourbe ou Ségur. Tlj sf dim 12h15-14h30, 19h30-22h30. Congés : 2 sem en août, Noël et Jour de l'an. Résa indispensable. Menu 16 € le midi ; carte 25-30 €. CB refusées. Parfums d'huile d'olive qui transportent vos papilles en Italie. Penne, *tagliatelle al gorgonzola,* escalope de veau à la mozzarella, légumes grillés... Ça change suivant le marché et l'humeur du patron. Tout est maison, frais et copieux. Même formule *Swann et Vincent* dans les 12e et 14e arrondissements.

|●| *Erawan* (plan couleur C1, 88) : 76, rue de la Fédération, 75015. ☎ 01-47-83-55-67. Ⓜ La Motte-Picquet-Grenelle. Tlj sf dim et lun midi 12h-14h30, 19h-22h30. Congés : 3 sem en août. Menus à partir de 15 € le midi, 23,50-32 € le soir ; carte env 30 €. Le cadre est agréable, l'accueil courtois et le service efficace. Et quelle constance pour le pionnier des restaurants thaïs à Paris ! Parmi les grands classiques de la gastronomie siamoise, la *tom ka kaï* est délicieuse, les ailes de poulet farcies ne manquent pas de saveur, et la salade de seiche à la citronnelle retient notre attention.

15e

⊫I Sawadeè *(plan couleur B2, **89**) :* 53, av. Émile-Zola, 75015. ☎ 01-45-77-68-90. Ⓜ *Charles-Michels. Tlj sf dim 12h-14h30, 19h-22h30. Congés : 3 sem en août. Formule déj 17 € ; menus 24-36 € ; carte 35-45 €. Une des institutions thaïes de la capitale. Décor sobre, dans les tons rouges et* or aux murs, rehaussé de statues et objets venant droit de Thaïlande. Dans l'assiette, un véritable festival de couleurs et de parfums exotiques : poulet ou poisson au lait de coco, canard sauté au basilic et tous les classiques de la cuisine thaïe. L'ensemble est bon, copieux et joliment présenté.

Où boire un verre ?

❢ Le Bréguet *(plan couleur D2, **100**) :* 72, rue Falguière, 75015. ☎ 01-42-79-97-00. ● lebreguet@hotmail.fr ● Ⓜ *Pasteur. Tlj sf dim 17h-2h. Fermé 4 j. en août, Noël et Jour de l'an. Demis 3-4,20 € ; cocktails 6-9 € ; happy hours 17h-20h : pinte blonde 3,70 €, autres pintes 5,50 €. Petite restauration (tartines, charcuterie...) 5,50-9,50 €.* 🖥 🛜 Ce bar-surprise de la rue Falguière joue la carte alternative tous azimuts ! Au menu : des cocktails « sanglants », comme l'« Hémorragie » (crème de cassis, vodka, cidre et bière), et cette satanée rage d'échapper au parisianisme ambiant ! Venus de Mayenne, de Vendée, de Normandie et de Bretagne, 4 associés, plus déjantés les uns que les autres, ont fait de ce bar perdu d'avance un des lieux les plus délirants de Paname.

❢ Le Cristal *(plan couleur C2, **102**) :* 163, av. de Suffren, 75015. ☎ 01-47-34-47-92. Ⓜ *Sèvres-Lecourbe. Tlj sf dim 15h-2h. Happy hours 19h-21h. Congés : Noël-Jour de l'an. Demi env 2,30 € ; shots à partir de 2,50 € ; cocktail 6,50 €.* Une adresse étudiante incontournable. Des bières au prix de la bière, des *shots* au prix d'un *shot*, enfin un peu d'attention dans ce monde de brutes ! Ne comptez pas en revanche y passer une soirée en tête à tête ou lézarder tranquillement au comptoir. Le week-end, *Le Cristal* ne désemplit pas jusqu'à la fermeture. Grosse ambiance assurée jusque sur le trottoir.

❢ Le Général Beuret *(plan couleur C2, **101**) :* 9, pl. du Général-Beuret, 75015. ☎ 01-42-50-28-62. Ⓜ *Vaugirard. Tlj 8h-2h. Happy hours 18h-20h. Demi 2,90 € ; shot 3,50 € ; mojito 6,90 €.* Dans un décor haut en couleur et assez déjanté, *Le Général* attire toutes les âmes nocturnes et festives du quartier. Ici, on sirote des mojitos sous l'œil bienveillant d'un Spiderman pendu au plafond, qui nous encourage même à reprendre un petit *shot,* la spécialité maison. En été, on profite de la terrasse bien animée. En plus, les consos sont vraiment bon marché. Alors si vous êtes dans les parages, ne résistez pas à l'appel du *Général* ! Si c'est un mardi, vous profiterez de la soirée « Cocktail du barman ».

❢ Au Dernier Métro *(plan couleur B1, **103**) :* 70, bd de Grenelle, 75015. ☎ 01-45-75-01-23. ● laffargue.per kovic@wanadoo.fr ● Ⓜ *Dupleix. Tlj 7h (6h30 mer et dim)-2h pour le bar ; cuisine en service continu 9h-1h. Demi 2,50 €. Planches 12-15 €.* 🛜 Un bistrot à l'ambiance et au style à part dans le quartier. On adhère à son côté rétro alignant une flopée de vieilles pubs le long du mur. Tandis que les planchas de charcuterie ou de fromages en direct des Pyrénées obtiennent les suffrages des habitués. On vient donc ici avant tout pour boire un verre, moins pour le menu. Même si l'accueil en fait un bon repaire quoi qu'il en soit.

À voir

AUTOUR DE LA TOUR ET DE LA GARE MONTPARNASSE

Voir également « Montparnasse » dans le 14ᵉ arrondissement, qui est limitrophe.

🎋 La tour Montparnasse *(plan couleur D2) :* ☎ 01-45-38-52-56. ● tourmont parnasse56.com ● Ⓜ *Montparnasse-Bienvenüe.* ♿ *(accès direct au 56ᵉ étage*

pour les pers handicapées).
Possibilité d'accéder au som-
met tlj 9h30-22h30 (23h30 en
été). Réservez vos billets en
accès prioritaire en magasin et
sur ● fnac.com ● Montée : 14 € ;
réduc ; gratuit moins de 7 ans ;
réduc de 1,50 € sur le tarif adulte
sur présentation de ce guide.

CE N'EST PAS UN JOUET

Gare Montparnasse, on trouve le plus petit camion de pompier du monde (2 m de long sur 1 m de large !), garé au début du quai n° 1 et qui fonctionne sur batterie. Tout y est : grande échelle, gyrophare, et il est... rouge.

15e

Construite sur l'emplacement de
l'ancienne gare Montparnasse, où fut signée, le 25 août 1944, la reddition de
la garnison allemande. Une plaque rappelle cet événement sur l'un des piliers
du centre commercial. La tour fut achevée en 1973 et mesure quelque 210 m.
Vingt-cinq ascenseurs, dont un des plus rapides d'Europe (196 m en 38 s),
1 300 bureaux, 7 200 fenêtres et 56 piliers de béton, coulés à 80 m de profondeur
pour supporter l'énorme masse d'acier et de verre. Du sommet, on a le plus haut
point de vue face à la tour Eiffel ! Vue superbe sur la capitale, bien sûr, ainsi qu'un
parcours interactif (expo de photos sur le vieux Paris, activités pour les enfants
pendant les vacances scolaires...). Monter jusqu'à la terrasse : plus spectaculaire
encore, avec une vue à 360° qui porte jusqu'à 40 km par temps clair. Possibilité de
grignoter quelque chose.

🏃 **L'Adresse – Musée de la Poste** *(plan couleur D2) :* 34, bd de Vaugirard, 75015.
☎ 01-42-79-24-24. ● ladressemuseedelaposte.fr ● Ⓜ *Montparnasse-Bienvenüe.*
Attention, *le musée est fermé pour travaux jusqu'en 2016.*

🏃🏃🏃 **Le musée Bourdelle** *(plan couleur D2) :* 18, rue Antoine-Bourdelle,
75015. ☎ 01-49-54-73-73. ● bourdelle.paris.fr ● Ⓜ *Falguière ou
Montparnasse-Bienvenüe (sortie « Place Bienvenüe »). Bus n°s 48, 91, 92, 94, 95
et 96.* ♿ *Tlj sf lun et j. fériés 10h-18h. GRATUIT (expos temporaires payantes).
Audioguide : 5 €. Cycles de visites-ateliers pour les visiteurs malvoyants, lesquels
peuvent d'ailleurs toucher un certain nombre de sculptures. Nombreux ateliers
pour enfants et pour adultes sur rdv (rens et résas : ☎ 01-49-54-73-91/93/94).
Visites, animations, ateliers et conférences pour individuels.*
Très beau musée, étonnamment méconnu, à la fois atelier d'artiste à l'image de
ceux des Montparnos et espace d'exposition retraçant l'œuvre magistrale de
l'artiste. Praticien de Rodin, il fut par la suite le maître de Giacometti et de Vieira
Da Silva, entre autres. Le musée est inauguré en 1949 dans la maison, l'atelier et
les jardins où Bourdelle travailla jusqu'en 1929. L'appartement de Bourdelle ainsi
que son atelier ont été préservés et nous livrent l'intimité de l'artiste, et l'ensemble
est complété d'un nouveau bâtiment, le hall des plâtres, ainsi que des arcades
– qui s'inspirent de la place Nationale de Montauban – bordant le jardin extérieur.
Depuis la balustrade, joli point de vue sur le jardin et les sculptures côté rue.
Une extension par l'architecte Christian de Portzamparc, en 1992, a permis de
redéployer les collections, et la nouvelle muséographie, mise en place en 2012,
de la mettre mieux encore en valeur. Études, esquisses, réductions et plâtres permettent de suivre les différentes phases d'élaboration des sculptures. Parmi les
chefs-d'œuvre renommés, on trouve le célèbre *Héraklès archer,* le cheval tout en
muscles à qui il manque son cavalier, la voluptueuse *Pénélope,* dont le modèle fut
la première épouse de Bourdelle...
– **Hall des plâtres :** à gauche, sous les arcades ; regroupe, comme son nom l'indique, les plâtres, dont une immense *Vierge à l'offrande* et des bas-reliefs du théâtre
des Champs-Élysées, inspirés par Isadora Duncan et Nijinsky. Voir aussi *Pénélope,*
figure de la mélancolie, qui attend Ulysse. Ce sont les deux femmes de Bourdelle
qui lui ont inspiré ses traits. On retrouve la plupart de ces sculptures en bronze aux
sujets souvent mythologiques dans les jardins.
– **Ateliers :** ne pas manquer l'atelier de Bourdelle, qui n'a guère changé depuis sa
mort en 1929 ; toujours le vieux poêle en fonte, la poussière de plâtre en moins.

Les meubles ont été réalisés par le père de Bourdelle, ébéniste d'art. Même intimité dans l'appartement de Bourdelle – en fait une seule pièce –, qui présente quelques œuvres, mais surtout des objets assez hétéroclites de sa collection personnelle. L'occasion de constater une fois de plus à quel point le maître s'inspirait de l'Antiquité et du Moyen Âge.

– **Salles chronologiques :** aménagées dans d'anciens ateliers, avec une lumière naturelle extra, un panorama de l'évolution du travail de l'artiste, depuis ses débuts à Mautauban (il en reste peu de traces) jusqu'à ses travaux de maturité et son rôle d'enseignant, qu'il prenait très à cœur. Intéressant aussi pour comprendre le passage de l'œuvre d'origine, en argile (en général détruite par la suite), jusqu'au moulages en plâtre et en bronze. Puis, dans le couloir qui mène à l'extension Portzamparc, belle série de bustes de Beethoven, que Bourdelle traita presque comme des autoportraits, et qu'il retravailla plusieurs fois au cours de sa carrière.

– **Salles Portzamparc :** en sous-sol, beaux espaces et volumes sobres pour le *Monument à Mickiewicz* (remarquable *Épopée polonaise*) et pour le *Monument aux morts de la guerre de 1870 à Montauban* (*Figures hurlantes* ou *La Guerre*). Tout au bout, la salle d'expos temporaires.

– **Jardin :** figures du *Monument au général Alvear*, dont *La Force*. Dans les jardins intérieurs, tout au fond, statue équestre en bronze du général Alvear : il permet de se représenter le monument qui se dresse à Buenos Aires à 14 m de hauteur. Très beau *Centaure mourant* et *Vierge à l'offrande*, encore plus impressionnante en bronze qu'en plâtre.

🕯️🏛️ **Le musée Pasteur** (*plan couleur C-D2*)**:** *25, rue du Docteur-Roux, 75015.* ☎ *01-45-68-82-83.* ● *pasteur.fr* ● Ⓜ *Pasteur. Visites guidées obligatoires (50 mn) : tlj sf w-e et j. fériés à 14h, 15h et 16h. Fermé en août. Entrée : 7 € ; réduc. Une entrée offerte pour une entrée achetée sur présentation de ce guide. Attention, carte d'identité à présenter obligatoirement à l'accueil.*

L'un des musées insolites de Paris, où l'on découvre un homme attachant derrière l'éminent scientifique. C'est la maison de Pasteur, restée en l'état, où il vécut les sept dernières années de sa vie.

Louis Pasteur naît à Dole (Jura) en 1822 ; son père était tanneur. Études brillantes : Normale Sup', docteur ès sciences, chimiste. Travaux sur la cristallographie, la génération dite spontanée, la fermentation du vin et de la bière, les maladies du ver à soie et la maladie du charbon. Met au point le vaccin contre le charbon, le choléra des poules, le rouget du porc et, enfin, contre la rage. Il meurt en 1895. On découvre comment, au fil de ses recherches, ses travaux le mèneront vers d'importantes découvertes médicales.

La salle scientifique présente tous ses travaux et ses instruments de laboratoire. Côté appartement : la chambre de son épouse, caractéristique d'un intérieur bourgeois de la fin du XIXᵉ s. Sa chambre, avec des portraits au pastel de ses parents, qu'il réalisa entre 13 et 20 ans. À voir sa dextérité, on déduit sans peine que sa carrière aurait pu prendre une tout autre tournure. Dans le petit salon, de

> ## FIDÉLITÉ ÉTERNELLE
>
> *En 1885, Pasteur inocula pour la première fois le vaccin contre la rage au jeune Joseph Meister qui venait d'être mordu par un chien. Se liant d'amitié avec lui, il l'embaucha ensuite comme gardien. En 1940, le brave Meister ne put empêcher les Allemands de pénétrer dans la crypte de l'Institut Pasteur. Il se suicida le soir même.*

beaux meubles bourgeois et un portrait de Mme Pasteur par Edelfelt, ami de leur fils Jean-Baptiste. L'escalier à double rampe (Pasteur était devenu hémiplégique assez jeune) mène aux pièces de réception. Bureau et grand salon où sont exposées des cadeaux offerts en reconnaissance de ses travaux, dont un étonnant vase de Gallé avec un vers de Victor Hugo et des allégories sur les travaux de Pasteur. Portrait en pied par Edelfelt : c'était la première fois qu'un scientifique était ainsi présenté dans son laboratoire et non dans un cadre prestigieux. Aucun des petits-enfants de Pasteur n'ayant eu de descendance, la famille est aujourd'hui éteinte.

– **Crypte funéraire :** les mosaïques de style néobyzantin, caractéristiques de l'art symboliste de l'époque, ont été réalisées par l'un des maîtres du genre, Auguste Guilbert-Martin. Charles-Louis Girault en fut l'architecte (ainsi que celui du Petit Palais). Sous les voûtes, les animaux représentés évoquent les différents travaux de Pasteur (les chiens : la rage, etc.).

AUTOUR DU PARC GEORGES-BRASSENS

🏃 **La villa Santos-Dumont** *(plan couleur C3) :* coincée entre la rue des Morillons et la rue de Vouillé, à l'angle avec la rue de Brancion. Ⓜ *Porte-de-Vanves.* Petite allée pavée bordée de jolies maisons basses en brique, entrelacées de vigne vierge. Bref, un cadre à la Marcel Carné. De 1889 à 1991, la famille du fondateur de la villa habita le coin ! Au total, 25 pavillons élevés dans les années 1920 sur ce qui n'était encore, sous Napoléon III, que vignes et champs de blé. Zadkine a habité 10 ans au n° 3 avant de partir pour la rue d'Assas ; Fernand Léger a habité au n° 4 ; et au n° 10, on trouve un contemporain, le dessinateur Franck Margerin. Au n° 15, belles mosaïques composées par Gatti, qui habita ici. Ce lieu calme au passé prestigieux avait aussi séduit Georges Brassens, qui vécut les dernières années de sa vie (il est mort en 1981) au 42, rue Santos-Dumont (après avoir habité au 9, impasse Florimont).

🏃🏃 🚶 **Le parc Georges-Brassens** *(plan couleur C3) :* à l'angle de la rue des Morillons et de la rue Brancion. Ⓜ *Porte-de-Vanves.*

Ce parc est construit à l'emplacement des abattoirs de Vaugirard. Souvenir de cette époque révolue, les deux énormes taureaux en bronze qui surveillent l'entrée principale.

La conception même du parc est une véritable réussite. Les pavillons en fer longeant la rue Brancion ont été conservés et restaurés. Les architectes se sont inspirés avec intelligence de cette structure pour construire

> ## 36, RUE DES MORILLONS : LE RENDEZ-VOUS DES ÉTOURDIS
>
> *Créé en 1893 par le préfet Lépine, le bureau des objets trouvés de Paris abrite quelque 6 km d'objets mis bout à bout, soit la distance entre Notre-Dame et la porte Maillot... Oubliés dans les transports en commun ou les taxis, jeux de clés, papiers d'identité, téléphones portables et doudous en pagaille, mais aussi, plus surprenants, robe de mariée, crâne d'alligator, béquilles ou médaille de la Légion d'honneur... Un véritable inventaire à la Prévert !*

une crèche ultramoderne. D'ailleurs, dans le parc, tout est prévu pour les enfants : petites maisons en bois, rochers d'escalade, collines artificielles... Une pièce d'eau entoure la grande horloge, datant des abattoirs (sur l'une des façades, on trouve toujours l'inscription « Vente à la criée »). Une autre idée géniale : le *jardin des Senteurs*, le long de la rue des Morillons. Conçu à l'intention des malvoyants, le bruit des petites fontaines leur permet de se diriger avec aisance et, le long du parcours, les jardiniers ont sélectionné des plantes particulièrement agréables au nez. Des étiquettes en braille et alphabet classique identifient toutes ces plantes. Mai est sans conteste le meilleur moment pour s'y promener. À ne pas manquer également, le 1er week-end d'octobre, la fête du Miel où l'on a la chance de pouvoir visiter le rucher.

Les amateurs de livres anciens se régaleront, car le week-end se tient une *foire aux livres* sous les pavillons de la rue Brancion (d'anciennes halles aux chevaux) de 9h à 18h, qui réunit une soixantaine de libraires. Enfin, les 700 pieds de vigne (pinot noir et pinot meunier pour être précis) plantés en 1985 ont été vendangés pour la première fois en 1988. D'après les spécialistes, ce « clos des Morillons » serait bien corsé, avec beaucoup de bouquet. En tout cas, après Montmartre, c'est le deuxième vignoble parisien.

LE PARC ANDRÉ-CITROËN (plan couleur A2)

🎬🎬🎬 🧍 *Entrées rue Balard, quai André-Citroën, rue de la Montagne-de-l'Espérou, rue Cauchy, etc.* Ⓜ *Javel, Lourmel ou Balard ;* RER C *: Boulevard-Victor ;* Ⓣ *Pont-du-Garigliano.* ♿ *(partiel : la grande pelouse, le Jardin blanc et le Jardin noir). Tlj 9h-20h30 (19h30 sept-avr). Visite guidée organisée par la direction des Parcs et Jardins :* ☎ 01-71-28-50-82 ou ● paris.fr ●

D'OBUS EN CHEVRONS

Face à la pénurie de munitions lors de la Grande Guerre, l'ingénieur André Citroën s'était spécialisé dans la fabrication de munitions. Il fit fortune avec une production qui atteignait les 20 000 obus par jour. La paix revenue, il reconvertit l'usine et se lança dans la construction automobile. En 1919, 30 voitures sortaient chaque jour des chaînes de montage. Il perdra ses usines au casino.

Inauguré en 1992, le parc occupe les anciens terrains des usines Citroën. Deux serres, un axe symétrique, une large perspective sur la Seine, de vastes pelouses, de l'eau... c'est une sorte de Versailles moderne, disent ses admirateurs. Le parc, déployé sur 14 ha, se divise grosso modo en trois : le *Jardin blanc*, le *Jardin noir* et le *grand parc,* une belle conciliation entre la ville et la nature, à l'image de ces deux immenses serres à l'architecture aérienne, la vaste esplanade et le miroir de verdure bordé d'eau. En contrebas, il fait bon flâner dans le *Jardin argenté* aux doux noms poétiques tels l'euphorbe ou la fétuque glauque. Le *Jardin bleu* offre de délicieuses chaises longues en bois, relax et moulant le corps pour se prélasser. Le *Jardin en mouvement,* quant à lui, est notre préféré, un gentil désordre végétal, domestiqué par les lignes rigoureuses du parc.

🎬🎬 🧍 *Le parc héberge aussi le **ballon Air de Paris.** Retenu au sol par un câble, il s'agit du plus grand ballon au monde, pouvant contenir jusqu'à 30 passagers. Perché à 150 m d'altitude, on peut voir les environs, quand il fait beau, jusqu'à 40 km à la ronde. Horaires : tlj de 9h jusqu'à 30 mn avt la fermeture du parc. Le ballon volant en fonction des conditions météorologiques, mieux vaut appeler avt au* ☎ 01-44-26-20-00. *Tarif :* 12 € ; *réduc ; gratuit moins de 3 ans et petits Parisiens jusqu'à 12 ans (sur justificatif d'âge et de domicile) accompagnés d'un adulte (2 enfants max par adulte payant).*

À voir encore dans le 15ᵉ

🎬 ***La Maison de la culture du Japon** (plan couleur B1) : 101 bis, quai Branly, 75015. Infos :* ☎ 01-44-37-95-01. *Résas :* ☎ 01-44-37-95-95. ● mcjp.fr ● Ⓜ *Bir-Hakeim ;* RER C *: Champ-de-Mars-Tour-Eiffel.* ♿ *Tlj sf dim-lun et j. fériés 12h-19h (20h jeu). Congés : août et Noël-Épiphanie. GRATUIT (prix variables pour expos, spectacles, conférences et films ; réduc).*
Superbe construction en arc de cercle de 11 étages (7 500 m²), réplique en verre et acier de la voisine ambassade d'Australie, qui abrite expos, spectacles, films, conférences. Possibilité de suivre divers cours de langue japonaise, calligraphie, origami, manga, ikebana (art floral japonais), go et démonstrations culinaires (rens : ☎ 01-44-37-95-01). Le soir, la couleur jade du bâtiment le transforme en une belle lanterne japonaise.

– *Bibliothèque,* au niveau 3 (☎ 01-44-37-95-50).

– Le mercredi, *cérémonie du thé* traditionnelle, à 15h, dans le superbe *pavillon de thé* (niveau 5). Nombre de participants limité. *Résas :* ☎ 01-44-37-95-95. *Participation :* 8 €.

🏃 *L'étonnante église orthodoxe Saint-Séraphin* (plan couleur C2) : 91, rue Lecourbe, 75015. Ⓜ Sèvres-Lecourbe ou Volontaires. On peut la visiter avt ou après les offices (sam à 18h, dim à 10h). Un bon créneau : sam 16h-18h. Dédiée au culte orthodoxe russe, elle ne se devine pas de l'extérieur. Il faut franchir le porche pour découvrir cette pittoresque église en bois qui reprend toutes les caractéristiques des églises orthodoxes traditionnelles et qui est traversée par un arbre. Celui-ci rappelle que saint Séraphin, patron du lieu, passa une grande partie de sa vie en pleine forêt.

15ᵉ

> ▶ Pour les plans nord et sud du 16ᵉ arrondissement, voir le cahier couleur.

On l'aime beaucoup, cet arrondissement, 16ᵉ du nom. D'abord parce que c'est l'un des plus exotiques de la capitale, enclavé entre le bois de Boulogne (c'est toujours Paris) et la Seine. La population qui l'habite fréquente des lieux que l'on nomme « pâtisseries » après avoir, le dimanche matin, assisté dans la tenue locale (bleu marine ou vert loden) à une messe, souvent en compagnie de « bon-papa ». Dépaysement assuré, donc. Et c'est aussi un formidable lieu de balade, au relief accidenté, ponctué de nombreuses villas 1900 et d'immeubles Art déco ou d'ensembles cossus transpirant la prospérité. On y trouve de surprenantes constructions, telle la Maison de Radio France, tellement années 1960, ou l'ensemble architectural très Allemagne années 1930 du Trocadéro et celui, plus mussolinien, du musée d'Art moderne de la Ville de Paris... Mais l'offre culturelle du 16ᵉ est exceptionnelle : musées de l'Homme (fermé jusqu'en 2015) et de la Marine, Cité de l'Architecture et du Patrimoine, musée de la Mode, palais de Tokyo, musées Guimet, Marmottan-Monet, Dapper. Pas le temps de s'y ennuyer, donc. Et les amateurs d'exploits sportifs – en dehors des adeptes du polo, qui se fréquentent à Bagatelle... – ont toujours le loisir d'aller vivre leur passion, qui à Roland-Garros, qui au parc des Princes. Et ça, c'est populaire, non ?

Où dormir ?

Bon marché

⚹ *Camping Indigo Paris* (hors plan couleur nord par A1, **1**) : 2, allée du Bord-de-l'Eau, 75016. ☎ 01-45-24-30-00. ● paris@camping-indigo. com ● camping-indigo.com ● Ⓜ Porte-Maillot. Bus n° 244 arrêt Camping, Les Moulins (6h-21h). ♿ À 3 km à pied du métro Porte-Maillot. Service de navettes tte l'année mat et soir (tte la journée juil-août et si forte affluence). Départs près de la bouche du métro (sortie n° 6) et de la station de bus. Pour les automobilistes, c'est bien indiqué à partir de la porte Maillot. Sachez qu'il est en bord de Seine et face aux terrains de Bagatelle, ça peut aider pour le trouver. Arrivée à partir de 15h. Résa vivement conseillée, et obligatoire juil-août. Selon saison, emplacement piéton tente 2 pers 12-20 €, avec un véhicule (voiture ou motorhome) 24,90-36,20 €. 495 emplacements. Également 58 mobile homes neufs ou récents 87-138 € et 17 roulottes 87-127 € pour 4 pers. ▭ 🛜 TV. Parking. Réservé aux provinciaux et aux étrangers, l'unique camping de la capitale est ouvert toute l'année. Un mois de séjour maximum. Bon équipement proposant cabines téléphoniques, accès sécurisé, supérette, laverie, espace enfants, ping-pong, billetterie, bar et restaurant. Plusieurs gammes de mobile homes, de belles roulottes très cosy, et d'emplacements. Un camping de bon confort et bien tenu quoique bruyant (en bordure de route) et pas très bien ombragé. Accueil efficace et souriant.

Prix moyens

🛏 **Hôtel Ribera** *(plan couleur sud C1, 11) :* 66, rue La Fontaine, 75016. ☎ 01-42-88-29-50. ● *hotel.ribera@ wanadoo.fr* ● *hotel-ribera.fr* ● Ⓜ *Jasmin. Doubles 90-135 € selon confort et saison ; petit déj 9 €. 📶 TV. Satellite.* Ce petit hôtel convivial propose des chambres rénovées dans un style actuel plutôt cosy, à des prix très intéressants hors saison. Bon entretien général et équipements très convenables. Préférer celles sur rue, bien plus claires. Bon accueil, sympathique et arrangeant.

🛏 **Hôtel Boileau** *(plan couleur sud B3, 6) :* 81, rue Boileau, 75016. ☎ 01-42-88-83-74. ● *info@hotel-boileau. com* ● *hotel-boileau.com* ● Ⓜ *Exelmans ou Porte-de-Saint-Cloud.* ♿ *Doubles 65-150 € selon confort et saison ; petit déj 10,50 €. 📶 TV. Câble. Parking payant. Un petit déj/chambre par séjour offert sur présentation de ce guide.* Ce charmant hôtel propose des chambres de goût, tout confort et bien tenues. Notre préférence va à la nº 222, calme et décorée d'estampes. Toutes sont différentes. Atmosphère « lumière tamisée, tableaux anciens et beaux objets dans les parties communes » pour cette adresse bien plaisante. Salles de bains modernes et salle du petit déjeuner ouvrant sur un petit patio fleuri. Accueil délicieux.

🛏 **Hôtel Exelmans** *(plan couleur sud B2, 7) :* 73, rue Boileau, 75016. ☎ 01-42-24-94-66. ● *exelmans@ escapade-paris.com* ● *hotelexel mans.com* ● Ⓜ *Exelmans. Doubles 49-129 € selon confort et saison ; familiales 89-189 € ; petit déj-buffet 10 €. 📶 TV. Satellite. Parking sur demande 20 € (résa obligatoire : slt 1 place).* Petit hôtel tranquille en cours de rénovation. Ce qui signifie que seules les chambres supérieures valent la peine (joliment aménagées, et très

agréables lorsqu'elles donnent sur le jardin). Éviter en revanche les standard pour le moment : tristes, vétustes et peu engageantes. Excellent accueil.

Chic

🛏 **Hôtel Résidence Chalgrin** *(plan couleur nord C1, 13) :* 10, rue Chalgrin, 75016. ☎ 01-45-00-19-91. ● *residencechalgrin@yahoo.fr* ● *hotel-chalgrin.com* ● Ⓜ *Argentine ; RER A : Charles-de-Gaulle-Étoile. Doubles 101-135 € selon confort et saison ; petit déj 9 €. 📶 TV. Satellite.* Des tarifs imbattables dans ce quartier huppé. Une ambiance feutrée et conviviale règne dans ce petit hôtel intimiste où séjourna Anatole France. Les parties communes, décorées de toile de Jouy et meublées d'ancien, donnent immédiatement le ton. Les chambres, rénovées et toutes de taille et de style différents, sont de véritables petits nids d'amour ! Donnant sur une petite rue étroite, elles sont bien tranquilles mais souffrent parfois d'un manque de luminosité. Accueil charmant.

🛏 **Hôtel Ambassade** *(plan couleur nord C2, 5) :* 79, rue Lauriston, 75016. ☎ 01-45-53-41-15. ● *paris@hotel ambassade.com* ● *hotelambassade. com* ● Ⓜ *Boissière ou Victor-Hugo. Doubles 130-167 € selon confort et saison ; petit déj-buffet 16 €. Tarif négociable en basse saison. 📶 TV. Canal +. Satellite. 10 % sur le prix de la chambre (janv-fév, 15 juil-31 août et 16 nov-27 déc) sur présentation de ce guide.* Petit hôtel discret et fort convenable. Chambres petites, surtout les salles de bains, mais bien équipées et avec tout le confort (ascenseur, clim, sèche-cheveux, minibar...). Un bon rapport qualité-prix pour le quartier.

Plus chic

🛏 **Hôtel Nicolo** *(plan couleur nord B3, 9) :* 3, rue Nicolo, 75016. ☎ 01-42-88-83-40. ● *hotel.nicolo@wanadoo. fr* ● *hotel-nicolo.fr* ● Ⓜ *Passy ou La Muette. Ouv 24h/24. Résa conseillée. Doubles 173-225 € selon saison, petit déj inclus. 📶 TV. Câble. Parking payant.* Au fond d'une cour

16ᵉ

d'immeuble bourgeois, une découverte que ce discret et calme hôtel parfaitement entretenu. L'entrée, pleine de cachet, et la déco rappellent le voyage. Des chambres élégantes et personnalisées, dotées d'un beau mobilier. Coloré et fleuri, aux jolis objets répartis ici et là, l'hôtel charme par son intimité. Dans la cour, terrasse paisible et agréable.

🛏 *Hôtel Gavarni (plan couleur nord C3, 10) :* 5, rue Gavarni, 75016. ☎ 01-45-24-52-82. ● *reservation@ gavarni.com ● gavarni.com ●* Ⓜ *Passy. Doubles 180-210 € selon saison ; petit déj-buffet 15 €.* 📶 *TV. Satellite.* Caché dans une rue tranquille, cet hôtel concentre charme, gentillesse et bon goût. Les chambres, quoique petites, sont modernes (écran plasma, salle de bains élégantes...) et ont su conserver le côté Art déco des lieux. Couleurs patinées, tissus raffinés et déco fleurie, chaque chambre a son propre cachet... Avec une équipe jeune et accueillante, l'hôtel est engagé dans une démarche d'écotourisme citadin et a été distingué par l'Écolabel européen ; chapeau bas ! Une adresse qui a tout d'un nid d'amour...

🛏 *Queen's Hotel (plan couleur sud B1, 2) :* 4, rue Bastien-Lepage, 75016. ☎ 01-42-88-89-85. ● *info@ hotel-queens-hotel.com ●* hotel-queens-hotel.com ● Ⓜ *Michel-Ange-Auteuil. Résa conseillée (1 mois à l'avance). Doubles 127-189 € selon* confort et saison ; petit déj 10 €. 📶 *TV. Câble.* Prestations de qualité pour cet hôtel de charme aux chambres aménagées avec goût, portant le nom d'un peintre contemporain dont une œuvre se trouve exposée à l'intérieur. Dix-sept chambres climatisées, dont 7 avec baignoire balnéo (les plus chères). Certaines possèdent un petit balcon, et celles du dernier étage sont légèrement mansardées. Accueil disponible et souriant.

🛏 *Hôtel Windsor Home Paris (plan couleur nord B3, 4) :* 3, rue Vital, 75016. ☎ 01-45-04-49-49. ● *whparis@ wanadoo.fr ● windsorhomeparis.fr ●* Ⓜ *Passy, La Muette ou Trocadéro. Doubles 105-330 € selon confort et saison ; petit déj 15 €. Promos sur Internet tte l'année.* 📶 *TV. Un petit déj/chambre ou café offert sur présentation de ce guide.* Cette jolie maison en meulière de 1930 est une escale sereine idéalement située. Huit vastes chambres de caractère, confortables, élégamment et toutes différemment meublées (certaines disposent encore d'une cheminée ou d'un poêle). Un charme empreint de bourgeoisie qui rappelle que le 16e arrondissement était déjà la campagne ! Dans la courette ombragée, au pied du perron, possibilité de prendre le petit déj quand il fait beau. Accueil doux et agréable du propriétaire, plein d'attentions pour le bien-être de ses hôtes. Une adresse insolite.

Où manger ?

Sur le pouce

🍴 *Joséphine (plan couleur nord D2, 19) :* 69, av. Marceau, 75016. ☎ 01-47-20-49-62. ● *contact@ josephine-boulangerie.com ●* Ⓜ *Charles-de-Gaulle-Étoile. Ouv tlj sf sam-dim 8h-20h. Service déj 12h-14h30. En continu ; pour le salon de thé. Entrée 9 €, plat 14,50 €, dessert 6 €, café gourmand 5,10 €. Café offert sur présentation de ce guide.* La célèbre boulangerie-pâtisserie de l'Étoile a ouvert un resto à des prix fort abordables. Tous les midis, le plat du jour change en mettant l'accent sur les bonnes recettes du terroir. Pour les fromages, on ne recule devant rien, car la sélection est assurée par le fameux Bordier. Question dessert, *Joséphine* est la reine. On peut hésiter devant la tarte au citron meringuée et les choux à la crème. Les indécis choisiront le plateau de pâtisseries. *Joséphine* est déjà notre copine. Bonne nouvelle pour les becs sucrés, *Joséphine Bakery* vient d'ouvrir dans le 6e (42, rue Jacob).

🍴 *Toques et Chefs (plan couleur sud B1, 20) :* 117, av. Mozart, 75016. ☎ 01-42-88-28-57. ● *contact@ toquesetchefs.fr ●* Ⓜ *Jasmin. Tlj sf dim, le midi slt, 11h-16h. Congés :*

3 premières sem d'août. En sem, formules 10-15,50 €, boisson comprise ; carte 16-18 €. Kir ou café offert sur présentation de ce guide. Voilà une bonne petite adresse, une aubaine qu'on se refile sous le sceau de la confidentialité tant les prix de ce traiteur restent sages pour le quartier et la cuisine irréprochable. Profitez des quelques tables pour savourer la formule salade (sandwich ou tarte salée) ou les spécialités régionales du menu qui comprend même un verre de vin. Un peu moins cher à emporter, sauf pour les vins, facturés aux mêmes prix.

Prix moyens

|●| **Honoré** (plan couleur sud B1, **23**) : 13, rue Bosio, 75016. ☎ 01-42-88-12-12. ● restaurant.honore@club.fr ● Ⓜ Michel-Ange-Auteuil. Tlj sf dim ; service 12h-14h30, 19h30-22h30 (23h ven-sam). Congés : Noël-2 janv. Menus du jour 18,50-24,50 € ; carte env 22 €. Apéritif maison ou digestif maison offert sur présentation de ce guide. Dans une rue discrète du quartier d'Auteuil, ce restaurant est une aubaine. Cadre chaleureux avec tables en bois, rondes pour certaines, et un bon feu de cheminée pour se ragaillardir dès les premiers frimas. Le menu du déjeuner n'offre pas de choix, mais il est irréprochable, et le prix aussi. Prix légers à la carte pour une qualité plutôt costaude et une présentation soignée. Belle cave à vins et nombreuses références au verre. Ambiance sympa, comme l'accueil.

|●| **L'Ogre** (plan couleur sud C1, **31**) : 1, av. de Versailles, 75016. ☎ 01-45-27-93-40. Ⓜ Mirabeau. Tlj sf sam midi et dim 12h-14h30, 20h-22h30. Carte env 35 €. Cet Ogre novateur dans le quartier a du style, de celui qu'on aime, décontracté et décomplexé. Le personnel de Radio France en a vite fait sa cantine : il n'a qu'à traverser la rue pour se jucher sur l'une des chaises hautes, le long de la baie vitrée. L'esprit fausse vieille patine est crédible, et le bar central convivial. Pas d'extravagances à l'ardoise, des bidoches qui font saliver les carnassiers, et des poissons qui se défendent bien. Bien vu, les vins de

propriétaires, servis à la ficelle pour certains (chers cependant). À signaler également, un authentique fumoir.

|●| **A&M** (plan couleur sud B3, **22**) : 136, bd Murat, 75016. ☎ 01-45-27-39-60. ● restaurantam@gmail.com ● Ⓜ Porte-de-Saint-Cloud. Tlj sf sam midi et dim 12h-14h30, 19h30-22h30. Congés : août. Menu 35 €. Dans ce quartier peu aguichant, A&M, restaurant lumineux et aéré, tranche par sa déco de bistrot discrètement contemporaine. La cuisine, plutôt sage, propose quelques embardées gustatives avec, par exemple, des sauces aux agrumes qui apportent parfois aux plats un zeste de fantaisie. Le menu, entre terre et mer, et d'un bon rapport qualité-prix, ne nous réduit pas à portion congrue. Présentation soignée. En dessert, ne pas manquer la mousse glacée au fenouil, coulis d'ananas à la cardamome. Épatant !

|●| **Le Bistrot 31** (plan couleur sud C1-2, **24**) : 31, av. Théophile-Gautier, 75016. ☎ 01-42-24-52-31. Ⓜ Église-d'Auteuil ou Mirabeau. Tlj sf dim-lun ; service 12h-14h30, 20h-23h. Résa conseillée le soir. Formule déj en sem 17,90 € ; carte env 35 €. Un restaurant à l'ambiance tamisée, où règne une atmosphère décontractée et amicale. Ici, une clientèle d'amis et du voisinage aime se faire plaisir sans trop se ruiner. La carte mise sur une bonne cuisine franco-italienne, faite de produits frais et de qualité, où se croisent de copieuses assiettes de jambon San Daniel (24 mois), un tartare de bœuf à l'italienne, des poissons frais grillés, un tiramisù maison... et de bons expressos ! À noter : des pâtes originales, un vrai repas à elles seules.

|●| **Le Petit Rétro** (plan couleur nord C2, **27**) : 5, rue Mesnil, 75016. ☎ 01-44-05-06-05. ● petitretro@orange.fr ● Ⓜ Victor-Hugo. Tlj sf dim. Congés : 3 sem en août. Menus 25-29 € le midi, 30-35 € le soir ; carte 40 €. Café offert sur présentation de ce guide. Un superbe bistrot classé des années 1900, à la belle faïence fleurie, aux grands miroirs et lampes globes. La clientèle gentiment bourgeoise ou d'affaires vient y savourer une cuisine de produits frais déclinée en de courtes suggestions. Pour le

reste, carte classique. Bon accueil de la nouvelle équipe.

De chic à plus chic

|●| *Metropolitain Restaurant* (plan couleur nord C2, **25**) : 10, pl. de Mexico, 75016. ☎ 01-56-90-40-04. ● info.eiffel.paris@radissonblu. com ● Ⓜ Trocadéro. Tlj sf dim-lun 12h-14h30, 19h-22h30. Menus 31 € (entrée + plat + dessert) le midi, 41 € le soir ; carte env 55 €. Parking rue Saint-Didier. Le Radison Blu Hotel a confié les cuisines de son restaurant, le *Metropolitan*, à Stéphane Pitré, ex-second de Jérôme Banctel chez *Senderens*, et c'est une bonne chose. Les ambitions et les audaces du chef réveillent ce quartier qui en a bien besoin... Les produits du marché et leur qualité emportent le choix exigeant du chef et viennent parfaire ses créations. Le cadre reposant enfin, chic et feutré, avec banquettes et cheminées, achève de nous convaincre !

|●| *Aux Marches du Palais* (plan couleur nord D2, **21**) : 5, rue de la Manutention, 75016. ☎ 01-47-23-52-80. ● lesmarchesdupalais.restaurant@gmail. com ● Ⓜ Iéna ou Alma-Marceau. Tlj sf w-e ; service 12h-14h30, 19h30-22h30. Formule déj 18 € ; carte 35-40 €. On a découvert un véritable lieu – caché dans une petite rue –, une bonne cuisine et un accueil chaleureux. Dans un cadre authentique de vieille brasserie dont la déco a été juste réveillée en respectant son « jus », un bel agencement faisant le reste, il y a du monde, mais on ne sature pas ! Dans

l'assiette, cuisine traditionnelle qui s'encanaille de l'envie de bien faire et de la créativité du chef. Produits frais et justes, cuissons exactes et parfumées. Belle carte des vins avec de belles « affaires ».

|●| *Tokyo Eat* (plan couleur nord D2, **29**) : 13, av. du Président-Wilson, 75016. ☎ 01-47-20-00-29. ● tokyoeat@ palaisdetokyo.com ● Ⓜ Alma-Marceau. ♿ Tlj 12h-1h ; service 12h-15h, 20h-23h30 (22h30 dim). Formule déj en sem « au poteau » (traduisez « à l'ardoise ») avec entrée 6 €, plat 12 € et dessert 6 € ; le soir, compter 30-40 €. Ce resto branché doit son nom à son emplacement, dans le palais de Tokyo. Franchissez le cap de la déco rétro-kitsch mais rigolote, à mi-chemin entre le hall de gare et l'hôpital. Carte sans grande surprise mais appétissante. L'art n'a pas de prix, mais faites quand même attention à l'addition, qui grimpe vite. Terrasse aux beaux jours.

|●| *Le Grand Bistro de la Muette* (plan couleur nord B3, **26**) : 10, chaussée de la Muette, 75016. ☎ 01-45-03-14-84. ● muette@bistrocie.fr ● Ⓜ La Muette. Tlj, du petit déj au dîner ; service resto 12h-14h30, 19h-23h30 ; salon de thé l'ap-m le w-e ; bar 22h30-1h. Menus 29 € (midi)-44 € ; carte env 50 €. Cadre élégant, carte bistrot-chic bien équilibrée, et assiettes qui révèlent un rapport qualité-prix très convenable pour le quartier. La grande baie sur la rue s'ouvre sur une terrasse plein soleil aux beaux jours. Et enfin, pour le tête-à-tête, une salle cosy plus intime.

Bars à vins

|●| ♟ *Les Caves Angevines, Chez Clarisse* (plan couleur sud B3, **35**) : 2, pl. Léon-Deubel, 75016. ☎ 01-42-88-88-93. Ⓜ Porte-de-Saint-Cloud. Tlj sf sam midi et lun 9h-16h, 19h-minuit ; service 12h-14h30, 19h-22h30. Formule déj en sem 25 € ; plats 14-24,50 € ; carte 30-35 €. Café offert sur présentation de ce guide. Casiers à bouteilles qui occupent une grande partie de l'espace disponible :

on se sent tout de suite à l'aise dans ce petit lieu convivial, à mi-chemin entre la cave de quartier et le bistrot des amis. Les habitués sont d'ailleurs légion à se partager les quelques tables et tabourets pour se régaler d'une cuisine de terroir toute simple et généreuse, faisant la part belle aux charcuteries et fromages, sans oublier les indéboulonnables andouillettes AAAAA et la côte de bœuf à l'os pour 2. Dans les verres, des vins de vignerons indépendants, pour ajouter un zest de bonne humeur à une ambiance déjà bon enfant et sans chichis.

|●| ♟ *Restaurant Les Échansons au musée du Vin Paris* (plan couleur nord C3, **36**) : rue des Eaux, 5, sq. Charles-Dickens, 75016. ☎ 01-45-25-63-26. ● contact@museeduvinparis.com ● Ⓜ Passy. ♿ Tlj sf dim-lun, le midi slt ; service 12h-15h. Congés : 21 déc-2 janv (musée fermé Noël et Jour de l'an). Menus 29,50-37 € ; dîner découverte 1 sam/mois 63 €. Apéritif maison offert sur présentation de ce guide. Au cœur du 16e, un musée du vin rue des Eaux ! Caves voûtées du XVe s, creusées dans l'argile de Chaillot par des frères qui cultivaient jadis la vigne ici. L'endroit est superbe, et les plats bien mitonnés, même si le restaurant est surtout prétexte à s'asseoir, bavarder vin avec ses voisins et déguster. Cinq à 8 vins sont proposés au verre, mais, par curiosité, jetez un coup d'œil sur la carte des vins (300 à 350 références), mais. Accès payant (7 € au lieu de 10 € sur présentation de ce guide) à la collection du musée en visite libre (non guidée, mais audioguides sur demande).

Cuisine d'ailleurs

Bon marché

|●| *Duret Mandarin* (plan couleur nord C1, **41**) : 34, rue Duret, 75016. ☎ 01-45-00-09-06. ● duret.mandarin@gmail.com ● Ⓜ Argentine ou Porte-Maillot. Tlj ; service 12h-14h15, 19h-22h45. Menus 12,50-14,80 € ; carte 20-25 €. Dans un quartier plus porté sur les Church's que sur les Pataugas, ce *Mandarin* fait office d'aubaine absolue. Et l'ambiance a beau être de temps à autre un peu morne, personne n'y prête vraiment attention. Ce qui compte, dans ce chinois familial, c'est l'accueil attentionné et les prix d'une extrême douceur. Midi et soir, il y a donc matière à sortir ses baguettes pour attaquer les bons raviolis vapeur, les cuisses de grenouille, les travers de porc rôtis, ou encore les crevettes sautées sel et poivre.

De prix moyens à chic

|●| *Noura* (plan couleur nord D2, **42**) : 27-29, av. Marceau, 75016. ☎ 01-47-23-02-20. ● noura@noura.com ● Ⓜ Alma-Marceau. Tlj 8h-minuit. Formules 9,90-12,75 € ; carte 20-30 €. Ne pas confondre avec le *Pavillon* du même nom, excellent au demeurant mais qui ne joue pas dans la même gamme de prix. Resto-snack libanais très fréquenté. Parmi les propositions à la carte, petite assiette de hors-d'œuvre (assortiment de 6 variétés) : taboulé, houmous, *loubié, moutabal,* falafel, *fatayel* ! Ou alors faites-vous plaisir avec le *chawarma* poulet-taboulé. Délicieuses pâtisseries. Quelques vins au verre. On peut aussi se contenter de sandwichs au comptoir ou à emporter.

|●| *Non Solo Cucina* (plan couleur nord A3, **45**) : 135, rue du Ranelagh, 75016. ☎ 01-45-27-99-93. Ⓜ Ranelagh. Tlj sf dim-lun 12h-14h30, 19h30-23h. Congés : août et 1 sem en déc. Formules déj 26-31 € ; carte 55-65 €. L'addition grimpe vite, et la carte des vins au verre tape fort dans cette enclave sicilienne à deux encablures des très chic jardins du Ranelagh. Mais les plats du jour déclinés en italien, à l'ardoise ou dans la judicieuse formule du déjeuner, se révèlent une belle affaire avant une balade digestive. Très fréquenté par les costards-cravates du quartier ; l'accueil est aussi authentique que pro et chaleureux.

Où boire un thé ? Où prendre un bon goûter ?

🍵 🏷 *Yamazaki* (plan couleur nord B3, **50**) : 6, chaussée de la Muette, 75016. ☎ 01-40-50-19-19. Ⓜ La Muette. Tlj 8h-19h. Fermé 1er janv et 1er mai.

Sandwichs à partir de 4,20 € à emporter, 4,70 € sur place ; pâtisseries à partir de 4,80 € à emporter, 5,30 € sur place. Une boutique chic et choc avec de beaux sandwichs au pain de mie ou au pain nordique si moelleux. Ici, vous serez accueilli en français, et vous vous attablerez pour une des plus agréables pauses sucrées ou salées du coin. Toutes sortes de thés pour accompagner ce qui fait avant tout la réputation de cette enseigne nipponne : les *matsuris* fraise-chantilly. Petits choux, jolis macarons et granité au thé vert l'été pour les connaisseurs. Ainsi que les fameux « chiffons cakes » et cakes vapeur allégés en sucre et en matières grasses, au thé vert, à la vanille, aux fruits rouges et au fromage.

🍵🍃 **Thé Cool** *(plan couleur nord B3, 51)* : 10, rue Jean-Bologne, 75016. ☎ 01-42-24-69-13. Ⓜ *Passy* ou *La Muette. Tlj 12h-19h. Congés : août. Menu 19 €. Café offert sur présentation de ce guide.* Un lieu douillet, ensoleillé, avec une terrasse agréable donnant sur le clocher de l'église du « village », pour avaler une salade fraîcheur et un cake pas si bête que ça... Le must : le gâteau au fromage blanc maigre, pour celles et ceux qui veulent garder le ventre plat. Au déjeuner, menus « Santé » ou « Light » bien composés pour garder la forme et la ligne. Terrasse chauffée en hiver.

🍽🍵 **Carette** *(plan couleur nord C2, 52)* : 4, pl. du Trocadéro, 75016. ☎ 01-47-27-98-85. Ⓜ *Trocadéro. Tlj ; service continu 7h-minuit. Tarifs pour plats à emporter : sandwichs 4,50-8 € ; clubs-sandwichs 9-12 € ; superbes macarons 5 € l'unité.* Terrasse, petits rideaux, petites lampes sur les tables... Vieilles cloches, tables en bambou sur la terrasse. Murs roses, mamies roses, serveuses roses. Plutôt que de regarder la place du Trocadéro et les voitures qui passent, mettez-vous face à l'entrée et à la vitrine, à la déco gratinée, qui change au fil des saisons. Hors d'âge, mais canapés, sandwichs et pâtisseries sont, eux, d'une grande fraîcheur.

Où manger une glace ?

🍦 **Pascal le Glacier** *(plan couleur nord B3, 55)* : 17, rue Bois-le-Vent, 75016. ☎ 01-45-27-61-84. Ⓜ *La Muette. Tlj sf dim-lun 10h30-19h. Congés : août. Pot double (mais un seul parfum par pot) 4 € ; pot d'un demi-litre 14 €.* Pascal Combette ne travaille que des fruits de grande qualité, n'utilise que de l'eau minérale et arrête la production de certains parfums quand il ne trouve pas les fruits à la hauteur de son exigence. Ses sorbets (orange sanguine, mirabelle, mangue...) nous font frissonner de bonheur. Côté glaces, sa vanille de Tahiti et son sorbet cacao vous rendront givré !

Où boire un verre ?

🍸 **La Gare** *(plan couleur nord A-B3, 60)* : 19, chaussée de la Muette, 75016. ☎ 01-42-15-15-31. • la.gare@groupe-bertrand.com • Ⓜ *La Muette ; RER C : Boulainvilliers. Tlj 12h-23h30. Sodas 5,50-8 € ; cocktails 12-15 €.* Une ancienne gare qui joue les belles ferroviaires ! La salle des pas perdus a judicieusement été transformée en bar, où une jeunesse bien comme il faut aime siroter de très bons cocktails. La déco a entièrement été repensée avec des incursions vers les Tropiques. À l'arrière, belle terrasse au calme et dans la verdure, vraiment agréable pour se prélasser au soleil. Les voies et ballast au sous-sol sont devenus un resto. Vraiment joli avec ses airs de campagne chic.

🍸 **Sir Winston** *(plan couleur nord D1, 61)* : 5, rue de Presbourg, 75016. ☎ 01-40-67-17-37. • sir-winston@wanadoo.fr • Ⓜ *Charles-de-Gaulle-Étoile ou Kléber. Tlj sf dim-lun 9h-4h. Cocktails 10-13 € et large gamme de whiskies à prix variables.* À une enjambée de l'Étoile, un pub à l'élégance très british et baroque, tendance cosy-intimiste-tamisée. Grand bouddha à l'accueil. Des bougies éclairent les visages de jeunes B.C.B.G. très ouest-parisiens qui posent dans de gros fauteuils bien confortables. DJ ou concerts du mercredi au samedi.

🍸 *Le Comptoir de l'Arc* (plan couleur nord D2, **62**)**:** 73, av. Marceau, 75016. ☎ 01-47-20-72-04. ● cler@ wanadoo.fr ● Ⓜ George-V. Lun-ven

7h-1h ; service resto en continu 11h-23h. Cocktails à partir de 6 €. Salades 9-10 €, plats 10-12 €. À deux pas des Champs-Élysées surpeuplés, cette vieille brasserie connaît une cure de jouvence ! De fait, sa situation stratégique, ses prix doux et son ambiance souriante attirent les 20-35 ans pétillants pour déguster une salade ou pour boire un verre avant le cinéma.

À voir

AUTEUIL

À une époque où Haussmann n'avait pas encore défiguré le quartier, on allait au village d'Auteuil pour se mettre au vert, comme firent Chateaubriand, Victor Hugo ou les Goncourt. Il subsiste de cet ancien village quelques auberges, de sereines villas qui abritent quelques poignées de chanceux, un jardin, et l'atmosphère champêtre des jours de marché.

🎭🎭 *La rue La Fontaine* (plan couleur sud B-C1) **:** Ⓜ *Michel-Ange-Auteuil.* On y trouvait une source qui alimentait tout le village d'Auteuil. Les eaux d'Auteuil furent découvertes en 1628 par Habert. Cependant, ces eaux, dont les sources furent nombreuses, n'eurent jamais la réputation de leurs voisines de Passy. C'est un festival d'immeubles d'Hector Guimard (1868-1942) et de son style nouille. Au n° 14, le fameux *Castel Béranger,* achevé en 1898, surnommé aussitôt le Dérangé. Immeuble primé au concours de façades de la Ville de Paris. Le moins que l'on puisse dire, c'est que l'on ne sent pas l'austérité : pastis de pierre meulière, d'acier, de fer forgé, vitraux, tons vert pâle. Il fut conçu à l'époque comme un « bâtiment économique » (sans salles de bains). Fantaisies dans les chambranles, plinthes dessinées, boutons de porte (beaucoup ont été volés). Au n° 17, la minuscule façade en boiserie rouge du *Café Antoine,* demeurée dans l'état depuis 1911. Un charme authentique du début du XXe s. Angle rue Agar (même la plaque de rue est Art nouveau) : rarissime rue en T, offrant tout un bloc de maisons conçues par Guimard (1910). Là encore, même les gouttières sont décorées. Retour rue La Fontaine ; au n° 60 un petit hôtel particulier, l'*hôtel Mezzara,* construit par Guimard pour un industriel du textile vénitien, créateur de dentelles ; dentelle que l'on retrouve dans la pierre, le verre et la fonte ; des proportions atypiques dans un environnement d'immeubles, et une façade aux ouvertures de multiples dimensions qui ne manque pas d'intérêt ; le bâtiment abrite un foyer et on ne peut malheureusement pas voir l'intérieur, c'est bien dommage ; au n° 96, emplacement de la maison natale de Proust. Au n° 65, à l'angle de la rue du Général-Largeau : studio-building tout à fait spectaculaire en céramique polychrome de Sauvage (ami de Guimard), datant de 1926.
Que ceux qui s'intéressent de près à l'Art nouveau s'offrent la superbe visite de la collection Art nouveau de Pierre Cardin chez *Maxim's* (voir texte dans le 8e arrondissement).

🎭🎭 Presque à l'intersection des rues Boileau et Molitor, prenez à droite, pour découvrir un petit bijou, la *villa Molitor,* 10, rue Molitor et rue Chardon-Lagache (les deux entrées sont fermées par des digicodes, mais la chance peut vous sourire...). Absolument charmante et quasi intacte depuis son ouverture en 1837. L'une des plus prestigieuses du 16e arrondissement, qui a accueilli un certain nombre de stars, dont Hallyday. La voie, bordée d'arbres, s'enroule autour d'un lampadaire, fait sa place, avant de ressortir au 10, rue Molitor. Des hôtels particuliers bien sûr, entourés de jardins, du lierre toujours, des balustrades et une véranda au n° 10. Si vous passez au mauvais moment et que Sésame ne s'ouvre pas, rattrapez-vous à la *villa Boileau*, rue Molitor, de l'autre côté de la rue Boileau. Bien plus petite et moins tape-à-l'œil, mais elle a le mérite d'être accessible à tout un chacun. Belles villas, certaines en brique et d'autres en pierre, toutes avec un petit bout de jardin. Au 16, rue Chardon-Lagache, bel immeuble, Art déco celui-ci ; la façade sculptée sur quatre niveaux illustre les travaux des champs.

🎥🎥🎥 *Le hameau Boileau* (plan couleur sud B2-3) : 38, rue Boileau, 75016. L'un des plus typiques de ce quartier. On n'a pas du tout l'impression d'être à Paris quand on a la chance de pouvoir y entrer (eh oui ! l'entrée est protégée par un code...) ! Dédale de petites avenues bordées de maisons plus ou moins cossues, certaines avec de très beaux jardins. Il y en a même une, avenue Despreaux, dissimulée derrière un rideau de bambous géants ! Ici aussi, quelques glycines de-ci de-là. Si vous ne parvenez pas à entrer, profitez au moins de la *rue Boileau*. C'est l'ancienne rue des Garemortinnes, où gambadaient les lapins. Au n° 67, Gustave Eiffel avait installé son laboratoire aérodynamique.

🎥🎥 🚶 *Le jardin des serres d'Auteuil* (plan couleur sud A2) : 1 bis, av. de la Porte-d'Auteuil et 1, av. Gordon-Bennett, 75016. ☎ 01-40-71-74-62. Ⓜ Porte-d'Auteuil. Fin oct-fin fév, tlj 8h (9h w-e)-17h ; mars et oct, jusqu'à 18h30 ; avr et sept, jusqu'à 19h30 ; mai-août, jusqu'à 20h30. GRATUIT. Visites guidées également, sur résa sur ● paris.fr ● Jardin botanique de la Mairie de Paris. On peut y admirer des collections de plantes toute l'année (orchidées, azalées, cactus...). À l'extérieur, quelques arbres remarquables, dont un arbousier, un érable à sucre et un ginkgo biloba... Les serres ont été construites à la fin du XIXe s sur les anciennes pépinières de Louis XV, dans le dessein de favoriser la croissance des plantes destinées à la ville de Paris. Nostalgie assurée et ambiance des tropiques garantie, surtout dans la serre principale, le *palmarium,* et dans sa voisine, la *serre équatoriale.* Ce sont les deux serres les plus importantes par leur volume et par la taille des plantes.

🎥 *Le jardin des Poètes* (plan couleur sud A2) : av. du Général-Sarrail, 75016. Ⓜ Porte-d'Auteuil. Jouxte les serres. Tlj 9h-17h. Il abrite, entre autres, le buste de *Victor Hugo* par Rodin, et des jeux pour les enfants.

🎥🎥 *La villa Montmorency* (plan couleur sud B1) : entrée principale au 12, rue Poussin, 75016. Ⓜ Porte-d'Auteuil. Ah ! que voilà un bel exemple de villas bien gardées ! À vous de jouer fin pour entrer ! Merveilleuse petite cité de 80 villas. Émile Pereire l'installa dans les jardins du château de Boufflers, qu'il avait racheté pour boucler le chemin de fer de la ceinture de Paris. L'idée était de protéger une forme idéale de logement de plaisance. Le cahier des charges était draconien pour en sauvegarder l'aspect original. On ne badine donc pas avec le règlement intérieur : toutes les maisons doivent obligatoirement avoir un jardin, aucun commerce dans l'enceinte, interdit « aux dames de mauvaise vie d'y posséder une villa et d'y exercer leur art ». Sarah Bernhardt, Victor Hugo, Henri Bergson et André Gide habitèrent ces six grandes avenues.

🎥 *La rue Pierre-Guérin* (plan couleur sud B1) : il faut absolument remonter cette impasse aux pavés disjoints, à partir de la rue de la Source. Elle nous fait basculer dans l'autre siècle, en plein village. Du temps où les vignes recouvraient encore le côté est. L'aspect « rue de village » nous sort complètement de Paris. Presque pas de voitures. Les hôtels particuliers, à gauche, font encore partie de la villa Montmorency. Le portail vert, avec le panneau « Chien méchant », est le seul souvenir du petit hôtel Youssoupov, le prince russe qui tua Raspoutine.

🎥🎥 *La Fondation Le Corbusier – Maison La Roche* (plan couleur sud B1) : 8-10, sq. du Docteur-Blanche, 75016. ☎ 01-42-88-41-53. ● *fondationle corbusier.fr* ● Ⓜ Jasmin. Lun-sam 10h (13h30 lun)-18h. Fermé dim et j. fériés.

Congés : 11-17 août et Noël-1er janv. Entrée : 8 € ; 5 € étudiants et sur présentation de ce guide ; réduc ; gratuit moins de 14 ans. Intéressant fascicule de visite. Visite guidée mar à 11h (résa nécessaire : ● reservation@fondationlecorbusier.fr ●). Billet couplé avec l'appartement-atelier (voir ci-dessous) : 12 €. Charles-Édouard Jeanneret Gris, dit Le Corbusier, est sûrement l'un des précurseurs de l'architecture et de l'urbanisme modernes. Ses cinq points : pilotis, toit-jardin, plan libre, fenêtre en longueur et façade libre. Depuis le décret du 11 juillet 1968, la Fondation est installée dans les villas La Roche et Jeanneret, œuvres du maître (1923), qui lui a légué l'ensemble de ses biens. La première villa (celle que l'on visite) fut construite pour le banquier suisse Raoul La Roche (Le Corbusier fut suisse avant de se faire naturaliser français). Vastes espaces sobrement meublés aux couleurs étudiées, puits de lumière et larges baies surélevées, reconstruction des volumes... Un bel exemple de la recherche de l'architecte, avec des éléments qu'il utilisera ultérieurement dans d'autres projets (les rampes courbes, entre autres). Le tout très novateur pour l'époque. Curieusement, alors que toute la maison a l'électricité, le monte-plat entre la cuisine au rez-de-chaussée et l'office au 1er étage fonctionne à la force des bras, avec une corde ! Un regret : le toit-jardin, grande spécialité de Le Corbusier, reste inaccessible en toute saison. L'autre villa, mitoyenne, abrite un centre de documentation *(ouv au public sur rdv 13h30-18h – 17h ven).* Le Corbusier affectionnait aussi la peinture, mais ce sont surtout des élèves architectes que vous croiserez sur place.

🏃🏃 **L'appartement-atelier de Le Corbusier** *(plan couleur sud A2) :* 24, rue Nungesser-et-Coli, 75016. ☎ 01-42-88-75-72. ● reservation@fondationlecorbusier.fr ● Ⓜ *Porte-d'Auteuil ou Michel-Ange-Molitor. Sam 10h-13h, 13h30-17h. Résa obligatoire. Entrée : 8 €. Billet couplé avec la maison La Roche (voir ci-dessus) : 12 €.* Situé sur les deux derniers niveaux de l'immeuble Molitor, il a été conçu et réalisé entre 1931 et 1934 par Le Corbusier et Pierre Jeanneret. Ce fut également l'atelier de peinture de Le Corbusier, activité qu'il exerça quotidiennement toute sa vie.

🏃🏃 **La rue Mallet-Stevens** *(plan couleur sud B1) :* remonter la rue du Docteur-Blanche et tourner à droite. L'ensemble des maisons de la rue a été construit par l'architecte cubiste Mallet-Stevens. Énormément de végétation. Dans la rue, deux cèdres gigantesques. Les réalisations les plus intéressantes sont visibles aux nos 4, 6, 7, 10 et 12.

🏃🏃 **La villa Beauséjour** *(plan couleur nord A-B3) :* 7, bd Beauséjour, 75016. Ⓜ *La Muette. Accès libre.* Unique ! Au n° 7, les fondateurs de la villa avaient élu leur domicile. Sur la gauche, maison dans le style néoclassique, de 1927, avec trois portes-fenêtres. Au fond de l'allée sur la droite, loin de la rumeur comme on dit, se cachent quatre chalets, avec rondins de bois et frises sur un soubassement de brique. Le dernier au fond, le n° 6, est entièrement en bois. Il s'agit d'isbas russes construites pour l'Exposition universelle de 1867 afin de présenter les produits russes, puis remontées ici. Elles ont été inscrites à l'Inventaire des Monuments historiques en 1992, 20 ans après l'échec d'un projet de construction d'un immeuble de neuf étages sur le site ! On joue souvent du piano le soir, au fond des villas en bois, quand ce ne sont pas les oiseaux qui y chantent. Mme Récamier et Chateaubriand eurent ici leur maison de campagne, à l'époque où tout ce quartier n'était qu'un vaste parc.

🏃🏃🏃 **Le musée Marmottan-Monet** *(plan couleur nord A3) :* 2, rue Louis-Boilly, 75016. ☎ 01-44-96-50-33. ● marmottan.fr ● Ⓜ *La Muette ;* RER C : Boulainvilliers. Bus nos 22, 32, 52, 63 et PC. Tlj sf lun 10h-18h (fermeture des caisses à 17h30 ; nocturne jeu jusqu'à 20h). Fermé 1er janv, 1er mai et 25 déc. Réservez vos billets en accès prioritaire en magasin et sur ● fnac.com ● Entrée : 10 € ; tarif réduit : 5 € ; gratuit moins de 7 ans. Audioguide (3 €) pour les collections permanentes et pour les expositions temporaires.*

16e

Le ravissant hôtel particulier de l'historien d'art Paul Marmottan contient des collections très diverses des périodes médiévales, du XIXe s et du début du XXe s. Mais son plus grand intérêt vient d'un ensemble exceptionnel d'œuvres impressionnistes, notamment de Monet et de Berthe Morisot.

– **Au rez-de-chaussée :** présentation des collections Empire réunies par Paul Marmottan, propriétaire de l'hôtel particulier et fondateur du musée. L'imposant *Portrait de la duchesse de Feltre et de ses enfants* de Fabre, les différents portraits de l'empereur Napoléon et de son entourage, ou encore cette étonnante pendule géographique de Sèvres forcent l'attention. La salle à manger se distingue de cet ensemble à travers le mariage du décor conçu par Paul Marmottan et l'exposition de quelques œuvres impressionnistes remarquables (une *Baigneuse* de Renoir, *Les Boulevards extérieurs* de Pissarro, le magnifique *Bouquet de fleurs* de Gauguin...) issues de legs et de donations qui se sont succédé.

– **Au 1er étage :** l'exceptionnelle collection d'enluminures de Daniel Wildenstein est accompagnée de sculptures parmi lesquelles on remarque des statuettes malinoises en bois doré et polychromé du XVe s, et de tableaux des primitifs flamands, allemands et italiens. Voir aussi *L'Assomption de la Vierge* du Maître de Cesi, retable du XIIIe s, et *Le Christ en croix* d'Albrecht Bouts. Sont également présentées les œuvres de la collection Denis et Annie Rouart (le petit-fils de Berthe Morisot et son épouse, qui vécurent dans le souvenir de l'artiste), grâce à qui le musée accueille le premier fonds mondial d'œuvres de leur aïeule, Berthe Morisot, épouse du frère de Manet et figure féminine emblématique des impressionnistes. Elle participa à pratiquement toutes les grandes expositions impressionnistes et recevait régulièrement chez elle Manet, Degas, Renoir... Ses aquarelles, où elle joue avec les lumières, donnant des effets de transparence, sont d'une grande fraîcheur ; regarder le *Jardin à Bougival* ou *Les Roses trémières.* Les portraits d'enfants (principalement de Julie, sa fille), souvent mystérieux, et la nature occupent une grande place dans son œuvre.

– Mais on a gardé le meilleur pour la fin : le **sous-sol** et ses splendides Monet. D'abord, les œuvres les plus anciennes et, en premier lieu, *Impression soleil levant* (1872-1873). Ce tableau permit à un critique méprisant d'affubler le mouvement du qualificatif d'« impressionniste ». Ici, le port du Havre est suggéré par des teintes évanescentes et des fondus. Le chef-d'œuvre, volé en 1985, fut récupéré en Corse en 1990 ; la police n'a jamais voulu dire comment elle avait retrouvé le tableau. Autres toiles remarquables : *Promenade à Argenteuil,* au milieu d'un champ de fleurs qu'aimait tant l'artiste ; *Le Pont de l'Europe, gare Saint-Lazare* (1877), appartenant à une série de 12 œuvres consacrées à cette gare. Ce seront les dernières œuvres de l'artiste sur des sujets de la vie contemporaine. Deuxième sous-partie de l'ensemble Monet, la série consacrée aux *Saules pleureurs* et au *Pont japonais.* Il y a ici une interaction complète avec la nature : le coloris est puissant, reflétant l'inquiétude intérieure de l'artiste. Et, pour finir, dans une salle circulaire où de nombreux bancs permettent de rester longuement devant les œuvres pour mieux s'en imprégner, ce festival d'iris, de roses, d'agapanthes et de magnifiques nymphéas, incroyable exubérance de couleurs, peints tout à la fin de sa longue vie, alors qu'il était presque aveugle.

PASSY

🎭🎭🎭 *La maison de Balzac* (plan couleur sud D1) **:** 47, rue Raynouard, 75016. ☎ 01-55-74-41-80. ● *balzac.paris.fr* ● Ⓜ *Passy* ou *La Muette* ; RER C : Boulainvilliers ou Avenue-du-Président-Kennedy. Tlj sf lun et j. fériés 10h-18h. GRATUIT. Audioguide : 5 €. Expos temporaires régulières payantes. Organise aussi des parcours-promenades, des visites-conférences, des séances de contes et des visites-animations (à partir de 6 ans). Jardin interdit aux chiens, même en laisse.

Balzac vécut pendant 7 ans dans cette maison sous le pseudonyme de « M. de Breugnol » afin d'échapper à ses créanciers. Il fuyait les plus perspicaces par la porte cochère donnant sur la cour vers la rue Berton. « Je tiens à une maison calme, entre cour et jardin, car c'est le nid, la coque, l'enveloppe de ma vie. » Une vie terriblement occupée, puisque c'est dans son cabinet de travail que Balzac corrigea et compléta *La Comédie humaine,* qui compte environ 2 500 personnages.

On peut voir dans cette maison un certain nombre de portraits sculptés, des estampes et quelques objets personnels, comme la cafetière à ses initiales, où il gardait au chaud son « excitant moderne », le café, ou la fameuse canne « à ébullition de turquoise » offerte par la non moins fameuse Mme Hanska. De nombreuses œuvres inspirées à des artistes contemporains ou du XXᵉ s (Picasso, Pierre Alechnisky, Louise Bourgeois...) témoignent de la vitalité de l'universalité de *La Comédie humaine.* Ce n'est qu'après 18 ans d'échanges épistolaires assidus que la relation passionnée avec Mme Hanska se termina par un mariage. Les lettres revêtent une importance capitale, puisqu'elles sont à la fois un élément autobiographique et une aide précieuse pour la compréhension de *La Comédie humaine.* L'œuvre de Balzac est colossale, la capacité de travail de l'écrivain est stupéfiante : 35h en 2 jours ! La salle des manuscrits, accessible, montre les textes que Balzac ne cesse de retoucher. Incroyable, car aujourd'hui il n'aurait jamais trouvé un éditeur pour accepter ça...

Dans la salle des personnages, des plaques typographiques représentent les différents personnages (400 seulement !) de *La Comédie humaine.* Jetez aussi un œil à l'arbre généalogique, qui en dit long sur la complexité de l'œuvre de Balzac !
– Au nº 43 de la *rue Raynouard,* un adorable escalier dégringole de la colline, enfoui sous la verdure.

🎥🎥 **La rue Berton** *(plan couleur sud D1) :* une des rues les plus anachroniques de Paris et une des plus charmantes. Étroite, avec des becs de gaz coudés, des murs couverts de lierre et dont les pavés rappellent les calèches du passé. Entre la rue Berton et le musée du Vin, pittoresque passage des Eaux. L'hôtel particulier si bien gardé de la rue d'Ankara fut celui de la princesse de Lamballe – dont la tête termina au bout d'une fourche pendant la Révolution –, puis du docteur Blanche, qui soigna notamment les maladies mentales de Nerval et de Maupassant. Aujourd'hui, ambassade de Turquie.

🎥🎥 **Le musée du Vin Paris** *(plan couleur nord C3) :* rue des Eaux *(il faut le faire !),* 5-7, sq. Charles-Dickens, 75016. ☎ 01-45-25-63-26. ● *museeduvinparis.com* ● Ⓜ Passy. ᕦ *En sortant du métro, descendre les escaliers et tourner 2 fois à droite. Tlj sf lun 10h-18h. Fermé w-e de Noël et du Jour de l'an. Entrée : 10 € pour visite (7 € sur présentation de ce guide) et + 5 € pour la dégustation d'un verre ; réduc ; tarif réduit : 9,90 € sur présentation de ce guide. Audioguide sur demande. Intéressant programme de cours de dégustation sam pdt 2h, 59 €/pers. Resto Les Échansons mar-sam le midi slt (entrée du musée gratuite si l'on y déjeune) ; voir plus haut « Bars à vins ». Boutique où vous pourrez vous procurer du gaillac « Château Labastidié », domaine dont le musée est propriétaire.*

Un lieu à la fois insolite et hors du temps, et une visite instructive et gustative. Le musée est installé dans d'anciennes carrières de pierres blondes creusées au XIIIᵉ s (celles-là même qui habillent les bâtiments anciens de Paris) et qui étaient transportées depuis leur lieu d'extraction jusqu'à l'île de la Cité via la Seine. Au XVᵉ s, l'abbaye de Passy s'installe sur les berges et plante sur les coteaux des vignes qui prospèrent grâce à l'orientation et à la qualité des sols. Les anciennes galeries sont alors transformées en celliers par les moines. L'exploitation va durer jusqu'au XIXᵉ s. Durant la Seconde Guerre mondiale, les galeries servirent de cache aux résistants. Picasso et Dubuffet y exposent en leur temps. Elles sont, depuis 1984, propriété de la confrérie des Échansons de France qui en a fait un musée et un lieu dédié à la défense et à la promotion du vin français.

Le parcours présente des objets se rapportant au travail de la vigne et du vin. Des personnages en cire illustrent de manière vivante et expressive les différentes étapes de la vinification et les métiers liés au vin, ainsi que la vie du quartier.

16e

Balzac, qui résidait à quelques pas, utilisait fréquemment les carrières pour échapper à ses créanciers. Intéressante vitrine sur les différentes formes de bouteilles. Plus loin, vitrine n° 25, faites-vous expliquer le fonctionnement du pichet trompeur. Astucieux ! On y croise aussi Pasteur, à qui l'on doit la mise au point de la pasteurisation grâce à ses recherches sur la vigne et le phylloxera. Enfin, vous apprendrez qu'il reste encore quelques arpents de vigne dans la capitale : à Bercy, à Montmartre, aux Buttes-Chaumont et dans le parc Georges-Brassens.

🍴 **La Maison de Radio France** *(plan couleur sud C1) :* 116, av. du Président-Kennedy, 75116. ☎ 01-56-40-15-16. ● radiofrance.fr ● Ⓜ Passy ou Ranelagh ; RER C : Kennedy-Radio-France. Bus n°s 52, 70 et 72. **L'intéressant musée est fermé pour travaux jusqu'à fin 2015-début 2016.** En revanche, concerts gratuits et enregistrements publics d'émissions radiophoniques sont toujours accessibles au public ; rens au ☎ 01-56-40-32-01. Aujourd'hui

ARCHITECTURE DICTÉE PAR LES ONDES

La forme concentrique de la Maison de Radio France n'a rien d'une lubie architecturale. Elle respecte la loi des ondes, qui impose que les murs d'un studio d'enregistrement ne soient pas parallèles. De même, si vous trouvez que les accès en métro sont un peu éloignés, c'est normal : il s'agit d'éviter les vibrations.

en plein chantier de rajeunissement, la « maison ronde » fut conçue par l'architecte Henry Bernard, construite de 1952 à 1963 en verre et aluminium, et inaugurée le 14 décembre 1963 par le général de Gaulle. Pour accueillir son public, la Maison comprend la *salle Olivier-Messiaen* (936 places), où ont lieu les concerts de l'Orchestre philharmonique et de l'Orchestre national, le *studio Charles-Trenet* (257 places) et le *studio Sacha-Guitry* (130 places).

🍴 En face, au milieu de la Seine, une étroite bande de terre appelée l'***allée des Cygnes*** *(plan couleur sud D1).* En effet, Louis XIV y fit transporter des cygnes pour le plaisir des yeux. Moins réjouissant, on y avait enterré les protestants massacrés lors de la Saint-Barthélemy. On y trouve une *statue de la Liberté,* modèle réduit de celle de New York. Ne pas s'y promener la nuit, parce qu'il n'y a pas que des cygnes qui s'y baladent ! Face à la Maison de la Radio, faut-il s'attarder sur le

COMBIEN DE STATUES DE LA LIBERTÉ À PARIS ?

Bon, la plus célèbre se dresse au milieu de la Seine, sur l'allée des Cygnes. Il en existe deux autres au musée des Arts et Métiers, sans compter l'originale, au jardin du Luxembourg, côté rue Guynemer. Mais la moins connue est celle dissimulée par le sculpteur César au niveau de la poitrine de sa statue du Centaure (à l'angle des rues de Sèvres et du Cherche-Midi).

front de Seine, ce Manhattan du manque d'imagination, avatar des années béton ?

LE TROCADÉRO *(plan couleur nord C3)*

🍴🍴 **Le cimetière de Passy** *(plan couleur nord C3) :* surplombant la pl. du Trocadéro, entrée rue du Commandant-Schlœsing, 75016. Ⓜ Trocadéro. Pas de plan proposé sur place, mais possibilité de le télécharger via le site ● equipement. paris.fr/cimetiere-de-passy-4481 ● Pas très grand, mais beaucoup de personnalités inhumées : Fernandel, Sadi-Carnot, Georges Mandel, Tristan Bernard, Maurice Genevoix, Jean Patou, Jean Giraudoux, Gabriel Fauré, Berthe Morisot, les familles Talleyrand, Guerlain, Marnier (mais oui, la fameuse liqueur ; d'ailleurs, une Mme Marnier est née « Sucre »). Le couple Cognacq-Jay, fondateur des magasins de la *Samaritaine* et créateur de dotations généreuses attribuées aux familles pro-lifiques, repose dans une luxueuse chapelle. Au hit-parade de l'intérêt du public : Debussy et Édouard Manet. Des aviateurs : Farman, Costes et Bellonte, auteurs de la première liaison Paris-New York en 1930. Des industriels célèbres : Louis Renault (et sa famille), Marcel Dassault, Francis Bouygues. Plus récemment, Haroun Tazieff, Michel Droit, François Périer, Jean Drucker... Superbe chapelle de Marie Bashkirtseff, disparue en 1884, qui abrite des souvenirs ainsi que le dernier tableau, inachevé, de cette jeune artiste dont le portrait figure sur les vitraux. Seul cimetière de tout Paris à posséder une salle d'attente chauffée, réalisée par le même architecte que le palais de Chaillot. Dans le bureau à gauche de l'entrée, on aperçoit des registres calligraphiés à la plume depuis près de 200 ans, qui fleurent bon la poussière et la lustrine. Gardien sur patins pour entretenir le parquet.

🏃🏃🏃 🕺 *La Cité de l'Architecture & du Patrimoine* (plan couleur nord C3) : *palais de Chaillot, 1, pl. du Trocadéro et pl. du 11-Novembre, 75116.* ☎ 01-58-51-52-00. ● *citechaillot.fr* ● Ⓜ *Trocadéro ; RER C : Champ-de-Mars-Tour-Eiffel. Tlj sf mar 11h-19h (21h jeu). Réservez vos billets en accès prioritaire en magasin et sur* ● *fnac.com* ●

La Cité de l'Architecture & du Patrimoine réunit trois entités qui existaient séparé-ment et qui en constituent désormais les départements : le *musée des Monuments français* (département Patrimoine dont l'origine remonte à 1882), l'*Institut français d'architecture*, créé en 1979 (département Architecture contemporaine), et l'*École de Chaillot* (département Formation), qui, depuis 1887, forme les architectes du patrimoine.

Le musée des Monuments français
🕺 *Tlj sf mar 11h-19h (21h jeu). Fermé 1ᵉʳ janv, 1ᵉʳ mai et 25 déc. Entrée : 8 € ; réduc ; gratuit moins de 26 ans UE. Visioguide gratuit (excellent) ; inscription aux visites guidées dans le hall d'entrée. Visites animées pour les enfants et pour les groupes : se renseigner.*

Le musée s'inscrit dans un vaste ensemble qui occupe toute l'aile est du palais de Chaillot. Et ce, pour promouvoir à la fois le patrimoine architectural français et l'architecture contemporaine. Bref, un programme de grande envergure qui dresse un panorama tant esthétique que fonctionnel de l'architecture française du XIIᵉ s à nos jours.

– *La galerie des moulages (rez-de-chaussée) :* consacrée à l'art monumental du Moyen Âge au XVIIIᵉ s, elle permet de faire un parcours extraordinaire dans le patrimoine de cette période, au travers de quelque 400 pièces exposées. Créée à l'origine par Viollet-le-Duc, la collection de moulages retrace l'évolution de chefs-d'œuvre de l'architecture française. On découvre des portails gothiques ou des statues religieuses... à hauteur d'homme. Donc dans des conditions idéales (ce qui est rarement le cas des œuvres originales). La sélection est exception-nelle : des répliques en plâtre et grandeur nature des porches et façades des plus belles cathédrales et abbayes de France : le merveilleux porche de l'église de Moissac, celui d'Avallon, celui de Vézelay (où des représentations des travaux des champs alternent avec les signes du zodiaque), ou encore celui, moins connu, de l'ancien prieuré de Charlieu (Loire) ; également de nombreux tympans, bas-reliefs, chapiteaux historiés, statues, trumeaux, frises... Notez la taille impressionnante des statues de la cathédrale de Reims (dont le célèbre *Ange au sourire*). Toutes les écoles régionales romanes et toutes les périodes du gothique sont représen-tées. Abondance des décorations dans le Poitou-Saintonge roman, portails aux scènes historiées pour l'instruction des fidèles dans le Languedoc, comme celui de Conques avec les terribles châtiments réservés aux pécheurs.

Difficile d'énumérer tous les chefs-d'œuvre rassemblés ici ! C'est le moment ou jamais d'étudier les différences entre les cathédrales : celles du premier art gothique (Chartres et ses statues-colonnes, Notre-Dame de Paris et ses formi-dables arcs-boutants), puis celles du gothique flamboyant, dont on retiendra la dentelle du baldaquin de la cathédrale de Toul ou le travail des vantaux du portail de la cathédrale de Beauvais. À l'appui, des maquettes (exceptionnelle cathédrale de Laon) permettent de resituer la partie exposée dans l'ensemble de l'édifice. Les moulages offrent l'occasion unique d'approcher et d'observer des détails impossibles à visualiser autrement (expression des visages, détails des costumes) parce que trop hauts, trop loin, bref souvent inaccessibles. Attardez-vous sur les pleurants du tombeau de Philippe le Hardi : pas un des moines n'a la même expression. Et que dire de la puissance émotionnelle de la monumentale mise au tombeau de Ligier Richier et de celle, plus retenue, de l'abbaye de Solesmes ? Moins de moulages concernant les siècles suivants, à partir de la Renaissance. L'architecture civile prend le pas sur les édifices religieux. Château de Blois, hôtel de ville de Toulon, fontaine de la place Stanislas de Nancy...

– *La galerie d'architecture moderne et contemporaine (1850-2001 ; niveau 2) :* une dizaine de tables d'exposition illustrent différents thèmes de l'architecture depuis la construction du *Crystal Palace* à Londres, point de départ symbolique d'un renouveau architectural, doté de matériaux nouveaux, et première grande construction (1851) d'une suite d'expositions universelles. L'urbanisme est l'un des concepts clés de cette période, et les tables thématiques (photos, maquettes, montages audiovisuels et autres supports) illustrent au travers d'une grande variété de réalisations les nouveaux défis auxquels l'architecture doit faire face : construire plus vite et moins cher tout en s'adaptant aux nouveaux modes de vie industriels. La partie *Architecture et société* présente l'évolution de l'immeuble d'habitation (notamment dans le domaine de l'habitat social) et des bâtiments collectifs par thèmes (la culture, le palais de justice, sports et loisirs), sans oublier l'évolution de la maison individuelle illustrée par un ensemble de petites maquettes dont certaines très originales. La partie *Concevoir et bâtir* présente quant à elle l'évolution des techniques et matériaux de construction. Là encore, nombreuses maquettes particulièrement intéressantes dans le cas de projets n'ayant pas abouti, comme la Tour sans fin conçue par Jean Nouvel pour la Défense, qui devait culminer dans les nuages à 426 m, ou bien d'œuvres contemporaines comme le pavillon de France à l'Expo universelle de Bruxelles en 1958, dont l'un des ingénieurs n'était autre qu'un certain Jean Prouvé. Magnifique exemple d'utilisation du béton avec l'église Notre-Dame-de-la-Consolation au Raincy, construite par les frères Perret en 1922, la « Sainte-Chapelle du béton armé ». Coup de cœur pour le centre culturel Tjibaou dessiné par Renzo Piano à Nouméa, un bel exemple d'adaptation de l'architecture à son environnement culturel et climatique, ou quand l'architecture devient écologique. Enfin, on ne manquera pas d'aller visiter la reconstitution grandeur nature et à l'identique d'un appartement de la Cité radieuse de Le Corbusier (Marseille), réalisée par les élèves des 17 lycées professionnels du bâtiment d'Île-de-France. Des expos temporaires d'actualité complètent l'ensemble.

– *La galerie des peintures murales et vitraux (XIIe-XVIe s ; niveaux 2 et 3) :* créée en 1937, elle présente selon un parcours étudié (chronologique au niveau 2, thématique au niveau 3) une impressionnante collection de copies de peintures murales françaises à échelle réelle. Reproduites sur toile marouflée, certaines copies sont présentées dans leur environnement d'origine. Une maquette et un plan replacent l'œuvre dans son contexte. Dommage, en revanche, que les cartels soient si mal placés, ce qui les rend peu lisibles. L'éclairage tamisé confère à l'ensemble une atmosphère recueillie qui convient parfaitement au sujet. La crypte de Tavant (Indre-et-Loire) est à cet égard particulièrement réussie. Également quelques reproductions de vitraux. Pour débuter, on pourra admirer des copies des peintures du palais des papes d'Avignon. Également parmi les œuvres représentées in situ : l'extraordinaire coupole de la cathédrale de Cahors, le baptistère Saint-Jean à Poitiers, et encore les fresques du porche de la cathédrale du Puy-en-Velay avec un *Saint Michel terrassant un dragon* étonnamment moderne. Ne manquez pas non plus l'impressionnant *Jugement dernier* de la cathédrale Sainte-Cécile d'Albi. Les bâtiments civils sont eux aussi décorés de peintures murales ; voir les scènes de chasse du château de Rochechouart, ou bien encore la salle consacrée au Krak des Chevaliers (Syrie). L'immense maquette est intéressante sur le plan de l'architecture militaire, mais ce sont surtout les fresques qui sont originales, car elles ne sont plus l'œuvre d'artistes professionnels mais de moines-soldats. Sous forme de dessins presque enfantins, elles retracent des épisodes des croisades. Enfin, aller admirer, au niveau 2, la salle de lecture de la bibliothèque (en accès libre), dont le plafond est constitué par la copie de l'impressionnante peinture de la voûte de la nef de Saint-Savin-sur-Gartempe (Vienne), inscrite au Patrimoine mondial de l'Unesco, qui raconte la genèse. Un chef-d'œuvre qu'on appréciera, ici, au plus près.

– *Les galeries haute et basse d'expositions temporaires (niveaux 0 et -1) : prix d'un billet variable selon les expos ; se renseigner.*

🎯🎯🎯 🚶 *Le musée national de la Marine (plan couleur nord C3) : palais de Chaillot, pl. du Trocadéro, 75116.* ☎ 01-53-65-69-69. ● musee-marine.fr ● Ⓜ *Trocadéro.* ♿ *(sf toilettes). Lun et mer-ven 11h-18h, sam-dim 11h-19h. Fermé mar, 1ᵉʳ janv, 1ʳᵉ mai et 25 déc. Réservez vos billets en accès prioritaire en magasin et sur ❙ fnac. com ● Entrée musée (collections permanentes) : 8,50 € ; réduc ; gratuit moins de 26 ans. Entrée grande expo + musée : 10 € ; 5 € 7-18 ans ; 2 € 3-6 ans ; gratuit moins de 3 ans, chômeurs et pers handicapées (et accompagnateur). Achat possible des billets en ligne. Possibilité de visite guidée (infos et résas : ☎ 01-53-65-69-53). Jeux-parcours à faire en famille, ateliers enfants (3-6 ans et 7-12 ans) mer et vac scol à 15h, visites en famille le w-e. Audioguide inclus dans le prix de l'entrée.*

Dans sa catégorie, un des plus beaux ensembles au monde, riche de pièces souvent superbes et cadre de belles expos temporaires.

Entrée en majesté devant l'impérial *canot de Napoléon Iᵉʳ* surmonté d'une gigantesque couronne, construit pour la visite de l'Empereur à Anvers en 1810. Remarquez les extrémités des rames décorées de poissons et crustacés. Tout autour, galerie de tableaux commémorant les visites officielles des installations navales, proue du canot de Marie-Antoinette et *maquettes du Valmy,* le dernier vaisseau de guerre uniquement à voile de la Marine française, construit à la fin du XIXᵉ s.

La salle suivante est consacrée à la *sculpture navale* : figures de proue (le buste gigantesque de Napoléon) et décorations en bois doré de poupe récupérées sur *La Réale,* la galère amirale de Louis XIV (1694). On peut y distinguer des scènes mythologiques sculptées. Buste d'Henri IV (XIXᵉ s) en très bon état, rescapé d'un naufrage sur les côtes de Crimée.

Salle suivante, on passe à la navigation à voile et aux magnifiques maquettes. D'impressionnants *modèles d'instruction,* alliés aux bornes multimédias, permettent de découvrir la vie quotidienne des marins et officiers embarqués au XVIIIᵉ s.

Dans la galerie des peintures, la célèbre *série des ports de France* réalisée par Joseph Vernet. En 1753, le roi Louis XV lui commande 24 tableaux pour informer de la vie dans les ports de Marseille à Dieppe, dont 14 seront réalisés. Deux des toiles sont exposées au Louvre. Ces peintures font de Vernet un des plus grands peintres de marine et lui vaudront réputation et reconnaissance de son vivant. Chaque peinture fourmille de détails : on se rend compte que la configuration du vieux port à Marseille n'a pas beaucoup changé depuis 250 ans, de même pour celui de La Rochelle. À Toulon, on peut compter les boulets et les pièces d'artillerie entreposées à l'arsenal.

Salle suivante, admirez les vitrines datant de l'époque où le musée de la Marine était au Louvre, et présentant des pièces d'armement et d'artillerie, ainsi que des pièces d'artisanat fabriquées à bord par les marins. Derrière le grand escalier, double maquette expliquant l'abattage et l'acheminement de l'obélisque de Louxor sur le Nil au moyen d'un bateau spécialement aménagé pour l'embarquer (à ce sujet, lire le paragraphe consacré à la place de la Concorde, dans le 8ᵉ arrondissement).

Dans les salles latérales, plusieurs sections (en partant de l'entrée du musée) : instruments de navigation avec de superbes sextants et compas, ainsi qu'une borne multimédia retraçant 6 000 ans d'histoire de la navigation ; histoires tragiques des naufrages de *La Boussole* et de *L'Astrolabe*, les bateaux de l'expédition de Lapérouse (1785-1788), à Vanikuro, dans les mers du Sud ; puis celle de Dumont d'Urville parti à la recherche de cette expédition. Le *trophée Jules-Verne*, qui récompense le tour du monde à la voile en moins de 80 jours, est exposé dans une vitrine. Il s'agit d'une maquette épurée de coque en aluminium poli de forme fuselée et « flottant » en sustentation dans un champ magnétique. Le dernier détenteur du trophée est Bruno Peyron (qui fut aussi le premier à réussir ce tour du monde), avec un tour du monde sur le catamaran *Orange II* en 50 jours, 16h et 20 mn, réalisé en 2005. Une borne multimédia sur « le monde maritime aujourd'hui » donne un éclairage sur les enjeux économiques actuels de la marine.

Les salles suivantes, en enfilade, font entrer le visiteur dans plusieurs univers très différents : l'architecture navale à voile, puis à vapeur, la marine marchande avec les supertankers et les cargos. Longue vitrine consacrée à la grande époque des voyages transatlantiques ; affiches des compagnies maritimes et *maquettes de paquebots* dont le dernier plus grand en date, le *Millenium* (2000), entièrement écologique. La maquette du *Titanic* fait presque riquiqui à côté de celles du *Normandie* ou du *France* (rebaptisé *Norway*, au grand dam de Michel Sardou !).

On passe ensuite devant la *grande optique de phare de Fresnel* et le curieux scaphandre des frères Carmagnolle, puis on aborde la dernière section consacrée à la marine de guerre française. On apprend par ailleurs que Fulton proposa en 1803 le premier navire propulsé par la vapeur ; il navigua sur la Seine mais ne fut pas retenu par le ministre de la Marine de l'époque. Nombreuses *maquettes des premiers bâtiments de ligne cuirassés* (la *Gloire* en 1858) mais fonctionnant encore à la voile ou à la vapeur. Apparition du blindage, de l'éperon d'étrave et de l'artillerie lourde en tourelles obligeaient les navires à adopter la propulsion mécanique. Après 1900, les grandes nations navales – dont la France – s'arment de plus en plus lourdement, rivalisant en tonnage et en puissance de feu pour sécuriser les routes commerciales vers leurs possessions d'outre-mer. La France dispose entre les deux guerres d'une flotte prestigieuse, avec en tête de file les cuirassés *Jean-Bart* et *Richelieu*. Sur mer, deux nouvelles armes apportent l'innovation stratégique décisive : les porte-avions et les sous-marins. Avec l'apparition de l'arme nucléaire embarquée à bord de missiles tirés depuis les profondeurs, ce sont les *sous-marins nucléaires lanceurs d'engins (SNLE)* qui deviennent l'arme de dissuasion majeure. Une vitrine leur est consacrée, où l'on fait connaissance avec ces quatre submersibles de la force de frappe française. *Maquette du Charles-de-Gaulle*, le seul porte-avions nucléaire français.

En fin de parcours, découvrez la nouvelle thématique consacrée aux 100 ans de l'aéronautique navale ; l'occasion de naviguer, en un même lieu, entre mer et ciel ! Au sein de cet espace, une baie vitrée donne sur l'atelier des maquettistes du musée et permet de suivre leur travail. Un musée majeur, donc !

🦑🦑🦑 🚶 *Le musée de l'Homme* (plan couleur nord C3) : 17, pl. du Trocadéro, 75116. *Attention, le musée est fermé pour travaux jusqu'à fin 2015*. Le musée abrite des collections majeures de préhistoire et d'anthropologie physique. Fermé depuis 2009, se prépare son imminente renaissance... Une réouverture impatiemment attendue ! La nouvelle muséographie s'articulera autour de trois thématiques : les origines de l'Homme, la nature humaine, les relations entre homme et nature. À suivre de près...

🦑 🚶 *L'Aquarium de Paris Cineaqua* (plan couleur nord C3) : 5, av. Albert-de-Mun, 75116. ☎ 01-40-69-23-23. ● cineaqua.com ● Ⓜ Trocadéro. Tlj 10h-19h. Fermé 14 juil. Entrée : 20 € ; 16 € 13-17 ans ; 13 € 3-12 ans. À quand un tarif famille ? On préfère l'Aquarium de la Porte Dorée (12ᵉ), bien moins cher ! Toutes les espèces emblématiques des eaux métropolitaines et d'outre-mer, de la Seine à la Nouvelle-Calédonie. Pas mal d'activités pédagogiques (parfois sans rapport avec l'univers des poissons... ; calendrier sur le site internet) et projection de films documentaires.

AUTOUR DU TROCADÉRO

🏛 🚶 **Le musée Clemenceau** (plan couleur nord C3) : 8, rue Benjamin-Franklin, 75116. ☎ 01-45-20-53-41. ● musee-clemenceau.fr ● Ⓜ Trocadéro ou Passy. ♿ Tlj sf dim-lun et j. fériés 14h-17h30. Congés : août. Entrée : 6 € (audioguide compris) ; réduc ; gratuit moins de 12 ans. Parcours pédagogique pour le jeune public, à télécharger gratuitement sur le site, ou livret en vente au comptoir. Ascenseur.

Au 1er étage, une galerie documentaire évoque, à travers des documents, des photos et des objets, toutes les facettes du « Tigre », surnom qui fut donné à Clemenceau par un de ses collaborateurs journaliste. On découvre ainsi l'homme politique qui, après des études de médecine, passe 4 ans aux États-Unis, où il débute une carrière de journaliste, enseigne dans une institution pour jeunes filles et se marie avec une de ses élèves. Rentré en France, il commence sa carrière politique comme maire de Montmartre, puis comme député de la Seine. Son premier combat fut de faire voter l'amnistie pour les communards. On découvre aussi le journaliste, anticolonialiste et dreyfusard acharné, qui écrivit plus de 700 articles pour défendre l'honneur du capitaine, allant même jusqu'à se battre en duel à 12 reprises, dont une fois contre l'antisémite Drumont. C'est encore Clemenceau, alors chef du service politique du journal *L'Aurore,* qui trouve le fameux titre du célèbre article de Zola : « J'accuse ». Dans les années 1900, il sera ministre de l'Intérieur et contribuera au développement de la police judiciaire. Souvenez-vous, les fameuses brigades du Tigre, c'est lui ! En 1917, à 76 ans, il reprend du service pour mener la France à la victoire. En récompense, il perdit les élections... Une vitrine abrite le manteau qu'il revêtait pour rendre visite aux poilus dans les tranchées.

C'est aussi l'occasion de découvrir l'homme privé, auteur de pièces de théâtre, orientaliste distingué, amoureux de la Grèce antique, ami de Monet... Au rez-de-chaussée, l'appartement que Clemenceau occupa de 1895 à sa mort, en 1929, resté inchangé depuis. Au décès du propriétaire, l'immeuble fut racheté par un Américain fervent admirateur du Tigre, ce qui permit à Clemenceau de ne pas être expulsé. Endroit méconnu et riche de nombreux souvenirs du Père la Victoire. Boiseries, lourdes tentures, impressionnante bibliothèque. Fantastique bureau de noyer en U. Le lieu est saisissant et la visite d'autant plus émouvante que la vie quotidienne du grand homme est évoquée par sa petite-nièce. Charmant jardin ouvert au public – où Clemenceau avait même fait installer un poulailler.

UN AMÉRICAIN « CLEMENCISTE »

James Douglas était propriétaire de mines de cuivre dans l'Arizona. Grand admirateur de Clemenceau, il avait créé pour l'exploitation de la mine une petite ville baptisée Clemenceau (située tout près de Cottonwood), elle a aujourd'hui disparu, mais on trouve sur Internet des images de la localité devenue « fantôme »). La compagnie minière s'appelait The Clemenceau Mining Corporation. Ses actions ainsi que les chèques de la banque locale étaient à l'effigie de Clemenceau. À la mort de celui-ci, ce bienfaiteur américain créa une fondation, dont l'objet demeure de garder ouvert à la visite, et tel qu'il était à sa mort, l'appartement de la rue Franklin que le Tigre avait habité durant 35 ans.

Pas bien loin, si vous voulez découvrir un sport devenu rare aujourd'hui, faites un crochet par le 74 ter, rue Lauriston, à la Société sportive du jeu de paume (☎ 01-47-27-46-86). Au 1er étage, un club centenaire avec parquet d'origine et banquettes authentiques... Plus que trois terrains en France ! Pas mal de pratiquants anglo-saxons. Venir à l'heure du déjeuner ou vers 18h-20h pour avoir le plus de chances de trouver des joueurs sur le terrain. Sur place, vous saurez tout sur l'histoire de ce jeu, les règles, les expressions dont il est à l'origine...

16e

Le musée des Arts asiatiques Guimet
(plan couleur nord D2)

✖✖✖ 6, pl. d'Iéna, 75116. ☎ 01-56-52-53-00. • guimet.fr • Ⓜ Iéna ou Troca-déro. ♿ Tlj sf mar 10h-18h (entrée jusqu'à 17h15). Réservez vos billets en accès prioritaire en magasin et sur • fnac.com • Entrée collections permanentes : 7,50 € ; réduc ; gratuit moins de 26 ans. Entrée expo : 8 € ; réduc. Billet musée + expo : 9,50 € ; tarif réduit : 7 € ; gratuit moins de 26 ans. Pour les conférences, activités culturelles et pédagogiques, se reporter aux programmes du musée. Compter 1h30 pour la visite avec audioguide (compris dans le billet et vivement conseillé, d'autant que les légendes des différentes pièces ne sont pas forcément très claires pour le profane) et min 3h pour une visite plus complète. Photos autorisées mais sans flash ni pied.

– **Librairie :** au rdc. Tlj sf mar 10h-18h. Nombreux livres, CD et DVD sur les dif-férents pays d'Asie.

– **Auditorium :** au sous-sol. Très belle salle de 280 places, où sont projetés des films et des documentaires sur l'Asie. Programme sur le site internet du musée.

🍴 🍵 **Salon de thé-resto Le Salon des Porcelaines :** au rez-de-jardin. ☎ 01-47-23-58-03. Tlj sf mar 10h-18h. Menus 17,90-20,30 € ; plats à par-tir de 14,30 €. Petit resto et salon de thé où l'on sert de la cuisine asiatique provenant de plusieurs pays : Chine, Cambodge, Vietnam, Thaïlande, Corée, Japon. En Asie, la cuisine est à l'image de l'art : finesse, légèreté, diversité. Le chef vietnamien fait très attention aux épices. Les thés bien choisis viennent de la maison Mariage Frères à Paris. Il y a aussi des boissons aux fruits frais, une bonne occasion de découvrir les fruits d'Asie.

Origine du musée

« Créer un musée pour comparer les religions », telle est l'idée originelle d'Émile Guimet lorsqu'il fonde son musée à Lyon en 1879 (transféré à Paris en 1889). Ainsi, le bouddhisme, né en Inde au VIᵉ s av. J.-C., est une composante essentielle de ce musée. Il reste peu d'œuvres d'art antérieures à la naissance de notre ère pour deux raisons : les premières sculptures étaient en bois, elles n'ont donc pas sur-vécu ; et surtout, le Bouddha ne devait pas être représenté ! C'est aux alentours du début de notre ère qu'apparaîtront les premières représentations figurées de ce dernier, sous l'influence des royaumes limitrophes, et en particulier de celui des Kushans, qui s'étendait de l'actuel Afghanistan à toute l'Inde du Nord.

Le musée aujourd'hui

Circuit muséographique de grande qualité, tout en jeux de lumière, courbes, ouvertures et balcons, le tout s'articulant autour de l'escalier central, véritable colonne vertébrale du musée. L'architecture du père et du fils Gaudin (dont l'un a fait ses armes dans l'architecture de marine, et ça se voit !) est sobre et dépouillée. Les larges baies vitrées ont pour rôle de relier les collections, et non de les cloi-sonner, comme c'est souvent la règle dans les musées. Cela permet d'éviter tout dirigisme à l'égard du visiteur et de comprendre sans discours les spécificités et les points communs des deux grandes civilisations asiatiques, celles de l'Inde et de la Chine, qui connurent leur apogée au cours du Iᵉʳ millénaire, période des invasions barbares en Occident.

À travers une présentation chronologique et structurée d'est en ouest très didac-tique, le musée Guimet expose l'une des collections les plus complètes au monde d'art asiatique (sculptures, bronzes, ivoires, meubles, miniatures, bijoux, céra-miques, peintures...), enrichie pendant les années de fermeture de nombreuses acquisitions et donations.

Rez-de-chaussée : l'Inde et son extension en Asie du Sud-Est

Avant d'entamer la visite, admirez la *Chaussée des Géants,* située au rez-de-chaussée à gauche juste à l'entrée de la salle d'art khmer (Cambodge). Cette pièce sculptée provenant du temple d'Angkor est composée de gros blocs de grès (poids : 12 t), d'abord démontés, puis acheminés par bateau sur le Mékong jusqu'à Phnom Penh et transportés en France, où ils furent présentés à l'Exposition universelle de Paris en 1878. Cette grande sculpture faisait partie d'une balustrade de 200 m de long qui conduisait à l'entrée d'un temple d'Angkor. La partie haute de la sculpture représente un Naga, serpent à sept têtes. Animal redoutable pour un Occidental, le Naga est considéré comme un être bienveillant dans la civilisation khmère. Sa gueule effrayante était destinée à repousser les mauvais esprits à l'entrée du temple et à protéger les humains.

Art de l'Inde

Au rez-de-chaussée, à gauche de la salle d'art khmer. C'est en Inde que le bouddhisme est né, en s'inspirant de principes de l'hindouisme traditionnel mais en le simplifiant, en le réformant. Ne ratez pas les bas-reliefs d'Amaravati, site du sud-est de l'Inde, dont *L'Assaut de Mara,* qui tente tout ce qu'il peut pour distraire le Bouddha de sa méditation. Le Bouddha étant ici symbolisé par un trône (le sud de l'Inde a mis plus de temps à accepter l'idée de représenter le Bouddha). Plus loin, la tête du Bouddha en grès rose de l'école de Mathura, d'époque Gupta, est magnifique. La représentation du Bouddha n'évoluera plus beaucoup au cours des siècles : à la fois puissance et calme, énergie et sérénité. Remarquez les représentations avec un drapé dit mouillé, d'époque Gupta, apogée du modelé dans l'art indien classique (IVe-VIe s apr. J.-C.). L'Inde médiévale est merveilleusement représentée par les bronzes du sud de l'Inde d'époque Çola (X^e-XIe s apr. J.-C.). Superbe Shiva dansant !

Art khmer

C'est la grande salle du rez-de-chaussée, peut-être la plus belle collection d'art khmer au monde, en dehors du Cambodge, Guimet ayant longtemps travaillé en mission archéologique là-bas. La civilisation khmère a été largement influencée par la religion hindoue, la civilisation et les arts indiens, lesquels ont marqué de leur empreinte toute la péninsule du Sud-Est asiatique, tant par voie maritime que terrestre (le Cambodge avec l'art khmer, mais aussi le Vietnam, l'Indonésie – Borobudur – la Birmanie – Pagan – et la Thaïlande).

Cette civilisation khmère avait d'ailleurs tellement fasciné André Malraux qu'il fit de la prison pour avoir dérobé une fameuse dormeuse sur le plus beau temple d'Angkor – le Banteay Srei, représenté par un extraordinaire fronton, véritable dentelle de pierre, contant une scène du *Mahabharata* ! Tout est superbe, en particulier les sculptures de déesses, plus délicieuses les unes que les autres, et surtout le portrait présumé du grand souverain Jayavarman VII, qui a retrouvé sa véritable inclinaison suite à la restauration.

Au milieu de la salle d'art khmer se dresse une très belle statue représentant une *divinité féminine* du Cambodge, sculptée au IXe s de l'ère chrétienne. Elle est en parfait état de conservation, seul lui manque le lobe de l'oreille gauche. Regardez son diadème en forme de cylindre. Il repose sur un chignon finement sculpté. Cette sculpture est considérée comme un chef-d'œuvre. Sa tête et son corps furent séparés pendant près de 70 ans et n'ont été réunis et recollés qu'en 2006. Une histoire étonnante... Ne pas rater la très belle divinité masculine en bronze, de style Khleang (début XIe s).

Le reste des salles du rez-de-chaussée expose un échantillon des autres arts d'Asie du Sud-Est. La *Thaïlande* et la *Birmanie* sont malheureusement peu présentes, mais vous pourrez vous rendre compte de l'évolution de l'effigie du Bouddha :

ses traits s'allongent, son nez se busque et sa petite flammèche au-dessus de la tête s'élève. Remarquez cet étrange bouddha birman paré et doté d'antennes décoratives très kitsch. Le **Vietnam,** au contraire, est dignement représenté. D'abord le Nord, sous influence chinoise ; en témoignent les seules céramiques du rez-de-chaussée. Ensuite le Sud, où a prospéré un royaume, le Champa, où se mêlèrent harmonieusement les arts khmer et chinois : ne ratez pas la statue de Shiva en grès avec un serpent en guise de collier. Une curiosité : des pièces métalliques dorées et sculptées qui servaient à protéger les lingam en pierre, de forme phallique (culte d'origine hindoue répandu dans le royaume de Champa). Malheureusement trop faciles à voler, à fondre puis à revendre, ces protections sacrées ont presque toutes disparu. Ce sont donc des pièces très rares, presque uniques au monde !

1er étage : Chine, Asie centrale, Afghanistan et Pakistan, Tibet et Népal

Chine

Au cours du Ier millénaire, voire avant, les marchandises étaient acheminées de Chine en Inde et d'Inde en Occident, et vice versa, par les nombreuses routes de la soie. En parcourant le 1er étage, vous emprunterez l'une de ces fameuses routes : partant de Chine, vous traverserez l'Asie centrale (plus exactement les oasis du bassin du Tarim, actuel Xinyang chinois), puis l'Afghanistan et le Pakistan. À partir de là, les marchandises partaient soit vers l'Inde, soit vers l'Occident. Sont également représentées, au 1er étage, les civilisations tibétaine et népalaise, directement sous influence indienne, où se développa un bouddhisme très ésotérique, dit tantrique, à partir des VIe et VIIe s apr. J.-C. En prenant l'escalier qui mène au 1er étage, ne ratez pas les différents points de vue qui s'offrent à vous, en particulier sur la salle khmère.

Vous découvrirez alors les premières **pièces chinoises** (des verseuses notamment), qui incarnent déjà l'essence de l'esthétique chinoise, à savoir l'alliance de la forme et du décor, caractéristiques premières de la céramique chinoise, dont les réalisations du Ier millénaire apr. J.-C. n'ont jamais pu être égalées par la suite. Au fond de la première salle, animaux gardiens de tombe (daim, phénix, tigre) coiffés ou ailés d'étonnantes pièces de bois de cerf, ce bois étant un gage de longévité et de magie toujours utilisé en Chine aujourd'hui.

Vous accédez alors à un couloir où se trouvent de magnifiques pièces des civilisations classiques chinoises (Han, autour de l'époque du Christ, et Tang, à l'époque de notre haut Moyen Âge). Admirez le cortège de statuettes funéraires : les cavaliers, l'équipe de joueuses de polo de la donation Jacques-Polain, exposée pour la première fois au musée Guimet, véritable témoignage du rang social du défunt et des plaisirs de sa vie. Plus loin, magnifiques pièces illustrent les caravaniers de la route de la soie (chevaux, chameaux, et même des personnages aux traits occidentaux, témoins des échanges de la route de la soie).

Dans une salle, un magnifique ensemble de **peintures et bannières provenant des grottes de Dunhuang,** caractéristiques de la Chine bouddhique. Dans cette salle également, superbe statue de Luohan, moine disciple du Bouddha, en céramique trois couleurs (Xe-XIIe s).

Asie centrale, Afghanistan et Pakistan

Les régions qui correspondent en gros actuellement à l'Ouzbékistan, au Tadjikistan, à l'Afghanistan et au Pakistan formèrent un creuset de civilisations et de religions où se rencontrèrent l'Occident et l'Asie (la Chine, l'Inde) et le monde des steppes d'Asie centrale. Les grandes traditions religieuses indiennes (bouddhisme et brahmanisme) y furent fécondées par l'art occidental et sa tradition de la représentation figurée « idéale » grâce à la civilisation gréco-perse, lointain héritage du passage d'Alexandre dans cette région. Ce mélange du style occidental et oriental a donné naissance à l'**art du Gandhâra.**

Un petit détail : la très belle coupole peinte de Kakrak vient d'un site tout proche de Bamiyan, en Afghanistan, où les talibans ont fait preuve d'obscurantisme en détruisant l'un des monuments de cette civilisation qui fut l'une des plus riches engendrées par l'homme. Belles pièces (sculptures) représentatives de l'art du Gandhâra. En continuant dans cette salle, avant d'aller dans les salles annexes chinoises, ne manquez pas le **trésor de Begrâm,** site afghan où se côtoient des ivoires indiens extraordinaires de délicatesse (extraits de panneaux décoratifs de meubles), des pièces chinoises et des verreries gréco-romaines pleines de malice (on aime bien le petit dauphin).

Après le trésor de Begrâm, la promenade se poursuit autour du puits de lumière qui surplombe les pièces khmères, magnifique reconstitution du monastère de Hadda, en Afghanistan, dont certains éléments furent rapportés à Paris dans les années 1920. Ne pas manquer enfin le *Génie aux fleurs,* étonnant buste d'Afghanistan du IIIe ou IVe s, qui rappelle Apollon et met en lumière les liens et la diffusion des courants artistiques entre ces différentes zones géographiques.

Tibet et Népal

Les collections des **salles tibéto-népalaises** sont parmi les plus riches et les plus complètes au monde. Dans la première, le meuble central présente d'extraordinaires sculptures en bronze : l'érotisme dégagé par ces petites divinités, à l'air parfois très agressif, est troublant. Belle vue de Lhassa au XIXe s. Ne ratez pas la célèbre *Daïkini dansante,* à l'aspect farouche mais véritable protectrice de la foi aux yeux des Népalais. La frise de déesses dansantes en cuivre doré, aux bords calcinés, est un souvenir des Chinois, qui dynamitèrent le monastère de Damsathil pendant la révolution culturelle.

Le reste des salles tibéto-népalaises est plus ésotérique – multiples *tangkas* (littéralement « peinture portative ») – mais toujours fascinant. On accède à la sublime donation de Krishna Riboud, petite-fille de Rabindranath Tagore, dans la galerie de la bibliothèque, qui présente un superbe ensemble d'étoffes indiennes d'époque moghole (panneaux de tente, ceintures, fragments de tapis, exposés par roulement du fait de leur très grande fragilité, ainsi que de très beaux bijoux). La rotonde de l'ancienne bibliothèque présente, quant à elle, une collection de miniatures mogholes de très grande qualité.

2e étage : Chine, Japon et Corée

Chine

Du Ier au XIIIe s de notre ère, la Chine avait un niveau de savoir scientifique supérieur à celui du reste du monde. Les Chinois ont inventé ou découvert beaucoup de choses avant les autres peuples du monde, comme la boussole, le sismographe, l'arbalète, le fusil, la poudre à canon, ainsi que la laque, le parapluie, le moulinet de canne à pêche, la lanterne magique, la brouette et les allumettes. Et quoi d'autre ? Le cerf-volant, le parachute, le char à voile, le bateau à aubes, les cartes à jouer et le papier monnaie. Tout cela a été inventé en Chine et perfectionné en Occident, mais bien plus tard.

La création d'une **galerie de peintures chinoises** constitue l'événement de ce nouveau Guimet. Deux des plus célèbres inventions chinoises sont le papier de riz (IIe s av. J.-C.) et la soie, qui servent depuis des siècles au travail des artistes. Dans la salle Michel-Calmann, un paysage chinois sur un **grand rouleau de soie** long de 10 m environ, réalisé par le peintre Shen Zhou entre 1427 et 1509. Quand on le déroule, le paysage apparaît comme dans un film. Sur ces grands rouleaux verticaux ou horizontaux, le peintre transcrit « un paysage de l'âme », son monde intérieur. La collection est tout simplement époustouflante. À la suite, exposition de l'incroyable collection de grès et porcelaines de la **donation Calmann,** présentée à l'asiatique, de façon dépouillée et linéaire, qui en fait ressortir ainsi l'élégante quintessence.

Qui dit Chine dit aussi porcelaine. C'est, là encore, les Chinois qui l'ont inventée au IIIᵉ s apr. J.-C. La porcelaine est une terre cuite à haute température dans des fours (environ 1 200 °C), puis vitrifiée et couverte d'un émail, d'où son aspect lisse et brillant. Elle était d'abord en grès gris, puis en grès céladon (un vert très clair), puis elle est devenue bleu et blanc à l'époque des Ming, et multicolore après le XVIIᵉ s. Le musée abrite des pièces rarissimes du XVIᵉ s, dont on sait qu'il ne reste aujourd'hui que trois ou quatre exemplaires au monde ! Également une prodigieuse *collection de céramiques Ming.* Le département chinois se termine sur une série de pièces de différents matériaux et techniques : jades, cloisonnés, etc. Dans l'une des vitrines, bel ensemble de coupelles en agate offertes par le roi de Siam en visite au jeune Louis XIV. À noter, dans la salle Liao (dynastie des XIᵉ-XIIᵉ s), la présence d'une étonnante cotte de maille en argent, en fait parure funéraire qui servait d'armature aux défunts.

Japon

Il trouve une place de choix à travers un déploiement de peintures, sculptures en bois et autres objets rappelant les principales phases d'une histoire plurimillénaire. Peintures magnifiques de l'école japonaise, autre école majeure du patrimoine pictural de l'humanité. Notez que les toiles sont empreintes de plusieurs sceaux : non seulement celui de l'artiste, mais également celui de l'acquéreur (voire des acquéreurs successifs). Un tout autre rapport à l'œuvre que dans les sociétés occidentales. Ne ratez pas non plus les somptueuses sculptures (en bois notamment), d'un étonnant réalisme. Belle salle encore présentant les accessoires de la *cérémonie du thé,* assortis d'un véritable effort de mise en scène. Admirez cet *oiseau Garuda* daté de 752, utilisé lors des cérémonies de consécration de la statue du grand Bouddha du Todjaii. Dans une vitrine sont exposés 24 objets curieux : ce sont des *Inrô.* Ces petites boîtes laquées étaient suspendues à la ceinture à l'aide d'un cordon de soie et un netsuke faisait contrepoids. Pourquoi ? Parce qu'autrefois les Japonais et les Japonaises portaient des kimonos sans poche. Ils transportaient leurs médicaments et leurs sceaux dans les compartiments de ces petites boîtes portatives. Comme les Chinois, les Japonais peignaient sur des bandes de soie ou papier, appelés *kakemono* au Japon.

Corée

Intermédiaire entre la Chine et le Japon, la Corée trouve un espace propre. À travers quelques pièces notables, dont le *Bodhisattva méditant* en bronze doré du VIᵉ s, le département coréen prouve qu'il est l'aboutissement des mouvements artistiques en provenance de l'Inde (au rez-de-chaussée), mais surtout qu'il a su affirmer sa propre sensibilité. Magnifiques paravents calligraphiés. Voir aussi la céramique *raku* pour la cérémonie du thé.

3ᵉ et 4ᵉ étages : la rotonde

Profitez, là, de la lumière et des impressions architecturales de paquebot flagrantes à ce niveau du musée.

Le 3ᵉ étage, réservé à l'administration et aux archives photographiques, présente néanmoins une magnifique pagode du XVIIIᵉ s, en ivoire, offerte par la cour de Chine à la France. Des démonstrations ou animations artistiques ont parfois lieu au 4ᵉ étage. Ne manquez pas la vue panoramique sur la tour Eiffel et sur Paris qu'on a depuis la rotonde.

🎎 *Le musée du Panthéon bouddhique* (plan couleur nord D2) : 19, av. d'Iéna, 75116. ☎ 01-56-52-53-00. Ⓜ Iéna. Tlj sf mar 9h45-17h45. GRATUIT. Les galeries de ce musée retracent l'histoire religieuse de la Chine et du Japon, du IVᵉ au XIXᵉ s. Un lieu magique au milieu d'un jardin japonais (zen forcément) idéal pour une halte : cascades d'eau, bambous géants et chant des oiseaux concourent à la sérénité du lieu.

Le musée d'Art moderne de la Ville de Paris
(plan couleur nord D2)

҂҂҂ ⵀ *11, av. du Président-Wilson, 75116.* ☎ *01-53-67-40-00.* ● *mam.paris. fr* ● Ⓜ *Iéna ou Alma-Marceau ; RER C : Pont-de-l'Alma.* ♿ *(partiellement). Tlj sf lun et j. fériés 10h-18h (22h jeu pour les expos temporaires). GRATUIT (expos temporaires payantes, réduc 14-26 ans, gratuit moins de 13 ans). Visites-conférences pour adultes, visites-animations et ateliers pour enfants.*

Situé dans l'aile est du palais de Tokyo, le musée d'Art moderne de la Ville de Paris a été construit à l'occasion de l'Exposition internationale des arts et techniques en 1937. En 1953, un legs important va décider la Ville à ouvrir enfin son musée, dans les salles du bas.

Les collections

L'accrochage changeant tous les 6 mois, la présentation que nous faisons des collections différera probablement de ce que vous verrez. Quoi qu'il en soit, prenez le temps de lire les explications à l'entrée de chaque salle. Claires et concises, elles permettent de mieux appréhender la démarche des artistes présentés et de restituer les mouvements artistiques dans leur contexte.

Pour commencer, plongez-vous dans l'extraordinaire *Fée Électricité* peinte par Dufy. Une composition de 600 m² et l'un des plus grands tableaux du monde, installé dans l'ancienne salle d'honneur, face au grand hall d'entrée du musée. Dufy retrace l'histoire de l'énergie et de ses applications à travers le temps et une centaine de savants.

Dans la salle Matisse, en contrebas, deux versions de *La Danse*, rythmée par les rayures de Daniel Buren. Il a fallu attendre que la succession de Matisse soit close pour qu'on voie apparaître la première version : une erreur dans les dimensions des tableaux a permis que les œuvres restent en France au lieu de partir pour la Fondation Barnes, en Pennsylvanie.

➤ Descendre l'escalier pour mieux remonter le temps et traverser l'espace du musée.

– *Salle 12 :* belle présentation des *fauves. Vlaminck, Derain* (*Le Phare de Collioure*). Les panneaux explicatifs vous invitent, ensuite, à passer en douceur du *cubisme* analytique, où l'on décompose l'objet, au cubisme synthétique : au lieu de donner pour un même objet différents aspects, on invente une seule forme pour le synthétiser. C'est aussi un moyen de réintroduire la couleur : *Braque, Juan Gris, Picasso* (*Tête d'homme*). Et *Rouault* salle 12 bis.

– *Salle 11 :* l'*école de Paris* a toujours été présentée au musée, notamment avec *Modigliani* (*La Femme en bleu*), *Soutine* (*Grotesque*), *Foujita* (*Nu à la toile de Jouy*, 1922), *Pascin* et *Van Dongen*. L'autre partie de la salle est consacrée à la suite de la donation Werner, à un ensemble d'œuvres de *Derain,* et notamment ses masques, réalisés après sa mort par le sculpteur et ami *Giacometti*.

– *Salle 10 : abstraction des années 1920* avec des œuvres de *Kupka, Arp, Helion...* Une partie de la salle est consacrée au *mouvement dada* et au *surréalisme*.

– *Salle 9 :* les *Nabis* que furent *Bonnard* et *Vuillard* ont peint toute leur vie, jusqu'à symboliser la peinture au XXᵉ s aux côtés de Matisse. Les portraits de Maillol, Bonnard, Ker-Xavier Roussel, Maurice Denis, dits des Anabaptistes de Vuillard, et *Le Nu dans le bain* de Bonnard. Une autre partie de la salle est consacrée à un accrochage d'œuvres de *Raoul Dufy* des années 1920-1930.

– *Salle 8 :* en 2011, la *Fondation Giorgio et Isa de Chirico* a légué 61 œuvres du peintre au musée d'Art moderne de la Ville de Paris. Le musée, qui disposait déjà de sept œuvres de l'artiste – dont *La Mélancolie hermétique* (1919), un de ses derniers tableaux métaphysiques, *Le Portrait de Paul Guillaume* (1915) et *Cheval et gladiateurs* (1930) – devint ainsi le plus grand ensemble muséal d'œuvres de

Chirico de la seconde partie de la carrière de l'artiste, après Rome. Cet ensemble exceptionnel est composé de 30 peintures, 20 dessins et 11 sculptures, qui témoignent d'une *metafisica* toujours opérante.

Cette salle abrite aussi une belle collection des œuvres de **Jean Fautrier** et d'autres illustrant le mouvement d'abstraction des années 1950.

Toujours salle 8, le musée présente régulièrement des sculptures d'**Étienne-Martin,** étranges autant qu'exceptionnelles. Une sculpture originale autant qu'originale reconstruit selon une mythologie intime sa maison natale du Loriol dans la Drôme. La série des *Demeures* (*Demeure XIII,* 1969), entre sculpture et architecture, occupe une place particulière, mais aussi *Le Clin d'œil* (1970), qui réunit à la fois le plâtre et les matériaux de récupération, tout en les intégrant dans la structure métallique et la polychromie.

– **Salles 4-7 :** installations contemporaines d'œuvres de **James Lee Byars.**

– **Salle 3 :** cette salle accueille la collection d'**arts décoratifs des années 1930** réunissant mobilier et objets d'art. Autour du panneau *Les Sports* (1935) de **Dunand,** on retrouve des meubles prestigieux signés **Ruhlmann, Printz, Arbus, Chareau** ou **Adnet,** ainsi que de nombreux objets de céramistes, verriers, dinandiers et ferronniers de tout premier plan.

– **Salles 1 et 2 :** présentation de grands formats de la première moitié du XXe s. D'abord, les grands tableaux de Salon réalisés à la suite des *Baigneuses* de Cézanne : *Les Baigneuses* de **Gleizes** (1911), *La Ville de Paris* de **R. Delaunay** (1911-1912), *La Partie de plaisir* de **Lhote** (1910-1911). En contrepoint, les grandes décorations abstraites réalisées pour le Salon des Tuileries en 1938 et *Les Rythmes* de **Sonia Delaunay** sont ici présentés.

– **Salle 13 :** retour à la couleur. Les Nouveaux Réalistes, qui révèlent les potentialités esthétiques de l'objet et proposent de nouvelles perspectives du réel, sont à l'honneur. Compression de César, portrait-relief d'Yves Klein (du bleu qui fait mal aux yeux, comme disent les habitants de la Polynésie), œuvres d'Arman, affiches lacérées maroufflées sur toile de Hains et de Villeglé. On peut avoir un faible pour ce *Boulevard de la Chapelle, 65,* souvenir d'un temps que les moins de 20 ans ne risquent pas de connaître, avec ces appels déchirés plus que déchirants, désormais, « pour le soutien de l'action du général de Gaulle ».

– **Salle 14 :** au début des années 1960, la peinture connaît un vif renouveau en Allemagne autour d'un groupe de jeunes artistes engagés, parmi lesquels **Gerhard Richter, Sigmar Polke** et **Georg Baselitz.** Formés dans le contexte idéologique de la République démocratique allemande, ils s'intéressent aux contradictions implicites de la culture de masse. Aux œuvres de ces artistes s'ajoutent celles de **A. R. Penck** et **Jörg Immendorff,** qui font partie de la **donation Michael Werner** dont le musée d'Art moderne de la Ville de Paris a bénéficié en 2012.

– **Salles 15-17 :** scène française et internationale. Nouvelles acquisitions contemporaines.

– **Salle 20 :** consacrée à la vidéo, et un espace dédié à **Christian Boltanski** et à ses installations, qui invitent à méditer sur la fragilité de la vie et de la mémoire.

– Régulièrement, d'exceptionnelles expositions autour d'un artiste essentiel (ce fut le cas avec Jean-Michel Basquiat ou Keith Haring) ou autour d'un thème sont présentées *(entrée payante).*

– D'autre part, l'ARC, situé en étage, présente les recherches les plus contemporaines au niveau de la création *(entrée payante elle aussi).*

🕸 |●| Excellente ***librairie d'art*** à la sortie, ainsi qu'une ***cafétéria*** qui ne fait pas dans la création contemporaine mais qui nourrit son homme, avec des plats du jour autour de 10 €. Quelques tables dehors aux beaux jours, et plus si affinités.

🍴 🚶 *Le palais de Tokyo (plan couleur nord D2) :* 13, av. du Président-Wilson, 75016. *Également une nouvelle entrée quai de New-York, 75016.* ☎ 01-47-23-54-01. ● *palaisdetokyo.com* ● Ⓜ Iéna ou Alma-Marceau. ﴾ *(sur la majeure*

16e

partie du site). Juste en face du musée précédent. Tlj sf mar, 1er janv, 1er mai et 25 déc 12h-minuit. Entrée : 10 € ; 8 € sur présentation de ce guide ; réduc. Des médiateurs se tiennent dans les espaces d'expo pour répondre aux questions du public. Bonne programmation pour les enfants (rens au ☎ 01-81-97-35-88). Un espace, Little Palais, est dédié aux activités jeune public (5-10 ans) ; inscription sur le site internet à la rubrique « Jeune public ». Également 2 restos, 2 salles de cinéma et une librairie. Le palais de Tokyo est le centre d'art contemporain le plus vaste d'Europe. On y trouve de grandes expos thématiques, des monographies d'artistes jeunes ou confirmés ; y sont présentées également, dans des espaces accessibles gratuitement, « les modules », des interventions de jeunes artistes renouvelées tous les 2 mois. Ainsi la scène émergeante voisine avec des artistes déjà plus reconnus. Les interventions artistiques ont également lieu tous les 12 à 18 mois sur les différents éléments architecturaux du Palais (porte, fenêtres, escaliers...). Le Palais accueille aussi de jeunes artistes en résidence, leur offrant parfois leur première monographie ou leur confiant le commissariat de certaines de ses expositions. D'ailleurs, vous assisterez peut-être, lors de votre visite, à un décrochage ou à un accrochage, dans cet environnement en perpétuel mouvement. Des débats sont organisés sur tous les sujets possibles, ainsi que de nombreux événements (performances, concerts, etc.).

🌐 À signaler, une *librairie* (☎ 01-49-52-02-04 ; ouv jusqu'à minuit !) très pointue sur tout ce qui concerne l'art contemporain, la photographie, l'architecture, etc. 🍴 Pour manger, 2 options : le resto

Tokyo Eat (voir « Où manger ? » ; plat du jour 12 €, carte 30-40 €) et un nouveau restaurant au niveau du parvis bas proposant des cocktails sur mesure et une cuisine d'auteur.

🎭 🚶 *Le palais Galliera, musée de la Mode de la Ville de Paris* (plan couleur nord D2) : 10, av. Pierre-Ier-de-Serbie, 75116. ☎ 01-56-52-86-00. ● galliera.paris. fr ● Ⓜ Iéna ou Alma-Marceau. Le palais vient de rouvrir après plusieurs années de travaux. Petit palais d'inspiration Renaissance construit à la fin du XIXe s et transformé en espace d'exposition. Très élégant péristyle et, à l'intérieur, hautes salles avec plafonds à fresques. Plus de 100 000 pièces sont réunies dans ce musée, ce qui le place parmi les tout premiers du genre en Europe. Pas de collection permanente mais des expositions temporaires thématiques ou monographiques (grands noms de la couture, figures de la mode...). Visites-conférences pour les plus grands et nombreux ateliers pour les plus petits.

🎭 *La rue Le Sueur* (plan couleur nord C1) : un petit frisson en passant dans cette rue qui se situe entre l'avenue de la Grande-Armée et l'avenue Foch. C'est dans cette rue, au n° 21, que le docteur Petiot avait acheté son hôtel particulier pour y faire sa « clinique » (voir encadré).

🎭 🚶 *Le musée de la Contrefaçon* (plan couleur nord B2) : 16, rue de la Faisanderie, 75116. ☎ 01-56-26-14-03. ● musee-contrefacon.com ● Ⓜ Porte-Dauphine ; RER C : Avenue-Foch. Bus n° 82 et PC. Tlj sf lun et j. fériés 14h-17h30. Fermé le w-e en août. Pour les groupes (10 pers min) et les visites guidées, réserver. Entrée :

LE DOCTEUR PETIOT : UN DES PREMIERS SERIAL-KILLERS

C'est rue Le Sueur que le docteur Petiot a détroussé et tué un grand nombre de juifs pendant la Seconde Guerre mondiale : il immergeait les corps dans la chaux vive et brûlait les restes, et c'est ce qui signa sa perte. Le 11 mars 1944, une fumée empuantissait la rue. Les pompiers forcèrent la porte et découvrirent l'horreur : la cave et la chaudière étaient pleines de débris humains... Près de 30 cadavres purent être identifiés. Petiot échappa à la police, en prétendant qu'il avait tué... des collabos. Il fut arrêté à la Libération, enrichi de 140 millions, puis jugé et guillotiné en 1946.

6 € ; réduc ; tarif réduit (5 €) sur présentation de ce guide ; gratuit moins de 12 ans, chômeurs... Parcours interactif destiné aux familles.
Petit musée de l'Unifab (l'Union des fabricants pour la protection internationale de la propriété industrielle et artistique) abrité dans ce bel hôtel particulier (la copie conforme d'un hôtel particulier du Marais, repéré par l'ancienne propriétaire, une richissime Américaine) et à visée clairement pédagogique. Plus de 400 produits mis au regard de leur « faux », et les différents types de contrefaçons, depuis la bête copie à l'usurpation de logo, en passant par le détournement de nom ou de packaging. Le cas le plus ancien (au IIe s av. J.-C., déjà !) : des amphores gallo-romaines de vin et leurs sceaux, vilainement copiés par des vignerons des environs d'Arles. Tout y passe : maroquinerie, parfumerie (flacons remplis de produits douteux, comme de l'urine), médicaments (inefficaces ou carrément dangereux), jouets pour enfants (non-respect des normes), montres, joaillerie, ou, plus technique, pièces automobiles et petit électroménager, avec les risques pour la sécurité qui en découlent. Dangers physiques, donc, mais aussi économiques. Également une salle consacrée à la contrefaçon dans le monde de l'art : fausses statuettes de Rodin, films piratés...
La contrefaçon menace de nombreux emplois et alimente largement l'économie souterraine. Les circuits de production et de distribution des produits sont de plus en plus souvent liés aux réseaux mafieux : pratique pour blanchir de l'argent, avec des peines encourues moins lourdes que pour d'autres trafics (armes ou drogues). Expos temporaires pour approfondir le sujet. Pour l'anecdote, c'est ici que fut tournée une partie de l'inénarrable *Grande Vadrouille*. Quant au « faisan » (rue de la Faisanderie), c'était le nom donné, en argot, à un tricheur... ; une adresse prédestinée !

🏃🎭 🚶 *Le musée Dapper (plan couleur nord C1) :* 35 bis, rue Paul-Valéry, 75116. ☎ 01-45-00-91-75. ● dapper.fr ● Ⓜ Victor-Hugo. ♿ Tlj sf mar et jeu 11h-19h. *Expos temporaires slt. Entrée : 6 € ; 4 € sur présentation de ce guide ; réduc ; gratuit moins de 26 ans et étudiants, et pour ts le dernier mer du mois. Visite guidée sur résa pour les groupes, à date fixe pour les individuels : 5 € + droit d'entrée de l'expo.* Le musée Dapper est certainement l'un des plus réputés auprès des amoureux de l'Afrique et de l'art africain. Sur deux étages, il présente des expositions temporaires thématiques composées d'œuvres en provenance d'autres musées, de collections privées et complétées par sa propre collection. Ces expositions, qui s'attachent à valoriser les cultures issues de la diaspora, sont riches et intelligemment présentées. C'est une belle occasion de prouver, si besoin était, que l'art africain ne se résume pas à quelques masques dont on trouve les reproductions sur tous les marchés. Le musée organise également des conférences liées au thème de l'exposition, des concerts, des spectacles, des rencontres littéraires et, pour le jeune public, certains dimanches à 15h : contes, marionnettes, cirque... Au sous-sol, cafétéria *(fermée en sem et parfois le w-e...)* et librairie pour prolonger le plaisir de la visite.

🏃🎭 *Baccarat (plan couleur nord D2) :* 11, pl. des États-Unis, 75116. ☎ 01-40-22-11-00. Ⓜ Boissière ou Iéna. ♿ Tlj sf mar, dim et j. fériés 10h-18h. *Entrée : 7 € ; réduc ; gratuit moins de 18 ans et pers handicapées.* Dans l'ancien hôtel particulier de Marie-Laure de Noailles, muse et mécène au XXe s d'artistes en tout genre, la célèbre manufacture de cristal a choisi d'installer sa boutique, ses bureaux, un resto – le *Cristal Room Baccarat* – et une galerie-musée. Le tout redécoré par le maître en architecture fantasmagorique, Philippe Starck lui-même. Cet hôtel est spectaculaire. À l'étage, la galerie-musée présente les chefs-d'œuvre issus des collections d'exception du patrimoine de la maison Baccarat. Vases, coupes, verres, candélabres dits du tsar Nicolas II, services d'inspiration turque, et le fameux service « Harcourt », le best-seller de la maison, créé en 1841 et commandé par le Vatican pour le pape Jean-Paul II en 1979 ! Une rotonde voisine est décorée d'une toile de Gérard Garouste, *Alchimie,* sur le thème des quatre éléments essentiels à la création presque alchimique du baccarat, un cristal pur. Y est exposée la paire de vases *Allégorie de l'Eau* et *Allégorie de la Terre*. Splendide ! Faites un petit tour dans la salle de bal voisine. On s'y croirait. Musique, maestro !

LE BOIS DE BOULOGNE
(plan couleur nord A-B1-2-3 et plan couleur sud A-B1)

Sur les 856 ha, plusieurs arbres bicentenaires, comme le fameux chêne rouvre du Pré-Catelan, qui fait 6,60 m de circonférence. L'espèce dominante est le chêne. C'est Philippe Auguste qui achète à l'abbaye de Saint-Denis ce vestige de la forêt de Rouvray (de *robuterum*, « chêne »). Le nom de Boulogne, quant à lui, provient d'un hameau limitrophe dont les habitants revenaient d'un pèlerinage à Boulogne-sur-Mer – ils construiront d'ailleurs une église identique. Après la guerre de Cent ans (la forêt était devenue un repaire de brigands), Louis XI fait reboiser le domaine et perce deux routes, de Passy à Boulogne et de Passy au bac de Neuilly. François Ier fait construire le château de Madrid en 1528, puis édifier un mur de clôture, délimitant ainsi le parc du château. Commence alors une période de fêtes et de chasses. Henri IV tente d'y acclimater le ver à soie et plante 15 000 mûriers. Le parc, réservé aux chasses royales, est desservi par des allées droites, ponctuées de carrefours en étoile, reliant entre elles les portes de l'enceinte. Le bois devient une promenade galante et mondaine très à la mode. Au début du XVIIIe s, on s'y fait construire des folies (mot qui vient de « feuillage »), résidences élégantes dans la verdure (voir « Le parc de Bagatelle » plus loin). Les premières montgolfières s'élèveront d'ici. La Révolution épargne peu de bâtiments, et les Prussiens, qui y campent en 1815, n'arrangent rien. En 1852, Napoléon III fait don du bois à la Ville de Paris, et Haussmann le réaménage au goût du jour (enfin, de Napoléon III, qui se piquait d'horticulture depuis son exil anglais !) : grottes, cascades, chemins sinueux, pagodes, lacs, et même un chalet suisse d'origine, entièrement remonté... Décors de rêve pour scènes pittoresques ! La Ville de Paris a ajouté aux allées cavalières et aux pistes pour cyclistes des parcours sportifs qui sont très fréquentés (la nuit aussi, mais il ne s'agit pas des mêmes sports...).

De la place de l'Étoile, un des chemins pour atteindre le bois de Boulogne consiste à descendre l'avenue Foch, où se trouvent les appartements parmi les plus chers de la capitale.

Le lac Inférieur ou Grand Lac (location de barques), d'une superficie de 11 ha, entoure deux îles réunies par un pont. La plus grande abrite le café-restaurant du *Chalet des Îles* (cher). Le carrefour des Cascades (1,2 km du carrefour du Bout-des-Lacs) est situé entre le lac Inférieur et le lac Supérieur ou Petit Lac.

À VOIR. À FAIRE DANS LE BOIS DE BOULOGNE

➤ Le bois de Boulogne se parcourt **à pied,** certains le disent. On peut faire son tour complet en randonneur pédestre de grande vertu (12 km, 4h sans les arrêts et en circuit en partant du métro Porte-Maillot). On peut aussi le traverser en 6 km (2h environ) du métro Porte-Maillot au métro Porte-d'Auteuil, par l'hippodrome et le moulin de Longchamp, la Grande Cascade et les serres d'Auteuil. Balades familiales en suivant le balisage jaune et rouge du GR de Pays. Réf. : topoguide *Paris à pied,* éd. FFRP, avec cartes.

♣♣♣ ✚ *Le Jardin d'acclimatation (plan couleur nord A1)* : bois de Boulogne. ☎ 01-40-67-90-85. ● jardindacclimatation.fr ● Ⓜ *Les Sablons, puis 10 mn à pied, par la rue d'Orléans. Sinon bus nos 43, 73, 82, 93, 174, 244 ou PC1. D'abord, un bon tuyau pour éviter de faire la queue à l'entrée : un train, devenu électrique (développement durable oblige !), part ttes les 20 mn de la porte Maillot, se promène un peu dans le bois de Boulogne, puis vous dépose à l'intérieur du Jardin d'acclimatation (5,60 € l'A/R, entrée au parc incluse). Tlj 10h-18h (19h mai-sept).*

Entrée : 3 € ; tarif réduit : 1,50 € ; gratuit moins de 3 ans et pers handicapées. Différentes formules d'abonnement annuel. Demander le plan gratuit à l'entrée. Attention, la plupart des manèges et attractions sont payants : compter 2,90 € le ticket pour la majorité d'entre eux ; possibilité d'acheter un carnet de 15 tickets pour 35 € ou de 25 tickets pour 55 €. Sachez enfin qu'il existe 2 distributeurs de billets au milieu du jardin. Possibilité de pique-niquer sur place, de déjeuner ou de goûter dans l'un des restos du jardin.

En 1860, Napoléon III fit cadeau de ce jardin aux Parisiens sur le modèle de Hyde Park qu'il avait apprécié, comme son épouse l'Impératrice Eugénie, afin qu'ils puissent y découvrir, « acclimatés », la faune et la flore du monde entier.

Le Jardin d'acclimatation, géré par une équipe très dynamique, a aujourd'hui plusieurs vocations : c'est d'abord un lieu de promenade avec ses 18 ha propices à la détente, ses pelouses, ses allées

> ## ZOO HUMAIN
>
> *Dès la fin du XIXᵉ s, au nom du principe d'acclimatation, on exhiba des indigènes : Nubiens, Lapons, Tonkinois... Les scientifiques vinrent découvrir le prétendu chaînon manquant entre le singe et l'homme évolué (le blanc, évidemment). Après 1918, il devint difficile d'exposer ces « sauvages » qui nous avaient aidés à gagner la Première Guerre mondiale.*

fleuries, sa maison japonaise, son salon de thé chinois, son jardin coréen, ses animaux, et même son potager où poussent herbes aromatiques, légumes et arbres fruitiers. C'est aussi un espace pédagogique, avec des ateliers originaux pour les enfants, et certains d'entre eux également pour les adultes (☎ 01-40-67-99-05) ; un théâtre pour enfants ; l'accueil d'un pays ou d'une région chaque année pour 1 mois autour de Pâques (animations, spectacles, ateliers...) ; et, bien sûr, un lieu de distraction idéal où les nombreux manèges sont un véritable enchantement pour les enfants à partir de 2 ans. Les plus petits ont accès à un carrousel et à quelques manèges (accompagnés), mais ils resteront surtout ébahis devant les animaux.

– *La maison de thé :* à l'entrée sur la droite, au 1ᵉʳ étage. Slt w-e 14h-18h. Tenu par le grand aquarelliste Hippolyte Romain. Vous serez accueilli dans un intérieur traditionnel chinois. Thés excellents, dont le rarissime thé aux céréales.

– *Les animaux :* ils font partie de l'héritage du jardin. N'oublions pas qu'à l'origine le jardin était destiné à habituer les animaux au climat parisien, d'où le nom d'« acclimatation ». Outre les ours, les lamas, les aurochs, les daims, les autruches, la grande volière, il y a surtout la ferme, avec ses lapins, poules, coqs, oies, dindons, paons en liberté... ainsi qu'un rucher de 400 000 abeilles qui produisent 250 kg de miel des fleurs du jardin, dont les pots sont vendus sur place. Des ateliers de découverte des animaux sont organisés ; avec les animaliers, on entre dans les enclos et on nourrit les pensionnaires.

– *Les attractions clés :* la *Rivière enchantée* (accessible à tous) où, à bord d'un petit bateau, on embarque pour une minicroisière – attraction importée de l'Exposition universelle de 1927.

– *Les jeux et manèges :* une grande aire est divisée en deux sections (petits et grands) avec un tas de jeux qui font le bonheur des enfants. Tyroliennes, balançoires, parcours d'escalade, pataugeoire, etc. Le côté sympa : des transats pour les parents (chez les « petits ») et, l'été, des brumisateurs. Attractions payantes également, des manèges en pagaille regroupés dans une sorte de fête foraine.

– *Les restaurants :* un salon de thé *Angelina, La Terrasse du Jardin*, kiosques et vente itinérante... La restauration du jardin a bien changé – dans le bon sens !

– *Le guignol :* le traditionnel guignol est gratuit (📱 07-60-25-77-33 ; séances mer, w-e, j. fériés et vac scol à 15h et 16h).

🎭🎭🎭 **La Fondation Louis-Vuitton** *(plan couleur nord A1) :* 8, av. du Mahatma-Gandhi, 75016. ☎ 01-40-69-96-96. ● fondationlouisvuitton.fr ● Compter 15 mn *de marche depuis le métro Les Sablons. Expos permanente et temporaires ; auditorium.* **Ouverture automne 2014.**

Attention, du nouveau dans le ciel parisien ! Au terme d'un long chantier, l'entrepreneur Bernard Arnault vient de donner corps à ses deux passions : l'art contemporain et l'architecture, au sein de sa toute nouvelle fondation. Une structure intérieure (« l'iceberg ») chapeautée par un vaisseau en mouvement déployant 12 voiles de verre. Un véritable défi technique et technologique a été relevé.

Et, pour prolonger le plaisir des yeux, le bâtiment se reflète dans un miroir d'eau. À l'intérieur, 11 espaces modulables abritent la collection permanente d'art contemporain et moderne de LVMH, des expos temporaires et un auditorium. À découvrir sans tarder !

🎭🎭🎭 🧍 *Le parc de Bagatelle (hors plan couleur nord par A2) :* bois de Boulogne. ☎ 01-53-64-53-80. Ⓜ Porte-Maillot, puis bus n° 244, pour entrer par la grille d'honneur, allée de Longchamp ; autre entrée par la grille de Sèvres : Ⓜ Pont-de-Neuilly, puis bus n° 43. Ouv tlj à 9h30 ; ferme selon l'heure du coucher du soleil, au plus tôt à 17h l'hiver, au plus tard à 20h l'été. Entrée payante fin mai-oct : 5,50 € ; tarif réduit : 2,75 € ; gratuit moins de 7 ans. Visite guidée du parc et du château avr-oct (rens : ☎ 01-71-28-50-82) ; tarif : 8 €, réduc. Expos temporaires et manifestations grand public (rens : Paris Info Mairie, ☎ 39-75).

Parc de 24 ha qui entra dans l'histoire au XVIIIe s comme lieu de plaisirs et de rendez-vous galants.

Quelque 10 000 rosiers issus de 1 000 variétés différentes offrent un spectacle magnifique de fin mai à fin septembre. Depuis un siècle s'y déroule tous les ans le concours international des roses nouvelles. Le jardin mérite aussi une promenade au début du printemps pour y admirer les 1 200 000 bulbes qui tapissent les grandes pelouses, et à la

C'EST UNE BAGATELLE !

Le château a été construit en 1777, en 2 mois, pour le comte d'Artois, frère de Louis XVI, suite à un pari avec la reine. Sa devise – ambiguë –, Parva sed apta, se traduit par « Petite mais commode »... Le premier bâtiment, construit en 1720, était considéré par son propriétaire, le maréchal d'Estrée, comme une petite chose, une babiole : « C'est une bagatelle ! » Son expression est restée.

fin de l'été, c'est le potager décoratif que l'on peut visiter. Même en hiver, ce parc romantique demeure enchanteur grâce à la variété de ses perspectives, à la beauté de ses bassins animés par de craintives poules d'eau, de placides canards et des cygnes majestueux. La diversité des paysages y est pour beaucoup : jardins à l'anglaise, à la française, belvédère dominant les alentours, ainsi que le kiosque de l'Impératrice et les gloriettes qui émerveilleront les enfants.

Près de la grille de Sèvres, aux abords d'une belle construction en brique rouge surplombée de clochetons (le restaurant du parc), on peut, aux beaux jours, faire un arrêt thé-goûter sous les frondaisons ombragées.

▶ Pour le plan du 17e arrondissement, voir le cahier couleur.

Le sud du 17e arrondissement ressemble un peu au 16e : mêmes immeubles cossus, même atmosphère plutôt résidentielle, mêmes villas discrètes fleuries et ceintes de hautes grilles en fer forgé. Et cela, malgré la barrière automobile de l'avenue de la Grande-Armée, avec l'Arc de Triomphe et le palais des Congrès – relooké par Christian de Portzamparc – à chaque extrémité. Chic et bon goût ne font pas défaut, et la salle Pleyel est toute proche (c'est bien pratique pour assister à un récital). Cette prospérité de bon aloi, on la retrouve bien sûr dans les environs du parc Monceau (qui est dans le 8e, mais la frontière, là aussi, est imperceptible). En revanche, plus au nord, on aborde le périmètre des voies de chemin de fer de la gare Saint-Lazare et « l'autre 17e »... Celui du village des Batignolles, bobo-animé, avec son square Napoléon-III et son nouveau parc Martin-Luther-King ; celui des Épinettes, encore populaire. C'est qu'en fait il ne faut pas parler d'un 17e, mais plutôt de trois...

Où dormir ?

De très bon marché
à bon marché

🛏 *Hôtel Viator* (plan couleur D2, **10**) : 61, rue des Moines, 75017. ☎ 01-46-27-49-81. ● *reservation@hotel-viator.com* ● hotel-viator.com ● Ⓜ Brochant. 🍴 *Selon saison, doubles avec sanitaires partagés 55-65 €, avec douche et w-c 65-85 € ; petit déj 8 €.* 🛜 *TV.* Simple mais correct, ce petit hôtel très calme peut dépanner. Les chambres sont bien tenues, celles sur cour sont moins lumineuses. Pour la catégorie la plus basique, toilettes à chaque étage, mais douche (parfois incluse dans le tarif, parfois non) uniquement au 2e. À savoir aussi, dans certaines chambres, les lits pour 2 font 120 cm de large !

🛏 *Eldorado Hôtel* (plan couleur zoom, **2**) : 18, rue des Dames, 75017. ☎ 01-45-22-35-21. ● *eldoradohotel@wanadoo.fr* ● eldoradohotel.fr ●

Ⓜ *Place-de-Clichy. Résa conseillée 2 mois à l'avance. Doubles 78-98 € selon confort ; triples 92-108 € ; petit déj 9 €.* 🖥 🛜 *L'Eldorado Hôtel* porte bien son nom ! Derrière une façade discrète, on découvre une adresse étonnante, à la déco aussi délirante qu'hétéroclite. Les chambres, toutes différentes, sont équipées de mobilier chiné souvent pittoresque. La délicieuse cour intérieure abrite un « pavillon » (maisonnette) aux chambres plus calmes mais tout aussi atypiques. Sur place, un bar à vins, *Le Bistrot des Dames*, toujours bondé, qui sert (sans réservation) dans la cour en été. Un morceau de campagne à Paris... à prix compétitifs. Une petite perle dans son genre.

Bon marché

🛏 *Hôtel Camélia* (plan couleur zoom, **14**) : 3, rue Darcet, 75017. ☎ 01-45-22-50-53. ● *camelia.international@*

wanadoo.fr • hotelcameliaparis.com • Ⓜ Place-de-Clichy. Doubles avec douche et w-c 59-69 € selon saison ; familiales 3-4 pers 85-120 €. 🛜 TV. Un établissement désuet, avec des chambres basiques mais propres, refaites et assez grandes (en revanche, petites salles de douche...), desservies par un ascenseur. Elles sont équipées de double vitrage. Rien de luxueux, mais correct pour le prix et la situation. Accueil affable.

Prix moyens

🏠 **Hôtel Champerret-Héliopolis** (plan couleur B2, 9) : 13, rue d'Héliopolis, 75017. ☎ 01-47-64-92-56. • reservation@champerretheliopolis.fr • hotel-heliopolis.com • Ⓜ Porte-de-Champerret ; RER C : Pereire-Levallois. Doubles 99-120 € avec douche ou bains ; triple 140 €. 🖥 🛜 TV. Canal +. Un petit déj/chambre offert sur présentation de ce guide. Avec ses géraniums débordant des fenêtres, ce petit hôtel convivial, très calme, possède un adorable patio où l'on peut prendre son petit déj (servi 7h-12h) aux beaux jours. L'établissement a pour clientèle des commerciaux cherchant le calme ou des familles en vacances (les chambres triples qui donnent sur le patio leur sont particulièrement dédiées). Quant aux amoureux, ils apprécient ici l'esprit « maison d'hôtes cocooning ». Les chambres, assez classiques dans l'ensemble, ont toutes été refaites et sont impeccablement tenues. Une adresse charmante doublée d'un accueil particulièrement attentioné.

🏠 **Hôtel B Square** (plan couleur zoom, 8) : 11, rue des Batignolles, 75017. ☎ 01-45-22-50-58. • contact@bsquare.fr • bsquare.fr • Ⓜ Rome ou Place-de-Clichy. Doubles à partir de 79-89 € (bien plus à certaines périodes). 🛜 Gros coup de cœur pour ce petit hôtel de charme doté d'une trentaine de chambres, au pied des Batignolles. Déco d'un design convenu et un peu froid à la réception, mais chambres classiques, supérieures et familiales, personnalisées (tentures de coloris différents), modernes et cosy

à tous les étages. Douche, baignoire, rue, cour, twin... le confort est optimal (insonorisation, literies neuves, clim...). L'accueil l'est tout particulièrement aussi. Un excellent choix, surtout en période de promo. NOUVEAUTÉ.

🏠 **Hôtel Noir** (plan couleur B3, 12) : 18, rue Léon-Jost, 75017. ☎ 01-46-22-60-70. • hotelnoir@orange.fr • hotelnoir.fr • Ⓜ Courcelles. Doubles 95-170 € selon confort et saison ; également des familiales (3-4 pers) ; bon petit déj continental 9 €. 🛜 Vous êtes achluophobe ? Vous redoutez le noir et l'obscurité ? Passez votre chemin, car l'hôtel porte bien son nom : murs, sols, luminaires, déco. Tout est noir ou presque. L'ensemble est sombre certes, mais il a de l'allure. À commencer par le salon-réception en cuir, avec son élégante cheminée sculptée en bois. Les 18 jolies petites chambres, sur rue, bénéficient toutes d'une bonne luminosité, surtout celles en hauteur, et ont toutes été convenablement rénovées. Enfin, petite astuce, sachez que toutes les chambres dont le numéro se termine par un 2 sont « classiques », mais plus grandes. Et pour le même prix. NOUVEAUTÉ.

🏠 **Hôtel Cosy Monceau** (plan couleur C2, 3) : 21, rue Jouffroy-d'Abbans, 75017. ☎ 01-47-63-24-42. • cosymonceau@orange.fr • Ⓜ Villiers ou Malesherbes. Doubles 92-98 € (parfois moins chères selon occupation) ; petit déj 7 €. 🛜 TV. Satellite. Un petit hôtel discret des années 1930. Si le hall est simplement mais joliment décoré (la salle de petit déj est mignonne comme tout), les chambres en revanche sont bien plus simples. Propres et bien équipées (double vitrage, coffre-fort, sèche-cheveux...), elles sont d'un bon rapport qualité-prix. On préfère celles à partir du 2e étage, plus calmes, et surtout celles qui donnent sur la petite rue à l'arrière. Accueil charmant.

🏠 **Hôtel des Batignolles** (plan couleur zoom, 4) : 26-28, rue des Batignolles, 75017. ☎ 01-43-87-70-40. • hotel@batignolles.com • batignolles.com • Ⓜ Place-de-Clichy ou Rome. Doubles 69-135 € selon saison ; petit déj 10 €. 🛜 TV. Satellite. Prix doux pour des chambres spacieuses, donnant sur cour pour un grand nombre. Vu le peu de différence entre les classiques et les supérieures (rénovées récemment), choisissez sans hésiter ces dernières. Pas d'ascenseur pour gravir les 3 étages. Personnel attentionné et disponible. Voilà qui justifie le gros succès de cet hôtel, situé dans le secteur le plus *hype* du 17ᵉ.

Chic

🏠 **Art Hôtel Batignolles** *(plan couleur zoom, 13)* : 110, rue Legendre, 75017. ☎ 01-58-60-32-60. ● *resa@ arthotelbatignolles.com* ● *arthotel batignolles.com* ● Ⓜ *La Fourche*. *Doubles 119-191 €. Promos de dernière minute très intéressantes sur Internet.* 📶 Un bel hôtel moderne qui mise sans doute bien plus sur le confort que sur le charme... Quoique les chambres mansardées du 5ᵉ soient très jolies. Déco contemporaine chaleureuse : épaisses moquettes, élégants tissus, boiseries, salles de bains dans les tons taupe. Chambres de taille très convenables, parfaitement équipées et impeccables. Si l'on tient compte de l'emplacement, au cœur du très vivant quartier des Batignolles et ses restos, cet hôtel s'avère une option d'un excellent rapport qualité-prix (surtout en promo !). Très bon accueil. *NOUVEAUTÉ.*

🏠 **Hôtel Splendor** *(plan couleur C2, 19)* : 38, rue Cardinet, 75017. ☎ 01-46-22-07-73. ● *contact@ hotel-splendor.com* ● *hotel-splendor. com* ● Ⓜ *Malesherbes ou Wagram. Doubles avec douche et w-c slt 120-220 € ; petit déj 17 € (cher mais complet, à base de produits frais régionaux : fruits frais pressés, fromage, charcuterie...).* Le noir, le pourpre, le mauve dominent dans ce récent hôtel de 24 chambres entièrement dédié au thème de la magie. À chaque étage sa spécialité : « Cartes à jouer », « Gérard Méliès » (le premier réalisateur à avoir introduit le trucage dans le cinéma). Perso, on a bien aimé les chambres « Lévitation » avec leurs têtes de lit à effet de mouvement. Chambres pas bien grandes mais de très bon confort (literies parfaites, coffre, clim, machine à café...). Excellent accueil. Bref, magique ! *NOUVEAUTÉ.*

Plus chic

🏠 **Hôtel Tivoli** *(plan couleur B3, 17)* : 7, rue Brey, 75017. ☎ 01-43-80-31-22. ● *tivoli@sister-hotels. com* ● *tivolietoile.com* ● Ⓜ *Ternes ou Charles-de-Gaulle-Étoile. Double 210 € ; petit déj 13 €. Promos sur Internet.* 🖥 📶 TV. Canal +. Satellite. La déco pimpante attire le regard, et c'est une chance. Car cet hôtel moderne soigneusement rénové mérite qu'on s'y attarde : l'équipe est souriante et disponible, le patio bien sympa pour bouquiner, et les chambres très séduisantes avec leurs couleurs vives qui ne laissent pas indifférent.

🏠 **Villa Brunel** *(plan couleur A3, 7)* : 46, rue Brunel, 75017. ☎ 01-45-74-74-51. ● *resa@villabrunel.com* ● *villabrunel. com* ● Ⓜ *Porte-Maillot ou Argentine.* ♿ *Ouv tte l'année. Double env 200 € ; executive 275 € ; petit déj 13 €. Promos intéressantes sur Internet. AC.* 📶 TV. Câble. Cet hôtel accueillant, entièrement rénové dans un style à la fois contemporain et chaleureux, propose une trentaine de chambres soignées et colorées au confort irréprochable. Une bonne adresse, d'autant que l'accueil est impeccable.

🏠 **Hôtel Étoile Pereire** *(plan couleur B2, 15)* : 146, bd Pereire, 75017. ☎ 01-42-67-60-00. ● *info@etoile pereire.com* ● *etoilepereire.com* ● Ⓜ *Pereire ou Porte-de-Champerret.* ♿ *Doubles 200-300 € selon confort ; petit déj 15 €. Réduc le w-e, en juil-août et via Internet (jusqu'à - 50 %).* 📶 TV. Canal +. Câble. Cet hôtel séduisant tenu avec le sourire propose une vingtaine de chambres soignées et de bon confort, toutes différentes. Et c'est là sa force : les thèmes choisis pour la déco sont si variés qu'il est impossible de ne pas trouver son bonheur. L'« Art déco », par exemple, vaut le coup d'œil avec sa salle de bains à damier et son aménagement en duplex. Bon petit déjeuner, servi dans une salle contemporaine et élégante. Avis aux gourmands, des confitures artisanales aux parfums originaux qui font toute la différence !

🏠 **Hôtel Centre Ville Étoile** *(plan couleur A3, 11)* : 6, rue des Acacias, 75017. ☎ 01-58-05-10-00. ● *info@hotel-centreville.com* ●

hotel-centreville.fr • Ⓜ *Argentine ou Charles-de-Gaulle-Étoile ; RER A : Charles-de-Gaulle-Étoile.* ♿ *Doubles 80-270 € ; petit déj 13 €. Promos ponctuelles tt au long de l'année (voir le site internet).* � *TV. Câble.* Ici, le temps semble ralentir, le stress disparaît, tant on s'y sent détendu. Dans les tons blancs et noirs, le style Art déco apaise. Les chambres, confortables, sont en partie accessibles par des passerelles et semblent suspendues au-dessus du hall. Quant à la grande verrière, véritable puits de lumière, comme disent les architectes, quel effet ! L'hôtel est impeccablement tenu, et le service aux petits soins ajoute à l'atmosphère intime du lieu.

🏠 *Hôtel Acacias Étoile (plan couleur B3, 1) :* 11, rue des Acacias, 75017. ☎ 01-43-80-60-22. • *acaciasetoile@orange.fr* • *acacias-paris-hotel.com* • Ⓜ *Argentine ou Charles-de-Gaulle-Étoile. Doubles 100-260 € selon confort et saison ; petit déj 13 €. Promos fréquentes selon taux de remplissage.* � *TV. Canal +. Satellite. Un petit déj/pers offert sur présentation de ce guide.* Une adresse élégante, à l'atmosphère cosy, à l'image de l'agréable déco moderne et récemment rénovée des salons. Les chambres, pas immenses mais tout confort et joliment aménagées, présentent des configurations différentes et se situent pour la majorité d'entre elles au calme sur cour. De plus, l'accueil pro et souriant est un plaisir.

Très chic... et tendance

🏠 *Hidden Hôtel (plan couleur B3, 18) :* 28, rue de l'Arc-de-Triomphe, 75017. ☎ 01-40-55-03-57. • *contact@hidden-hotel.com* • *hidden-hotel.com* • Ⓜ *Ternes ou Charles-de-Gaulle-Étoile. Doubles 150-400 € selon confort et saison.* � *TV. Satellite.* Le *Hidden* cache bien son jeu. Derrière sa façade en bois brut, plus que surprenante au cœur du Paris haussmannien, on découvre un véritable nid douillet, où le design épuré et le luxe des installations s'accommodent de matériaux nobles tendance bio : pierre, ardoise, bois, et bien sûr de beaux voilages de lin pour créer des alcôves dans les chambres aux allures de loft. Car ici la salle de bains est ouverte ! Les amoureux seront comblés... Excellent accueil.

🏠 *Hôtel Tilsitt Étoile (plan couleur B3, 5) :* 23, rue Brey, 75017. ☎ 01-43-80-39-71. • *tilsitt@sister-hotels. com* • *tilsitt.com* • Ⓜ *Ternes ou Charles-de-Gaulle-Étoile ; RER A : Charles-de-Gaulle-Étoile. Double 210 € ; petit déj-buffet 13 €. Belles promos tte l'année sur Internet.* � *TV. Canal +. Satellite. Parking payant.* Dans une petite rue au calme, le *Tilsitt* est une adresse pleine de charme, comme on les aime. L'accueil serviable, jeune et poli, est à l'image du style à la fois classique et moderne, raffiné et coloré, de la maison. Voyez les chambres lumineuses (à l'exception notable de celles du rez-de-chaussée), fraîches, aux dessus-de-lit et rideaux coordonnés, et avec de beaux parquets. Une préférence pour celles, romantiques, des derniers étages, sous les combles, avec vue sur les jardins-terrasses voisins. Bar cosy donnant sur une courette fleurie. Une adresse plaisante, vivante et de goût.

Où manger ?

Sur le pouce

|○| *West Side Café & Kitchen (plan couleur A3, 23) :* 37, rue Saint-Ferdinand, 75017. ☎ 01-40-68-75-05. • *info@westkitchen.com* • Ⓜ *Porte-Maillot. Lun-ven 11h30-15h. Congés : 3 sem en août et Noël-1ᵉʳ janv. Sandwichs au pain bio et bagels à* partir de 7,10 € ; westsider env 9,20 € ; menus 8,50-14,10 €. Un café au look contemporain, avec tables de bistrot, terrasse en rang d'oignons et accueil sympa. Le haut de gamme du sandwich, avec une sélection de produits qui ne rigole pas. Offrez-vous le meilleur, à savoir un *westsider,* savoureux pain aux oignons et tomates, garni

selon les goûts.

|●| La Table Verte (plan couleur B3, **24**) : 5, rue Saussier-Leroy, 75017. ☎ 01-47-64-19-68. Ⓜ Ternes. Lun-ven 11h30-17h, sam 11h-16h. Formules 9,70-15 € ; plats du jour et salades 7,10-10,95 € ; repas 16 €. Un snack végétarien goûteux, à deux pas de l'effervescence du marché Poncelet, pour se restaurer rapidement d'une tarte salée ou d'un plat du jour à base de produits naturels et biologiques. Toujours en dessert quelques tartes, flan ou fromage blanc, histoire que les gueules sucrées ne restent pas sur leur faim. Produits bio en vente à L'Épicerie Verte, au n° 9 de la même rue.

De très bon marché à bon marché

|●| Chez Gladines (plan couleur D2-3, **27**) : 74, bd des Batignolles, 75017. ☎ 01-55-30-08-84. Ⓜ Rome. ♿ Tlj midi et soir. Plat 9,50 €, entrée et dessert 4 € ; salades 7,20-10,60 €. CB acceptées à partir de 15 €. On ne change pas une formule qui gagne. Des petits plats basques sympas, des salades gourmandes, des desserts craquants, et tous les petits vins du Sud-Ouest pour faire passer l'ensemble. Déco amusante, très fifties, avec bar en formica et juke-box à disposition pour écouter les tubes d'autrefois. Service enlevé et souriant. Terrasse.

|●| Crêpe Cœur (plan couleur zoom, **29**) : 66, rue des Dames, 75017. ☎ 01-43-87-35-99. ● crepeco eur@gmail.com ● Ⓜ Rome. Tlj sf dim-lun ; service 12h-14h30, 19h-22h30. Congés : 2 sem en août. Formule déj 12,50 € ; menu 22,50 €. Kir breton offert sur présentation de ce guide. Une crêperie au cadre sobre et contemporain, avec quelques rayonnages de bouquins. Des galettes à composer, complètes (plusieurs déclinaisons) ou très créatives, les options sont plutôt larges, et le résultat bien garni ; et comme les produits sont de qualité, que les préparations sont maison et que les assiettes sont servies avec le sourire par la proprio, on sait qu'on aura plusieurs bonnes raisons de revenir !

|●| Au Petit Chavignol (plan couleur C2, **26**) : 78, rue de Tocqueville, 75017. ☎ 01-42-27-95-97. Ⓜ Villiers ou Malesherbes. Tlj sf dim et j. fériés 8h-2h. Plat du jour 11,20 € ; carte 25-35 €. Un tonneau devant la porte et une tripotée d'habitués concentrés sur leur assiette. Le choix est relativement simple : charcuterie ou tartare, vins de nombreuses régions de France (environ 70 références). Mention spéciale pour la salade rouergate. Service tardif, rare dans ce coin un peu éteint. Accueil affable.

|●| Irène et Bernard (plan couleur D1, **39**) : 58, rue Gauthey, 75017. ☎ 01-42-29-56-16. ● dacostalou@orange.fr ● Ⓜ Guy-Môquet. Tlj 8h-2h. Plat du jour 9,80 € ; tarte du jour 8,30 € ; dessert 4,80 € ; brunch sam-dim 14 €. Chez Irène et Bernard, c'est la version jeune et décontractée du Café des Amis. Les habitués sont nombreux à fréquenter ce bistrot convivial, au papier peint à l'anglaise, où il n'est pas rare de boire un verre au vieux comptoir central en attendant sa table. Car sa carte courte à prix mini est un autre argument de poids : rien de compliqué ici, des plats tout simples et honnêtes (brochettes, salades, tartares, tartes...) très aimablement servis. Un vrai bon rapport qualité-prix. Tables en terrasse l'été.

Prix moyens

|●| Ripaille (plan couleur zoom, **48**) : 69, rue des Dames, 75017. ☎ 01-45-22-03-03. ● favre.philippe@ sfr.fr ● Ⓜ Rome. Tlj sf sam midi et dim 12h-14h, 19h30-22h (22h30 ven-sam) ; dîner en 2ᵉ service possible le w-e. Congés : août et vac de Noël. Résa indispensable. Le midi, plat + café 11,50 € et formules 16-20 € (2 ou 3 plats + café) ; menus 26-32 € ; carte env 35 €. Un nom bien rustique pour une cuisine de saison fine et inventive ! La courte carte change souvent et fait la part belle au poisson. Le plaisir est prolongé par des portions généreuses. Tous les jours, 1 ou 2 suggestions à l'ardoise. Bons vins de petits propriétaires proposés aussi à la ficelle. Accueil et service sympas. À savoir quand même, le resto est d'un format de poche, et on n'y est pas au large.

I●I *L'Entredgeu (plan couleur B2, 25)* : 83, rue Laugier, 75017. ☎ 01-40-54-97-24. ● entredgeu@hotmail.fr ● Ⓜ *Porte-de-Champerret.* 🍴 *Tlj sf dim-lun ; service 12h-14h, 19h30-23h. Congés : 3 sem en août. Formule déj en sem 26 € ; menu-carte le soir 36 €.* Entrée, plat, dessert : vous n'y couperez pas, c'est ainsi que fonctionne le menu-carte ! Et tout se commande au début du repas. Mais comme c'est plutôt bon, personne ne rechigne. Le chef est doué pour réinventer les recettes classiques et leur donner une nouvelle vie, en y ajoutant juste ce qu'il faut d'ingéniosité pour ravir votre palais et vous faire découvrir de nouvelles sensations gustatives.

I●I *La Cantina Chic (plan couleur B3, 22)* : 14, rue de l'Étoile, 75017. ☎ 01-43-80-41-09. Ⓜ *Ternes* ou *Charles-de-Gaulle-Étoile.* ● lacantina chic@gmail.com ● *Parking Vinci dans la rue. Ouv tlj sf w-e midi et soir. Fermé 3 sem en août, et 1 sem à Noël. Au déj, le dessert qui accompagne un plat est à 3,50 €. Plats 12-14 €.* Un sympathique couple franco-italien est aux commandes de ce resto sobre et contemporain de cuisine bistrotière et familiale de la Botte. Une carte courte – idem côté vins –, qui change un peu toutes les semaines, sauf les *pappardelle* champignons et crème de truffe et les penne à la sorrentina, fidèles au poste et attendues par les habitués ! Occasionnellement un plat de viande. Le tout bien présenté par Frédéric, et servi par sa femme, Lisa, au déjeuner. Une escale d'un bon rapport qualité-prix ; une aubaine dans un quartier chic et cher. *NOUVEAUTÉ.*

I●I *Le Clou de Fourchette (plan couleur zoom, 35)* : 121, rue de Rome, 75017. ☎ 01-48-88-09-97. ● leclou defourchette@orange.fr ● Ⓜ *Rome.* 🍴 *Tlj sf dim-lun ; service 12h-14h, 19h-23h. Congés : 3 premières sem d'août. Formule déj 20 € ; carte env 35 €. Café offert sur présentation de ce guide.* Long bar noir pour s'attabler en solo sur des chaises hautes bien rouges, cuisine ouverte, le cadre est plutôt design. La cuisine et l'accueil, eux, affichent cette généreuse simplicité qui rassure : on goûte des plats traditionnels de saison qui respirent la

jovialité avec un verre de vin. En plus des suggestions à l'ardoise, huîtres, gibier en saison, viandes *a la plancha* et autres réjouissances savoureuses. Super rapport qualité-prix.

I●I *Roca (plan couleur B2, 36)* : 31, rue Guillaume-Tell, 75017. ☎ 01-47-64-86-04. Ⓜ *Péreire. Tlj sf sam midi et dim ; service 12h-14h30, 19h30-22h30. Formule déj 19 € ; carte 30-35 €.* Dans la partie la moins glamour du 17ᵉ, voici un bistrot qui ne manque pas de peps. Accueil et service par une bande de jeunes qui se la joue cool, mais non moins pro. Et une carte très – trop ? – courte qui surfe allègrement et avec brio sur la vague du bistrot-gastro en proposant une cuisine de marché fraîche, légère, inventive... et qui change tous les jours. Le tout dans un joli décor de pierre et de bois clair. Ça marche plein pot : résa indispensable. *NOUVEAUTÉ.*

I●I *Le Bouchon et l'Assiette (plan couleur C2, 47)* : 127, rue Cardinet, 75017. ☎ 01-42-27-83-93. Ⓜ *Malesherbes* ou *Brochant. Tlj sf dim-lun 12h-14h, 19h45-22h. Formule déj 25 € ; menu 35 € le soir.* Sol en béton brossé, tables de bistrot dans 2 petites salles sobrement accueillantes, plats évocateurs affichés à l'ardoise, on connaît la ritournelle. L'étonnement vient ensuite, avec ce gaspacho andalou, rémoulade de morue et œuf poché, qui n'a rien de banal. Malgré une petite attente quand il y a du monde, on apprécie une déclinaison de plats joliment revisités, dans lesquels Cécile et Clément distillent des touches de ce Pays basque auquel ils sont attachés. La carte des vins, un peu chère mais au diapason, propose aussi de l'irouleguy.

I●I *Chez Christophe (plan couleur zoom, 38)* : 148, rue Cardinet, 75017. ☎ 09-80-76-38-86. ● 148cardinet@ gmail.com ● Ⓜ *Brochant. Tlj sf dim-lun ; service 12h-14h30, 19h-22h30 (23h w-e). Congés : août. Formules déj en sem 15-18 € ; les soirs et w-e, à la carte slt, 30-35 €, dommage.* Un cadre très spacieux au décor industriel, tout en baies vitrées (pour mieux observer, au fil des mois, l'évolution du quartier qui sort de terre juste en face ?) ; très belle hauteur sous plafond, mezzanine, briques et banquettes, et un long bar convivial. Spécialité de viandes grillées, à la cuisson maîtrisée, et quelques poissons ; irrésistible tartelette à la praline pour conclure... Et une terrasse (bon... la rue est passante).

|●| Restaurant Le Clan des Jules (plan couleur zoom, **37**) : 7, rue Brochant, 75017. ☎ 01-42-29-37-62. Ⓜ Brochant. Ouv ts les soirs 19h-23h et le midi jeu-sam 12h-14h30. Brunch dim midi 12h-16h. Formules déj 14-17 € ; carte 25-35 € ; brunch dim 26 €. À côté du square des Batignolles, un de ces récents repaires qui a pris naturellement ancrage dans le quartier, adoubé par une clientèle qui lui ressemble : jeune, à l'aise dans ses baskets. Dans un décor assez sombre, composé d'objets chinés, on vise le cheeseburger que le bouche-à-oreille a déjà érigé en plat vedette ! Quelques suggestions à l'ardoise viennent étoffer la carte.

|●| Les Messugues (plan couleur B3, **46**) : 8, rue Léon-Jost, 75017. ☎ 01-47-63-26-65. ● contact@ restaurantlesmessugues.com ● Ⓜ Courcelles. Tlj sf sam midi et dim ; service 12h-14h30, 19h30-22h30. Menus 23-29 € ; carte env 35 €. C'est une plante de la garrigue provençale qui a prêté son nom à ce resto discret, situé à quelques enjambées du parc Monceau. Dans 2 petites salles superposées, on se concentre sur la cuisine appliquée et attachée à la qualité des produits. On l'aura compris, la fantaisie est dans l'assiette, avec des plats qui balancent entre terroir français et touches exotiques.

|●| Le Verre Bouteille (plan couleur A3, **21**) : 85, av. des Ternes, 75017. ☎ 01-45-74-01-02. ● reser@leverre bouteille.com ● Ⓜ Porte-Maillot ou Ternes. Tlj sf dim-lun ; service 12h-15h, 19h-4h. Congés : 2 sem en août. Formule déj 16,50 € ; menus-carte 27 € (plat + entrée ou dessert)-34 € (formule complète). Le Verre Bouteille reçoit au déjeuner autour d'un efficace petit menu, et le soir jusqu'à l'aube, tous les couche-tard de la capitale. On y engloutit des plats solides ou de copieuses salades que l'on peut accompagner de vins de toute provenance, servis également au verre.

Excellente atmosphère dans laquelle aiment se retrouver les habitués, et beaucoup d'ambiance en fin de semaine sur les coups de 4h.

|●| Le Cercle Rouge (plan couleur B2, **41**) : 136, av. de Wagram, 75017. ☎ 09-53-03-87-11. ● contact@ le-cercle-rouge.fr ● Ⓜ Wagram. Lun-ven 12h-14h30, plus jeu-ven 19h-21h30. Congés : 3 sem en août et 1 sem à Noël. Formule déj 17 € ; menu-carte 34 €. Apéritif maison offert sur présentation de ce guide. Un bistrot sans prétention, accueillant avec son bar en zinc et sa chaleureuse banquette rouge. Dans un quartier où il n'est pas facile de dénicher un bon plan pour se restaurer, on sert ici une bonne cuisine de bistrot, allégée, fraîche et agréablement présentée. La carte des vins – soigneusement choisis – et l'accueil chaleureux achèvent d'en faire un endroit très sympathique.

|●| Le Club des 5 (plan couleur zoom, **51**) : 57, rue des Batignolles, 75017. ☎ 01-53-04-94-73. ● kenza@ labonbonniere.eu ● Ⓜ Brochant ou Rome. ♿ Lun-mar 19h-23h ; mer-ven 11h30-14h30, 19h-23h ; sam-dim brunch 12h-16h, dîner 19h-23h. Congés : Noël-Jour de l'an. Formules déj 14-17 € ; plats 18-21 € ; brunch dim 26 €. Dès l'entrée, un regard sur la véritable fresque de collages suffira à raviver chez les trentenaires l'univers de leur folle jeunesse : Candy, l'héroïne de La Boum, Jonathan & Jennifer... Et, de-ci de-là, un tourne-disque, un kiki, des étagères couvertes de livres de la Bibliothèque rose... Côté papilles, on peut opter pour les croquettes de Babybel, le cochon au caramel au beurre salé, le sablé Petit Lu avec Nutella, poires et chantilly... tout aussi régressifs. Bonne humeur (en témoigne le niveau sonore), accueil aimable et souriant.

|●| Le Relais de Venise (plan couleur A3, **34**) : 271, bd Pereire, 75017. ☎ 01-45-74-27-97. Ⓜ Porte-Maillot. Tlj ; service 12h-14h30, 19h-23h45. Congés : juil. Pas de résa. Formule unique 27 € avec entrée + plat, servie midi et soir ; dessert env 7 €. Chèques refusés. L'entrée est facile à repérer, c'est là où il y a, le midi comme le soir, une file d'attente. Depuis 50 ans, ce resto traditionnel, au décor de brasserie mâtiné de touches vénitiennes, propose la même formule : une salade aux noix servie d'office, suivie dans la foulée d'un contre-filet « Porte Maillot » accompagné de frites fines et croustillantes et d'une sauce, dont la recette est toujours tenue secrète. Le tout servi 2 fois. Ne demandez pas autre chose, il n'y a pas ! Desserts très classiques pour conclure. Service efficace, voire expéditif.

|●| *Le Bistro des Dames* (plan couleur zoom, *28*) : 18, rue des Dames, 75017. ☎ 01-45-22-13-42. ● eldoradohotel@ wanadoo.fr ● Ⓜ Place-de-Clichy. Lun-ven 12h-14h30, 19h-2h (service jusqu'à 23h30) ; w-e, service continu 12h30-23h30 (fermeture à 2h). Formule déj en sem 19,50 € ; carte env 30 €. Ce néobistrot (même maison que l'hôtel voisin, la salle du resto sert le matin pour les petits déj) a vite trouvé grâce auprès de la clientèle bobo du quartier. Une déco à l'ancienne assez réussie et quelques jolis flacons en font une bonne adresse pour l'apéro, avec verre de vin et cochonnailles, ou pour un repas plus consistant en salle (mais au coude-à-coude) ou dans le charmant jardinet (pas de réservation possible). Cuisine maison, avec des produits de saison.

Chic

|●| *Coretta* (plan couleur zoom, *44*) : 151 bis, rue Cardinet, 75017. ☎ 01-42-26-55-55. Ⓜ Brochant. Menus 33-39 € (midi et soir). La fine équipe du *Neva*, l'une de nos belles adresses (voir plus haut, dans le 8e arrondissement), a encore frappé. Ici, un bistrot-gastro adossé au parc Clichy-Batignolles en pleine mutation. Grandes baies vitrées donnant sur rue et jardin, fourneaux ouverts sur le rez-de-chaussée (autre grande salle à l'étage), carrelages graphiques, parquets, boiseries, éclairages : tout répond à un design étudié. Même précision dans les assiettes : cuisine de marché, fine et particulièrement inventive, rehaussée d'herbes fraîches dont on nous promet qu'elles sortiront bientôt du jardin potager voisin. Excellente

formule déj. Ça tombe bien, le soir, il vous en coûtera plus cher. Service impeccable. *NOUVEAUTÉ.*

|●| *Le Dix-Huit* (plan couleur B3, *52*) : 18, rue Bayen, 75017. ☎ 01-53-81-79-77. Ⓜ Ternes. Fermé w-e. Formule déj 24 €. Carte le soir, env 40 €. Si l'on n'a pas cherché bien loin pour trouver le nom du resto, c'est sans doute pour mieux se concentrer sur la déco contemporaine bien pensée, et l'assiette tout autant. L'équipe, jeune et très sympathique, fait preuve d'un beau professionalisme en salle comme aux fourneaux. Et si l'on déplore un niveau sonore élevé – en attendant les travaux d'isolement –, on savoure néanmoins une cuisine fine et inventive, élaborée avec les produits du moment. Il faut dire que le chef a une sacrée expérience (*Apicius*, *KGB*, ...). Un beau rapport qualité-prix-découverte au final ! La clientèle, bobo à mort, adore... *NOUVEAUTÉ.*

|●| *Les Grandes Bouches* (plan couleur C2, *31*) : 78, rue de Lévis, 75017. ☎ 01-43-80-40-36. ● lesgrandes bouches@gmail.com ● Ⓜ Villiers. Tlj sf sam midi et dim-lun 12h15-14h30, 19h30-23h. Congés : 2 sem sur déc-janv et 3 sem en août. Résa conseillée. Formules déj 28-32 € ; menu-carte 42 €. Une poignée de tables sagement alignées le long des murs aux pierres apparentes et de couleur vert olive, et quelques grands miroirs qui permettent de loucher dans l'assiette des voisins qui viennent d'être servis... Très courte carte et menu à l'ardoise qui change toutes les semaines. Une touche d'exotisme judicieusement distillée ici et là, jusque dans les desserts. Belle carte des vins.

|●| *Comme chez Maman* (plan couleur zoom, *53*) : 5, rue des Moines, 75017. ☎ 01-42-28-89-53. Ⓜ Brochant. Tlj 12h-14h30, 19h-22h30 (23h jeu-sam). Congés : 2e et 3e sem d'août. Menus 18-20 € le midi, 34 € le soir ; carte env 55 €. Il y a de jeunes chefs qui donnent la rassurante impression d'avoir extirpé leurs savoureuses recettes du grimoire de leurs propres mères. Pari gagné : Wim Van Gorp, qui a officié chez les plus grands à Paris et à l'étranger, propose des recettes savoureuses et traditionnelles. Les produits

17e

sont impeccables, les cuissons justes et le plaisir garanti.

I●I Le Café d'Angel (plan couleur B3, **40**) : 16, rue Brey, 75017. ☎ 01-47-54-03-33. Ⓜ Charles-de-Gaulle-Étoile. Tlj sf w-e et j. fériés ; service 12h-14h, 19h30-22h. Congés : 4 sem en août et Noël-Jour de l'an. Menus 29-35 € ; carte env 50 €. À l'ombre de l'Arc de Triomphe, ce bistrot joliment mis tourne à plein régime. Une salle chaleureuse avec, en toile de fond, une cuisine visible de tous mais protégée par un bar qui fait office de garde-corps, et une délicieuse cuisine qui revisite le terroir comme chez les grands (normal, le chef, Jean-Marc Gorsy, est un ancien du Jules Verne), avec un zeste de fantaisie en sus. Menus d'un remarquable rapport qualité-prix.

I●I Le Tourbillon (plan couleur C2, **49**) : 116 rue des Dames, 75017. ☎ 09-83-01-10-81. Ⓜ Villiers. Fermé dim. Formules déj 22-26 € ; carte env 40 €. Trois salles en enfilade à la déco épurée dans lesquelles Rebecca assure le service avec efficacité. Aux fourneaux, son mari, Cédric, concocte une cuisine bien tournée où la légèreté est de mise. Assiettes joliment présentées et saveurs bien dosées. Un peu cher le soir toutefois. NOUVEAUTÉ.

I●I Caves Petrissans (plan couleur B3, **50**) : 30 bis, av. Niel, 75017. ☎ 01-42-27-52-03. ● info@cavespetrissans. fr ● Ⓜ Ternes ou Pereire. Tlj sf w-e et j. fériés 12h15-14h15, 19h30-22h15. Congés : août. Menu 39 € ; plat du jour 26 € ; carte 40-50 €. Chapeau bas pour cette vénérable institution qui, depuis plus d'un siècle, abreuve et régale des hôtes illustres ou anonymes. Debussy ne venait-il pas s'y approvisionner en vin ? Son décor des années 1930 à la patine bien parisienne a connu ses heures de gloire, et Tristan Bernard l'a même adapté au théâtre. Si le cadre est entré dans la légende, sa réputation se maintient aussi grâce à une cave où se côtoient quelque 900 références ! La cuisine a gardé ses accents gouailleurs : rognons de veau, joue de porc, tête de veau... Le ton est donné ; les prix le sont moins, dommage. Pour plus d'intimité, réserver une table dans l'une des petites salles.

I●I Fabrique 4 (plan couleur zoom, **33**) : 17, rue Brochant, 75017. ☎ 01-58-59-06-47. ● fabrique4@ hotmail.fr ● Ⓜ Brochant. Lun-ven 12h-14h15, 20h-22h30. Congés : 3 sem en août et 2 sem en déc. Résa indispensable. Formule déj 23,50 € ; carte env 45 €. Bonne surprise que cette petite adresse installée dans une ancienne fabrique de bouchons dont il ne reste plus que l'enseigne classée sur la façade. F4, soit 4 entrées, 4 viandes, 4 poissons et 4 desserts. Dans l'assiette et sous des appellations toutes simples, des produits frais pour une cuisine légère et plus subtile qu'il n'y paraît à première vue, avec des clins d'œil très réussis vers l'Italie ou vers l'Asie. Petite salle sobrement décorée dans les tons gris, et agrémentée de quelques lustres qui diffusent une jolie lumière. Service très agréable.

I●I Restaurant Vatel (plan couleur zoom, **42**) : 122, rue Nollet, 75017. ☎ 01-42-26-26-60. ● paris@vatel.fr ● Ⓜ Brochant. Tlj sf w-e ; dernier service 13h15 le midi et 21h le soir. Congés : de mi-juil à fin août et pdt la période de Noël. Menus 23 € le midi, 35-47 € le soir. Apéritif maison offert sur présentation de ce guide. Ce resto d'application, lié à l'école hôtelière du même nom, se révèle une bonne escale. Salle moderne et chaleureuse sous une verrière, nappage de coton beige, sièges confortables... On se pique au jeu, d'autant que tout ça est bien bon, et ce, dès le 1ᵉʳ menu. Si vous arrivez jusqu'au dessert, vous êtes carrément cerné par 3 chariots (si, si...), soit plus d'une quinzaine de douceurs, dont l'identité vous est consciencieusement déclinée par le pâtissier. Pendant ce temps, les élèves sont notés, mais l'atmosphère n'est pas guindée.

I●I Graindorge (plan couleur B3, **43**) : 15, rue de l'Arc-de-Triomphe, 75017. ☎ 01-47-54-00-28. ● graindorge@ bbox.fr ● Ⓜ Charles-de-Gaulle-Étoile. Tlj sf sam midi et dim ; service 12h-14h, 19h30-21h45. Congés : 1ᵉʳ-15 août. Résa conseillée en fin de sem. Menus 24-28 € le midi, 35-60 € le soir ; carte env 45 €. Digestif maison offert sur présentation de ce guide. Décor néo-1930 assez classe. Bernard Broux est un chef inspiré. Son savoir-faire, il l'a mis au service de sa Flandre natale, dont il revisite les trésors. Waterzoï de homard aux crevettes grises d'Ostende, *potjevleesch* en terrine, voilà ce que vous pourrez, entre autres, déguster. Tout est parfaitement maîtrisé, d'une fraîcheur exceptionnelle et préparé à la commande. À la carte des vins, préférer celle des bières de Flandre, tant françaises que belges, qui, brunes, blondes ou ambrées, sont en parfaite osmose avec les plats.

Bars à vins

|●| ⚑ Les Domaines qui montent (plan couleur B3, **61**) **:** *22, rue Cardinet, 75017.* ☎ *01-42-27-63-96.* Ⓜ *Courcelles. Tlj sf dim ; service 12h-14h slt (boutique ouv 10h-20h). Congés : 1ᵉʳ-4 mai et 1ᵉʳ-15 août. Résa vivement conseillée. « Formule du caviste » le midi 15,50 € (entrée + plat ou plat + dessert) ; carte env 22 €.* Avec sa double casquette de boutique et table d'hôtes, cette adresse conviviale réunit les amateurs de bonnes bouteilles. Le menu unique n'offre pas d'alternative, mais la cuisine de terroir ne blouse pas les épicuriens avertis. Bonne pioche quand le foie gras, par exemple, fait partie du menu. Un tour de France et de ses caves qui n'impose pas un choix entre la bourse ou le verre, puisque, ici, on consomme au prix boutique, sans droit de bouchon, et que l'on peut repartir avec sa bouteille entamée.

|●| ⚑ Le Rouge et le Verre (plan couleur A3, **60**) **:** *33, rue Brunel, 75017.* ☎ *01-45-72-69-98.* ● *lerougeetleverre. brunel@hotmail.fr* ● Ⓜ *Argentine. Tlj sf dim 12h-15h (plus tard pour la boutique), 18h-20h (21h jeu). Congés : août. Formule déj 18 € ; planche de charcuterie ou de fromages 7 €. Vins de 3 € le verre à 50 € la bouteille (voire plus pour les crus exceptionnels) ; pas de droit de bouchon.* Pour commencer, on prend place parmi les quelques tables dispersées entre les rayonnages bien garnis et les caisses de grands crus. Ensuite, on choisit un vin à la bouteille, en pot lyonnais ou au verre parmi ces cuvées issues des domaines de petits vignerons qui « montent à Paris ». Enfin, on se sustente au choix d'une planche de charcuterie ou de fromages à l'apéro *(18h-20h – 22h jeu)* ou d'un plat basque (garbure, axoa, etc.). Bons conseils sur les vins (à emporter ou à consommer sur place au même prix) et service fort sympathique.

|●| ⚑ Le Garde-Robe (plan couleur zoom, **62**) **:** *2, rue Lamandé, 75017.* ☎ *01-44-90-05-04.* Ⓜ *Rome ou La Fourche. Tlj sf sam midi et dim ; service 12h30-15h30, 18h30-0h30. Formules déj 13-19 € ; plus cher le soir à la carte, 35 €.* Dans un joli bistrot de poche, le binôme aux commandes propose une carte simple et réussie (planche de charcuterie – oh la belle trancheuse manuelle ! – ou de fromages, foie gras, boudin noir aux pommes...) pour accompagner la découverte de beaux petits flacons. Parce qu'ici c'est avant tout le vin – à prix caviste – qui est à la fête. À la fin, l'addition est quand même un poil élevée. En réservant, demandez l'une des 2 tables du fond, les 2 autres étant dans le passage de ceux qui picorent ou boivent un verre debout autour du bar. Accueil et service charmants.

Cuisine d'ailleurs

Sur le pouce

|●| Restaurant Istanbul (plan couleur zoom, **66**) **:** *43, rue des Batignolles, 75017.* ☎ *01-42-94-27-45.* Ⓜ *Rome. Tlj sf dim 11h30-20h30. Compter 5 € pour un döner kebab-frites ; assiettes 7,50-8,50 €.* Deux Turcs bien connus du quartier, très sympas. Ah, le bon p'tit kebab de veau, qu'on va manger au soleil, sur un banc, au square des Batignolles ! Pas idéal quand il pleut, puisque l'échoppe fait environ 3 m² et qu'on y trouve juste 2 ou 3 tabourets hauts. Malgré tout, la clientèle est fidèle et nombreuse. À juste titre !

|●| Mum Dim Sum (plan couleur C3, **69**) **:** *14, bd de Courcelles, 75017.*

☎ 01-46-22-33-04. Ⓜ *Villiers.* 丈. *Tlj sf dim ; service 12h-15h, 19h-22h. Formules déj 9,70-19,90 €.* « Maman Dim Sum » veille sur vous. D'ailleurs, on n'échappe plus à ces petites bouchées vapeur chinoises, servies dans leur panier en bambou. Un peu comme à la cantine, on commande derrière le comptoir bien garni : crevette bambou coriandre ou bœuf citronnelle ? Porc aux 5 épices ou saumon *kaffir* ? C'est bon, c'est frais, préparé à la minute, et idéal pour se rassasier sur de hauts tabourets ou dans le parc Monceau voisin.

Prix moyens

▐●▌ *Samesa (plan couleur B3, 67) :* 13, rue Brey, 75017. ☎ 01-43-80-69-34. ● *samesaristorante@yahoo.fr* ● Ⓜ *Charles-de-Gaulle-Étoile.* 丈. *Tlj sf sam midi et dim 12h30-14h30, 19h-23h. Résa conseillée le w-e. Congés : 3 sem en août. Menus 19 € (le midi)-31 € ; menu régional mensuel 35 € (vin d'un producteur de la région compris) ; carte env 40 €.* Digestif maison offert sur présentation de ce guide. Le chef, originaire de Sardaigne (*sa mesa,* « la table » en sarde) et des Abruzzes, pratique une réjouissante ouverture gastronomique : chaque mois, il propose une journée thématique sur une région particulière. Cuisine sérieuse avec d'excellents produits (pâtes fraîches, risotto, délicieuse *panna cotta* avec de la vraie vanille, ainsi que tiramisù et *tartufo affogato* à se damner). Très belle carte des vins. Cadre à la fois sobre et élégant.

▐●▌ *Aux Couleurs du Monde (plan couleur zoom, 73) :* 118, rue Truffaut, 75017. ☎ 01-43-87-34-55. Ⓜ *Brochant. Tlj sf lun 19h-23h. Congés : 1 sem en avr et 3 sem en août. Résa indispensable. Formule laotienne ou hondurienne 25 € ; carte env 30 €.* Derrière les fourneaux de ce resto, ma 1re est mexicaine, mon 2d est laotien. Lumière tamisée, musique latine et déco éclatante. Les plats sont précis et tournent majoritairement autour du poulet coco ou du bœuf en sauce pimentée, curry rouge et riz thaï. Et mon tout est la rencontre de ces 2 cultures qui offrent à tous les globe-trotters d'un soir un brassage de saveurs colorées, forcément !

▐●▌ *Kirane's (plan couleur A3, 68) :* 85, av. des Ternes, 75017. ☎ 01-45-74-40-21. Ⓜ *Porte-Maillot. Tlj 12h-14h15, 19h15-23h15. Menus 14,50-16,50 € le midi, 34,50-39,50 € le soir. Kirane,* ça signifie « rayon de soleil ». Du soleil, il y en a dans ce cadre plein de lumière et de couleurs, peuplé de beaux objets, tissus et sculptures évoquant les splendeurs de l'Inde du Nord. C'est de là que vient aussi la cuisine, goûteuse, pleine de parfums subtils. À côté d'une riche carte classique (poulet tandoori, *tikka saag* ou *vindaloo,* currys), on découvre la cuisine *dum* (à l'étuvée), une rare déclinaison de la cuisine d'Inde du Nord. En particulier, le *dumpoux,* un plat où viande ou poisson cuit lentement sous une pâte permettant aux herbes de conserver leur parfum et aux épices de bien imprégner le mets. Accueil suave de Kirane, service impeccable, agréable terrasse.

▐●▌ *Restaurant La Rucola (plan couleur B2, 70) :* 198, bd Malesherbes, 75017. ☎ 01-44-40-04-50. ● *larucola@orange.fr* ● Ⓜ *Wagram. Tlj sf sam-dim 12h-14h30, 19h30-22h30 (23h sam). Menus déj 19-25 € ; plats à partir de 12 € ; carte 30-35 €.* Apéritif maison ou digestif maison offert sur présentation de ce guide. À deux pas de la porte d'Asnières, *La Rucola,* tenue par 2 jeunes passionnés de cuisine, abrite l'un des plus sympathiques restos italiens de la capitale. Le chef, ancien de chez *Sormani,* réinvente les régions tous les 15 jours : Pouilles, Ombrie, Campanie... pour le plus grand bonheur des habitués. Parmi les grands classiques : assortiment de charcuteries italiennes, steak de thon poêlé, carpaccio de bœuf au basilic... On y apprécie la constance de la cuisine servie dans un authentique cadre bistrot. Et on en redemande !

Où boire un thé ? Où prendre un bon goûter ?

▐●▌ ☕ *Pastelaria Belem (plan couleur zoom, 80) :* 47, rue Boursault, 75017. ☎ 01-45-22-38-95. Ⓜ *Rome.* À deux encablures du sq. des Batignolles. *Tlj* sf lun 8h-20h. Congés : août. Gâteaux et en-cas env 1,40-2,60 €. Un salon de thé qui fait office de vitrine à l'une des rares pâtisseries portugaises de la capitale, avec ses azulejos et sa poignée de tables. Ici, on vient à toute heure pour déguster son petit noir accompagné de délicieux *pasteis de nata* – tartelettes aux œufs, la spécialité du quartier lisboète de Belem –, mais aussi les gourmandises au coco et au jaune d'œuf répondant au doux nom de *mimos de Lisboa*. Ceux qui trouveront tout ça un brin calorique se reporteront sur les en-cas salés à emporter, dont les croquettes de morue, à goûter impérativement ! Propreté irréprochable et accueil aimable.

Où boire un verre ?

🍷 |○| *Le 3 Pièces Cuisine* (plan couleur C-D2, **90**) : 25, rue de Chéroy, 75017. ☎ 01-44-90-85-10. Ⓜ Rome ou Villiers. ✆ Tlj 8h (9h30 w-e)-1h30 ; service 12h-14h30, 20h-22h30. Demi au comptoir 2 € jusqu'à 20h, sinon 3 €. Plat du jour et café 10 € ; brunch dim et j. fériés 12 €. Convivial, ludique, coloré... ce bar-resto à la déco brocante seventies la joue annexe au salon de votre appart. C'est là que vous croiserez des amoureux autour d'un backgammon, des demoiselles accrochées à leur portable et de tendres loups en quête de compagnie. Un demi et une tarte salée ? Peut-être un plat du jour s'il en reste. L'été, les grandes baies vitrées s'ouvrent vers la ville au moment où le village des Batignolles fait entendre tous ses bruissements...

🍷 *Le Café des Petits Frères* (plan couleur zoom, **91**) : 47, rue des Batignolles, 75017. ☎ 01-42-93-25-80. ● frat.ouest@petitsfreres.asso.fr ● Ⓜ Rome ou La Fourche. Lun et mer-ven 9h-12h30, 14h-18h (17h ven) ; mar 9h-12h30. Congés : août. Café 0,45 € ; soda 0,75 € ; petit déj 1,50 €. CB refusées. Ce « bar pas comme les autres » permet aux personnes seules ou dans une situation précaire de rencontrer les habitants du quartier. C'est tout un quartier, jeune et moins jeune, qui se retrouve autour d'un verre (sans alcool) ou d'un p'tit noir. Et ça jacasse, tandis que d'autres préfèrent se plonger dans un jeu ou dans l'un des bouquins, pioché au hasard des rayonnages, tout ça dans un cadre simple et chaleureux. Beaucoup d'animations (expos photo, concerts...). Une initiative qu'il faut saluer !

🍷 *Les Caves Populaires* (plan couleur zoom, **94**) : 22, rue des Dames, 75017. ☎ 01-53-04-08-32. Ⓜ Place-de-Clichy ou Rome. Lun-sam 9h-2h, dim 11h-1h ; service en continu 12h-23h ou minuit. Verres de vin à partir de 2,40 €, bouteilles à partir de 10 € ; bière 2,90 € ; cocktails 5-7 €. Planches de charcuterie et/ou de fromages 6-12 €. 📶 Un troquet ultra-fréquenté et bon enfant du quartier des Batignolles. Quand certains ont joué la carte du néobobo, *Les Caves Populaires* proposent leur ambiance parigote, mélangée et bruissante. Petits crus au pichet ou à la bouteille (grand choix), bières ou cocktails font le bonheur d'une clientèle d'habitués forcément conquise. Populaire, on vous dit !

🍷 *James Joyce's Pub* (plan couleur A3, **92**) : 71, bd Gouvion-Saint-Cyr, 75017. ☎ 01-44-09-70-32. Ⓜ Porte-Maillot. Tlj 11h-1h45 ; cuisine irlandaise servie 12h-14h30, 19h-23h (service continu le w-e). Bière pression 4,80 € et pinte 7,50 € ; bon Bushmill 12 €. Plats env 13-15 €. Voici un bar qui sent bon le malt et l'imprimerie. Alliance du whiskey et de la littérature – James Joyce est l'écrivain le plus célèbre d'Irlande –, l'établissement accueille aussi bien les amateurs d'alcool de qualité que les futurs Prix Goncourt. Pas de complexes si vous ne faites pas partie d'aucune de ces 2 familles, vous ne serez pas le seul. Avant d'entrer, jetez un œil sur la belle façade, puis admirez la décoration des 2 étages, très cosy. La carte est bien fournie, et les prix restent corrects.

17e

17e

Où sortir ?

🍸♪ **Jazz-Club Étoile** (plan couleur A3, 96) : Le Méridien Étoile, 81, bd Gouvion-Saint-Cyr, 75017. ☎ 01-40-68-30-42. ● jazzclub.etoile@lemeridien.com ● jazzclub-paris.com ● Ⓜ Porte-Maillot. Ouv ts les soirs. Concerts jeu-sam ; mar, concert ou piano-bar. Entrée + conso à partir de 27 €, puis conso env 12 €. Ce dinosaure de la scène jazz parisienne a vu passer les plus grands, de Fats Domino à BB King, en passant par Cab Calloway ou Dizzie Gillespie. La faune est constituée avant tout de connaisseurs, même si quelques très chic clients de l'hôtel se laissent happer par les notes résonnant jusqu'à la réception. Attention, ici on écoute religieusement (et donc en silence) les mélanges de funk, soul, R'n'B, blues, gospel qui font la particularité du lieu. Idéal pour une soirée raffinée, mais surtout pas prétentieuse.

À voir

🚶 **Le cimetière des Batignolles** (plan couleur C-D1) : av. de la Porte-de-Clichy, 75017. Ⓜ Porte-de-Clichy. Entrée rue Saint-Just. Réunit un bel éventail de célébrités, de Verlaine à André Breton, en passant par Gaston Calmette (le directeur du Figaro, assassiné en 1914 par Mme Caillaux), sans oublier un certain Hector Formica, célèbre inventeur du revêtement du même nom. Beaucoup de Russes aussi.

➤ La **cité des Fleurs** (plan couleur D1-2) fut dessinée en 1847, entre l'avenue de Clichy et le n° 59 de la rue de La Jonquière (Ⓜ Brochant), avec obligation pour chaque propriétaire de planter au moins trois arbres à fleurs dans son jardin. D'où son nom. Le résultat est tout bonnement fabuleux : les petites maisons de deux ou trois étages avec jardin privatif vous époustoufleront. C'est la campagne, avec des réalisations architecturales très variées ! Le calme, les petits oiseaux, les marrons qui tombent à l'automne. Enfin, le rêve !

LES BATIGNOLLES

Le village des Batignolles ne fut rattaché à Paris que par un décret de Napoléon III, en 1860. Ce cadeau de Nouvel an ne plut pas beaucoup aux Batignollais, qui décidèrent de garder les traditions de leur village. Là, quelques petits fermiers et de modestes artisans vivaient en compagnie de bourgeois parisiens qui y avaient établi leur résidence secondaire, l'air y étant réputé très sain. La famille de Paul Verlaine habitant au 45, rue Lemercier, le futur poète passa son enfance dans ce quartier et fit ses études au lycée Chaptal, sur le boulevard des Batignolles. Stéphane Mallarmé, surnommé le « prince des poètes », réunissait à son domicile, au n° 89 de la rue de Rome, tout près du même boulevard, l'intelligentsia parisienne de l'époque à ses mardis littéraires.

Depuis ces années, un vent de « branchitude » a soufflé sur les Batignolles. Le quartier est dans l'air du temps, et les petits commerces traditionnels survivent difficilement à l'envol des prix immobiliers. Si ce quartier reste très vivant, c'est que beaucoup de trentenaires ou de quadras viennent s'y installer avec leur progéniture, apportant ainsi une nouvelle jeunesse. Paradoxalement, les commerces de proximité ferment pour céder la place à des habitations, bureaux d'architectes ou de communication, ou bien à des boutiques de fringues ou de déco.

🚶 Empruntez la rue des Moines, très commerçante, et jetez un coup d'œil au **marché couvert des Moines** (plan couleur C-D2 ; tlj sf dim ap-m et lun 8h-12h30, 16h-19h30). On y trouve de tout : de bonnes carottes, de la rhubarbe, des produits sénégalais, basques ou bretons...

🎥🎥 La longue **rue Legendre** (plan couleur C-D2), parallèle à la rue des Dames, une ex-voie romaine, offre toutes sortes de commerces et vous conduira à l'adorable petite **place du Docteur-Félix-Lobligeois.** Le rêve, une vraie petite place provinciale avec une église (Sainte-Marie-des-Batignolles), des arbres, des restos, et de petits immeubles pas bien hauts. On adore ! Certains veinards ont leur balcon donnant sur cette verdure.

Derrière l'église, le **square des Batignolles** (plan couleur C2), mignon, propret et sympathique. C'est le plus grand des squares de quartier voulus par Napoléon III, et il a été agencé par Alphand, avec un jardin à l'anglaise. Tous les éléments typiques de l'esthétique paysagère de l'époque y sont rassemblés : pièce d'eau sur laquelle voguent les canards, rivière artificielle, allées tortueuses, etc. Pour les enfants, un vieux manège (avec cochons qui montent et qui descendent, et Mickey rétro sur sa moto) plaira sans doute aux moins de 4 ans. Piste de patins à roulettes et location de chevaux à pédales. Attention, le week-end, en été, c'est la foule.

Et de l'autre côté de la rue Cardinet, ça bouge ! Sur 54 ha, un quartier sort de terre ! Le gigantesque chantier qui s'étend de la rue Cardinet jusqu'au périphérique est déjà bien avancé : une partie des immeubles est achevée, tout comme une bonne partie du **parc Clichy-Batignolles-Martin-Luther-King :** voilà 6,5 ha de chlorophylle en plus dans le quartier. À terme, en 2018, ce sont des locaux commerciaux, des salles de cinéma, quelque 3 400 logements (étudiants, sociaux et intermédiaires), 140 000 m² de bureaux et des équipements publics qui seront construits, au fur et à mesure que l'État aura cédé à la Ville l'ensemble des terrains appartenant à la SNCF et à Réseau Ferré de France ; sans oublier l'ouverture, en principe en 2017, de la Cité judiciaire par Renzo Piano, architecte du Centre Pompidou. Quant au parc, il couvrira alors une surface de 10 ha (8 ha pour le parc Monceau voisin, à titre de comparaison). Et tout ça répondant autant que possible à des normes écolos (bâtiments économes en énergie, chauffage et eau chaude par géothermie, collecte pneumatique des déchets...). Attention, quartier en mutation ! À suivre de près, donc... Pour plus d'infos : • clichy-batignolles.fr • ou sur place, 155 bis, rue Cardinet (la Maison du projet abrite une salle d'expo avec films, maquette 3D et médiateur ; ven-dim 14h-18h).

🍴 **Le Bal** (plan couleur D2) : 6, impasse de la Défense, 75018. ☎ 01-44-70-75-50. • le-bal.fr • Ⓜ Place-de-Clichy. ♿ Mer-ven 12h-20h (22h jeu), sam-dim 11h-19h. Fermé lun-mar. Entrée : 5 € ; réduc. Au calme, à deux pas du tumulte de l'avenue de Clichy, on y accède par une impasse au pavement balisé par de petites lumières. À l'initiative – et aujourd'hui sous la présidence – de Raymond Depardon, l'ancienne salle de bal des Années folles abrite un bel espace contemporain consacré au document visuel sous toutes ses formes : photo, bien sûr, ainsi que vidéo, cinéma et nouveaux médias. Des expos temporaires essentiellement, mais pas seulement : on y trouve aussi une petite librairie sur le sujet, et un bon petit resto – le **Bal Café** (☎ 01-44-70-75-51 ; excellent brunch notamment, mais pas de résa possible) – avec une poignée de tables en terrasse qui donnent sur le jardin des Deux-Nèthes. Également des conférences et des cycles de cinéma. Une chouette escale.

LE 17ᵉ CHIC (de l'autre côté de la voie ferrée)

🍴 Si vous venez des Batignolles, la rue des Dames comme la rue Legendre mèneront vos pas **rue de Lévis,** non loin du métro Villiers. Au n° 8, on trouvait une salle de réunions politiques fréquentée par Victor Hugo, Auguste Blanqui, Gambetta, Ledru-Rollin et Louise Michel, qui habitait le quartier. Aujourd'hui, les voix des tribuns se sont tues pour faire place à celles des marchands de fruits et légumes qui ont envahi la voie piétonne dans un pittoresque marché permanent digne de la Provence, avec ses étals de fruits, de légumes et de fleurs. Très chic tout ça !

🍴 **La place du Général-Catroux** (plan couleur C2) : Ⓜ Malesherbes. Plus connue sous son ancien nom de place Malesherbes, elle est bordée de beaux hôtels particuliers dont l'architecture évoque souvent le style néogothique. Au n° 1, à l'angle de l'avenue de Villiers et du boulevard Malesherbes, tout simplement la reproduction de l'aile Louis XII du château de Blois, commandée par Émile Gaillard, un riche banquier, et achevée en 1878 ! Superbe hôtel particulier en brique et pierre, surmonté d'un toit d'ardoises, orné de ferronneries, entre autres coquetteries décoratives. À l'intérieur, surprenant décor composé d'éléments décoratifs du XVe au XIXe s, mais on ne peut le visiter. La *Banque de France* en est propriétaire depuis le début du XXe s. Un projet de transformation en Cité de l'Économie et de la

AVOCAT DU ROI, UN MÉTIER À RISQUES

Même si Malesherbes – ministre de Louis XVI et avocat – n'avait pas de bonnes relations avec le roi, il fut néanmoins volontaire pour le défendre. Or, non seulement il n'avait aucune chance de le sauver, mais en plus il risquait sa tête ; il fut d'ailleurs injustement condamné à mort. Depuis, en signe de deuil, les avocats parisiens n'arborent plus d'hermine blanche sur leur robe, contrairement à leurs confrères provinciaux. Ironie du sort, quelque 190 avocats sont aujourd'hui installés boulevard Malesherbes, dont l'ancien cabinet d'un certain Sarkozy.

Monnaie (!), et donc d'ouverture au public, devrait voir le jour (fin 2016). Au centre de la place, *Sarah Bernhardt* déclame *Phèdre* devant un parterre de voitures indifférent et sous le regard d'*Alexandre Dumas,* le père des *Trois Mousquetaires,* statufié par Gustave Doré. *Alexandre Dumas fils,* créateur de *La Dame aux camélias,* leur tient compagnie. Pas bien loin, une sculpture figurant des chaînes brisées pour illustrer l'abolition de l'esclavage est dédiée au général Dumas (père du Dumas des *Trois Mousquetaires*), esclave en Haïti, qui devint le premier général noir de France.

🎭 ***L'École normale de musique de Paris*** *(plan couleur C2) :* 114 bis, bd Malesherbes, 75017. ☎ 01-47-63-85-72. ● ecolenormalecortot.com ● Ⓜ *Malesherbes. Concerts gratuits donnés par les élèves et les professeurs du conservatoire dans la fameuse salle Cortot, les mar, jeu et certains mer à 12h30. Également en soirée, concerts payants et master class accueillant des artistes de renom ; tarif : 20 €. Attention, ces concerts sont proposés en période scol, laquelle se termine début avr (début des examens).* Dernier conservatoire supérieur entièrement privé, très renommé. L'école occupe un bel hôtel particulier, construit en 1881 et classé Monument historique – tout comme sa salle de concerts, la « salle Cortot » *(78, rue Cardinet ; ☎ 01-47-63-47-48),* construite en 1929 par Auguste Perret.

🎭 ***La rue de Chazelles*** *(plan couleur B-C3) :* c'est au n° 25 de cette rue que s'éleva un jour une immense statue émergeant des toits. Imaginez la tête des habitants du quartier ! En fait, il s'agissait de la fameuse statue de la Liberté de Bartholdi (sculpteur également du *Lion de Belfort,* de la place Denfert-Rochereau), d'abord montée entièrement avant d'être démontée et mise en caisses pour être expédiée à New York !

🎭🎭 ***Le Ceramic Hôtel*** *(plan couleur B3) :* 34, av. de Wagram, 75017. Ⓜ *Ternes.* Très bel immeuble Art nouveau, construit par Lavirotte en 1904. Façade recouverte de grès.

🎭 ***Le château des Ternes*** *(plan couleur B3) :* à l'angle de la rue Pierre-Demours et de la rue Bayen. En vérité, un curieux château des XVIIe et XVIIIe s, bizarrement percé en son milieu par une rue ! Explication toute simple : son dernier proprio effectua une grosse opération immobilière, lotissant son parc, spéculant sur les parcelles, allant même trouer sa belle façade pour faire passer une rue.

🎭 ***La villa des Ternes*** *(plan couleur A3) :* commence au 96, av. des Ternes et finit au 39, rue Guersant. Ⓜ *Ternes.* Maisons et immeubles de standing érigés sur les terres de l'ancien château des Ternes à partir de 1822. Une approche des villas à la campagne assez rare dans une ville comme Paris.

▶ Pour le plan du 18e arrondissement, voir le cahier couleur.

L'arrondissement, 18e du nom, mérite que l'on dépasse les clichés les plus touristiques pour le redécouvrir vraiment. Si la vue sur Paris depuis le Sacré-Cœur – et la vision du village de Montmartre et de la place du Tertre – se mérite au lever du jour, les flancs nord de la Butte s'arpentent à pied, par une nuit de pleine lune ou par temps de brouillard : extraordinaire voyage hors du temps, dans un Paris qui semble n'avoir pas changé depuis le XIXe s. Mais il y a aussi l'attachant cimetière de Montmartre, dont les célèbres occupants méritent bien une visite. De même les rues et passages avoisinants, à l'ombre de ses hauts murs. Les Abbesses, naguère enclave populaire et authentique, n'en finissent pas de jouer la carte de la modernité branchée, alors que le haut de Pigalle s'est assagi et prend le même chemin. L'est de l'arrondissement, lui, a longtemps eu mauvaise réputation. L'accès aux puces, par la porte de Clignancourt, était, il y a peu, le lieu de tous les trafics. Oublié au milieu des voies ferrées, le quartier de la Chapelle a été laissé à lui-même. Barbès et la Goutte-d'Or charriaient force préjugés, non exempts d'un certain racisme, alimentés par un état de délabrement avancé. Les choses changent, et il y a un vrai plaisir à y déambuler aujourd'hui, au milieu des commerces et étals exotiques.

Où dormir ?

Bon marché

🏠 **Auberge de Jeunesse Yves-Robert** (plan couleur D2, **1**) : 20, esplanade Nathalie-Sarraute, 75018. ☎ 01-40-38-87-90. ● paris.yvez-robert@ hifrance.org ● hifrance.org ● Ⓜ La Chapelle ou Marx-Dormoy. ⚓ Accueil 24h/24. Nuit à partir de 29,90 €, petit déj compris, draps fournis (mais pas les serviettes) ; double 60 €. 🖥 📶 Canal +. Satellite. Câble. Café offert sur présentation de ce guide. Sur d'anciennes friches de la SNCF, l'une des dernières nées de la FUAJ, au cœur de la ZAC Pajol, un quartier pilote en matière d'écodéveloppement. La grande halle à structure métallique entièrement rénovée et dotée de panneaux solaires, est destinée à devenir la 1re centrale photovoltaïque d'Europe ! Un poumon offrant espaces verts couverts ou extérieurs. Tri de déchets, gestion de l'eau et de l'énergie, matériaux HQE : la nouvelle AJ, aux lignes pures et dotée d'une façade de bois, s'inscrit dans ce projet 100 % développement durable. En tout 330 lits, répartis en chambres et dortoirs fonctionnels de 2 à 6 lits (tous avec douche et lavabo mais w-c en commun), et tout ce qu'il faut pour faciliter la vie des hôtes : restaurant, bar, salon-TV, billard, laverie, cuisine (riquiqui), salle de spectacle... Vraiment nickel !

🏠 **Le Village Hostel** (plan couleur B3, **2**) : 20, rue d'Orsel, 75018. ☎ 01-42-64-22-02. ● bonjour@ villagehostel.fr ● villagehostel. fr ● Ⓜ Anvers. Réception 24h/24. Doubles 75-115 € selon confort et saison ; quadruples 75-180 € ; en dortoir, 28-46 €/pers selon saison ; petit déj inclus. Cuisine à disposition. 📖 📶 10 % sur le prix de la chambre (pour tte résa faite sur le site internet avec le code « routard15 ») sur présentation de ce guide. Un backpackers anglo-saxon superbement situé, à deux pas du Sacré-Cœur : ambiance jeune et déco festive. Chambres de 2 à 8 personnes, spacieuses et climatisées, avec douche et w-c privés pour la plupart. Bonnes prestations : cuisine équipée, bar très sympa proposant pas mal de soirées à thème, et, cerise sur le gâteau, une terrasse géniale à l'étage ! Préférez l'une des 8 chambres aux 3e et 4e étages, pour leur vue incomparable sur la Butte.

🛏 **Plug-Inn Hostel** (plan couleur zoom, **4**) : 7, rue Aristide-Bruant, 75018. ☎ 01-42-58-42-58. ● bonjour@ plug-inn.fr ● plug-inn.fr ● 🄼 Abbesses ou Blanche. En dortoir 4-6 lits 30-36 €/ pers ; doubles 90-105 € selon saison ; petit déj compris. 📖 📶 TV. 10 % sur le prix de la chambre (nov-fév sf 27 déc-3 janv) sur présentation de ce guide. La déco des chambres et dortoirs n'est pas forcément aussi ludique que celle des parties communes, mais le confort est bon, surtout pour une auberge de jeunesse ! Tous possèdent une belle salle de douche avec w-c (serviettes et draps sont inclus dans le prix). En revanche, comme dans les autres AJ, les chambres ne sont pas accessibles de 11h à 15h... Ambiance fraternelle, jeune et internationale, cuisine commune bien équipée en sous-sol, et pièce à vivre sous une petite verrière dans une courette. Prix très attractifs pour le quartier. Accueil attentif et affable (les 3A si recherchés !).

🛏 **Hôtel Caulaincourt Square** (plan couleur A2, **16**) : 2, sq. Caulaincourt, 75018. ☎ 01-46-06-46-06. ● bienve nue@caulaincourt.com ● caulaincourt. com ● 🄼 Lamarck-Caulaincourt. Résa très conseillée. Dortoirs non mixtes 4-6 lits 29-33 €/pers ; doubles sans ou avec w-c 74-88 € ; triple 99 € ; petit déj inclus. 📖 📶 Cet hostel à la clientèle de jeunes routards venus du monde entier offre un bon confort : chambres et dortoirs sont petits mais tous équipés de

douche et TV (les plus chers disposent même de w-c privés). Sympa, même si les parties communes ne sont pas bien grandes (à l'image de la cuisine riquiqui). Mieux vaut arriver par la rue Caulaincourt, sinon il y a un sacré escalier à gravir depuis la rue Lamarck !

🛏 **Hôtel Bonséjour Montmartre** (plan couleur zoom, **5**) : 11, rue Burq, 75018. ☎ 01-42-54-22-53. ● hotel-bonsejour-montmartre@wana doo.fr ● hotel-bonsejour-montmartre. fr ● 🄼 Abbesses ou Blanche. ♿ Doubles avec lavabo ou douche 69-89 €, avec douche et w-c 75-99 €. 📖 📶 Parking payant. En plein Montmartre, l'un des hôtels les moins chers du quartier. Aucun luxe donc ! On peut même parler de confort rudimentaire. Les w-c sont sur le palier, l'unique douche au rez-de-chaussée (certaines chambres sont équipées d'une minicabine). Toutefois, les chambres les plus chères sont équipées de la douche et des w-c, et sont dotées pour certaines de petits balcons en fer forgé. Évitez celles donnant côté « cour », bien sombres et bien tristes. L'accueil est sympathique et familial.

🛏 **Hôtel Le Montclair-Montmartre** (plan couleur B2, **8**) : 62, rue Ramey, 75018. ☎ 01-46-06-46-07. ● bonjour@ lemontclair.com ● montclair-hostel. com ● 🄼 Jules-Joffrin. Chambres disponibles à partir de 15h slt. Résa conseillée. Chambres en dortoir (4 ou 6 lits) 24-40 €/pers, doubles 58-96 € selon confort, quadruples également, petit déj inclus. 📖 📶 10 % sur le prix de la chambre sur présentation de ce guide. Cette auberge de jeunesse à la déco ludique, moderne et colorée plaît beaucoup aux jeunes globe-trotters avec son style bohème, son esprit et son ambiance fraternelle. Parties communes très sympas (baby-foot, coin cuisine...), qui compensent des chambres et dortoirs basiques et datés. Bon accueil jeune et toujours dispo.

🛏 **Hôtel Montmartre Clignancourt** (plan couleur B3, **18**) : 4, rue de Clignancourt, 75018. ☎ 01-46-06-27-46. ● hotelmontmartreclign@orange.fr ● 🄼 Barbès-Rochechouart ou Anvers. Ouv 24h/24. Doubles 70-90 € selon confort et saison. 📶 TV. Au cœur du

Barbès populaire et chatoyant, au pied de la butte Montmartre, cet hôtel offre un des meilleurs rapports qualité-prix du quartier. Régulièrement rénové, bien tenu, il offre des chambres simples, avec ou sans salle de bains, mais tout à fait convenables. Salle de petit déj pimpante, tout comme la réception, située au 1er étage (6 en tout, sans ascenseur). Accueil souriant.

De chic à plus chic

🛏 **Hôtel Éden-Montmartre** (plan couleur B2, **9**) : 90, rue Ordener, 75018. ☎ 01-42-64-61-63. ● contact@edenhotel-montmartre.com ● edenhotel-montmartre.com ● Ⓜ Jules-Joffrin. Doubles 145-165 € ; familiale 195 € ; petit déj 7,50 €. Promos conséquentes.tte l'année. 🛜 TV. Canal +. Câble. Parking payant. Hôtel entièrement rénové dans un style classique cosy et agréable. Vu la « petite » différence de prix, préférer les chambres supérieures, plus spacieuses et avec des salles de bains plus grandes. L'accueil est aimable, attentif et très professionnel.

🛏 **Ermitage Sacré-Cœur** (plan couleur B2, **11**) : 24, rue Lamarck, 75018. ☎ 01-42-64-79-22. ● ermitagesacre coeur.fr ● Ⓜ Lamarck-Caulaincourt. Doubles 120-135 €, petit déj compris, servi slt dans la chambre ; familiales 155-190 €. Possibilité d'appart. CB refusées. 🛜 Parking payant. Cet hôtel particulier Napoléon III est situé dans l'une des parties les plus villageoises de Montmartre. Très proche de l'esprit de la chambre d'hôtes, il renferme des chambres très bien tenues, décorées dans un style bonbonnière avec bibelots, statuettes et tableaux aux murs. Deux d'entre elles donnent de plain-pied sur un jardinet, 3 autres offrent une vue géniale sur Paris ; ce sont bien sûr celles qu'il faut réserver en priorité. C'est tellement cosy que pour un peu vous prétendriez avoir une résidence secondaire à Paris... Également des studios très pratiques. Accueil dévoué par un adorable couple de retraités.

🛏 **Hôtel des Arts** (plan couleur zoom, **10**) : 5, rue Tholozé, 75018. ☎ 01-46-06-30-52. ● hotel.arts@wanadoo.fr ● arts-hotel-paris.com ● Ⓜ Blanche ou Abbesses. Doubles 105-195 € selon confort, vue et saison ; petit déj 12 €. Promos sur Internet. 🖥 🛜 TV. Satellite. Câble. 10 % sur le prix de la chambre sur présentation de ce guide. Dans une rue tranquille et en ligne de mire, à 100 m, le Moulin de la Galette. Juste en face, le Studio 28, cinéma très sympa avec son jardin et sa décoration due à Cocteau. Dans les chambres, déco classique mais confort moderne ; certaines ont un balcon. Petit déjeuner servi dans la cave en pierres apparentes. Accueil souriant et professionnel.

🛏 **Hôtel Roma Sacré-Cœur** (plan couleur B2, **6**) : 101, rue Caulaincourt, 75018. ☎ 01-42-62-02-02. ● hotel. roma@wanadoo.fr ● hotelroma.fr ● Ⓜ Lamarck-Caulaincourt. Doubles 90-190 € selon saison ; petit déj 8 €. Possibilité de triples. 🛜 TV. Satellite. Cet hôtel un peu daté offre un bouquet de couleurs, du hall aux chambres. Confort simple mais convenable dans l'ensemble. La déco des chambres des 5e et 6e étages rend hommage à divers peintres : Van Gogh, Gauguin, Braque (qui a d'ailleurs séjourné à l'hôtel), Chagall... Coup de cœur pour celles du 7e étage, agrémentées de terrasses avec une vue plongeante sur le Sacré-Cœur. Tant qu'à faire, éviter les chambres sans aucune vue, beaucoup plus sombres. Accueil routinier.

🛏 **Regyn's Montmartre** (plan couleur zoom, **12**) : 18, pl. des Abbesses, 75018. ☎ 01-42-54-45-21. ● resa@ hotel-regyns-montmartre.net ● hotel-regyns-paris.com ● Ⓜ Abbesses. Résa conseillée. Doubles avec douche ou bains et w-c 105-205 € selon vue et saison ; petit déj 8 €. 🛜 TV. Canal +. Câble. On ne peut être mieux placé que sur la place des Abbesses. Vingt-deux chambres ravissantes et dotées de tout le confort moderne. La déco à l'ancienne apporte une petite touche bucolique grâce aux murs tendus de toile de Jouy colorée. Adorable ! Depuis les 4e et 5e étages, vue exceptionnelle sur Paris. Excellent accueil de l'équipe.

🛏 **Chambres d'hôtes Paris-Oasis** (plan couleur B2, **17**) : 14, rue André-del-Sarte, 75018. ☎ 01-42-55-95-16. ● helene-bignon@orange. fr ● paris-oasis.com ● Ⓜ Anvers. Résa vivement conseillée. 3 nuits min

18e

demandées. *Double 140 € ; apparts 2-4 pers 190-250 € ; pas de petit déj. CB refusées.* 🖥 🛜 *TV. Câble. Une bouteille de vin de bonne qualité offerte sur présentation de ce guide.* Une adresse exceptionnelle ! Cinq chambres et apparts tous différents, calmes, charmants, très cosy et décorés avec goût de manière originale : masques africains, tableaux, statues réalisées par la proprio, très accueillante. Sympa : kitchenette et cafetière Nespresso avec capsules. Mais on a surtout envie de profiter du délicieux petit jardin, bordé par une piscine chauffée sous une véranda ! La chambre des amoureux occupe d'ailleurs une maisonnette isolée dans les massifs de fleurs. On se croirait en villégiature à la campagne, en plein cœur de Montmartre...

🏠 **Hôtel 29 Lepic** *(plan couleur zoom, 15) :* 29, rue Lepic, 75018. ☎ 01-56-55-50-04. ● *hotel@29lepic. com* ● *29lepic.com* ● Ⓜ *Abbesses ou Blanche. Doubles env 210-250 € selon catégorie et saison ; petit déj 12 €. Promos régulières (jusqu'à - 50 %).* 🛜 *TV. Câble.* Situation on ne peut plus stratégique pour cet hôtel convivial à taille humaine. L'accueil charmant met tout de suite à l'aise, impression renforcée par le bar cosy prolongé par un petit bout de terrasse dans une courette. Très agréable. Quant aux chambres, parfaitement tenues, insonorisées et récemment rénovées dans un esprit moderne chic et sobre, elles ne déçoivent pas. Une très bonne adresse. *NOUVEAUTÉ.*

🏠 **Hôtel Lumières** *(plan couleur A-B1, 14) :* 110, rue Damrémont, 75018. ☎ 01-42-64-25-75. ● *contact@hotel-lumieres.com* ● *hotel-lumieres.com* ● Ⓜ *Jules-Joffrin ou Guy-Môquet.* ♿ *Doubles 109-237 €.* 🛜 *TV. Canal +. Satellite. Parking payant. Un petit déj/pers offert sur présentation de ce guide.*

Ce 3-étoiles, entièrement rénové dans un style contemporain design, porte bien son nom puisque sa thématique repose sur les couleurs et les jeux de lumière... La déco, l'aménagement des chambres (toutes très petites mais bien conçues) restent identiques d'un étage à l'autre, les literies sont parfaites, et la tenue impeccable. Une bonne option.

🏠 **Timhotel Montmartre** *(plan couleur zoom, 13) :* 11, rue Ravignan (pl. Émile-Goudeau), 75018. ☎ 01-42-55-74-79. ● *montmartre@timhotel. fr* ● *timhotel.fr* ● Ⓜ *Abbesses. Ouv 24h/24. Doubles 75-230 € selon vue et standing ; petit déj 13,50 €.* 🖥 🛜 *TV. Satellite. Câble. Un petit déj/pers offert sur présentation de ce guide.* Sur une place adorable et romantique à souhait, un hôtel totalement rénové dans un style efficace et fonctionnel. Certaines chambres jouissent d'une belle vue sur la capitale (à partir du 4ᵉ étage). Les autres offrent moins d'intérêt. Mais côté place, c'est charmant aussi ! Dans tous les cas, la situation reste hautement stratégique ! Accueil très sympathique.

Très chic... et tendance

🏠 **Le Relais Montmartre** *(plan couleur zoom, 7) :* 6, rue Constance, 75018. ☎ 01-70-64-25-25. ● *contact@ relaismontmartre.fr* ● *relaismontmartre.fr* ● Ⓜ *Abbesses ou Blanche. Doubles 199-259 € selon confort et saison ; petit déj-buffet 15 €. Promos sur Internet.* 🖥 🛜 *TV. Satellite.* Une adresse très cosy, calme, idéale pour les amoureux de Montmartre et pour les amoureux tout court. Ambiance bucolique et charmante avec des chambres à la déco fleurie et raffinée (meubles élégants, poutres peintes...). Petit déjeuner servi dans une belle cave voûtée ou dans une courette joliment aménagée. Excellentes prestations, accueil charmant.

Où manger ?

Sur le pouce

🍴 **Le Comptoir des Belettes** *(plan couleur B2, 20) :* 37, rue Lamarck, 75018. ☎ 01-46-06-07-37. Ⓜ *Lamarck-Caulaincourt. Tlj sf lun 11h-minuit ; service continu jusqu'à 22h45. Fermé 24-25 déc. Tartines*

8-9,50 € ; brunch tlj 16,50 €. Vin au verre 3,40 €. Diverses tartines copieuses, avec des légumes bio, et desserts maison. Oh, pas de quoi perdre la tête, mais des plats honnêtes, cuisinés à base de produits frais. Salle cosy avec jolies banquettes pour conter fleurette, quelques tables au soleil pour la bronzette et 2 charmantes belettes qui assurent le service sans faire la tête !

De très bon marché à bon marché

|●| **La Rallonge** (plan couleur B2, **30**) : 16, rue Eugène-Sue, 75018. ☎ 01-42-59-43-24. ● contact@larallonge.fr ● Ⓜ Marcadet-Poissonniers ou Jules-Joffrin. Tlj sf dim 19h-23h30. Tapas 5-17 €, planche min 20 € ; repas complet 20-25 €. Gourmets du quartier et d'ailleurs se tiennent bien chaud, serrés le long du comptoir en Ductal ou perchés devant des guéridons et quelques longues tablées. Raison d'un tel succès : la qualité de la cuisine proposée ici, tendance Méditerranée ou Asie revisitée, les bons produits impeccablement travaillés. Quelques planches de fromages ou de charcuterie aussi, en format varié mais pas données. Seul regret : certains vins au verre restent chers. Service efficace et chaleureux.

|●| **Au Relais** (plan couleur B2, **24**) : 48, rue Lamarck, 75018. ☎ 01-46-06-68-32. Ⓜ Lamarck-Caulaincourt. ♿ Tlj 8h (9h w-e et j. fériés)-2h ; service continu 12h-23h30. Formules déj en sem 10,80-11,50 € ; plats 8-23 € ; carte env 20 €. Apéritif maison offert sur présentation de ce guide. Superbe bistrot datant de 1904. Aux beaux jours, la grande terrasse en retrait de la rue est prisée des gens du quartier, qui viennent y prendre un p'tit noir ou une mousse. À la carte, tous les classiques de bistrot (plat du jour, tartare, burger), servis avec de bonnes frites croustillantes. Bien aussi pour y prendre le goûter ou le petit déj du dimanche. Bonne atmosphère, service efficace et accueil très cordial.

|●| **La Part des Anges** (plan couleur zoom, **22**) : 10, rue Garreau, 75018. ☎ 01-55-79-98-53. Ⓜ Abbesses. Tlj sf dim 12h-23h (minuit ven-sam).

Formules 15 € le midi, 23 € le soir (entrée + plat ou plat + dessert). Façade refaite et cadre de bar à vins : c'est bien un sympathique bistrot de quartier qui s'annonce. Copieusement servis et cuisinés maison, des entrées fraîches, des petits plats sans prétention et bien tournés, et des desserts savoureux (excellent choix de glaces artisanales). Parfois plus roboratif que gastronomique, certes, mais les saveurs sont au rendez-vous, l'ardoise suit les saisons, et les vins n'assèchent pas le porte-monnaie.

|●| **La Balançoire** (plan couleur zoom, **25**) : 6, rue Aristide-Bruant, 75018. ☎ 01-42-23-70-83. Ⓜ Abbesses ou Blanche. Tlj sf dim-lun 12h-14h30, 19h-23h. Congés : 15 j. à Noël. Formule déj en sem 15 € ; plats 12-20 €. Pour fuir l'agitation de la rue des Abbesses, c'est ici ! Bouchons de liège aux murs, vieux bouquins et ventilateurs en bois plantent le décor de ce petit resto. Au tableau noir, les produits de saison changent tous les mois. La terrine de foie gras, le burger au chèvre et le tiramisù au brownie, eux, ne bougent pas. Avant de partir, piochez dans les bocaux de bonbons et savourez le shot de vodka, Tagada ou Carambar, offert par la maison ! Service adorable. NOUVEAUTÉ.

|●| **L'Assiette** (plan couleur B2, **41**) : 78, rue Labat, 75018. ☎ 01-42-59-06-63. Ⓜ Château-Rouge, Lamarck-Caulaincourt ou Jules-Joffrin. Tlj sf sam midi, dim et lun midi ; service 12h-14h30, 19h30-22h30. Menus 14,50-25 € ; carte 30-35 €. Mise en bouche maison offerte sur présentation de ce guide. Une excellente adresse de quartier, à la façade éclatante de couleurs. La clientèle de fidèles accueillis en amis fait honneur à une bonne cuisine maison, préparée avec de beaux produits et non dénuée d'imagination à l'occasion. Service sympathique, à l'image de la petite salle chaleureuse.

|●| **Les Routiers** (plan couleur D2, **37**) : 50 bis, rue Marx-Dormoy, 75018. ☎ 01-46-07-93-80. Ⓜ La Chapelle ou Marx-Dormoy. Tlj sf dim 12h-14h15, 19h15-22h. Congés : 1 sem fin mars, août et 1 sem fin déc. Menus 22-33 € ; carte 35-40 €. Belle sélection de vins de propriété, à partir de 14 € pour la

18e

gouleyante cuvée du patron. Ce n'est pas pour le décor, qui ne paie pas de mine, que la kyrielle de fidèles s'attable midi et soir en se serrant les coudes dans ce bistrot. Ce qu'on apprécie ici ? D'abord, la personnalité du patron, le sympathique Bernard Dubreuil, professionnel sérieux et amoureux des bons produits. Ensuite, sa cuisine : simple et franche, mitonnée à l'ancienne et servie en portions généreuses dans des plats en inox ! Ambiance conviviale.

|●| *Le Chant des Oliviers* (plan couleur B2, **28**) : 88, rue Ordener, 75018. ☎ 01-46-06-46-14. Ⓜ Jules-Joffrin. ♿ Tlj 12h-14h30, 19h-22h30 (19h-23h ven-sam). Ambiance musicale 1er sam du mois (sur résa). Menus 19,50-25,50 € le midi, 24,50-31 € le soir. Tout proche de la mairie, un resto joliment retapé et qui affiche des couleurs méditerranéennes. Alléchant menu-carte qui ne trompe pas son monde : la cuisine est généreuse et ensoleillée, et les assiettes sont joliment présentées. Les viandes sont de qualité et les cuissons justes.

|●| *Le Restaurant* (plan couleur zoom, **39**) : 32, rue Véron, 75018. ☎ 01-42-23-06-22. ● lerestau@wanadoo. fr ● Ⓜ Abbesses. À l'angle de la rue Audran. Tlj ; service 12h-15h30, 19h-23h30. Résa conseillée. Formule 24,90 €. Légèrement à l'écart des foules, une agréable adresse au décor chaleureux (grandes baies vitrées, pierre, quelques bouquets séchés, une vieille horloge de Paris...), où l'on se régale d'une cuisine classique bien réalisée. Sans surprise mais bon.

Prix moyens

|●| *L'Annexe Montmartre* (plan couleur zoom, **21**) : 13, rue des Trois-Frères, 75018. ☎ 01-46-06-12-48. ● richard111@wanadoo.fr ● Ⓜ Anvers ou Abbesses. Tlj sf dim le soir slt 19h-23h30. Congés : août. Menus 19-35 € ; carte env 35 €. Digestif maison offert sur présentation de ce guide. Façade rouge à l'image de la déco, avec quelques p'tites phrases rigolotes sur les sets de table et une atmosphère de bistrot accueillante. Ajoutez à cela des vins naturels bien

choisis et des plats de marché bien tournés, frais, simples et généreux. La carte change au gré des saisons, mais on retrouve les fameux œufs cocotte, tartare ou pièce de bœuf assaisonnés selon l'humeur du jour. Desserts tout aussi fameux.

|●| *Miroir* (plan couleur zoom, **32**) : 94, rue des Martyrs, 75018. ☎ 01-46-06-50-73. Ⓜ Pigalle ou Abbesses. Tlj sf dim-lun et j. fériés 12h-14h, 19h30-22h. Congés : 1 sem en janv et août. Résa impérative le soir. Formules autour d'un plat 19,50 € le midi, 27 € le soir ; menus 34-44 €. Tablées de bois et banquettes de molesquine bordeaux assurent le côté bistrot, tandis que les murs gris clair, la belle verrière et la sobriété générale tendent vers la modernité. Et l'ensemble se fait miroir de l'excellente cuisine servie ici par le chef : généreuse dans les portions comme dans les produits de saison, soigneusement choisis et mis en valeur dans des recettes d'antan. Beau choix de vins également (y compris au verre). Et pourquoi pas, possibilité de prendre l'apéro juste en face à la *Cave du Miroir*. Service chaleureux.

|●| *Le Grand 8* (plan couleur B2, **29**) : 8, rue Lamarck, 75018. ☎ 01-42-55-04-55. Ⓜ Lamarck-Caulaincourt ou Abbesses. ♿ Mer-sam 19h30-22h30 ; dim 12h-14h30, 19h30-22h30. Fermé lun-mar. Congés : août et 1 sem à Noël. Formules 27-33,50 €. Derrière le Sacré-Cœur, dans un des coins les moins tapageurs de Montmartre. Cadre bistrot d'une certaine sobriété, comme pour mieux mettre en valeur une cuisine de terroir subtilement revisitée. Au tableau noir, de savoureux petits plats suivant strictement marché et saisons, mitonnés avec cœur. Et uniquement des vignerons produisant des vins naturels (avec parfois des étiquettes franchement décalées). Tout ce qu'on aime ! Accueil hors pair.

|●| *Le BAL Café* (plan couleur A2-3, **31**) : 6, impasse de la Défense, 75018. ☎ 01-44-70-75-51. Ⓜ Place-de-Clichy. Mer-sam 12h-23h, dim 11h-19h ; brunch le w-e (pas de résa). Fermé lun-mar. Peu de tables, alors résa conseillée. Formules déj 15-24 € ; le soir, menus 28-35 € (entrée + plat + dessert, 3 choix à

chaque fois) ; pas de carte. On y accède par une impasse au pavement balisé par de petites lumières qui guident nos pas hors du tumulte de l'avenue de Clichy. On peut passer un certain temps au *BAL*, entre expos photos, librairie... et café-resto donc ! Cadre sobre et contemporain. Aux fourneaux, 2 anciennes de *Rose Bakery*, et, côté salle, un sommelier franco-irlandais très aimable qui donne des conseils avisés. Et dans l'assiette, alors ? Délicieux ; dommage que l'addition grimpe vite. Essayez d'obtenir une table en terrasse (malheureusement pas ensoleillée), en face du petit jardin des Deux-Nèthes. Clientèle bobo montmartro-batignollaise.

|●| *L'Atelier Ramey (plan couleur B2, 33)* : 23, rue Ramey, 75018. ☎ 01-42-51-04-78. ● latelier.ramey@gmail.com ● Ⓜ Château-Rouge ou Jules-Joffrin. Tlj sf dim 12h-15h, 19h-minuit. Formule 19 € ; menus 32 €, 35 € avec une assiette de fromages. Murs blancs, brique rouge, longues banquettes et chaises en zinc, un cadre tendance juste ce qu'il faut pour le néobistrot. Cuisine ouverte et vue plongeante sur la cave à vins, aux accents du Sud-Ouest. C'est moderne et chaleureux à la fois, à l'image de la cuisine du chef Nicolas Boissière. Accueil agréable et service efficace. On se régale avec le menu dégustation qui fait la part belle aux produits de saison, finement travaillés. Dommage qu'il y ait pas mal de suppléments à la carte... Mais c'est sans compter le classique burger revisité avec brio et une formule déjeuner d'un excellent rapport qualité-prix. *NOUVEAUTÉ.*

|●| *Chéri Bibi (plan couleur B2, 26)* : 15, rue André-del-Sarte, 75018. ☎ 01-42-54-88-96. Ⓜ Barbès-Rochechouart, Château-Rouge ou Anvers. Tlj sf dim 18h-2h (bar) ; service resto 20h-minuit. Fermé 1er janv, 15 août, 24, 25 et 31 déc. Résa indispensable. Formule 24 € ; menu complet 27 €. Un bar à l'entrée pour siroter un verre, une petite salle sobre au design « Scandinavie années 1950 »... et surtout d'excellents produits judicieusement choisis et cuisinés, à prix raisonnables malgré de nombreux suppléments. Une carte de bistrot

traditionnelle qui suit les saisons, mâtinée de quelques pincées d'exotisme bon teint. Dommage cependant que le brouhaha monte vite entre les tables et que l'ardoise des vins pèse autant sur la note. À fréquenter entre copains.

|●| *Au Clocher de Montmartre (plan couleur B2, 42)* : 10, rue Lamarck, 75018. ☎ 01-42-64-90-23. Ⓜ Château-Rouge. Tlj sf lun en hiver 12h-15h, 19h-23h. Menus 26-32 € ; carte env 38 €. Apéritif maison offert sur présentation de ce guide. Antoine Heerah est le nouveau chef-coq du quartier. Après *Le Moulin de la Galette* et le *Chamarré*, il a eu la bonne idée de transformer un vieux rade de quartier en un bistrot gourmand où les saveurs du monde renouvellent les classiques, précisément, du petit monde du bistrot. Coloré, ensoleillé et dans un coin pas très passant. Mais très sympa.

|●| *L'Oxalis (plan couleur B2, 27)* : 14, rue Ferdinand-Flocon, 75018. ☎ 01-42-51-11-98. ● contact@restaurantoxalis.com ● Ⓜ Jules-Joffrin. Tlj sf dim-lun ; service 12h-14h, 19h30-22h30. Congés : 10-23 août. Formules déj 17,50-20,50 € ; menus 26,50-30,50 € ; carte env 35 €. Cuisine traditionnelle aux touches inventives, qui ne pèche ni par la quantité ni par la qualité des produits. Le croustillant de gambas tandoori nous le prouve, tout comme la sélection de viandes et poissons. Un conseil : ne faites pas l'impasse sur les desserts !

|●| *La Famille (plan couleur zoom, 23)* : 41, rue des Trois-Frères, 75018. ☎ 01-42-52-11-12. Ⓜ Abbesses ou Anvers. Tlj sf dim-lun, le soir slt, 20h-2h. Manifestations culinaires le 1er dim de chaque mois. Congés : août. Résa conseillée. Formule 31 € ; menus 36-50 € ; supplément de 5 € pour les suggestions du jour ; choix de 4-5 entrées et autant de plats et de desserts ; pas de carte. Cocktails à partir de 9 €. Cette *Famille*-là a conservé une ambiance bon enfant. À table, une cuisine moderne tendance fusion, à base de produits bien frais à défaut d'être toujours convaincante. Dans la petite salle, où les décibels montent vite, les bandes de copains apprécieront la grande tablée proche du bar, pendant que les couples se réfugieront

18e

en mezzanine. Quelques bémols : certaines portions un peu congrues et les vins qui font vite grimper l'addition.

Chic

|●| Le Bouclard (plan couleur A2, **47**) : 1, rue Cavalotti, 75018. ☎ 01-45-22-60-01. ● michel.bouclard@wanadoo.fr ● Ⓜ Place-de-Clichy. Tlj sf sam midi, dim et lun midi ; service 12h-14h15, 19h-22h30. Congés : août. Menus 25 € (midi)-39 € ; carte env 54 €. Apéritif maison offert sur présentation de ce guide. Un cadre rustique joliment étudié, une cuisine qui rend hommage au terroir et à la tradition, des vins judicieusement choisis que l'on consomme au comptoir, voilà ce qui fait depuis 20 ans le succès du bistrot de Michel Bonnemort. Le menu du midi est d'un bon rapport qualité-prix. Le soir, l'addition grimpe vite...

|●| Le Moulin de la Galette (plan couleur zoom, **48**) : 83, rue Lepic, 75018. ☎ 01-46-06-84-77. ● reservation@lemoulindelagalette.fr ● Ⓜ Abbesses ou Lamarck-Caulaincourt. Tlj 12h-23h (service continu). Menus 23-29 € (le midi), puis 39 € ; menu dégustation (5 plats) 59 € ; carte env 45 €. Vins au verre à partir de 4 € le midi et de 7 € le soir. Apéritif maison offert sur présentation de ce guide. Une terrasse secrète ? Une adresse discrète ? Difficile quand on s'appelle Le Moulin de la Galette, quoique... Antoine Heerah, le plus parisien des chefs mauriciens, a redonné vie à cette adresse mythique située sur la Butte. Et c'est un vrai bonheur de pouvoir s'offrir un déjeuner ou un dîner dans ce lieu où, curieusement, on ne vous prend pas (que) pour des touristes. On s'y retrouve à toute heure ou presque, autour de plats comme le carré de

cochon à la peau croustillante, purée au beurre salé et poêlée de champignons des sous-bois, ou le carpaccio de bar et Saint-Jacques, riz noir combava et mangue verte : ça, c'est Paris !

|●| Le Coq Rico (plan couleur zoom, **45**) : 98, rue Lepic, 75018. ☎ 01-42-59-82-89. Ⓜ Lamarck-Caulaincourt. Tlj 12h-14h30, 19h-23h. Plat du jour 15 € ; carte env 40 €. Juste en face du Moulin de la Galette, un chalet contemporain qui fait courir le Tout-Paris ventre à terre, malgré les côtes, dans l'espoir de trouver encore une table de libre à la cantine néochic d'Antoine Weistermann. Un restaurant tout entier dédié aux plats d'antan et aux belles volailles d'aujourd'hui. De la poule au pot au poulet de Bresse rôti à la broche, on ne se pose pas de questions existentielles, on savoure l'instant et on redemande un cornet de frites maison pour manger avec les doigts. Service chic décalé, on adore.

|●| Wepler (plan couleur A3, **46**) : 14, pl. de Clichy, 75018. ☎ 01-45-22-53-24. ● wepler@wepler.com ● Ⓜ Place-de-Clichy. Tlj 8h-0h30. Menus 22,80-34,80 € ; carte 42-47 €. Parking. Cette institution de la place de Clichy a largement dépassé les 100 ans. Abritant encore au début du XXᵉ s un café-resto, des salles de billard et de spectacle, réduite depuis, cette brasserie a pris un coup de jeune. On y mange toujours de bons coquillages et crustacés, de la sole meunière ou grillée, et on peut s'offrir à toute heure (ou presque) un plat du moment, dans une salle claire et spacieuse où s'affaire une brigade de serveurs attentifs. Renouant avec la tradition, chaque mois de novembre, un prix (indépendant) de littérature est décerné, qui porte le nom de la brasserie.

Bar à vins

|●| ♈ Au Bon Coin (plan couleur B2, **50**) : 49, rue des Cloÿs, 75018. ☎ 01-46-06-91-36. Ⓜ Jules-Joffrin. Tlj sf dim 12h-14h30, 19h-22h (23h ven, 21h sam). Congés : août et 1 sem fin déc. Carte env 15 € le midi, 23 € le soir ; ven soir, slt des assiettes de charcuterie

ou de fromages. Vin au verre env 3,20 € ; café 1 €. On l'aime bien, ce bistrot à vins, ancien bougnat dans la même famille depuis les années 1930 et remis au goût du jour. Des vins judicieusement choisis accompagnent sans façon les plats à l'ardoise du midi ; la cuisine est plus recherchée le soir. Les desserts maison (crèmes, tartes aux fruits), cela va de soi, sont tout simplement excellents. Une ambiance

Cuisine d'ailleurs

Sur le pouce

|●| **Marché de l'Olive** (plan couleur D2, **58**) : 10, rue de l'Olive, 75018. ● assocommercantolive18@orange. fr ● Ⓜ Marx-Dormoy. Mar-ven 8h-13h, 16h-19h30 ; sam 8h-19h30 ; dim 8h-13h30. Fermé lun. Congés : août. Cette belle halle de style Baltard accueille, outre les traditionnels primeurs, charcutiers, fromagers, bouchers et poissonniers (et quels poissons !), quelques sympathiques traiteurs d'ici et d'ailleurs. Délices d'Aïssa et ses saveurs sénégalaises, Canelle et Chocolat pour les Antilles, un détour par l'Italie (pizzas, pastas et antipasti), les épices du côté du traiteur marocain, avec un bel alignement de tajines et de couscous, la sympathique Lourdes et son étal de charcuterie portugaise (on croit rêver)... Dommage, seul le traiteur marocain dispose d'un coin où s'asseoir : mais il peut se prêter à la négociation si vous choisissez en dessert une petite pâtisserie orientale !

|●| **Il Brigante** (plan couleur B2, **61**) : 14, rue du Ruisseau, 75018. ☎ 01-44-92-72-15. Ⓜ Lamarck-Caulaincourt ou Jules-Joffrin. Lun-sam 12-14h30, 19h30-23h30. Résa conseillée. Pizzas à partir de 9 €. Salvatore, un grand gaillard d'origine calabraise, manie la pâte à la perfection pour vous concocter de délicieuses pizzas fines et croustillantes. Ses atouts ? Des ingrédients étonnants et 100 % italiens comme la nduja (mélange de porc et de poivrons), la suppressata (saucisson aux piments), la scamorza (mozzarella crémeuse), sans oublier tous les légumes qu'il fait venir de sa région ! Succès oblige (et local minuscule), l'attente peut s'avérer longuette... Privilégiez la vente à emporter... NOUVEAUTÉ.

|●| **Zorglubino** (plan couleur B2, **67**) : 139, rue Ordener, 75018. ☎ 01-42-52-70-22. Ⓜ Jules-Joffrin. Tlj sf dim midi 11h30-15h, 19h-22h (23h l'été).

d'habitués réjouis, la clientèle mélangée d'un authentique petit resto de quartier, des plats généreux dont les prix ont su rester sages : qui dit mieux ?

Pizzas 10-25 € selon taille ; à emporter slt. Zorglubino ? On pouvait s'attendre à tout avec ce nom aux consonances très B.D. Et pourtant, cette pizzeria artisanale entre dans la catégorie des perles rares, car le patron est un sacré personnage : fort en gueule et fan d'Eddy Mitchell jusqu'à lui ressembler, il tranche le jambon, émince les champignons et scalpe les fromages au fur et à mesure des commandes pour de délicieux sandwichs et de divines pizzas. Rien que du frais ! À déguster dans le square voisin ou à la maison, car tout est à emporter.

Très bon marché

|●| **À la Goutte d'Or** (plan couleur C3, **63**) : 41, rue de la Goutte-d'Or, 75018. ☎ 01-42-64-99-16. ● cicinho94120@ hotmail.fr ● Ⓜ Barbès-Rochechouart ou La Chapelle. ♿ Tlj sf dim 7h30-23h ; service 11h30-15h, 18h30-22h15. Congés : 3 sem en juil-août. Menus 8 € (midi)-13,50 € ; carte 15-18 €. Vaste salle lumineuse et agréable terrasse, puisque ce resto est situé à l'angle des rues de Chartres et de la Goutte-d'Or. Excellents couscous et cuisine traditionnelle française ; tajine sur commande. Prix très modérés qui n'augmentent quasiment jamais. Tenu par la même famille depuis près de 50 ans !

|●| Dans le quartier de la Goutte-d'Or, plein de **petits restaurants de grillades** sur la braise, tenus par des Algériens. Par exemple au 11, rue des Poissonniers, **Le Licite,** ou au 51, rue Myrha, **L'Étoile,** où l'on trouve des brochettes d'abats, avec des salades et la chorba (soupe traditionnelle). Pour ceux qui veulent « tout connaître » et manger pour trois fois rien... Cela dit, on prévient les dames, l'ambiance y est très masculine.

|●| **Eden Flower** (plan couleur D2, **65**) : 6, rue de l'Olive, 75018.

18ᵉ

☎ 01-53-26-37-67. Ⓜ Marx-Dormoy. *Tlj sf lun soir et dim ; service 12h-15h, 19h-22h30 (23h w-e). Congés : 2 sem fin août. Plats du jour 10,50-13,50 € ; couscous et tajines 12,50-22,50 € ; dessert maison 5 €. Apéritif maison offert sur présentation de ce guide.* Une bonne adresse de quartier, où l'on se presse le midi pour les bricks croustillants garnis de salade ou pour un couscous savoureux. Mais la vraie spécialité, ce sont les délicieux tajines, végétariens, de poulet ou de mouton, à la viande confite juste comme il faut. En prime, l'accueil d'Eddy et de son équipe, d'une grande gentillesse. Terrasse couverte sur cette agréable rue piétonne, à 20 m du marché couvert.

Bon marché

|●| ***Soul Kitchen*** *(plan couleur B2, 56) :* 33, rue Lamarck, 75018. ☎ 01-71-37-99-95. ● allo@soulkitchenparis. fr ● Ⓜ *Lamarck-Caulaincourt. Mar-ven 8h30-18h30, sam-dim 10h-19h. Fermé lun. Congés : août. Formules déj 13,50 € en sem, 15,50 € le w-e.* 🛜 Cette *Soul Kitchen* a bien une âme, celle de 3 jeunes femmes qui déclinent ici avec talent et simplicité le beau, le bio et le bon ! Une vraie petite ambiance de cafet' californienne. Formule du jour avec des plats « métisses » ou végétariens et de bons desserts maison. La pause goûter est aussi une fête : muffin, *carrot cake, key lime pie*, crumble, etc. Parfois sans gluten et à se damner ! Quelques jus de fruits et vins bio, plus un large choix de thés, cafés et chocolats chauds.

|●| ***Le Dan Bau*** *(plan couleur zoom, 62) :* 18, rue des Trois-Frères, 75018. ☎ 01-42-62-45-59. Ⓜ *Abbesses ou Anvers. Tlj 19h-23h. Menus 19,50-29,50 € ; carte 24-27 €. Apéritif maison offert sur présentation de ce guide.* Pour ceux qui s'interrogent sur la différence entre les cuisines chinoise et vietnamienne, une seule salade du *Dan Bau* suffira à les distinguer : la salade de papaye verte, la salade de fleur de bananier... sont fines et savoureuses. Délicieux desserts maison. Carte des thés très variée et carte des vins bien sélectionnée, avec suggestion des

accords possibles entre mets et vins. Service efficace.

|●| ***Chez Paula*** *(plan couleur B1, 60) :* 26, rue Letort, 75018. ☎ 01-42-23-86-41. Ⓜ *Porte-de-Clignancourt. Tlj sf w-e 12h-14h30, 19h-21h. Congés : 14 juil-15 août. Menus 13 € (midi)-16 € ; carte env 23 €. Apéritif maison ou café offert sur présentation de ce guide.* Paula, originaire du Portugal, part en vacances... à l'humeur ! Elle tient son resto selon la même formule, mais c'est loin d'être désagréable ! Une bonne petite adresse de proximité, qui a su séduire la clientèle artistico-bohème du quartier, aimant s'y retrouver en petites bandes pour un repas sans façons. Paella (le vendredi), aïoli ou couscous sur réservation, et tous les jours, gambas grillées, steak au poivre qui ont leurs aficionados, ainsi que, d'ailleurs, les menus, qui ne volent pas leur monde.

|●| ***Trattoria Pulcinella – Piccolo Rosso*** *(plan couleur B2, 66) :* 2, rue Eugène-Sue, 75018. ☎ 01-42-23-78-29. ● gigiorlando@free.fr ● Ⓜ *Jules-Joffrin. Presque à l'angle avec la rue Marcadet. Tlj ; à partir de 12h30 le midi et de 19h30 le soir. Congés : août. Résa possible le soir jusqu'à 20h. Carte env 22 €.* Orlando *caffè offert sur présentation de ce guide.* On se presse midi et soir dans la petite salle pimpante aux murs clairs. Car la spécialité, ici, ce sont les *pizze* napolitaines. Bonne pâte bien fine et bien cuite, garniture copieuse. Quelques *antipasti*, ainsi que 3-4 plats de savoureuses *pasta* du jour. Choix de desserts restreint, mais ils sont délicieux (*cantuccio* à tomber !). La vraie bonne adresse du coin de la rue, sauf qu'il n'est pas rare d'y faire la queue en soirée, et le service du coup peut s'avérer interminable ! Dommage.

|●| ***Le Mono*** *(plan couleur zoom, 73) :* 40, rue Véron, 75018. ☎ 01-46-06-99-20. Ⓜ *Blanche ou Abbesses. À l'angle de la rue Aristide-Bruant. Ouv ts les soirs sf mer, à partir de 19h. Congés : août. Résa impérative le w-e. Repas complet 20-25 €.* Voici une authentique cuisine togolaise, préparée en famille et servie entre ces murs rouge et ocre décorés de quelques masques et autres objets tradi. De

grands classiques à la carte, depuis l'*azi dessi* à l'arachide jusqu'au *fetri dessi* à la consistance aussi gluante qu'étonnante pour le néophyte (le pouvoir du gombo !), et toute la théorie des ignames, patates douces, bananes ou *ablo* vapeur en accompagnement. Et puis, tous les week-ends ou sur commande (comme d'autres spécialités, d'ailleurs), le porcelet rôti, à s'en lécher les doigts.

|●| *Sonia* (plan couleur B1, 69) : 8, rue Letort, 75018. ☎ 01-42-57-23-17. ● soosa_simeon@yahoo.fr ● Ⓜ Jules-Joffrin, Simplon ou Porte-de-Clignancourt. Tlj sf dim (ouv sur résa) ; service 12h-14h30, 18h30-23h30. Menus 8,50-14 € le midi, 17 € le soir ; carte env 15 €. Apéritif maison offert sur présentation de ce guide. Une petite adresse comme on les aime. L'accueil est chaleureux, et les plats sont savoureux. La cuisine est familiale, simple et juste, et chaque plat est subtilement épicé. Du naan (pain indien) à la pâte parfaitement levée au poulet *madras* ou *vindaloo*, en passant par l'agneau *shahi korma,* tout est cuit à point, et les saveurs indiennes sont bien présentes.

Où boire un thé ? Où boire un café ?

|●| ☕ *Café Lomi* (plan couleur C2, 71) : 3 ter, rue Marcadet, 75018. ☎ 09-80-39-56-24. ● lecafelomi@cafelomi.com ● Ⓜ Marcadet-Poissonniers ou Marx-Dormoy. Tlj ; service continu 10h-19h. Congés : 3 premières sem d'août. Quiche 9,50 € ; pâtisseries maison 1,10-4,90 € ; thé, café, chocolat chaud 3,70-6,70 €. 🛜 L'un des rares ateliers de torréfaction de Paris ouvre sa grande salle à la dégustation. Murs béton, plancher bois, luminaires rétro-bobo style new-yorkais. Au fond, la salle de torréfaction est ouverte aux curieux. Prenez l'expresso Lomi Blend Bordeaux ou celui du jour, accompagné de scones, de *carrot cake* ou d'une part de cheese-cake : à se damner ! Idéal donc pour une pause goûter, mais également des quiches salées de très bonne qualité pour un déjeuner sur le pouce.

|●| ☕ *Soul Kitchen* (plan couleur B2, 56) : 33, rue Lamarck, 75018. ☎ 01-71-37-99-95. ● allo@soulkitchenparis.fr ● Ⓜ Lamarck-Caulaincourt. Mar-ven 8h30-18h30, sam-dim 10h-19h. Fermé lun. Congés : août. 🛜 Voir plus haut la rubrique « Cuisine d'ailleurs ».

Où prendre un bon goûter ?

🥖 *Boulangerie Gontran-Cherrier* (plan couleur zoom, 72) : 22, rue Caulaincourt, 75018. ☎ 01-46-06-82-66. Ⓜ Blanche. Tlj sf mer 7h30 (8h dim)-20h. Slt à la carte : sandwichs 3,80-5,25 € et tarte salée 4,30 €. Héritier d'une famille de boulangers (4ᵉ génération), Gontran Cherrier a touché à tout : l'écriture, le conseil, la télé... De ses voyages, « l'œcumène du pain » a rapporté recettes et ingrédients : pain de seigle au miso (farine japonaise), pain de maïs à la sardine, pain figues-zeste de citron-graines de fenouil ou encore pois chiches-citron... Pour le déjeuner, tartes salées ou buns garnis à découvrir, une fesse posée sur un tabouret haut, en feuilletant la presse du jour. Et on ne fait pas l'impasse sur le sucré ou les viennoiseries, tout aussi réussis !

Où boire un verre ?

🍸 ♪ *Chez Camille* (plan couleur zoom, 81) : 8, rue Ravignan, 75018. ☎ 01-42-57-75-62. Ⓜ Abbesses. Tlj sf lun 18h-1h30 (minuit dim). Happy hours 18h-20h. Congés : Noël-Jour de l'an. Demi 3 € ; cocktail 7 € ; verres de vin 3,50-4,50 €. Formule apéro dim ; planche mixte 8 € (produits de La Jurasserie Fine *voisine*). Un shooter maison offert sur présentation de ce guide. Quelques touristes rusés se glissent parfois parmi la clientèle

18ᵉ

d'habitués, et pour cause... Perché sur la minuscule terrasse en bois de ce petit bar, on admire Paris au coucher du soleil en sirotant de bons cocktails. Avec ses gros ventilos et ses murs jaunes, le décor reste simple mais authentique, tout comme l'ambiance qui s'échauffe à la nuit tombée sur un son résolument rock, blues et rockabilly. Soirées 45 tours les 1er et 3e jeudis de chaque mois (DJs).

▼ |●| Le Vingt Heures Vin (plan couleur zoom, **83**) : 15-17, rue Joseph-de-Maistre, 75018. ☎ 09-54-66-50-67. ⓜ Abbesses ou Place-de-Clichy. Tlj sf lun 18h-2h (service jusqu'à minuit). Congés : août. Résa conseillée le w-e : le bar est victime de son succès ! Vin au verre env 4 € ; bouteilles à partir de 12 €. Planches à partir de 8 €. Voilà une vraie perle dans ce quartier très touristique qui prend souvent les clients pour des gogos ! C'est un petit bar à vins, tenu par Alex, originaire du Languedoc. De très bon conseil et pas pousse-conso, il saura bien vous orienter pour découvrir des trésors méconnus (grès de Montpellier, côtes catalanes...). La déco est fraîche et actuelle, sans être trop bobo. Pour accompagner ces dives bouteilles, des planches de charcut' ou de fromages de belle qualité, qui peuvent aussi être achetées à emporter (comme les bouteilles). Un coup de cœur.

▼ Le Rosie (plan couleur B2, **80**) : 3, rue Muller, 75018. ☎ 09-51-91-32-87. ⓜ Anvers ou Château-Rouge. Tlj sf dim-lun 18h-2h. Verres de vin 4-5,50 € ; cocktail 9 €. Tartines maison 8-14 €. Poussez la porte de ce bar et pénétrez dans un appartement typiquement parisien, douillet, qui invite à se poser et à prendre son temps. À la carte, une belle sélection de vins (hmm, l'original pinot grigio !), des cocktails bien sentis et quelques grignotes savoureuses quand les discussions se prolongent entre copines. Le week-end, on pousse les tables et on danse, comme à la maison. Un bar idéal pour voir la vie en rose(ie).

▼ La Divette de Montmartre (plan couleur B2, **76**) : 136, rue Marcadet, 75018. ☎ 01-46-06-19-64. ⓜ Lamarck-Caulaincourt. Tlj sf lun 12h

(17h ven-dim)-1h (23h dim). Congés : 2 ou 3 sem en août. Demi 3 € ; whisky 6 €. Un véritable musée du vinyle ! Au plafond, sur les murs, derrière les banquettes, entre les bouteilles, des disques, toujours des disques, rien que des disques, à la différence près qu'il s'agit de disques à images. Du début du XXe s (un vieux Pathé 1902) à nos jours, en passant par Elvis, les Beatles, la Mano Negra, Claude François et les aventures de Spiderman, ils sont tous là. Au total, près de 2 000 disques exposés ! La visite est gratuite, mais un petit tour côté bar ne fera de mal à personne. Pour le reste, la maison fait également tabac, galerie musicale (phonographes, postes Marconi...) et minisalle de jeux avec un baby et un flipper.

▼ Le Rendez-vous des Amis (plan couleur zoom, **82**) : 23, rue Gabrielle, 75018. ☎ 01-46-06-01-60. ⓜ Abbesses. À l'angle de la rue Drevet. Tlj 8h-1h30. Verre de vin 2,70 € ; demi 3 €, pinte 5,50 € ; happy hours 18h-20h : ts les apéros à 2 €. Planche 8 €, salade 11 €. Une modeste salle rouge pétard aux murs tapissés de photos noir et blanc, des prix très doux pour le quartier, un accueil sans façons et, aux beaux jours, une petite terrasse d'angle pour prendre le soleil... Telle est la recette de ce Rendez-vous, apprécié aussi bien par les habitués pour le petit café du matin que par les jeunes de passage, touristes ou non, attablés à touche-touche sur le trottoir jusque fort tard.

▼ La Fourmi (plan couleur B3, **77**) : 74, rue des Martyrs, 75018. ☎ 01-42-64-70-35. ⓜ Pigalle ou Abbesses. Tlj 8h (10h dim)-2h30 (4h ven-sam). Un ancien bistrot remis au goût du jour – murs patinés, bar en étain, chaises récupérées à droite et à gauche, lustre hérisson... – pour une clientèle Paris-Paname décidément courtisée ces temps-ci. Les libellules sont jolies, les garçons conquis, et la musique world-tendance favorise les transports vers d'autres latitudes. En feuilletant Libé, Lylo, on se refile le tuyau de la prochaine soirée sous un pont, dans une impasse ou sous les étoiles, et on apprécie à sa juste valeur l'accent chantant de la table voisine : « I love Paris ! »

🍸 *Ice Kube Bar (Kube Hôtel ; plan couleur C2, 79)* : 1-5, passage Ruelle, 75018. ☎ 01-42-05-20-00. • paris@kubehotel.com • Ⓜ La Chapelle. Mer-sam 19h30-1h30. Résa indispensable. Formule dégustation 3 cocktails-vodka 25 €. Parking payant. Derrière une façade classée, un concept surprenant, high-tech et ludique : The Ice Kube by Grey Goose, le 1er bar de glace de l'Hexagone, qui n'est pas vraiment ce qu'on appelle un lieu chaleureux ! Car oui, on vient boire son verre de vodka dans une chambre froide à - 10 °C, entouré de pains de glace, habillé d'une parka gentiment prêtée, et la « dégustation » n'excède jamais 30 mn (on entre par groupe d'une vingtaine de personnes maximum par demi-heure). À faire entre amis pour l'expérience... Pour patienter, reste le lounge-restaurant, plus classique (et bien chaud !), avec ses canapés molletonnés et de grand confort. À découvrir.

🍸 *Marlusse et Lapin (plan couleur zoom, 78)* : 14, rue Germain-Pilon, 75018. ☎ 01-42-59-17-97. • marlusselapin@yahoo.fr • Ⓜ Abbesses ou Pigalle. Tlj 16h-2h (dernier verre à 1h30). Shots 3-5 € ; happy hours 16h-20h (minuit dim) : pinte 3,50 €, alcool-soda 4,50 €. Quoi de plus opportun dans le quartier de Pigalle qu'un bar aux allures d'hôtel ? Ou d'appartement rétro plus exactement, bien chaleureux, à l'image de l'accueil et des confortables canapés-lits de la chambre du fond, sur lesquels on se vautre avec plaisir ! Un amour de petit bar, qui brasse une clientèle hétéroclite venue goûter aux nombreux shots ou à l'absinthe. On y retourne quand, mon lapin ?

Où sortir ?

🎵 *Le Trianon (plan couleur B3, 91)* : 80, bd Rochechouart, 75018. ☎ 01-44-92-78-00. • letrianon.fr • Ⓜ Anvers. Ouv certains j. 19h-23h selon programmation. Prix variables selon les artistes. Après un lifting bien mérité, ce beau théâtre, ouvert en 1894 et qui a accueilli sur sa scène Mistinguett ou Fréhel, reprend du service. Au programme, plusieurs fois par semaine, des concerts pop, rock, folk, d'artistes français et étrangers en vogue, mais aussi des pièces ou one-man-shows. Au Trianon, variété rime avec qualité !

🍸🎵 *La Machine du Moulin Rouge (plan couleur zoom, 89)* : 90, bd de Clichy, 75018. ☎ 01-53-41-88-89. • contact@lamachinedumoulinrouge.com • lamachinedumoulinrouge.com • Ⓜ Blanche. Bar mer-sam 18h-2h. Salle de concerts et club selon événements. Prix d'entrée différent selon soirées. Propriété du Moulin-Rouge, La Machine organise des soirées musicales où alternent live et DJs, toujours de qualité : électro, rock ou musique du monde enflamment les lieux. Avec ses 3 espaces distincts (salle de concerts, club et bar américain), que ce soit à l'heure de l'apéro ou au milieu de la nuit, il y a toujours quelque chose à y voir (toute la programmation sur leur site). Un lieu incontournable de la nuit parisienne.

🎵 *Au Lapin Agile (plan couleur B2, 88)* : 22, rue des Saules, 75018. ☎ 01-46-06-85-87. • infos@au-lapin-agile.com • au-lapin-agile.com • Ⓜ Lamarck-Caulaincourt. « Veillée » ts les soirs sf lun 21h-1h. Entrée + 1 conso : 28 €, puis 7-8 € la boisson ; entrée + 1 conso : 20 € pour les étudiants en sem. CB refusées. Le doyen des cabarets de Montmartre. Rien n'a changé ici depuis l'époque où Brassens y chantait pour la 1re fois (sans succès), où Pierre Brasseur et Annie Girardot récitaient des poésies, où Nougaro et Caussimon en faisaient les grands soirs ! Toujours la même chaleur de l'accueil. Le spectacle commence à 21h15 et s'étire en douceur, en humour et en émotion jusqu'à 1h du matin ; on ne voit pas le temps passer, reprenant en chœur les refrains les plus connus. De jeunes chanteurs, vedettes de demain, font revivre ensemble les vieilles chansons françaises. Avec une qualité musicale et une émotion réelles, non dénuées de l'esprit farceur propre aux chansonniers, comme le veut la tradition. Puis

18e

chaque interprète chante son propre répertoire. Un excellent spectacle de près de 4h.

♟ ♪ ♫ **Les Petites Gouttes** (plan couleur D2, **90**) : 12, esplanade Nathalie-Sarraute, 75018. ☎ 01-42-05-20-83. ● lespetitesgouttes.com ● ⓜ La Chapelle ou Marx-Dormoy. Tlj sf lun 11h-2h. Verres de vin 3,50-6 € ; pinte 5 € ; cocktails 8-12 €. Un très joli lieu installé dans la grande halle Pajol, un ancien entrepôt de la SNCF

rénové pour devenir 100 % écolo. On profite de la gigantesque terrasse l'été, toujours au soleil, ou du petit salon au-dessus des rails l'hiver, toujours au chaud. En toute saison, on apprécie sa vaste salle meublée dans le style scandinave, son long bar et ses concerts quasi quotidiens (regardez leur facebook). Seul bémol : le service peut être parfois un poil débordé... On reprendrait bien une petite goutte, pas vous ? NOUVEAUTÉ.

À voir

MONTMARTRE

UN PEU D'HISTOIRE

Saint Denis, premier évêque de Paris au IIIᵉ s, se fit couper la tête sur la Butte et celle-ci prit le nom de mont des Martyrs (Mons Martyrum). De là viendrait l'origine du nom « Montmartre ». À signaler que saint Denis, lui, n'aimait pas la Butte, puisqu'il prit sa tête sous son bras pour aller se faire enterrer plus loin en un lieu appelé, évidemment, Saint-Denis par la suite.

Le futur Henri IV appréciait Montmartre car, lorsqu'il assiégea Paris, il installa son PC à l'abbaye. Le Vert Galant ne faillit d'ailleurs pas à sa réputation, puisqu'il eut les meilleurs rapports possibles avec la mère supérieure. L'abbaye disparut dans la tourmente de la Révolution. Sa dernière mère supérieure, très âgée, sourde et aveugle, fut néanmoins condamnée à l'échafaud après que Fouquier-Tinville l'eut accusée d'« avoir comploté sourdement et aveuglément contre la République » !

Au début du XIXᵉ s, la butte Montmartre se présentait donc comme une colline couverte de vergers, de vignes, de gentilles chaumières et d'une douzaine de moulins à vent. La commune de Montmartre, créée sous la Révolution, comptait meuniers et ouvriers des carrières de gypse, qui exploitaient le sous-sol de la Butte. Une de ses principales

ANGES GARDIENS

Au XIXᵉ s, en même temps que prospéraient les nombreux marchands de vin à Montmartre, se développa le métier d'ange gardien, lequel, contre trois sous et des verres à l'œil, reconduisait les clients éméchés chez eux.

industries était l'extraction du plâtre ; la place Blanche a conservé, par son nom, la trace de cette activité. De même que la rue des Portes-Blanches. Puis, grâce à son charme campagnard, Montmartre se peupla vite. Conséquence des grands travaux d'Haussmann : chassée du centre de la ville, une foule d'ouvriers et de familles populaires vint à son tour s'installer sur la Butte. Les loyers y étaient moins chers, et le vin ne subissait pas l'octroi. Bref, il y faisait bon vivre.

Comme les communes de Passy, Montrouge, Vaugirard, Charonne..., celle de Montmartre fut annexée en 1860 à Paris.

Montmartre et la Commune de Paris

Quand l'armistice est signé le 28 janvier 1871, avec son cortège d'humiliations, la colère s'empare des Parisiens. L'Assemblée nationale, réfugiée à Bordeaux et à majorité conservatrice, veut punir la capitale rebelle et supprime la solde des gardes nationaux. Les Prussiens, dans le même temps, entrent dans Paris. L'exaspération des Parisiens est à son comble. C'est dans ce contexte que Thiers tente un coup de force en voulant s'emparer des 170 canons regroupés sur la butte Montmartre. Les Montmartrois refusent de les céder. Les soldats chargés de la mission fraternisent finalement avec la population de la Butte et arrêtent leurs officiers. Thiers et la bourgeoisie s'enfuient à Versailles. Le Comité central de la Garde nationale organise des élections municipales et, le 28 mars, le conseil élu est mis en place à l'Hôtel de Ville et prend le nom de Commune de Paris. Ainsi naît, pour 2 mois, une commune des travailleurs prenant en main ses propres affaires et dont Marx dira plus tard qu'« elle sera célébrée à jamais comme le glorieux creuset d'une société nouvelle ».

Le Montmartre des poètes, des artistes, des truands et des touristes

Montmartre resta longtemps un vrai village. Peintres, sculpteurs, poètes en firent leur terre d'élection dans les dernières années du XIXe s et jusqu'à la Grande Guerre. Carco le décrivit avec saveur. Renoir y vécut et y peignit abondamment. Utrillo, natif de la Butte, sut rendre dans ses toiles le caractère poétique et mélancolique des rues et places montmartroises. Sa mère, Marie-Clémentine Valadon, était écuyère au cirque Medrano. À la suite d'un accident, elle devint modèle pour les plus grands. Elle

UN FUNICULAIRE SANS MOTEUR

En 1900, lors de l'inauguration du funiculaire, les Parisiens eurent la surprise de constater qu'il fonctionnait à l'eau. On remplissait un réservoir de 5 m³ à chaque fois qu'il arrivait en haut, ce qui lui permettait de redescendre ensuite avec la gravité. En descendant, il entraînait l'autre cabine qui s'élevait en même temps. Ni bruit ni pollution. On installera toutefois un moteur en 1935.

posa pour Berthe Morisot, pour Renoir (dans *Danse à la ville*), pour Puvis de Chavannes et pour Toulouse-Lautrec, avant de se révéler une talentueuse artiste peintre sous le nom de Suzanne Valadon. À *La Belle Gabrielle,* rue Saint-Vincent (aujourd'hui disparue), la patronne – dont Utrillo était amoureux – obligea ce dernier à nettoyer tous les paysages qu'il avait peints sur les murs des toilettes. Plus tard, elle s'en mordit les doigts !

C'était aussi l'époque du *Bateau-Lavoir,* cité d'artistes accrochée à la Butte, grand bâtiment baroque et branlant, qui connut tant de personnages célèbres : Max Jacob, Charles Dullin, Harry Baur, Matisse, Braque, Apollinaire, Mac Orlan et tant d'autres. Picasso y peignit en 1907 celui de ses tableaux qui allait devenir le plus célèbre et marquer la naissance du cubisme : *Les Demoiselles d'Avignon*.

Dans le bas Montmartre, la fête battait son plein. C'était l'apogée du *Moulin-Rouge,* dont l'ouverture des portes date de 1889, où les Parisiens se pressaient pour applaudir Yvette Guilbert, Jane Avril, Valentin le Désossé, Nini Patte en l'Air, ou la Goulue (car elle finissait les fonds de verre). Ces figures furent immortalisées par Toulouse-Lautrec, autre Montmartrois d'adoption.

Après la guerre de 1914-1918, les artistes émigrèrent à Montparnasse. Pigalle et Blanche devinrent alors un invraisemblable melting-pot de truands, de prostituées, de toute une faune de marlous mêlés aux fêtards bourgeois et touristes en goguette.

MONTMARTRE AUJOURD'HUI

Il existe toujours une sympathique commune libre de Montmartre, qui organise fêtes et animations, et, à sa tête, un « maire », bien sûr ! Et comme les

Montmartrois possèdent le sens de la solidarité et, aussi de l'humour, ils créèrent également une société philanthropique qu'ils baptisèrent « République de Montmartre »... Poulbot, le père des célèbres gamins de Montmartre, fut l'un des présidents de cette république. Toutes ces traditions maintiennent une certaine vie locale authentique, qui n'a rien à craindre de l'invasion des touristes.

Si Montmartre attire les curieux des quatre coins du monde, il y a bien une raison à cela ! Elle tient à une chose simple : la Butte, une fois sortie des sentiers battus, sait réserver des coins encore charmants aux promeneurs et aux curieux. Ses escaliers si durs aux « miséreux » protègent non seulement les amoureux, mais découragent les paresseux. Vieilles maisons toutes ridées, murs chancelants couverts de lierre, sentiers et jardins sauvages, parfois bordés de cerisiers, savent apparaître au bon moment. Pourtant...

ADRESSES ET INFOS UTILES

🏠 **Syndicat d'initiative de Montmartre** *(plan couleur zoom)* : 21, pl. du Tertre, 75018. ☎ 01-42-62-21-21. ● *montmartre-guide.com* ● Ⓜ *Abbesses*. *Tlj 10h-18h (le w-e, fermé 13h-14h). Plan-guide gratuit de la butte Montmartre offert sur présentation de ce guide.* Le seul syndicat d'initiative de quartier dans Paris. Visites guidées possibles. Distribue gratuitement *La Gazette de Montmartre* (trimestriel) : vie des assoc', conseils de quartier... ainsi que *Sortir à Montmartre,* un calendrier des événements du quartier, etc. Pour ceux qui désirent vivre à la montmartroise, le syndicat dispose d'un réseau de bonnes adresses où l'on peut réserver un meublé ou une chambre d'hôtes pour 2 ou 3 nuits minimum.

■ **Toilettes accessibles aux personnes handicapées :** dans le parc de la Turlure et à l'espace Montmartre, situé en haut des escaliers de la rue Chappe.

VISITE

On vous le dit tout de go : laissez tomber la voiture ! D'autant que **le périmètre de la Butte est interdit aux 4 et 2-roues (sauf riverains) à moteur les dimanche et jours fériés de 11h à 18h.** De toute façon, vous passeriez des heures à chercher une place pour la garer et vous finiriez sur un trottoir. Il y a un funiculaire depuis la place Suzanne-Valadon *(Ⓜ Anvers)* pour ceux que rebutent les escaliers de la Butte (ça rime !). Ou alors prenez le *Montmartrobus,* hyper pratique. Il sillonne (7h30/7h50-0h35/0h50) tout Montmartre de Pigalle à Jules-Joffrin en empruntant toutes les rues intéressantes.

Au fait, chères lectrices, ça paraît idiot de le dire, mais portez des chaussures à talons plats... Nombreuses sont les rues pavées !

🎭 *Le Sacré-Cœur (plan couleur zoom)* : c'est l'inévitable et énorme pâtisserie qui trône sur la Butte (et la carte postale la plus vendue !). Cette basilique résulta d'un « vœu national » exprimé par l'Église catholique pour expier les crimes de la Commune de Paris... On ne pouvait pas être plus clair. Pour savourer cette revanche, la hiérarchie catholique proposa que ce

LA PRIÈRE PERPÉTUELLE

Depuis 1885, des catholiques se relaient nuit et jour pour prier au Sacré-Cœur. Toute une organisation gère des équipes de religieux et de laïcs, afin que la prière soit assurée sans discontinuité.

« temple national » soit bâti sur les hauteurs de Montmartre. Valeur symbolique aussi, puisque c'était à l'emplacement exact du début de la Commune que la construction devait être édifiée. La résistance à ce projet, voté par l'Assemblée nationale en 1873, fut évidemment vive, des députés radicaux (avec Clemenceau) aux écolos de l'époque, qui dénonçaient la destruction du site de Montmartre et la laideur de l'édifice. Le vainqueur du concours pour sa réalisation, Paul Abadie, était le plus conformiste et le plus pompeux des architectes d'alors. La construction, entièrement financée par des dons, dura de 1875 à... 1914. On choisit un style romano-byzantin qui rappelle la cathédrale de Périgueux, d'où l'architecte est originaire. Quant à Émile Zola, il considérait le Sacré-Cœur comme une « masse crayeuse, écrasante, dominant ce Paris d'où est partie la Révolution ». Mais nous ne nous étendrons pas plus sur le sujet. La basilique fut édifiée avec de la pierre de Château-Landon (au sud-est de Paris), qui blanchit sous l'effet conjoint de l'eau de pluie et du soleil !

Malgré la foule qui investit quotidiennement l'église, approchez-vous des spectaculaires mosaïques du chœur. Montez aussi dans le *dôme*, ça vaut le coup (*entrée par la gauche de l'église, à l'extérieur ; rens :* ☎ *01-53-41-89-00 ; tlj 9h30-18h30 en été, 10h-17h30 en hiver ; accès : 6 €, réduc, et 300 marches raides et étroites*). De là-haut, panorama circulaire admirable, qui permet de surplomber les gentils jardins et potagers habituellement cachés par de hauts murs, le vieux cimetière et le beau chevet de Saint-Pierre.

🎋 **L'église Saint-Pierre de Montmartre** (*plan couleur zoom*) *:* à l'intersection des rues Saint-Éleuthère et du Mont-Cenis, 75018. À une enjambée de la pl. du Tertre. Avec Saint-Germain-des-Prés, c'est la plus ancienne église (1134) et l'une des plus mignonnes de Paris, et le seul vestige de l'abbaye bénédictine de Montmartre fondée par la reine Adélaïde de Savoie, épouse de Louis VI le Gros. On peut voir sa pierre tombale sur le bas-côté gauche. Certaines parties sont du XIIe s, comme les murs massifs, d'autres des XVe (la nef) et XVIIe s. Elle fut érigée à l'emplacement d'un temple gallo-romain dont deux colonnes ornent encore, à l'intérieur, l'entrée. L'église se dégrada tellement au cours du XIXe s que les autorités ecclésiastiques envisagèrent tout simplement de la démolir. D'autant plus qu'elle dépareillait, à côté de la merveille qui était en construction sur la Butte. Tout ce que Montmartre comptait d'artistes et d'anticléricaux se mobilisa. Ils offrirent un tel repas au conseiller socialiste local et magouillèrent si bien qu'ils le convainquirent de défendre la cause de la réhabilitation de l'église au conseil municipal. Il dut être très bon, car il arracha le vote en faveur de sa reconstruction. Ce n'était pas un moindre paradoxe, à l'époque, que de voir des mangeurs de curés se faire les plus ardents défenseurs d'une église, rien que pour embêter la hiérarchie catholique !

🎋 **Le cimetière Saint-Pierre de Montmartre, dit du Calvaire :** à côté de l'église, le vieux cimetière, dû à la réunion en 1801 de plusieurs cimetières, dont un mérovingien, porte bien son nom. On le devine à travers la lourde porte de bronze. Il est romantique et émouvant à souhait, mais il n'est malheureusement ouvert que... le 1er novembre ! Ce n'est pas le plus petit cimetière de Paris, mais c'est sans doute le plus secret. Tombes du navigateur Bougainville et des meuniers Debray, créateurs du célèbre *Moulin de la Galette,* au milieu d'aristocrates et d'authentiques habitants du Montmartre d'autrefois. La tombe du sculpteur Pigalle a disparu pendant la Révolution. Devant l'église s'ouvre la célèbre place du Tertre.

🎋 **La place du Tertre** (*plan couleur zoom*) *:* elle existait déjà au XIVe s. Plusieurs belles demeures du XVIIIe s : aux nos 3 et 5, ainsi qu'au no 9, dont le rez-de-chaussée a été transformé en galerie d'art. Au no 5 siégea la première mairie de Montmartre, en 1790. Le matin, au lever du soleil, on a l'impression de traverser une place de village. Le soir, en saison, c'est le métro à 18h. Dire que c'est un endroit touristique est d'une évidente banalité. Surdose de vendeurs de croûtes, de crayonneurs – plus ou moins talentueux, attention ! –, de portraitistes (deux peintres au mètre carré, c'est réglementé !), de bistrots chers... À tel point que maintenant on visite les touristes. On peut aimer cependant cette animation, comme on peut aussi regretter que ça manque quelque peu de naturel. Noter qu'il y a 70 ans c'était déjà comme ça, comme l'écrivait Paul Yaki : « C'était, tous les soirs d'été, la kermesse, une ruée de petites folles et de riches hommes en bonne fortune... » Pas de regrets, donc.

¶¶ ⚐ Le musée de Montmartre et les jardins Renoir *(plan couleur B2) :* 12, rue Cortot, 75018. ☎ 01-49-25-89-39. ● *museedemontmartre.fr* ● Ⓜ Lamarck-Caulaincourt ou Anvers. *Tlj 10h-18h. Entrée : 9 € ; réduc ; gratuit moins de 10 ans (livret-jeu à dispo). Expos temporaires ainsi que des ateliers animés pr les enfants ; consulter l'agenda sur le site internet.*

L'un des musées parisiens les plus charmants. Établi dans la Maison du Bel Air, une des plus anciennes de la Butte, datant du XVIIe s. Elle est entourée de trois jardins récemment reconstitués selon la palette impressionniste et surplombe les fameuses *vignes du Clos-Montmartre.* En 1875, Auguste Renoir loua une partie de cette maison de campagne en décrépitude et y peignit plusieurs de ses chefs-d'œuvre, dont le plus connu est *Le Bal du moulin de la Galette,* que l'on peut admirer au musée d'Orsay. Nombreux sont les artistes qui s'y sont succédé : Suzanne Valadon et son fils le peintre Maurice Utrillo habitèrent l'atelier du 2e étage. Raoul Dufy et Émile Bernard y séjournèrent également, sans oublier Francisque Poulbot, qui immortalisa la bouille des gosses de Montmartre, ou l'artiste grec Demetrius Galanis.

C'est l'histoire de Montmartre, de ses artistes et de la vie de bohème qui est racontée dans ce musée, la plus ancienne maison du quartier.

De façon permanente, on trouve des tableaux, dessins et affiches truculentes et originales signés Modigliani, Kupka, Utrillo, Steinlen et Toulouse-Lautrec, mais aussi un zinc de vieux bistrot de quartier et une grande maquette de Montmartre. Une salle est dédiée au french cancan et une autre au théâtre d'ombres qui avait fait la notoriété du cabaret du *Chat noir.*

Par ailleurs, l'*atelier-appartement de Suzanne Valadon et de Maurice Utrillo,* situé dans la rue Cortot, ouvre ses portes au public à partir d'octobre 2014. Tout comme l'*Hôtel Demarne,* un nouvel espace d'exposition temporaire qui ouvre avec le thème : « L'esprit de Montmartre et l'art moderne (1875-1910) ».

¶ L'Espace Dalí *(plan couleur zoom) :* 11, rue Poulbot, 75018. ☎ 01-42-64-40-10. ● *daliparis.com* ● Ⓜ Anvers ou Abbesses. *Derrière la pl. du Tertre. Tlj 10h-18h (20h juil-août). Entrée : 11,50 € ; réduc ; 7,50 € sur présentation de ce guide. Audioguide : 3 €.* Vu le prix d'entrée, on peut être surpris de ne voir aucune peinture du « génie à moustache ». L'occasion de découvrir d'autres versants de son talent : une belle série de sculptures en bronze (souvent réalisées par le maître d'après l'une de ses toiles), en plâtre ou en cire avant de passer entre les mains expertes du fondeur. Une *Alice* prête à s'envoler, des montres molles dégoulinant le long des arbres, la *Vénus spatiale* et son œuf, mais aussi l'étonnant *Buste de femme rétrospectif,* en bronze peint, où l'on retrouve nombre des thèmes chers à l'artiste (*L'Angélus* de Millet, les fourmis, etc.). Également des gravures, sérigraphies et lithographies (il y a bien 200 pièces exposées !), ainsi que d'amusantes pièces de mobilier créées après la mort de l'artiste à partir de ses œuvres (à regarder dans le détail). Petit rappel, Dalí fit partie du mouvement surréaliste, avec, entre autres, Tzara, Picabia et Breton. Et c'est à Montmartre que se tint sa première exposition parisienne, présentée par Breton en 1929. En 1956, sous le regard étonné des touristes de la place Jean-Baptiste-Clément, il réalisa son fameux *Don Quichotte* avec pour pinceau... une corne de rhinocéros ! Pour terminer, Dalí disait que « l'unique chose dont le monde n'aura jamais assez, c'est l'exagération ».

¶¶ ⚐ La halle Saint-Pierre *(plan couleur B3) :* 2, rue Ronsard, 75018. ☎ 01-42-58-72-89. ● *hallesaintpierre.org* ● Ⓜ Anvers ou Abbesses. ♿ *Lun-ven 11h-18h, sam 11h-19h, dim 12h-18h ; août, lun-ven 12h-18h. Fermé 1er janv, 1er mai, 14 juil, 15 août, 25 déc et les w-e d'août. Entrée expo : 8 € ; tarif réduit : 6,50 €.* Une belle architecture de style Baltard qui abrite un musée et une galerie, une librairie, un auditorium et un café. C'est dans ce cadre lumineux que sont présentées les expositions temporaires dédiées aux formes les plus inattendues de la création : art brut, art singulier, pop culture.

Petit itinéraire romantique
(plan couleur zoom et plan couleur B2)

Il est évident que Montmartre s'arpente à pied. On vous propose un parcours qui consiste, en fait, à faire le tour de Montmartre en évitant au maximum voitures et touristes, sans repasser par la place du Tertre.

➢ Depuis la rue du Mont-Cenis, empruntons la *rue Saint-Rustique,* déjà une oasis de calme à 20 m de la place du Tertre. La plus ancienne rue de Montmartre, sans trottoirs, avec gros pavés, ruisseau axial, bordée de croquignolettes maisons provinciales.

➢ *Rue des Saules,* ne pleurez pas, il n'y en a plus. Alors, laissez-vous glisser vers la Maison rose, où vécut Utrillo. Nous avons maintenant rendez-vous avec le *château des Brouillards.* Déjà, la jolie *rue de l'Abreuvoir* a détourné nos pas, entre une rangée de demeures villageoises fleuries et un grand parc sauvage. Elle mène *place Dalida* (avec son buste), à l'angle de la rue Girardon et de l'allée des Brouillards. Hommage mérité à la grande chanteuse populaire qui habitait non loin, rue d'Orchampt. Plus de 20 ans déjà que Yolanda Gigliotti repose au cimetière de Montmartre.

➢ *L'allée des Brouillards* commence timidement au milieu du virage. Très étroite, bordée d'une balustrade de pierre et de pavillons. Derrière les hauts murs, que de jardins secrets ! Vous découvrirez le « château », une folie construite au XVIIIe s pour un riche aristocrate. Gérard de Nerval y avait sa maison de campagne, et l'acteur Jean-Pierre Aumont y vécut. Renoir occupa un temps un pavillon au n° 8 de l'allée.

➢ Au bout de l'allée des Brouillards, on atteint le *square Suzanne-Buisson.* Style Art déco, tout en terrasses, très romantique avec sa rotonde en mosaïque. Bordé de quelques pavillons, avec une fontaine au milieu. Devant un tel calme, la *statue de saint Denis* en perd la tête tout en regardant les joueurs de boules. Sortie avenue Junot.

➢ *L'avenue Junot :* les Champs-Élysées de Montmartre. Les maisons les plus chères du quartier, où de nombreuses célébrités et artistes ont élu domicile. Percée en 1910 à travers une « maquis », un terrain parsemé d'arbres, potagers et basses-cours, et recouvert de baraques et cabanons en planches (le musée de Montmartre lui consacre quelques vitrines). Poulbot et de nombreux peintres y habitèrent. En descendant, beaux échantillons, tout du long, de l'architecture moderne et Art déco des années 1920.

➢ Deux *moulins* ont survécu sur la douzaine de grands moulins de Montmartre. Le moulin du Radet, juché à l'angle des rues Girardon et Lepic, date de 1717 et a plusieurs fois déménagé. Le moulin Blute-fin (de « bluter », soit tamiser la farine pour la séparer du son) a quant à lui été édifié en 1622 et n'a jamais quitté son emplacement originel. Ses propriétaires, quatre frères, le défendirent âprement contre les Russes en 1814 (l'un d'eux fut, selon la légende, crucifié sur les ailes). Au milieu du XIXe s, il devint l'attraction d'un fameux bal populaire, sous l'enseigne du « Moulin de la Galette », immortalisé par Renoir. Toulouse-Lautrec venait y boire un saladier de vin chaud aromatisé de cannelle et s'encanailler avec les apaches. Très bel aperçu sur le Blute-fin depuis le 77, rue Lepic, à l'angle de la rue Tholozé.

➢ Au 11, avenue Junot, dans le *hameau des Artistes,* de gros pavillons et ateliers se dissimulent derrière un portail obstinément clos. Au n° 13 habita Poulbot, qui réalisa la mosaïque de la façade. Au n° 15, maison construite par l'architecte autrichien Adolf Loos pour Tristan Tzara.

➢ On accède à la *villa Léandre* par le 23 bis, avenue Junot. Cossue, monstrueuse de paix et de tranquillité, insolente de verdure, cette villa semble défier les époques et se fixer dans un immuable instant privilégié. Max Ernst y séjourna un moment. En bas de l'avenue, c'est le retour dans le temps présent avec le flot des voitures de la rue Caulaincourt.

➤ Face à la villa Léandre, prenons plutôt la rue Simon-Dereure pour avoir le plaisir de repasser dans l'allée des Brouillards, puis la rue Girardon à gauche jusqu'à la **rue Saint-Vincent,** l'une des plus pittoresques de la Butte, chantée par tous les poètes, dont Aristide Bruant. Bordée, d'un côté, par le modeste **cimetière Saint-Vincent** (où sont enterrés Utrillo et Marcel Aymé), de l'autre, par un trottoir surélevé, avec rampe en fer. Aristide Bruant habita au n° 30. Charmant square Roland-Dorgelès à l'angle de la rue des Saules, face aux vignes et au *Lapin agile.*

VENDANGES À MONTMARTRE

À l'angle des rues Saint-Vincent et des Saules, découvrez l'un des endroits les plus charmants de Montmartre. Sur la colline dégringolent les dernières vignes de la Butte. Elles couvrirent longtemps toutes ses pentes et produisaient un petit vin appelé « picolo » (d'où le verbe « picoler »). C'est un gamay que l'on vendange début octobre, à l'occasion d'une grande fête. On compte 1 769 pieds de vigne, qui donnent près d'un millier de bouteilles de clos-montmartre vendues aux enchères au profit des œuvres sociales de la Butte.

🍴 **Le cabaret Au Lapin Agile** (plan couleur B2) **:** 22, rue des Saules, 75018. ☎ 01-46-06-85-87. ● au-lapin-agile.com ● Ⓜ Lamarck-Caulaincourt. Veillée tlj sf lun 21h-1h. Voir « Où sortir ? ».

Une institution montmartroise. La bicoque du quartier la plus connue du monde. En 1880, le peintre André Gill décora la façade du cabaret du célèbre lapin bondissant de sa casserole. À la fin du XIXᵉ s, c'était devenu une auberge, initiatrice du style « à la bonne franquette ». Alphonse Allais, Verlaine, Clemenceau, Renoir, Courteline, mettaient eux-mêmes le couvert, poussant de temps à autre la chansonnette. Aristide Bruant racheta la maison en 1903. Il la confia au père Frédé, un humoriste et artiste bon vivant, qui fit du cabaret le rendez-vous le plus célèbre de la bohème de Montmartre. Par jeu de mots, l'auberge était devenue le lapin « à Gill », puis « agile ».

Au Lapin Agile eut d'autres clients célèbres : Picasso, qui paya un jour ses repas avec un de ses *Arlequin* (acheté 40 millions d'euros par un grand musée américain), Apollinaire, Blaise Cendrars, Max Jacob, Poulbot... Aujourd'hui, et tous les soirs, il est devenu le conservatoire de la chanson française (chanson, humour, poésie), et favorise aussi l'éclosion de nouveaux talents.

FRANCHE RIGOLADE SUR LA BUTTE

Habituée du Lapin Agile, la joyeuse bande des Roland Dorgelès, Mac Orlan and Co fit peindre un tableau à l'âne du cabaret. Ils lui montrèrent une carotte, ce qui lui fit remuer la queue, queue à laquelle ils avaient attaché un pinceau ! Ils exposèrent ce tableau au Salon des indépendants comme exemple du courant « excessiviste ». La critique, dit-on, fut partagée ! Et Le soleil se coucha sur l'Adriatique fut même acheté 500 francs de l'époque par un collectionneur.

➤ En continuant rue Saint-Vincent, juste après les vignes, un petit **jardin sauvage** tout à fait surprenant *(ouv slt avr-oct, sam-dim ap-m).* On y trouve une mare et des espèces rares qui contribuent à créer une biodiversité (digitale pourpre, pavot somnifère...). Après la rue Saint-Vincent, on emprunte sur la droite la **rue du Mont-Cenis,** qui fut longtemps la seule voie d'accès au nord de la Butte. Elle reliait l'abbaye de Montmartre à celle de Saint-Denis. Au n° 22, Berlioz habita une maison paysanne de 1834 à 1836.

➢ Après un monstrueux château d'eau, on rejoint la **rue du Chevalier-de-La-Barre.** Saluons au passage ce brave Jean-François Lefèvre, chevalier de La Barre, libre-penseur, victime de l'intolérance : en 1766, on lui coupa la langue avant de le décapiter pour avoir refusé de saluer une procession religieuse. Le tracé de sa rue est d'ailleurs assez anarchique. Elle démarre en rue bordée d'échoppes à touristes, se transforme en escalier puis, au croisement avec la rue Paul-Albert, devient finalement voie piétonne. Ce carrefour, la nuit, dans le pâle halo des réverbères, est l'un des coins les plus romantiques de la Butte. Pour descendre, on a le choix entre l'abrupt passage Cottin ou la rue du Chevalier-de-La-Barre, large et placide, qui se rétrécit brutalement avec un pittoresque surplomb jusqu'à la rue Ramey. Pour aller au plus court, on peut aussi suivre la rue Paul-Albert.

➢ N'allons pas si loin et traversons ensuite les jardins du Sacré-Cœur pour gagner la rue Gabrielle, puis, plus loin sur la droite, l'escalier du Calvaire. Adorable petite **place du Calvaire** avec deux bancs qui n'attendent que les amoureux.

➢ **La rue Poulbot** *(plan couleur zoom),* ancienne impasse Traînée, déjà ruelle au XIVᵉ s, musarde, campagnarde et tortueuse à souhait. Elle porte donc le nom du célèbre créateur du « gamin de Montmartre » qui orne tant de chaumières de par le monde.

➢ Empruntons un petit bout de la **rue Norvins.** Au nº 22, il y a toujours *La Folie Sandrin,* l'ancienne maison d'aliénés où venait se faire soigner Gérard de Nerval. À l'angle de la rue Ravignan, un peu cachée, une fontaine édifiée en 1835, avec une jolie façade Renaissance. La rue finit sur la place Marcel-Aymé, où vécut l'écrivain ; voyez l'étonnante sculpture du Passe-Muraille.

➢ **La place Jean-Baptiste-Clément** *(plan couleur zoom) :* du nom de l'ancien maire de Montmartre pendant la Commune de Paris, auteur d'une des plus belles chansons françaises, *Le Temps des cerises.* Écrite plus de 10 ans après la Commune, tout le monde y reconnaît, à travers la métaphore des cerises, l'allusion au drapeau rouge et à l'espoir renaissant. Au milieu du square, un cerisier est planté en souvenir. Picasso vécut rue Gabrielle, au niveau de la place Jean-Baptiste-Clément.

➢ La petite et étroite **rue de la Mire** rappelle ensuite que le méridien de Paris passe à proximité. À emprunter pour rejoindre la rue Ravignan. En bas de celle-ci, la **place Émile-Goudeau,** l'une des plus charmantes de la Butte. Au nº 13, le célèbre **Bateau-Lavoir,** où tant d'artistes séjournèrent. Malheureusement, à peine classé, il brûla. Aujourd'hui, des ateliers modernes sans grand charme l'ont remplacé en respectant cependant l'architecture primitive : un étage sur la place et trois donnant sur un joli jardin extérieur, rue Garreau. Une petite boutique, à côté, raconte l'histoire du *Bateau-Lavoir,* dont Max Jacob disait qu'il était le « laboratoire central de la peinture ». Un de ses premiers locataires fut un certain Pablo Ruiz Blasco, connu plus tard sous le nom de Picasso. Son atelier était dans un désordre effarant. Il ne changera pas. Riche et comblé sur la fin de sa vie, il continuait à dire « mon espèce de boîte à ordures » en parlant de sa somptueuse villa. C'est au *Bateau-Lavoir* que Picasso peignit les fameuses *Demoiselles d'Avignon,* qui n'étaient ni demoiselles ni d'Avignon, puisque l'artiste avait, avant tout, voulu représenter les prostituées du Barrio Chino à Barcelone. Picasso détruisit les formes, bouscula les techniques habituelles, au point que ses propres amis crurent à un canular. C'était la naissance du cubisme... D'autres locataires prestigieux furent des « passagers du *Bateau* » : Van Dongen, André Salmon, Pierre Mac Orlan, Max Jacob, Juan Gris... Sur la place, fontaine Wallace.

➢ **La rue des Trois-Frères :** avant de prendre à droite vers la rue Durantin, emprunter à gauche sur quelques mètres la rue des Trois-Frères. À l'angle avec la rue Androuet se trouve la célèbre épicerie où ont été tournées quelques superbes scènes du film *Le Fabuleux Destin d'Amélie Poulain.* Le commerçant a d'ailleurs gardé l'enseigne *Maison Collignon,* en ajoutant néanmoins « chez Ali ».

➢ **Rue Durantin,** plusieurs artistes travaillent dans des boutiques sur rue, nous donnant l'occasion de les voir à l'œuvre. Quelques boutiques branchées de déco, bijoux, mode ont aussi élu domicile dans cette rue.

➢ **La rue Lepic** *(plan couleur zoom)* : elle part de la place Blanche et grimpe en épousant lascivement le contour de la colline. Van Gogh habita au n° 54, chez son frère Théo. Le bas de la rue, entre la place Blanche et la rue des Abbesses, est un marché animé. Après vos courses, ne manquez pas d'aller au n° 12 boire un verre au *Lux Bar*, qui possède une superbe décoration murale de 1910, en céramique, représentant le *Moulin-Rouge*. Presque en face, au n° 9, une entrée de service en demi-coupole du *Moulin Rouge Palace*. À l'angle de la rue Cauchois, le *Café des Deux Moulins,* devenu célèbre avec le succès du *Fabuleux Destin d'Amélie Poulain* ; depuis, ses prix et sa clientèle ont bien changé ! Un peu plus haut, la **place des Abbesses** possède l'une des deux dernières entrées de stations de métro Guimard avec verrière. Remarquez aussi l'étonnante **église Saint-Jean de Montmartre** qui borde la place. Il s'agit d'un des rares exemples d'architecture religieuse de type Art déco. Construite par un disciple de Viollet-le-Duc à la fin du XIXᵉ s, Saint-Jean de Montmartre est, de plus, la première église en béton armé, matériau révolutionnaire à l'époque. Recouverte de briques et de céramiques, sa façade de style quelque peu orientalisant choqua par son originalité. L'intérieur est également surprenant avec ses arcs et son décor de perles de grès.

➢ **La place Blanche** *(75009 ; plan couleur A3)* doit son nom aux charrettes qui transportaient le plâtre des carrières de la Butte vers les chantiers de Paris et qui, jour après jour, poudraient de blanc ses maisons.

➢ Au 65, boulevard de Clichy, immeuble abritant la petite **chapelle Sainte-Rita,** ouverte en 1952 par un abbé soucieux de la perdition des âmes de son quartier. Fréquenté jadis par Henry Miller et, entre autres, par quelques prostituées (sainte Rita est leur patronne), ce refuge mythique des voyous des années 1950 a inspiré Céline. Curieuse rampe en forme de serpent et décoration Belle Époque de la cage d'escalier.

HENRY MILLER AUX ENFERS

Il vivait à Paris dans un dénuement total quand son chef-d'œuvre, Tropique du Cancer, *fut publié en 1934. Ses aventures torrides lui valurent une pluie de procès pour obscénité aux USA. Il faudra attendre 1961 pour qu'il soit enfin publié dans son pays. La Cour suprême cassera ses condamnations. Père de la révolution sexuelle, il sera porté par les grands mouvements contestataires californiens.*

➢ Quelques cités discrètes s'échappent vers la Butte. En face de Sainte-Rita, au 94, boulevard de Clichy, la **cité Véron** s'annonce avec une belle enseigne en fer forgé. Bordée de maisons, de jardinets et d'ateliers. Jacques Prévert et Boris Vian y vécurent.
Aux n°ˢ 58-60, la **villa des Platanes,** une curieuse cour (fermée avec code), précédée d'un porche monumental en baroque délirant, avec colonnes et plafond de bois sculpté. Tout au fond, deux luxueuses bâtisses avec entrées à colonnes et fronton sculpté également, précédées d'escaliers en fer à cheval.
Un peu plus loin, vers le n° 48, la paisible **cité du Midi** conserve la façade en céramique d'anciens bains-douches. Belle maison au fond.

➢ **Pigalle** *(plan couleur A-B3) :* ce quartier a toujours eu mauvaise réputation. Pourtant, il porte le nom d'un grand sculpteur du XVIIIᵉ s et ne manque pas de beaux immeubles : les hôtels particuliers Napoléon Iᵉʳ de l'avenue Frochot, de l'avenue Trudaine et de son square. Dans le milieu, Corses et Algériens ont été remplacés par des Russes et des Albanais. Les « affaires » se négocient ailleurs, sur les boulevards extérieurs. Ceux de Clichy et de Rochechouart, naguère bordés d'une longue haie d'autocars, ont fait l'objet d'une réhabilitation. Le contraste n'en est que plus saisissant avec l'interminable couloir de sex-shops, de « cabarets topless », de « sexodromes », de « lingerie folies », de « studios tout confort au fond du passage » et de boîtes à touristes avec leurs photos pornos, voilées pendant le jour. La caisse à l'extérieur indique un prix assez bas mais, à l'intérieur, c'est le coup de bambou. Les rues adjacentes, Victor-Massé, de Douai, Pigalle, Duperré... sont parsemées de petits bars tamisés tendus de

RENTRER À L'ŒIL

Du temps des maisons closes, les flics de la Brigade mondaine avaient choisi, comme symbole de leur fonction, l'œil mythique arboré par les détectives privés américains de l'agence Pinkerton. Ils portaient donc une épinglette en forme d'œil au revers de la veste pour entrer discrètement dans ces lieux de débauche et observer ce qui s'y passait. De là est née l'expression « rentrer à l'œil » !

velours cramoisi. Le mauvais mousseux y est hors de prix ; les filles, elles, sont payées « au bouchon », c'est-à-dire au nombre de bouteilles consommées... et puis les rabatteurs, les flics, les touristes... Bref, une véritable comédie humaine. À Pigalle, sex-shops et cinémas pornos subissent la dure concurrence du câble et des lecteurs de DVD « interactifs ». Et la musique a pris la place laissée vacante par le recul de l'industrie du sexe. Une soixantaine de magasins concentrés dans le périmètre délimité par la rue Victor-Massé, la rue Fontaine et la rue de Douai offrent un choix d'instruments de musique qui n'a pas son pareil en France, à des prix fort avantageux. Profitant de ce contexte, des boîtes et des bars branchés ont remplacé certains cabarets. Ils contribuent à modifier l'image du quartier. Des jeunes gens chic et des rockers s'y pressent. Ingrid Caven y a chanté. *L'Élysée-Montmartre, La Cigale, Le Divan du Monde, La Machine du Moulin Rouge* sont les rendez-vous de la nuit parisienne. Pigalle a changé de visage, si l'on peut dire, vu la face que le quartier mettait naguère en avant.

🎭 *Le musée de l'Érotisme* (plan couleur A3) : 72, bd de Clichy, 75018. ☎ 01-42-58-28-73. ● musee-erotisme.com ● Ⓜ Blanche ou Pigalle. ♿ Tlj 10h-2h. Entrée : 10 € ; réduc sur Internet ; billet double pour couple 14 €.
Un vrai musée, né de la passion de trois collectionneurs pour l'érotisme et l'art érotique. Leurs trouvailles sont exposées sur sept niveaux.
Au sous-sol, on s'amuse ! D'illustrations grivoises en photos polissonnes et autres détournements phalliques plutôt lourds de symboles, la paillardise dans tous ses états. Étonnant mobilier érotique disponible sur commande.
Revenu à la surface, on vous invite à un tour du monde de l'art traditionnel érotique en commençant par le 5e étage. Ce dernier niveau ainsi que les 4e et 3e étages sont dédiés à l'art contemporain et aux expos temporaires. Des œuvres de qualité, que ce soit dans le domaine de la photo, du dessin ou de la sculpture.
Au 2e étage, remarquable exposition permanente sur les maisons closes : monotypes d'Edgar Degas, photos du *Chabanais*, du *One Two Two*, célèbres lieux de plaisir fréquentés alors par tout le gratin de la vie parisienne. On pourra suivre l'évolution de la condition de la courtisane, de la visite sanitaire imposée en 1815 à l'inscription obligatoire au registre de la police des mœurs. Le tout par le biais d'excellentes photographies, mais aussi de documents qui sont autant de rappels sociologiques.
Le 1er étage et le rez-de-chaussée abritent une riche collection très éclectique, mais ne s'écartant pas du sujet qui nous intéresse. Un véritable tour du monde de la chose sexuelle, riches témoignages de l'évocation artistique des fantasmes humains. De beaux bustes et masques de cérémonie yoruba, ethnie africaine très prolifique dans le domaine, côtoient des poteries précolombiennes, des représentations du culte shintoïste (beaux bronzes), le diable obscène du Mexique, les amulettes votives de Thaïlande ou encore les lampes à huile de yak du Tibet (la flamme se consume dans le vagin de la tigresse). Sculptures incas, miniatures

18e

péruviennes... Dans un tout autre genre, on verra également de belles œuvres d'Alain Rose, comme ce vélo « caressant », plein d'humour et de fantaisie.

Dans le genre, ce musée est vraiment remarquable. Érotique, oui ; ludique, sans aucun doute ; graveleux, jamais. Du vrai beau travail ethnologique et artistique.

➤ *L'avenue Frochot* (plan couleur B3) : en vérité dans le 9ᵉ arrondissement (mais le détour vaut le coup !), elle débute à l'angle des rues Frochot et Victor-Massé. L'une des petites merveilles de ce quartier qui, décidément, ne nous ménage pas ses surprises. Bordée de grosses villas cossues avec de croquignolets jardins, charmante place ronde entourée d'arbres, d'ateliers d'artistes. Ici même vécut le grand réalisateur Jean Renoir. Malheureusement, il faudra attendre que quelqu'un sorte, car il y a un code !

➤ Les rues de Steinkerque, d'Orsel, et surtout le fameux *marché Saint-Pierre* qui s'est développé autour des magasins *Dreyfus* et *Reine* : on y trouve tous les tissus imaginables, merceries et petits couturiers. Des affaires à réaliser, y compris dans les boutiques des rues adjacentes (tissus de marque dégriffés).

Le cimetière de Montmartre
(plan couleur A2 et plan du cimetière)

18ᵉ

🐾🐾 *Entrée av. Rachel. Tlj 8h (8h30 sam, 9h dim)-18h.*

Créé dans une ancienne carrière de plâtre, il renferme son pesant de célébrités et se révèle aussi intéressant par la beauté de ses sculptures que par l'architecture de certaines tombes. Un vrai Père-Lachaise miniature.

Dès l'entrée, avenue Rachel, tout de suite à droite, *Sacha Guitry.* Dans les deux premières allées à gauche, tombe toute simple de *Louis Jouvet* et celle d'*Alphonsine Plessis,* la Marguerite Gautier de *La Dame aux camélias.* Reconnaissable à sa décoration kitsch et au petit coussin violet en céramique devant (au-dessous, le chemin Saint-Éloy). Au bout de l'avenue Saint-Charles, *Alfred de Vigny,* puis les *Goncourt.* Avenue de la Croix, *Henri Beyle,* plus connu sous le nom de Stendhal. Dans la même allée, *Mme Récamier, Ampère* et *Georges Feydeau.* Dans la 5ᵉ division, *Adolphe Sax* (inventeur du saxophone, bien sûr) et le poète *Henri Murger.* À côté, le peintre *Edgar Degas.* Avenue Cordier, tombe de *Théophile Gautier.*

Avenue de Montmorency, *Ernest Renan* et *Alexandre Dumas fils* (qui repose dans une attitude très satisfaite). Pas loin, le peintre *Fragonard.* Avenue Berlioz, le compositeur... *Berlioz* (il repose entre ses deux femmes). Au cours de l'enterrement, les chevaux du corbillard prirent peur et s'emballèrent. Le héros romantique échappa, pour un moment, à un hommage sans doute trop cérémonieux pour lui. Ne pas manquer de rendre visite à *Charles Fourier,* le précurseur des communautés hippies (inventeur des phalanstères). De *Zola,* il ne reste que le tombeau, mais avec un beau buste, depuis qu'il a déménagé au Panthéon. Cependant, sa femme, qu'il abandonna décidément beaucoup, est toujours là ! Reste encore *Francisque Poulbot,* le peintre *Greuze* et l'explorateur des pôles, le *docteur Charcot.* En octobre 1984 y fut enterré *François Truffaut.* C'était son vœu le plus cher. En mai 1987, ce fut le tour de *Dalida... Michel Berger* repose à côté de sa fille Pauline et non loin de son père, *Jean Hamburger.*

Pour ceux qui s'intéressent aux œuvres délirantes ou tout simplement pittoresques, essayez de trouver la tombe byzantine de l'architecte Laurecisque (1ʳᵉ division), la réplique du *Moïse* de Michel-Ange sur la tombe du banquier Osiris (3ᵉ division), la tombe hexagonale d'un certain Devange (17ᵉ division). Le mausolée consacré à Delphine Fix (3ᵉ division) vaut le déplacement : son visage est splendide. Dans la 26ᵉ division, les amateurs de gags trouveront une tombe Pajot-Sommier !

➤ Pour les trekkeurs urbains impénitents, pittoresque petit quartier coincé entre le cimetière et l'avenue de Clichy. Ruelles étroites, passages, cités de poche comme la *villa des Arts,* au 15, rue Hégésippe-Moreau, reconnaissable à son

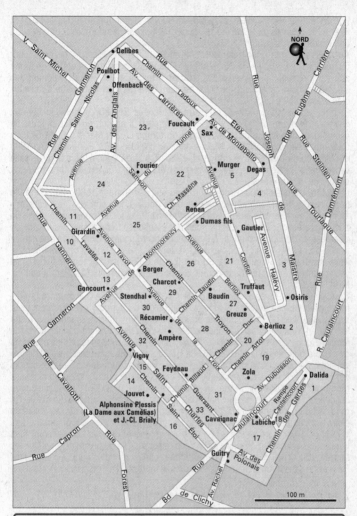

LE CIMETIÈRE DE MONTMARTRE

beau portail en fer forgé. Construite à la fin du XIXᵉ s (avec, entre autres, des maté-riaux récupérés des Expos universelles et de l'ancienne gare Saint-Lazare), elle abritait plusieurs dizaines d'ateliers d'artistes : Eugène Carrière, Renoir, Picabia, Signac, Cézanne, Dufy...

MONTMARTRE, UNE LONGUE TRADITION DE FÊTE

Les touristes étrangers n'ont souvent comme vision de Montmartre que l'aspect lieu de plaisirs et de débauche symbolisé par Pigalle (« Pig Alley », comme dirait l'Américain du Middle West) et le *Moulin-Rouge*. Historiquement d'ailleurs, c'est là et sur les pentes du 9e arrondissement que fleurirent les nombreux cabarets où l'on venait s'encanailler.

Au XVIIIe s, la voie principale de Montmartre, la rue des Martyrs, comptait, sur 58 maisons, pas moins de 25 cabarets ! Quant à la prostitution, c'était déjà une activité florissante, si l'on en croit un rapport de police de 1767 se plaignant des « dégâts considérables que les filles, racolant dans les rues, commettent dans les blés et les seigles... ».

Et puis, au début du XIXe s, on se mit à danser. En 1807 s'ouvrit le fameux *Élysée-Montmartre (72-76, bd de Rochechouart)*. Il attirait, aux beaux jours, la clientèle bourgeoise qui délaissait pour un temps *Le Bal Mabille* ou *La Grande Chaumière* de Montparnasse. Mais le dancing brûla en 1900. Reconstruit en 1908 et utilisé comme salle de sport (catch et boxe, très en vogue), puis comme salle de concerts, protégé par les Monuments historiques, *L'Élysée-Montmartre* subit encore un incendie en 2011.

La grande époque de la Butte tourne autour des années 1880-1900. Une vie frénétique agitait Montmartre. De nouvelles danses, le « chahut », le « cancan » et surtout le « quadrille naturaliste », déchaînaient les foules dans un vacarme de bastringue assourdissant. Les jambes des danseuses émergeaient d'un flot de dentelles et de jupons blancs. À l'apparition du moindre morceau de cheville, la moitié de la salle frisait l'apoplexie. Certaines gagnèrent une notoriété immortalisée par Toulouse-Lautrec : la Goulue (parce qu'elle sirotait tous les fonds de verre), Grille d'Égout (à cause de ses dents écartées), la Glu, Nini Pattes en l'Air, Miss Rigolette...

Concurrent de *L'Élysée-Montmartre,* le *Moulin-Rouge* finira par prendre la première place. Les magnifiques affiches de Toulouse-Lautrec y contribuèrent pour beaucoup. Avec la Goulue, piquée au concurrent, on y retrouvait Jane Avril (Jane la Folle) et Yvette Guilbert, la chanteuse. Le scandale qui lança définitivement le *Moulin-Rouge* eut lieu à l'occasion du bal des Quat'z'Arts donné par les étudiants de l'École des beaux-arts, en 1896. Ce bal, qui avait une réputation de « liberté » extrême, ne faillit pas à sa renommée : après un concours de strip-tease disputé par les plus jolis modèles des ateliers, on y applaudit le premier nu intégral jamais monté sur une scène parisienne. Le sénateur Béranger, président de la Ligue contre la licence des rues (ça ne s'invente pas !), porta l'affaire devant les tribunaux. Un modèle fut condamné à 3 mois de prison, tandis qu'au Quartier latin les étudiants élevaient des barricades. Pendant 3 jours, l'émeute affola le gouvernement. Les vitraux de Saint-Germain-des-Prés volèrent en éclats, deux étudiants furent tués par des charges de la police, les journaux titraient sur « La guerre du nu artistique »... Les fêtes du 14 Juillet, la fermeture des écoles, ramenèrent d'un coup le calme, mais Paris reste sans doute la seule ville où l'on soit mort pour le « nu artistique » !

Les cabarets littéraires et artistiques

Aux côtés des bals se créèrent les cabarets littéraires et artistiques où l'on poussait la chansonnette et brocardait le client.

Il y eut *L'Âne Rouge,* puis le célèbre *Chat Noir*. Ce dernier s'installa au 84, boulevard de Rochechouart et connut un succès foudroyant. Dans ce minuscule cabaret de 4 m de côté, la foule se pressait et passait allègrement de la chanson de corps de garde aux débats théoriques les plus fumeux sur l'art. Alphonse Allais en était l'un des piliers.

Puis le cabaret eut un tel succès qu'un journal, intitulé évidemment *Le Chat Noir*, fut édité pour propager les idées, les polémiques et les piques acerbes et amusantes destinées aux « momies de l'Académie française » et aux « abêtisseurs du théâtre de boulevard ». Alphonse Allais, qui en fut le rédacteur en chef, y trouva sa vocation d'humoriste. Les étudiants du Quartier latin raffolaient du journal. Des clubs littéraires et de poètes se réunissaient au *Chat Noir* : les « hydropathes », puis les « hirsutes », les « zutistes », les « harengs saurs épileptiques »...

À l'intérieur, un tas de bibelots déconnants dont le crâne de Louis XIII enfant... Aujourd'hui, *Le Chat Noir* est devenu une légende qui ne survit plus que par la chanson de Bruant, « Je cherche fortune tout autour du *Chat Noir* »... et un café, boulevard de Clichy, qui a gardé son nom. Bruant fut l'ancêtre du chansonnier populaire. Il apostrophait rudement le touriste, le bourgeois, le snob. Sa silhouette,

VADE RETRO SATANAS !

Le french cancan, symbole de la folie parisienne, provoqua un véritable tollé de la part des défenseurs de la morale et de l'Église. Effectivement, les danseuses n'étaient pas des oies blanches et travaillaient parfois à l'horizontale vers Pigalle. D'ailleurs, on a oublié qu'au début leurs culottes de scène était fendues.

grand chapeau noir et écharpe rouge, et ses chansons réalistes ne sont pas près de s'effacer de la mémoire populaire.

Et aujourd'hui, que reste-t-il ?

De-ci, de-là, des façades baroques maintiennent le souvenir des hauts lieux de Montmartre. De manière générale, depuis quelques années le quartier se redonne une nouvelle vertu, un rien moins polissonne.
La Cigale, une ancienne salle de spectacle retapée, connaît un succès incroyable. Ce caf' conc' fondé en 1887, où Mistinguett et Maurice Chevalier se produisirent, avait sombré en salle de kung-fu. Un siècle après son ouverture, un nouvel élan lui fut donné. Depuis, on s'y presse pour voir Luz Casal, Festival Factory, Patrick Bosso et bien d'autres... À côté, *Le Trianon,* par son architecture, témoigne aussi de son époque. Quant au *Moulin-Rouge,* il continue, avec le french cancan, à symboliser pour les touristes étrangers la grande tradition montmartroise.

LA GOUTTE-D'OR

Le nom du quartier remonte au XVe s : sur ses collines dominées par des moulins poussaient des vignes produisant un bon petit vin blanc appelé « Goutte d'Or ». Délimité par le boulevard Barbès à l'ouest, la rue Ordener au nord, le boulevard de la Chapelle au sud et la rue Stephenson à l'est, le quartier a été complètement restructuré. Même si les nostalgiques d'un certain Paris risquent de ne plus s'y retrouver, l'architecture et l'urbanisme semblent avoir évité le ghetto que l'on craignait et s'être mis au service de l'intégration... mais aussi de la gentrification. Aujourd'hui encore, 50 % de la population est d'origine étrangère et quelque 56 nationalités mêlent les accents, les couleurs, les gestes et les saveurs d'Afrique, d'Asie et d'Europe.

UN PEU D'HISTOIRE

Le quartier, comme celui de Belleville, a toujours été terre d'accueil. Plusieurs vagues d'immigration, la première de l'intérieur : paysans français montant à Paris, dans la première moitié du XIXe s, fournir à l'industrialisation triomphante leurs bras et leur sueur. Émile Zola y dénicha ses personnages de *L'Assommoir,* le lavoir de *Gervaise.* Au début du XXe s, une

LA BANDE À BONNOT CHEZ SHERLOCK HOLMES

Ces anarchistes furent les premiers à attaquer une banque – rue Ordener – en voiture. Jules Bonnot, chef du gang, fut en toute discrétion chauffeur de sir Arthur Conan Doyle. Malgré son esprit bien affûté, le célèbre écrivain ne se douta jamais de rien...

première immigration arabe, puis, dans les années 1950, ceux que les grandes usines automobiles allaient chercher au fin fond de l'Atlas et des Aurès. On se rappelle que la Goutte-d'Or fut le bastion du FLN pendant la guerre d'Algérie. Plus récemment, Antillais et Africains se sont fixés dans le nord du quartier. Enfin, y vit encore une vieille population française, renforcée au fil des années de jeunes et d'artisans s'y installant pour des raisons économiques (loyers moins chers) ou parce qu'ils apprécient son charme et son côté villageois.

Boucheries musulmanes, épiciers en gros, vendeurs de tissus, joailliers… et on trouvait même jusqu'en 2013 un poulailler rue Myrha ! Les sacs de couscous, bouquets d'herbes odorantes, olives se vendent par tonnes. Pour les fêtes et les mariages, on vient acquérir les beaux tissus lamés et brodés ou ceux tissés ou imprimés en Corée, à Taiwan, aux Pays-Bas, suivant les modèles proposés à Paris. Comme à Djerba, beaucoup de bijoutiers sont juifs et les clients arabes. Commerce des agences de voyages et des valises florissant. On en trouve de toutes les tailles, jusqu'aux énormes malles, aux prix les moins élevés de France.

ET AUJOURD'HUI ?

Aujourd'hui, un profond processus de restructuration est passé sur la Goutte-d'Or. Près de 50 % des immeubles ont été détruits et remplacés par des logements sociaux. Cette restauration était nécessaire, mais nombre d'habitants craignaient des abus et pensaient que l'on voulait « nettoyer » le quartier en envoyant sa population multicolore en lointaine banlieue… Ils n'avaient probablement pas tort, puisque habitants et associations ont dû se battre avec opiniâtreté pour que cela n'ait pas lieu. Le résultat, le voilà : le quartier a gardé un agencement de village (petites rues, cours et passages pittoresques) et près de 1 000 familles ont été relogées à Paris, principalement dans le 18ᵉ et pour une bonne part à la Goutte-d'Or. Le quartier est resté populaire et multiculturel. Un changement cependant, le pôle commercial maghrébin s'est un peu restreint, même s'il reste d'importance, au profit du développement, un peu plus au nord, autour de Château-Rouge et du marché Dejean, d'un pôle africain : c'est le royaume de l'igname. Voilà pourquoi il faut aller dans ce quartier de la Goutte-d'Or, le samedi par exemple, pour retrouver une vie de quartier authentique et son atmosphère si particulière. Mais aujourd'hui, la Goutte-d'Or, c'est aussi le dynamisme du récent Institut des cultures de l'Islam.

– *L'Institut des cultures de l'Islam (ICI)* : *2 espaces, 56, rue Stéphenson et 19, rue Léon, 75018.* ● *institut-cultures-islam.org* ● Lieu de création, de diffusion et d'échanges, l'Institut diffuse des cultures contemporaines en lien avec le monde musulman. Au menu : expos (celle des photos de Martin Parr a déjà fait date), lecture de contes, ciné-débat, concerts ; également un café *(lun-sam 9h-18h)* avec un patio extérieur et un hammam (☎ *01-42-58-02-02)*. Demandez le programme !

Au hasard des pérégrinations

Le mieux est de descendre au métro Barbès-Rochechouart. D'ailleurs, puisque vous êtes là, on vous invite, en préambule, à faire une petite incursion dans le 10ᵉ, à l'angle des boulevards Barbès et Magenta, pour (re)découvrir le mythique *cinéma Louxor – Palais du Cinéma*,

VOUS AVEZ DIT « MERGUEZ » ?

Son étymologie vient du berbère am qui signifie « comme » et ergaz qui se traduit par « homme ». La traduction « comme un homme » se comprend aisément par la forme de la victuaille. Eh oui !

restauré, à l'occasion d'une séance dans la salle Youssef-Chahine. Une façade néo-égyptienne des années 1920, tout comme le décor de la salle principale.

➢ Empruntez la **rue de la Goutte-d'Or** *(plan couleur C3)*, qui présente actuellement un nombre incroyable de chantiers. En entrant dans la rue venant du boulevard Barbès, le n° 52 n'existe plus, le n° 48 est un immeuble moderne sur rue, mais en passant par le petit couloir, on découvre, dans la petite cour, un jardin jalousement gardé par la copropriété avec des bâtiments de deux étages. La **villa Poissonnière** (havre de calme, verdoyant et bien protégé, composé de petits bâtiments louis-philippards et jardins, où habitait Alain Bashung avant de nous quitter en 2009) commence au 42, rue de la Goutte-d'Or et s'achève au 41, rue Polonceau (mais il y a un code à l'entrée...). On peut observer que certains bâtiments ont été rehaussés (regardez où s'arrêtent certaines frises de mosaïques décoratives par exemple) au gré des besoins en logements dans le quartier.
Au n° 47, bel immeuble avec de beaux balcons et un joli escalier (code à l'entrée). Les colonnes le long de la fin de la rue de la Goutte-d'Or abritent une pâtisserie orientale, bonne mais assez chère (robe de cérémonie en vitrine).

➢ **La rue des Gardes,** qui monte vers le square Léon, est entièrement refaite, bien alignée, investie par une poignée de boutiques-ateliers de créateurs (vêtements, bottier, bijoux...) ; mais le projet d'intégration de créateurs dans le quartier, impulsé par la Mairie de Paris, n'a pas vraiment rencontré le succès escompté.

➢ Sur le **square Léon,** vous verrez des fresques le long des murs. Celle de Geneviève Bachellier : une sorte de Paris idyllique avec la mer et une envolée de mouettes. Au 36, **rue Cavé** (bordant le nord du square), l'ancien Mont-de-piété.

➢ On aime bien l'**église Saint-Bernard-de-la-Chapelle.** Bien proportionnée. Chevet néogothique et néo-Renaissance de bon goût. Ravissant porche avec forêt de pinacles.

– **Marché** sous le métro, les mercredi et samedi (parmi les moins chers de Paris).

➢ On peut aussi descendre la rue de Chartres, en grande partie rénovée, jusqu'au carrefour (en croix de Saint-André) de la **rue de la Charbonnière.** De là, très belle perspective sur le Sacré-Cœur.

➢ Plus au nord, démarrant du boulevard Barbès juste après la rue de la Goutte-d'Or, la **rue des Poissonniers** et le quartier **Château-Rouge.** Montez cet ancien chemin par lequel la capitale était ravitaillée en poisson (plus de 10h pour arriver depuis les ports du Nord... autant dire que le poisson n'était pas bien frais !). Au n° 9, une petite surprise vous attend : derrière la banale façade (sans inscription d'ailleurs) se cache un magasin de chaussures (accès principal par le 34, boulevard Barbès) pas tout à fait comme les autres : l'**ancien cinéma Barbès Palace** des années 1920 a conservé scène (customisée avec une peinture qu'on vous laisse découvrir), balcons et décor à l'italienne ! Avancez un peu dans la rue Polonceau et vous découvrirez, à la sortie de la villa Poissonnière, un petit temple bouddhique japonais dans une ancienne maison particulière (au n° 36), authentique demeure d'un meunier local (le premier nom du quartier fut « la Butte aux cinq moulins »). Poussez jusqu'à la rue Stéphenson et son Institut des cultures de l'Islam (lire plus haut), ou revenez sur vos pas et reprenez la rue des Poissonniers. On arrive au marché africain. En quelques années, le commerce local s'est complètement transformé, et l'on vient de loin pour faire ses courses rue des Poissonniers et **rue Poulet.** D'ailleurs, près de la station de métro Château-Rouge, beaucoup de poisson au **marché Dejean,** un marché à ciel ouvert dont les jours sont comptés.
De là, vous pouvez revenir au métro Barbès par le boulevard du même nom, en passant devant ce qu'il reste des célébrissimes **grands magasins Dufayel** (angle Barbès-Christiani, autrefois coiffés d'un dôme, et angle Barbès-Sofia) qui connurent leur apogée au début du XIXe s. Un temple de la consommation, où étaient également proposés des divertissements (théâtre, expositions, piste cyclable...). Les bâtiments formaient un quadrilatère dont l'emprise atteindra jusqu'à 1 ha ! Les magasins fermèrent leurs portes en 1930. Vestige de cette grandeur passée, l'ancienne entrée du n° 26 de la rue Caulaincourt, au fronton sculpté par Dalou et Falguière, illustrant le Progrès sur son char, entraînant le Commerce et l'Industrie. Il faut l'imaginer surmonté d'une sorte de phare électrique, aujourd'hui disparu.

18e

> ◗ Pour le plan du 19e arrondissement, voir le cahier couleur.

Pourvu de deux poumons verts, le parc des Buttes-Chaumont, pur Napoléon III, et celui de la Villette, qui regardait déjà vers le XXIe s, le 19e a aussi été le lieu d'innovations architecturales réussies – du siège du Parti communiste, d'Oscar Niemeyer, à la Cité des Sciences, d'Adrien Fainsilber, en passant par la Cité de la Musique, de Christian de Portzamparc. Le bassin de la Villette – avec sa rotonde – et les branches de canal qui le prolongent lui donnent sa physionomie si particulière, propice à la promenade vers les cinémas quai de Seine, la Géode ou les restaurants à viande des anciens abattoirs. L'allée Darius-Milhaud, qui relie la porte de Pantin aux Buttes-Chaumont, est un modèle d'urbanisation plutôt réussie, qui a bien su s'intégrer dans un ensemble plus ancien sans le désintégrer. La transformation de la place des Fêtes, en revanche, est l'exemple de ce qu'il ne faut plus faire... Coin discret, labyrinthe de villas en apparence modestes, pourvues de jardins fleuris : la Mouzaïa n'a pas fini de nous charmer. La promenade depuis la porte des Lilas jusque vers la République, par la rue de Belleville, est un voyage dépaysant, où les différentes immigrations apportent couleurs et saveurs à un quartier qui mériterait une douce rénovation.

Où dormir ?

Très bon marché

🏠 🍴◗ **Auberge de jeunesse St Christopher's Paris** (plan couleur B2, **6**) : 159, rue de Crimée, 75019. ☎ 01-40-34-34-40. ● paris@st-christophers. co.uk.com ● st-christophers.co.uk ● 🅜 Laumière ou Crimée. ♿ À côté du cinéma MK2. Lit en dortoir 25-40 €, petit déj compris ; doubles sans ou avec sdb 70-140 €. Plat du jour pour les résidents 7 €. Douches gratuites. 🖥 🛜 Ce rejeton d'une célèbre chaîne d'auberges de jeunesse est l'un des plus aboutis. Plusieurs atouts : un beau bâtiment contemporain signé par le cabinet *Chaix et Morel*, un site génial sur les berges du bassin de la Villette et des prestations de qualité. Avec une grande salle Internet, un *Belushi's* (resto indissociable des *Saint Christopher's*) face au canal (terrasse top), une salle de concerts (le week-end uniquement) et des dortoirs de 6 à 12 places bien conçus : lits fermés par des rideaux, lampes individuelles, casiers intégrés (apporter son cadenas !)... C'est l'adresse idéale du voyageur, plutôt jeune et festif. On a même prévu des doubles pour les amoureux : préférez celles du dernier étage, qui offrent une superbe vue sur le canal !

De bon marché à prix moyens

🏠 **Hôtel Relais Bergson** (plan couleur B3, **7**) : 124, av. Simon-Bolivar, 75019. ☎ 01-42-08-31-17. ● hotelbergson@ yahoo.fr ● 🅜 Bolivar. Doubles 70-90 €

selon saison ; triple 120 € ; petit déj 8 €. 🖥 🛜 TV. Canal +. Satellite. Câble. *Un petit déj/chambre (le w-e) offert sur présentation de ce guide.* Petit hôtel agréable et bien tenu. On pose avec plaisir ses valises dans les chambres, certes pas bien grandes mais de bon confort (certaines donnent sur une courette, étroite mais calme).

🛏 **Hôtel de Paris** *(plan couleur C2, 8)* **:** 188, av. Jean-Jaurès, 75019. ☎ 01-42-39-41-37. ● info@hotel-de-paris.org ● hotel-de-paris.org ● Ⓜ Ourcq ou Porte-de-Pantin. Doubles avec lavabo 65 €, avec douche et w-c 75 € ; petit déj 8 €. 🖥 🛜 TV. L'atout majeur de l'établissement ? Sa situation, juste à côté du parc de la Villette et de la Cité de la Musique. En plus, l'hôtel est vraiment nickel, certes sans fantaisie côté déco, mais l'ensemble est propre et entièrement refait, avec double vitrage (chambres sur cour ou sur avenue). C'est donc un bon rapport qualité-prix, en particulier pour les chambres les plus simples, avec douche (gratuite) et w-c à chaque étage. Simple et efficace.

🛏 **Hôtel Le Laumière** *(plan couleur B2, 3)* **:** 4, rue Petit, 75019. ☎ 01-42-06-10-77. ● lelaumiere@wanadoo.fr ● hotel-lelaumiere.com ● Ⓜ Laumière. Doubles 76-115 € selon confort ; petit déj 9 €. 🖥 🛜 TV. Parking privé (8 €/j. ; 5 places slt). *Un petit déj/chambre offert sur présentation de ce guide.* Un 2-étoiles offrant un remarquable rapport qualité-prix. Chambres impeccables, fonctionnelles et confortables, régulièrement rénovées. Les nᵒˢ 14, 16 et 18 ont un petit balcon. Celles donnant sur rue (les moins chères) sont plus petites mais restent agréables... à condition de n'avoir rien à redire à l'absence de double vitrage (l'insonorisation reste toutefois convenable). Charmant jardin suspendu à l'arrière, bien aménagé, avec pelouse où l'on peut prendre son petit déjeuner. Personnel efficace et souriant. Une très bonne adresse.

🛏 **Hôtel Paris-Villette** *(plan couleur B1, 9)* **:** 56, rue Curial, 75019. ☎ 01-40-37-50-74. ● hotel@parisvillette.com ● parisvillette.com ● Ⓜ Crimée. Doubles 58-70 € ; triples 70-80 € ; petit déj 7 €. 🖥 🛜 TV. Canal +. *Un petit déj/chambre (3 janv-3 mars)*

offert sur présentation de ce guide. Dans un quartier vivant et populaire, un hôtel d'apparence anodine qui nous a séduits par ses prestations et son excellent rapport qualité-prix. Quarante-quatre chambres rénovées, réparties sur 6 étages (desservis par un ascenseur), impeccablement tenues, parfaitement équipées : salle de bains, TV écran plat, double vitrage... Mignonne courette fleurie donnant sur l'arrière, où l'on sert le petit déj aux beaux jours. Accueil charmant.

🛏 **Abricôtel** *(plan couleur B2, 1)* **:** 15, rue Lally-Tollendal, 75019. ☎ 01-42-08-34-49. ● abricotel@wanadoo.fr ● abricotel.com ● Ⓜ Jaurès. Double avec douche et w-c 73 € ; petit déj 7 €. 🛜 TV. Canal +. Une adresse pour les petits budgets, proposant de petites chambres fraîches, fonctionnelles, régulièrement rénovées et impeccablement tenues. Un très bon plan quand on a l'intention de vadrouiller toute la journée et de tomber de fatigue le soir dans son lit ! Accueil très sympathique.

🛏 **Hôtel Crimée** *(plan couleur B2, 2)* **:** 188, rue de Crimée, 75019. ☎ 01-40-36-75-29. ● hotelcrimee19@wanadoo.fr ● hotelcrimee.com ● Ⓜ Crimée. Doubles 70-105 € selon saison ; familiales 95-145 € ; petit déj 8,50 €. 🖥 🛜 TV. Canal +. Satellite. Parking payant à proximité de l'hôtel (15 € pour 24h). *Un petit déj/chambre offert sur présentation de ce guide.* À deux pas du canal de l'Ourcq, du bassin de la Villette et de la Cité des Sciences, un hôtel moderne simple et classique mais confortable et bien tenu, avec sèche-cheveux, clim et double vitrage. Accueil très sympathique et chambres impeccables. Une adresse efficace et fonctionnelle.

🛏 **Hôtel de la Perdrix Rouge** *(plan couleur C3, 5)* **:** 5, rue Lassus, 75019. ☎ 01-42-06-09-53. ● hotel-perdrixrouge@wanadoo.fr ● hotel-perdrixrouge-paris.com ● Ⓜ Jourdain. Doubles 69-105 € selon confort et saison ; petit déj-buffet 7,50 €. 🖥 🛜 TV. Canal +. Satellite. Entouré de restaurants, dans un quartier à la mode, cet hôtel propose des chambres classiques, bien entretenues, fonctionnelles, bien équipées

19ᵉ

et propres. Côté rue, vue agréable sur la placette et l'église. Un bon point de chute, simple et sans mauvaise surprise.

Où manger ?

De très bon marché à bon marché

▮●▮ *Le Café Caché* (plan couleur A2, 18) : 104, rue d'Aubervilliers, 75019. ☎ 01-42-05-38-40. ● info@cafe cache.fr ● Ⓜ Riquet ou Stalingrad. ☝ Entrée bien cachée (c'est pas de la blague !) à l'intérieur du 104, côté rue d'Aubervilliers. Mar-jeu 9h-20h, ven-sam 9h-23h30, dim 12h-20h ; service mar-sam 12h-15h, 19h30-22h30, dim 12h-16h30. En sem, plat du jour 11 €, formule 14 € ; brunch dim 21 €. Directement inspirée du design scandinave des années 1950-1960, cette cantine bobo arbore un mélange de bois brut et laqué de noir qui lui donne une petite touche presque chic. On s'y sustente d'une carte simple mais variée, axée sur des bons produits. Les plats de brasserie (genre cheeseburger-frites maison, croque-monsieur) côtoient les « néotapas » d'inspiration basque ou italienne. Et pour finir, on s'offre un « Yeti », délicieuse aberration calorique ! Aux beaux jours, belle terrasse dans la cour pavée, qui précède la salle, investie par les fumeurs.

▮●▮ *Zoé Bouillon* (plan couleur B3, 20) : 66, rue Rébeval, 75019. ☎ 01-42-02-02-83. ● contact@zoebouillon. fr ● Ⓜ Pyrénées ou Belleville. Tlj sf sam soir et dim 11h30-15h30, 18h30-22h. Congés : fin juil-fin août et 21 déc-6 janv. 5 formules (35 cl de soupe + « zalé » et/ou « zucré ») 10,50-13,50 €. Des bars à soupes qui fleurissent à Paris, celui-ci est certainement l'un des plus sympathiques. Pour preuve, ses formules honnêtes, qui ne manquent pas de saveur « comme à la maison » : tous les jours, des soupes, des cakes sucrés et salés savoureux, ainsi que quelques légumes grillés, salades et sandwichs. Sans oublier bien sûr la personnalité des propriétaires du lieu, qui distillent avec humour une ambiance copain-copain.

▮●▮ *Le Bastringue* (plan couleur B2, 11) : 67, quai de la Seine, 75019. ☎ 01-83-76-19-58. Ⓜ Riquet ou Stalingrad. ☝ Lun-sam 9h (17h sam)-2h, dim 10h-20h. Congés : Noël-1ᵉʳ janv. Formules déj en sem 11,90-14,50 € ; plats 11-18 € le soir. Face au canal, ce bistrot fraternel a tout pour plaire : un cadre de troquet parisien à l'ancienne mode (parquet usé, comptoir patiné, mobilier vintage...), une équipe dynamique et tout sourire au service, et des petits plats sans esbroufe qui mettent tout le monde d'accord. Évidemment, avec des produits frais et une ardoise qui change tous les jours, on comprend mieux pourquoi la maison tourne à plein régime. Mieux vaut prévoir de boire l'apéro au comptoir en attendant sa table !

▮●▮ *Bar Fleuri* (plan couleur B3, 12) : 1, rue du Plateau, 75019. ☎ 01-42-08-13-38. Ⓜ Buttes-Chaumont ou Jourdain. Tlj sf dim et j. fériés 6h30-20h30 ; service le midi slt, 12h-15h (après 15h, assiettes de charcuterie ou de fromages, et pâtisseries). Congés : août. Carte 15-20 €. Voilà un petit bistrot de quartier qui reste (peut-être plus pour longtemps, hélas !) le seul témoin de l'activité qui régnait ici du temps de la SFP. Ce bar date de 1920, et son décor n'a pas changé, pas plus que son nom, sûrement dû au vieux carrelage qui orne les murs. Ici, pas de carte, mais une ardoise posée devant vous. Une cuisine simple, généreuse, traditionnelle et familiale, qui fidélise une ribambelle d'habitués et les curieux attirés par cette adresse vintage. Accueil chaleureux.

▮●▮ *Le Café des Concerts* (plan couleur C2, 21) : 211, av. Jean-Jaurès, 75019. ☎ 01-42-49-74-74. ● resa@ cafedesconcerts.com ● Ⓜ Porte-de-Pantin. À l'entrée de la Cité de la Musique. Tlj 9h-2h. Plat du jour 15 € ; menu 20 € le midi. Imprégné par l'univers d'expression artistique de la Cité de la Musique et autres salles de concerts environnantes, on vient ici, avant ou après concert, dans un décor résolument contemporain, savourer les grands classiques bistrotiers, revisités par Sébastien Prenot, jeune chef formé par Ducasse : poulet pommes grenailles, côte de bœuf, des plats à partager ou des « solos » pour une dînette rapide. Pas mal de desserts rafraîchissants à base de fruits, réalisés par un vrai chef pâtissier. Beaucoup de monde les soirs de concert, mais le service tourne, et l'atmosphère y est bien conviviale. Et, aux beaux jours, vaste terrasse avec vue sur la Grande Halle de la Villette. *NOUVEAUTÉ.*

I●I **Le Bellerive** *(plan couleur B2, 16) :* 71, quai de Seine, 75019. ☎ 01-40-36-56-77. Ⓜ *Riquet ou Stalingrad. Tlj midi et soir jusqu'à 23h (23h30 w-e). Résa obligatoire le soir. Formule déj 12,50 € ; repas 20-25 €.* Ancien bistrot années 1950 dans son jus, pour une authentique cuisine de bistrot, réalisée avec talent et générosité. Excellents produits, viandes sélectionnées (ah, le délicieux rosbif de charolais et de vrais hamburgers maison), frites croustillantes, petits hors-d'œuvre inspirés (carpaccio de légumes extra). Mon tout délivré avec gentillesse et sourire. Clientèle branchouille sympa 25-50 ans, atmosphère déliée... Terrasse aux beaux jours. *NOUVEAUTÉ.*

I●I **Au Cochon de Lait** *(plan couleur B1, 17) :* 23, av. Corentin-Cariou, 75019. ☎ 01-40-36-85-84. ● *pas. teyssedre@yahoo.fr* ● Ⓜ *Porte-de-la-Villette. Tlj sf sam-dim ; service 12h-14h30 slt. Congés : août. Repas 20-25 €. Café offert sur présentation de ce guide.* Ce petit établissement de la porte de la Villette revendique sa place de dernier bistrot des anciens abattoirs, et ce, malgré son décor en faux formica... Quoi qu'il en soit, coincé entre ses concurrents, il affiche une bonne humeur familiale. Il est vrai que, tenant la maison depuis près de 40 ans, la patronne se fournit toujours chez le même boucher. Aidée par son fils, elle propose avec une grande gentillesse une bonne petite carte, toute simple mais faite maison. Bons desserts. Le dimanche, ce n'est pas la peine de venir, car la maman et le fiston font le marché !

I●I **Au Rendez-vous de la Marine** *(plan couleur B2, 19) :* 14, quai de la Loire, 75019. ☎ 01-42-49-33-40. Ⓜ *Jaurès. Tlj sf dim-lun ; service 12h-14h, 19h30-22h30. Congés : 1 sem à Noël. Résa conseillée. Plat du jour 14 € ; carte env 30 €.* On se presse dans ce charmant bistrot, un ancien bougnat de plus d'un siècle. Des fleurs sur les tables, quelques souvenirs de la mer, des photos de vedettes, et hop, ça emballe tout le monde ! Ambiance bruyante, surtout le midi, ou le soir quand, 2 samedis par mois (l'hiver seulement), une chanteuse réaliste nous fait piaffer avec talent. Aux beaux jours, tables en terrasse, avec vue sur le bassin de la Villette. Plats copieux et abordables, d'honnête facture.

Prix moyens

I●I **Mon Oncle le Vigneron** *(plan couleur B3, 13) :* 71, rue Rébeval, 75019. ☎ 01-42-00-43-30. Ⓜ *Pyrénées ou Belleville. Épicerie et cave à vins ouv tlj sf dim 11h-14h30 et le soir à partir de 18h. Plats 10-15 €.* Le patron a passé son enfance à Saint-Jean-de-Luz ; il suffit de regarder les assiettes qui arrivent devant les heureux convives : piperade du pays, cassoulet, confit de canard... Vous pouvez acheter vos conserves et vos vins côté épicerie, avant de vous asseoir pour goûter le plat de ce qui était au départ, vous l'avez deviné, une banale cave à vins.

I●I **L'Escargot** *(plan couleur C3, 15) :* 50, rue de la Villette, 75019. ☎ 01-42-06-03-96. Ⓜ *Jourdain. Tlj sf dim-lun ; service 16h-2h. Congés : août et Noël-1ᵉʳ janv. Carte 25-30 €.* Cet *Escargot*-là sort bel et bien de sa coquille, dès la devanture en bois qu'il domine de ses antennes rigolotes. Un look de bistrot de quartier à l'ancienne, réinvesti par une clientèle bobo mais pas trop, avec une déco dans le même ton : mi-récup', mi-sophistiquée. Une belle carte alléchante, avec les produits du terroir de saison sont finement relevés par le gingembre, la grenade, le wasabi ou l'anis... au gré des inspirations du chef. En plus d'être délicieux et plutôt inventifs, les plats et desserts sont vraiment copieux.

|●| *Chez Valentin* (*plan couleur B3, 14*) *:* 64, rue Rébeval, 75019. ☎ 01-42-08-12-34. Ⓜ Pyrénées ou Belleville. Tlj sf sam midi et dim 12h-14h30, 19h30-23h. Le midi, menus 15-18 € ; carte env 28 €. Ce petit resto convivial perpétue la tradition du bon gros bœuf argentin, mais pas seulement... La carte fait le grand écart entre des spécialités sud-américaines, des classiques bien français et, à l'occasion, quelques propositions d'influence asiatique. Bref, un gentil métissage de quartier. Bon accueil, ambiance chaleureuse (beaucoup d'habitués), salle agréable et cuisine très honnête.

Bar à vins

|●| ♟ *Quedubon* (*plan couleur B3, 26*) *:* 22, rue du Plateau, 75019. ☎ 01-42-38-18-65. ● quedubon@sfr.fr ● Ⓜ Buttes-Chaumont. Tlj sf dim-lun 19h30-23h, plus mar-ven 12h-14h. Menus 15-17,50 € le midi ; carte 35-40 €. Quedubon... avec un nom pareil, il faut tenir ses promesses ! Pari réussi pour ce petit néobistrot-cave à vins ouvert tout près des Buttes-Chaumont. Sur l'ardoise, une poignée de petits plats bistrotiers et saisonniers, sans esbroufe et bien troussés, ainsi que des assiettes de fromages. Côté vins, tous naturels, on a le choix (environ 150 références). Laissez-vous guider par le sommelier, vous ferez des découvertes parmi les appellations moins connues. On a aussi apprécié l'accueil souriant et décontracté, la déco contemporaine (sans être trop étudiée) et l'addition raisonnable. Que du bon, on vous dit !

Cuisine d'ailleurs

Bon marché

|●| *L'Oriental* (*plan couleur B2, 33*) *:* 58, rue de l'Ourcq, 75019. ☎ 01-40-34-26-23. ● contact@restaurant-libanais.net ● Ⓜ Crimée. ♿ Tlj sf dim 11h30-14h30, 19h-22h30. Mezze env 19 € ; repas env 20 € sans la boisson. Livraison à domicile. Café ou thé à la menthe offert sur présentation de ce guide. Salle toute propre, banale. Pas de charme exceptionnel, mais la musique et les photos rappellent le lointain Liban. Cuisine familiale maison, fraîche et bonne ; beaucoup d'entrées chaudes et froides, à commander une par une ou sous forme d'assortiment, en mezze – mais alors c'est un repas. Quelques copieux plats de viande et un *kefraya* ou un *ksara* (moins cher) pour faire descendre le tout. Beaucoup de monde le midi, dans une bonne ambiance chaleureuse et authentique. Bons desserts et vente à emporter. Salle climatisée.

|●| *L'Atlantide* (*plan couleur B2, 34*) *:* 7, av. de Laumière, 75019. ☎ 01-42-45-09-81. ● contact@latlantide.fr ● Ⓜ Laumière. En sem 19h-22h30 ; w-e 12h-14h30, 19h-23h. Congés : 23 déc-2 janv. Menu 22 € ; seksu et tajines 13-19,50 € ; carte env 25 € ; pâtisseries orientales et thé à la menthe max 3 €. Café offert sur présentation de ce guide. On est ici dans une sorte d'ambassade de la cuisine berbère, tout en élégance et raffinement, qui contribue, avec la langue, à l'identité d'un peuple. Décor soigné d'objets authentiques, motifs géométriques des tissus et de la surprenante vaisselle. Quant à la cuisine, variée, elle se hisse bien au-dessus des sempiternels couscous : fine, goûtue, elle surprend nos papilles point encore blasées. Service courtois et sympathique.

|●| *Lao Siam* (*plan couleur B3, 35*) *:* 49, rue de Belleville, 75019. ☎ 01-40-40-09-68. Ⓜ Belleville. Tlj 12h-15h, 19h-23h30. Carte 20-25 €. Resto sino-thaï prodiguant une cuisine plutôt fine et délicatement parfumée (l'influence thaïlandaise) quasiment au même prix que les autres restos asiatiques du quartier. On peut sans risque choisir le tourteau à la diable ou le riz *pattaya*. Délicieux desserts à la noix de coco. Le cadre est plutôt sobre, ce qui

n'est pas plus mal, et la salle souvent pleine d'Asiatiques, ce qui est toujours bon signe...

|●| **Le Pacifique** (plan couleur B3, **38**) : 35, rue de Belleville, 75019. ☎ 01-42-49-66-80. Ⓜ Belleville ou Pyrénées. Tlj 11h-1h30. Menus 16-40 € ; carte 20-25 €. Depuis des lustres, ce grand chinois rallie le peuple de Belleville avec des raviolis à la vapeur classiques, des cassolettes qui font un repas à elles seules (celles aux crevettes et aux vermicelles sont très recommandables) et des classiques de rôtisserie plutôt bien faits (le canard laqué se livre pour 4).

Où prendre un bon goûter ?

🍃🥐 **Boulangerie Mauclerc** (plan couleur B2, **40**) : 83, rue de Crimée, 75019. ☎ 01-42-40-64-55. Ⓜ Laumière. Mar-ven 9h-14h, 15h30-20h ; sam-dim 8h-20h. Fermé lun. Une bonne escale pour émerger en douceur le dimanche matin. Quelques tables coincées entre le four à bois centenaire et la boutique 1920 classée (marbres et faïences sont d'origine, et le plafond est en verre peint). Le dimanche, un brunch simple mais copieux et bon, qu'il soit sucré ou salé. Le petit hic : si les pains sont élaborés à base de farines bio, les confitures et les jus de fruits sont industriels... La boulangerie propose, au fil des jours, la bagatelle d'une soixantaine de pains différents, tous cuits dans un four d'un autre temps. Pain au pistil de safran, aux fleurs, aux fruits secs... Équipe aimable et souriante.

19ᵉ

Où boire un verre ?

🍸🎵 **Abracadabar** (plan couleur B2, **46**) : 123, av. Jean-Jaurès, 75019. ● programmation@abracadabar.fr ● Ⓜ Laumière. Mar-sam 19h-2h. Bière 2,50 €. Un rade aussi cool que dézingué, adopté d'office par les tribus du Nord-Est parisien, mais surtout une ambiance chauffée aux amitiés d'un soir et un grand cœur qui bat au milieu du grand nulle part. Ici, pas de chichis, entre qui veut. L'équipe est inventive et a plus d'un programme dans son chapeau : 1 concert minimum par soir, suivi, les vendredi et samedi, d'un DJ ; expos temporaires d'artistes plasticiens, matchs d'impro théâtrale le dimanche, etc. Et hop ! la semaine est passée...

🍸 **Le Faitout** (plan couleur B3, **44**) : 23, av. Simon-Bolivar, 75019. ☎ 01-42-08-07-09. ● lefaitout@online.fr ● Ⓜ Pyrénées. Tlj sf lun et mar midi, jusqu'à 2h ; service 12h-15h, 19h-23h30. Congés : quelques j. à Noël. Cocktail 7 €. Menus 13-16 € le midi en sem, 16-25 € le soir ; carte env 32 €. La carte de cet ancien bistrot reconverti en bar branché en dit long sur l'esprit du lieu. Vin au verre en fonction des saisons, infusion d'hibiscus, d'eucalyptus et d'anis étoilé... Cuisine simple mais de qualité, à base de produits frais. Ambiance décontractée.

🍸 **Rosa Bonheur** (plan couleur B3, **45**) : dans le parc des Buttes-Chaumont, 2, allée de la Cascade, 75019. ☎ 01-42-03-28-67. Ⓜ Botzaris. ♿ Mer (jeu hors saison)-dim 12h-minuit (le parc fermant à 20h l'hiver, 21h en sept et 22h l'été, on accède alors par le 7, rue Botzaris). Pas de résa. 📶 Au milieu du parc des Buttes-Chaumont, voici une guinguette chaleureuse et branchée, qui fait briller le soleil toute l'année. Dès les premiers rayons, un Biergarten est installé dehors, accueillant les familles dans la journée. Le soir venu, un vent de folie souffle sur le pavillon : on déguste alors quelques tapas accompagnées de vins naturels ou de cocktails, puis on danse frénétiquement sur la musique bien cadencée. La clientèle est bigarrée et mêle hétéros et homos dans une grande fête. Comme c'est souvent archi-plein, mieux vaut arriver tôt.

🍸 **Bar Ourcq** (plan couleur B2, **48**) : 68, quai de la Loire, 75019. ☎ 01-42-40-12-26. ● barourcq@gmail.com ● Programmation : ● barourcq.fr ●

🅜 *Laumière ou Jaurès.* 🍴 *En été, tlj sf lun-mar 15h-minuit (2h ven-sam et veille de j. fériés, 22h dim et j. fériés) ; 12 nov-20 mars, ouv slt sam-dim. Bière 3 €. On peut grignoter quelque chose pour 1-7 €. CB refusées.* 📶 Heureusement qu'il existe encore des bars comme ça à Paris sur le canal – ou plus précisément sur le bassin de la Villette. Il faut aller le chercher bien haut, mais quelle bonne surprise ! D'abord on y mixe, et les gens ne viennent pas se montrer mais se voir. Prolos ou branchés se pressent. Dans la journée, vous pouvez vous servir et emprunter transat et boules de pétanque comme chez mémé ! Un super spot l'été, qui dépeint ce coin charmant de Paris qu'était le canal Saint-Martin avant sa boboïsation.

À voir

LE QUARTIER DES BUTTES-CHAUMONT

🎯🎯🎯 🚶 *Le parc des Buttes-Chaumont (plan couleur B-C2-3) :* 🅜 *Buttes-Chaumont, Botzaris ou Laumière.* Un autre poumon de Paris. Anciennes carrières de gypse (on en tire le plâtre) dont la réputation était immense. Il en était régulièrement expédié aux États-Unis, d'où le nom de « quartier d'Amérique » encore donné à tout le territoire situé entre la rue Manin, la rue de Mouzaïa et le parc (la station de métro Danube est aussi aménagée dans une ancienne carrière). Ces carrières ont été transformées en parc en 1867, sous la direction de l'inévitable baron Haussmann, et aménagées par l'ingénieur Alphand, à qui l'on doit la quasi-totalité des parcs parisiens du XIXᵉ s. En plein Paris, le parc présente vraiment un visage imprévisible. Une véritable montagne, mélange de roche et de béton, trône au milieu, reliée par un pont suspendu et un autre en brique. Sur son sommet, un petit temple d'où l'on embrasse un panorama splendide. Tout autour, un lac, nourri par les eaux du canal Saint-Martin tout proche. Avec leurs cascades, leurs rigoles qui traversent les chemins, leurs balustrades en ciment imitant les branches d'arbres, leur terrain accidenté, les Buttes-Chaumont sont un lieu de sortie idéal pour les enfants – et ce, aussi bien en hiver, quand le lac est gelé, que le reste de l'année. Et ils ne sont pas les seuls. Lorsque les beaux jours reviennent, le samedi voit son lot de mariés défiler pour se faire prendre en photo. Il y a aussi les concerts sous le kiosque. La célèbre grotte-cascade, fermée en 1945 devant les risques d'éboulement, est ouverte au public, profitez-en. Une machinerie permettait de monter l'eau du canal et de la faire retomber en une superbe cascade. Vendeurs de gaufres et balades en charrette à âne complètent le plaisir. Noter la vieille piste de patins à roulettes entourée d'une rampe en fer, du temps où les enfants étaient bien élevés et les loisirs codifiés. En été, nombreux concerts en plein air. Enfants et adultes se pressent au *Guignol-Anatole,* qui existe depuis 175 ans ! ☎ 01-40-30-97-60. ● guignol-paris.com ● *Théâtre en plein air en bas du parc (emprunter l'entrée de la rue Armand-Carrel) ouv – sf pluie – de fin avr à mi-oct, mer, w-e, j. fériés et pdt vac scol à 16h30, et tlj à 17h pdt les vac d'été. Changement de spectacle chaque sem, et ts les 3 j. pdt les vac scol. Entrée : 4 €. Une place offerte pour une place achetée sur présentation de ce guide.* Les aventures de Guignol, dès 3 ans, dans un décor d'époque.

🕯 *L'église Saint-Serge (plan couleur B2) :* 93, rue de Crimée, 75019. 🅜 *Laumière. Ouv slt durant les offices (lun-sam à 10h et 18h, dim à 10h).* Engagez-vous dans cette discrète impasse verdoyante un peu hors du temps. Au bout, ravissante église russe – anciennement un temple protestant, racheté en 1924 par l'Église orthodoxe – fort peu connue et qui provoque un réel dépaysement. Intérieur, comme souvent, splendide (beaucoup de bois peint). Atmosphère tamisée, charmante et sereine !

PLANS ET CARTES
EN COULEURS

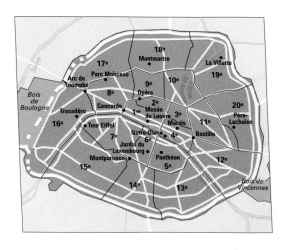

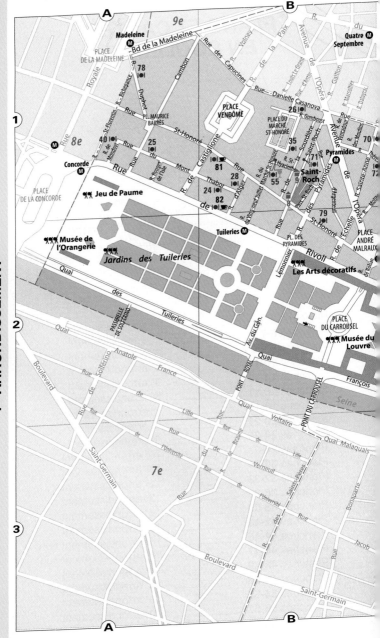

1er ARRONDISSEMENT

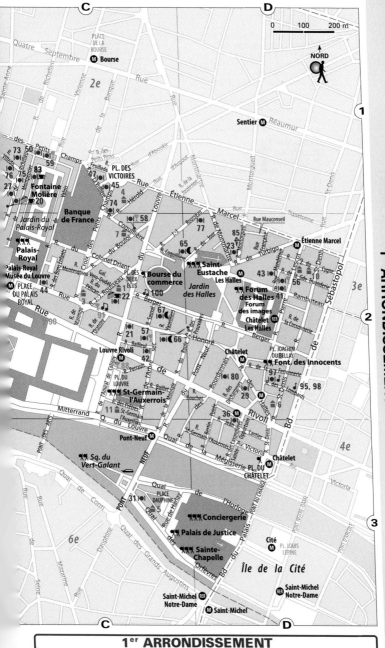

REPORT DU PLAN DU 1er ARRONDISSEMENT

Dénicheur de talents !

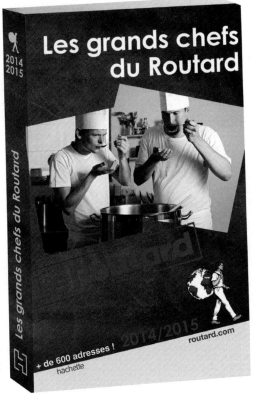

18.⁸⁰€

▸ Plus de 600 adresses avec des photos
▸ Plein de menus à moins de 30 €

2e ARRONDISSEMENT

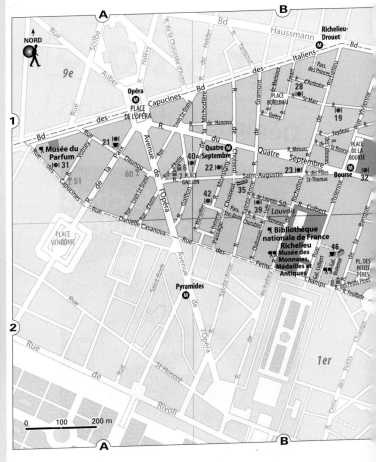

	Où dormir ?		22 Balt
	1 Hôtel Bonne Nouvelle		23 Le Mesturet
	2 Hôtel Edgar		24 Une Poule sur un Mur
	3 Hôtel des Boulevards		25 L'Assiette à Carreaux
	4 Appihotel		26 L'Apibo
	5 Hôtel Vivienne		27 Nano
	6 Hôtel France d'Antin		28 Aux Lyonnais
	7 États-Unis Opéra Hôtel		29 Restaurant Moderne
	8 Timhotel Palais-Royal-Louvre		30 Brasserie Gallopin
			31 Les Jalles
	Où manger ?		32 Terroir Parisien Palais Brongniart
	2 Edgar		33 Pollop
	15 Le Dénicheur		34 Restaurant Circonstances
	16 Noglu		
	17 Mémère Paulette		Bar à vins
	18 La Grille Montorgueil		35 Racines
	19 Le Gavroche		
	20 Frenchie		Cuisine d'ailleurs
	21 Pascade		35 Grillé

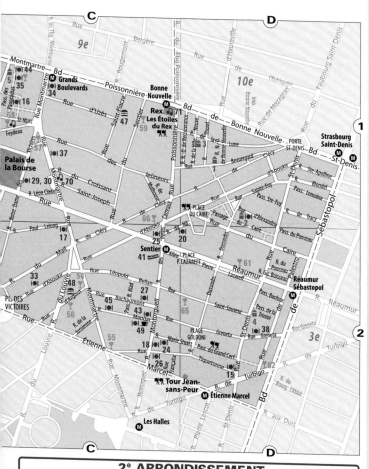

2e ARRONDISSEMENT

2e ARRONDISSEMENT

3ᵉ ARRONDISSEMENT

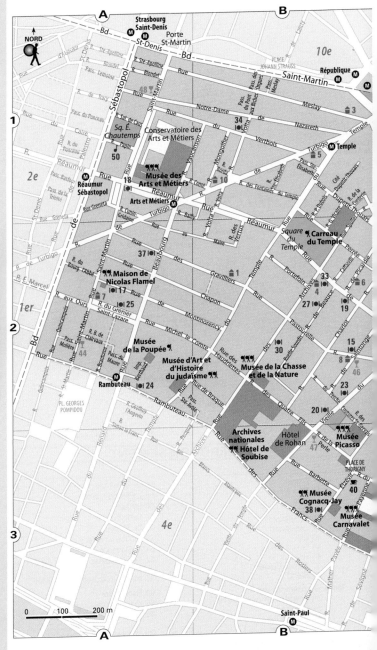

NORD

Strasbourg
Saint-Denis

Porte
St-Martin

St-Denis

PLACE
JOHANN STRAUSS

10e

Saint-Martin

République

Conservatoire des
Arts et Métiers

34

Musée des
Arts et Métiers

18

Arts et Métiers

50

Sq. É.
Chautemps

Réaumur
Sébastopol

2e

5

Temple

10

Carreau
du Temple

Square
du
Temple

33

Réaumur

37

Maison de
Nicolas Flamel

17

7

25

27

4

19

1er

44

1

Musée
de la Poupée

30

15

8

46

Rambuteau

24

Musée d'Art et
d'Histoire
du judaïsme

Musée de la Chasse
et de la Nature

23

20

PL. GEORGES
POMPIDOU

Archives
nationales
Hôtel de Soubise

Hôtel
de Rohan

Musée
Picasso

47

PLACE DE
THORIGNY

40

4e

Musée
Cognacq-Jay

38

Musée
Carnavalet

0   100   200 m

Saint-Paul

3ᵉ ARRONDISSEMENT

3ᵉ ARRONDISSEMENT

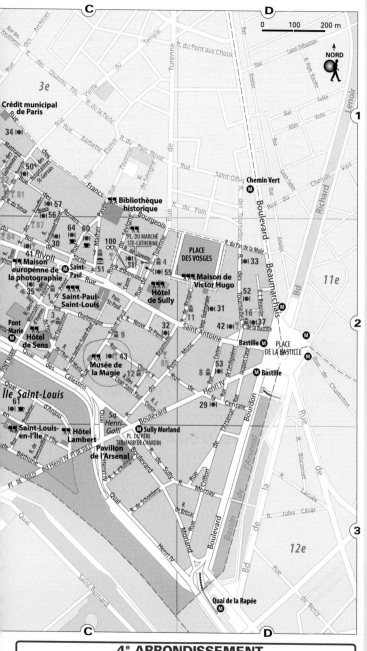

4ᵉ ARRONDISSEMENT

REPORT DU PLAN DU 4ᵉ ARRONDISSEMENT

🛏 **Où dormir ?**

1 Young and Happy Hostel
2 The Five
3 Hôtel Marignan
4 Hôtel Henri IV *(zoom)*
5 Hôtel Devillas
6 Hôtel du Commerce
7 Hôtel Saint-Jacques
8 Hôtel Best-Western
   Quartier Latin Panthéon
9 Familia Hôtel
10 Hôtel Design Sorbonne
11 Hôtel des Grandes Écoles
12 Hôtel du Levant *(zoom)*
13 Hôtel Acte V
14 Seven Hotel
15 Port-Royal Hôtel
16 Minerve Hôtel
17 Timhotel Jardin des Plantes
18 Sélect Hôtel Rive Gauche

|●| 🍽 **Où manger ?**

25 Le Reflet
26 Le Coup de Torchon
27 Les Papilles
28 Le Royal Saint-Jacques
29 Friterie Declercq
30 L'AOC
31 Restaurant Christophe
32 Chez Gladines
33 58 Qualité Street
34 Louis Vins
36 Dans les Landes... mais à Paris
37 Terroir Parisien
38 Restaurant Lilane
39 Chez Léna et Mimile
41 Moissonnier
42 ChantAirelle
43 Au Bon Coin
44 Le Pré Verre
45 Le Languedoc

|●| 🍷 **Bars à vins**

49 Grains Nobles *(zoom)*
50 Café de la Nouvelle Mairie

51 Le Porte-Pot *(zoom)*
52 Au Doux Raisin

|●| 🛏 **Cuisine d'ailleurs**

35 Foyer Vietnam
56 Lengué *(zoom)*
57 Mexi and Co *(zoom)*
58 Kootchi
59 Comptoir Méditerranée
60 Tashi-Delek
61 Han Lim
62 Machu-Picchu
63 El Picaflor
64 Les Délices d'Aphrodite
65 Quartier Latin
66 Anahuacalli
67 Lhassa
68 L'Atlas
69 Mavrommatis, Le Restaurant
71 Loulou'Friendly Diner *(zoom)*

|●| ☕ **Où boire un café ?**

75 Le Café Maure
   de la mosquée de Paris
77 Dose, Dealer de café

🍩 **Où prendre un bon goûter ?**

76 Odette *(zoom)*

🍦 **Où manger une glace ?**

70 Gelati d'Alberto

🍸 **Où boire un verre ?**

80 Le Verre à Pied
81 Finnegan's Wake
83 Le Pantalon
88 Le Café Léa

🍸 **Où boire un excellent cocktail ?**

90 Curio Parlor

🍸 ∞ **Où sortir ?**

98 La Lucha Libre

🎵 **Où danser ?**

100 Caveau de la Huchette *(zoom)*

REPORT DU PLAN DU 5ᵉ ARRONDISSEMENT

REPORTD DU PLAN DU 5ᵉ ARRONDISSEMENT

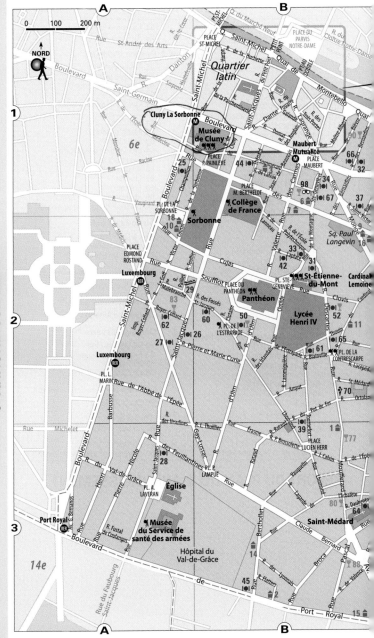

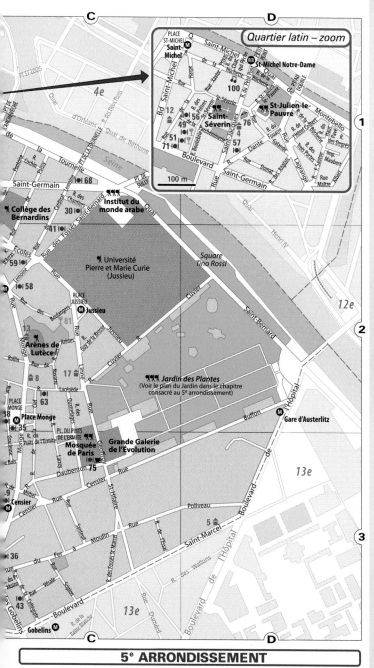

Quartier latin – zoom

PLACE ST-MICHEL
Saint-Michel
Saint-Michel
St-Michel Notre-Dame
100
Saint-Séverin
St-Julien-le-Pauvre
12
56
49
51
71
4
76
57

100 m

Collège des Bernardins
Institut du monde arabe
30
41
59
58
Université Pierre et Marie Curie (Jussieu)
Square Tino Rossi
Jussieu
13
Arènes de Lutèce
81
17
63
8
PLACE MONGE
38
Place Monge
35
Mosquée de Paris
75
Jardin des Plantes
(Voir le plan du Jardin dans le chapitre consacré au 5e arrondissement)
Grande Galerie de l'Évolution
Gare d'Austerlitz
Buffon
12e
2
13e
9
Censier
Censier
5
Saint-Marcel
36
43
13e
Gobelins
3

6e ARRONDISSEMENT

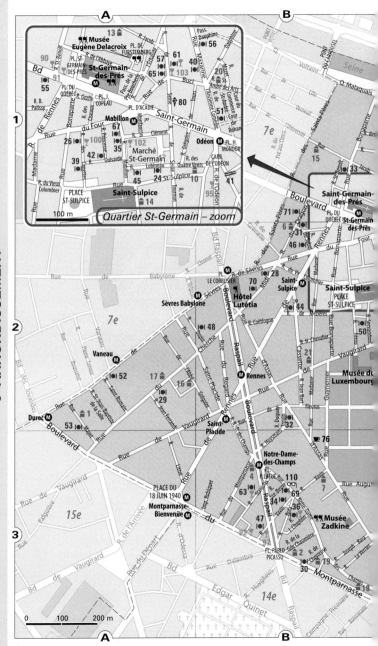

Quartier St-Germain – zoom

100 m

0   100   200 m

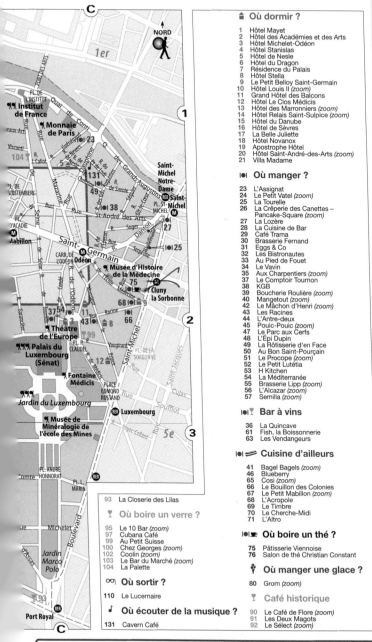

6e ARRONDISSEMENT

🛏 Où dormir ?

1 Hôtel Mayet
2 Hôtel des Académies et des Arts
3 Hôtel Michelet-Odéon
4 Hôtel Stanislas
5 Hôtel de Nesle
6 Hôtel du Dragon
7 Résidence du Palais
8 Hôtel Stella
9 Le Petit Belloy Saint-Germain
10 Hôtel Louis II *(zoom)*
11 Grand Hôtel des Balcons
12 Hôtel Le Clos Médicis
13 Hôtel des Marronniers *(zoom)*
14 Hôtel Relais Saint-Sulpice *(zoom)*
15 Hôtel du Danube
16 Hôtel de Sèvres
17 La Belle Juliette
18 Hôtel Novanox
19 Apostrophe Hôtel
20 Hôtel Saint-André-des-Arts *(zoom)*
21 Villa Madame

🍽 Où manger ?

23 L'Assignat
24 Le Petit Vatel *(zoom)*
25 La Tourelle
26 La Crêperie des Canettes – Pancake-Square *(zoom)*
27 La Lozère
28 La Cuisine de Bar
29 Café Trama
30 Brasserie Fernand
31 Eggs & Co
32 Les Bistronautes
33 Au Pied de Fouet
34 Le Vavin
35 Aux Charpentiers *(zoom)*
37 Le Comptoir Tournon
38 KGB
39 Boucherie Roulière *(zoom)*
40 Mangetout *(zoom)*
42 Le Mâchon d'Henri *(zoom)*
43 Les Racines
44 L'Antre-deux
45 Pouic-Pouic *(zoom)*
47 Le Parc aux Cerfs
48 L'Épi Dupin
49 La Rôtisserie d'en Face
50 Au Bon Saint-Pourçain
51 Le Procope *(zoom)*
52 Le Petit Lutétia
53 H Kitchen
54 La Méditerranée
55 Brasserie Lipp *(zoom)*
56 L'Alcazar *(zoom)*
57 Semilla *(zoom)*

🍷 Bar à vins

36 La Quincave
61 Fish, la Boissonnerie
63 Les Vendangeurs

🍽 🥢 Cuisine d'ailleurs

41 Bagel Bagels *(zoom)*
46 Blueberry
65 Cosi *(zoom)*
66 Le Bouillon des Colonies
67 Le Petit Mabillon *(zoom)*
68 L'Acropole
69 Le Timbre
70 Le Cherche-Midi
71 L'Altro

🍽 ☕ Où boire un thé ?

75 Pâtisserie Viennoise
76 Salon de thé Christian Constant

🍦 Où manger une glace ?

80 Grom *(zoom)*

🍷 Café historique

90 Le Café de Flore *(zoom)*
91 Les Deux Magots
92 Le Sélect *(zoom)*

93 La Closerie des Lilas

🍷 Où boire un verre ?

95 Le 10 Bar *(zoom)*
97 Cubana Café
99 Au Petit Suisse
100 Chez Georges *(zoom)*
102 Coolin *(zoom)*
103 Le Bar du Marché *(zoom)*
104 La Palette

∞ Où sortir ?

110 Le Lucernaire

♪ Où écouter de la musique ?

131 Cavern Café

6e ARRONDISSEMENT

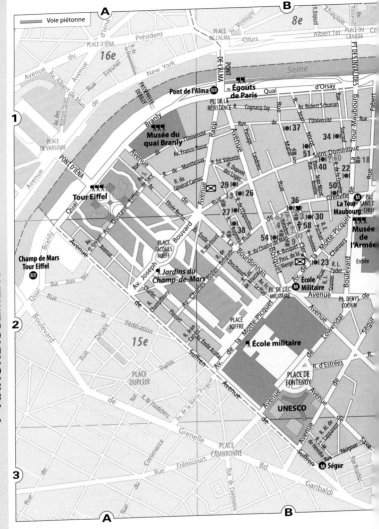

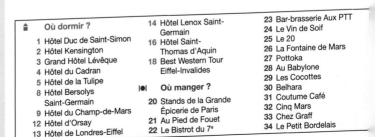

7e ARRONDISSEMENT

🛏 Où dormir ?

1 Hôtel Duc de Saint-Simon
2 Hôtel Kensington
3 Grand Hôtel Lévêque
4 Hôtel du Cadran
5 Hôtel de la Tulipe
8 Hôtel Bersolys Saint-Germain
9 Hôtel du Champ-de-Mars
12 Hôtel d'Orsay
13 Hôtel de Londres-Eiffel
14 Hôtel Lenox Saint-Germain
16 Hôtel Saint-Thomas d'Aquin
18 Best Western Tour Eiffel-Invalides

🍽 Où manger ?

20 Stands de la Grande Épicerie de Paris
21 Au Pied de Fouet
22 Le Bistrot du 7e
23 Bar-brasserie Aux PTT
24 Le Vin de Soif
25 Le 20
26 La Fontaine de Mars
27 Pottoka
28 Au Babylone
29 Les Cocottes
30 Belhara
31 Coutume Café
32 Cinq Mars
33 Chez Graff
34 Le Petit Bordelais

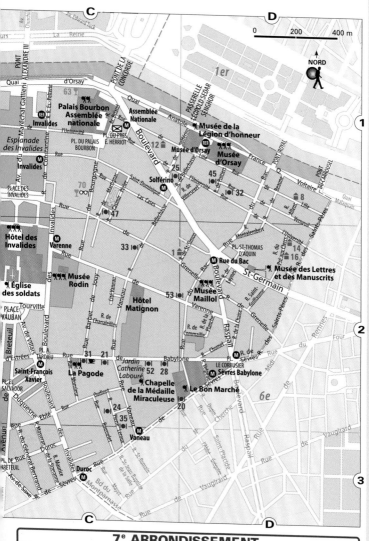

7ᵉ ARRONDISSEMENT

7ᵉ ARRONDISSEMENT

35 Restaurant Grannie
36 Restaurant Alain Milliat
37 L'Affriolé
38 Le Café de Mars
40 Thoumieux
45 Le Poulpry – Maison des Polytechniciens
47 Le Basilic

Cuisine d'ailleurs

50 L'Oasis
51 Apollon
52 Marcel
53 Al Dente
54 Diner

Où boire un thé ? Où boire un café ?

31 Coutume Café
36 Restaurant Alain Milliat

Où manger une glace ?

58 Martine Lambert

Où boire un verre ?

60 O'Brien's
61 Le Café du Marché
62 L'Éclair
63 Rosa Bonheur sur Seine

Où sortir ?

70 Club des Poètes

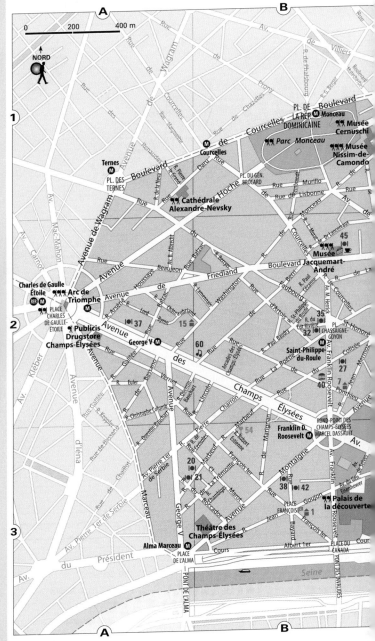

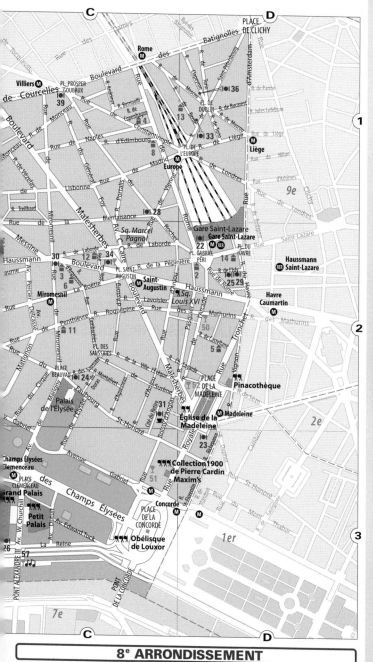

🛏 **Où dormir ?**

1 Auberge de jeunesse Adveniat
2 Hôtel Bellevue
3 Hôtel d'Argenson
4 New Orient Hôtel
5 Hôtel Royal Opéra
6 Arioso Hotel
7 Hôtel du Rond-Point des Champs-Élysées
8 Timhotel Opéra-Saint-Lazare
11 Hôtel d'Albion
12 Hôtel Saint-Augustin
13 Hôtel Cervantes
14 Timhotel Opéra-Madeleine
15 Hôtel Cristal-Champs-Élysées

🍴 **Où manger ?**

20 Aubrac Corner
21 La Fermette Marbeuf
22 Lazare
23 Foyer de la Madeleine
24 La Cave Beauvau
25 Chez Léon
26 Mini Palais
27 Le Bœuf sur le Toit
28 Vivre et Savourer
29 À Toutes Vapeurs
30 Pomze
31 Bread & Roses

32 Misia
33 Neva Cuisine
39 La Bastide Blanche

🍴 🍷 **Bar à vins**

34 L'Évasion

🍴 🍲 **Cuisine d'ailleurs**

35 Olsen
36 Shin Jung
37 Flora Danica's Butik
38 Siamin
40 PDG
42 Orient Extrême Montaigne

🍴 ☕ **Où boire un thé ?**
Où prendre un bon goûter ?

31 Bread & Roses
45 Café Jacquemart-André

🍷 Où boire un verre ?

50 The Cricketer Pub
51 Le Buddha Bar
52 Le Forum
54 Le Doobie's

🍷🎵 **Où sortir ?**

60 Le Queen
57 Le Showcase

REPORT DU PLAN DU 8ᵉ ARRONDISSEMENT

Où dormir ?

1 Woodstock Hostel
2 Perfect Hotel
3 Hôtel Le Rotary
5 Timhotel Saint-Georges
6 Hôtel des Arts
7 Hôtel Lorette Opéra
8 Hôtel Victor-Massé
9 Hôtel Chopin
10 Hôtel Royal Fromentin
11 Golden Hôtel
12 Hôtel Langlois –
   Hôtel des Croisés
13 Hôtel Joséphine
14 Hôtel de La Tour d'Auvergne
15 Hôtel Corona Rodier
16 AJ BVJ Opéra
17 Hôtel Antin Saint-Georges
18 Hôtel Alba-Opéra
19 My Hotel in France
   Opéra Saint-Georges
20 Grey Hôtel
21 Best Western Opéra d'Antin
23 Joyce Hôtel
24 Hôtel Design Secret de Paris
25 Hôtel du Triangle d'Or
26 Hôtel Palm Opéra
27 Hôtel Panache

Où manger ?

29 Aux Deux Vaches
30 Au P'tit Creux du Faubourg
31 Les Fils à Maman
32 Le Pantruche
33 Chartier
34 Caillebotte
35 Hugo
36 F Bar
37 Les Affranchis
38 Lou Cantou
39 Label Ferme
40 Bistro des Deux Théâtres
41 Les Diables au Thym
42 Georgette
43 Mamou
44 Buvette
45 J'Go Restaurant
46 Le Garde-Temps
47 Faubourg 113
48 La Table des Anges
49 Le Braisenville
50 Les Comédiens
51 Le BAT
52 Les Canailles
53 Restaurant Pétrelle
54 Les Coulisses Vintage
55 Les Saisons
56 Le Barbe à Papa

57 Au Petit Riche
58 La Régalade Conservatoire
59 Atelier Rodier
60 La Tute 2, Chez Manu
66 L'Office
93 Oka

Bars à vins

63 La Muse du Chai
64 Le Dit-Vin
65 Le Rouge et le Verre

Cuisine d'ailleurs

61 Stanz
62 Le Stube Verdeau
67 Big Fernand
68 1 000 & 1 Signes
69 Yoom
70 Pizzeria da Carmine
71 Mian Fan
72 Fujiyaki
73 Le Lutin
74 Les Pâtes Vivantes
75 Kiku
76 Sobane
77 La Petite Sirène de Copenhague
78 I Golosi
97 La Maison Mère
98 Medi Terra Nea

Restaurant de nuit

99 À la Cloche d'Or

Où boire un thé ?

80 Un Thé dans le Jardin
81 Aux Pipalottes Gourmandes
82 Rose Bakery

Où boire un verre ?

83 Les 36 Corneil
84 Le Mansart
85 Au Général La Fayette
86 Odette et Aimé

Où boire un excellent cocktail ?

87 Dirty Dick
92 Artisan

Où sortir ?

88 Le Carmen
89 Le Sans-Souci
90 Le Limonaire
91 Le Glass

Où danser ?

95 Le Bus Palladium
96 Chez Moune

REPORT DU PLAN DU 9e ARRONDISSEMENT

9e ARRONDISSEMENT

9e ARRONDISSEMENT

10e ARRONDISSEMENT

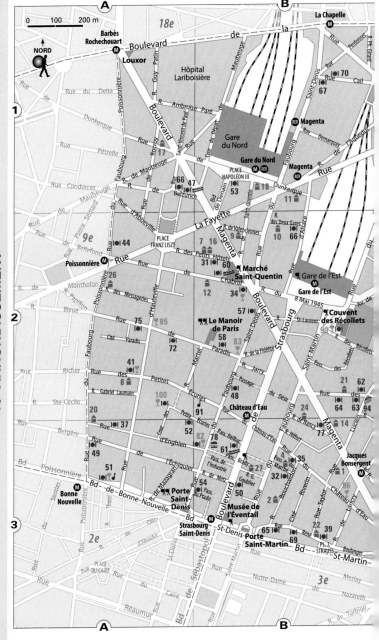

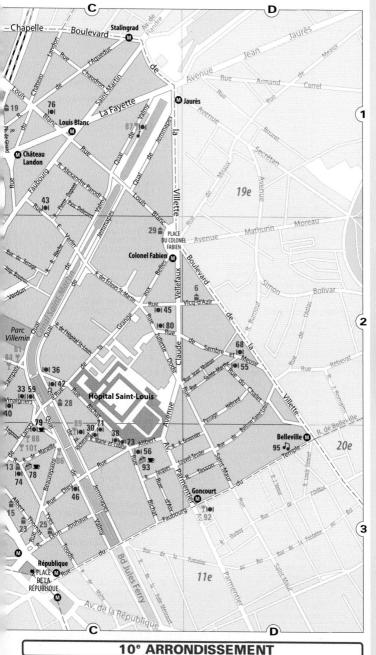

10e ARRONDISSEMENT

⬆ Où dormir ?

1 Hôtel Albouy
2 Hôtel Palace
4 Hôtel du Marché
6 Hipotel Paris Belleville
7 Hôtel du Brabant
8 Hôtel Paradis
9 Hôtel de Milan
10 Hôtel d'Amiens
11 Saint-Christopher Inn
12 Hôtel Parisiana
13 Hôtel Garden Saint-Martin
14 Hôtel Magenta Paris.com
15 Hôtel du Nord – Le Pari Vélo
16 Nord-Est Hôtel
17 Smart Place
18 New Hotel
19 Timhotel Gare du Nord
20 Hôtel d'Enghien
21 Hôtel Soft
22 Hôtel Taylor
23 République Hôtel
24 Hôtel Liberty
25 Ibis Style Hôtel
26 Hôtel Paris La Fayette
27 Faubourg Saint-Martin
28 Le Citizen – Hôtel du Canal
29 Auberge de jeunnesse Generator

|●| 🝙 Où manger ?

30 Philou
31 Playtime
32 Au Comptoir de Brice
33 Restaurant de Bourgogne
   – Chez Céline Maurice
35 Le Réveil du Xᵉ
36 La Cantine de Quentin
37 La Chandelle Verte
38 Le Bistro des Oies
39 Le Balbuzard Café
40 The Sunken Chip
41 Vivant
42 Haï Kaï
43 Le Chansonnier
44 Abri
45 Youpi et voilà
46 La Marine
47 Chez Casimir et
   La Pointe du Groin
48 Bistro Bellet
49 Aux Deux Canards
   – Chez Catherine
50 Le Petit Café
51 Delaville Café
52 Flo
53 Terminus Nord
54 Julien
55 Le Galopin
57 Bistrot Urbain
58 Paradis
66 Chez Michel

|●| 🍷 Bars à vins

34 L'Enchotte
41 Vivant-Cave

|●| ⬆ 🝙 Cuisine d'ailleurs

56 Le Petit Cambodge
59 SOL Semilla
60 Les snacks du marché
   Saint-Quentin
61 Le Daily Syrien
62 Piccoli Cugini
63 Chez Fafa
64 La Taverne de Zhao
65 Café Zerda
66 Le Dellys
67 Dishny
68 Barak
69 Fils du Soleil
70 Krishna Bhavan
71 Le Cambodge
72 Nanashi
73 Maria Luisa
74 Les Voisins
75 Tesoro d'Italia
76 Le Salon Indien
77 Da Mimmo
78 Paris-New York
80 Procopio Angelo

|●| 🍵 Où boire un thé ?

79 Couleurs Canal

🥐 🍵 Où prendre un bon goûter ?

78 Du Pain et des Idées
93 Helmut Newcake
94 Boulangerie-pâtisserie Liberté

|●| 🍷 🎵 Où boire un verre ?

51 Delaville Café
81 L'Atmosphère
82 Chez Jeannette
84 Le Café Bonnie
85 Le Fantôme
86 Chez Prune
87 Point Éphémère
88 Le Cinquante
89 Le Comptoir Général
90 Café A
92 Le Floréal
101 La Patache

🍷 |●| Où boire un verre en picorant des tapas ?

100 Farago Pintxo Bar

🍷 Où boire un excellent cocktail ?

83 L'Ours Bar
96 Le Coq

🎵 🎵 Où sortir ? Où écouter de la musique ? Où danser ?

91 Le New Morning
95 La Java

REPORT DU PLAN DU 10ᵉ ARRONDISSEMENT

REPORTD DU PLAN DU 11ᵉ ARRONDISSEMENT

REPORT DU PLAN DU 11ᵉ ARRONDISSEMENT

11e ARRONDISSEMENT

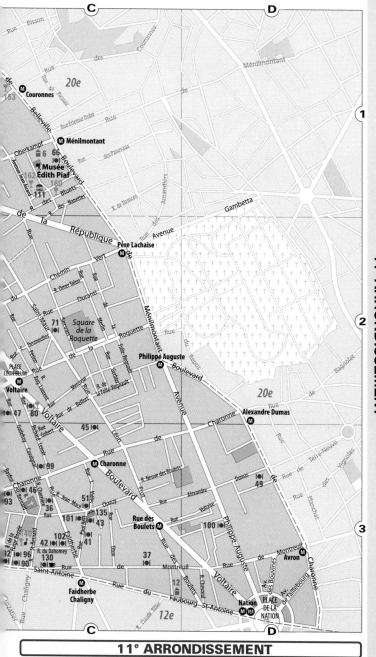

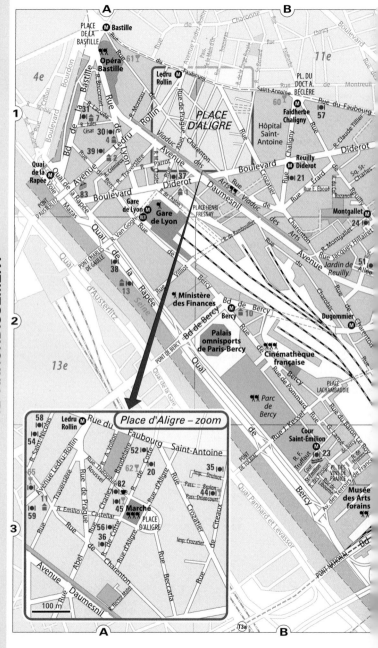

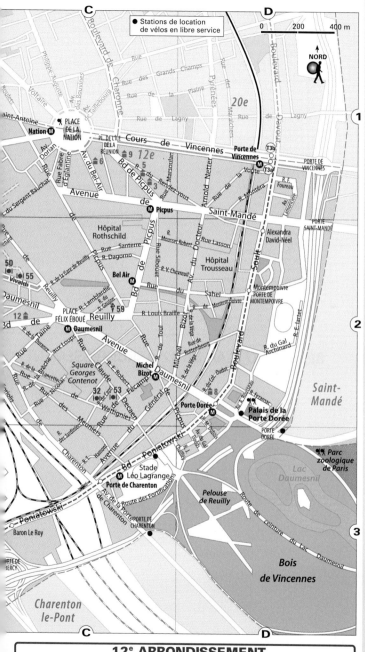

12e ARRONDISSEMENT

☗ |●| Où dormir ?

1 Hostel Blue Planet
2 Hôtel L'Aveyron
3 Lux Hôtel Picpus
4 My Open Paris
5 Hôtel du Printemps
6 Nouvel Hôtel
7 Hôtel des Trois Gares
8 Hôtel de la Porte Dorée
9 Grand Hôtel du Bel Air
10 Hôtel Claret
11 Hôtel Albe Bastille *(zoom)*
12 Le Quartier Hôtel – Bercy Square
13 Yacht Hôtel VIP Paris

|●|🍽 Où manger ?

20 Les Crocs *(zoom)*
21 Les Bombis
23 Bercy Village
24 Lolo et les Lauréats
30 Tarmac
31 Gentle Gourmet Café
32 Les Zygomates
35 L'Ébauchoir *(zoom)*
36 Le Cotte Rôti *(zoom)*
37 Entre les Vignes
38 Café Barge Restaurant
39 À la Biche au Bois

|●| 🍷 Bars à vins

44 Le Siffleur de Ballons *(zoom)*
45 Le Baron Bouge *(zoom)*

|●| Cuisine d'ailleurs

50 Jardins de Mandchourie
51 Jodhpur Palace
52 La Gazzetta *(zoom)*
53 Cappadoce
54 Swann et Vincent *(zoom)*
55 Le Janissaire
56 Sardegna a Tavola *(zoom)*
57 Les Amis des Messina
58 Assaporare *(zoom)*
59 Casa de España *(zoom)*

|●| 🍫 Où déguster ou boire un chocolat ?

82 Puerto Cacao *(zoom)*

🍩 Où prendre un bon goûter ?

83 She's Cake

🍦 Où manger une glace ?

59 Raimo Glacier

🍸 Où boire un verre ?

60 Café La Liberté
61 Le Barrio Latino

🍸 Où boire une bonne mousse ?

62 Le Troll Café

🍸 Où boire un excellent cocktail ?

65 Le China *(zoom)*

REPORT DU PLAN DU 12ᵉ ARRONDISSEMENT

⌂ **Où dormir ?**

1 Oops !
2 Hôtel des Écrivains
3 Timhotel Place d'Italie
  Butte-aux-Cailles *(zoom)*
4 Hôtel Coypel
5 Résidence Les Gobelins
6 Hôtel Le Vert Galant
7 Hôtel Saint-Charles *(zoom)*
8 Hôtel La Manufacture
9 Hôtel du Roussillon *(zoom)*
10 Arian Hôtel
11 Centre international
   de séjour de Paris
   (CISP Kellermann)
12 Hôtel Tolbiac
13 Hôtel des Beaux-Arts
14 La Villa Paris
15 Quality Suites Bercy-Bibliothèque
18 Hôtel La Demeure
19 Grand Hôtel des Gobelins

|●|≋ **Où manger ?**

20 Fil'o'Fromage
21 Le Petit Pascal
22 Virgule
23 Green Pizz
24 La Butte Aveyronnaise *(zoom)*
25 Canteen Bus
26 Le Temps des Cerises *(zoom)*
27 Tempero
28 La Butte aux Piafs
29 Chez Gladines *(zoom)*
30 La Touraine
31 L'Hydrophobe
32 Les Papilles en Folie
33 L'Ourcine
34 Variations
35 Les Escapades
36 Chez Trassoudaine
40 La Bonne Heure *(zoom)*
41 Etchegorry
42 L'Avant-Goût *(zoom)*

43 Le Petit Marguery
90 Le Restaurant du Batofar

|●| **Restos asiatiques**

51 Ny Hav
52 Chez Yong
53 Noodle Bar
54 Le Nouveau Village Tao Tao
55 Le Lao Thaï
56 Comme au Vietnam
58 Dong Tam
59 Sukhothaï
60 Long Hoa
61 Lao Lanexang
62 Fleurs de Mai
63 Lao Lanexang 2
64 Restaurant Sinorama
65 La Mer de Chine
66 Tricotin 1
67 Pho Tai Tai
68 Suave *(zoom)*
69 Bangkok-Thaïland *(zoom)*
70 La Maison des Frigos
71 Basilic & Spice

|●| **Cuisine d'ailleurs**

72 Au Banquier
73 Cocagne
74 Chez Mamane *(zoom)*
76 Cacio e... Peppe
78 Les Cailloux *(zoom)*
81 Entoto
82 Kamukera

|●|🍸♫ **Où boire un verre ?**

86 La Dame de Canton
89 Le Sputnik *(zoom)*
92 Wanderlust

|●|🍸♩♫ **Où sortir ?**

91 Petit Bain
90 Le Batofar
92 Le Nüba

REPORT DU PLAN DU 13ᵉ ARRONDISSEMENT

REPORTD DU PLAN DU 13ᵉ ARRONDISSEMENT

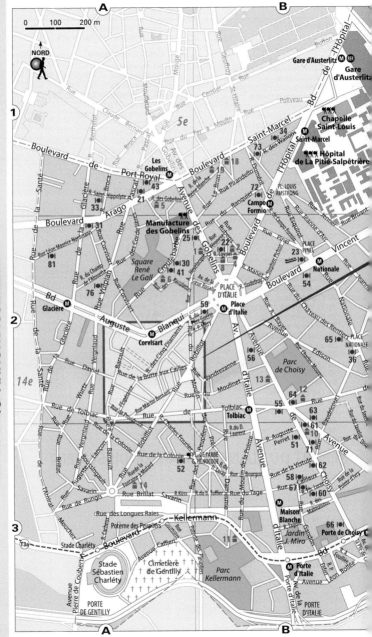

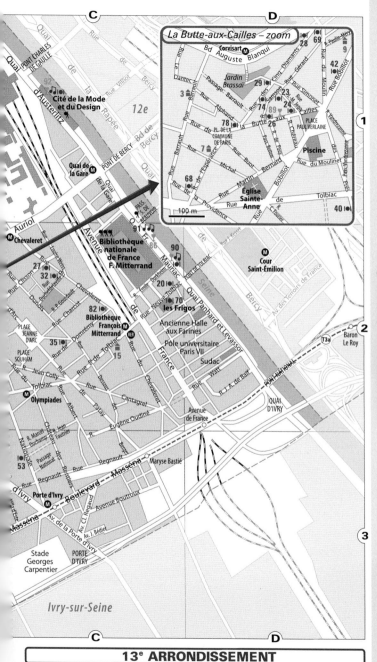

13ᵉ ARRONDISSEMENT

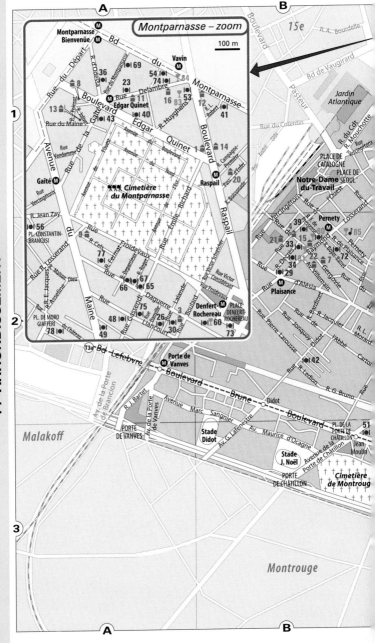

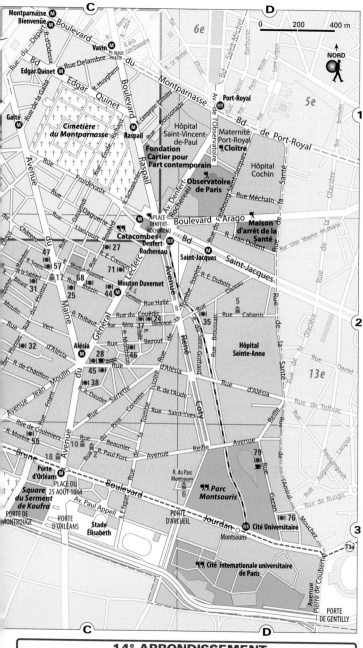

14e ARRONDISSEMENT

REPORTD DU PLAN DU 14e ARRONDISSEMENT

REPORT DU PLAN DU 14e ARRONDISSEMENT

REPORT DU PLAN DU 15ᵉ ARRONDISSEMENT

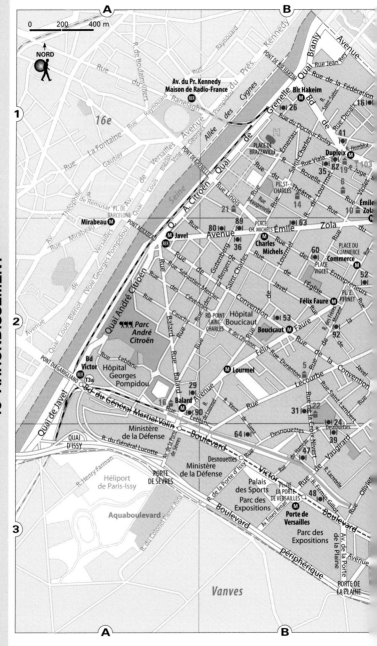

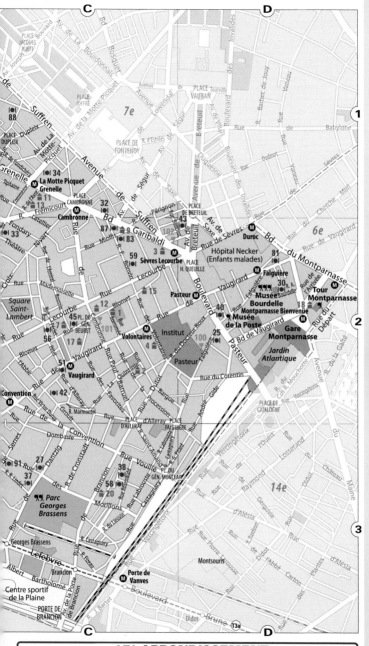

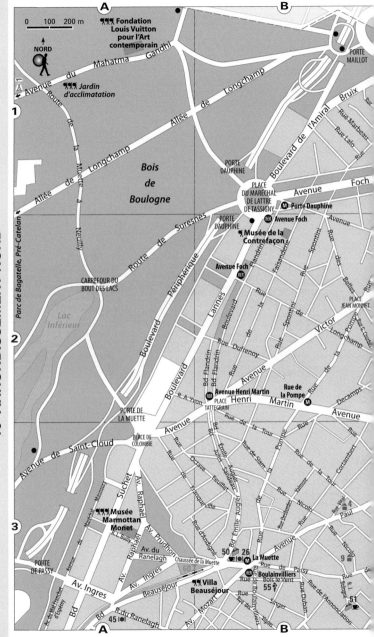

0   100   200 m

NORD

Fondation Louis Vuitton pour l'Art contemporain

Jardin d'acclimatation

Avenue du Mahatma Gandhi

Route de la Muette

Allée de Longchamp

Allée de

Route de Suresnes

Neuilly

Bois de Boulogne

Allée de Longchamp

PORTE DAUPHINE

PLACE DU MARÉCHAL DE LATTRE DE TASSIGNY

PORTE DAUPHINE

Musée de la Contrefaçon

CARREFOUR DU BOUT DES LACS

Lac inférieur

Boulevard

Périphérique

PORTE MAILLOT

Boulevard de l'Amiral Bruix

Rue Marbeau

Rue Lalo

Avenue Foch

Porte Dauphine

Avenue Foch

Avenue Foch

Boulevard Lannes

Rue Spontini

Rue Pergolèse

Boulevard de

Rue de la

PLACE JEAN MONNET

Rue Duffrenoy

Bd Flandrin

Bd Flandrin

Rue de

Avenue

Rue Spontini

Avenue Victor Hugo

Longchamp

Rue de la Pompe

Decamps

Avenue Henri Martin

PLACE TATTEGRAIN

R. A. Yvon

Rue de la Pompe

PORTE DE LA MUETTE

Avenue Henri Martin

Avenue Henri Martin

Rue de la Tour

Avenue

PLACE DE COLOMBIE

Avenue de Saint-Cloud

Rue de la Tour

Rue de Siam

Rue Nicolo

Rue Cortambert

Rue de la Tour

Bd Emile Augier

Rue Octave Feuillet

Rue de Franqueville

Rue de la Pompe

Rue Gustave Zédé

Rue de Andigné

Rue Scheffer

Musée Marmottan Monet

R. L. Boilly

Av. Raphaël

Av. Prudhon

Av. du Ranelagh

Chaussée de la Muette

Av. Ingres

Suchet

Rue Paul

Rue Nicolo

Av. Mozart

Rue Nicolo

Rue de Passy

50 26 **La Muette**

La Muette

Avenue de

Rue

Rue Bois-le-Vent

Boulainvilliers

55

Villa Beauséjour

Rue de Boulainvilliers

Rue Singer

Rue de l'Annonciation

4

9

51

PORTE DE PASSY

Av. Ingres

Bd Beauséjour

R. du Ranelagh

45

Av. Mozart

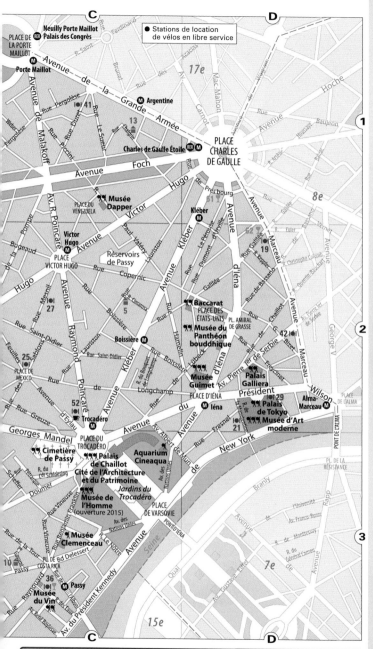

● Stations de location
de vélos en libre service

Neuilly Porte Maillot
Palais des Congrès

PLACE DE
LA PORTE
MAILLOT

Porte Maillot

Avenue — de — la — Grande — Armée

Argentine

41

13

Charles de Gaulle Étoile

PLACE
CHARLES
DE
GAULLE

Avenue Foch

Musée
Dapper

PLACE DU
VENEZUELA

Kléber

Victor
Hugo

PLACE
VICTOR HUGO

Réservoirs
de Passy

Baccarat

PLACE DES
ÉTATS-UNIS

PL. AMIRAL
DE GRASSE

5

Musée du
Panthéon
bouddhique

27

Boissière

62

19

42

Musée
Guimet

Palais
Galliera

Président

25

PLACE DE
MEXICO

Iéna

PLACE D'IÉNA

129

Palais
de Tokyo

Alma-
Marceau

PLACE
DE L'ALMA

52

Trocadéro

PLACE DU
TROCADÉRO

21

Musée d'Art
moderne

Georges Mandel

Cimetière
de Passy

Palais
de Chaillot
Cité de l'Architecture
et du Patrimoine

Aquarium
Cineaqua

Jardins du
Trocadéro

PL. DE LA
RÉSISTANCE

Musée de
l'Homme
(ouverture 2015)

PLACE
DE VARSOVIE

Musée
Clemenceau

10

PL. DE
COSTA RICA

36

Passy

Musée
du Vin

Seine

15e

7e

16e ARRONDISSEMENT NORD

16e ARRONDISSEMENT NORD

16e ARRONDISSEMENT SUD

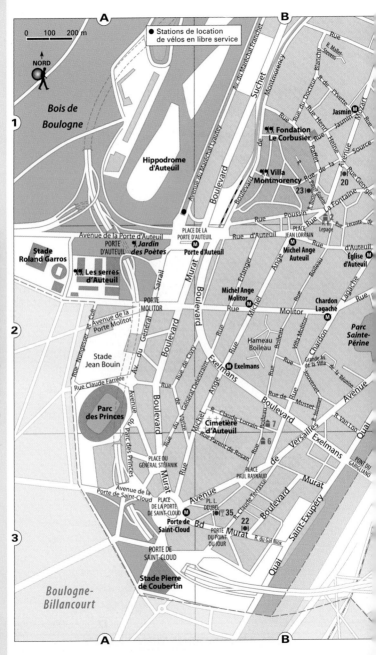

Bois de Boulogne

0   100   200 m

NORD

● Stations de location de vélos en libre service

Hippodrome d'Auteuil

Fondation Le Corbusier

Villa Montmorency

Jasmin

23 ●

20 ●

Av. du Maréchal Fanchet

Suchet

Boulevard

Avenue du Maréchal Franchet

PLACE DE LA PORTE D'AUTEUIL

PORTE D'AUTEUIL

Jardin des Poètes

Porte d'Auteuil

Rue d'Auteuil

PLACE JEAN LORRAIN

2 ●

Michel Ange Auteuil

Auteuil, Église d'Auteuil

Stade Roland Garros

Les serres d'Auteuil

Avenue de la Porte d'Auteuil

PORTE MOLITOR

Avenue de la Porte Molitor

Murat

Boulevard

Michel Ange Molitor

Molitor

Chardon Lagache

Parc Sainte-Périne

Stade Jean Bouin

Rue Claude Farrère

Hameau Boileau

Exelmans

Parc des Princes

Cimetière d'Auteuil

7 ▪

6 ▪

Boulevard

Exelmans

PONT DU GARIGLIANO

PLACE DU GÉNÉRAL STÉFANIK

Avenue de la Porte de Saint-Cloud

PLACE DE LA PORTE DE SAINT-CLOUD

Porte de Saint-Cloud

PLACE PAUL RAYNAUD

PL. L. DEUBEL

35 ●

22 ●

Murat

PORTE DE SAINT-CLOUD

PORTE DU POINT DU JOUR

Quai

Saint-Exupéry

Stade Pierre de Coubertin

Boulogne-Billancourt

A   B

1

2

3

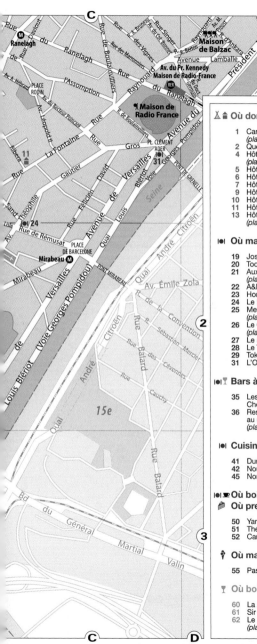

⚠ 🏠 Où dormir ?

1 Camping Indigo Paris *(plan 16ᵉ nord)*
2 Queen's Hotel *(plan 16ᵉ sud)*
4 Hôtel Windsor Home Paris *(plan 16ᵉ nord)*
5 Hôtel Ambassade *(plan 16ᵉ nord)*
6 Hôtel Boileau *(plan 16ᵉ sud)*
7 Hôtel Exelmans *(plan 16ᵉ sud)*
9 Hôtel Nicolo *(plan 16ᵉ nord)*
10 Hôtel Gavarni *(plan 16ᵉ nord)*
11 Hôtel Ribera *(plan 16ᵉ sud)*
13 Hôtel Résidence Chalgrin *(plan 16ᵉ nord)*

🍴 Où manger ?

19 Joséphine *(plan 16ᵉ nord)*
20 Toques et Chefs *(plan 16ᵉ sud)*
21 Aux Marches du Palais *(plan 16ᵉ nord)*
22 A&M *(plan 16ᵉ sud)*
23 Honoré *(plan 16ᵉ sud)*
24 Le Bistrot 31 *(plan 16ᵉ sud)*
25 Metropolitain Restaurant *(plan 16ᵉ nord)*
26 Le Grand Bistro de la Muette *(plan 16ᵉ nord)*
27 Le Petit Rétro *(plan 16ᵉ nord)*
28 Le Tournesol *(plan 16ᵉ sud)*
29 Tokyo Eat *(plan 16ᵉ nord)*
31 L'Ogre *(plan 16ᵉ sud)*

🍴🍷 Bars à vins

35 Les Caves Angevines, Chez Clarisse *(plan 16ᵉ sud)*
36 Restaurant Les Echansons au musée du Vin Paris *(plan 16ᵉ nord)*

🍴 Cuisine d'ailleurs

41 Duret Mandarin *(plan 16ᵉ nord)*
42 Noura *(plan 16ᵉ nord)*
45 Non Solo Cucina *(plan 16ᵉ nord)*

🍴☕ Où boire un thé ?
🍰 Où prendre un bon goûter ?

50 Yamazaki *(plan 16ᵉ nord)*
51 Thé Cool *(plan 16ᵉ nord)*
52 Carette *(plan 16ᵉ nord)*

🍦 Où manger une glace ?

55 Pascal le Glacier *(plan 16ᵉ nord)*

🍸 Où boire un verre ?

60 La Gare *(plan 16ᵉ nord)*
61 Sir Winston *(plan 16ᵉ nord)*
62 Le Comptoir de l'Arc *(plan 16ᵉ nord)*

16ᵉ ARRONDISSEMENT SUD

16ᵉ ARRONDISSEMENT SUD

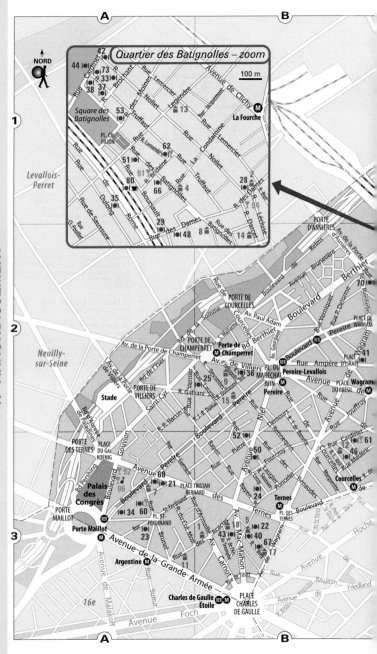

NORD

100 m

Quartier des Batignolles – zoom

Square des Batignolles

La Fourche

PL. CH. FILION

Levallois-Perret

PORTE D'ASNIÈRES

17e ARRONDISSEMENT

Berthier

PORTE DE COURCELLES

PLACE DE WAGRAM

PORTE DE CHAMPERRET

Porte de Champerret

PORTE DE VILLIERS

Stade

PL. DU MARÉCHAL JUIN

Pereire-Levallois

PLACE D'ISRAEL

PLACE DU BRÉSIL

Wagram

Pereire

Neuilly-sur-Seine

PLACE DU Gal KOENIG

PORTE DES TERNES

Palais des Congrès

Courcelles

PORTE MAILLOT

PLACE TRISTAN BERNARD

Ternes

PL. DES TERNES

Porte Maillot

PL. ST-FERDINAND

Argentine

Charles de Gaulle Étoile

PLACE CHARLES DE GAULLE

16e

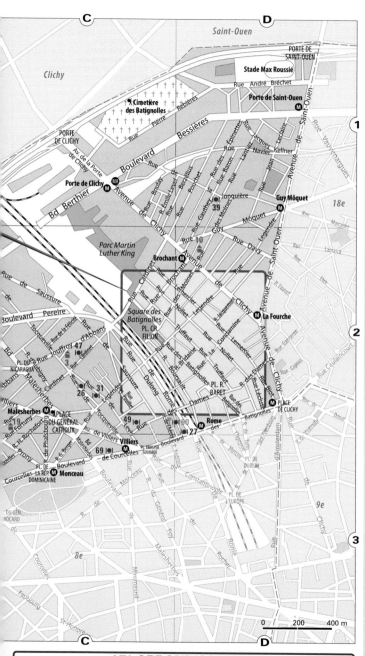

Saint-Ouen

Clichy

PORTE DE SAINT-OUEN

Stade Max Roussié

Rue André Bréchet

Porte de Saint-Ouen

Cimetière des Batignolles

Bessières

PORTE DE CLICHY

Av. de la Porte de Clichy

Boulevard

Rue

Rue Rébières

Rue Pierre

Guy Môquet

18e

Marcadet

Bd Berthier

Porte de Clichy

Avenue

de Clichy

Rue Émile Level

R. Émile Level

Rue Boulay

Rue Berzélius

Rue de

Rue

Rue des Épinettes

Rue Jacques Kellner

Rue Navier

Rue Jean Leclaire

Avenue de Saint-Ouen

Rue Vauvenargues

La Jonquière

39

Rue Gauthey

Rue Baron

Rue Pouchet

Rue

des Moines

Guy

Môquet

Rue

Legendre

Rue

Davy

Marcadet

Lamarck

Rue de Saussure

Parc Martin Luther King

Brochant

Rue Cardinet

Rue

Rue Brochant

Rue des Moines

Rue Lemercier

Legendre

de

Clichy

Avenue

Rue Fauré

Rue

Etex

La Fourche

Boulevard Pereire

Square des Batignolles

PL. CH. FILION

Rue Nollet

Rue de la Félicité

Rue Cardinet

Rue Jouffroy d'Abbans

47

Cardinet

3

PL. DU NICARAGUA

Rue

Cardinet

26

31

Rue Legendre

Rue Truffaut

Rue des Batignolles

Rue La Condamine

Rue Nollet

Rue Truffaut

Rue Lemercier

Rue Boursault

Rue Dulong

Rue

de Rome

PL. R. BARET

Rue des Batignolles

Rue Biot

R. de Chéroy

Rue Darcet

Avenue de Clichy

PLACE DE CLICHY

Rue Cavallotti

Rue Ganneron

Rue Capron

Rue Forest

Rue de Douai

Malesherbes

Maleville

Rue de Tocqueville

Bd Malesherbes

Rue de Saussure

Rue de Tocqueville

Rue de Lévis

Rue

Dulong

49

100

27

Rome

Villiers

Rome

Batignolles

Rue

Rue d'Amsterdam

9e

Villiers

Malesherbes

PLACE DU GÉNÉRAL CATROUX

Rue Fortuny

R.-H. Rochefort

Rue Fortuny

Rue de Prony

19

Bd de Courcelles

69

Villiers

PL. PROSPER GOUBAUX

Boulevard de Courcelles

PL. DE DUBLIN

PL. DE L'EUROPE

Monceau

PL. DE LA RÉP. DOMINICAINE

Boulevard

Malesherbes

Rue

de Monceau

Boulevard

de Courcelles

Rue de Constantinople

PL. DE L'EUROPE

DU GÉN. ROCARD

Rue

du Général Foy

Rue de Rome

Rue de Rocher

8e

Rue de Courcelles

Boulevard Malesherbes

Avenue de Messine

Rue de Miromesnil

Rue de Rome

Rue de Clichy

Faubourg

St-Honoré

C

D

0   200   400 m

17e ARRONDISSEMENT

🛏 **Où dormir ?**

1 Hôtel Acacias Étoile
2 Eldorado Hôtel *(zoom)*
3 Hôtel Cosy Monceau
4 Hôtel des Batignolles *(zoom)*
5 Hôtel Tilsitt Étoile
7 Villa Brunel
8 Hôtel B Square *(zoom)*
9 Hôtel Champerret-Héliopolis
10 Hôtel Viator
11 Hôtel Centre Ville Étoile
12 Hôtel Noir
13 Art Hôtel Batignolles *(zoom)*
14 Hôtel Camélia *(zoom)*
15 Hôtel Étoile Pereire
17 Hôtel Tivoli
18 Hidden Hôtel
19 Hôtel Splendor

🍽 **Où manger ?**

21 Le Verre Bouteille
22 La Cantina Chic
23 West Side Café & Kitchen
24 La Table Verte
25 L'Entredgeu
26 Au Petit Chavignol
27 Chez Gladines
28 Le Bistro des Dames *(zoom)*
29 Crêpe Cœur *(zoom)*
31 Les Grandes Bouches
33 Fabrique 4 *(zoom)*
34 Le Relais de Venise
35 Le Clou de Fourchette *(zoom)*
36 Roca
37 Restaurant Le Clan des Jules *(zoom)*
38 Chez Christophe *(zoom)*
39 Irène et Bernard
40 Le Café d'Angel

41 Le Cercle Rouge
42 Restaurant Vatel *(zoom)*
43 Graindorge
44 Coretta *(zoom)*
46 Les Messugues
47 Le Bouchon et l'Assiette
48 Ripaille *(zoom)*
49 Le Tourbillon
50 Caves Petrissans
51 Le Club des 5 *(zoom)*
52 Le Dix-Huit
53 Comme chez Maman *(zoom)*

🍽 🍷 **Bars à vins**

60 Le Rouge et le Verre
61 Les Domaines qui montent
62 Le Garde-Robe *(zoom)*

🍽 **Cuisine d'ailleurs**

66 Restaurant Istanbul *(zoom)*
67 Samesa
68 Kirane's
69 Mum Dim Sum
70 Restaurant La Rucola
73 Aux Couleurs du Monde *(zoom)*

🍽 ☕ **Où boire un thé ?**
Où prendre un bon goûter ?

80 Pastelaria Belem *(zoom)*

🍷 🍽 **Où boire un verre ?**

90 Le 3 Pièces Cuisine
91 Le Café des Petits Frères *(zoom)*
92 James Joyce's Pub
94 Les Caves Populaires *(zoom)*

🍷 🎵 **Où sortir ?**

96 Jazz-Club Étoile

REPORT DU PLAN DU 17e ARRONDISSEMENT

REPORT DU PLAN DU 18ᵉ ARRONDISSEMENT

REPORTD DU PLAN DU 18ᵉ ARRONDISSEMENT

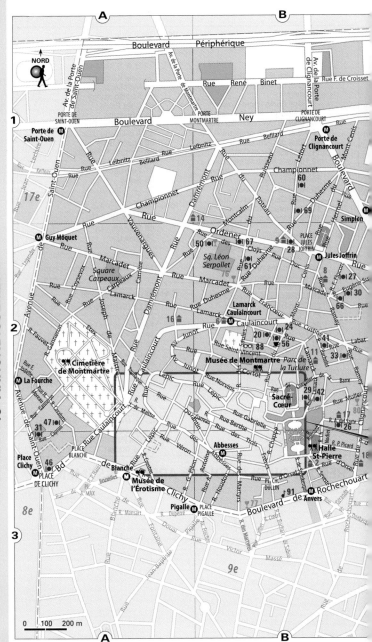

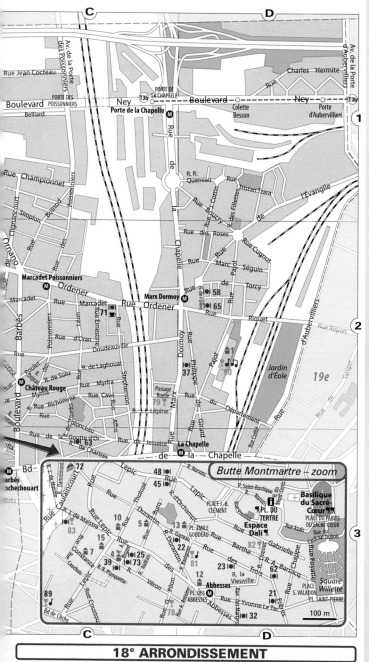

Butte Montmartre – zoom

100 m

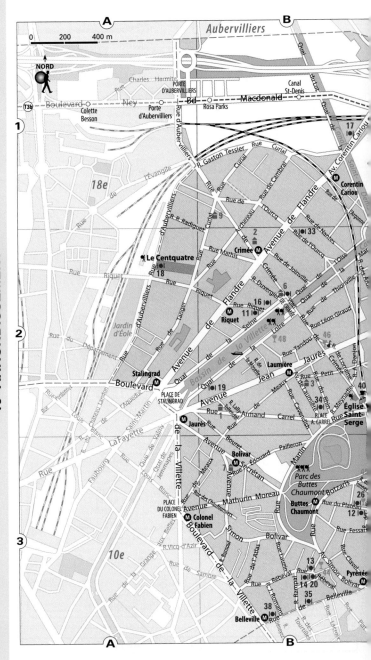

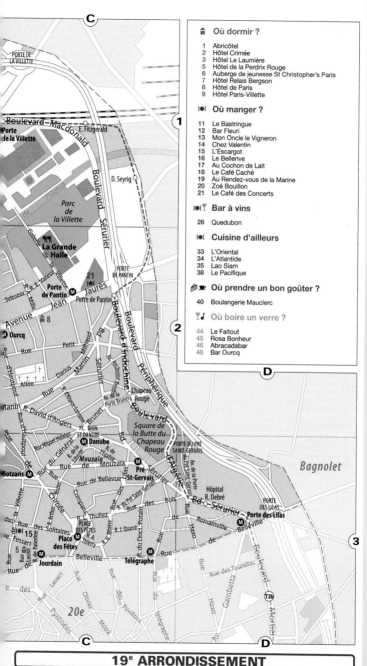

🛏 **Où dormir ?**

1 Abricôtel
2 Hôtel Crimée
3 Hôtel Le Laumière
5 Hôtel de la Perdrix Rouge
6 Auberge de jeunesse St Christopher's Paris
7 Hôtel Relais Bergson
8 Hôtel de Paris
9 Hôtel Paris-Villette

🍽 **Où manger ?**

11 Le Bastringue
12 Bar Fleuri
13 Mon Oncle le Vigneron
14 Chez Valentin
15 L'Escargot
16 Le Bellerive
17 Au Cochon de Lait
18 Le Café Caché
19 Au Rendez-vous de la Marine
20 Zoé Bouillon
21 Le Café des Concerts

🍽🍷 **Bar à vins**

26 Quedubon

🍽 **Cuisine d'ailleurs**

33 L'Oriental
34 L'Atlantide
35 Lao Siam
38 Le Pacifique

🍰☕ **Où prendre un bon goûter ?**

40 Boulangerie Mauclerc

🍸🎵 **Où boire un verre ?**

44 Le Faitout
45 Rosa Bonheur
46 Abracadabar
48 Bar Ourcq

19e ARRONDISSEMENT

20e ARRONDISSEMENT

20e ARRONDISSEMENT

PARIS

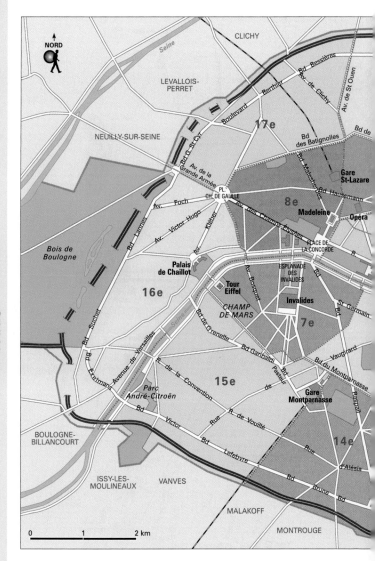

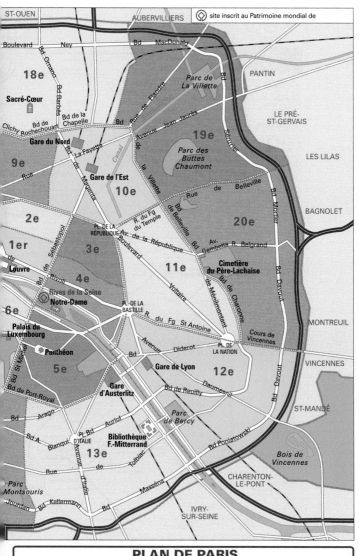

PLAN DE PARIS

LE MÉTRO

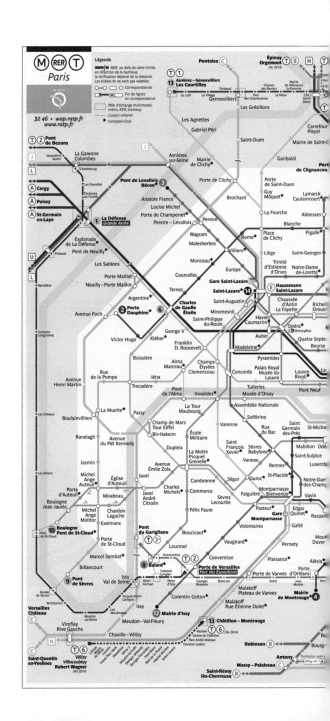

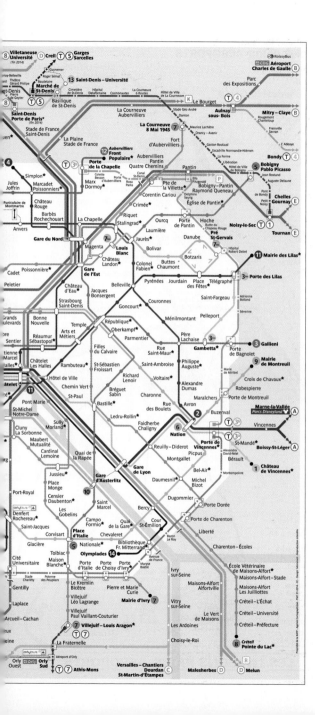

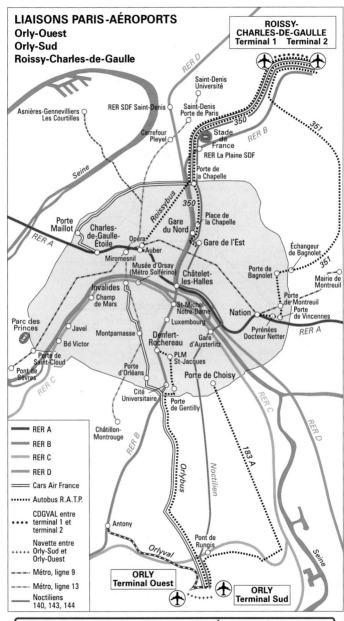

LIAISONS PARIS-AÉROPORTS
Orly-Ouest
Orly-Sud
Roissy-Charles-de-Gaulle

ROISSY-CHARLES-DE-GAULLE
Terminal 1   Terminal 2

LES LIAISONS PARIS-AÉROPORTS

Découvrez la Normandie au temps des impressionnistes !

« ON SE CROIRAIT À MARNE-LA-VALLÉE. »

LES FRANÇAIS VONT VOYAGER.

Voyages-sncf.com

🏃 À côté de Saint-Jean-Baptiste-de-Belleville, au 6, *rue de Palestine (plan couleur C3)*, une église orthodoxe ukrainienne. Messe chantée tous les dimanches à 10h. Bonne occasion pour demander à voir le « regard » du XIIIe s, situé dans la cour.

🏃 En haut de Belleville, il y a bien un métro Place-des-Fêtes, mais il n'y a plus de place, ni de fêtes. Montez-y quand même pour le pittoresque *regard de la Lanterne,* à l'angle des rues Compans et Augustin-Thierry. Construit en 1583, il constituait la tête de l'aqueduc des eaux de Belleville.

🏃 Et finissons sur un grand sourire : au n° 11 de la *rue des Fêtes,* superbe folie du XIXe s « façon XVIIe s », maison de campagne des aristos de l'époque, avec mascarons (figures sculptées), balcon et belle toiture. Au n° 13, un couloir étroit mène à l'une des dernières cités-jardins du coin. Magnifique ! Étonnant ! Une quinzaine de maisons avec des jardins exubérants de lilas, des arbres, un gigantesque marronnier, un kiosque en bois et... un calme total. Malheureusement, un digicode ne laisse guère de chances de la voir !

Une balade attachante dans le quartier

🏃🏃 Il subsiste à Paris des îlots de verdure qui ont résisté à la coulée de béton. Que ceux qui en doutent aillent faire la balade dans ce quartier méconnu de la capitale. Pas de monuments grandioses ou d'architectures particulières, mais plein de jardins secrets au fond desquels se nichent d'adorables pavillons, recouverts de lierre.

➤ **Les villas de la Mouzaïa** *(du nom d'une gorge d'Algérie ; plan couleur C2-3) : 2 km, 45 mn sans les arrêts, du métro Porte-de-Pantin ou Pré-Saint-Gervais au métro Botzaris. Réf. : topoguide Paris à pied avec cartes, éd. FFRP.*
Sur les hauteurs de Chaumont et de Belleville, il fait bon se perdre à la saison des fleurs. Les ruelles ont pour noms « villas » ou « allées » et se succèdent, envahies par la glycine, le lilas, les seringas et les rosiers. Bref, toutes les odeurs des grands-mères se respirent le long des voies piétonnes.
Du métro de la Porte-de-Pantin, contournez le lycée d'Alembert pour remonter les *allées* piétonnes *Arthur-Honegger* et *Darius-Milhaud.* Cette inspiration musicale invite à écouter les oiseaux qui adorent se cacher dans les haies des petits jardins ou dans les tulipiers des allées. Par les rues Goubet et d'Hautpoul, le regard plonge, en contrebas, sur l'espace vert du cimetière de la Villette. La rue Manin longe le parc des Buttes-Chaumont pour parvenir aux hauteurs de Belleville qui dominent l'est de Paris (128,50 m). Continuez plutôt par la rue Compans jusqu'à la curieuse *rue Miguel-Hidalgo.* Les noms de Bellevue et Belleville s'expliquent par les panoramas sur Paris et les constructions basses des petites villas bâties sur les pentes recouvrant les anciennes carrières.
Au sud de la place Rhin-et-Danube, promenez-vous autour des villas qui donnent sur les *rues de l'Égalité* et *de la Liberté,* ainsi que sur la belle *rue de Mouzaïa.* Suivant votre humeur, vagabondez par la luxuriante villa de Bellevue où les moulins tournaient au vent... il y a un demi-siècle. La *villa Amalia* est l'une des plus belles : bordée de vieux réverbères et d'arbres, c'est une enfilade de petits jardins fleuris. Dans la *villa de Fontenay,* les rosiers débordent sur la voie de passage et font comme une tonnelle. Dans la *villa du Progrès,* le progrès vous fait face, béton et grues. Contraste garanti ! Puis *villa Émile-Loubet,* en pente, d'un charme tout provincial, et *villa de Bellevue,* plus colorée, dont les toits des maisons se superposent en escalier. Idem pour la *villa des Lilas.* La *villa de la Renaissance* offre de jolies portes couvertes de lierre (n° 9, par exemple). Plus secrète. Perspective intéressante dans la *villa Danube,* elle aussi bordée de belles maisons. La *villa Marceau* est plus cossue. Dans la *villa Laforgue,* au bout de l'allée, saisissante en se retournant : de la verdure à perte de vue. Mais où est donc passé Paris ? La *villa Boërs* donne sur le clocher de l'église. Mignon tout plein ! Les rues de

Bellevue et Arthur-Rozier conduisent à la *villa Albert-Rohida*, qui redescend par un escalier surréaliste sur la rue de Crimée. Vous voici bientôt arrivé à l'est du parc des Buttes-Chaumont et au métro Botzaris.

LE QUARTIER DE LA VILLETTE ET LE BASSIN

UN CANAL QUI SE PREND POUR LA MER

Quai de la Loire, le canal s'évase et se prend pour la mer. Le coin s'est totalement métamorphosé depuis 1997. La vieille gare des bus de Stalingrad a déménagé. Le trafic automobile détourné a révélé la magnifique *rotonde de la Villette,* rotonde rénovée qui abrite aujourd'hui une brasserie de 150 couverts avec espaces d'exposition et scène de concert. Une vaste esplanade s'ouvre désormais devant le bâtiment, dans l'axe du bassin, offrant une perspective d'une remarquable harmonie. Talus en pente sur les côtés, fontaine avec jets d'eau au milieu, mettent superbement en valeur l'architecture de Ledoux. La rotonde, qui devait abriter les services de l'octroi du mur des fermiers généraux, fut achevée la veille de la Révolution française et ne servit donc jamais. Formes dépouillées, géométriques et symétriques, en sont les principales caractéristiques. Les cinémas *MK2,* quant à eux, se sont installés dans un ancien bâtiment de l'Expo universelle. Rien ne se perd !

19e

🎭🏃 **Le bassin de la Villette** *(plan couleur A-B2),* quant à lui, fut creusé au début du XIXe s pour relier le canal de l'Ourcq au futur canal Saint-Martin et permettre ainsi l'acheminement des marchandises dans la capitale. Une évolution déterminante pour le développement industriel du quartier. Il sera inauguré en grande pompe en 1808, le jour anniversaire du sacre de Napoléon. Au XIXe s, il servit souvent de patinoire lors des hivers rigoureux. Aujourd'hui, ses bords ont été aménagés en agréable promenade. Le paysage industriel s'est quasi estompé pour céder la place à la classique (et très banale) architecture des quartiers « rénovés ». Deux énormes entrepôts montaient la garde du bassin. L'un des deux a brûlé. Noble et solide bâtisse filmée dans *Diva.* Une architecture carrée, compacte, avec des tuiles rouges. Les péniches déchargeaient sur le quai du sucre, du charbon et du sable. Le sucre était stocké là. Aujourd'hui, l'entrepôt restant est transformé en résidence universitaire, deux hôtels et des ateliers d'artistes, et il abrite une base nautique (pour plus de détails, voir plus loin « Balade sur le bassin de la Villette et le canal Saint-Martin »).
– Dans le prolongement, le canal de l'Ourcq. De fin juin à fin août, tous les week-ends, on peut sauter dans une navette fluviale *(1 € l'aller le sam, 2 € le dim, gratuit moins de 10 ans)* qui vous emmènera à la découverte de la Seine-Saint-Denis. Renseignements et départ près de la rotonde de Nicolas Ledoux (bassin de la Villette). Deux itinéraires sont proposés (1h30 ou 3h l'aller-retour).

🎭🏃 **Le pont de Crimée** est le dernier pont-levis (et en activité !) de Paris. Il fonctionne avec de drôles de roues articulées sur des colonnes grecques à crémaillère. La société qui le construisit créa également les ascenseurs hydrauliques de la tour Eiffel. Des dates de naissance partout sur les colonnes et la belle plaque en céramique de la maisonnette à l'entrée du pont rappellent son âge plus que centenaire : 1885. Vous trouverez aussi un marché ensoleillé, à côté, tous les dimanches et jeudis matin, place de Joinville.

🎭 **Le Centquatre** *(plan couleur A2) : 104, rue d'Aubervilliers, 75019. ● 104.fr ●* Un ensemble dédié à la création artistique contemporaine, à vocation internationale, qui occupe le beau bâtiment des anciennes pompes funèbres municipales, l'ancienne « usine à deuil ». Des espaces sont offerts à la création, à la diffusion et à l'exposition de multiples disciplines, des arts plastiques aux arts du spectacle, ainsi qu'à divers commerces.

LE PARC DE LA VILLETTE
(plan couleur C1-2 et plan Parc de la Villette)

Ⓜ *Porte-de-Pantin. Accessible aussi par le nord :* Ⓜ *Porte-de-la-Villette ou Corentin-Cariou. Parc éclairé et surveillé tlj, 24h/24. Visites guidées possibles (individuels selon planning :* ☎ *01-40-03-75-75 ; groupes sur résa :* ☎ *01-40-03-74-82). Un pôle d'accueil, situé à l'entrée porte de Pantin, facilite l'orientation des visiteurs dans cet immense dédale.*

Le parc s'étend sur 55 ha, ce qui en fait, par sa taille, le plus grand parc parisien. Il recouvre complètement l'ancien site du marché national de la viande, entre la porte de Pantin et la porte de la Villette, au confluent du canal de l'Ourcq et du canal Saint-Denis. Il comprend la **Cité des Sciences et de l'Industrie**, la **Cité de la Musique**, la **Grande Halle**, le **Paris Villette**, le **Tarmac**, ainsi que le **Zénith**, la **Géode**, l'**Argonaute**, le **Trabendo**, des pavillons d'exposition, des espaces pour les chapiteaux de cirque et de cabaret, et le chantier en cours de la Philharmonie de Paris.

Vaste ensemble réalisé entre 1984 et 1997 et, disons-le, assez réussi, tant pour le contenu des Cités que pour l'architecture des bâtiments et du parc lui-même. Sur plus de 3 km de promenades offerts aux piétons comme aux cyclistes, une dizaine de jardins à thème, à la croisée des chemins entre l'ancien et le futur, les arts et la science, la nature et la ville.

Le parc est l'œuvre de Bernard Tschumi, qui dut se dépatouiller de la présence d'équipements et des énormes édifices que constituent la Cité des Sciences, le Zénith, la Cité de la Musique, la Grande Halle et, très bientôt, en 2015, une grande salle destinée aux concerts philharmoniques. Il allait donc la jouer moderne en dessinant un parc au concept révolutionnaire, une première ! D'abord, quadrillant les 35 ha de lignes imaginaires, plan d'un vaste damier aux cases de 120 m de côté, il planta à chaque intersection des folies : 25 édifices cubiques de 10,80 m d'arête, plus ou moins éclatés, ici augmentés d'une tourelle ou d'un escalier extérieur, là éventrés, creux – clins d'œil aux constructivistes russes. On y trouve un point d'information, une buvette, diverses activités... Complétant cette géométrie, deux axes piétons est-ouest et nord-sud traversent le parc, reliant la porte de Pantin à celle de la Villette et Paris à la banlieue (en fait, le périph') en longeant le canal de l'Ourcq : lignes d'abscisses et d'ordonnées. Puis deux prairies, le cercle et le triangle, vastes plages vertes. Enfin, rompant l'ordre rigide mais toujours fantaisiste, un chemin courbe et bleu, traversant les jardins des Miroirs, des Vents et des Dunes, des Bambous (superbe bambouseraie), des Voltiges, etc. Multiples sont les atmosphères qui se succèdent, souvent ludiques, aux essences variées, agrémentées de jeux d'eau, de sculptures : c'est la « promenade cinématique ». Car, sans s'en douter, on parcourt une gigantesque bobine, jetée là par Tschumi, et ce chemin qui serpente à nos pieds, c'est la bande-son bordant la succession de jardins... Images géantes du film !

Toujours dans le parc, de mi-juillet à mi-août, le festival de Cinéma en plein air (reprises de classiques et de films d'auteur autour d'un thème), scènes d'été, parcours artistique et musical en plein air, etc. *(rens pour les programmes :* ☎ *01-40-03-75-75 ou ● villette.com ●).*

UN PEU D'HISTOIRE

Tout le quartier vécut pendant un siècle au rythme des abattoirs et du marché aux bestiaux, créés par Haussmann (encore lui !) en 1867. La nécessité d'un lieu d'abattage proche de Paris se justifiait alors par les conditions de réfrigération quasi inexistantes. Les abattoirs de la Villette firent partie du folklore parisien à part entière, ainsi que ses acteurs : tueurs, sanguins, boyaudiers, pansiers... Le marché aux bestiaux qui y était attaché pouvait accueillir jusqu'à 1 300 têtes de bétail. Proust y venait, de temps à autre, draguer de beaux et forts garçons bouchers à qui il demandait toujours : « Fais voir tes mains ! », fasciné qu'il était par ces mains colossales qui avaient trempé dans le sang...

On s'aperçut trop tard que les techniques modernes de réfrigération et de transports n'imposaient plus d'abattre à Paris et qu'il était plus rentable de le faire sur les lieux de production.

Heureuse consolation, on y trouve aujourd'hui la Cité des Sciences et de l'Industrie. Le souvenir des abattoirs subsiste encore avec la Grande Halle et, aux alentours du parc, avec les quelques restos spécialisés dans

> ## BOIRE DU SANG AUX ABATTOIRS
>
> *Jusque dans les années 1920, on avait l'habitude d'emmener les enfants un peu pâlots aux abattoirs, pour leur faire avaler du sang de bœuf. On le servait encore chaud, à température de la bête récemment abattue. Et puis on découvrit les vitamines, ouf !*

la bonne viande (côté porte de Pantin) et les magasins vendant toujours du matériel de boucherie (côté porte de la Villette).

🚶🚶 *La Grande Halle* (plan Parc de la Villette, C2) : ☎ 01-40-03-75-75 (infos et résas). Ⓜ *Porte-de-Pantin.* L'ancienne halle aux bœufs est un bel exemple de l'architecture du XIXᵉ s, façon Baltard. Très bien rénovée, elle a été transformée en un espace modulable d'expositions, de salons et de spectacles. Fermée par des parois de verre, abritant un volume à géométrie variable grâce aux passerelles, des cloisons et plateaux mobiles, elle présente une architecture à la fois légère et transparente, assez réussie.

– Dépendant également de la Grande Halle mais située à l'autre bout du parc, dans les bâtiments blancs faisant face à la Cité des Sciences (Ⓜ *Porte-de-la-Villette* ou *Corentin-Cariou*), la *maison de la Villette* est un lieu d'accueil pour les artistes.

🚶🚶 *Le Conservatoire national supérieur de musique et de danse de Paris* (plan Parc de la Villette, A-B3) : 209, av. Jean-Jaurès, 75019. ☎ 01-40-40-45-45. Ⓜ *Porte-de-Pantin.* Signé Christian de Portzamparc, le bâtiment se caractérise par son toit ondoyant de tôle ondulée, ses piliers traversant des vulves de fer et les lourdes vagues qui le parcourent. Architecture assez joyeuse, comme d'habitude. Enseignement, bien sûr, et du sérieux – c'est le creuset des grands artistes de demain –, mais également concerts, spectacles chorégraphiques et cours publics entièrement gratuits (*dans la limite des places disponibles ou sur résa ; brochure programme sur demande :* ☎ 01-40-40-46-46 ou 47 ; ● cnsmdp.fr ●).

La Cité de la Musique (plan Parc de la Villette, B3)

221, av. Jean-Jaurès, 75019. ☎ 01-44-84-44-84. ● citedelamusique.fr ● Ⓜ Porte-de-Pantin. Bus nᵒˢ 75, 151 et PC. ♿ Réalisée également par Christian de Portzamparc, et tout aussi originale, notamment avec l'énorme cylindre à dôme incliné de la *salle de concerts,* prête à accueillir 1 000 mélomanes en herbe ou confirmés. Au programme, un voyage musical diversifié abordant tous les répertoires : classique ou contemporain, de l'opéra aux musiques du monde. La Cité abrite également un *amphithéâtre* plus intimiste, de 250 places, où ont lieu des concerts, conférences et spectacles en liaison avec le musée : instruments anciens et de tous horizons ; concerts et spectacles pour les jeunes (mercredi à 15h), très appréciés. Soulignons la bonne acoustique des salles, la qualité des concerts, les tarifs raisonnables. Une *médiathèque* regroupe des services destinés au grand public, ainsi que d'autres s'adressant à un public de chercheurs et d'enseignants. Enfin, le passionnant *musée de la Musique* complète l'ensemble.

A   B

NORD

PORTE DE
LA VILLETTE

Boulevard

Boulevard

Périphérique

Porte de la
Villette

Avenue Corentin Cariou

LA TERRASSE
DU PARC

Logements Nord

École nationale
du cirque

1   1

Maison de
la Villette

ESPLANADE   DE   LA   ROTONDE

Macdonald

Canal   Saint   Denis

Quai   de   la   Gironde

Galerie

Accueil

Cité des Sciences
et de l'Industrie

bio climatiques

Centre
équestre

Douves

Cinaxe

Serres

de   la

Géode

Argonaute

Observatoire

Jardin
du
Dragon

Villette

Quai   de   l'Oise

Kiosque à
musique

de   l'Ourcq

l'Ourcq
Est-Ouest

Zénith

2   2

Canal

Jardin des
Voltiges

de

couverte

Espace
Club

Rond-Point
des Canaux

Galerie

Galerie   folie vidéo

PRAIRIE DU CERCLE

Zénith

Boulevard

19e

Quai   de   l'Ourcq

Hall de la
chanson

Pavillon du
Charolais

Allée   du   Belvédère

Jardins
des Dunes

Chalets

Quai de
la Marne

O. de Metz

de

Galerie

Grande
Halle

PRAIRIE DU
TRIANGLE

Allée

du

Sérurier

Rue de
Thionville

Rue

Quai de la Garonne

des

Villette

Pavillon Paul-
Delouvrier

I.P.C.M.

Bâtiment
Janvier

3   3

R. Adolphe Mille

Rue Edgar

Av. du Nouveau Conservatoire

Varèse

folie
théâtre

PL. DE
LAFONTAINE
AUX LIONS

Centre de
documentation
de la musique
contemporaine

Ardennes

Rue Delesseux

des

Théâtre
Paris-Villette

Conservatoire
de Paris

Conservatoire
national supérieur
de musique

Fontaine
aux Lions

Cité de la
Musique

PORTE
DE PANTIN

Jaurès

Jean

Porte de
Pantin

Avenue

100 m

A   B

LE PARC DE LA VILLETTE

♣♣♣ ⚘ **Le musée de la Musique :** ☎ 01-44-84-44-84. ⚘ *Tlj sf lun 12h (10h dim)-18h. Réservez vos billets en accès prioritaire en magasin et sur ● fnac.com ● Tarif des visites libres (avec audioguide) : 7 € ; réduc ; gratuit moins de 26 ans. Parcours adapté pour les visiteurs handicapés (images en relief, boucles magnétiques). Visites guidées possibles : adulte 10 €, billet d'entrée inclus (9 € pour accompagnateur) ; enfant 7 €.*

La collection d'instruments du musée de la Musique couvre quatre siècles d'histoire occidentale, du XVIIe s à nos jours, et s'achève par une traversée des principales cultures musicales du monde. Créé en 1997 à partir de l'ancienne collection du Conservatoire national, constituée dès 1795, il est riche aujourd'hui de 6 000 instruments du XVIe au XXe s (dont un millier sont exposés). Le parcours est chronologique (une plate-forme par siècle), assorti d'un formidable audioguide proposant différentes options, notamment une ludique version enfant. Les extraits d'opéras, de concertos, sobrement commentés, charment l'oreille et éduquent l'esprit.

Dans chaque grande section correspondant à un siècle, on découvre les différentes familles instrumentales de l'époque tandis que des bornes interactives présentent quelques œuvres emblématiques de l'histoire de la musique sous forme vidéo et audio, avec en vis-à-vis une maquette de salle de spectacle représentative de la période et une vitrine des instruments utilisés. Une quarantaine de petits films documentaires laissent la parole à des compositeurs, interprètes, chefs d'orchestre, et complètent cette aventure musicale. Sans oublier les interventions de musiciens qui, chaque jour, viennent jouer parmi les instruments et dialoguer avec les visiteurs.

Bref, loin d'être réservé aux seuls mélomanes, ce musée « à écouter » constitue pour tous une excellente introduction à la musique. Vraiment une belle réussite. En avant la musique !

– *XVIIe s :* naissance de l'opéra dans l'Italie baroque avec la première œuvre presque entièrement chantée, *Orfeo* de Claudio Monteverdi. Cet Italien, arrivé à la cour de Versailles à l'âge de 14 ans comme page, a réussi à devenir son compositeur attitré. Ne pas manquer la borne dédiée à *Alceste* de Lully, avec sa fascinante maquette de la cour de marbre du château de Versailles éclairée aux chandelles en 1674. Côté instruments, luths finement décorés dans l'ivoire, inspirés des ouds arabes, clavecins – certains étaient de véritables œuvres d'art –, violes de gambe (pourquoi gambe ? Parce qu'on en jouait en la tenant entre ses gambettes, pardi !), cornets à bouquin inspirés des cornes d'animaux, hautbois, bassons, flûtes à bec et traversiaire. Dans la vitrine des guitares – très appréciées à la cour de Versailles –, superbe guitare-tortue, et côté violons, les minuscules « violons-pochettes » utilisés par les maîtres à danser qui les glissaient ainsi facilement dans leur poche. Dans la vitrine de la Grande Écurie, écoutez donc le son de la trompette marine, tout à fait étonnant pour un instrument monocorde.

– *XVIIIe s :* l'opéra et l'apparition des premiers concerts publics. Saviez-vous que l'opéra était à l'origine un divertissement conçu pour le roi et qu'il devint par la suite une véritable institution en France ? Parallèlement, une amorce de vulgarisation de la musique de chambre s'étend en France et dans tous les pays d'Europe. On assiste à la consécration de Rameau – grand compositeur pour clavecin – ou encore de Mozart, qui innove en donnant une grande autonomie aux instruments à vent ainsi qu'à la harpe. Côté instruments, on remarque qu'ils se parent de décorations, souvent inspirées par les voyages (chinoiseries et autres). Magnifiques clavecins, mandolines (de la famille des luths), vielles à roue (ce croisement entre un violon et un clavier était surnommé l'instrument des truands car joué par les jongleurs et les mendiants), orgues, pianos, harpes (un des plus vieux instruments du monde, et dont jouait très bien Marie-Antoinette), trompettes et cors, guitares. Dans la vitrine sur le verre musical, un Glassharmonica imaginé par Benjamin Franklin, l'inventeur du paratonnerre et corédacteur de la Déclaration d'indépendance des États-Unis, censé rendre fou ; le son cristallin, obtenu par le frottement des doigts mouillés d'eau et de salive sur les coupelles de verre chargées de plomb, pouvait en effet intoxiquer ceux qui en jouaient. Vous noterez qu'à cette époque les salles de spectacle disposaient d'espaces libres, sans fauteuils. Eh oui, on avait le droit d'écouter debout, et même de manger pendant les concerts !

– **XIXe s :** l'orchestre romantique, avec comme digne représentant l'incontournable Beethoven. Dans les familles instrumentales, on retrouve le violon, avec le célèbre fabricant italien Stradivarius, le violoncelle, l'alto et la contrebasse, qui forment le quatuor. On suit aussi l'évolution du piano carré jusqu'au piano à queue en passant par l'hexagonal, dont la forme était purement décorative (pas encore de piano droit). Le dernier piano exposé est un modèle à queue de Pleyel, utilisé par Chopin dans les dernières années de sa vie. C'est l'époque où l'on cherche à inventer de nouveaux instruments, les brevets étant une bonne source de revenus. C'est également l'époque où l'on vit apparaître l'octobasse, une gigantesque contrebasse dont il ne reste que deux exemplaires dans le monde. Avec ses 3,50 m de hauteur, difficile de la rater ! Inventée par Vuillaume, elle fut présentée à l'Exposition universelle de 1855 et plébiscitée par Berlioz. Si vous l'observez attentivement, vous comprendrez sans doute la manière dont on en jouait. Et si vous séchez, rendez-vous un peu plus loin devant la vitrine consacrée à Vuillaume, un petit dessin vous éclairera, et l'audioguide aussi. À côté, la vitrine « plomberie » avec tous les modèles de sax, inventés par le Belge du même nom. Au rayon des curiosités, vous découvrirez une série d'instruments « de torture » servant, entre autres, à assouplir les doigts et à améliorer la musculation de la main. Et puis une vitrine sur le Conservatoire, créé en 1795. Désormais la musique ne s'apprend plus de père en fils, mais à travers l'enseignement d'une école.

– **XXe s :** le langage musical évolue en profondeur, stimulé par les progrès de la technologie. Place à la musique électronique et de nouvelles sonorités, comme le theremin, venu de Russie et datant de 1919, qui fonctionne avec les ondes (même pas besoin de le toucher pour en jouer !), et les ondes Martenot, souvent utilisées dans les musiques de film. Très vite, on passe aux instruments du futur : studio de musique électro-acoustique, qui évoque le cockpit d'un avion, et enfin l'ordinateur. La musique populaire du XXe s est à peine abordée, mais cette section devrait s'enrichir considérablement dans les années à venir. En attendant, trois petites vitrines sont dédiées au jazz.

– **Musiques du monde :** Afrique, monde arabe, Asie, Amériques et Océanie, un vrai tour du monde sur seulement 150 m² ! Dans la partie Asie, vous ne pourrez manquer l'exceptionnel *piphat mon,* tout rouge et or, et qui ne se joue qu'à plusieurs, comme le gamelan. C'est un ensemble instrumental composé de gongs et de xylophones, mais considéré comme un seul et même instrument. Également d'extraordinaires luths indiens, remarquablement ciselés et peints. Ne pas manquer enfin les deux vidéos diffusant une musique composée uniquement avec des claquements d'eau, et une autre avec des tubes de roseau frappés sur des pierres avec les mains et les pieds. Étonnant comme c'est mélodieux !

– **La Cité de la Musique** propose aussi des activités pédagogiques, des ateliers adultes et enfants, des rencontres et des projections en rapport avec la musique, ainsi que des concerts-promenades *(le 2e dim de chaque mois dès 14h30 ; accès libre avec le billet d'entrée du musée)* au cours desquels musiciens, conteurs, plasticiens ou danseurs investissent le musée et proposent concerts, performances... Enfin, belle librairie-boutique.

La Cité des Sciences et de l'Industrie
(plan Parc de la Villette, A1)

🎭🎭🎭 🕴🏃 30, av. Corentin-Cariou, 75019. ☎ 01-40-05-80-00 ou 0892-69-70-72 (0,34 €/mn). Pour les groupes : ☎ 01-40-05-12-12. ● cite-sciences.fr ● Mieux vaut réserver via le site internet. Réservez vos billets en accès prioritaire en magasin et sur ● fnac.com ● Ⓜ ou Ⓣ Porte-de-la-Villette (T3b). Bus n°s 139,

150 et 152. Parking souterrain payant, accès bd Macdonald ou quai de la Charente. ♿ Tlj sf lun 10h-18h (19h dim). Horaires différents pour la Géode (voir plus loin). ATTENTION, pour les expos à horaires fixes comme celles de la Cité des Enfants, mieux vaut réserver, surtout en période de vac scol. Tarifs Explora (ou Cité des enfants) + Géode : 19,50 €, tarif réduit 15 € ; Cité des Enfants (2-7 ans ou 5-12 ans) : 6 € enfant et 9 € adulte. Tarifs Explora + planétarium : 12 €, tarif réduit 9 € ; expo temporaire + Explora : 12 €, tarif réduit 9 € (prix variable selon expo). Également d'autres tarifs à la carte. Pour la Géode, tarifs spéciaux (lire plus bas).

Installée dans la salle des ventes des anciens abattoirs (qui ne fut jamais utilisée, ni même achevée d'ailleurs), la Cité propose à chacun de prendre conscience des enjeux de la recherche scientifique, des investissements industriels et des progrès de la technologie. Ça a l'air sérieux comme ça, mais on fait tout ceci en s'amusant ; c'est là où c'est réussi.

Le premier défi se remarque quand on arrive devant cet immense bâtiment. D'une carcasse esseulée, l'architecte Adrien Fainsilber a fait un temple futuriste et en même temps adapté à l'homme du XXIᵉ s. Un travail de titan. Pour repousser l'énorme mur de façade, Fainsilber a fait appel à l'entreprise française qui avait travaillé sur le chantier d'Abou Simbel...

Quand on vous dit que la Cité, c'est à la fois Babel et la Grande Pyramide, croyez-nous ! Voyez les dimensions : 3 ha d'emprise au sol, 250 m de long, 150 m de large, 50 m de haut, au total 150 000 m² ! Le seul hall d'entrée mesure 100 m de long et 20 m de large. Au-dessus de votre tête : deux énormes coupoles suspendues au toit captent la lumière du jour qui inonde le hall d'accueil.

Cette Cité n'est pas un musée comme les autres. Elle fonctionne dans un esprit créatif et novateur qu'on retrouve dans les expos temporaires traitant de l'actualité ou de tout autre sujet à travers ses conséquences économiques, sociales, artistiques... Depuis l'ouverture, elles ont abordé des thèmes aussi variés que « Les effets spéciaux dans *Star Wars* », « Les gaulois » et « Léonard de Vinci », entre autres.

Autre particularité : c'est un lieu interactif. Entre le visiteur et l'objet, il y a échange et participation qui lui permettent de se sentir impliqué, interpellé, bref d'être acteur de sa visite et de s'interroger sur la place des sciences et techniques dans nos sociétés. L'un des rares endroits au monde où l'on apprend en s'amusant vraiment. Accrochez bien vos ceintures ! La grande aventure de demain est bien commencée. Bon voyage !

Visite

Un grand nombre d'aides à la visite sont proposées.

– *Des médiateurs scientifiques* aident le public dans sa découverte des expositions. Demandez le programme quotidien des ateliers et animations, ainsi que le mode d'emploi « Bienvenue » à l'accueil dès votre arrivée pour vous repérer, organiser votre visite en fonction des horaires et vous inscrire aux activités qui nécessitent une réservation.

♿ *Pour les personnes handicapées visuelles,* un tapis de guidage au sol permet de se repérer. Certains espaces sont équipés de panneaux avec texte en braille et schémas en relief *(rens visites guidées : ☎ 01-40-05-75-35 ou ● info.deficientvisuel@universciences.fr ●).* À la bibliothèque, la salle Louis-Braille offre l'accès aux documents imprimés, transcrits en voix de synthèse ou en braille. Des animateurs peuvent intervenir pour les visiteurs aveugles ou malvoyants *(résa : ☎ 01-40-05-78-42).* Un dépliant adapté est également disponible à l'accueil.

♿ *Pour les sourds et les malentendants,* des animateurs pratiquant la langue des signes (française) sont disponibles *(info par SMS visiophonie : 🖳 06-32-86-89-49 ; ou résa par e-mail : ● info.sourd@universciences.fr ●).*

♿ *Les visiteurs handicapés moteurs* peuvent circuler dans tous les espaces et avoir accès à tous les services, excepté le sous-marin *Argonaute (rens : ☎ 01-40-05-70-86 ou ● info.handicap@universciences.fr ●).*

☣ *Les visiteurs présentant un handicap mental* bénéficient de visites adaptées (rens : ☎ 01-40-05-70-86).

– Au rez-de-chaussée, boutique de la RMN (Réunion des musées nationaux).

– **Pratique :** tables à langer, vestiaire, prêt de poussettes, distributeur de billets... Pour casser la croûte, le restaurant, au sous-sol et à côté de l'aquarium, est d'un honnête rapport qualité-prix *(assiette du jour env 10 €, menus 15-20 €)*. Super aux beaux jours quand la terrasse est ouverte. En face, d'autres restos rapides, et, au rez-de-chaussée, le *Café de la Cité*.

Le visiteur est libre de suivre son propre chemin à travers tant d'expositions qu'il est impossible de toutes les énumérer ici. Nous vous avons sélectionné les principales.

🎥🎥 **Explora :** *entrée 9 € ; réduc ; gratuit moins de 6 ans.* Billet donnant accès à des expos permanentes et temporaires (attention, certaines expos temporaires font l'objet d'un supplément tarifaire) occupant les 1er et 2e niveaux, dont par exemple :

– **Sons :** *niveau 1.* Découvrir ce qu'est le silence, tester la finesse de son ouïe... Ici, on apprend à distinguer vacarmes et stridences sur un mode ludique captivant. On peut s'essayer, par exemple, aux percussions virtuelles ou dialoguer en chuchotant dans des paraboles distantes de 17 m. On peut aussi distinguer le chant des dauphins de celui d'une otarie ou écouter le bruit du « lapin qui rêve », tout un programme ! Une expo qui intéressera aussi les visiteurs les plus jeunes.

– **Mathématiques :** *niveau 1. À partir de 10 ans.* Résoudre des problèmes, on pensait que cela n'arrivait qu'à l'école. On était loin de se dire que tout un chacun pouvait y prendre du plaisir. On se découvre en train de relever des défis mathématiques plutôt corsés.

– **Cerveau :** *niveau 1. À partir de 7 ans.* Le cerveau humain sous l'angle des neurosciences cognitives développé en trois thématiques : « Qu'est-ce qu'un cerveau ? », « Le cerveau au travail » et « Le cerveau social ». Découvrir sa sophistication par le biais d'expériences ludiques.

– **L'Observatoire des innovations :** *niveau 1. À partir de 11 ans.* Qu'est-ce réellement qu'une innovation ? Quelle est son importance économique et sociale ? Des exemples concrets renouvelés régulièrement permettent de mieux comprendre le processus qui mène de l'idée à son application.

– **Le grand récit de l'Univers :** *niveau 2. À partir de 11 ans.* L'exposé des recherches scientifiques les plus récentes et des théories les plus complexes nous permet d'aborder la question de nos origines.

– **La salle Science-Actualités :** *niveau 1. À partir de 11 ans.* Toute l'actualité scientifique est présentée dans un espace moderne et bien pensé : 12 enquêtes par an sur des sujets au cœur de l'actualité scientifique (la place du nucléaire depuis Fukushima...), des reportages dans les labos, interviews de chercheurs, débats filmés, infos en bref, etc. Priorité à l'actualité scientifique immédiate.

– **Et aussi :** jeux de lumière *(niveau 2 ; à partir de 6 ans)*, l'homme et les gènes *(niveau 1 ; à partir de 11 ans)*, la serre *(niveau 1)*, les énergies *(niveau 1 ; à partir de 9 ans)*, les transports et les hommes *(niveau 1 ; à partir de 6 ans)*, Objectifs Terre : la révolution des satellites *(niveau 1 ; à partir de 7 ans)*.

– **Expos temporaires :** « Art robotique » (jusqu'en janvier 2015), « Zizi sexuel l'expo ! » (15 octobre 2014-10 août 2015), « Risque et audace » (18 novembre 2014-16 août 2015)...

🎥🎥 **Le planétarium :** ☎ 01-40-05-80-00. *Mar-dim ; séance env ttes les heures. Entrée : billet Explora + 3 €. 3 films différents. Durée : 35 mn.* La projection à 360° vous immerge totalement pour mieux appréhender l'infiniment grand de notre univers. Ne pas manquer cet extraordinaire voyage la tête dans les étoiles ! En alternance, des spectacles animés par les médiateurs scientifiques.

🎥🎥🎥 **La Cité des Enfants :** *au niveau 0. Mar-dim 10h-18h ; env 5 séances/j. de 1h30. Tarif enfant : 6 € ; tarif adulte : 9 € ; à partir de 2 ans min ; interdit aux adultes*

19^e

seuls et aux enfants non accompagnés d'un adulte. Nombre de places limité, donc résa conseillée (et payante) sur le site ● *cite-sciences.fr* ● *5 000 m² réservés aux enfants de 2 à 7 ans et de 5 à 12 ans. Sur deux espaces d'exposition distincts, à la pédagogie adaptée, les enfants s'initient aux sciences et techniques en jouant. Cinq thématiques sont abordées, soit autant de terrains d'expérimentation que les gamins investissent et explorent ! Les jeux d'eau remportent un succès constant, sans distinction d'âge. Sinon, pendant que les grands s'initient aux métiers de la télévision dans le studio, découvrent des papillons sous la serre, se familiarisent avec des robots, les plus jeunes, équipés d'un casque, apportent leur pierre à l'édifice sur un formidable chantier, perdent leurs repères dans le labyrinthe, associent animaux et empreintes de pattes... Bref, on manipule, on gesticule autant qu'on gamberge et qu'on fourmille d'idées ! La Cité des Enfants s'exporte même à l'étranger. Cocorico ! Un conseil : commencez par les salles les plus éloignées de l'entrée pour éviter la foule.*

– **« Ombres et lumière »** *(jusqu'en janvier 2015) :* expo temporaire pour enfants à partir de 5 ans *(tarif enfant : 6 €, tarif adulte : 8 €).* La visite de la villa du professeur Archibald Ombre permet aux enfants de réaliser une trentaine d'expériences scientifiques sur l'ombre, qui surgit ou disparaît au gré de la lumière...

🗡 **Le cinéma Louis-Lumière :** *compris dans le billet Explora, Cité des Enfants (2-7 ans ou 5-12 ans) ou « Ombres et lumière ». Sans résa.* Projection de films d'animation et courts métrages divertissants et instructifs issus de la programmation d'universcience.tv.

🗡 **Le Carrefour numérique :** ce nouvel espace accompagne les nouvelles pratiques numériques participatives. Équipé d'un laboratoire de fabrication numérique, le Fab Lab, et d'un laboratoire de la médiation numérique, le Living Lab, le Carrefour numérique propose des ateliers « Do it yourself » de fabrication, impression, modélisation 3D..., des rencontres autour du logiciel libre (ou « install party » pour discuter, échanger et se faire installer ces logiciels), des événements comme la journée autour du jeu Minecraft (gros succès !) ou encore des séances de test de technologies issues des laboratoires (robotique, *serious games*...).

🗡 **Les conférences :** ● *universcience.fr/college* ● Conférences, débats, séminaires, avec la participation de chercheurs français et étrangers, sur des thèmes d'actualité ou des axes de réflexion variés.

– Également une bibliothèque-vidéothèque, la Cité des Métiers (infos d'orientation et de formation).

🗡 **L'aquarium :** *au niveau -2, tt près de la cafétéria et du resto. GRATUIT.* Sur 250 m², plus de 200 espèces de poissons, crustacés, mollusques ou végétaux du littoral méditerranéen. D'une vitrine à l'autre, le paysage montre la richesse que découvre un plongeur lorsqu'il descend du rivage jusqu'à 50 m de profondeur. Vous l'avez trouvée, la murène, près du gros mérou ?

Dans le parc

🗡🗡 **La Géode** *(plan Parc de la Villette, A2) :* programme et résas sur le site ● *lageode.fr* ● 🗡 *Tte l'année, tlj ; séances ttes les heures env ; lun, horaires variables.* ATTENTION, résa conseillée pdt les vac scol : il n'y a que 400 places. En dehors de ces périodes et des ap-m de w-e, on trouve généralement de la place 10h30-12h30 ou 18h30-20h30. Résa pour les groupes (à partir de 10 pers) : ☎ 01-40-05-12-12. *Entrée : 12 € ; réduc. Supplément lunettes 3D 1,50 €. Pers handicapées et leur accompagnateur : 3 € (sf pdt les petites vac scol). Billets combinés avec la Cité des Sciences. Interdit aux femmes enceintes de plus de 6 mois et aux enfants de moins de 3 ans.* Cette boule d'acier poli (première sphère parfaite construite dans le monde) vous transporte dans le futur... Elle abrite une salle de cinéma où quelques centaines de spectateurs sont emportés par l'image grâce à un écran hémisphérique de 1 000 m². Quotidiennement sont proposés des films d'une quarantaine de minutes, ludiques et instructifs, consacrés à l'aventure, à la science et à la nature. Ces films étant diffusés à 180° en format géant IMAX®, l'image offre au spectateur plus qu'il ne peut saisir ; quant aux documentaires projetés en 3D relief, ils immergent les spectateurs au cœur des images. Tout ça grâce aussi à la puissance du son (21 000 W). À près de 30 ans, la Géode est toujours indémodable !

On peut y découvrir le *Jour J* sur les moments clés du Débarquement et les préparatifs qui ont précédé ; ainsi que *South pacific,* une plongée dans les profondeurs...

†ϟ† L'Argonaute *(plan Parc de la Villette, B2)* **:** *côté sud de la Cité, niveau 0. Tlj sf lun 10h-17h30 (18h30 w-e). Tarif unique : 3 €, audioguide inclus. Interdit aux moins de 3 ans.* Authentique submersible, pièce maîtresse d'un ensemble muséologique consacré à l'aventure technologique et humaine de la navigation sous-marine. Ce sous-marin, c'est l'*Argonaute,* construit à Cherbourg dans les années 1950, qui fut en son temps l'un des fleurons de la Marine nationale. Visite intéressante dans un espace très réduit : incroyable réseau de tubulures et câbleries, manettes et écrans partout (radar, sonar), périscopes, exiguïté impensable et vue sur la grosse mécanique de la salle des machines. La visite est complétée par un intéressant petit musée sur l'histoire et la vie à bord des sous-marins (maquettes, fresque historique et films) et des expositions temporaires.

Balade sur le bassin de la Villette et le canal Saint-Martin

19°

⌐†ϟ† Le Martin-Pêcheur : c'est un bateau bien sympa, qui ne fait pas du tout « bateau-mouche à touristes ». Plutôt une bonne idée de descendre (ou de remonter) le canal en péniche ! Pourquoi ne pas prendre le temps de savourer des moments de détente, 2h30 durant, au rythme des écluses qui se remplissent ou se vident ? Pour la description détaillée du parcours, se reporter à la rubrique « Autour du canal Saint-Martin », dans le 10e arrondissement.

Départ, donc, du parc de la Villette, puis franchissement du célèbre pont de Crimée (dernier pont-levis à Paris) ; on peut ensuite admirer la belle rotonde de Ledoux.

De fin mars à mi-nov slt, départ de « la folie des Visites du Parc », au cœur du parc de la Villette (Ⓜ Porte-de-Pantin) tlj sf lun à 14h30. Du musée d'Orsay, départ à bord de La Guêpe Buissonnière ou du Canotier, quai Anatole-France, le long du parking du musée (Ⓜ Solférino) tlj à 9h30.
Rens : **Paris-Canal,** *19-21, quai de la Loire, 75019. ☎ 01-42-40-96-97. ● paris canal.com ● Résa indispensable par tél. Tarif : 19 € ; réduc. Propose aussi tte l'année des croisières à thème (groupes de 20 pers env) et des forfaits de visites.*

– Pour les plus sportifs, **séances gratuites d'initiation à l'aviron, au canoë et à d'autres disciplines** sur le bassin. Seules conditions : habiter Paris et savoir nager. Toute l'année, deux fois par semaine, la base nautique de la Villette fait découvrir l'aviron et le canoë-kayak aux enfants (le mercredi après-midi) et aux adultes (les samedi et dimanche matin) pendant 45 mn. Justificatif de domicile parisien, deux photos obligatoires, et pour les enfants également un brevet de natation 50 m. *Rens : base nautique de la Villette, 41 bis, quai de la Loire, 75019. ☎ 01-42-40-29-90. Ⓜ Jaurès. Horaires : mer 14h-17h ; sam 9h-12h, 14h-17h ; dim 9h-12h.*

▶ Pour le plan du 20ᵉ arrondissement, voir le cahier couleur.

Ce 20ᵉ arrondissement, et dernier de la série, ne présente à priori qu'un seul intérêt majeur : le cimetière du Père-Lachaise. Dernière demeure des gloires authentiques ou des réputations usurpées, des musiciens et des poètes, des peintres et des écrivains, des amants et des amoureuses, c'est un lieu romantique à souhait. Ses vieilles tombes recouvertes de mousse, ses arbres aux racines contrariées, ses anciennes inscriptions hébraïques, ces fleurs sur la tombe de Chopin, le mur des Fédérés, témoin des massacres de la Semaine sanglante : chaque recoin de ce cimetière plus que bicentenaire fait remonter des émotions enfouies (que les cœurs secs passent leur chemin !). Le 20ᵉ se suffit à lui-même, c'est-à-dire aux anciens villages qui le composent : Belleville, Ménilmontant ou Charonne. Et aux gens qui l'habitent. Strates successives d'anciens maraîchers, de prolétaires montés de nos campagnes, d'immigrés italiens, portugais, espagnols, arméniens, juifs, turcs, maghrébins, africains, yougoslaves, asiatiques... Les balades, elles, sont pleines de surprises, de découvertes imprévues : atmosphère, couleur, ambiance... Le vrai dépaysement, il est là. Un dépaysement que l'on observe depuis le point culminant de Paris (148 m), au niveau du nº 40 de la rue du Télégraphe.

UNE VILLE D'ART... PARFOIS INSOLITE !

Bien sûr, Paris se découvre en flânant dans les rues, le nez en l'air : vénérable architecture du XVIIIᵉ s ou au contraire ultra-contemporaine. Mais on peut s'intéresser aussi à un phénomène dans l'air du temps : le *street art* qui, par l'intermédiaire de graffitis, collages ou mosaïques, s'invite sur les façades ou autres éléments de l'espace urbain. Poétiques ou engagées, ces œuvres singulières, principalement florissantes dans l'Est parisien, ont désormais fait leur entrée dans les galeries et musées parisiens : Nemo, Misstic, Jeff Aerosol ou encore Popof sont autant de messagers qui nous surprennent au détour d'une rue. En pianotant sur Internet, vous trouverez plein de suggestions de circuits pour découvrir leur œuvres... ● *streetart-paris.fr* ● *paris-streetart.com* ●

■ Où dormir ?

De très bon marché
à bon marché

⌂ Auberge de jeunesse d'Artagnan
(plan couleur C2, **1**) : 80, rue Vitruve,

75020. ☎ 01-40-32-34-56. ● paris.
le-dartagnan@hifrance.org ● hostel-in.
com ● Ⓜ Porte-de-Bagnolet. ♿ Ouv
24h/24 (mais chambres fermées 12h-15h) ; self 12h-13h30, 18h30-21h
et bar 20h-2h. Résa possible en ligne,

avec paiement sécurisé. Compter 27,40-31 €/pers en chambre double ou dortoir. Carte FUAJ obligatoire (qu'on peut acheter sur place). Plats à partir de 5,95 € ; menu 12 €. Chèques refusés. ☎ Dans un grand bâtiment moderne et fonctionnel proche du très agréable quartier Saint-Blaise et du cimetière du Père-Lachaise. Grande AJ vivante et colorée de 442 lits (c'est la plus grande de France !), offrant des chambres doubles, triples, quadruples et à 5 ou 9 lits, avec douches et w-c pour les plus grandes (les doubles n'ont que la douche, les triples et quadruples se contentent des blocs sanitaires en commun). Pour les groupes, bien se faire préciser les conditions de séjour. Amphi de 100 places, bar, billards, concert le mercredi soir, laverie (3 €) et consignes. Possibilité de réserver en temps réel dans toutes les AJ du monde grâce au système « Hihostel ».

■ **Centre d'hébergement Louis Lumière** (plan couleur C2, **13**) : 46, rue Louis-Lumière, 75020. ☎ 01-43-61-24-51. ● heberglouislumiere@lalique.org ● ligueparis.org ● Ⓜ Pyrénées. Fermé dim et j. fériés 10h-16h. En dortoir 3-8 lits, 19,58-22,95 €/pers ; double 50,18 € ; petit déj compris. CB refusées. ▯ ☎ Un bon plan d'hébergement pas cher et fonctionnel, mais il faut être un peu chanceux, car la priorité est donnée aux groupes scolaires. Cela dit, les 68 lits répartis en chambres simples ou doubles (avec douche privée) et dortoirs de 4 ou 8 personnes (douches et w-c communs) sont plus souvent libérés les week-ends et pendant les vacances scolaires (hors été, où les centres de loisirs sont accueillis). Il faut donc appeler quelques jours avant d'arriver pour connaître les disponibilités. Sur place, pas de restauration ni de cuisine à disposition. En revanche, comme le centre accueille également un espace culturel, l'accès aux pièces de théâtre ou aux séances de cinéma (programmées plusieurs fois par mois) est gratuit !

■ **The Loft Boutique Hostel & Hotel** (plan couleur A1, **14**) : 70, rue Julien-Lacroix, 75020. ☎ 01-42-02-42-02. ● bonjour@theloft-paris.com ● theloft-paris.com ● Ⓜ Belleville. Lit en dortoir 28-50 €, doubles 100-133 €, petit déj inclus. ☎ Au cœur de Belleville, cette nouvelle auberge de jeunesse accueille des voyageurs de toutes les nationalités. Bon point pour la déco ethnique et pimpante avec ses touches de couleurs acidulées sur les murs. Chambres toutes simples mais bien agréables et lumineuses. Pour le reste, on y retrouve tous les atouts d'une bonne AJ : coffre-fort dans les chambres, quelques chambres plus privées – vite prises d'assaut –, bar, cuisine collective, réception ouverte 24h/24 et des tarifs plus que démocratiques. Pour enfin visiter Paris sans stress ! NOUVEAUTÉ.

■ **Nadaud Hôtel** (plan couleur B2, **4**) : 8, rue de la Bidassoa, 75020. ☎ 01-46-36-87-79. ● nadaudhotel@hotmail.fr ● nadaud-hotel.com ● Ⓜ Gambetta. ♿ Doubles 85-95 € ; petit déj 8 €. ☎ TV. Canal +. Un petit déj/chambre et par nuit (4 janv-1er mars) offert sur présentation de ce guide. Ici, l'hôtellerie est une affaire de famille depuis plusieurs générations, alors rien d'étonnant à ce qu'on soit si bien reçu. L'établissement, avec ascenseur, est absolument impeccable. Toutes les chambres, climatisées ou ventilées, sont bien entretenues et tout confort, ce qui n'est pas toujours le cas à ce tarif-là. Celles donnant sur la rue de la Bidassoa sont plus grandes ; notre préférence va à la n° 629 pour sa vue exceptionnelle sur les toits de Paris. Enfin, possibilité de créer des suites familiales en utilisant 2 chambres voisines reliées par un palier privé ; pratique.

■ **Hôtel Ermitage** (plan couleur B1, **7**) : 42 bis, rue de l'Ermitage, 75020. ☎ 01-46-36-23-44. ● info@hotel delermitage.fr ● hoteldelermitage.fr ● Ⓜ Jourdain. Doubles 65-75 € selon saison. ☎ TV. Satellite. Sur les hauteurs de Ménilmontant, avec une belle vue sur tout Paris, ce modeste hôtel récemment ravalé propose des petites chambres fonctionnelles et bien tenues, calmes, agrémentées d'un bon matelas mais d'une minuscule salle de bains. Cette petite adresse économique (pas d'ascenseur) s'avère être un bon choix pour profiter des chaudes soirées de Belleville ou de Ménilmuche.

20e

🛏 *Hôtel Armstrong (plan couleur C3, 3) :* 36, rue de la Croix-Saint-Simon, 75020. ☎ 01-43-70-53-65. ● info@hotelarmstrong ● hotelarmstrong.com ● Ⓜ Porte-de-Montreuil. Doubles 59-116 € selon saison ; petit déj 8 €. ▯ 🛜 TV. Satellite. Câble. Parking payant. Dans un style hôtel de chaîne, cet établissement à la façade en briquettes rouges offre un confort indéniable dans une petite rue calme. Chambres modernes aux couleurs agréables, dotées d'un bon lit, TV écran plat, sauna... et des tarifs intéressants sur Internet. Celles sur la rue de la Croix-Saint-Simon sont nettement plus lumineuses que celles sur la rue des Réglisses (en revanche, quelques-unes au rez-de-chaussée se contentent de fenêtres opaques). Le petit plus, c'est l'espace commun convivial au sous-sol, avec billard, minipub cosy, et un café Internet !

Prix moyens

🛏 *Hôtel Palma (plan couleur B2, 8) :* 77, av. Gambetta, 75020. ☎ 01-46-36-13-65. ● hotel.palma@wanadoo.fr ● hotelpalma.com ● Ⓜ Gambetta. ♨ Ouv 24h/24. Doubles 99-135 € selon saison ; petit déj 10 €. 🛜 TV. Canal +. Satellite. Parking payant. Un petit déj/chambre offert sur présentation de ce guide. Malgré l'environnement très bruyant de la place Gambetta, cet hôtel, convenablement insonorisé (on peut également dormir sur l'arrière si on a le sommeil très léger), tire quelques épingles de son jeu. Rénovées, avec parquet et mobilier neuf, TV écran plat, salle de bains récente avec sèche-cheveux, balcon au 3ᵉ étage... les chambres sont agréables et confortables. Sans charme particulier mais très bien tenu, le type même de la bonne adresse fonctionnelle. Accueil très aimable.

🛏 *Mary's Hôtel (plan couleur B1, 5) :* 118, rue Orfila, 75020. ☎ 01-43-61-51-68. ● reservation@maryshotel.fr ● maryshotel.fr ● Ⓜ Pelleport. Doubles 75-84 € (potentiellement négociable) ; petit déj 7 €. Réduc sur Internet. 🛜 TV. Satellite. 10 % sur le prix de la chambre sur présentation de ce guide. Petit hôtel familial sans prétention plutôt bien tenu et à l'accueil bien sympathique. Les chambres sont un peu datées (avec des grandes salles de bains vieillottes) mais tout à fait correctes, avec TV écran plat et mini-bar. Toutes les chambres du 6ᵉ (sans ascenseur) sont entièrement refaites (avec douche à l'italienne) et bénéficient d'une vue bien dégagée. Celles côté rue Orfila sont plus calmes, mais celles sur la rue Gambetta ont une plus jolie vue.

🛏 *Hôtel Charma (plan couleur C3, 2) :* 14 bis, rue des Maraîchers, 75020. ☎ 01-43-72-51-96. ● hotel charma@free.fr ● hotelcharma.com ● Ⓜ Porte-de-Vincennes. Doubles 75-120 € selon saison ; petit déj 9 €. ▯ 🛜 TV. Canal +. Un petit déj/chambre offert sur présentation de ce guide. Un bon rapport qualité-prix. Entièrement rénové dans un style contemporain coloré, le hall s'ouvre sur un salon avec canapés en cuir et TV écran géant, ainsi que sur une agréable terrasse fleurie, idéale pour prendre le petit déj. Les chambres, à l'image des parties communes, sont chaleureuses, calmes et d'un confort suffisant. Le tout est couronné d'un accueil et d'un service de qualité.

🛏 *Timhotel Nation (plan couleur B3, 9) :* 5-7, rue d'Avron, 75020. ☎ 01-43-56-29-29. ● nation@timhotel.fr ● timhotel.com ● Ⓜ Avron. ♨ Doubles 65-140 € selon saison ; petit déj 13,50 €. ▯ 🛜 TV. Canal +. Câble. À deux pas de la place de la Nation, bâtiment moderne disposant d'un patio l'été pour le petit déjeuner ; il y a également des chambres sur cour (certaines sont même de plain-pied sur la terrasse), pour les amateurs de calme. Une adresse sans charme particulier, mais efficace, fonctionnelle, d'un niveau de confort suffisant, et surtout d'un bon rapport qualité-prix (hors périodes de salons). Pour l'anecdote, cet hôtel est un ancien cinéma indien des années 1970 !

Chic

🛏 *Mama Shelter (plan couleur B2, 10) :* 109, rue de Bagnolet, 75020. ☎ 01-43-48-48-48. ● paris@mama shelter.com ● mamashelter.com ● Ⓜ Gambetta ou Alexandre-Dumas. Doubles 89-179 € selon chambre et saison ; petit déj 16 €. Réduc sur Internet. 🛜 TV. Satellite. En bordure de voies ferrées désaffectées, un nouveau concept de résidence hôtelière hype et branchée, à l'architecture ultramoderne alliant verre et acier, pensée par Philippe Starck. L'intérieur, forcément très design, est vraiment étonnant ! De vastes salles qui s'enchaînent, bordées d'une terrasse en teck : salon d'hôtes avec tables en verre incrustées de grands écrans LCD, bar en U rétro-éclairé au mobilier surprenant et à l'ambiance arty très bobo, resto chic, scène de concert, sans oublier le web corner. Ça en jette ! Les chambres, aux couleurs assez sombres, agrémentées d'un lit king size et d'une kitchenette (évier et micro-ondes), sont luxueuses et raffinées. Éclairage à l'intérieur de masques accrochés aux murs, iMac, lecteur CD-DVD, salle de bains high-tech... tout est pensé pour offrir du confort autant que pour épater. Plusieurs formules de réservations à l'avance et prépayées sur Internet offrent des tarifs avantageux. Fait également resto et bar.

🏠 **Adagio City Aparthotel** (plan couleur B2, **11**) : 12, rue Bayle, 75020. ☎ 01-58-39-31-50. ● h8364@ adagio-city.com ● adagio-city.com ● Ⓜ Philippe-Auguste. ♿ Selon saison, studio pour 2 pers 99-165 €, 2-pièces pour 4 pers 129-205 € ; petit déj 8,40 €. 🛜 TV. Canal +. Satellite. Parking payant. Face au cimetière du Père-Lachaise, à l'angle de la rue du Repos, au calme, donc ! Hôtel-résidence proposant en formule hôtelière des studios fonctionnels et des 2-pièces avec un vaste salon, tous équipés d'une kitchenette et d'une salle de bains moderne. Petite cour intérieure agréable pour le petit déjeuner aux beaux jours et parking à quelques pas. Une solution économique sur la longue durée (tarifs dégressifs dès 4 nuits).

🏠 **Chambres d'hôtes La Maison Bleue** (plan couleur C1-2, **12**) : 60, rue du Capitaine-Ferber, 75020. ☎ 09-51-96-05-92. ● alain.dhervillers@world online.fr ● bedandbreakfastofparis. com ● Ⓜ Porte-de-Bagnolet. Résa recommandée. Double 85 €, petit déj inclus. CB refusées. 🛜 C'est la campagne à Paris ! Trois chambres d'hôtes dans une petite maison à la porte bleue avec un joli jardin fleuri. Dans un décor où se mêlent harmonieusement l'ancien et le contemporain, coloré et de bon goût, rempli d'objets hétéroclites et rares, Alain et Christophe accueillent leurs hôtes avec bonne humeur et décontraction. Deux chambres à l'étage, élégamment meublées, partagent une salle de bains nickel, tandis que la 3e, avec douche aussi, donne directement sur le jardin. Indépendants, les propriétaires ont leur appartement privé au 2e étage. Un petit coin de campagne à Paris et une formule qui change de l'hôtel. On s'y sent tellement bien que l'on n'a plus envie de repartir ! Ça tombe bien, le tarif est dégressif pour plusieurs nuits. L'adresse a d'ailleurs déjà ses habitués.

🏠 **Hôtel Paris Gambetta** (plan couleur B2, **6**) : 12, av. du Père-Lachaise, 75020. ☎ 01-47-97-76-57. ● contact@ hotelparisgambetta.com ● hotelpa risgambetta.com ● Ⓜ Gambetta. ♿ Dans une petite rue tranquille qui mène au Père-Lachaise. Doubles 105-135 € selon confort et saison ; petit déj 12 €. 🖥 🛜 TV. Canal +. Parking payant. Un petit déj/chambre offert sur présentation de ce guide. Un 3-étoiles agréable au style un peu suranné, quoique rénové. Chambres bien tenues, équipées d'un minibar et d'une petite TV écran plat. Préférer celles sur rue, bien plus claires. Une bonne petite adresse, calme et douillette, dans un quartier peu touristique mais agréable à parcourir. Accueil charmant, et un patron très à cheval sur la propreté.

20e

Où manger ?

Bon marché

|●| **Le O'Paris** (plan couleur A1, **17**) : 1, rue des Envierges, 75020. ☎ 01-43-66-38-54. Ⓜ Couronnes ou Pyrénées. Tlj 8h-minuit (2h ven-sam, 16h slt lun-mar en hiver). Menus 13-16,50 € le midi en sem ; carte env 25 € ; brunchs dim 17-22 €.

Un bien joli cadre pour ce bistrot qui domine le parc de Belleville et tout Paris ! Et grande terrasse prisée aux beaux jours. Déco soignée et meubles d'écoliers, une ambiance cosy. Côté cuisine, des plats de bistrot frais et bien tournés, de qualité constante. Également un choix de limonades ou jus maison. Jeux de société à dispo et, le dimanche, copieux brunchs et soirées jazz (sauf en été). Enfin, pour ceux qui déjeunent ici en semaine, le café est à 1 €, le verre de vin à 2 €. « O'chic » alors ! *NOUVEAUTÉ.*

Prix moyens

I●I *Bistro Chantefable (plan couleur B2, 19) :* 93, av. Gambetta, 75020. ☎ 01-46-36-81-76. ● cep2075@orange.fr ● Ⓜ Gambetta. Tlj 11h45-minuit. Carte 25-35 € ; nombreux vins au verre à partir de 3,70 €. Café offert sur présentation de ce guide. Dans une grande salle Empire couverte d'immenses miroirs et de reproductions de tableaux du début du XXᵉ s s'affairent des serveurs habillés dans la plus pure tradition. Mais sous ses airs de grand bistrot de gare se cache un restaurant où l'on se régale d'excellents plats de viande (le filet de bœuf sur pierrade est tout simplement délicieux) ou d'assiettes de fruits de mer. Les produits sont frais, les plats copieux, et l'ardoise change tous les jours. La grande terrasse, chauffée en hiver, est prise d'assaut aux premiers rayons du soleil.

I●I *Lou Tiap (plan couleur B2, 21) :* 81, rue de Bagnolet, 75020. ☎ 01-43-70-77-93. Ⓜ Porte-de-Bagnolet ou Alexandre-Dumas. À l'angle de la rue de Lesseps. Tlj sf dim-lun et mer midi. Apéro possible à partir de 18h. Congés : août. Plateau déj entrée + plat + dessert + boisson 18 € ; menus 33 € (autour du cassoulet)-35 € ; petit déj (8h30-10h30) 8,50 €. « Lou tiap », en gascon, c'est le repas, mais aussi le moment convivial que l'on partage à table. Ce sympathique resto fait honneur à son nom. Dans une salle rustico-contemporaine avec cuisine ouverte et bénédiction de la croix occitane, on « tiape » une

cuisine maison préparée avec des produits frais et l'accent du Sud-Ouest. En vedette, le cassoulet aux 4 viandes (un monument !), le cochon noir de Bigorre et le canard sous toutes ses formes. Excellent accueil. Le plateau du midi est une réelle affaire. Chouette carte des vins genre « copains-paysans », servis à prix d'amis. En sortant, allez donc faire quelques pas jusqu'au jardin naturel voisin, un havre de paix. *NOUVEAUTÉ.*

I●I *Le Zéphyr (plan couleur A1, 23) :* 1, rue du Jourdain, 75020. ☎ 01-46-36-65-81. Ⓜ Jourdain. ♿ Tlj 8h-2h ; service continu. Entrées et desserts à partir de 5,50 €, plat 10,90 €. Dans son décor Art déco de 1928 superbement conservé, *Le Zéphyr* brille d'une flamme naturelle mais modeste, dans ce quartier populaire connaissant des « faims de mois » parfois difficiles. Que les gourmets se rassurent, midi et soir on y propose en service continu une carte élaborée de plats maison, une sélection de vins de producteurs à prix doux et de jolis desserts. En résumé, on a rarement vu un lieu qui allie aussi bien une cuisine légère et une bonne gouaille de quartier dans un décor de cette classe !

I●I *Les Allobroges (plan couleur C3, 15) :* 71, rue des Grands-Champs, 75020. ☎ 01-43-73-40-00. Ⓜ Maraîchers. Tlj sf dim soir ; service 12h-14h, 19h30-22h. Congés : 3 sem en août. Résa conseillée. Menus 24 € (sf w-e et j. fériés)-37 € ; carte env 50 €. Parking. Décor cosy et feutré (murs pastel, moquette épaisse, un petit côté province), cuisine bourgeoise qui se défend bien et service pro. Mention spéciale pour les viandes, fondantes et goûteuses à souhait. Bref, une bonne adresse de l'Est parisien avec en bonus un petit patio.

Chic

I●I *Chatomat (plan couleur A2, 20) :* 6, rue Victor-Letalle, 75020. ☎ 01-47-97-25-77. ● chatomatparis@gmail.com ● Ⓜ Menilmontant. Tlj sf dim-lun, le soir slt. Ouv le 1ᵉʳ dim du mois. Fermé Noël et Jour de l'an. Congés : août. Résa indispensable. Carte 35-45 € ;

vins au verre à partir de 6 €. Il y a peu, personne ne serait venu là ! Alice et Victor, eux, relèvent le défi ! Une petite rue, une salle qui, de l'extérieur, ressemble à un atelier et, à l'intérieur, une déco minimaliste. Aux fourneaux, un quatre-mains qui envoie une vraie cuisine de gastro qui va mûrir. La carte courte facilite la tâche de tout le monde, d'autant que les plats servis parlent pour eux (et pour nous !). Les produits, la spontanéité de la cuisine, les cuissons, les saveurs qui se révèlent sans jamais étouffer le goût, tout y est ; ici, pas d'esbroufe. Carte des vins courte mais bien équilibrée.

|●| Le Baratin (plan couleur A1, **18**) : 3, rue Jouye-Rouve, 75020. ☎ 01-43-49-39-70. **Ⓜ** Belleville. Tlj sf sam midi et dim-lun 12h-14h30, 19h30-23h. Congés : 2 sem en fév, 1 sem en mai et 4 sem en août. Résa conseillée. Menu 20 € le midi en sem ; carte 38-42 €. Café offert (le soir) sur présentation de ce guide. Un vrai bistrot de quartier, où Raquel cuisine la simplicité et les saveurs comme personne, en fonction du marché. Pas d'école, un art spontané, acquis par le plaisir de procurer du bonheur aux autres. Résultat, des cuissons d'une grande justesse et sans chichis, une maîtrise parfaite des jus et des produits. Pour les vins, Philippe Pinoteau, « Pinuche » pour les intimes, s'occupe de tout : ses choix sont excellents et à prix corrects.

|●| La Boulangerie (plan couleur A2, **16**) : 15, rue des Panoyaux, 75020. ☎ 01-43-58-45-45. **Ⓜ** Ménilmontant. Tlj sf sam midi et dim-lun 12h-13h45, 20h-22h30. Congés : dernière sem de juil et 3 premières sem d'août ainsi que Noël-1er janv. Résa conseillée le soir et le w-e. Formules déj 15-18 € ; menu-carte 36 €. Alignez un beau bistrot riche en boiseries et en mosaïques boulangères, une équipe jeune, accueillante et passionnée, des produits frais et bien travaillés... Parsemez d'une belle touche de créativité, d'une grande maîtrise des cuissons (dont les basses températures) et d'épices... Liez enfin mon tout avec une carte qui tourne tous les mois et quelques très belles réussites dans les desserts. Et vous obtenez cet excellent repas qui flirte avec la vraie gastronomie, dans une ambiance détendue qui plus est. Seul bémol : la carte des vins, qui plombe dangeureusement l'addition, bien que certains crus soient servis au compteur.

|●| Mama Shelter (plan couleur B2, **10**) : 109, rue de Bagnolet, 75020. ☎ 01-43-48-45-45. ● food.paris@ mamashelter.com ● **Ⓜ** Gambetta ou Alexandre-Dumas. ♿ Tlj ; service 12h-15h, 19h-1h30. Résa quasi indispensable. Menus à partir de 10 pers 55-100 € ; carte 40-45 € ; pizza env 12 €. Mama Shelter « superStark » ! La pièce qui se joue devant vous a été mise en scène par le célèbre designer, et nul ne peut ignorer le gigantesque tableau noir au plafond, graffité à la craie de couleur. Un peu de simplicité dans l'assiette, par contraste, c'est ce qu'a choisi Guillaume Leray, avec la bénédiction d'Alain Senderens. La carte se concentre sur des produits simples, des classiques revisités et des plats à partager : burrata tomate cerises confites et huile d'olive, tendre parmentier de confit de canard... Plus que jamais, à Paris, la cuisine se partage. Également une pizzeria.

20ᵉ

Bar à vins

|●| ♟ La Limite (plan couleur B2, **22**) : 62, rue Orfila, 75020. ☎ 01-46-36-54-80. **Ⓜ** Gambetta. Tlj 17h-2h. Vins au verre à partir de 3,50 €. Planche de fromages et charcuterie 12 €. Dans cette rue improbable, c'est la seule luciole à 200 m à la ronde, et le passant se fait rare à mesure que la nuit avance. Pas étonnant que les gens du quartier se raccrochent à cette bouée conviviale et se soient approprié les lieux... Faut dire que l'extrême humanité et la gentillesse de Gaël, le jeune patron, y sont sûrement pour quelque chose. En outre, l'endroit se révèle chaleureux, avec ses tableaux (à vendre) type Lower East Side années 1980, son vénérable flipper, ses profonds fauteuils pour branchés fatigués et son fumoir pour les derniers addicts (hélas, pas de place pour le baby-foot). Vins bien choisis et pas chers, et surtout des cocktails élaborés avec amour et originalité comme sa « Fée Verte » (un mojito d'un autre genre) et son bloody mary à la tomate fraîche... Une petite faim ? Planches de beaux produits de bons producteurs. *NOUVEAUTÉ.*

Cuisine d'ailleurs

Bon marché

|●| *Chez Ramona (plan couleur A1, 25)* : 17, rue Ramponeau, 75020. ☎ 01-46-36-83-55. ⓜ Belleville ou Couronnes. Tlj sf lun, le soir slt ; service 20h-22h30. Paella sur commande 36,60 € pour 2 et à partir de 15,25 €/pers pour 4 ; carte env 20 €. Pas très engageante, cette petite épicerie encombrée ! En fait, la salle de resto se trouve au 1er étage, en haut d'un escalier étroit. Là, vous débarquez dans une petite pièce tapissée de souvenirs ibériques à 3 pesetas, royaume du kitsch spontané, en plein Belleville ! D'emblée, on vous reçoit en vous tutoyant, accueil rustre et chaleureux en même temps. La paella et les plats traditionnels manquent un peu de subtilité, mais les parts sont généreuses. Adresse dépaysante, histoire de vérifier que Paris est vraiment une ville cosmopolite !

|●| *Karaïbes et Associés – Spécialités antillaises (plan couleur A1-2, 27)* : 16, bd de Belleville, 75020. ☎ 01-43-58-31-30. ● specialites.antillaises@yahoo.fr ● ⓜ Ménilmontant. Resto, sur résa slt, mar-sam 12h-15h ; magasin mar-jeu 10h-19h, ven-sam 9h-19h, dim 9h-12h. Carte env 24 €. Apéritif maison offert sur présentation de ce guide. Acras de morue, boudin créole, colombo de porc ou de requin, poulet à la créole, cabri, mont-blanc coco... sont à déguster sur place ou à emporter. Ce resto à l'ambiance antillaise, entre la musique, la déco, l'apéro au ti-punch et la cuisine épicée, porte le soleil en lui ! À faire les jours de grisaille !

|●| *Le Jardin d'Or (plan couleur C3, 26)* : 81, rue des Pyrénées, 75020. ☎ 01-44-64-93-20. ⓜ Maraîchers. Tlj 12h-14h30, 19h-23h. Menus 9,90 € (midi en sem)-18,90 €, dont un abondant menu vapeur 13,90 € ; carte 20-25 € ; spécialité : la fondue thaïe (de qualité et copieuse) 48 € pour 2. Apéritif maison offert sur présentation de ce guide. Une carte riche et variée, proposant des spécialités chinoises mais surtout thaïlandaises, pays d'origine des charmants patrons. Cuisine éminemment familiale, qui a su séduire les habitants du quartier. C'est simple, bon, pas cher et copieux. D'ailleurs, si vous n'avez qu'une petite faim, une entrée et un riz sauté (thaï de préférence) suffiront ! Accueil et service très agréables.

Prix moyens

|●| *Le Krung Thep (plan couleur A1, 28)* : 93, rue Julien-Lacroix, 75020. ☎ 01-43-66-83-74. ⓜ Pyrénées ou Belleville. Tlj, le soir slt, 19h-23h. Résa et ponctualité indispensables, car souvent complet. Carte slt, 25-30 €. À l'autre bout du monde, un petit resto de quartier, et pourtant... On ne s'y installe pas facilement (mesdames, évitez les jupes !), mais, une fois assis, place à la carte-catalogue : salade de mangue ou aux fleurs de bananier, soupe de poulet-coco basilic, moules sautées sauce piquante ou aigre-douce, etc. Attention, c'est relevé ! Certains penseront que c'est un peu cher... peut-être, mais c'est le prix à payer pour une cuisine thaïe authentique.

Où boire un verre ?

🍷 *Les Trois Arts (plan couleur B1, 32)* : 21, rue des Rigoles, 75020. ☎ 01-43-49-36-27. ● les3arts@free.fr ● ⓜ Jourdain ou Gambetta. Mar-sam 17h-2h, dim 11h-22h. Congés : août. Demi 2,50 €. Un vieux café plein de charme où il fait bon prendre une pause quels que soient l'heure, l'âge et le programme. Culturellement actif, il accueille en permanence des concerts. En soirée, on peut s'adonner un mardi et un dimanche par mois à des parties de jeux de société en tout genre et, tous les vendredis, spécialité bretonne au menu : le kig ha farz. Les événements se déroulent dans la salle du bas, aux murs en pierre et bar en bois. Mais si vous avez juste envie de papoter, la salle du haut s'y prête très bien, avec ses expos. Enfin, une artothèque (prêt d'œuvres d'art), histoire de démocratiser l'art contemporain. Ce café a bien plus d'un art à son arc !

Y Les Pères Populaires (plan couleur B3, **33**) : 46, rue de Buzenval, 75020. ☎ 01-43-48-49-22. ● pers pop@gmail.com ● Ⓜ Buzenval. Tlj 8h (10h w-e)-2h. Congés : août. Bière 2,80 € ; cocktail 6,50 € ; verre de vin 2,40 €. Planches de charcuterie ou de fromages 6-10 €. 🛜 Dans un coin perdu du 20e, ce sympathique bistrot fait le plein toute la semaine. Il en faut pourtant, du monde, pour le remplir ! On s'installe au bar coloré ou dans la salle à la déco seventies, et on fait rapidement des rencontres. Planches sympas en cas de fringale. Un lieu bouillonnant.

Y La Bellevilloise (plan couleur B1, **39**) : 19-21, rue Boyer, 75020. ☎ 01-46-36-07-07. ● resa@labelle villoise.com ● Ⓜ Gambetta ou Ménilmontant. ♿ Mer-ven 19h-2h, sam-dim 11h30-2h. Fermé 24 déc. Dim, jazz-brunch 29 € : buffet salé-sucré à volonté, boissons à volonté ; brunch-enfants 13 €. Au club, la programmation éclectique permet à chacun de s'y retrouver, les corps marquent le rythme dans cette salle

aux allures d'entrepôt désaffecté. Et si vos pieds ne suivent plus la cadence, il est indispensable de vous ressourcer à La Halle aux Oliviers, afin de faire une pause sonore à l'ombre des oliviers. La Bellevilloise, c'est aussi un lieu d'expositions, de projections, de spectacles et d'ateliers (pour ttes les infos, consultez leur site : ● labellevil loise.com ●).

Y Lou Pascalou (plan couleur A2, **35**) : 14, rue des Panoyaux, 75020. ☎ 01-46-36-78-10. ● barnoyaux@free. fr ● Ⓜ Ménilmontant. Tlj 10h30-2h. Demi 2,50 € ; cocktail 6,50 €. Une clientèle mélangée vient se retrouver chez Momo, dans ce grand bar un peu en retrait du boulevard de Ménilmontant. On aime ce lieu pour son atmosphère bon enfant, sa charmante terrasse qui déborde l'été, ses concerts (le dimanche)... mais aussi pour son spectacle d'improvisation, sa soirée courts-métrages et son bœuf musical mensuel.

Y Le Soleil (plan couleur A2, **37**) : 136, bd de Ménilmontant, 75020. ☎ 01-46-36-47-44. ● cafe.soleil@ yahoo.fr ● Ⓜ Ménilmontant. Tlj 9h-2h. Demi 3 € en terrasse, 2 € au comptoir. Ne cherchez pas, c'est LA terrasse emblématique de Ménilmontant. Dès que la température dépasse les 12 °C et que les nuages ménagent une petite place à Phœbus, les patrons moustachus sortent une quantité astronomique de tables et de chaises (en plastique, ça va de soi), et alors voguent les apéros jusqu'à la nuit tombée ! On s'interpelle de table en table, on drague, on regarde passer la vie... L'intérieur du Soleil est moins pittoresque sans toutefois manquer de charme, avec ses peintures naïves et son grand miroir.

Où boire une bonne mousse ?

Y Le Bouillon Belge (plan couleur B3, **38**) : 6, rue Planchat, 75020. ☎ 01-43-70-41-03. ● contact@lebouillonbelge. fr ● Ⓜ Avron ou Buzenval. Tlj 17h-2h (minuit dim). Bières à partir de 2,50 €. CB refusées. Certes, il faut le trouver ce bar, dans ce coin reculé de Paris.

Mais le jeu en vaut la chandelle ! Dix pressions et une centaine de bouteilles de la meilleure bière : la belge, bien sûr. On accompagne ces doux breuvages de cornets de frites ou de petits plats à partager, pour éviter le delirium tremens. Une découverte, une fois !

20e

Où sortir ?

🍷 🎵 *La Féline* (plan couleur A2, **41**) : 6, rue Victor-Letalle, 75020. ● ego.lar tigue@hotmail.fr ● myspace.com/lafe linebar ● Ⓜ Ménilmontant. Mar-dim 18h-2h. Bière 3 €. Un bar de poche au look destroy et rock'n'roll qui s'anime dans la soirée. La clientèle est à l'image du décor, décontractée et remuante. Petits concerts très fréquents (gratuits).

🍷 🎵 *La Flèche d'Or* (plan couleur B2, **45**) : 102 bis, rue de Bagnolet, 75020. ☎ 01-44-64-01-02. ● alexandre. fleche@orange.fr ● flechedor.fr ● Ⓜ Alexandre-Dumas. En principe, lun-ven 19h30-1h30, sam-dim 20h-2h. Concerts ts les soirs. L'ancienne gare de Charonne, sur la Petite Ceinture, vous ouvre ses portes. La déco, désormais plus sobre et plus sombre, a fait de ce lieu mythique une salle de concerts plus banale (travaux d'isolation obligent !). Des tarifs modérés et des concerts de haute volée presque tous les soirs – du rock essentiellement, mais aussi de l'électro – attirent une foule de lecteurs des *Inrockuptibles* et de magazines à la mode, d'étrangers ou de simples fêtards. La terrasse sous la verrière, donnant sur les voies ferrées, offre une pause de choix. Seul bémol : une fois les concerts terminés, le lieu est plutôt déserté. Un classique.

🍷 🎵 *La Maroquinerie* (plan couleur B1, **46**) : 23, rue Boyer, 75020. ☎ 01-40-33-64-85. ● resto@lama roquinerie.fr ● lamaroquinerie.fr ● Ⓜ Gambetta. ⚒ Bar-resto-concert tlj 18h30-2h (resto 19h30-23h30). Congés : août et Noël-Jour de l'an. Carte env 25 €. Sur les hauteurs de Ménilmontant, une ancienne maroquinerie joliment reconvertie en salle de concerts et resto. On sirote son verre assis dans la cour sous le soleil, debout au comptoir ou à l'abri. Une bien belle adresse. Également une vraie salle de concerts avec une bonne programmation éclectique tendance rock et musiques actuelles.

🍷 🎵 *Studio de l'Ermitage* (plan couleur B1, **47**) : 8, rue de l'Ermitage, 75020. ☎ 01-44-62-02-86. ● studio-ermitage.com ● Ⓜ Jourdain ou Ménilmontant. ⚒ Congés : août. Se renseigner avt sur la programmation. Entrée concerts : 5-20 €. Ce lieu atypique et charmant, avec un joli bar et une coursive surplombant la scène, est dédié aux cultures du monde, et en particulier à ses musiques. Il propose de nombreux concerts ou soirées musicales, ainsi que du théâtre. Qu'on y danse sur de la *cumbia*, de la musique tzigane ou africaine, la programmation est toujours de qualité.

À voir

LE PÈRE-LACHAISE (plan Cimetière du Père-Lachaise)

🏛🏛🏛 16, rue du Repos, 75020. Rens : ☎ 01-71-28-50-82/56. ● paris.fr ● Ⓜ Père-Lachaise ou Philippe-Auguste. Entrée bd de Ménilmontant, au bout de la rue de la Roquette. Tlj 8h (8h30 sam, 9h dim et j. fériés)-18h (17h30 de mi-oct à fév). Conservation (bureaux) : lun-ven 8h30-12h30, 14h-17h. Avr-nov, visite guidée sam à 14h30 (rdv à l'entrée principale, bd de Ménilmontant) ; durée : env 2h ; tarif : 6 €, réduc. De nombreuses visites thématiques sont organisées. Vous trouverez gratuitement des plans généraux à la conservation, ainsi que des propositions d'itinéraires (Commune de Paris, mémoriaux de la Déportation et des combattants étrangers...) et des parcours pour pers à mobilité réduite.

Ouvert sur ordre de Napoléon en 1804, il donnait enfin « le droit à chaque citoyen d'être enterré quelle que soit sa race ou sa religion » ; jusque-là, artistes, saltimbanques, athées, suicidés... étaient privés de sépulture. Une destination de promenade unique. Un fol après-midi en compagnie des morts les plus sympathiques de la terre. Tour à tour tragiques, joyeux, sinistres, ludiques, avec parfois une sacrée dose d'étrange et de sensualité (mais oui !). Quand le Père-Lachaise fut créé, les Parisiens, habitués à se faire enterrer dans et à côté des églises, marquèrent des réticences à s'expatrier ainsi « loin » de Paris. Aussi, les autorités eurent recours au marketing et organisèrent, de façon très publicitaire, le transfert des restes d'Héloïse et Abélard, Molière et La Fontaine en 1817.

N'oubliez pas que vous êtes dans un cimetière et que, si vous êtes en vadrouille, d'autres se recueillent ou participent à des cérémonies, très nombreuses, y compris le week-end.

LES VIP DU PÈRE-LACHAISE

Entrons par le boulevard de Ménilmontant, porte principale ouvrant sur le Paris d'autrefois, monument historique construit en 1820. Nous ressortirons à l'opposé, par la porte Gambetta, construite au début du XXe s pour les besoins du crématorium (le premier de France). Et comme on veut quand même vous ménager, on vous propose deux itinéraires différents (la superficie totale du Père-Lachaise est tout de même de 43 ha !), complémentaires l'un de l'autre.

À la découverte du jardin de Brongniart et du parc d'Alphand

Ils constituent l'ancienne colline de Charonne, partie historique du Père-Lachaise, par opposition au « plateau », la partie récente desservie par l'avenue Gambetta. Les jésuites de Paris, installés à Saint-Paul (église et couvent, actuel lycée Charlemagne), y possédaient une superbe propriété campagnarde avec vergers, potagers et bosquets. Leur chef, François de La Chaize, confesseur et conseiller de Louis XIV, s'y fit bâtir un superbe château avec l'argent du Roi-Soleil. Il y donna des fêtes somptueuses. Le domaine prit son nom actuel lorsqu'il devint cimetière de l'Est en 1804 par la volonté de Napoléon.

– Bizarrement, la tombe de *Colette,* l'une des premières à gauche de l'avenue du Puits, n'est pas envahie par des chats larmoyants. En face, près d'un tombeau chinois aux dragons, une sépulture émouvante : celle d'un poète aveugle, *René de Buxeuil,* un royaliste dont le visage est représenté avec des yeux blancs.

– Retour dans l'avenue principale, partie piétonne, à gauche. Après *Visconti* contemplant son Louvre, la tombe de *Musset* affiche une épitaphe sous forme de poème. « Mes chers amis, quand je mourrai, plantez un saule au cimetière... » Le saule est bien là, mais il faut régulièrement le remplacer. À côté, la tombe de son ennemi : le baron *Haussmann.* L'ingénieur *Le Bas* explique, dessin à l'appui, comment il érigea l'obélisque de la Concorde. En face, les tombes de gens connus avec de belles sculptures : bustes d'*Arago* et de *Ledru-Rollin* par David d'Angers ; beau gisant de *Félix Faure,* président de la République mort à l'Élysée dans les bras d'une courtisane (enveloppé dans le drapeau national, comme Kennedy au cimetière d'Arlington : la grandeur sacrée fait oublier les frasques conjugales ; d'ailleurs, curieusement, le drapeau fait plutôt penser à des draps défaits).

– Au centre de l'avenue, le *monument aux morts* (1899) de Bartholomé (classé). À l'inauguration, son caractère laïque choqua plus que la nudité des statues... Le sculpteur *Falguière,* concurrent de Rodin, voisine avec un chef-d'œuvre de Bartholdi (statue de la Liberté) : le sergent Hoff, flanqué de la petite Alsacienne. La guerre de 1870 vient d'avoir lieu : elle est omniprésente au Père-Lachaise.

– Sur la terrasse où Balzac fait s'écrier à Rastignac contemplant Paris : « À nous deux maintenant ! », les arbres qui ont poussé cachent heureusement les tours de la capitale. Deux grands édifices : la *chapelle* de 1822, construite grâce à un legs privé, et le mausolée de *Thiers,* lourd, à l'image du personnage. Une bombe, en 1971, centenaire de la Commune, est venue rappeler la tragédie des 30 000 communards, victimes de la sanglante vengeance de Thiers et des versaillais.

NORD

Rue Houdart

Rue des Amandiers

R. des Mûriers

Rue Désirée

Gambetta

Rue Fernand Léger

Square Samuel de Champlain

81

Avenue

72

Avenue

47

80

Av. Frédéric Soulié

71

Av. Gall

48

Félix de Beaujour

64

Avenue

Circulaire

69

Balzac

49

Delacroix

46

PL. AUGUSTE MÉRIVIER

Duc de Morny

70

Michelet

Avenue

63

65

Chemin Errazu

Avenue des Ailantes

Maquet

Nerval

Annie Girardot

M Père Lachaise

Av. de l'Ouest

Av. des Peupliers

68

Bizet

54

49

Entrée

62

Avenue

Seurat

66

Ch. d'Ornano

67

Barbedienne

53

52

61

Av. des

Louis Blanc

56

Del Duca

Av. Feuillant

50

Boulevard

60

Chemin Hautoy

Pozzo di Borgo

Av. de la Neigre

57

Chapelle

55

Av. Saint Morys

51

58

Av. Circulaire

Latérale Nord

Thiers

Av. Saint Morys

21

22

Passage de la Folie Regnault

59

Av. Thirion

Haussmann

Monument aux Morts

4

Falguière

12

Géricault

20

de

Musset

4

Faure

Talma

Chapelle

Colette

Ledru-Rollin

Bellini

Bernardin de Saint-Pierre

Bashung

18

Entrée principale

Avenue

Principale

3

Arago

Av. Latérale Sud

4

Mlle George

10

11

Chopin

13

Périer

2

9

Desproges

Petrucciani

Comte

Rue de la Roquette

Ménilmontant

de

Rachel

Avenue

8

Casimir

Périer

14

Jim Morrison

Rothschild

7

Héloïse et Abélard

5

Pissarro

Chemin

6

Rue de la Folie

M Philippe Auguste

Rue de Mont Louis

Boulevard

de

Charonne

73

Serré

Av. Philippe Auguste

20°

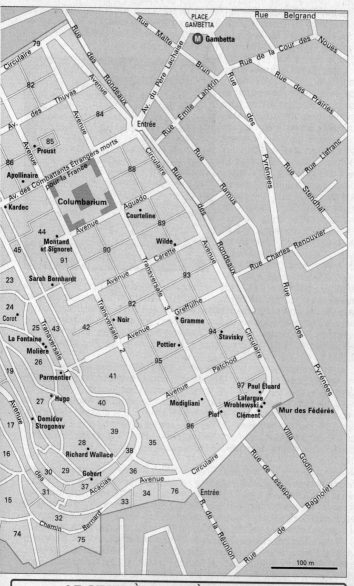

LE CIMETIÈRE DU PÈRE-LACHAISE

– Pas loin de **Géricault** et de son *Radeau de la Méduse* (voir l'histoire de ce drame dans le texte du musée du Louvre, au paragraphe des peintures françaises), on arrive aux chemins **Molière** et **La Fontaine,** menant évidemment à nos deux écrivains. Sur le tombeau de La Fontaine, une fable, bien sûr !

– Par le chemin Camille-Jodan, on passe devant la **famille Hugo** (sauf Victor, qui est au Panthéon), non sans saluer **Parmentier** et son plant de pommes de terre sculpté ; les vrais, systématiquement plantés par les jardiniers du cimetière, étant régulièrement volés par les amateurs de frites du Père-Lachaise... On arrive au *carré des maréchaux d'Empire*, compagnons d'armes de Napoléon devenus – sauf Ney, fusillé pendant les Cent Jours – de grands notables de la Restauration et de la monarchie de Juillet. Beaucoup de tombes somptuaires. La plus grandiose, celle du général **Gobert,** magnifié par David d'Angers grâce à l'argent

UNE NUIT AU CAVEAU

Si vous n'avez peur de rien, que vous ne craignez ni les fantômes ni les vampires, passez une nuit chez la princesse Demidoff-Strogonoff. Difficile de manquer son mausolée, qui soutient la falaise où serpente le chemin des Chèvres. Des zibelines, des têtes de loup et des marteaux de batteurs d'or rappellent que la famille fit fortune en exploitant des mines en Asie centrale. Une légende promet, à qui viendrait vivre dans le caveau, un paquet appréciable de roubles. Une perspective qui attire parfois des candidatures folkloriques. La dernière remonte à 1983. Tentez votre chance !

de son fils, bienfaiteur de l'Académie française. Pendant un siècle et demi, cette œuvre extraordinaire fera oublier qu'il rétablit l'esclavage en Guadeloupe. Au milieu de toutes ces gloires militaires, **Richard Wallace,** généreux Parisien d'adoption qui offrit à la capitale des dizaines de fontaines portant son nom. Son énorme chapelle, en face de **Cambacérès** et côté du maréchal **Mortier,** tué par la machine infernale de Fieschi (1835), fait concurrence au tombeau du général **Foy,** adversaire de Charles X.

– Descendons les escaliers pour rejoindre le *rond-point de Casimir-Périer,* Premier ministre de Louis-Philippe, mort du choléra. Encore un énorme monument destiné à supplanter celui du général Foy, lieu de pèlerinage bonapartiste. Tout près, au milieu des compagnons de Napoléon, le philosophe positiviste **Auguste Comte** avec sa statue offerte par des admirateurs brésiliens, et le chanteur des Doors, mort à 27 ans, **Jim Morrison.** Pendant des années espace de non-droit, le lieu, surveillé par un gardien, est maintenant redevenu calme. Une association récente, *Lizard King,* s'efforce de réhabiliter l'homme qui était aussi un poète et non un « hooligan ».

– Promenade dans la 11e division. C'est celle des artistes et des écrivains, dans l'ancien potager des jésuites, autour de l'académicien poète **Delille** (tombe classée) et de **Brongniart.** Il y a toujours du monde devant la tombe de **Chopin,** sur lequel veille la charmante muse de la Musique, son cœur étant à Varsovie : pas de jaloux entre Polonais et Français pour cet artiste à la double culture. Des vandales lui cassaient malheureusement régulièrement un doigt, qu'on a maintenant cessé de réparer... Tout près, **Pierre Desproges,** la **marquise de Condorcet, Bernardin de Saint-Pierre,** et de nombreux musiciens : **Michel Petrucciani, Boieldieu, Grétry, Bellini,** roi du bel canto, et **Méhul,** l'auteur du *Chant du départ.* Sans oublier le grand acteur **Talma** (chemin à son nom) et, depuis 2009, le chanteur **Alain Bashung,** « la force tranquille du rock ».

– Descendant le chemin Méhul, on arrive près d'**Héloïse et Abélard** désormais réunis pour l'éternité, après avoir laissé l'extraordinaire obélisque précolombien (maya, en béton !) du poète guatémaltèque Prix Nobel **Michel Angel Asturias.** La traversée de l'*ancien cimetière juif* (1809) montre les tombeaux du grand rabbin **David Sinztheim,** vénéré par les religieux, du peintre **Pissaro,** des **Rothschild** avec un double R et de la comédienne **Rachel,** grande amoureuse. Mais le plus étonnant est la fascinante sculpture de Préault pour **Jacob Robles,** *Le Silence,* qui n'a cessé d'intriguer depuis 1842.

– Passons dans la partie Alphand, mis à l'honneur à côté du banquier mécène **Cernuschi** (le musée), de **Barrias** et de l'homme politique **Charles Floquet,** pour lequel Dalou a exécuté une « République » modèle réduit de son chef-d'œuvre de la Nation. Dans ce secteur, aménagé sur d'anciennes carrières, beaucoup de belles chapelles : **Hautoy** (première femme chef d'entreprise), l'industriel chocolatier **Menier.** Dans l'une d'elles, **Marie Walewska,** maîtresse de Napoléon, et un peu plus loin leur fils **Alexandre,** ministre de Napoléon III. On passe devant la plus ancienne tombe du cimetière (juin 1804).

– Superbes sculptures de marbre pour **Cartellier** par ses élèves, dont Rude (*La Marseillaise* de l'Arc de Triomphe). À côté, *Pietà* pour **Cino Del Duca,** qui fit rêver des millions de jeunes filles avec le journal *Nous deux.* Le « nègre » d'Alexandre Dumas, **Auguste Maquet,** conduit à un superbe ensemble : **Balzac, Nerval, Michelet, Delacroix,** chapelle de **Viollet-le-Duc** pour le demi-frère de Napoléon III... C'est le site des derniers combats de la Commune, immortalisé par les peintres et les dessinateurs : le tombeau de **Charles Nodier,** poète, porte les traces des balles.

– Au sommet de cette partie ancienne du Père-Lachaise, l'immense pyramide conique à l'italienne, en forme de cheminée-phare pour un commerçant-diplomate, **Félix de Beaujour.** C'est le plus haut monument du Père-Lachaise (20 m), sans ressemblance aucune avec un phallus, comme voudraient le faire croire certains amateurs de messes noires, inconnues au Père-Lachaise.

– L'avenue transversale en face, autrefois bordée de peupliers, coupés par les Cosaques en 1814, puis de marronniers, est la dernière grande voie du cimetière historique. **Gilbert Bécaud** et ses voisins (**Marie Trintignant, Sophie Daumier,** un peu plus loin **Mouloudji,** proche de **Sarah Bernhardt**), ainsi que la *chapelle Greffulhe* de 1810, premier grand monument, la rendent très fréquentée.

En la traversant, on découvre la partie moderne du cimetière, dite « plateau » de Charonne.

En parcourant le plateau de Charonne

Aménagé en cimetière moderne par la IIIe République, cet espace n'est pas monotone, grâce à la plantation systématique d'arbres d'alignement, parmi lesquels de magnifiques cerisiers en fleur au printemps, un très beau *jardin du Souvenir* (le premier de France, 1985) sur lequel sont dispersées les cendres des personnes incinérées au crématorium, enfin, les descentes rapides sur la porte de la Réunion, près du célébrissime *mur des Fédérés,* que surplombe une petite colline artificielle accueillant quatre grands mémoriaux de la Déportation. De nombreux arbres ont poussé spontanément, au milieu des tombes, le vent portant les graines depuis le secteur historique contigu.

– À la charnière des deux espaces, la tombe d'**Allan Kardec,** philosophe fondateur du spiritisme. En face, le menhir de **Guillaume Apollinaire.** Un peu plus loin, **Yves Montand** et **Simone Signoret,** dans une tombe très simple.

– En face du dompteur **Pezon,** assis à califourchon sur son lion qui ne l'a pas dévoré, contrairement à la légende, l'*ancien cimetière musulman,* créé en 1856 à la demande de la Turquie, alliée de la France pendant la guerre de Crimée.

ESPRIT ES-TU LÀ ?

La tombe d'Allan Kardec est certainement la plus fleurie du Père-Lachaise. Né en 1804, Léon Rival prit comme pseudo Allan Kardec, son nom utilisé dans une vie antérieure lorsqu'il était druide. Père du spiritisme, il savait faire tourner les tables et entrer en contact avec les morts. Dans ses écrits, il avait prévu la Première Guerre mondiale et la baisse de l'autorité du pape. Kardec est toujours très célèbre au Brésil.

20e

– **Marcel Proust** monte la garde à l'entrée, le dictateur dominicain, général président **Rafaël Trujillo** (assassiné par la CIA en 1961) à la sortie. Certaines célébrités, dont une reine musulmane de l'Inde, un sultan de Zanzibar, un maire de Bombay, et, à côté des peintres Fontanarosa, un lieutenant de Yasser Arafat qui est venu lui rendre visite ; des adversaires politiques qui auraient voulu plastiquer sa tombe n'ont en fait que légèrement endommagé celle de... Proust.

– Mais le tombeau le plus visité reste celui de l'écrivain iranien **Sadegh Hedayat,** idole de ses compatriotes, comme celui d'Ahmet Kaya est le lieu de pèlerinage des Kurdes dans la partie Alphand.

– De grandes avenues rectilignes conduisent au *mur des Fédérés.* Une simple plaque rappelle que c'est là que les derniers combattants de la Commune furent sauvagement massacrés ; dernier acte de liquidation d'un énorme espoir... Sur le même sujet, passez donc dans le square Samuel-de-Champlain, attenant au cimetière. On y découvre la silhouette « Les Fantômes des Fédérés » qui surgit d'un mur : des silhouettes, contours de mains, qui expriment la détresse. Proches les uns des autres sur le parcours, les communards **André Gill** (*Au Lapin Agile* de Montmartre, pour ceux à qui aurait échappé ce jeu de mots sur son nom), **Eugène Pottier,** créateur de *L'Internationale,* et leurs compagnons politiques **Blanqui** et **Victor Noir** honorés par de superbes gisants de bronze du sculpteur Dalou. Celle de Victor Noir est sujette à polémique. Certains historiens affirment que le mythe du culte de la virilité post mortem (et bien lustrée) du jeune journaliste n'est qu'un canular d'étudiants dans les années 1960. D'autres se cramponnent à la belle légende du culte sexuel. Dans ce cas, on se sent plus proche de Mark Twain : « Quand la légende est plus belle que la vérité, j'imprime la légende. » **Raspail,** autre révolutionnaire célèbre enterré près de **Casimir Périer,** bénéficie de l'art d'Etex (somptueux adieu de sa femme défunte). Mais aussi **Paul Lafargue,** inoubliable auteur du *Droit à la paresse* et gendre de Karl Marx, puis **Laura Lafarge,** la fille de Marx justement, et **Valéry Wroblewski,** de nationalité polonaise, général de la Commune (ce qui rappela le caractère international de l'insurrection).

– Toujours sur le chemin du mur, le Belge **Gramme** (belle statue) inventeur de la dynamo, l'escroc **Stavisky** adossé à l'écrivain antisémite **Drumont,** le peintre **Modigliani** presque en face d'**Édith Piaf** (famille Gassion) à la tombe toujours très fleurie, qu'elle partage avec **Théo Sarapo** ; Marcel Cerdan est enterré à Perpignan, tandis que la violoniste **Ginette Neveu,** morte avec lui dans un accident d'avion, est derrière **Brongniart.** Tout près repose aussi désormais **Georges Moustaki.** Le tombeau le plus extraordinaire reste celui d'**Oscar Wilde,** chef-d'œuvre du sculpteur Epstein, monument classé ; la pierre tombale, teintée par le rouge à lèvres des femmes, régulièrement nettoyé, est désormais protégée par une plaque en verre.

LE VIEUX VILLAGE DE CHARONNE

Ce village, annexé, comme Montmartre, Auteuil, Vaugirard... en 1860, est l'un des moins connus des Parisiens. C'est celui qui conserva le plus longtemps son aspect originel. Il se développa avec l'exploitation des carrières de gypse. Malgré le percement des avenues Gambetta et Belgrand, et du boulevard de Charonne, le village n'eut pas trop à souffrir des grands travaux d'Haussmann. En revanche, sa population fut cruellement décimée par la répression versaillaise en 1871. Les coups de pioche des promoteurs ont longtemps mis au jour des charniers de fédérés, comme en 1897, lors de la réalisation d'un réservoir d'eau. On enterra des centaines de personnes dans le petit cimetière de l'église du village.

Charonne évoque un autre drame. On se souvient qu'en février 1962, au cours d'une manifestation en faveur de la paix en Algérie, la station de métro Charonne, qui se trouve plus bas dans le 11ᵉ arrondissement, fut le théâtre des exactions de la police : neuf morts, dont les noms sont discrètement rappelés pour mémoire sur une simple plaque de bronze dans les couloirs du métro.

Petite balade bucolique le nez au vent
(plan couleur B-C2)

➤ Descendez au métro porte de Bagnolet, sortie « Boulevard Mortier » *(plan couleur C2).* Montez la volée d'escaliers (81 marches !) de la rue du Père-Prosper-Enfantin, qui se trouve sur la droite au début de la rue Géo-Chavez, et vous voilà en pleine *campagne à Paris.* En haut, on découvre de croquignolettes maisons en pierre meulière ou en brique avec petits jardins fleuris et coquets balcons. Rue Irénée-Blanc, rue Jules-Siegfried, rue Georges-Perec, puis rue Paul-Strauss, les maisons sont toutes plus mignonnes les unes que les autres. L'explication se trouve derrière la place Octave-Chanute, où la rue des Montibœufs, aujourd'hui anodine, accueillait dans la première moitié du XIXe s une importante carrière de gypse. On construisit alors, au début du XXe s, sur les remblais, une centaine de pavillons bon marché pour les ouvriers.

➤ La rue du Capitaine-Ferber (belle façade de briques colorées au nº 20) mène à la *place Édith-Piaf,* où trône une petite statue en bronze de la môme. L'hommage peut également être rendu accoudé au bar de la place Édith-Piaf, au son d'un « Emportés par la foule... ».

🚶 Descendez ensuite la rue Pelleport (sans grand intérêt), qui débouche sur le *pavillon de l'Ermitage :* 148, rue de Bagnolet, 75020. ☎ 01-40-24-15-95. Ⓜ Porte-de-Bagnolet. Jeu-dim 14h-17h30. Congés : de mi-déc à début mars et août. Entrée : 3 € ; 1 € sur présentation de ce guide. Une folie Régence, un surprenant – et beau ! – petit témoin de ce que fut

QUELLE CHASSE AU TRÉSOR !

C'est un jour de décembre 1761 que le duc d'Orléans organise un jeu de piste au bout duquel sa maîtresse, Étiennette Marquis, dite Marquise, doit trouver son cadeau. Au fond du parc de Bagnolet, elle arrive enfin à l'Ermitage. Beau cadeau d'anniversaire !

le domaine de Bagnolet, propriété de la duchesse d'Orléans, fille naturelle et légitimée de Louis XIV et de Mme de Montespan. Quelques peintures murales (grisailles et décors néoclassiques) et des panneaux qui reconstituent clairement l'histoire du bâtiment. C'est grâce à la persévérance d'une association (qui gère également la tour Jean-sans-Peur dans le 2e arrondissement) que l'Ermitage est aujourd'hui ouvert au public.

➤ Prenez ensuite l'étroite rue des Balkans, avant d'arriver *rue Vitruve,* qui marque le début du village de Charonne. Notez sur votre gauche, au nº 80, la balustrade originale et colorée en fer forgé de l'auberge de jeunesse *D'Artagnan.* À droite, au nº 50, on aura une pensée émue pour la longue dame brune, Barbara, qui habita là de 1946 à 1959 (plaque sur l'immeuble).

➤ Revenez sur vos pas jusqu'à la *place des Grès,* qui marie l'ancien et le moderne. La perspective sur l'église est l'une des plus charmantes de Paris. Photo typique. Engagez-vous, sur la gauche, dans un passage pavé qui mène à un joli square et offre une belle vue sur les maisons du village Saint-Blaise.
De retour sur la *rue Saint-Blaise,* l'axe principal du vieux village depuis toujours, remarquez les jolies maisons restaurées, les pavés et les beaux lampadaires. Au nº 21, des appartements nichés dans une chouette courette verdoyante et, au nº 25, un bel escalier extérieur avec auvent en bois.

➤ On arrive alors sur la place Saint-Blaise, face à l'*église Saint-Germain-de-Charonne.* On devine l'animation villageoise qui devait régner dans les boutiques le jour de marché et on entend presque le bruit des chevaux s'engageait sur les pavés de la rue Saint-Blaise. À moins qu'il ne s'agisse des balles perdues par les *Tontons flingueurs,* puisque la scène finale du film culte de Lautner, avec Blier, Blanche, Ventura, entre autres, s'est déroulée ici.

Adorable et émouvante sur son tertre, avec son petit cimetière de campagne, l'*église* est la seule, avec Saint-Pierre de Montmartre, qui possède encore le sien. Édifiée au XIIᵉ s, reconstruite au XVᵉ s, puis amputée au XVIIIᵉ s de ses travées. Quelques rajouts au XIXᵉ s en font un petit chef-d'œuvre d'asymétrie. Aujourd'hui, de l'édifice original, seul subsiste le clocher. *Malheureusement des fouilles en cours la rendent inaccessible jusqu'à une date indéterminée.*

Balade agréable dans le charmant et modeste **cimetière,** où les arrosoirs traînent à côté de la fontaine. Quelques tombes originales avec statues et sculptures, ainsi que quelques personnalités : Robert Brasillach, romancier et poète (fusillé à la Libération pour collaboration), les fils d'André Malraux (tués dans un accident de voiture), qui ont rejoint leur mère Josette Clotis (broyée par les roues d'un train), que surplombent la statue et la sépulture de M. Bègue, dit le père Magloire, qui prétendait avoir été le secrétaire de Robespierre. Personne n'en croyait rien dans le village, car c'était un franc buveur, qui fut d'ailleurs enterré avec une bouteille de vin. Le long d'un mur, souvenir émouvant de nombreux fédérés, fusillés à la hâte.

De l'autre côté de la rue, le bâtiment peu esthétique est une autre église. Ne pas croire qu'à force de refuser du monde à Saint-Germain-de-Charonne on se décida à construire une autre église. Ce sont les croque-morts, qui, fatigués de grimper les marches, se plaignirent à leur syndicat de leurs conditions de travail et exigèrent une église de plain-pied ! Quand la réalité dépasse la fiction... Chouette petit square attenant.

➢ Remontez ensuite la **rue de Bagnolet,** que Thiers fit raboter pour que les charrettes de matériaux utilisés lors de la construction de son enceinte puissent grimper la pente. Résultat : de gros murs de soutènement furent édifiés tout le long du parcours, et le niveau des maisons domine la chaussée. Jetez un œil sur la droite, aux nᵒˢ 134 et 136, où se trouvent deux maisons typiques avec petits escaliers en fer à cheval.

MÉNILMONTANT

Une promenade dans Ménilmontant

➢ En partant du métro Père-Lachaise, engouffrez-vous dans la **rue des Amandiers** *(plan couleur A-B2).* Ce nouveau quartier populaire parisien n'en finit plus d'être réhabilité, au gré d'une architecture moderne plus ou moins heureuse. Échappez-vous *rue des Partants,* sur votre droite, pour commencer l'ascension. À droite, une petite place avec une fontaine Wallace, derrière laquelle se cache le poétique *jardin des Mûriers,* d'où vous entendrez les oiseaux au printemps.

➢ Poursuivez courageusement la remontée pour rejoindre la **rue Gasnier-Guy** et son minijardin partagé sur la gauche, qui répond au doux nom de « Papilles et Papillons ». Arrivé en haut, vous tombez sur une curieuse maison à l'architecture de faux rondins de bois en plâtre ! C'est aujourd'hui une crèche. Contournez complètement la butte qui se présente devant vous, par la gauche.

➢ Continuez à monter gentiment, embarqué dans la longue **rue Villiers-de-L'Isle-Adam** *(plan couleur B1-2),* pour jeter un coup d'œil à droite, à la cité des Écoles, tranquille petite rue piétonne avec ses maisons préservées et ses pots de fleurs sur le trottoir. Traversez la rue des Pyrénées pour emprunter les petits escaliers en face. Continuez tout droit jusqu'à apercevoir sur la gauche, au nᵒ 97, une belle petite maison, seule rescapée au milieu des immeubles.

➤ *L'impasse Villiers-de-L'Isle-Adam* mène à d'imposants immeubles en brique, avec de grandes voûtes en pierre et des grilles noires assez inamicales. C'est la cité 140, du numéro de la rue de Ménilmontant où elle débouche, construite en 1925 comme modèle d'habitation. Le *square Pierre-Seghers,* sur la droite, apporte une bouffée d'air à cet espace un rien oppressant.

➤ Poursuivez tout droit, à travers le *square des Saint-Simoniens (plan couleur B1),* d'où l'on ressort, après un tour de toboggan, par le passage du même nom. Redescendez la *rue de la Duée,* puis à droite la rue Pixérécourt. Juste avant le trompe-l'œil coloré, tournez à gauche pour redescendre les rues des Rigoles et de l'Ermitage (étonnante architecture du nº 42) jusqu'à la bruyante rue des Pyrénées, que l'on ne fait que traverser.

➤ Un peu plus bas, sur la gauche, la *cité Leroy,* avec ses lierres et ses petites maisons, est une jolie impasse agrémentée d'un petit jardin partagé entretenu avec amour et bien fleuri *(ouv sam ap-m et dim mat).* Et, sur la droite, la *villa de l'Ermitage,* un havre de paix où les habitations sont à hauteur d'homme et les courettes pleines de surprises. À savourer lentement. Une association se bat d'ailleurs pour préserver le lieu.

🍴 Si vous souhaitez faire une pause, revenez sur vos pas jusqu'à l'angle des rues des Pyrénées et de Ménilmontant (aux nᵒˢ 119-121). Vous êtes ici au *pavillon Carré de Baudouin,* étonnant édifice à l'architecture palladienne construit au XVIIIᵉ s pour servir de lieu de fêtes et de villégiature. Il abrite aujourd'hui un centre culturel, proposant expositions et conférences *(mar-sam 11h-18h ; GRATUIT).* Le sympathique jardin qui l'entoure semble appeler au repos.

➤ Descendez la rue de Ménilmontant jusqu'à la rue de l'Ermitage, que vous remonterez jusqu'aux pittoresques escaliers de la ruelle Fernand-Raynaud (à gauche), que l'on descend allègrement jusqu'à la *rue des Cascades (plan couleur B1).* À droite en bas, le célèbre *regard Saint-Martin* vous attend. Construit pour collecter l'eau d'une source qui jaillissait sur un terrain à forte pente juste au-dessus, le regard accueille toujours l'eau qui ruisselle sur le talus.

➤ Puis on ne résiste pas à l'envie de dévaler la charmante *rue de Savies,* avec ses grosses bornes en pierre. C'est ici que l'on tourna *Casque d'or* avec Simone Signoret et Serge Reggiani.

➤ En bas de la *rue de la Mare,* les amoureux des décors de cinéma continueront jusqu'au pont biscornu en escalier qui franchit le chemin de fer de la Petite Couronne.

➤ Descendez la rue jusqu'à l'*église Notre-Dame-de-la-Croix* (bel éclairage de nuit) et ses imposants escaliers. La *place de Ménilmontant* vous accueille sous des arbres feuillus avec une poignée de bancs et de petits cafés et galeries. De là, on peut rejoindre la station de métro Ménilmontant.

🍴 Heureuse transition entre Ménilmontant et Belleville, le *musée Édith-Piaf (plan couleur A2) :* 5, rue Crespin-du-Gast, 75011. ☎ 01-43-55-52-72. Ⓜ *Ménilmontant.* Lun-mer 13h-18h, sur rdv slt. Fermé juin et sept. GRATUIT. Visite guidée pour groupes sur demande. Deux petites pièces d'un appartement privé sont dédiées, depuis 1977, à la chanteuse phare de Belle-

NON, JE NE REGRETTE RIEN !

À 8 ans, Édith Piaf devint aveugle et recouvra la vue 4 ans après, lors d'un pèlerinage à Lisieux. À 19 ans, elle perdit sa petite fille d'une méningite. Son premier employeur, un directeur de cabaret, fut assassiné, et elle se retrouva accusée. Enfin, elle survécut à trois comas éthyliques.

ville : sa célèbre robe de scène noire, ses gants et ses chaussures de taille 34, les gants de boxe de Marcel Cerdan ainsi que les Disques d'or, les portraits, les photos et les lettres de l'artiste. Les fans de Piaf archivent et conservent tout ce patrimoine dans l'espoir de voir s'ouvrir un jour un grand musée de la chanson française, où la Môme Piaf côtoierait les autres grandes voix du pays.

BELLEVILLE

UN QUARTIER QUI BOUGE SANS PERDRE SON ÂME

Belleville est un grand village où se mêlent toutes les cultures et tous les genres : peintres et sculpteurs en quête d'inspiration, stars en mal d'intimité, artisans et vieux Bellevillois à la recherche du temps perdu. Antillais, Grecs, Espagnols, Asiatiques, Juifs et Arabes se côtoient dans une relative harmonie, et contribuent ainsi au dynamisme du quartier. Tout ce petit monde a instauré un équilibre, qu'il tient à conserver à tout prix.

Balade *(plan couleur A1)*

➤ À la sortie du métro Belleville, dans le grand café *La Vielleuse,* attardez-vous derrière les flippers, à gauche, devant le miroir brisé par un obus, où l'on pouvait lire apparavant cette inscription : « Malgré Bertha [NDLR : le canon allemand] qui la blessa le 9 juin 1918, elle n'a jamais cessé de jouer l'hymne de la victoire. » Une vielleuse est une joueuse de vielle. Puis, sur la droite du bar, on est pris de nostalgie devant de vieilles photos en noir et blanc qui nous parlent du Belleville d'autrefois.

➤ Quelques mètres plus haut, au 8, *rue de Belleville,* deux vieux troquets vous montrent le chemin. Entre la brasserie centenaire *Au Vieux Saumur* et le bar des années 1950 *Aux Folies,* avec sa façade style Art déco, entrez dans la *rue Dénoyez,* qui symbolise encore, avec la *rue Ramponeau* juste au bout, le vieux Belleville. Ces deux rues, en reconstruction permanente, abritent bon nombre de restos juifs sépharades, troquets animés et autres épiceries aux bonnes odeurs méditerranéennes.

➤ Continuez la rue Ramponeau jusqu'à déboucher sur la *rue Jouye-Rouve.* Levez un peu les yeux pour observer les deux bustes de femmes indiquant les nᵒˢ 13-15 et 15-17. Puis prenez à droite, vous arrivez en bas du *parc de Belleville (plan couleur A1) : tlj 8h (en sem) ou 9h (le w-e) jusqu'à 17h45 (oct-fin fév), 19h (mars), 20h30 (avr et sept) ou 21h30 (mai-août).* Depuis la rue Julien-Lacroix, suivez, à travers le parc, le chemin ondulant qui vous mènera à son sommet. À 108 m du sol, on y découvre tout Paris sous un autre jour avec, en prime, un très beau jardin en paliers qui offre une succession de plates-formes fleuries avec bassins en demi-lune, jets d'eau et autres subtils mariages de la nature avec l'architecture moderne. Une réussite. La cerise sur le gâteau, c'est la *Maison de l'air,* où petits et grands s'amusent, en échange d'un billet d'entrée *(GRATUIT),* avec le vent, le son et les nuages.

➤ Prenez ensuite la rue du Transvaal. Sur la droite, le discret *passage Plantin* transporte dans une tout autre atmosphère avec ses marches escarpées. On ne peut malheureusement pas entrer dans la *villa Castel* (mais essayer quand même !), au 16, rue du Transvaal. Alors on contemple à travers la grille les croquignolettes maisons qui se succèdent avec perrons, fenêtres ouvragées ou à balustres et ferronneries. Un calme total. Au fond, on imagine le petit jardin où François Truffaut tourna une scène de *Jules et Jim.*

Remontez ensuite la rue des Couronnes jusqu'au croisement avec la *rue de la Mare.* La belle école Levert est face à vous. Longez-la et montez les escaliers, puis prenez à gauche la bruyante rue des Pyrénées, que vous ne ferez que traverser avant de vous engager sur la rue Jourdain.

➤ Vous arrivez face à la belle *église gothique Saint-Jean-Baptiste-de-Belleville* (qui, si l'on doit être honnête, se trouve au 139, rue de Belleville, et donc dans le 19e !). Construite de 1854 à 1859, cette église présente de très beaux vitraux et peintures murales. Si vous la visitez un jour ensoleillé, notez les beaux reflets des vitraux sur les murs respectifs de la nef.

➤ Deux possibilités s'offrent alors à vous : reprendre le métro (station Jourdain) ou redescendre la rue de Belleville, qui cache, entre commerces et bazars modernes, quelques jolies courettes secrètes (notamment aux nos 151, 149, 145, 140 et 40). N'hésitez pas à tenter votre chance ou à revenir dans le quartier en mai, pendant les « Portes ouvertes de Belleville », un événement artistique d'envergure dans le quartier, au cours duquel ateliers d'artistes et arrière-cours livrent leurs secrets (● ateliers-artistes-belleville.org ●).

➤ *Place Fréhel,* à l'angle avec la rue Julien-Lacroix, un joli jeu de mots de l'artiste Ben et quelques bancs publics redonnent de l'âme à cet espace.
Puis, sur votre gauche, empruntez la rue de Tourtille pour accéder à la Forge, une ancienne usine squattée par de nombreux artistes, qui a été épargnée grâce à la mobilisation des habitants du quartier. Réhabilitée en lieu de résidence pour artistes, elle est devenue un lieu culturel actif.
Et vous voilà à proximité du métro Belleville.

ET JUSTE DE L'AUTRE CÔTÉ DU PÉRIPH'...

🍴🦇 *Le musée des Vampires :* 14, rue Jules-David, 93260 *Les Lilas.* ☎ 01-43-62-80-76. 📱 06-20-12-28-32. ● *museedesvampires.com* ● Ⓜ *Porte-des-Lilas. Ouv tlj 18h-minuit, mais slt sur rdv. Entrée : 8 €, kir compris. Le soir, formule 10 € (21 € avec dîner dans un resto voisin).* Voilà à coup sûr un des endroits les plus insolites d'Île-de-France... (oui, en fait, on a un peu triché parce qu'on n'est plus tout à fait dans Paris...). On entre ici dans l'univers incroyable de Jacques Sirgent, historien de son état, spécialiste (international) ès vampires. Il vous reçoit dans sa « maison des vampires » avec un sens évident de l'hospitalité et de la mise en scène. Bien difficile de décrire un tel lieu, tant l'expérience vécue par chacun sera différente... Plus qu'un musée, c'est un lieu d'échange, de partage. Jacques est érudit, mais c'est votre histoire qui l'intéresse... Et tel un vampire, il se nourrira de vos peurs, de vos rêves, de vos souvenirs. Intarissable, il vous expliquera pourquoi ces peurs remontent à la nuit des temps, s'attachera aux légendes, vous contera les procès de l'Inquisition, vous mettra en évidence les liens intimes qu'entretenaient l'Église et les créatures de la nuit, etc. Vous feuilletterez d'antiques ouvrages tout en discutant de la dernière adaptation cinématographique. Rien de glauque ou de macabre ici... Jacques ne voue aucun culte aux vampires ; il n'y croit même pas ! Ce qui l'intéresse, c'est le pourquoi et le comment du mythe et de la fascination que le vampire exerce depuis toujours sur l'homme et, plus encore, sur la femme. Évidemment, avec les années, il a accumulé une collection assez hallucinante d'objets, et son salon (le « musée » en fait) prend des airs de capharnaüm gothique. Mais tout cela ne vaut qu'animé par le maître des lieux. Il organise sur demande des soirées à thème, des dîners, des projections, ainsi que des visites du Père-Lachaise... Une expérience particulière qui peut plaire... ou pas !

20e

les *ROUTARDS sur la FRANCE 2015-2016*

(dates de parution sur • *routard.com* •)

Découpage de la FRANCE par le ROUTARD

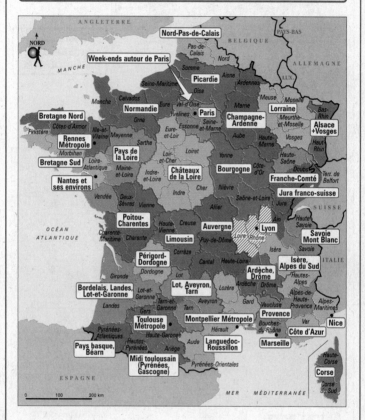

Autres guides nationaux

- La Loire à vélo (février 2015)
- Les grands chefs du Routard
- Nos meilleurs campings en France
- Nos meilleures chambres d'hôtes en France
- Nos meilleurs hôtels et restos en France
- Nos meilleurs sites pour observer les oiseaux en France
- Tourisme responsable

Autres guides sur Paris

- Paris
- Paris à vélo
- Paris balades
- Restos et bistrots de Paris
- Le Routard des amoureux à Paris
- Week-ends autour de Paris

les ROUTARDS sur l'ÉTRANGER 2015-2016

(dates de parution sur • routard.com •)

Découpage de l'ESPAGNE par le ROUTARD

Découpage de l'ITALIE par le ROUTARD

Autres pays européens

- Allemagne
- Angleterre, Pays de Galles
- Autriche
- Belgique
- Budapest, Hongrie

- Crète
- Croatie
- Danemark, Suède
- Écosse
- Finlande
- Grèce continentale
- Îles grecques et Athènes
- Irlande
- Islande

- Madère (mai 2015)
- Malte
- Norvège
- Pologne
- Portugal
- République tchèque, Slovaquie
- Roumanie, Bulgarie
- Suisse

Villes européennes

- Amsterdam et ses environs

- Berlin
- Bruxelles
- Copenhague
- Dublin
- Lisbonne
- Londres

- Moscou
- Prague
- Saint-Pétersbourg
- Stockholm
- Vienne

les ROUTARDS sur l'ÉTRANGER 2015-2016

(dates de parution sur • *routard.com* •)

Découpage des ÉTATS-UNIS par le ROUTARD

Autres pays d'Amérique

- Argentine
- Brésil
- Canada Ouest
- Chili et île de Pâques

- Équateur et les îles Galápagos
- Guatemala, Yucatán et Chiapas
- Mexique

- Montréal
- Pérou, Bolivie
- Québec, Ontario et Provinces maritimes

Asie

- Bali, Lombok
- Bangkok
- Birmanie (Myanmar)
- Cambodge, Laos
- Chine
- Hong-Kong, Macao, Canton

- Inde du Nord
- Inde du Sud
- Israël et Palestine
- Istanbul
- Jordanie
- Malaisie, Singapour
- Népal

- Shanghai
- Sri Lanka (Ceylan)
- Thaïlande
- Tokyo, Kyoto et environs
- Turquie
- Vietnam

Afrique

- Afrique de l'Ouest
- Afrique du Sud
- Égypte

- Kenya, Tanzanie et Zanzibar
- Maroc
- Marrakech

- Sénégal
- Tunisie

Îles Caraïbes et océan Indien

- Cuba
- Guadeloupe, Saint-Martin, Saint-Barth

- Île Maurice, Rodrigues
- Madagascar
- Martinique

- République dominicaine (Saint-Domingue)
- Réunion

Guides de conversation

- Allemand
- Anglais
- Arabe du Maghreb
- Arabe du Proche-Orient
- Chinois

- Croate
- Espagnol
- Grec
- Italien
- Japonais

- Portugais
- Russe
- G'palémo (conversation par l'image)

Le Routard Express

- Amsterdam (septembre 2014)
- Barcelone
- Berlin
- Bruxelles (septembre 2014)
- Lisbonne (septembre 2014)

- Londres
- Madrid
- New York
- Prague
- Rome
- Venise

Nos 1200 coups de cœur

- France (oct 2014)
- Monde

PETITS TRUCS ET ASTUCES
POUR ÉVITER LES ARNAQUES !

Un routard informé en vaut deux ! Pour éviter les arnaques en tous genres, il est bon de les connaître. Voici un petit vade-mecum destiné à parer aux coûts et aux coups de bambous. À commencer par **l'affichage des prix** : dans les hôtels comme dans les restos, il est **obligatoire** et doit être situé à l'extérieur de l'établissement, de manière visible. Vous ne pouvez donc contester des prix exorbitants que s'ils ne sont pas clairement affichés.

À L'HÔTEL

1 - Arrhes ou acompte ? : au moment de réserver votre chambre par téléphone – par précaution, toujours confirmer par écrit (ou mail) – il n'est pas rare que l'hôtelier vous demande de verser à l'avance une certaine somme, celle-ci faisant office de garantie. Il est d'usage de parler d'arrhes et non d'acompte (en fait, la loi dispose que « sauf stipulation contraire du contrat, les sommes versées d'avance sont des arrhes »). Légalement, aucune règle n'en précise le montant. Toutefois, ne versez que des arrhes raisonnables : 25 à 30 % du prix total, sachant qu'il s'agit d'un engagement définitif sur la réservation de la chambre. Cette somme ne pourra donc pas être remboursée en cas d'annulation de la réservation, sauf cas de force majeure qu'il vous faudra justifier (maladie ou accident) ou en accord avec l'hôtelier si l'annulation est faite dans des délais jugés raisonnables. Si, au contraire, l'annulation est le fait de l'hôtelier, il doit vous rembourser le double des arrhes versées. À l'inverse, l'acompte engage définitivement client et hôtelier.

2 - Subordination de vente : comme les restaurateurs, les hôteliers ont interdiction de pratiquer la subordination de vente. C'est-à-dire qu'ils ne peuvent pas vous obliger à réserver plusieurs nuits d'hôtel si vous n'en souhaitez qu'une. Dans le même ordre d'idées, on ne peut vous

> ### « QUI DORT DÎNE ! »
> *Cet adage, venu du Moyen Âge, signifie que les hôteliers imposaient le couvert aux clients qui prenaient une chambre. Déjà de la vente forcée !*

obliger à prendre votre petit déjeuner ou vos repas dans l'hôtel ; ce principe, illégal, est néanmoins répandu dans la profession, toléré en pratique, surtout en haute saison... notamment dans les zones touristiques, où la demande est bien plus importante que l'offre ! Bien se renseigner.

3 - Les réservations en ligne : elles se sont généralisées. Par l'intermédiaire de sites commerciaux ou en direct sur les sites des hôtels, elles sont simples et rapides. Mais voilà, les promesses ne sont pas toujours tenues et l'on constate parfois des dérives, notamment via les centrales de résa telles que promos bidons, descriptifs exagérés, avis d'internautes truqués... Des hôteliers s'estiment étranglés par les commissions abusives. N'hésitez pas à contacter l'hôtel sur son site pour vous faire préciser le type de chambre que l'on vous a réservé (sur rue, sur jardin ?).

4 - Responsabilité en cas de vol : un hôtelier ne peut en aucun cas dégager sa responsabilité pour des objets qui auraient été volés dans la chambre d'un de ses clients, même si ces objets n'ont pas été mis au coffre. En d'autres termes, les éventuels panonceaux dégageant la responsabilité de l'hôtelier n'ont aucun fondement juridique.

5 - En cas d'annulation : si vous avez réservé une chambre (sans avoir rien versé) et que vous avez un empêchement, passez un coup de téléphone pour annuler, c'est la moindre des politesses. Trop peu de gens le font, ce qui rend les hôteliers méfiants.

AU RESTO

1 – Menus : très souvent, les premiers menus (les moins chers) ne sont servis qu'en semaine ou que le midi, et avant certaines heures (12h30 et 20h30 généralement). C'est parfaitement légal, à condition que ce soit clairement indiqué sur le panneau extérieur : à vous d'être vigilant et d'arriver dans les bons créneaux horaires ! Il peut arriver que ce soit écrit en tout petit. Par ailleurs, bien vérifier que le « menu d'appel », le moins cher donc, est toujours présent dans la carte qu'on vous donne une fois installé. Il arrive qu'il disparaisse comme par enchantement. N'hésitez pas à le réclamer si vous êtes entré pour ce menu précis.

2 – Le « fait maison » : grande « tendance culinaire » de ces dernières années, les plats sous-vide ou congelés achetés par les restaurateurs, réchauffés sur place et « agrémentés » d'une petite touche personnelle pour noyer le poisson (ou la souris d'agneau). Malheureusement, aucune législation n'impose actuellement de préciser si les plats sont réellement préparés ou non sur place. Quelques trucs très simples : la transparence de la carte déjà, où sont cités les producteurs, pêcheurs et autres fournisseurs. On peut aussi demander ce qu'il en est au serveur. Sa franchise (ou son embarras) vous en dira long. Autre indice : si la carte n'est composée que de plats passe-partout (filets de rouget poêlés, blancs de poulet en sauce bidule, souris d'agneau…) faisant fi des saisons, c'est mauvais signe.

3 - Commande insuffisante : il arrive que certains restos refusent de servir une commande jugée insuffisante. Sachez, toutefois, qu'il est illégal de pousser le client à la consommation. Mais l'on peut également comprendre que commander un seul plat pour 3 personnes peut agacer un tantinet le restaurateur. Tout est une question de juste équilibre.

4 - Eau : une banale carafe d'eau du robinet est gratuite – à condition qu'elle accompagne un repas – sauf si son prix est affiché. On ne peut pas vous la refuser, sauf si elle est jugée impropre à la consommation par décret. La bouteille d'eau minérale quant à elle doit, comme le vin, être ouverte devant vous. L'arnaque dans certains restos « pousse-conso » consiste à proposer d'emblée une eau minérale et de la facturer 7 €, voire plus… À la question du serveur : « …et pour l'eau, Badoit ou Vittel ? » vous êtes en droit de répondre « une carafe ! ».

5 - Vins : les cartes des vins ne sont pas toujours très claires. Exemple : vous commandez un bourgogne à 16 € la bouteille. On vous la facture 32 €. En vérifiant sur la carte, vous découvrez que 16 € correspondent au prix d'une demi-bouteille. Mais c'était écrit en petits caractères illisibles. Attention au prix parfois exorbitant des vins au verre. Abus bien courant, l'année de référence n'est plus disponible : on vous sert un millésime plus récent mais au même tarif ! Vous devez obligatoirement en être informé avant le débouchage de la bouteille.

6 - Couvert enfant : le restaurateur peut tout à fait compter un couvert par enfant, même s'il ne consomme pas, à condition que ce soit spécifié sur la carte. Parfois il est libellé « Enfant ne mangeant pas », tant d'euros ! Cela dit, ce n'est quand même pas courant et ça donne une petite idée de la générosité du restaurateur !

7 - Sous-marin : après le coup de bambou et le coup de fusil, celui du sous-marin. Le procédé consiste à rendre la monnaie en plaçant dans la soucoupe (de bas en haut) : les pièces, l'addition puis les billets. Si l'on est pressé, on récupère les billets en oubliant les pièces cachées sous l'addition. Malin !

N'oublions pas que l'hôtellerie et la restauration sont des métiers de service, qui ne souffrent ni l'approximation, ni les (mauvais) écarts. Nous supprimons de nos guides tous les établissements qui abusent. Mais la réciproque est aussi valable : tout est question de respect mutuel.

Bonne route !

INDEX DES BISTROTS, RESTOS ET BOÎTES

Les établissements suivis du logo ♿ ont un accès facilité pour les personnes handicapées.

A

B

H

I

J

K

L

M

N

O

P

Q

R

S

T

INDEX DES BISTROTS, RESTOS ET BOÎTES

INDEX DES BISTROTS, RESTOS ET BOÎTES

INDEX DES RUES, JARDINS, MUSÉES ET MONUMENTS

A

B

INDEX DES RUES, JARDINS, MUSÉES ET MONUMENTS

C

D

E

F

G

INDEX DES RUES, JARDINS, MUSÉES ET MONUMENTS

L

M

N

O

P

Q

R

OÙ TROUVER LES CARTES ET LES PLANS ?

INDEX DES RUES, JARDINS, MUSÉES ET MONUMENTS

Cher lecteur, côté culturel, voilà au fil de ces pages les sites et musées incontournables ou coups de cœur que nous avons choisi de développer. À ceux qui veulent prolonger la balade, nous recommandons notre *Routard Paris balades*.

IMPORTANT : DERNIÈRE MINUTE

Sauf rare exception, le *Routard* bénéficie d'une parution annuelle à date fixe. Entre deux dates, des événements fortuits (formalités, taux de change, catastrophes naturelles, conditions d'accès aux sites, fermetures inopinées, etc.) peuvent modifier vos projets en voyage. Pour éviter les déconvenues, nous vous recommandons de consulter la rubrique « Guide » par pays de notre site • *routard.com* •, et plus particulièrement les dernières *Actus voyageurs.*

Les **Routards** *parlent aux* **Routards**

Faites-nous part de vos expériences, de vos découvertes, de vos tuyaux.
Indiquez-nous les renseignements périmés. Aidez-nous à remettre l'ouvrage à jour.
Faites profiter les autres de vos adresses nouvelles, combines géniales... On adresse un exemplaire gratuit de la prochaine édition à ceux qui nous envoient les lettres les meilleures, pour la qualité et la pertinence des informations. Quelques conseils cependant :
– Envoyez-nous votre courrier le plus tôt possible afin que l'on puisse insérer vos tuyaux sur la prochaine édition.
– N'oubliez pas de préciser l'ouvrage que vous désirez recevoir.
– Vérifiez que vos remarques concernent l'édition en cours et notez les pages du guide concernées par vos observations.
– Quand vous indiquez des hôtels ou des restaurants, pensez à signaler leur adresse précise et, pour les grandes villes, les moyens de transport pour y aller. Si vous le pouvez, joignez la carte de visite de l'hôtel ou du resto décrit.
– N'écrivez si possible que d'un côté de la lettre (et non recto verso).
– Bien sûr, on s'arrache moins les yeux sur les lettres dactylographiées ou correctement écrites !
En tout état de cause, merci pour vos nombreuses lettres.

Les Routards parlent aux Routards :
122, rue du Moulin-des-Prés, 75013 Paris

e-mail • guide@routard.com •
internet • routard.com •

Routard Assurance *2015*

Née du partenariat entre *AVI International* et le *Routard*, *Routard Assurance* est une assurance voyage complète qui offre toutes les prestations d'assistance indispensables à l'étranger : dépenses médicales, rapatriement médical, caution et défense pénale, responsabilité civile vie privée et bagages. Présent dans le monde entier, le plateau d'assistance d'*AVI International* donne accès à un vaste réseau de médecins et d'hôpitaux. Pas besoin d'avancer les frais d'hospitalisation ou de rapatriement. Numéro d'appel gratuit, disponible 24h/24. *AVI International* dispose par ailleurs d'une filiale aux États-Unis qui permet d'intervenir plus rapidement auprès des hôpitaux locaux. *AVI International* est un courtier reconnu qui gère lui-même ses dossiers et garantit une réponse rapide et simple. C'est aussi la filiale d'un groupe (SPB) présent à l'international. Pour toutes vos questions : ☎ 01-44-63-51-00 ou par mail • routard@avi-international.com • Conditions et souscription sur • avi-international.com •

Édité par Hachette Livre (43, quai de Grenelle, 75905 Paris Cedex 15, France)
Photocomposé par Jouve (45770 Saran, France)
Imprimé par Jouve 2 (Quai n° 2, 733, rue Saint-Léonard, BP 3, 53101 Mayenne Cedex, France)
Achevé d'imprimer le 8 septembre 2014
Collection n° 15 - Édition n° 01
38/2223/1
I.S.B.N. 978-2-01-245912-0
Dépôt légal : septembre 2014

PAPIER À BASE DE
FIBRES CERTIFIÉES

hachette s'engage pour l'environnement en réduisant l'empreinte carbone de ses livres.
Celle de cet exemplaire est de :
600 g éq. CO₂
Rendez-vous sur
www.hachette-durable.fr